Edition Axel Menges

Walter Kieß

# Urbanismus im Industriezeitalter

Von der klassizistischen Stadt zur Garden City

Ernst & Sohn

© 1991 Ernst & Sohn Verlag für Architektur
und technische Wissenschaften, Berlin
ISBN 3-433-02038-8

Reproduktionen: Repro GmbH Fellbach, Fellbach
Satz: Ditta Ahmadi, Berlin
Druck: Mercedes-Druck GmbH, Berlin
Bindearbeiten: Lüderitz & Bauer, Berlin

Gestaltung: Axel Menges

Herstellerische Betreuung: Fred Willer

## Vorwort

Die Absicht, eine Darstellung des Urbanismus im Industriezeitalter von der klassizistischen Stadt bis zur Garden City zu geben, bedarf sicher keiner besonderen Rechtfertigung. Zu sehr sind in unserer heutigen Stadtbaupraxis die aus den Anfängen der Industrialisierung herrührenden strukturellen Vorgaben noch wirksam, als daß deren Entstehungsursachen und deren Bedingtheit übergangen oder negiert werden dürften. Kenntnisse darüber sind deshalb für die an städtebaulichen Entscheidungen beteiligten Nichtfachleute genauso wertvoll und hilfreich wie für die Stadtplaner und Architekten. Zudem finden sich in der neueren deutschen Fachliteratur kaum Publikationen, die gezielt auf das Thema des Städtebaus im industriellen Zeitalter eingehen; es wird zumeist nur im Rahmen einer Gesamtdarstellung der Neuzeit behandelt.

Jedoch ist dem vielseitigen Thema des Urbanismus mit einer Dokumentation nicht gedient, die hauptsächlich auf das äußere Erscheinungsbild der Industriestadt ausgerichtet ist. Erfaßt werden müssen vielmehr jene Komponenten, die den Stadtentwicklungsprozeß bestimmen: die Bestrebungen, Ziele und Zwänge der handelnden Institutionen und Personen und die in den jeweiligen Zeitabschnitten wirksame Lebensart, soziale Einstellung und Stadtbauauffassung. Erst unter Berücksichtigung all dieser Gesichtspunkte lassen sich letzten Endes jene komplexen Wirkungszusammenhänge herausarbeiten, die für die Ausprägung der Stadtform in neuerer Zeit maßgebend gewesen sind.

In diesem Sinne und mit dieser Ausrichtung bin ich den im Hintergrund wirksamen politischen und sozialen Kräften nachgegangen. Sie zu erfassen und ihren Anteil am Urbanisierungsablauf zu verdeutlichen war deshalb ein wichtiges Ziel meiner Untersuchungen. Trotzdem bleiben die formalen Kategorien des Städtebaus, soweit sie eine Rolle spielen, keineswegs unbeachtet; sie treten aber im Zeitalter des Konstitutionalismus und des Liberalismus nicht mehr beherrschend in den Vordergrund.

Selbstverständlich hätte ich diese über einen langen Zeitraum hingezogenen Studien nicht betreiben können, wenn mir nicht von meiner Familie die dafür notwendige Muße und Zeit zugestanden worden wäre. So habe ich an erster Stelle meiner Frau und meinem Sohn zu danken. Außerdem gilt mein Dank auch all denen, die mit Hinweisen, Anregungen und Einwänden zur Durchdringung des Stoffes sowie zur Ausformung der Publikation beigetragen haben, ganz besonders Axel Menges vom Verlag Ernst & Sohn, der als kenntnisreicher und immer engagierter Lektor mit vielen Ratschlägen und Ideen ganz wesentlich zum Abschluß dieser Arbeit beigetragen hat. Danken möchte ich zudem beim Verlag Ernst & Sohn Dorothea A. Duwe für ihre Mitarbeit an diesem Projekt und Regine Lassen für die mühevolle Durchsicht des Textes sowie für die Beschaffung der Berlin-Abbildungen, außerdem Brigitte Weitbrecht aus Stuttgart für ihren Beitrag zur Textkorrektur.

Walter Kieß

# Inhalt

## Zur Einführung

Seit der Antike stellt die Stadt einen baulich hervorgehobenen Topos der Menschen dar, in dem sich ihre zivilisatorischen Bedürfnisse und ihre kulturellen Vorstellungen bündeln. So wie die griechische Polis, die römische Colonia und die mittelalterliche Civitas die Summe der Lebensinhalte der jeweiligen Zeit zum Ausdruck bringen, so ist die heutige Stadt ganz wesentlich durch den politisch-sozialen Wandel seit der Französischen Revolution und durch die Industrialisierung geprägt.

Vor diesem Hintergrund ist es für uns heute aufschlußreich und faszinierend zugleich, den Ausbau und den Neubau der Städte im Industriezeitalter zu verfolgen und die dabei wirksamen Abläufe und Vorgehensweisen herauszuarbeiten. Denn allzu leicht vergißt derjenige, der mit den augenblicklichen Problemen der Stadtplanung beschäftigt ist, die Tatsache, daß der Bau von Städten immer wieder gleichartigen morphologischen Mustern und architektonischen Kompositionsprinzipien folgt – daß also unter diesem Aspekt stadtbaugeschichtlichen Betrachtungen paradigmatische Bedeutung zukommt. Und gerade auf das Industriezeitalter bezogen, ergibt sich ein geschichtlicher Ablauf, wie er kontrastreicher und spannungsvoller nicht ausgedacht werden könnte: Die herkömmlichen, durch ihre Historie geprägten Städte wurden, wie an Manchester, Lyon, Berlin und an vielen anderen Beispielen zu beobachten ist, in verschiedenen Schüben von der Industrialisierung erfaßt und im unvorbereiteten Zustand durch diesen metabolischen Vorgang auf einen heute fast unvorstellbaren Tiefpunkt formaler Destruktion, hygienischer Unzulänglichkeit und sozialer Disfunktionalität zurückgeworfen; dieser Tatbestand alarmierte indes wieder jene Kräfte, die an die Zukunft der Stadt glaubten und neue Perspektiven entwickelten. Ihre Lösungsvorschläge reichten von der phantastischen Projektion der Sozialutopie bis zu der realistischen Stadttransformation durch Straßendurchbrüche, Platzgestaltungen und Quartiersanierungen oder bis zum Bau von Arbeiterkolonien. Als Ende des 19. Jahrhunderts das Dampfmaschinenzeitalter seinen Abschluß fand und die frühindustriellen Laisser-faire-Exzesse überwunden waren, hatte auch der Städtebau eine Stufe erreicht, auf der die Planer sich wieder der ästhetischen Seite der Stadt zuwenden konnten, ohne ihre übrigen Aspekte zu vernachlässigen. In diesem Ablauf tritt die Kontinuierlichkeit der Stadtbaugeschichte so offensichtlich zutage, daß die Fähigkeit der Stadt, Krisen zu überwinden, nicht bezweifelt zu werden braucht.

Allerdings wird jedem Beobachter, der sich mit Stadtbaugeschichte vor allem der neueren Zeit beschäftigt, sehr schnell bewußt, wie verschränkt und komplex die Ablaufprozesse auf diesem Gebiet sind. Struktur und Form der Stadt im Industriezeitalter sind nicht allein von den Planern und ihren Vorstellungshorizonten abhängig; sie sind in starkem Maße auch von politischen, sozialökonomischen und ideellen, wenn nicht sogar von ideologischen Kräften beeinflußt, deren Einwirken oft nicht leicht zu durchschauen ist. Um dieses ineinandergreifende Kräftefeld darzustellen, ist hier der im angelsächsischen und französischen Sprachraum gebräuchliche Begriff des Urbanismus zugrunde gelegt. Er soll in seiner universaleren Fassungskraft die Wirkungszusammenhänge des industriellen Städtebaus von den Gründungsabsichten bis zur stadtsoziologischen Bewährung verdeutlichen.

Natürlich legt bei diesem weitgefaßten Ansatz, der in jedem Fall über eine Formenlehre hinausreicht, die Fülle des Stoffes gewisse Einschränkungen nahe. Zum einen werden sich die Untersuchungen nur auf den Zeitraum zwischen der Französischen Revolution und der letzten Jahrhundertwende, also auf das 19. Jahrhundert, erstrecken. In dieser Zeitspanne vollzog sich in zeitlich verschobenen Phasen die erste Industrialisierung in den einzelnen Ländern, um dann gegen das Jahrhundertende in das neue Zeitalter der Elektrizität und der Motorisierung überzugehen. Zum anderen sind hier nur die wesentlichen urbanen Tendenzen und Strömungen dieses Zeitabschnitts in Großbritannien, Frankreich und Deutschland behandelt, um so die stadtbaugeschichtlichen Grundstrukturen in den maßgebenden Entwicklungszentren möglichst klar herauszustellen. Zwischenstufen und Nebenentwicklungen, die selbstverständlich vorhanden und wirksam gewesen sind, werden, soweit dies möglich ist, angedeutet. Mit dieser Konzeption hofft der Verfasser von der Geschichte her Problemstellungen in den Blickpunkt zu rücken, die uns auch heute noch berühren und beschäftigen und die, wie man im Vertrauen auf die Kontinuität der Urbanismusgeschichte annehmen kann, mit schöpferischer Phantasie, sozialem Verantwortungsbewußtsein und Ausdauer auch in Zukunft zu lösen sind.

# 1. Munizipalrevolution und Städteordnungen

## 1.1. Die französische Munizipalrevolution von 1789

Eine Geschichte des Urbanismus im 19. Jahrhundert hat, ebenso wie andere Disziplinen mit politischem und sozialem Hintergrund, von der Französischen Revolution von 1789 als dem großen geschichtlichen Umbruch auszugehen. Zwar haben die revolutionären Ereignisse in der Architektur selbst keine gravierenden Veränderungen bewirkt. Bekanntlich blieb die sogenannte Revolutionsarchitektur bei aller Vorliebe für stereometrische und autonome Baukörper, bei weitgehendem Verzicht auf Dekor und bei allem Hang zur Megalomanie weiterhin den klassischen Architekturprinzipien verpflichtet. Auch war die Zeitspanne der Revolutionsphase viel zu kurz, als daß sich neue Bauideen und Bauformen hätten voll entfalten können. Sobald sich jedoch der Blick auf die übergeordneten politischen Rahmenbedingungen der Architektur im urbanen Bereich ausweitet, wird schnell deutlich, welche tiefgreifenden Auswirkungen die Revolution für die politische Standortbestimmung der Städte gehabt hat. Denn mit dem Zusammenbruch des absolutistischen Staatssystems war folgerichtig auch eine neue verfassungsrechtliche Einstufung der Stadt verbunden. Dieser Vorgang läßt sich in Frankreich besonders klar verfolgen. In diesem Land hatten die Städte als »intermediäre Gewalten« bis in die Renaissance hinein eine bedeutsame wirtschaftliche und politische Rolle gespielt. Richelieu blieb es vorbehalten, außer dem Adel auch die Provinzstände und die Städte so weit zu entmachten, daß das Königtum ab der zweiten Hälfte des 17. Jahrhunderts uneingeschränkt zu herrschen imstande war.[1] Mit allen Rechten ausgestattet, konnte der Regent jederzeit durch Edikte, Reglements und Ordonnanzen in den Städten bauliche Anordnungen von größter Tragweite treffen und diese dann durch seine Statthalter (Intendants, Lieutenants und Prévôts) überwachen lassen. Selbst wenn in den größeren Städten noch ein »corps municipal« vorhanden war, blieb die höchste Instanz für städtebauliche Maßnahmen trotzdem der Landesherr. Ihm allein stand, vom übergeordneten Standpunkt der Landesverteidigung her gesehen, das Befestigungsrecht zu. Und wie stark gerade die Bedingungen der Fortifikation die Anlage der absolutistischen Stadt bestimmt haben, zeigt oft schon ihr Planbild. Sicher hat in vielen Fällen auch noch die Situierung des Residenzschlosses und der staatlichen Verwaltungs- und Repräsentationsbauten die Planstruktur bestimmt. Das Ergebnis war aber fast immer ein regelmäßiger, mit Architekturdominanten und Plätzen bereicherter Stadtausbau formal-ästhetischer Art, der sich ganz nach dem Willen des souveränen Herrschers richtete, auf die Bedürfnisse und Vorstellungen der Stadtbewohner jedoch zumeist keine Rücksicht nahm. Den Stadtplanern selbst blieb dabei nur wenig Spielraum für praktische, auf die Belange der Bevölkerung bezogene Strukturausformungen. Sie waren an die Vorgaben und Weisungen ihrer hohen Herren gebunden.[2] Diese relativ eindeutige und für den Planer unkomplizierte Situation mußte sich aber mit dem Ende des Absolutismus und mit dem Übergang zum konstitutionellen Verfassungsstaat ändern. Nach dem Sturm auf die Bastille am 14. Juli 1789 gab sich Paris in einem revolutionären Akt mit der »commune« eine neue Stadtverwaltung. Dieser Vorgang in der Metropole war wiederum für die Städte in den Provinzen das Signal zum Aufstand. Nun konnte sich endlich das Unbehagen an dem »despotisme féodal« artikulieren. Die frei gewordenen Städte verjagten die verhaßten königlichen Intendanten und beseitigten die Institutionen der alten Munizipalverfassung, soweit diese den Absolutismus überhaupt überdauert hatten. Neugegründete Komitees der Einwohnerschaft übernahmen fürs erste die städtischen Aufgaben. Die Landbewohner, vom Adel und von der Kirche noch mehr als die Städter durch Abgaben gepeinigt, schlossen sich diesem Aufstand ebenfalls an. Sie weigerten sich fortan, den Feudalherren den Zehnten zu entrichten, ja sie stürmten sogar in vielen Fällen die Adelssitze und brannten diese nieder. So erfaßte die Munizipalrevolution Stadt und Land gleichermaßen.[3]

Die neuen Vorstellungen einer zeitgemäßen Stadtverfassung umriß Brissot de Warville bereits in seiner Rede vom 21. Juli 1789. Er leitete aus der durch das Naturrecht garantierten Versammlungsfreiheit das Recht der in der Stadt zusammengeschlossenen Bürger ab, sich eine eigene Verfassung zu geben. Wenig später legte er seinen Plan in gedruckter Fassung vor,[4] der die Grundforderung beinhaltete, daß die Bewohner einer Stadt das Recht haben, sich selbst als Munizipalität zu konstituieren, das heißt eine Polizei und eine Verwaltung für alles einzurichten, was sie im urbanen Rahmen gemeinsam betrifft. Am 30. August 1789 nahm die allgemeine Repräsentantenversammlung der Pariser Kommune diesen Plan vorläufig an. Bald darauf wurde der »constituante« aber klar, daß das

Problem der Munizipalität im größeren Rahmen des neuen Staatsaufbaus gelöst werden mußte. Deshalb wurde die Munizipalitätenfrage in den einheitlich angelegten Verfassungsplan des Abbé Sieyès eingebunden. Dieser sah vor, das Land in Departements und Kommunen aufzuteilen, um auf diesen Ebenen in Form von regional abgestuften Volksvertretungen das Fundament für die Legislative und die Administration zu schaffen. Den Städten selbst war bei diesem Entwurf keine politische Funktion mehr zugedacht, sie sollten sich nur über die Kommunalversammlungen der Kantone, die als »municipalités« fungierten, politisch äußern können.[5] Sicherlich war die vorgeschlagene Verwandlung der Städte zu unselbständigen Verwaltungsbezirken nur der folgerichtige Endgedanke in Sieyès' System eines einheitlichen und zentralen Staates.[6]

Diese Mißachtung der Städte forderte aber sofort offenen Widerspruch heraus. Mirabeau, der wie Brissot de Warville einen eigenen Munizipalitätenplan entwickelte, billigte den Städten eine politisch viel aktivere Rolle zu: »Die Munizipalitäten sind um so wichtiger, als sie die Grundlage des öffentlichen Glücks bilden, die nützlichen Elemente einer guten Verfassung, das Heil aller Tage, die Sicherheit jedes Herdes, mit einem Wort, das einzige Mittel, das ganze Volk an der Regierung zu interessieren.«[7]

Als es dann zur entscheidenden Abstimmung in der Assemblée Nationale kam, konnte sich der vom Abgeordneten Thouret vertretene Gedanke der Großkommunen auf Kantonalbasis nach dem Sieyès-Plan nicht durchsetzen. Die Nationalversammlung erließ vielmehr am 12. November 1789 das Dekret, in allen Städten und Ortschaften eigene Munizipalitäten einzurichten. Das Munizipalgesetz vom 14. Dezember 1789 klärte dann die verfassungsrechtliche Stellung der Städte vollends ab. Nun fügten sich alle Gemeinden, auch jene, die sich in den revolutionären Wirren einen Sonderstatus zugelegt hatten, in eine einheitliche Kommunalordnung ein. In der »commune« waren beide Funktionen vereinigt: die Unterordnung unter die Gewalt des Staates als Verwaltungsbezirk und die Autonomie mit einer eigenen Munizipalgewalt im Rahmen der Gemeinde. Deren Verwaltung kam in die Obhut von Gemeinderäten, die sich aus dem Bürgermeister (»maire«) und einer veränderlichen Anzahl von städtischen Beamten zusammensetzten. Nicht weniger als 44 828 Gemeinden entstanden daraufhin, und viele der bisher von feudalen Seigneurs abhängigen Landbewohner wurden endlich zu freien Bürgern. Der tiefere Gehalt dieser französischen Munizipalordnung ist später freilich sehr verschiedenartig interpretiert worden. Auf der einen Seite meinte man, die munizipale Demokratie sei unterdrückt worden, auf der anderen Seite sprach man von einer »Auflösung des Staates in souveräne Kommunen«.[8]

Mit diesem Erneuerungsakt aus der Frühphase der großen Revolution war die Existenz der städtischen Selbstverwaltungskörper aber noch keineswegs garantiert. Die zunehmende Tendenz zur Zentralisation vor allem unter der Schreckensherrschaft in den neunziger Jahren brachte die Lokalverwaltung Stück für Stück um ihre Rechte. Nach der Direktorialverfassung vom 22. August 1795 (5 fructidor an III) besaßen Gemeinden unter 5000 Einwohnern bereits keine Munizipalität mehr. Dementsprechend erlosch auch bei den Landbewohnern das Interesse am politischen Leben immer mehr, und so hatte Napoleon Bonaparte leichtes Spiel, in seiner imperialen Diktatur die am Schluß noch verbliebenen Selbstverwaltungsrechte der französischen Städte vollends zu eliminieren.


## 1.2. Die preußische Städteordnung von 1808

So ernüchternd sich der erste revolutionäre Vorstoß im französischen Städterecht auch ausnehmen mag, er blieb trotzdem nicht ohne Wirkung und Folgen für die übrigen Nationen. Im deutschen Bereich mußte die Idee der kommunalen Selbstverwaltung schon deshalb auf fruchtbaren Boden fallen, weil Erinnerungen an die einstige Städteherrschaft im Mittelalter (Reichsstädte, Hansestädte) geweckt werden konnten. Aber auch hier hatten die territorialen Landesherren den Städten längst ihre Privilegien entzogen, so daß jeder Erneuerungsversuch nicht mehr von der mittelalterlichen Ratsverfassung, sondern von den inzwischen erreichten Rechtsverhältnissen ausgehen mußte.[9] Nach den Reaktionen auf die Französische Revolution zu urteilen, war auch in den deutschen Ländern eine gesellschaftliche Erneuerung, ein sozialer Ausgleich auf die Dauer nicht zu umgehen. Die einzelnen Staatsregierungen konnten sich nicht mehr einfach über die neuen Produktionsbedingungen in den städtischen Zentren hinwegsetzen.

So war es auch für Preußen zu Anfang des 19. Jahrhunderts eine Frage der tieferen politischen Einsicht, die Städte als Schwerpunkte der Wirtschaft, der Industrie und des Handels anzuerkennen und an ihrem Sozialprodukt durch Steuerauflagen zu partizipieren. Im übrigen mußte jeder einsichtigen Regierung unter dem Eindruck der revolutionären Exzesse in Frankreich daran gelegen sein, die Bürger wenigstens auf der Gemeindeebene in das politische Leben einzubeziehen.

Es ist das Verdienst des Reichsfreiherrn Karl vom Stein (1757–1831), die Notwendigkeit für eine Lösung dieser Probleme in Preußen zu einem relativ frühen Zeitpunkt erkannt zu haben.[10] Damit dieser weitsichtige Politiker aber überhaupt seine Reformpläne vorbringen konnte, bedurfte es noch der vollständigen preußischen Niederlage im Jahre 1807. Nach diesem nationalen Debakel war auch in Preußen der Absolutismus mit seiner feudalen Agrarordnung und seinen Geburtsständen fragwürdig geworden. So erwirkte der nach dem Tilsiter Frieden auf Betreiben Napoleons zum preußischen Minister eingesetzte Freiherr vom Stein am 9. Oktober 1807 das »Edikt den erleichterten Besitz und freien Gebrauch des Grundeigentums sowie die persönlichen Verhältnisse der Landbewohner betreffend«. Jene Umwälzungen, die sich in Frankreich in den Revolutionsjahren 1789 bis 1795 vollzogen hatten, begannen nun auch das sozialpolitische Leben Preußens zu verändern. Dieses Edikt sicherte den Landbewohnern endlich die persönliche Freiheit, es entließ sie aus dem Zwangsgesindedienst der Gutsherren und gestattete ihnen, den Wohn- und Arbeitsort frei zu wählen. Die eklatanten Rechtsunterschiede zwischen den Ständen wurden vermindert, das Gefälle zwischen Stadt und Land abgebaut. Damit waren auch in Preußen die ersten Voraussetzungen für den großen Urbanisierungsprozeß des 19. Jahrhunderts geschaffen. Stein erkannte bald, daß diesem bürgerlichen Freiheits- und Gleichberechtigungsansatz ein für Stadt und Land gleichwertiger administrativer Aufbau nachfolgen mußte. Allerdings war dieses weitgesteckte Ziel nur sukzessive zu erreichen. In einer ersten Stufe galt es deshalb, zuerst einmal an die kooperative städtische Verfassung anzubinden und von diesem Bereich aus das Fundament für die politische und soziale Erneuerung des Staatswesens zu schaffen. Die folgende Reform verfolgte demnach zwei Ziele: die Gemeinden auf der Basis der kommunalen Selbstverwaltung zu organisieren und den einzelnen Gemeindemitgliedern die Freiheit in ihrem Handeln zu garantieren.

Die von Stein initiierte Städteordnung versuchte, diese Gedanken in die Tat umzusetzen.[11] Sie übernahm, nach dem Vorbild der französischen Munizipalrevolution, das demokratische Repräsentativsystem. Ein von den Bürgern auf sechs Jahre gewählter Stadtmagistrat hatte die Verwaltung der Gemeinde zu führen. Eine Besoldung erhielten in den kleineren Städten nur der Bürgermeister und der Kämmerer, in den großen Städten kamen noch einige weitere Mitglieder mit Fachausbildung, also auch ein hauptamtlicher Baurat, hinzu. Dieser städtischen Exekutive stand eine Stadtverordnetenversammlung gegenüber, der Stein eine starke Stellung zudachte. Sie sollte neben der städtischen Finanzwirtschaft, dem Schul- und Armenwesen und anderem auch die Stadtentwicklung und örtliche Baupolitik bestimmen. Dabei waren jedem Verwaltungszweig Deputationen und Kommissionen beigeordnet, die aus einigen wenigen Magistratsangehörigen, in der Mehrzahl aber aus Stadtverordneten oder Bürgern gebildet wurden. Die Tendenz zur Sicherung der individuellen Freiheit ging so weit, daß man sogar die Zünfte und städtischen Korporationen beseitigte. Gerade in diesem Punkt wird deutlich, wie wenig bei dieser Reform an eine Wiederherstellung des mittelalterlichen Städtewesens gedacht war. Die Reformer um Stein – vor allem Johann Gottfried Frey aus Königsberg – nahmen eher Anregungen aus England auf, wo Adam Smith in seinen sozialtheoretischen Erwägungen eine Aufhebung des unfreien merkantilistischen Wirtschaftssystems forderte.[12] Wie sehr diese Denkrichtung Stein beeinflußte, ergibt sich aus einer von ihm für die Regierung verfaßten Geschäftsinstruktion: »Bei allen Ansichten, Operationen und Vorschlägen der Regierung muß der Grundsatz leitend bleiben, niemand in dem Genuß seines Eigentums, seiner bürgerlichen Gerechtsame und Freiheit, so lange er in den gesetzlichen Grenzen bleibt, weiter einzuschränken, als es zur Beförderung des allgemeinen Wohles nötig ist ... Neben dieser (oben angeführter) Unbeschränktheit bei Erzeugung und Verfeinerung der Produkte ist Leichtigkeit des Verkehrs und Freiheit des Handels sowohl im Innern als mit dem Auslande ein notwendiges Erfordernis, wenn Industrie, Gewerbefleiß und Wohlstand gedeihen soll ... «[13] Stein wollte mit dieser Anordnung auf die freie Entwicklung der wirtschaftlichen Unternehmungen hinwirken, und er vertraute, genauso wie das englische Vorbild, auf die regulierenden Kräfte, die er in der freien Wirtschaft wirksam glaubte. Und ähnlich wie die französischen Physiokraten Munizipalitätenpläne auf der Basis der Selbstverwaltung entwickelt hatten,[14] wollte auch Stein eine volle Entfaltung der individuellen Kräfte im Rahmen des städtischen Gemeinwesens erreichen.

14

Für die Verhältnisse in Preußen erwiesen sich diese geradezu modern anmutenden Pläne jedoch als viel zu weitreichend. Stein wurde nach einjähriger Ministertätigkeit (Oktober 1807 bis November 1808) gestürzt und hatte nur noch die Genugtuung, daß der preußische König die von ihm konzipierte Städteordnung tatsächlich am 19. November 1808 unterzeichnete.

Was daraufhin folgte, war keineswegs die sinnvolle Anwendung dieser Ordnung im Geiste einer demokratischen und liberalen Erneuerung. Mit Hilfe von Deklarationen wurde zuerst einmal das staatliche Aufsichtsrecht über die Gemeinde ausgebaut. Ein Abgabegesetz von 1820 beschränkte die Autonomie der Gemeinden in der Besteuerung. Am 17. März 1831 folgte die »Revidierte Städteordnung«, deren Annahme den Städten zwar freigestellt wurde, die aber, trotz ihrer scheinbaren Fortschrittlichkeit, letzten Endes darauf hinauslief, die Städte wieder stärker unter die Kuratel des preußischen Staates zu bringen. Wäre die Emanzipation der Kommunen diesem Staat tatsächlich ein echtes Anliegen gewesen, dann hätte die Städteordnung durch eine weitergefaßte Kommunalordnung ergänzt werden müssen, die auch den Landgemeinden und Landkreisen Freiheit und Autonomie gewährt hätte. Das revolutionäre Frankreich hatte diesen Weg schon konsequent vorgezeichnet. Nach Steins Entlassung hütete sich Preußen, den immer noch vorhandenen Gegensatz von Stadt und Land auf administrativer Ebene auszugleichen, vor allem wohl deshalb, um die Patrimonialgewalt der Gutsherren in den östlichen Provinzen zu erhalten.[15] In den westlichen Landesteilen war dieser Ausgleich gar nicht notwendig, denn die rheinländische Verfassungsentwicklung zeigte schon seit dem Hochmittelalter für Stadt und Land die gleichen kommunalen Freiheiten und stand weit stärker als der Osten unter dem Einfluß des französischen Munizipalsystems. Berücksichtigt man noch, daß hier der Industrialisierungsprozeß bereits eingesetzt hatte, so werden auch die stärkeren Urbanisierungstendenzen in Westdeutschland verständlich.

An der konservativen Haltung der preußischen Stadt- und Gemeindepolitik änderte der Revolutionsversuch von 1848 nicht viel.[16] Die entworfene Reichsverfassung, die auch die Bedingungen für ein freiheitliches kommunales Leben formulierte, trat nie in Kraft. Immerhin gestand die von Friedrich Wilhelm IV. eigenmächtig erlassene »oktroyierte« Verfassung den Gemeinden die selbständige Verwaltung ihrer Angelegenheiten zu. Und die neue preußische Gemeindeordnung vom 11. März 1850 und die ihr angeschlossene Kreis-, Bezirks- und Provinzialordnung steckten zum ersten Mal ein einheitliches Gemeinderecht ab. Die retardierenden Kräfte des östlichen Agraradels wußten die hoffnungsvollen Ansätze jedoch rasch zunichte zu machen. In der »Städteordnung für die sechs östlichen Provinzen« vom 30. Mai 1853 wurden die alten Kreis- und Provinzialzustände restauriert und die obrigkeitliche Gewalt der Gutsherren über die Landgemeinden wiederhergestellt. Da Deutschland zu dieser Zeit kein politisch aktionsfähiges Bürgertum besaß – in den übrigen Landesteilen genausowenig wie in Preußen –, war vorerst den freiheitlichen Grundrechten der Stadt- und Landgemeinden keine volle Gültigkeit zu verschaffen. Dem politisch konservativen Staatssystem konnte nur noch die unaufhaltsame soziale Evolution die längst fälligen Reformen abtrotzen.


1.3. Die Reformen in den übrigen Ländern

Andere europäische Länder blieben von den revolutionären Ereignissen in Frankreich ebenfalls nicht unbeeinflußt. Für Belgien führte die Julirevolution von 1830 zur Ablösung von den Niederlanden und zur eigenen Staatsbildung in Form einer konstitutionellen Monarchie. Da dieses Land in den Revolutionskriegen 1794 französisch geworden war und den Begriff des »pouvoir municipal« kennengelernt hatte, nutzte es die Stunde der eigenen Revolution, um die Gemeinden zu selbständigen konstitutionellen Gebilden zu erklären.

In England kam es zur selben Zeit im Zusammenhang mit der Reformbill von 1831/32 zu einer Art kommunaler Revolution. Die Abschaffung der »rotten boroughs« (verfallenen Flecken) brachte eine neue Gruppierung ins Parlament und das Ende der mit ihnen verbundenen Gemeindeeinrichtungen. Nach der neuen Städteordnung von 1835 (»Municipal Corporations Act« of 1835) erhielten alle Steuerzahler das Wahlrecht für die neuen Gemeinderäte.[17] Fortan bildeten wenigstens die größeren Städte Korporationen des öffentlichen Rechts, denen allmählich immer neue Aufgaben – vom Erziehungswesen bis zum sozialen Wohnungsbau – zuwuchsen. Die Bevölkerung der schnell wachsenden Industriestädte erhielt damit die Möglichkeit, ihre Belange sowohl im größeren Rahmen des Parlaments wie auch im örtlichen Bereich der Lokalverwaltung zu vertreten. Den Landgemeinden blieb dieser Handlungsspielraum allerdings noch weitere 50 Jahre vorenthalten.

Welche Wirkungen haben diese mehr oder weniger fortschrittlichen Städteordnungen auf die Stadtentwicklung gehabt? Sicherlich waren dem bürgerlichen Stand wichtige Rechte zur kommunalpolitischen Betätigung zugewachsen. Die Städte konnten nun in eigener Regie ihre bauliche Entwicklung bestimmen. Ihren Baubeamten oblag die Planung, die von den übrigen Bürgern gewählte Gemeindeversammlung war berechtigt, die entworfenen Pläne zu kontrollieren. Diese Demokratisierung des Städtebaus stellt gegenüber der zur Zeit des Absolutismus geübten Praxis eine einschneidende Neuerung dar. Aber trotz dieser verheißungsvollen Perspektiven konnte vorerst von einem wirklichen Durchbruch zu einem bürgerlichen Bewußtsein in der Stadtbaupolitik und zu einer verantwortungsvollen Planung keine Rede sein. Zum einen verschlossen sich die Städteordnungen mit ihrem fiskalischen und administrativen Vorstellungshorizont noch weitgehend den sozialen und ökonomischen Erfordernissen der schnell wachsenden Industriestädte. Diese beinhalteten in der Tat mehr als nur die Subsumierung aller Einwohner und Grundstücke innerhalb einer zumeist willkürlich gezogenen Grenze. Sie waren auch mehr als nur die Einteilung eines Polizeibezirks durch die Obrigkeit. Zum anderen fehlte den Stadtbewohnern fast jeglicher Gemeinsinn. Sie waren sich noch keiner Mitverantwortung am baulichen Entwicklungsprozeß der Stadt bewußt. Eine gewissermaßen anonyme Beamtenschaft erledigte für sie ohne Hingabe und Phantasie, ohne gesellschaftliches Engagement und wirtschaftliche Voraussicht die unaufschiebbaren Tagesgeschäfte. Nur einigen wenigen, sozial weitblickenden Beobachtern blieb es überlassen, auf die städtebaulich unhaltbaren Zustände hinzuweisen. Letzten Endes fehlte bei der Verwaltung und der Bürgerschaft gleichermaßen der Wille, den Stadtentwicklungsprozeß unter Kontrolle zu bringen und auf neue Ziele auszurichten.

## 2. Industrielle Revolution und Städtewachstum

### 2.1. Die Rolle Großbritanniens

Während die politischen Errungenschaften der Munizipalrevolution unübersehbar sind und den Städten dadurch eine auch von den konservativen Kräften nicht mehr entziehbare verfassungsrechtliche Anerkennung verschafft wurde, erwiesen sich in Frankreich die Auswirkungen des revolutionären Geschehens auf dem landwirtschaftlichen, verkehrspolitischen und gewerblichen Sektor eher als bescheiden, wenn nicht sogar hemmend.[1] Das ist verständlich, wenn man die allgemeine Verarmung durch den Krieg, die Zerrüttung des Geldwesens durch den Assignatendruck, die Teilung und Verschleuderung der einst herrschaftlichen Güter usw. bedenkt.

In der Tat ist Frankreich trotz seiner konstitutionell fortschrittlichen Position nicht zum Ausgangspunkt der großen wirtschaftlichen Wende der neueren Zeit geworden.

Diese geschichtliche Bestimmung blieb Großbritannien vorbehalten, das bereits in seiner »glorreichen Revolution« von 1688/89 eine – wenn auch andersartige – politische Konsolidierung durchgemacht und auf unblutige Weise zur nationalen Einheit, religiösen Duldung und zur Achtung der persönlichen Freiheit gefunden hatte (»Declaration of Rights« vom 13. Februar 1689).

Das Schwergewicht der staatlichen Macht lag hier fortan beim Parlament. Nach Jakob II. (1685–88) vermochte kein König mehr gegen den Willen des Unterhauses zu regieren (Beginn der konstitutionellen Monarchie).[2] In frühgeorgianischer Zeit (1714–60) erhielten das britische Kabinettssystem und die Institution des dem Parlament verantwortlichen Premierministers ihre Ausprägung. Damit verfügte das Land über einen gut funktionierenden Regierungsapparat, bei dem Exekutive und Legislative eng verzahnt waren und die parlamentarische Kontrolle dennoch nicht fehlte. Dabei verblieb der führenden Gesellschaftsklasse ein weiter Spielraum für politische und wirtschaftliche Aktivitäten.[3] Mit diesem System, das sich rasch und flexibel den Erfordernissen der Zeit anpassen konnte, erlebte Großbritannien im 18. Jahrhundert einen Aufstieg ohnegleichen, der sowohl zur politischen wie auch zur wirtschaftlichen Vormachtstellung in der Welt führte und in der Eroberung Kanadas und in der Durchdringung Indiens gipfelte, aber auch den Abfall der nordamerikanischen Kolonien mit sich brachte. Im Gefolge dieser Ereignisse kam es zu einer ungeahnten Ausweitung des Handels. Die Londoner Ostindische Companie unterhielt Stützpunkte in Madras (1640/53), in Bombay (1672) und in Fort William, dem späteren Kalkutta (1695). Britische Waren gingen nach Indien und China, Süd- und Nordamerika, nach Venedig und in die Türkei. In Übersee taten sich Absatzmärkte auf, die jede Menge der im Mutterland erzeugten Waren aufnehmen konnten.[4] In dieser Konstellation und in der Tatsache, daß in Großbritannien genug Kapitalien, ein leistungsfähiges Banksystem und wagemutige Unternehmer vorhanden waren, liegen die eigentlichen Voraussetzungen für jenen weltverändernden Umbruch, den man seit Toynbee mit dem Begriff der »industriellen Revolution« zu erfassen versucht.[5] Daß die Perspektiven eines Welthandels und das Gefühl der politischen Weltgeltung über die praktische Betätigung hinaus zu einer theoretischen Begründung der britischen Unternehmungen herausforderte, ist verständlich. In diesem Sinne stellte Adam Smith (1723–90) mit seinem berühmten Werk *An Inquiry into the Nature and Causes of Wealth of Nations* (1776) nach der damaligen Auffassung den Sinn der Wirtschaft am klarsten heraus. Er sah den »Tausch« als ein natürliches Bedürfnis des Menschen an, das in Verbindung mit der Arbeitsteilung als Agens und Grundlage des »Volkswohlstandes« begriffen werden muß. Wenn der schottische Wirtschaftstheoretiker auch die regulierende Kraft des »allumfassenden Wohlwollens« zu optimistisch sah und die Bewegungsmechanismen des Kapitals nicht richtig einschätzte, so bleibt doch sein großes Verdienst, als erster die Grundeinsichten der modernen liberalen Ökonomie formuliert zu haben, die von den selbststeuernden und selbstregulierenden Kräften eines freien Handels (»free trade«) und nicht von Interventionen und Subventionen des Staates im Wirtschaftsprozeß ausgehen. Freilich konnte der Begründer dieser Wissenschaft, der durchaus auch Überlegungen zum Schutze des wirtschaftlich Schwächeren anstellte, nicht voraussehen, welchen Veränderungen sein liberales Wirtschaftsverständnis bald unterworfen sein sollte.[6] Der Drang der wohlhabenden Klassen in England – Adel wie Besitzbürgertum –, ihr Kapital im Freiraum des von ihnen ausgefüllten und kontrollierten Parlamentarismus im Sinne eines immerwährenden Wirtschaftswachstums arbeiten bzw. sich akkumulieren zu lassen, führte bald zu jenem »Manchestertum«, das zum Inbegriff der menschenver-

achtenden Frühindustrialisierung geworden ist. In diesem Zusammenhang spielen auch
die Malthussche Populationstheorie und das daraus abgeleitete Armengesetz von 1834
eine traurige Rolle.[7]

Ohne Zweifel machte der Auftrieb, den die Handelsausweitung hervorbrachte, den Weg
für Innovationen frei, durch die eine neue Stufe der Gütererzeugung ermöglicht wurde.[8]
Der Erneuerungsprozeß, der gegen 1760 noch vor der eigentlichen Industrialisierung
einsetzte, erfaßte alle wesentlichen Bereiche des wirtschaftlichen Lebens.[9]

## 2.2. Agrarrevolution, Straßen- und Kanalbau

Genaugenommen hatten die Umwälzungen in der Landwirtschaft in England schon
früher eingesetzt.[10] Durch neue Aussaatgeräte war es möglich, die Feldbestellung zu me-
chanisieren und den Bedarf an Arbeitskräften zu vermindern. Daneben entwickelten
aufgeschlossene Farmer neue Züchtungsmethoden, durch die die Viehbestände mit neu-
en Tierrassen wie etwa den berühmten Schafen – die New Leicesterbreed – aus der
Zucht von Robert Bakewell (1725–95) bereichert wurden. Durch die Fruchtwechselwirt-
schaft im sogenannten »Norfolk Four Course« (Abfolge von Weizen, Rüben, Gerste, Klee)
und durch die Verwendung von künstlichen Düngemitteln konnten die Bodenerträge in
bisher unbekanntem Maße gesteigert werden.[11] Die neuen Anbaumethoden, aber auch
das Urbarmachen von Heideland, die Rodung von Wäldern, die Drainage von Lehm-
und Moorböden, die Bewässerung von Wiesen (»watering meadows«) verwandelten bisher ungenutzte Flächen in Acker- und Weideland und ließen so die Landwirtschaft in
neue Dimensionen hineinwachsen.

Arthur Young (1741–1820), ein Vorkämpfer dieser neuen Agrikultur, plädierte dann auch
folgerichtig für die Einrichtung größerer landwirtschaftlicher Betriebseinheiten, für die
Absicherung von Pacht und Besitz und, unter dem Gesichtspunkt einer besseren Güterverteilung, für den Ausbau der Straßen.[12]

Die unter George III. (1760–1820) vor allem in den Midlands einsetzenden Einhegungen
der bisher gemeinschaftlichen Feldmark nach den »Bills for Inclosures of Commons«
entsprachen diesen Forderungen weitgehend.[13] Obwohl später viel kritisiert, erlaubten
sie endlich, das Land nach Bodenbeschaffenheit und Klima optimal zu nutzen. Wahrscheinlich waren sie aber auch, bei einer objektiven Einschätzung der damaligen Lage,
zur Getreideversorgung der wachsenden Bevölkerung in den Städten unumgänglich.
Aber da dabei den Großgrundbesitzern nur noch mehr Land zuwuchs, die kleinen Bauern jedoch, vor allem die unabhängigen Yeomen, die Existenzbasis verloren, so löste diese »Exclosure-Bewegung«, die ihren Höhepunkt zwischen 1800 und 1810 erreichte, einen
Ablösungsprozeß aus, durch den die Landbevölkerung nun endgültig, um des Überle-
bens willen, in die Städte getrieben wurde.[14] Man bezeichnete diesen Vorgang mit Recht
als »divorce from the soil«.

In anderen Ländern, etwa in Frankreich und Deutschland, ist die Entwicklung ähnlich
verlaufen. Sicher hat dort die Auflösung des Gemeinschaftslandes (Allmende) nicht die
Bedeutung wie in Großbritannien erlangt; die durch die Agrarrevolution in Gang gesetzte Bevölkerungsbewegung vom Land zur Stadt ist aber nicht minder ausgeprägt zu beobachten. Darauf braucht hier im einzelnen aber nicht mehr weiter eingegangen zu werden.

## 2.2.1. Ausbau der Straßen

Sowohl die Erfordernisse der mechanisierten Landwirtschaft als auch der Wunsch nach
kürzeren Reisezeiten bewirkten schon relativ früh den Ausbau des englischen Straßennetzes.[15] Nach dem »Highways Act« von 1555 wären eigentlich die Gemeinden (»parishes«) verpflichtet gewesen, jeweils für den Straßenbau auf ihrer Markung zu sorgen.
Da sie diese Pflicht bei den von der Allgemeinheit benutzten Fernstraßen als ungerecht-
fertigt empfanden, zeigten sie an diesen wenig Interesse. Um hier Abhilfe zu schaffen,
richtete das Parlament das »turnpike system« (Schlagbaumsystem) ein, bei dem Straßen-
benutzungsgebühren erhoben wurden, aus deren Fonds alte Straßen unterhalten und
neue gebaut werden konnten.[16] In der Zeit zwischen 1760 und 1774 erhielten nicht weniger als 452 »turnpike Acts« die parlamentarische Zustimmung. Die Verbesserungen in
der Straßenbautechnik erlaubten England dann, glatte und haltbare Straßen herzustellen,

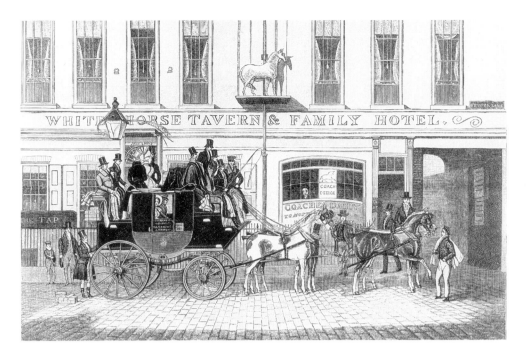

1. Die Postkutsche war das Verkehrsmittel des 18. Jahrhunderts – hier »The Cambridge Telegraph«. Im Hintergrund White Horse Tavern, Fetter Lane, London. (John Johnsons Collection, Hotels I, Bodleian Library Oxford)

2. Londoner Verkehrsverhältnisse um 1870, beobachtet von Gustave Doré. (William Blanchard Jerrold, Gustave Doré, *London. A pilgrimage*, London 1872)

die sowohl für die Aufnahme schwerer Lasten geeignet waren, als auch schnelleres Fahren gestatteten.[17] Auf ihnen war mit dem »Quicksilver« (Briefpostwagen) die 80 Kilometer lange Strecke London–Brighton in 4 1/2 Stunden zurückzulegen. Geschwindigkeiten von 15 bis 16 Kilometern pro Stunde waren die Regel. Wenn in den letzten Jahrzehnten des 18. Jahrhunderts von einem wahren »Straßenbaufieber« berichtet wird, so mag das nicht übertrieben sein: Bis 1821 entstanden etwa 30000 Kilometer »turnpike«-Straßen, bei denen es sich zumeist um Fernstraßen (»trunk roads«) handelte. Sie wurden schon bald durch Brückenbauten ergänzt, die ebenfalls nicht wenig zur Verkürzung der Fahrzeiten beitrugen. Natürlich wiesen die inzwischen von der Industrialisierung erfaßten Distrikte in den Midlands, im Norden und in den Home Counties die meisten Straßen auf. In den größeren Städten existierten bereits innerstädtische Verkehrslinien, in London ab Mitte der dreißiger Jahre sogar Omnibusrouten. Aber es kam in den Stadtzentren auch schon zu Verkehrsbehinderungen, in London an normalen Werktagen, in Städten wie York an den Markttagen. Manche ländlichen Gebiete wie East Anglia und Cornwall blieben dagegen nur lückenhaft erschlossen.

In Frankreich, das noch am ehesten mit Großbritannien verglichen werden kann, leitete man ebenfalls frühzeitig eine Verbesserung der Verkehrsverhältnisse ein. Das von Daniel-Charles Trudaine (1703–69) nach 1750 aufgestellte Corps des Ponts et Chaussées war dazu bestimmt, für den Hof die wichtigsten Verbindungen von Paris zu den Provinzen herzustellen. Diesen schulmäßig ausgebildeten Straßenbauingenieuren standen als Arbeitskräfte die zum Frondienst (»corvée«) verpflichteten Bauern zur Verfügung, die bis zu 30 Tage im Jahr unentgeltlich arbeiten mußten. Die Straßen, die unter diesen Bedingungen der Zwangsarbeit zustande kamen, waren in der Regel aber nicht sorgfältig genug ausgeführt. Sie mußten oft schon nach kurzer Zeit repariert werden. Es gab allerdings Provinzen wie das Limousin, wo ein befähigter Ingenieur wie P.-M.-J. Trésaguet, der auf Fronarbeit verzichtete und die Arbeiter bezahlte, mit einem widerstandsfähigen Steinmaterial die besten Straßen von ganz Europa baute. Im Languedoc, wo dieses Beispiel nachgeahmt wurde, besaßen die Straßen bereits nicht mehr dieselbe Qualität, obwohl sie von englischen Reisenden bewundert und über ihre eigenen gestellt wurden.[18]

In der Restaurationszeit klärte eine Bestandsaufnahme von 1824 ab, daß die Straßen im Bereich der Kohlen- und Erzgruben und der Gewerbezentren (St. Etienne, Lyon, Rhônetal, Marseille, Nordfrankreich), die den schweren Lastverkehr aufzunehmen hatten, die meisten Schäden aufwiesen.[19] So war die Notwendigkeit, zugunsten der verstärkten Gewerbe- und Handelstätigkeit ein leistungsfähiges Straßennetz auch mit »routes secondaires« auszubauen, nicht mehr zu übersehen, zumal manche Gewerbezentren weitab von Meereshäfen lagen und mit den geographischen Vorteilen der britischen Industriestädte nicht konkurrieren konnten.

Nach der Julirevolution wurden schließlich die erforderlichen Konsequenzen gezogen. Von da ab standen ausreichend Mittel zur Verfügung, die Ingenieure bedienten sich einer verbesserten Ausführungstechnik mit Makadambelägen, und die Kommunalbehör-

sahen sich durch die Erhebung einer neuen Steuer, der »impôt des prestations« imstande, gemäß dem Gesetz vom 21. Mai 1836 den Bau und die Unterhaltung der Lokalstraßen zu übernehmen. Mit der Klassifizierung nach »routes nationales«, »routes vicinales« und »routes communales« hatte Frankreich ab etwa 1840 so leistungsfähige Straßenverbindungen, daß das Reisen in der »diligence« (Eilwagen) und in der »malle-poste« bei Geschwindigkeiten von etwa 15 Kilometern pro Stunde keine Schwierigkeiten mehr bereitete.[20]

Mit den englischen und französischen Verhältnissen verglichen, nahm sich der Straßenbau in Deutschland zu derselben Zeit eher rückständig aus. Einerseits waren überhaupt wenige Straßen vorhanden. In Preußen gab es 1816 erst 523 Meilen, wovon drei Fünftel durch Westfalen und das Rheinland führten, während die östlichen Provinzen äußerst dürftig erschlossen waren. Andererseits befanden sich die wenigen Straßen, nach Berichten der Reisenden zu urteilen, mit ihren Schlaglöchern und Steinen und bei Regenfällen mit ihrem Morast in einem kläglichen Zustand.[21] Dazu kam noch, als eine deutsche Spezialität, die »Zoll- und Oktroi-Plackerei«. Nach einer Feststellung von Friedrich List hatte man 1819 bei einer Reise durch die deutschen Länder 38 Zoll- und Mautlinien zu überwinden, an denen jeweils das Geld umzutauschen und das Gefährt zu wechseln war. Unter solchen Erschwernissen dauerte eine Fahrt in der Postkutsche von Frankfurt am Main nach Stuttgart 40 Stunden, von Berlin nach Königsberg bei 590 Kilometern Distanz gar eine Woche.

Erst mit der Gründung des Deutschen Zollvereins 1834/35 kann von einem einheitlichen deutschen Wirtschaftsgebiet gesprochen werden. Indem nun die Schlagbäume fielen, eröffneten sich auch für das Verkehrswesen neue Perspektiven. Inzwischen war jedoch die technische Entwicklung so weit fortgeschritten, daß die Eisenbahn als Konkurrenz in Erscheinung trat und im Investitionsvolumen den Straßenbau bald überrundete. Trotzdem konnte natürlich, allein schon als Zubringereinrichtung für die Eisenbahn, auf ein leistungsfähiges Straßennetz nicht verzichtet werden. Es ist in den fünfziger Jahren konsequent ausgebaut worden und hat, in Ergänzung zur Eisenbahn, mit dazu beigetragen, das Land flächenmäßig zu erschließen. Wie stark das Engagement im Straßenbau trotz aller Eisenbahneuphorie war, läßt sich am Beispiel Preußens weiter verfolgen: 1842 hatten sich mit 1312 Meilen die Staatschausseen gegenüber 1816 mehr als verdoppelt, 1876 verfügte das Königreich über 64978 Kilometer, 1900 über 95945 Kilometer Chausseen.

3. Reisen in vorindustrieller Zeit in Deutschland. (Jean Grandvilles, *Kleine Leiden des menschlichen Lebens*, Leipzig 1842)

## 2.2.2. Kanalbau

Zum Transport schwerer Lasten benutzte man aber weniger die Straßen als vielmehr die Wasserwege. Die Kosten waren etwa um die Hälfte geringer, das Transportvolumen weitaus größer. Soweit die Flüsse sich als schiffbar erwiesen, wurden sie selbstverständlich längst für den Lastverkehr benutzt. Daneben spielte gerade in Großbritannien die Küstenschiffahrt eine nicht unerhebliche Rolle. Der Gedanke, Flüsse durch Kanäle miteinander zu verbinden, um auf diese Weise durchgehende Wasserstraßen für Schwertransporte zu schaffen, kam auf der Insel schon frühzeitig auf, vor allem im Zusammenhang mit der Verteilung und Zufuhr von Kohle als Brennmaterial für die Haushaltungen, aber auch für gewerbliche Zwecke. Mit der Eröffnung des Kanals zwischen den Kohlengruben von Worsley und Manchester im Jahr 1761 begann für Großbritannien das Kanalzeitalter. Es fiel etwa mit der Regierung von George III. (1760–1820) zusammen und brachte dem Land ein weitverzweigtes Kanalnetz.[22] Dessen größte Dichte entstand in den Midlands, wo sich ausgedehnte Kohlefelder fanden und wo Birmingham zum industriellen Zentrum heranwuchs.[23] Während viele kurze Kanalstücke, etwa im Verbund des Birmingham Canal System, vor allem lokalen Bedürfnissen entsprachen, gab es aber auch die nach übergeordneten nationalökonomischen Gesichtspunkten gebauten Kanäle, die den Warenaustausch zwischen den großen Städten herstellten (Trent and Mersey Canal, 1790; Grand Junction Canal, 1793–1802; Grand Union Canal, 1822; Birmingham & Liverpool Junction Canal, 1835). Als die ersten Eisenbahnen aufkamen, wäre es notwendig gewesen, die Kanäle aufeinander abzustimmen und die Lastkähne zu standardisieren, um das oft mehrmalige zeitraubende Löschen der Ladungen entbehrlich zu machen. Da die Kanalgesellschaften dazu nicht bereit waren, gerieten die Wassertransporte schnell ins Hintertreffen.

Trotz des fast jähen Niedergangs in den dreißiger Jahren des 19. Jahrhunderts kann über die Bedeutung der Kanäle für die Industrialisierung und Urbanisierung nicht der gering-

4. Das britische Kanalnetz 1800–50. (C. Hadfield, *British canals*, London 1950)

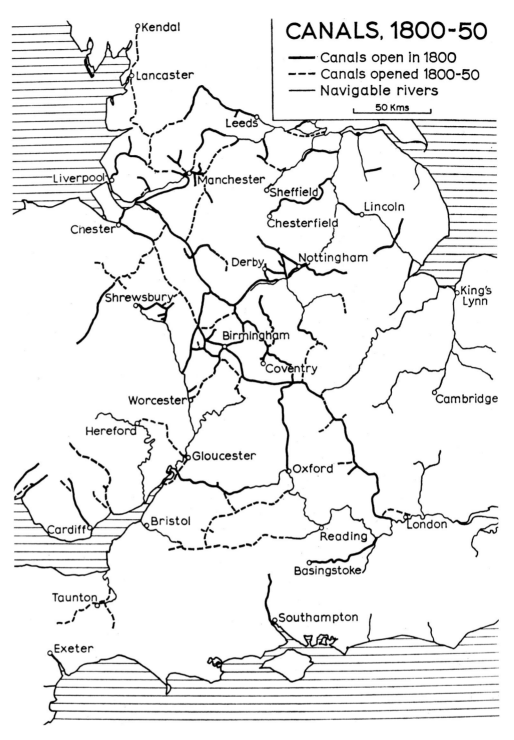

CANALS, 1800-50
— Canals open in 1800
--- Canals opened 1800-50
— Navigable rivers
50 Kms

5. Kanäle und Wasserwege in den Midlands und in Nordengland. (C. Hadfield, *The Canals of the British Isles*, Newton Abbot 1966)

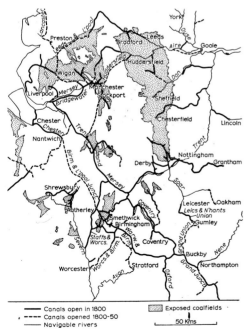

Canals open in 1800
Canals opened 1800-50
Navigable rivers
Exposed coalfields
50 Kms

ste Zweifel herrschen. Das wird am Beispiel Manchesters besonders deutlich. Die Stadt erhielt im Jahre 1834 auf den Kanälen 463 000 Tonnen Kohle zugeführt, verglichen mit 247 000 Tonnen auf den Straßen und nur 21 000 Tonnen auf der Liverpool–Manchester Railway.[24] Die Kohle aber war zu diesem Zeitpunkt längst die wichtigste Voraussetzung für den Betrieb der Dampfmaschinen, Hochöfen und Schmiedewerkstätten geworden. Auch Leicester verdankt sein frühes Wachstum vor allem der Zufuhr von »waterborne coal«.[25] Am Sheffield Canal war zu beobachten, wie sich unmittelbar an dessen Ufern Schwerindustrie niederließ und wie der Kanal so zum Stadtausbau anregte.

Und um noch auf ein weiteres Beispiel zu verweisen: Auf dem Grand Junction Canal betrug 1838 die Transportleistung über eine Million Tonnen. Befördert wurden Kohle, Eisen, Baumaterialien, Cheshire-Salz, Stourbridge-Glas, Staffordshire-Tonwaren, Manchester-Textilien, Agrarprodukte, Lebensmittel usw., also Güter, die alle ganz wesentlich nicht nur zur momentanen Versorgung, sondern auch zum weiteren Wachstum der Metropole London beitrugen. Freilich darf daneben auch die Transportkapazität der Küstenschiffahrt nicht übersehen werden.

In den übrigen Ländern Europas, die damals nur gering industrialisiert waren, spielte der Kanalbau keine mit England vergleichbare Rolle. Frankreich besaß zwar einen von dem Ingenieur François-Louis Becquey entworfenen Generalplan für ein Wasserstraßennetz. Es setzte ihn jedoch nur langsam und teilweise in die Tat um und begriff ihn nicht als ein Instrument zur Förderung der wirtschaftlichen Zentren.[26] In Deutschland gab man sich lange Zeit mit der Schiffahrt auf den Flüssen (Rhein, Elbe, usw.) zufrieden. Erst ab 1870, als die Industrialisierung in größerem Ausmaß einsetzte, wandte man sich dem Bau von Wasserstraßen zu und nahm zahlreiche Flußkorrekturen vor. Allein das 1830 konstituierte Königreich Belgien baute sich systematisch ein auf die wirtschaftlichen Belange ausgerichtetes Kanalnetz aus.

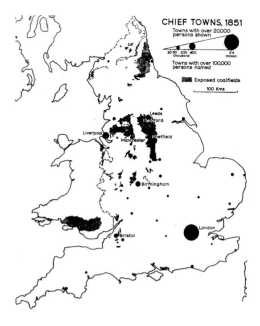

6. Kohlefelder und Stadtbildung in England, Stand 1851. (*A New Historical Geography of England*, hrg. von H.C. Darby, Cambridge 1973)

## 2.3. Die frühe Industrialisierung in England

### 2.3.1. Die englische Kohle- und Eisenindustrie

In Großbritannien gab die Möglichkeit, mit Hilfe des geschilderten Kanalnetzes die Kohle über das ganze Land zu verteilen, dem Bergbau neuen Antrieb. Zudem war die Entwicklung in diesem Industriezweig nicht stehengeblieben.[27] Dampfmaschinen in der Bauart von Thomas Savery und Thomas Newcomen trieben ab etwa 1720 die für den Stollenbau erforderlichen Entwässerungspumpen und Ventilatoren an.[28] Diese Neuerungen ermöglichten es, die Stollen in noch größere Tiefen vorzutreiben und die Abbauflächen auszuweiten. Der Kohleverbrauch der Dampfmaschinen selbst machte immer mehr die zentrale Bedeutung dieses Rohstoffs für das bereits angebrochene Industriezeitalter bewußt. So war es folgerichtig, daß der Kohleabbau immer weiter gesteigert wurde, von 16 Millionen im Jahre 1816 auf 49 Millionen 1850. Der Wachstumsprozeß ist an den Revieren in Northumberland, Durham und im westlichen Cumberland deutlich abzulesen, ebenso im südwestlichen Lancashire, wo der erhöhte Kohlebedarf der Glas- und Kupferindustrie von St. Helens zur Produktionssteigerung anregte. Daneben entstanden in den Kohlefeldern von Südwales und Mittelschottland neue Bergwerke.[29]

Indes darf die Kohlegewinnung nicht isoliert gesehen werden. Sie stand in einem engen Zusammenhang mit der Eisenverhüttung, die wieder ihrerseits einen wichtigen Beitrag zur Industrialisierung leistete.[30] Die Erzvorkommen in den West-Midlands, in Yorkshire, Derbyshire und im Weald hatten schon von alters her zur Eisenproduktion in diesen Regionen geführt. Da jedoch der Schmelzprozeß an die Holzkohle gebunden war, blieben die erzeugten Eisenmengen bescheiden, der Holzverbrauch dagegen war enorm. Im Laufe der Zeit wurden deswegen weite Waldgebiete abgeholzt. Außer den ökologischen Schäden, die eine derartige Veränderung der biotopischen Verhältnisse hervorrufen mußte, fehlte der Bevölkerung überdies das leicht erreichbare Heizmaterial Holz.

Eine Abhilfe wurde erst geschaffen, als es Abraham Darby in Coalbrookdale um 1709 gelang, das Eisen mit einer Koksfeuerung zu schmelzen. Es bedurfte allerdings eines längeren Zeitraums und vieler Versuche, bis die Eisenverhüttung auf industrieller Basis vonstatten gehen konnte.[31] Das war etwa ab 1775 der Fall. Von da an mechanisierte man den Gebläseantrieb der Schmelzöfen mit Hilfe der verbesserten Wattschen Dampfmaschine, wodurch der Schmelzvorgang mit Koks effektiver gemacht werden konnte. Wenig später, 1783/84, gelang es Henry Cort (1740–1800) sogar, mit dem Puddle-Verfahren Schmiedeeisen herzustellen. Von diesem Zeitpunkt an war der Weg frei für eine Anwendung dieses Materials auf vielen Gebieten und für eine Ausweitung der Eisenindustrie.[32]

Der gleichzeitige Bedarf an Koks und Eisenerz hatte natürlich zur Folge, daß sich die weitere Entwicklung nun auf jene Plätze verlagerte, wo beide Rohstoffe in der Natur vorhanden waren,[33] während die einstmals wichtigen, von den Kohlefeldern aber weitab liegenden »ironstone«-Bezirke (Forest of Dean, the Weald, Ashburnham usw.) immer mehr an Bedeutung verloren.

Zu Ballungsgebieten der Kohle-Eisen-Industrie entwickelten sich die Midlands, mit Birmingham als Zentrum, und mit Verzweigungen nach Shropshire; das südliche Yorkshire mit den Schwerpunkten Leeds und Sheffield, Derbyshire, South Wales und die schottischen Gebiete von Glasgow und Newcastle upon Tyne.[34] Als Ergänzung zu dieser Schwerindustrie kamen noch die vielfältigen Verarbeitungsindustrien hinzu. Am Beispiel von Birmingham läßt sich die Diversifikation des Industrialisierungsprozesses gut aufzeigen: Die Erzeugnisse aus dieser Stadt reichten vom Kleiderknopf bis zur Lokomotive. Aus den weiter westlich gelegenen Fabriken von Coalbrookdale kamen die Bogenbinder der ersten Eisenbrücke (über den Severn, 1779), das erste eisenbeplankte Boot und gußeiserne Rohre für die Wasserversorgung von Paris. In Sheffield, dem Hauptplatz der

Yorkshire-Industrie, wurden Messer, Scheren, Sicheln und Stähle von hochwertiger Qualität produziert, die in die ganze Welt hinausgingen. Mit Recht konnte sich die Insel um die Mitte des 19. Jahrhunderts als »workshop of the world« bezeichnen.[35]

## 2.3.2. Die englische Textilindustrie

Bei aller Bedeutung von Kohle und Eisen darf jedoch nicht übersehen werden, daß die Industrialisierung im Textilbereich die Arbeitsverhältnisse nicht weniger nachhaltig und folgenreich verändert hat.[36] Die Erzeugung und Verarbeitung von Wolle, die Weberei und Kleiderfertigung haben, wie allgemein bekannt ist, in England eine alte Tradition. Sie galten noch im 18. Jahrhundert als die Grundlage des nationalen Reichtums (als »the sacred staple and foundation of all our wealth«).[37]

Die Produktion vollzog sich in einer dezentralisierten Hausindustrie, die sich in verschiedenen Teilen des Landes befand. Als ab 1790 in verstärktem Maße Baumwolle eingeführt wurde, verlagerte sich deren Verarbeitung in wasserbetriebene Mills. Aber auch diese lagen, da sie an Flüsse und Bäche gebunden waren, oft zerstreut in ländlichen Gebieten, allerdings mit einer auffälligen Anhäufung in den östlichen Midlands – Lancashire, Nottinghamshire, Derbyshire und Teile von Leicestershire und Staffordshire. Die eigentliche Revolutionierung der Arbeitsmittel bewirkte auch in diesem Industriezweig die Dampfmaschine. Eine Cotton Mill in Papplewick bei Nottingham benutzte sie zum ersten Mal 1785 zum Antrieb der Spinnereimaschinen. 1800 verfügte man in Nottingham über 15 Dampfmaschinen. In rascher Folge entstanden in Manchester, Oldham, Bury, Preston, Stockport mit Dampfmaschinen ausgerüstete Fabriken.

Die für den Industriebau und Städtebau geradezu revolutionäre Wirkung bestand darin, daß die neuen Antriebsvorrichtungen die Verarbeitungsstätten von den Naturkräften unabhängig machten. Sie erforderten jedoch eine verstärkte Arbeitsteilung, die eo ipso die örtliche Konzentration von Maschinen und des zugehörigen Bedienungspersonals bedingte. Der Bedarf an qualifizierten Arbeitskräften ließ sich in den Städten noch am ehesten befriedigen, und so wurden diese zu den Sammelbecken der neu entstehenden Industrien. Vor diesem Hintergrund ist der fast unvorstellbare wirtschaftliche Aufschwung und Wachstumsprozeß vieler Städte zu sehen.

## 2.4. Der Eisenbahnbau

Die Dampfmaschine zeigte ihre revolutionierende Wirkung aber nicht nur in den Kohlengruben, im Hochofenbetrieb, in den Schmiedewerkstätten und Textilfabriken, sondern auch im Verkehr. Die Weiterentwicklung zur Lokomotive und deren Kombination mit den aus dem Bergwerksbetrieb längst bekannten Schienenwagen (»tramroads«)[38] ergab in der Eisenbahn ab etwa 1830 ein neues Verkehrsmittel, das in puncto Schnelligkeit und Wetterunabhängigkeit den Lastkähnen auf den Kanälen und den Kutschen und Fuhrwerken auf den mehr oder weniger gut ausgebauten Überlandstraßen weit überlegen war und das der Industrie in ihrer ersten Wachstumsphase besonders gelegen kam. Die Entwicklung des frühen Eisenbahnwesens selbst ist ein Beispiel dafür, wie stark sich industrielle Fertigungsmethoden und technologischer Erfindergeist gegenseitig ergänzten und vorantrieben.[39] Da die Vorzüge des Schienenverkehrs – sichere, schnelle und billige Verbindungen zwischen den Orten – unübersehbar waren, kam es in allen von der industriellen Revolution erfaßten Ländern trotz mancherlei Bedenken und Unsicherheiten zum Bau von Eisenbahnen.

Großbritannien blieb auf Grund seines großen technologischen Vorsprungs führend.[40] Es überließ, seinem liberalen Wirtschaftsverständnis folgend, den Bau und den Betrieb der Eisenbahnen privaten Unternehmungen. Die einzelnen Linien bedurften lediglich der parlamentarischen Zustimmung. Die Staatskontrolle ging nur soweit, daß die Behörden die Erstattungssummen für das beanspruchte Eisenbahngelände regulierten. Unter diesen Voraussetzungen passierten zwischen 1825 und 1835 nicht weniger als 54 »Railway Acts« das Parlament. Zu kurzen Strecken wie der von London nach Manchester, die am 15. September 1830 eröffnet wurde, kamen auch längere, wie die London–Birmingham-Linie, die sich über 180 Kilometer erstreckte und einen für die damalige Zeit sehr hohen Kapitalaufwand von 5,5 Millionen Pfund erforderlich machte. Obwohl das Parlament über jede einzelne Strecke zu entscheiden hatte, kam es weder der Regierung noch den

Parlamentariern in den Sinn, auf den Ausbau eines zusammenhängenden britischen Bahnnetzes hinzuwirken. Der Eisenbahnbau blieb einschränkungslos der Privatinitiative und damit dem Zufall überlassen.[41] Er steigerte sich, verbunden mit Börsenspekulationen, 1836/37 und 1845/47 zu besonderen Höhepunkten. Mit Recht konnte man deshalb in England von einer »railway mania« sprechen. Das exzessive Vorgehen führte zum raschen Ausbau des Eisenbahnnetzes, dessen Hauptlinien sich noch vor der Jahrhundertmitte abzeichneten und trotz des unkontrollierten Entstehungsprozesses die wichtigsten Städte miteinander verbanden. 1849 wies das Vereinigte Königreich 9650 Kilometer Bahnstrecke auf.[42] Die Eisenbahn war damit auf der Insel zu einer wichtigen Einrichtung des täglichen Lebens geworden, und ihre Errungenschaften konnten auch im Ausland nicht unbeachtet bleiben.

Das nahegelegene Frankreich reagierte schnell auf die neue Entwicklung. Bahnverbindungen vom Kohlerevier um St. Etienne zur Loire (Andrézieux und Roanne) und zur Rhône (Lyon) stellten zwischen 1823 und 1833 kurze und für alle Jahreszeiten sichere Kohlentransportwege her.[43] Diese blieben aber fürs erste eine lokale Angelegenheit und wurden kaum beachtet. Nur die saint-simonistischen »Ingenieur-Apostel« um Enfantin waren weitsichtig genug, die Eisenbahn sofort als ein wichtiges Mittel zur Organisation der Industrie und der Arbeit einzuschätzen.[44] Sie waren dann auch die Initiatoren der Bahnlinie Paris–Pecq, die am 24. August 1837 eröffnet wurde und die, da sie sich als finanzieller Erfolg erwies, nun für Frankreich das Eisenbahnzeitalter einleitete.[45]

Im Gegensatz zu England entstand, durch ein Gesetz von 1833 abgesichert, unter der Obhut der Julimonarchie das Projekt für ein einheitliches Eisenbahnnetz, das vom einflußreichen Corps des Ponts et Chaussées entworfen und den weiteren Konzessionierungen zugrunde gelegt wurde. Das Eisenbahngesetz vom 11. Juni 1842 klärte den Ausbau vollends ab.[46] Sechs von Paris ausgehende »grandes lignes« bildeten das Grundgerüst für ein Netz von etwa 3600 Kilometern Länge. Bei einer Vermischung von staatlichen und privaten Kompetenzen sollten die Eisenbahnen dem Staat gehören, auf bestimmte Zeiten aber an Gesellschaften vergeben werden. Während staatlicherseits das erforderliche Gelände aufgekauft und der Bahnkörper hergestellt wurde, lieferten die »compagnies concessionnaires« die ganze Ausrüstung und betrieben und unterhielten Schienenwege. Auf dieser vom Kompromiß bestimmten Basis vollzog sich ab 1843 der Bau der Hauptlinien. Er wurde allerdings durch die Februarrevolution von 1848 wieder gestört. Erst im Second Empire konnte das Eisenbahnnetz den Bedürfnissen des Landes entsprechend vervollständigt werden.

In Deutschland blieb das englische Vorbild ebenfalls nicht unbeachtet. Joseph von Baader, Friedrich Harkort und Friedrich List traten schon in den zwanziger Jahren für den Bau von Eisenbahnen ein. Allerdings konnte sich hier die Entwicklung nur in den einzelnen souveränen Staaten vollziehen, wenn auch von List der Gedanke eines gesamt-

7. Die Eröffnung der Liverpool & Manchester Railway am 15. September 1830 mit George Stephensons »Rocket«. Im Hintergrund The Moorish Arch bei Edge Hill. (Science Museum Library, London)

## RAILWAYS 1840-50

— Railways open in 1840
--- Railways opened 1840-50

100 Kms

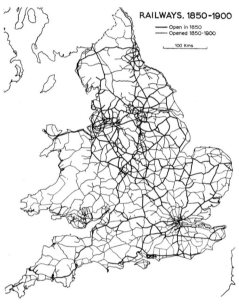

## RAILWAYS. 1850-1900

— Open in 1850
— Opened 1850-1900

100 Kms

8, 9. Die Eisenbahnlinien Großbritanniens 1840–50 und 1850–90. (*A New Historical Geography of England*, a.a.O.)

deutschen Eisenbahnnetzes vorgetragen wurde.[47] Die kurze Bahnstrecke zwischen Nürnberg und Fürth machte 1835 den Anfang. Es folgte, auf Betreiben Lists, der Bau der Linie Leipzig–Dresden, deren erster Abschnitt bis Althen 1837 eröffnet wurde. Preußen konzessionierte die ersten Linien in demselben Jahr.[48] Das preußische Eisenbahngesetz vom 3. November 1838 legte die allgemeinen Bedingungen des Eisenbahnbaus fest: Der Staat beabsichtigte nicht, sich finanziell festzulegen, er behielt sich jedoch das Recht vor, nach frühestens 30 Jahren die Bahnen aufzukaufen. Ab 1842 trat aber, in einer gewissen Parallelität zu Frankreich, insofern eine Änderung der Eisenbahnpolitik ein, als nun der Staat bereit war, Zinsgarantien zu übernehmen und Aktien zu zeichnen. Einige Jahre später plädierte der preußische Finanzminister Hansemann bereits für Staatsbahnen, eine Auffassung, die sich gleich nach der Jahrhundertmitte durchsetzte.

So brachten die vierziger Jahre die entscheidende Wende. Nun konnten die Hauptlinien in rascher Folge entstehen. Dabei war es selbstverständlich, daß Berlin ein Hauptknotenpunkt wurde. Aber auch andere Städte wie Köln, Hannover, Leipzig, Frankfurt am Main und München entwickelten sich zu Drehscheiben des deutschen Eisenbahnverkehrs, für den die einzelnen Bundesstaaten trotz des von Bismarck 1873 gegründeten Reichseisenbahnamts bis zum Ersten Weltkrieg verantwortlich blieben.[49]

Über die revolutionären Auswirkungen der Eisenbahn im gesamtwirtschaftlichen Rahmen kann es keinen Zweifel geben. Werner Sombart stellt sogar fest, »daß der Eisenbahnbau die – mit Abstand – größte produktive Leistung ist, die die Menschheit bisher vollbracht hat«.[50] Auch mit Blick auf die Veränderungen der Städte und der Landschaft kann die Bedeutung der Eisenbahnen im 19. Jahrhundert kaum überschätzt werden. Ruskin sah in ihnen »the iron veins that traverse the frame of our country«.[51] Aber diese ästhetische Metapher reicht nicht aus, so anschaulich sie auch klingt, die vielfältigen Folgen des Eisenbahnbaus zu umschreiben.

Ursprünglich war die Eisenbahn als eine Transporteinrichtung für Kohle und Eisenerz gedacht gewesen. Indem die beiden Rohstoffe einander auf dem Schienenweg zugeführt werden konnten, erwies sich die Eisenbahn tatsächlich als ein wichtiges Instrument der Industrialisierung. Denn nun war die Verarbeitungsindustrie fortan nicht mehr an die oftmals abgelegenen Standorte der Rohstoffvorkommen gebunden, sondern sie konnte sich in den städtischen Zentren entfalten, wo die notwendigen Arbeitskräfte, Kapitalien und das technische Wissen verfügbar waren. Die Eisenbahn wurde so rasch teils zum stadtbildenden, teils zum stadtvergrößernden Faktor. Mit ihrer Hilfe konnten die aus dem industriellen Arbeitsprozeß hervorgegangenen Fertigprodukte jedoch auch leicht und schnell verteilt werden. Handel und Wirtschaft erhielten einen Aufschwung, wie er zuvor über die herkömmlichen Verteilungswege der Chausseen, Kanäle und Flüsse unvorstellbar gewesen war.

Besonders beeindruckt zeigten sich die Zeitgenossen um 1850 davon, wie schnell und weit mit der Eisenbahn gereist werden konnte. Tatsächlich bedeuteten die großen Bewegungsmöglichkeiten und die Verkürzung der Reisezeiten nicht nur für alle Volksklassen eine Lebensbereicherung, sie verschafften darüber hinaus dem Zeitbegriff eine neue Dimension und führten zu einem neuen Lebensrhythmus, einer neuen Lebensökonomie und, bis zu einem gewissen Grad, auch zu einem Abbau der sozialen Schranken.[52] Dabei darf auch die verbindende Wirkung dieser Einrichtung nicht übersehen werden. Selbst weiträumigen Bevölkerungsbewegungen stand nichts mehr entgegen. Den durch die Agrarreform frei gewordenen Landbewohnern war es nun jederzeit möglich, zu erschwinglichen Fahrpreisen in die Städte zu gelangen, wo sie, der ländlichen Isolierung und Fron entronnen, wenigstens Arbeit und Verdienst, im günstigeren Falle auch Freiheit, kulturelle Bereicherung und mehr Lebensqualität finden konnten. Den im Umland der Städte Wohnhaften erlaubte die Eisenbahn indes auch, ihre ländlichen Behausungen beizubehalten und täglich zur Arbeit zu fahren. Das führte, durch billige Fahrtarife noch besonders gefördert, zu einem besonderen Arbeiterverkehr, durch den sich eine Trennung von Arbeitsort und Wohnort ergab und der wenigstens teilweise zur Entlastung des aus dem Gleichgewicht gebrachten städtischen Wohnungsmarktes beitrug. Welche städtebaulichen Konsequenzen daraus resultierten, wird noch besonders eindrücklich am Beispiel der Londoner Suburbs zu beobachten sein (siehe Kapitel 5.3.). Freilich darf in diesem Zusammenhang eine Art von Gegenbewegung nicht übersehen werden, bei der, vor allem wieder in Großbritannien, die wohlhabende Mittelklasse die aus allen Fugen und Formen geratenen Industriestädte dem Proletariat überließ, um sich in neuentstehende Villenvororte abzusetzen, wo sie ihre anspruchsvollen Wohnvorstellungen, aber auch ein Leben ohne Hektik und gesundheitliche Schädigungen gewährleistet sah.

In den unaufhaltsam wachsenden Städten ermöglichte das neue Transportmittel überhaupt erst die Versorgung der großen Menschenansammlungen. Jetzt konnten alle notwendigen und erwünschten Lebensgüter jederzeit zugeführt werden. Als Rückwirkungen, die bis in die entlegensten Provinzen drangen, eröffneten sich für die Agrarprodukte im Sinne der alten Stadt-Land-Beziehungen neue Absatzmärkte. Daß damit der Eisenbahn, ebenso wie der Industrie oder dem Handel, ein zwar nicht meßbarer, aber dennoch sichtbarer Selbstverstärkungseffekt innewohnte, braucht nicht mehr besonders herausgestellt zu werden.

Am auffälligsten sind sicher die stadtmorphologischen Wirkungen, die der Eisenbahnbau hervorgebracht hat.[53] Hier mag Ruskins Bild von den »eisernen Adern, die das Land durchqueren«, besonders anschaulich sein. Die Bahnstrecken mußten sich ja, sollten sie der Personenbeförderung in annehmbarer Art dienstbar sein, so weit wie möglich in den bestehenden Stadtkörper hineinschieben. Städtebaulich gesehen, warf dieser Einbruch viele Probleme auf. Es mochte noch die harmloseste Lösung bedeuten, wenn die Bahngesellschaften sich damit begnügten, ihren Bahnhof an der Peripherie der Stadt anzulegen. Dann erübrigten sich wenigstens gravierende Eingriffe in die vorhandene Bausubstanz. Aber da die vom Industrialisierungsprozeß erfaßten Städte sich unaufhaltsam vergrößerten, war der Zeitpunkt oft schnell gekommen, daß die Eisenbahntrassen den weiteren Ausbau der Stadt blockierten und so zur Deformation ganzer Stadtteile beitrugen.

Wenn sich aber vom Grundstücksmarkt her die Gelegenheit bot, die Bahn weiter in die Stadt hineinzuführen, zog man diese Lösung selbstverständlich vor. In der Regel wurden dann – und das ist an den Beispielen London und Manchester besonders gut zu studieren – heruntergekommene Quartiere beseitigt und deren Bewohner, zumeist Arbeiterfamilien, verdrängt. Daß diese wiederum in anderen Slumgebieten notdürftig ein Unterkommen finden mußten, wog leicht gegenüber dem Gewinn, den der neuerbaute Bahnhofspalast erbrachte. Aber abgesehen von der zur Schau getragenen architektonischen Pracht, hatte der Bahnhof auf seine Umgebung bezogen wiederum eine verkehrsverstärkende Tendenz. In der Folge mußten deshalb, wie die Beispiele von Paris, London und Berlin, aber auch von vielen kleineren Städten zeigen, die zuführenden Straßen und die umgebende Bebauung für die neue Beanspruchung hergerichtet werden. Viele Bahn-

10. Die Trassenführung der London & Greenwich Railway durch den Londoner Stadtkörper. (Science Museum Library, London)

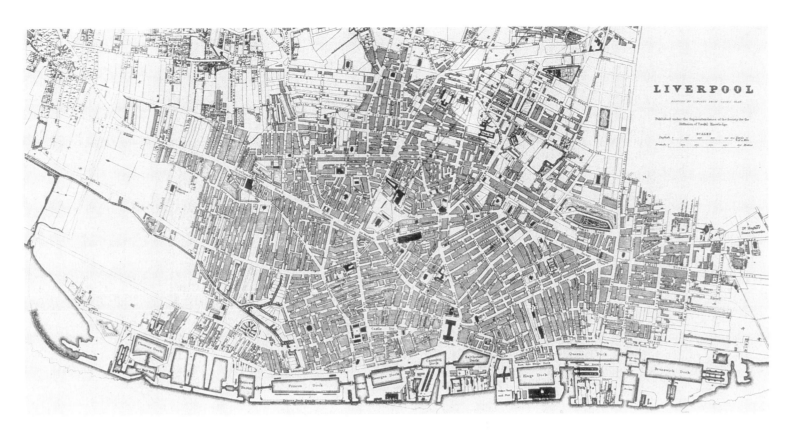

11. Liverpool im Jahr 1833. (A. Fordham, *Town Plans of the British Isles*, London 1965)

hofstraßen, oft mit anspruchsvollen architektonischen Versatzstücken eingerahmt, verdanken dieser Konstellation ihre Entstehung. Blickt man aber hinter die Fassaden der Bahnhofsviertel, so bietet sich im Hintergrund ein wenig erhebendes Bild: Gleisharfen und Verschiebebahnhöfe, Reparaturhallen und Lagerschuppen annektieren wertvollen städtischen Grund. Sie bedeuteten nach Aussehen und Anlage Fremdkörper in der ganz anders gearteten Strukturierung der Stadt.

## 2.5. Das Städtewachstum in England

Sieht man einmal von London als Sonderfall ab, das als Metropole besonderen Einflüssen und Zwängen unterlag und das an anderen Stellen noch ausführlicher behandelt wird, so fällt eine Reihe von Provinzstädten ins Auge, die in ihrem Wachstum die anderen Orte weit hinter sich ließen. Die folgende Aufstellung mag dies verdeutlichen.

| Einwohner | 1800[54] | 1851[55] |
| --- | --- | --- |
| Liverpool | 78000 | 375955 |
| Manchester-Salford | 84000 | 367233 |
| Birmingham | 74000 | 232841 |
| Leeds | 53000 | 172270 |
| Bristol | 64000 | 137328 |
| Sheffield | 31000 | 135310 |
| Bradford | 29000 | 103310 |

Am Beispiel von Liverpool kommen die Veränderungen besonders deutlich zum Ausdruck. Die Stadt wies, als Daniel Defoe (1660–1731) seine Tour durch England machte,[56] nicht einmal 10000 Einwohner auf. Zu Ende des 18. Jahrhunderts hatte sich die Einwohnerzahl verachtfacht. Die Hafenstadt war unterdessen zum Umschlagplatz für die stark expandierenden Industrien in South Lancashire und den Midlands geworden.[57] Während deren Bodenschätze und Erzeugnisse – Kohle, Salz, Manufakturwaren, Textilien – im Küsten- und Überseehandel abgesetzt wurden, kamen die Schiffe voll beladen mit Rohbaumwolle, Rum und Zucker zurück. In ihrem skrupellosen Geschäftsgebaren scheuten die Liverpooler Händler nicht davor zurück, jene berüchtigten »Dreiecksgeschäfte« (»triangular trade«) zu machen, bei denen sie die Exportartikel zum Kauf von Sklaven in Westafrika verwandten, um diese dann in Westindien zur Finanzierung der

27

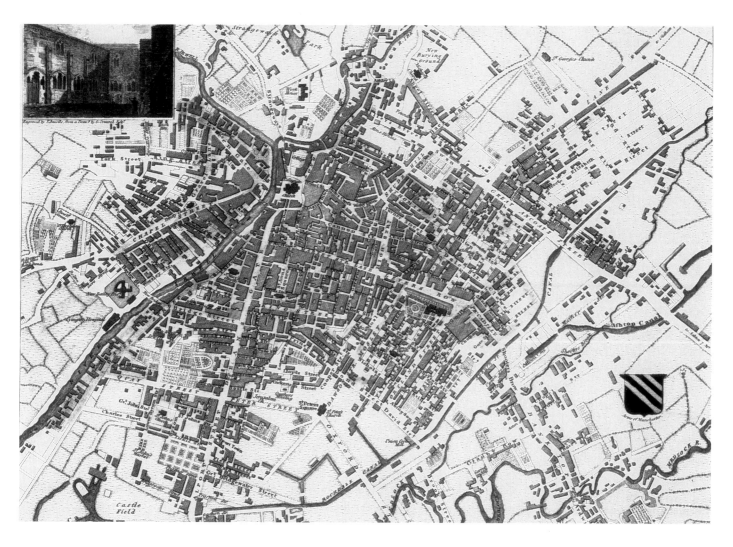

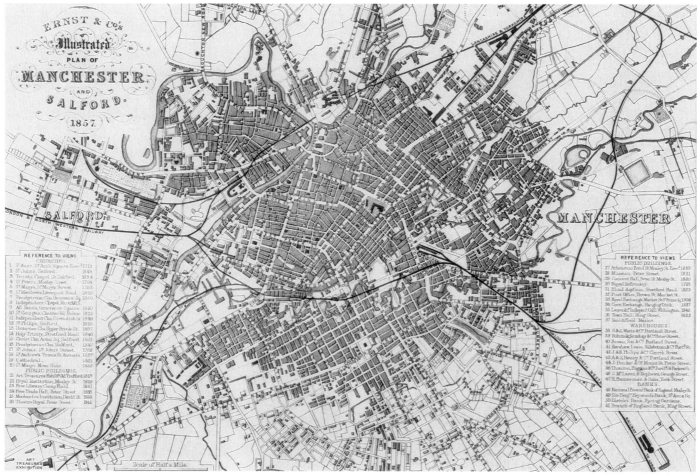

Importwaren zu versetzen.[58] Der steigende Güterumschlag bewirkte wiederum eine Vergrößerung der Hafenanlagen. Es wurden neue Docks ausgehoben, die Kaimauern verlängert, sechs- und siebengeschossige Lagerhäuser errichtet.[59] Das alles wirkte auf die Menschen der Umgebung wie ein Magnet, denn sie sahen ihn diesen Einrichtungen neue Verdienstmöglichkeiten.

Andere Hafenstädte wie Bristol, Newcastle upon Tyne und Hull an der Ostküste, Portsmouth und Southampton an der Kanalküste wuchsen ebenfalls, wenn auch nicht so spektakulär, durch den Seehandel. Fast dieselben Wachstumsraten wie bei Liverpool sind auch bei Manchester zu beobachten. Obwohl sich in diesem Ort gegen Ende des 18. Jahrhunderts noch manche unbebaute Straße finden ließ, waren vor allem für die Textilverarbeitung mit den »spinning jennys« und »spinning mules« neue Manufakturen und Mills entstanden, die die arbeitsuchenden Menschen des ganzen Umlandes anzogen. Demzufolge veränderte sich das Bild der »cottonpolis« genannten Stadt und ihrer Umgebung innerhalb weniger Jahrzehnte grundlegend.[60] So wurde aus dem im Süden von Manchester gelegenen ländlichen Medlock-Tal nach 1836 in einem fast überstürzten Ausbau ein Fabrikbezirk, der einen »Wald von Schornsteinen, Rauchwolken und Dampfschwaden hervorbrachte, wie das Aufbrodeln einiger übergroßen Kessel«.[61]

Auch in Birmingham, wo der Wachstumsprozeß in etwas geordneteren Bahnen verlief und wo die als »nursery of ingenuity« gepriesene Soho Manufactory von Boulton und Watt noch eine Zeitlang inmitten grüner Wiesen lag, war der Ausbau der Eisenindustrie in vollem Gange.[62]

So hat, auf das Ganze gesehen, der Bau von immer weiteren Fabriken und der Zuzug von immer mehr Arbeitern in den genannten Industriezentren und in vielen anderen, kleineren Städten zu weitreichenden stadtmorphologischen Konsequenzen geführt. Was sich hier in England anbahnte und im Laufe des 19. Jahrhunderts auf der Insel und in nachfolgenden Varianten in Europa und in Nordamerika vollzog, war eine Transformation der Städte, wie sie bisher in der Geschichte des Städtebaus noch nicht vorgekommen war. Die Antriebskräfte zur urbanen Verwandlung und Ausweitung resultierten aber nicht mehr, wie im Zeitalter der Renaissance und des Absolutismus, aus strategisch-politischen oder ästhetisch-formalen Überlegungen. Sie entsprangen auch nicht dem Willen einer freien Bürgerschaft oder eines souveränen Grundherrn. Hinter dem Stadtausbau

29

standen vielmehr die handfesten Interessen eines kapitalistisch agierenden Unternehmertums, das einflußreich genug war, die Vorteile der städtischen Organisation für seine Zwecke zu nutzen. Aber gerade daraus, daß der mit der Produktionsausweitung verbundenen baulichen Expansion fast jeder architektonische und ästhetische Rückhalt fehlte und daß zudem die Fabrikherren und städtischen Korporationen ein soziales Verantwortungsbewußtsein vermissen ließen, erklärt sich das bedrückende städtebauliche Bild, das sich in der Frühzeit der Industrialisierung unseren Augen darbietet.[63]

Wie haben die bestehenden, zumeist im Mittelalter angelegten englischen Städte – Liverpool (»Charter of 1192«), Manchester (»Annual Fair 1229«), Birmingham (»Market Charter 1166«), um nur die wichtigsten zu nennen – die erwähnte Industrieansiedlung und die Unterbringung der von ihnen angezogenen Arbeiter bewältigt? Anfangs, noch vor der Einführung der Eisenbahn, begnügte man sich zum Teil einfach damit, die vorhandenen Altstadtlücken auszufüllen, zum Teil wucherte die Bebauung aber auch planlos entlang den Ausfallstraßen. Das bedeutete ein sternförmiges, radiales Hinauswachsen des Stadtkörpers in das Land, wobei, wieder ohne besondere Planung, die freien Flächen zwischen den Radialstraßen jederzeit nach Bedürfnis ausgefüllt werden konnten.

Für Birmingham ist dieser Vorgang bei Rawlinson eindrucksvoll beschrieben. Es heißt dort:

»Most of our large towns received their increments chiefly from buildings erected along the roads branching out into the country, presenting so many streets radiating from a centre, but leaving the intervening spaces to be irregularly and imperfectly filled up at subsequent periods as change or necessity directed.«[64] Tatsächlich hat sich die städtebauliche Entwicklung Birminghams entlang den aus der Stadt führenden Straßen und Eisenbahnlinien und längs den Kanälen vollzogen. In Manchester ist zu beobachten, wie sich im Laufe der ersten Jahrzehnte des 19. Jahrhunderts verschiedene städtebauliche Zonen herausbildeten, die die Erscheinungsform dieser rapide wachsenden Industriestadt für die ganze viktorianische Zeit prägten. Die industrielle Entwicklung hatte schon zu Beginn des Jahrhunderts im Altstadtbereich eingesetzt. An den Flüssen (Irwell, Irk, Medlock) und an den Kanälen entstanden die ersten Fabriken (»mills«), aber auch Färbereien, Gerbereien, Lagerschuppen usw., zu denen sich im Altstadtkern noch die notwendigen Kaufhäuser hinzugesellten. Alle diese Einrichtungen verlangten Scharen von Arbeitern, die wegen der unzureichenden und teuren Verkehrsmittel, der langen Arbeitszeiten[65] und der unsicheren Beschäftigungsverhältnisse in unmittelbarer Nähe der Produktionsstätten unterkommen mußten. Sie konnten anfänglich wohl in den bestehenden, teilweise noch mittelalterlichen bürgerlichen Hausstellen Unterschlupf finden. Nachdem deren Aufnahmekapazität erschöpft war, ging man wiederum zum nächstliegenden über und pflasterte alle freien Stellen, die im Stadtkern noch übriggeblieben waren, vor allem

15. Die alte Hausstelle Sun Inn, Long Millgate, Manchester, 1866. (Manchester Public Libraries)

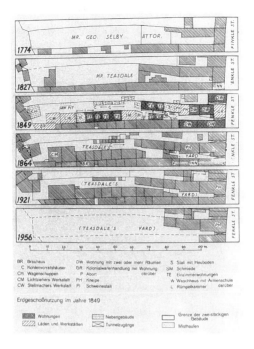

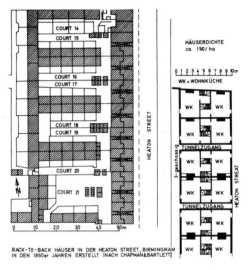

BR Brauhaus
C Kohlenvorratshäuser
CH Wagenschuppen
CM Lichtziehers Werkstatt
CW Stellmachers Werkstatt

DW Wohnung mit zwei oder mehr Räumen
GR Kolonialwarenhandlung mit Wohnung darüber
P Kolonialwarenhandlung mit Wohnung darüber
PH Kneipe
PI Schweinestall

S Stall mit Heuboden
SM Schmiede
TE Einzimmerwohnungen
W Waschhaus mit Armenschule darüber
L Rümpelkammer

Erdgeschoßnutzung im Jahre 1849

Wohnungen · Läden und Werkstätten · Nebengebäude · Tunnelzugänge · Grenze der zweistöckigen Gebäude · Misthaufen

BACK-TO-BACK HÄUSER IN DER HEATON STREET, BIRMINGHAM
IN DEN 1860er JAHREN ERSTELLT (NACH CHAPMAN & BARTLETT)

16. Teasdale's Yard, Alnwick. Hinterhofüberbauung eines länglichen Grundstücks 1774–1956. (*Probleme des Städtewesens im industriellen Zeitalter*, hrg. von Helmut Jäger, Köln, Wien 1978)

17. Back-to-Back-Häuser an der Heaton Street in Birmingham, 1860. (*Probleme des Städtewesens im industriellen Zeitalter*, a.a.O.)

18. Mosley Street, Manchester. Im Hintergrund St. Peter's Church. (*Pictorial Times*, 1843)

aber die Hinterhöfe der schmalen, in die Tiefe hin angelegten Grundstücke mit primitiven, schnell und schlecht gebauten Hütten zu.

Das war, in Manchester und anderswo, die Stunde der ersten kleinen Hausbau-Spekulanten. Sie nützten die prekäre Situation der Wohnungsnot aus und bauten um abgeschlossene Straßenstücke und Sackgassen (»confined streets«, »lanes«) Häuser mit der Rückseite gegen die Grundstücksgrenzen. Diese »blind-back-houses« waren, wie die Beispiele von Alnwick und Leeds belegen, nicht nur unzureichend belüftet und belichtet, es fehlte ihnen auch eine ordentliche Frischwasserversorgung und die allernotwendigste sanitäre Ausstattung.[66] Auf engstem Raum kamen alle denkbaren Nutzungen vor, ein heilloses Durcheinander aus Einzimmerbehausungen, Kohlenlagern, Wagenschuppen, Handwerkerstuben, Kolonialwarenläden bis hin zu Schweineställen, Abfallhaufen und bewohnten Kellerlöchern, und so war der Keim zur Slumbildung und der Nährboden für Cholera-Epidemien gelegt. Noch während dieser Verdichtungsvorgang andauerte – von Michael Conzen als »burgage cycle« bezeichnet und für eine Reihe von kleineren Industriestädten gut belegt[67] –, traten bereits die gewerbsmäßig operierenden Hausbauspekulanten auf den Plan, die sich aus Bauunternehmern, Geschäftsleuten usw. rekrutierten und von keinerlei Gewissensbissen geplagt waren. Sie erwarben die in den Sektoren zwischen den Überlandstraßen freigebliebenen Flächen und füllten diese, weder von Bauvorschriften noch von Stadtbauplänen zur Ordnung gerufen, in einer nahezu unvorstellbaren Verdichtung mit Cottages auf. Ihr erklärtes, am Vorbild der Fabrikherren orientiertes Ziel war, bei geringstem baulichen Aufwand ein Maximum an Rendite zu erwirtschaften. Obwohl diese »Neustädte« – in Manchester etwa die Irish Town zwischen Medlock und Hill Lane – auf freiem Feld ohne Bindung an mittelalterliche Hofstättenstrukturen errichtet wurden, gruppierten sie sich dennoch um enge »courts« und waren, der höchsten Ausnutzung wegen, als »back-to-back-houses« gegeneinander gestellt.[68] Ein Beispiel aus Birmingham mag diesen Haustyp illustrieren.

Die Verlagerung des Arbeiterwohnbaus in die städtische Mittelzone führte in Manchester zu der Konsequenz, daß auf einer zentralen Fläche von etwa zweieinhalb Kilometer Durchmesser alle wichtigen Kaufhäuser und Handelsetablissements mit ihren Warenlagern entstanden. So bildete sich das von den übrigen Teilen der Stadt durch eine höhere Bebauung deutlich abgehobene und vom Verkehr lebhaft durchpulste Geschäftsviertel heraus, dessen Schauseiten die Besucher so sehr beeindruckten, daß sie ganz vergaßen, auch die Durchgänge zu den Courts zu suchen, um zur Abrundung des Bildes die Rückseite des Fabriksystems kennenzulernen. In einem Handbuch von 1842 wird zu diesem Vorgang in Manchester angemerkt: »In den letzten vier Jahren standen an der Mosley Street nur private Wohnhäuser, jetzt ist sie eine Kaufhausstraße. Das anwachsende Geschäft der Stadt verwandelt rapide alle großen, zentral gelegenen Wohnhäuser in Han-

delsniederlassungen und es treibt die meisten der angesehenen Einwohner hinaus in die Suburbs.«[69] Damit ist eine weitere Konsequenz des urbanen Verdichtungsprozesses angedeutet: Die Nähe der Dampf, Rauch und Dreck ausstoßenden, Lärm und Unruhe verbreitenden Fabriken, der die Flüsse verunreinigenden Färbereien und der die Luft verpestenden Gerbereien verschlechterte die Lebens- und Wohnbedingungen im Innenstadtbereich derart nachhaltig, daß die bisher dort ansässige Middle-class-Bevölkerung diesen Standort aufgab und ihre Wohnstätten weit nach außen in die ländlichen Gebiete am Stadtrand verlegte.

Schließlich ergaben sich zwischen 1830 und 1845 in der Stadt noch einmal tiefgreifende städtebauliche Veränderungen, als die Eisenbahnen in einem »first railway boom« ihre Trassen in den Stadtkörper einschnitten und die Bahnhöfe, wie schon erwähnt, mit ihren Gleisanlagen den erforderlichen Platz möglichst nahe des Zentrums beanspruchten. In diesem Fall sprach nicht viel dagegen, die bereits zu Slums degradierten Arbeiterbehausungen abzubrechen und sie durch Bahnhofspaläste zu ersetzen. Es kümmerte dabei kaum jemanden, wo die obdachlos gewordenen Arbeiterfamilien unterkamen. Man ging wohl davon aus, daß die nebenan verbliebenen Slums auch sie wieder aufnehmen könnten.

Alle diese Veränderungen zusammengenommen trieben jedoch den einst als »fairest town«[70] bezeichneten Ort in einen städtebaulichen Amalgamationsprozeß, bei dem sich so konträre Komponenten wie die bauliche Expansion und die soziale Destruktion in vielfältiger Weise überlagerten und vermischten. Um 1850 bot sich in Manchester und in den anderen Industrieorten jenes abstoßende und allen bisher gültigen Stadtvorstellungen Hohn sprechende Bild, das von Alexis de Tocqueville, Hippolyte Taine, Friedrich Engels und anderen Beobachtern gleichermaßen erschüttert kommentiert wurde.[71] Engels hebt bei seiner faktenreichen und wahrheitsgemäßen Situationsschilderung Manchesters im Jahre 1845 die inzwischen eingetretene städtebauliche Zonenbildung besonders hervor. Er unterscheidet deutlich den kommerziellen Bezirk als zentralen Kern, einen darum gelegten mittleren Bebauungsgürtel, mit dem unübersichtlichen Gewirr der Courts und Cottages als Topos der verbauten und verwahrlosten Arbeiterquartiere, und eine suburbane Zone nach außen, wo in Vororten wie Charlton und Ardwich oder auf den Anhöhen von Cheetham Hill, Broughton und Pendleton »die höhere und mittlere Bourgeoisie« in einer »freien, gesunden Landluft« wohnte.

So decouvrierend sich indes Engels' Zustandsschilderungen der an den Abhang des Irk gehängten Slums und der Irish Town ausnehmen, so wenig können sie als eine besondere Entdeckungstat gelten. Denn die mit den zum Himmel schreienden Zuständen konfrontierten englischen Beobachter konnten, soweit sie sich noch ein letztes soziales Verantwortungsgefühl bewahrt hatten und dem »Manchestertum« nicht restlos verfallen waren, die schauerlichen Zustände in den Arbeitervierteln nicht achtlos übergehen. Obwohl sich die Mehrzahl der Upper class in frühviktorianischer Zeit merkwürdig indifferent und abgestumpft gegenüber diesen Wohnverhältnissen verhielt, gab es dennoch auch eine Reihe scharfsichtiger und sozialpolitisch engagierter Kritiker, die von Anfang an auf die inhumanen Lebensbedingungen der Industriebevölkerung hingewiesen haben.[72]

## 2.6. Die englischen Reports und Improvements

### 2.6.1. Public Health Movement

Das stetige Anwachsen der Stadtbevölkerung ergab rasch eine neue soziale Gruppierung und führte außerdem zu einer unübersehbaren Pauperisierung sowohl in den Städten wie auch in den Landbezirken.[73] Daher hatte man schon im letzten Viertel des 18. Jahrhunderts, gleich in der ersten Phase der Industrialisierung, damit begonnen, sich mit deren sozialen Auswirkungen zu beschäftigen. Wie kontrovers man dieses Problem sah, geht aus den Abhandlungen von Thomas Robert Malthus (1766–1834), Sir Frederic Morton Eden und Joseph Townsed hervor.[74] Daneben gestatteten der *First Report of the Society for Bettering the Condition of the Poor* von 1797 und die Untersuchungen J. Aikins von 1795 einen ersten Einblick in die wirkliche Not der Armen.[75] In dieser Situation machte sich William Cobett (1762–1835) zu deren Fürsprecher. In einer drastischen Sprache verdeutlichte er ihnen, daß sie nur durch die Erlangung des Wahlrechts ihrem Elend entrinnen könnten.[76] Doch die konservativen Tory-Regierungen unter Liverpool, Wellington und Castlereagh antworteten mit politischem Druck und Knebelung. Sie hiel-

19, 20. Londoner Wohnverhältnisse in der Nähe der Berwick Street. Hofansicht und Innenraum. (*The Builder*, London, 1853, Bd. 11)

ten eisern an den nach den Napoleonischen Kriegen eingeführten Getreidegesetzen (»Corn Laws«) fest, obwohl das in ihnen dekretierte Verbot zur Einführung billigen ausländischen Getreides als ein großes Unrecht gegen die Armen angesehen werden mußte. Die ganze Mißstimmung und Verzweiflung machte sich schließlich Luft in Protestversammlungen. Eine davon geriet zum unrühmlichen »Massacre of Peterloo«, als sich am 16. August 1819 Tausende auf dem St. Peter's Field in Manchester versammelten, um mit Orator Hunt gegen die Korngesetze zu protestieren. Der Magistrat verwechselte die friedfertige Kundgebung mit einem Aufruhr, und nach dem Einsatz eines Detachements Kavallerie blieben elf Tote und 400 Verwundete auf dem zum »Schlachtfeld« gewordenen Versammlungsplatz zurück. In dieser Krisenzeit bewährte sich, trotz aller Menschenverachtung der Regierenden, die pragmatische Lebenseinstellung der Briten. Die Partei der liberalen Whigs und auch die gemäßigten Kräfte der Konservativen wurden sich der Notwendigkeit von Reformen bewußt. Um dafür eine Basis zu erlangen, begann man ab etwa 1820 Untersuchungsausschüsse des Parlaments (»Select Committees of the House of Commons«) einzusetzen. Dazu kamen noch königliche Kommissionen, denen nicht nur Parlamentsmitglieder, sondern auch Fachleute angehörten, deren ganz spezielle Kenntnisse und Erfahrungen bei der Behandlung der jeweiligen Untersuchungsgegenstände notwendig waren.[77] Mit deren »reports« wurden dann die »Reform Bill« von 1832, das »New Poor Law« von 1834 und der »Municipal Corporations Act« von 1834 (5 & 6 Will. IV, Kapitel 76, 76) vorbereitet. Bis zur Jahrhundertmitte waren mehr als 100 Kommissionen eingesetzt, die in ihren Reports zu jedem beabsichtigten Gesetzgebungsakt und auch zu allen drängenden Problemen Fakten und Argumente zusammentrugen. Mit dieser Methode der »Blue Books«, der Kommissionsberichte, die jedermann zugänglich waren und zuweilen als »best seller« galten, begann die neue Zeit der Improvements.[78] Diese wirkten sich auch auf die stadthygienischen Verhältnisse aus und wurden so im Rahmen der Public Health Movement ein bedeutsamer Beitrag Englands zur Erneuerung des Städtebaus.[79]

Eine erste Übersicht für die breite Öffentlichkeit ergab der Bericht über öffentliche Spazierwege von 1833.[80] Die untersuchten Industriestädte – u.a. Birmingham, Manchester, Sheffield, Leeds, Bradford – wiesen bei der immer weiter anwachsenden Einwohnerschaft eine so dichte Bebauung auf, daß für öffentliche Plätze, Spazierwege und Parkanlagen kein Raum mehr übrig blieb und eine Erholung in frischer Luft so gut wie unmöglich war. Genauere Angaben über die gesundheitlichen Verhältnisse in den Industriestädten gab die Untersuchung über den Gesundheitszustand in großen Städten von 1840.[81] Der vom Unterhaus eingesetzte Sonderausschuß rief den Zeitgenossen ins Bewußtsein, daß es keine wirksamen Kontrollen für das Bauen und für die Ausstattung mit sanitären Einrichtungen gab. Nach vielerlei Hinweisen auf die beobachteten Mängel schlug der Ausschuß deshalb eine ganze Liste von Neuerungen vor: den Beschluß eines allgemeinen Baugesetzes und Entwässerungsgesetzes, die Einrichtung von Gesundheitsämtern (»Boards of Health«) in allen größeren Städten, die Einsetzung von Inspektoren zur Durchführung der Sanitärmaßnahmen, die Garantie für eine ausreichende Wasserversorgung, den Bau öffentlicher Badeanstalten für die Armen und eine Kontrolle der »common lodging houses«.

Alle diese Vorschläge waren sicherlich ein erstaunlicher Erkenntnisfortschritt. Trotzdem wagte es der Report aber noch nicht, die eigentlichen Ursachen der urbanen Mißstände aufzudecken, denn das hätte bedeutet, das eigene viktorianische Selbstverständnis in Frage zu stellen.[82] Indes waren diese Erhebungen und einige andere außerparlamentarische Situationsberichte nur eine Art Vorspiel zu dem, was die von Lord John Russell im August 1839 eingesetzten »Poor Law Commissioners« an Unglaublichkeiten aufdeckten und in dem Bericht über die Sanitärverhältnisse der Arbeiterbevölkerung 1842 und 1843 an die Öffentlichkeit brachten.[83] Dieser trug eindeutig die Handschrift des Bentham-Anhängers Edwin Chadwick (1800–90), der in unermüdlicher Arbeit und unter den mißtrauischen Blicken der Konservativen die unmenschlichen Lebensbedingungen in den Industriestädten aufdeckte. Er scheute sich nicht, die von ihm inspizierten Wohnungen mit den von John Howard (1726–96) als stickig und schmutzig beschriebenen Gefängnissen[84] zu vergleichen: »Noch mehr Dreck, schlimmere körperliche Leiden und noch mehr moralische Verwirrung als bei Howard erwähnt, sind unter den Kellerbewohnern der Arbeiterschaft von Liverpool, Manchester und Leeds und großer Teile der Metropole zu finden« (Report S. 212). In Edinburgh hatten sich die Verhältnisse geradezu umgekehrt: Von Krankheit befallene Arme wurden aus Mitgefühl und aus Vorsorge im Gefängnis aufgenommen, um dort, an dem besseren Ort als ihrer Behausung, zu gesun-

THE CELLAR.

den (Report S. 214). Chadwicks ergänzender Bericht im folgenden Jahr enthüllte nicht weniger schauerliche Dinge: wie Tote lange Zeit in überfüllten Einraum-Behausungen liegenblieben, ohne beerdigt zu werden, und welche Mißbräuche im Bestattungswesen an der Tagesordnung waren.[85]

Überall erwiesen sich die stadthygienischen und sanitären Zustände als erschütternd, obwohl die letzte große Cholera-Epidemie von 1831/32 eine Warnung hätte sein müssen. Die Pflasterung der Straßen steckte noch in den Anfängen, die Straßenreinigung erfolgte sporadisch und in zu langen Abständen, Abfälle, Müll und Exkremente blieben oft unbeseitigt. Eine Kanalisation war nur bruchstückhaft vorhanden, da man sich bisher bei der dünnen Besiedlung damit beholfen hatte, die Abwässer in die Bäche und Flüsse abzuleiten. In den Gebäuden selbst war die Wasserversorgung genauso unzureichend wie die Entwässerung, von den Abortverhältnissen in den engen Courts ganz zu schweigen. Noch bevor jedoch diese schauerlichen Fakten im genannten Report publiziert waren, setzte Robert Peel, der ab 1842 als Premierminister dem »großen Ministerium« vorstand und sich auch als Konservativer den Forderungen der Zeit nicht verschloß, auf Drängen des reformwilligen Anthony Ashley Cooper (Lord Ashley, 1801–85) eine neue Kommission ein, die sich speziell mit den Zuständen in den großen Städten beschäftigte und ihre Untersuchungsberichte 1844 und 1845 veröffentlichte.[87]

Mit dieser Dokumentation waren die Zusammenhänge zwischen ungesunder Bebauungsweise und hoher Sterblichkeitsrate nicht mehr zu übersehen. Ebenso evident war jetzt auch, daß die sanitären Mängel in ganz England und Wales anzutreffen waren. Sie unterschieden sich lediglich nach dem Grad ihrer Intensität, wie sich am Beispiel von Liverpool ablesen ließ. Die Stadt wies 1840 etwa 2400 Courts auf, in denen eine Bevölkerung von 86000 Arbeitern hauste. Die Höfe hatten nur eine Weite von etwa 3,5 Meter und waren beidseitig mit jeweils fünf »back-to-back-houses« bebaut. Ihre Sanitärausstattung spottete jeder Beschreibung. Wie reagierten die einflußreichen Kreise auf diese Enthüllungen? Die Fabrikherren und ihre Anhängerschaft interpretierten die offensichtlichen Mängel einfach als einen Tribut an den Fortschritt. Für sie hatte das Fabriksystem neben den vielen Vorteilen auch seine Schattenseiten, die man in Kauf nehmen mußte.[88]

Damit gaben sich jedoch die von Benthams Philosophie »des größten Glücks für die größte Anzahl« geleiteten Reformer wie Edwin Chadwick und Dr. Southwood Smith (1788–1861) nicht zufrieden. Für die erforderlichen Gesetzesinitiativen warben sie bereits im »Report on the Health of Large Towns« von 1840 mit genau den Argumenten, die ihren Zeitgenossen besonders einleuchten mußten: mit dem rechnerischen Überschlag, welch großen volkswirtschaftlichen Verlust die Gemeinschaft durch den momentan bestehenden Zustand der Städte erleide, und mit dem fast drohenden Hinweis, diese derangierten Städte müßten zur Mißachtung der Gesetze verleiten und so die soziale Ordnung, vor allem aber das Eigentum der besitzenden Klasse, gefährden.

Wenn man auch schnelle »Improvements« nicht erwarten konnte, so glaubte man doch, die Übel wenigstens in Zukunft beheben zu können. In der Tat war der Eindruck, den die Reports hinterließen, und die Macht der Fakten, die sie zur Hand gaben, groß genug, um sowohl private Aktivitäten wie legislative Initiativen hervorzubringen. Nach englischer Auffassung lag es nahe, den Kampf um Verbesserungsmaßnahmen zuerst einmal besonderen Privatgesellschaften zu übertragen. Die Hauptstadt ging auf diesem Weg voran, und es entstanden dort in rascher Folge: die Association for the Promotion of Cleanliness among the Poor, die den Bau von Bade- und Waschhäusern im Londoner Osten betrieb; die Metropolitan Association for Improving the Dwellings of the Industrious Classes (1841) und die Society for the Improvement on the Condition of Labouring Classes (1844), die sich beide um die Errichtung von Modellwohnungen kümmerten und sogar die Unterstützung des Prince Consort besaßen (siehe Kapitel 6.1.) Manche Städte machten auch von der Möglichkeit Gebrauch, ihre baulichen Probleme durch lokale Gesetze zu lösen. Anzuführen wäre da der »Metropolitan Building Act« (1840–50), mit dem London eine Art Bauordnung erhielt, in der wenigstens die Bebauungshöhe entsprechend der Straßenbreite reguliert wurde und demnach an die Besonnung der Baublöcke gedacht war. In besonderem Maß aktiv zeigte man sich jedoch in Liverpool, wo bereits 1826 verschiedene Straßenerweiterungen durchgeführt worden waren.[89] Genaugenommen hatte diese Stadt eine städtebauliche Sanierung mindestens so nötig wie die Industriezentren des »Black Country«. Neue Gesetze von 1842 sollten für Abhilfe sorgen.[90] Durch die irische Invasion während der Hungersnot von 1846 verschlechterten sich die Verhältnisse wieder merklich. Unter diesen widrigen Umständen suchte die Stadtverwal-

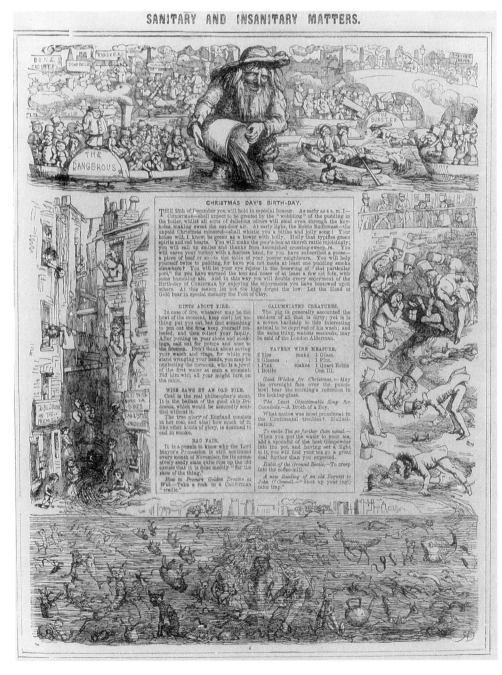

22. Sanitary and Insanitary Matters – zeitgenössische Sicht der sanitären Verhältnisse um die Jahrhundertmitte. (*Punch* XVIII, 1850)

tung, die ab 1835 mit Joshua Walmsley und später mit Joseph Chamberlain (1836–1914) tatkräftige Vorstände hatte, Hilfe in einem neuen »Act«.[91] Dieser erlaubte ihr, den ersten »Medical Officer of Health« im Lande einzustellen, einen »Borough Engineer« zu beschäftigen und den Kampf gegen die verbauten Courts und Kellerwohnungen aufzunehmen.

### 2.6.2. Erste Reformgesetze

Im größeren Rahmen entbrannte in den späten vierziger Jahren ein heftiger Kampf um die sanitäre und städtebauliche Gesetzgebung. Der Versuch von Lord Normanby, drei Gesetzentwürfe im Parlament durchzubringen, scheiterte 1843. Aber die Furcht vor einer neuen Cholera-Epidemie, der Druck durch die irische Einwanderungswelle und das unablässige Drängen der Reformgruppe um Lord Ashley verhalfen schließlich der »sanitary idea« zu den ersten legislativen Erfolgen.

Die Reihe der sanitären Reformgesetze begann 1846 mit einem »Nuisance Removal Act«, sie setzte sich im nächsten Jahr mit dem »Towns Improvement Clauses Act« fort und erreichte im »Public Health Act« von 1848 einen Höhepunkt.[92] Dieses Gesetz brachte den Durchbruch zu einer generellen Regelung der stadthygienischen Maßnahmen. Der neu eingerichtete General Board of Health, dem die bedeutendsten Vertreter der Bewegung, Lord Ashley, Chadwick, Dr. Southwood Smith und Lord Morpeth, angehörten, war befugt, auf Antrag oder auch zwangsweise Local Boards of Health einzurichten, denen die Kontrolle für die Wasserversorgung, die Stadtentwässerung, die Friedhöfe usw. übertragen wurde.[93] Obwohl dieses Gesetz keineswegs alle Reformwünsche erfüllte – es klammerte die schwierigen Londoner Sanitärprobleme aus –, war aus seiner ideellen Konzeption die Einsicht der maßgebenden politischen Kreise abzulesen, daß die öffentliche Gesundheitsfürsorge in den Städten eine nationale Aufgabe sei und nicht eine Angelegenheit der Städte oder gar der Stadtbewohner.

Noch weiter gehende Konsequenzen für den Städtebau zogen 1851 zwei Gesetze, die den Bau und den Betrieb der »Common Lodging Houses« und der »Labouring Classes' Lodging Houses« durch Vorschriften über die Ventilation, Hygiene, Belegung, Inspektionen usw. regelten.[94] Die Initiative zu diesen gesetzlichen Festlegungen ging von Lord Shaftesbury (Lord Ashley) aus,[95] der die unhaltbaren Zustände in den Logierhäusern aus eigener Anschauung kannte[96] und – wie sein weiteres Lebenswerk zeigt – nicht ruhte, bis die schlimmsten Auswüchse beseitigt waren.

Die hier kurz skizzierte Tätigkeit einiger weitsichtiger Politiker und der von ihnen getragenen Gesellschaften und die Wirkung der im Parlament gegen mancherlei Widerstand durchgekämpften Reformgesetze, zu denen selbstverständlich auch die ab 1802 eingeleitete Fabrikgesetzgebung gezählt werden muß,[97] dürfen nicht zu dem voreiligen Schluß verleiten, daß es gleich nach der Jahrhundertmitte zu einer raschen Besserung der Situation in den Städten gekommen sei. Die Erkenntnisse der Reformer blieben oft unbeachtet, selbst wenn sie in Gesetze gegossen waren. Zumeist konnten sie auch nicht in die Tat umgesetzt werden, weil die Rahmenbedingungen sich vorerst nicht änderten und die Mehrheit der viktorianischen Zeitgenossen die aufgeworfenen Probleme ignorierte, sei es aus Gleichgültigkeit, sei es aus ständischen oder aus handfesten materiellen Gründen. Im übigen war in der öffentlichen Verwaltung Sparsamkeit oberstes Gebot. Somit blieben für Sanitärmaßnahmen nur wenig Mittel übrig, zumal man bei ihnen eine sichtbare Rendite nicht zu erkennen vermeinte, selbst wenn die Zusammenhänge zwischen Stadthygiene und Public health längst bekannt waren. Die Verhältnisse besserten sich erst im letzten Viertel des 19. Jahrhunderts, als die Public-health-Bewegung in die allgemeine Städtebauerneuerung überging und mit den Model villages ein neuer Wohnbaustandard erreicht wurde.

## 3. Das Fortwirken des klassischen Stadtbauideals

### 3.1. Französischer Urbanismus unter Napoleon Bonaparte

#### 3.1.1. Paris

Die am Beispiel Großbritanniens erkennbar gewordene Verflechtung von industrieller Revolution und Städtewachstum ist in demselben Ausmaß und mit der gleichen Dynamik auf dem europäischen Kontinent zu Beginn des 19. Jahrhunderts nicht zu beobachten. Hier nahm die Entwicklung, durch die politischen Ereignisse bedingt, einen anderen Verlauf. Einerseits fehlte es einfach noch an dem notwendigen technologischen Verständnis für die industrielle Produktion. Andererseits ließen die restaurativen Tendenzen in der Politik Frankreichs und der deutschen Länder vorerst keinen großen Spielraum für den Aufbau einer Industrie: Die Idee des Absolutismus mit dem Hegemoniestreben der Herrscher belebte noch einmal die politische Szene und damit auch den klassizistisch-repräsentativen Städtebau. Für Frankreich ist schon darauf hingewiesen worden, wie leicht es dem ersten Konsul Napoleon Bonaparte nach der Schreckensherrschaft der neunziger Jahre gemacht wurde, die der Politik überdrüssig gewordene Bevölkerung für sein Regime zu gewinnen. Längst war ja den französischen Städten das in der Munizipalrevolution errungene Recht zur kommunalen Selbstverwaltung wieder entglitten. Unter diesen Umständen konnten von den intermediären Institutionen kaum Initiativen zum Ausbau der Städte erwartet werden, weder unter dem Aspekt der Verschönerung noch dem der Befriedigung neuer Wohnbedürfnisse.

Um so mehr aber wandte sich Napoleon, dem ein Instinkt für die Demonstration von Macht und für die Verewigung von Größe eigen war, dem Gebiet des Städtebaus zu. Nicht von ungefähr spielte dabei die französische Metropole eine beherrschende Rolle. Noch bevor er überhaupt richtig an der Macht war, formulierte er 1798 gewissermaßen im voraus sein städtebauliches Programm: »Wenn ich Herr über Frankreich wäre, würde ich aus Paris nicht nur die schönste Stadt machen wollen, die es gegeben hat, sondern auch die schönste Stadt, die es geben könnte. Ich würde dort all das vereinigen, was man in Athen und Rom bewundert hat, ausgedehnte Plätze, geschmückt mit Monumenten, Statuen und Springbrunnen an allen Straßenecken.«[1] Am Ende seiner kometenhaften Laufbahn, die anderthalb Dezennien währte, umriß er auf der Insel St. Helena noch einmal wehmütig die Spannweite seiner Intentionen: Wäre ihm genügend Zeit vergönnt gewesen, so hätte er Paris bis nach Saint-Cloud ausgedehnt, um eine Stadt mit drei bis vier Millionen Einwohnern zu schaffen. Was ihm dabei vorschwebte, war »quelque chose de fabuleux, de colossal, d'inconnu jusqu' à nos jours«.[2]

Ohne Zweifel schwingt in diesen anspruchsvollen Worten ein utopisches Element mit, bei dem die gegebenen Möglichkeiten völlig außer acht gelassen sind. Daneben ist aber aus diesen großen Plänen das Verlangen nach »embellissement« herauszuspüren, das sich vor dem Hintergrund des zeitgenössischen Antikenkults eben an Athen und Rom orientierte. Die Idee der Stadtverschönerung lag zu Beginn des neuen Jahrhunderts gewissermaßen in der Luft. Sie war jedoch schon früher von Voltaire vorformuliert[3] und in den Platzgestaltungen des Ancien régime immer wieder partiell zu verwirklichen versucht worden.[4]

Napoleon mußte dieses in der Öffentlichkeit allgemein artikulierte Verlangen insofern besonders gelegen kommen, als er darin die Chance sah, das, was er als »sa gloire« empfand, in Gebäuden, Straßenzügen und Platzanlagen zu verewigen. Wie er in diesem Genre im einzelnen vorzugehen hatte, bedurfte im übrigen keiner langen Überlegungen. Denn im »Plan des Artistes« von 1793 war bereits eine Art städtebaulicher Aktionsrahmen vorgezeichnet.[5] Das Projekt der Commission temporaire d'artistes aus der Spätphase der Revolution mochte zwar vordergründig darauf angelegt sein, das neue Nationaleigentum sinnvoll aufzuteilen, neue Verkehrsverbindungen einzurichten und Sanierungslösungen aufzuzeigen. Genauer gesehen kam in ihm aber auch eine neue progressive Urbanismus-Auffassung zum Ausdruck. Es war die Doktrin der Straßendurchbrüche und der Freistellung bedeutender Monumentalbauten (Louvre, Panthéon, Saint-Sulpice, Val-de-Grâce usw.), so wie sie von Quatremère de Quincy im Sinne der »belles percées« und der »beauté du vide« noch während der Revolution formuliert worden war.[6] Die kurz zuvor erarbeitete topographische Grundlage des Verniquet-Planes (1773–91) hatte die Möglichkeit geboten, die neuen Ideale des Städtebaus auf die Situation von Paris zu übertragen. Mit der Sanierung hatte noch die Monarchie durch die Abbrüche der Häuser auf den

Seinebrücken einen Anfang gemacht.[7] Für Napoleon, der sich als Vollender der revolutionären Erneuerung ausgeben wollte, lag es nahe, sich dieses Planes zu bedienen, um so mehr, als er sich damit eindrucksvoll von der städtebaulichen Gleichgültigkeit des Ancien régime abheben konnte.

In der Tat verlangten die baulichen Zustände im Stadtkern von Paris geradezu nach Sanierungen.[8] Enge und unübersichtliche Straßen behinderten den Verkehr, vor allem aber die Durchgangsverbindungen. Fehlende Gehwege machten den Straßenraum für die Fußgänger fast unpassierbar, da die pferdebespannten Kutschen diesen fast gänzlich beanspruchten.

Die Brücken erwiesen sich als unzureichend, und die Flußufer selbst waren mit Bauten aller Art verstellt und boten keinerlei Schutz vor Überschwemmungen. Es fehlte aber auch an den für das städtische Leben von über einer halben Million Menschen notwendigen infrastrukturellen Einrichtungen, also an Märkten und an einer ausreichenden Frischwasserversorgung. Bauliche Verbesserungen auf diesen Gebieten waren, unabhängig von allen ästhetischen Wunschvorstellungen, einfach ein Gebot der Stunde.

Napoleon stellte sich diesen zivilen Aufgaben genau so entschieden wie den militärischen. Er erkannte sofort, daß sich hier die Möglichkeit eines großangelegten Arbeitsbeschaffungsprogramms bot, das nach den Revolutionswirren nötiger denn je erschien. Er war sich darüber im klaren, wie wichtig neben den militärischen Erfolgen und den Eroberungen eine soziale Befriedigung durch »grands travaux« im Innern seines Reiches, vor allem aber in dessen Großstädten, für den Bestand seiner Herrschaft war. Eine wirtschaftliche Stagnation hätte die Menschen zur Unzufriedenheit, zur Opposition verleitet, und das wollte er schon in den Anfängen verhindern. Dementsprechend stellten öffentliche Bauarbeiten, bei denen sich seine eigenen Ambitionen mit den Interessen des Volkes verbinden ließen, eine wichtige Komponente seines innerpolitischen Wirkens dar. Indes war Napoleon vorsichtig genug, sich nicht in unübersehbare und unbezahlbare städtebauliche Unternehmen einzulassen. Er war sich der Tragweite des Bauens für den Staatshaushalt bewußt. Die ihm zugesprochene Feststellung: »L'architecture a souvent

23. »Plan des Artistes« von Paris, 1794–97. (Bibliothèque Nationale, Paris)

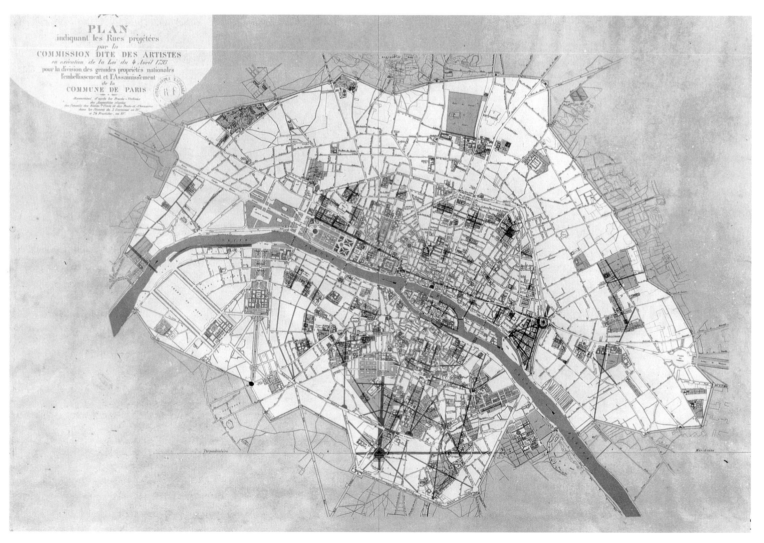

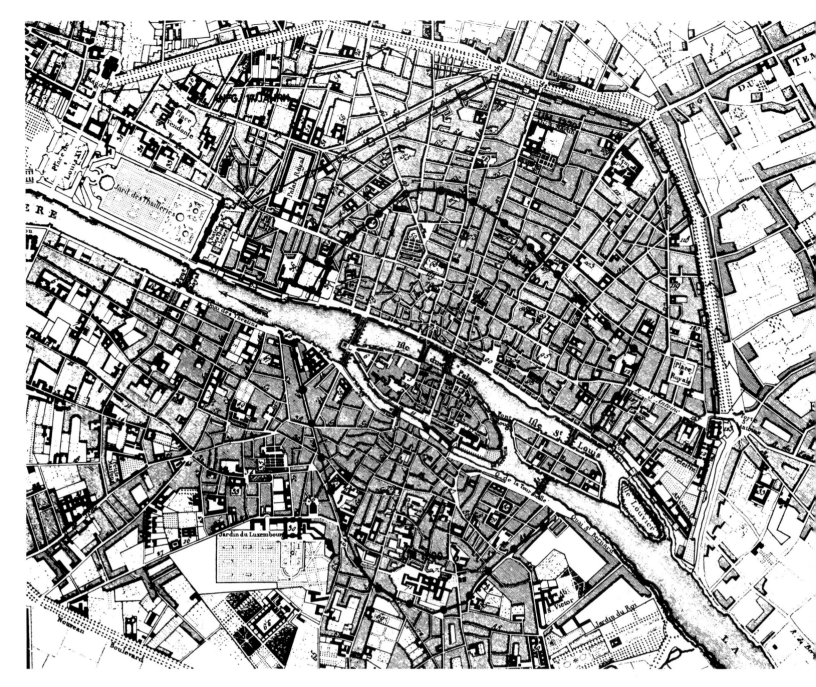

24. Paris im Jahr 1785, mit Ringmauern aus den Jahren um 1200 und 1370.

été le fléau des Etats. Les architectes ont ruiné Louis XIV« zeigt dies deutlich. In einer Unterhaltung mit Fontaine im Juli 1807 in Saint-Cloud wies er allerdings darauf hin, er sei mißverstanden worden, Ludwig XIV. wäre nicht ruiniert worden, wenn er verstanden hätte zu rechnen und ein Budget zu machen.[9]

Diese Einsichten bewahrten Napoleon davor, die Fehler des Ancien régime zu wiederholen. Trotzdem sehen wir ihn hin und hergerissen zwischen der Beschränkung auf die Möglichkeiten des Etats und dem Ausbruch in die Weite seiner utopischen Wunschvorstellungen. Das führte in manchen Fällen dazu, daß große Projekte ausgearbeitet wurden und es auch noch zur Grundsteinlegung kam. Dabei blieb es, und es fehlte nie an Begründungen, die weitere Ausführung vorerst einmal auszusetzen. Als man ihm das Projekt eines großen Straßendurchbruchs in der Achse des Louvre nach Osten zur Rue Saint-Antoine mit einem monumentalen Rundplatz vorlegte, schrieb er: »Erst wenn man daran gegangen ist, Paris Frischwasser, Kanäle, Schlachthäuser, Märkte, Vorratsspeicher etc. zu verschaffen, kann man sich in eine so große Operation einlassen.«[10] Damit gab Napoleon deutlich zu verstehen, daß für ihn die Lösung praktischer Bauaufgaben im Vordergrund zu stehen hatte. Seine besondere Aufmerksamkeit galt deshalb zuerst einmal den Verkehrsverbindungen und Versorgungseinrichtungen in der Metropole.[11]

Da die Brückenverbindungen über die Seine als völlig unzureichend empfunden wurden, bestimmte ein Gesetz vom 15. März 1801 (»Loi du 24 ventôse an XIII«) den Bau von drei neuen Brücken: Pont des Arts (1801–04), Pont Saint-Louis (1803–19), Pont d'Austerlitz (1806). Wie nützlich gerade der am 24. September 1804 in Dienst gestellte Pont des Arts zwischen Louvre und Collège des Quatre Nations war, beweist die 1806 und 1808 registrierte Zahl von 11 000 Passanten pro Tag. Zuvor hatte man sich an dieser Stelle und auch bei den Champs-Elysées und bei Chaillot mit Kähnen beholfen, ein für eine Großstadt mit 547 756 Einwohnern unhaltbarer Zustand. Eine Besichtigung des Champ-de-Mars 1806 inspirierte den Kaiser, auch an dieser Stelle, in der Achse der Ecole Militaire, eine Brücke bauen zu lassen, der er, von Warschau aus, den Namen Pont d'Iéna (1806–13) gab. Die Absicht, die Brücken durch Konzessionäre zu erstellen, erwies sich als fragwürdig. Doch erfolgte ihre Benutzung »à péage«, wobei die Gebühren für den Fußgänger 5 Centimes, für den Reiter 10 Centimes und für den Wagen mit zwei Pferden 25 Centimes betrugen.

Genauso wie die Flußübergänge beschäftigten Napoleon auch die unansehnlichen und verstellten Seine-Ufer. Den äußeren Anlaß, die Ufer zu säubern und zu befestigen, lieferte die große Überschwemmung von 1801/02, bei der die Champs-Elysées, die Esplanade

25. Pont des Arts, Paris, 1801–04, mit dem Louvre im Hintergrund. (Adolphe Joanne, *Paris illustré en 1870 et 1877*, Paris o.J., 3. Aufl.)
26. Pont d'Iéna, Paris, 1806–13, vor der Veränderung von 1936. (Bibliothèque Nationale, Paris)

27. Die Brunnenanlage auf dem Boulevard Saint-Martin, Paris.

des Invalides, ja sogar die Rue du faubourg Saint-Honoré unter Wasser standen. Ein Erlaß vom 2. Juli 1802 (13 messidor an X) leitete den Bau der Quais ein. Man begann mit dem Uferstück, das den Tuilerien gegenüber liegt und dem schon viel früher Boucher d'Orsay, der »Prévôt des marchands«, Gestalt zu geben versucht hatte. Dieser erste Abschnitt war unter großem Einsatz 1806 vollendet und erhielt offiziell die Bezeichnung Quai Bonaparte.

Der Beifall für dieses Unternehmen veranlaßte Napoleon, allein 400 000 Francs für die Verlängerung bis zum Pont de la Concorde bereitzustellen. Später faßte er sogar die Verlängerung bis zum Pont d'Iéna ins Auge. Dieser Abschnitt, der sich Quai des Invalides nannte (heute Quai d'Orsay), blieb 1814 unvollendet. Immerhin bezog Napoleon alle wichtigen Uferpartien in seine Erneuerungspläne ein. Es entstanden in rascher Folge zwischen Pont des Arts und Pont royal der Quai du Louvre, bereichert mit dem bas-port Saint-Nicolas, den Tuileriengärten entlang der Quai des Tuileries; weiter stromabwärts folgte noch, einem Dekret vom 10. Januar 1807 entsprechend, der Quai Debilly. Auf der Ile de la Cité wurden die bereits begonnenen Quais de l'Horloge und des Orfèvres fortgeführt und ab 1811 der Quai Saint-Louis sowie der Quai du Marché-Neuf hinzugefügt. Der Quai de Catinat (später Quai de l'Archevêché), der Quai Napoléon (heute Quai des Fleurs) und der Quai Desaix (heute de la Cité) als ein Teilstück des Marché des Fleurs vervollständigten auf der Ile die Ufererneuerung.

Im Jahre 1812 konnte das napoleonische Regime mit einem gewissen Stolz auf den Bau von Quais mit über 3 Kilometer Länge verweisen.[12] Und in der Tat beurteilten die Zeitgenossen diesen Teil der »embellissements« sehr wohlwollend, wenn vorerst auch noch manche Teile des Seine-Ufers unbefestigt blieben und als »gare des marchandises« benützt wurden.

Wasserversorgung und Brunnen

Die praktische Einstellung zum Stadtausbau lenkte die Blicke auch schon frühzeitig auf die Wasserversorgung. Unter dem Ancien régime bezog die Stadt ihr Frischwasser aus Brunnen, einigen Quellen und zum größten Teil, mit Hilfe von Pumpen, aus der Seine. Dieser unbefriedigenden Situation half Napoleon ab, indem er der Stadt ab 1802 größere Wassermengen durch den Canal de l'Ourcq zuführte. Das Wasser, das zuerst noch aus der Beuvronne kam, wurde im Bassin de la Villette gesammelt und durch einen großen Aquädukt entlang der Stadtmauer bis nach Monceaux hin verteilt. Dabei kamen nach Chabrols statistischen Angaben immerhin 27 Liter pro Tag auf jeden Einwohner.[13] Als die Arbeiten am Canal de l'Ourcq beendet waren, steigerte sich die Menge auf 117 Liter. Dem Kanal, der ab 1805 für die Schiffahrt freigegeben war, maß Napoleon nicht nur praktische Bedeutung zu; dieser sollte den Parisern auch als ein Ort der Erholung dienen und im Sinne eines sozialtopographischen Ausgleichs als »les Champs-Elysées de l'Est« angesehen werden. Diese Voraussicht bei der Versorgung der Stadt mit Frischwasser ermöglichte es Napoleon, Paris eine ähnliche Attraktion wie Rom zu verschaffen.

Das »Décret du 2 mai 1806« spricht aus, was dem Kaiser mit Blick auf antike Vorbilder vorschwebte: »Ab dem 1. Juli wird das Wasser aus allen Fontänen von Paris Tag und Nacht sprudeln, und es wird nicht nur für privaten und öffentlichen Gebrauch da sein, sondern auch die Luft erfrischen und die Straßen säubern.« Von den geplanten 60 Brunnen entstanden immerhin 15, von denen wieder die bedeutendsten als unvergeßliche architektonische Merkzeichen gestaltet wurden, wie die Fontaine de Mars in der Rue Saint-Dominique, die Fontaine du Fellah in der Rue de Sèvres und die Fontaine de la Victoire, die 1808 an der Stelle des alten Châtelet-Gebäudes in der Form einer Siegessäule mit Brunnenschale entstand.[14]

Märkte und Schlachthäuser

Nicht weniger wichtig als die Wasserversorgung erschien Napoleon eine Neuordnung der Märkte in Paris. Seit alter Zeit hielt man sie in den Straßen und auf den Plätzen ab. Oft empfand man jedoch das Markttreiben, vor allem in den engen Gassen, als hinderlich. Deshalb wurde der Wunsch nach besonderen Marktanlagen immer stärker. Der 1802 eingerichtete Conseil de Salubrité griff das Problem auf. In der Folge entstanden unter der Leitung des Seine-Präfekten Frochot eine Reihe von überdeckten Märkten, die halbwegs flächendeckend über das ganze Stadtgebiet verteilt und jeweils mit einer Brunnenanlage kombiniert waren. Es handelte sich nördlich der Seine um die Märkte Saint-Honoré (1809), Saint-Joseph, Saint-Martin (1811–16) von Architekt Peyre neveu, des Blancs-Manteaux (1813–19) von Architekt Delespine, Popincourt, und südlich der Seine um Saint-Germain (1816) von Architekt J.-B. Blondel sowie des Carmes de la place Maubert (1813–18) von Architekt A.-T.-L. Vaudoyer. Hinter der Rue Saint-Denis bildete sich ein ganzes Marktviertel heraus, wo neben Fleisch, Fisch und Eiern auch Tuche gehandelt wurden. Hinzu kamen noch ganz spezielle Einrichtungen wie die Halle aux vins, die an Stelle der alten Abtei Saint-Victor entstand; die Halle aux blés (1807–13), die mit der metallenen Kuppelkonstruktion von Bélanger als ein frühes Werk der Eisenbauweise in die Architekturgeschichte eingegangen ist; das Getreidemagazin (Grenier d'abondance, 1807–16) am Quai Bourdon; der Blumenmarkt zwischen der Rue de la Pelleterie und dem Quai Desaix; der Geflügelmarkt (Marché à la volaille) beim Pont Neuf.

Diese einmal in Gang gesetzte Erneuerung der städtischen Versorgungseinrichtungen schloß auch das Problem der Schlächtereien mit ein. Die unbekümmerte Art der Metzger, in ihren Behausungen zu schlachten, ohne sich weiter um die Abfälle zu kümmern, hatte schon längst Proteste hervorgerufen. In der Konsulatszeit (1799–1804) bildeten sich Gesellschaften, die für abgesonderte Schlachthäuser warben. Sie animierten Architekten zu Entwürfen, die im Salon von 1800 und 1801 ausgestellt wurden. Der ebenfalls angesprochene Bélanger ging noch einen Schritt weiter und wandte sich 1805 mit einer Denkschrift an die Regierung.

Napoleon zeigte sich allerdings nicht willens, die Selbsthilfe der Gesellschaften hinzunehmen, und reagierte mit einem Dekret vom 10. November 1807. Es sah den Bau von sechs Schlachthäusern an der Peripherie der Stadt vor. Die Anzahl wurde 1810 zwar auf fünf reduziert, aber diese für die Stadthygiene so wichtigen Einrichtungen entstanden dann tatsächlich. Bélanger konnte 1808 mit den Abattoirs de Rochechouart den Anfang machen. Dabei ist aufschlußreich, mit welcher architektonischen Akribie der bekannte Landschaftsgestalter[15] sich dieser prosaischen Aufgabe unterzog: Das Brühhaus erhielt italienisierende Formen; die Talgschmelze (»fonderie de suif«) schmückten Arkaturen und das klassische Giebelmotiv; den Brunnen überhöhte eine von einem Ochsen allegoriehaft bekrönte Säule.[16] Ab 1810 wurden die übrigen Schlachthäuser gebaut. Es handelte sich um die Abattoirs du Roule ou de Monceaux, de Menilmontant, de Grenelle, de Villejuif. Mit deren Indienstnahme war ein weiterer Schritt zur Verbesserung der städtischen Infrastruktur getan.

## Rue de Rivoli

Bei aller Aufmerksamkeit für die praktischen Belange und die täglichen Sorgen der Stadtbewohner vernachlässigte Napoleon die architektonische und städtebauliche Komponente keineswegs. Es war ihm von Anfang an klar, daß die im »Plan des Artistes« aufgezeigten Straßendurchbrüche keine von der Plangeometrie bestimmten Figurationen darstellten, sondern einem echten Bedürfnis entsprachen und deren Verwirklichung dementsprechend von einem tatkräftigen Herrscher auch erwartet wurde. Vor allem im Bereich der Place Vendôme, der Tuilerien und des Louvre erwiesen sich die Durch-

28. Die Bebauung des Bereichs um den Louvre, Paris. Ausschnitt aus dem Stadtplan von 1785.

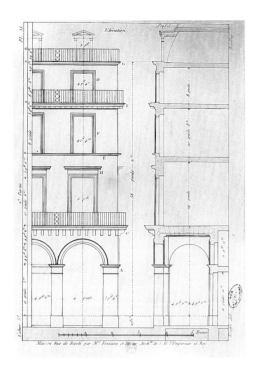

29. Modellentwurf für Gebäude der Rue de Rivoli, Paris, von Fontaine und Percier, 1806. Ansicht und Schnitt. (Bibliothèque Nationale, Paris)

gangsverbindungen als unzureichend.[17] Zwar konnten die Fußgänger durch eine enge Gasse zwischen den Couvents des Feuillants und des Capucines von der Place Vendôme zu den Tuilerien gelangen, aber dem Wagenverkehr blieb diese Querverbindung versperrt. Der Raum zwischen den Tuilerien und dem Louvre bestand aus einem unübersehbaren Gewirr von Gassen und Bauten. Hier trachteten dann auch die Royalisten dem Ersten Konsum am Weihnachtsabend des Jahres 1800 mit einer »machine infernale« nach dem Leben.[18] Für Napoleon, der diesem Anschlag wie durch ein Wunder entkam, gab es also genug Gründe, mit den allseits verlangten Straßendurchbrüchen in dieser Gegend zu beginnen, zumal dafür durch die Übereignung der Klöster an die »domaine public« geradezu ideale Voraussetzungen gegeben waren und von den Grundbesitzverhältnissen her keine Hindernisse mehr bestanden.

Unter diesen Umständen fiel es auch nicht schwer, hier zu einer umfassenden Lösung zu kommen. Der Konsularerlaß vom 9. Oktober 1801 (»Arrêté consulaire du 17 vendémiaire an X«) schuf die gesetzlichen Grundlagen für die Veränderungen im Bereich der Place Vendôme. Die an erster Stelle genannte Maßnahme bezieht sich auf das kurze Straßenstück, das über die Klosterareale gezogen werden und Place Vendôme und Tuilerien miteinander verbinden sollte. Es erhielt die Bezeichnung Rue de Castiglione. Von einer Verlängerung in der Gegenrichtung mit Anschluß an die Boulevards war vorerst noch keine Rede. Ein zweites, ebenfalls nur kurzes Straßenstück und ein kleiner Platz sollten durch den Abbruch des Pavillon des Medicis und weiterer Bauten (Ecuries dites de Monsieur und Les maisons des pages) in Gestalt der Rue und der Place des Pyramides gewonnen werden. Dieser Durchbruch war als zweite Querspange zwischen der Rue Saint-Honoré und den Tuilerien gedacht.

Ein rechtwinklig dazu verlaufender Straßenzug, der die Passage de Manège auf die ganze Länge ersetzte und die Tuileriengärten im Norden einfaßte, sollte endlich die West-Ost-Verbindung öffnen und von der Place de la Concorde bis zur Passage de Florentin reichen. Im größeren Zusammenhang gesehen war sicher der Durchbruch zum Louvre und darüber hinaus zur Place de la Bastille beabsichtigt. Insofern griff Napoleon einen Grundgedanken des Plan des Artistes auf, ohne aber dieselbe Resonanz wie bei der Rue de Castiglione auszulösen. So wenig indes die Pariser der Rue de Rivoli, wie die Straße zu Ende des Konsulats benannt wurde, während ihrer Entstehung Bedeutung zumaßen, so sehr waren Napoleon und seine Berater sich im klaren darüber, welche Form und welchen Duktus sie der Straßenbebauung im anspruchsvollen Schloßbereich geben wollten. Darauf deuteten schon die ersten Festlegungen im Konsularerlaß von 1801 hin. Die Erwerber des feilgebotenen Terrains mußten nämlich nach den Plänen und Fassadenrissen der Regierungsarchitekten Percier und Fontaine bauen. Besondere Vorschriften verlangten im einzelnen ebenerdig einen offenen Arkadengang von 3,24 Meter Tiefe, darüber drei mit Natursteinquadern verkleidete Geschosse und einen oberen, abgerundeten Dachabschluß mit Schiefereindeckung. Darüber hinaus wurden noch weiter reichende Klauseln in die Verkaufsverträge eingeführt.[19] Es durften sich keine Betriebe mit Arbeitslärm etablieren; ebensowenig waren Schlachter, Bäcker und Handwerker geduldet, die mit Öfen arbeiteten. Überdies war das Anbringen von Reklameaufschriften und Aushängeschildern außen über den Arkaden untersagt. Alle diese Auflagen und Verbote zielten darauf ab, jenes ausgewogene, einheitliche und elegante Straßenbild hervorzubringen, das die klassizistische Auffassung des Stadtbaus als Ideal ansah.

Den wachsamen Blicken des Ersten Konsuls ausgesetzt, zögerten die zuständigen Behörden nicht, den Bau der Straße sogleich einzuleiten. Im Sommer 1802 verschwand die durch die Revolutionsversammlungen bekannt gewordene Manège des Tuileries. 1803 erfolgte die Anlage der 2 Meter breiten Straße. Wenn ihr auch der endgültige Pflasterbelag und eine Beleuchtung vorerst noch fehlten und sie die Spaziergänger auf der nebenan liegenden Terrasse des Feuillants zu Klagen über Staubbelästigungen veranlaßte, so mußte sie in technischer Hinsicht als sehr fortschrittlich angesehen werden. Denn sie wurde mit einem aufwendigen Abwasserkanal (»égout monumental«) versehen, der nach Angaben Fontaines mehr als 800 000 Francs gekostet haben soll und über den ein bekannter Hygieniker sich sehr verwundert zeigte. Als 1804 die Krönungsfeierlichkeiten bevorstanden, griff Napoleon selbst in den Bauablauf ein. Auf seine Anordnung hin wurde die Straße nun gepflastert und mit Beleuchtungskörpern versehen.

Was der Kaiser allerdings trotz seiner Machtfülle nicht bewirken konnte, war die rasche Überbauung der Straße. Zum einen beurteilten jene Particuliers, die in dieser exklusiven Lage hätten bauen können, die baulichen Auflagen als weit überzogen, zum anderen blieb überhaupt unklar, ob die Straße ein- oder zweiseitig mit Gebäuden besetzt werden sollte. In der Diskussion um das Projekt war man sich nämlich einig, daß die Terrasse des Feuillants als Gartenpartie auf der Tuilerienseite die Perspektive beleben, ja zum »grand charme de la Rue de Rivoli« gereichen würde. Diese Einbeziehung schien um so mehr erwünscht, als die vorgeschriebene Arkadenarchitektur der Gegenseite nicht nur als gleichartig und streng, sondern eher schon als schematisch und monoton empfunden werden konnte. Ab Juni 1806 durfte dieser Punkt aber als abgeklärt gelten, da ein Gitterzaun die alte Terrassenmauer ersetzte. Doch trotzdem ging die Bebauung auch weiterhin nur zögernd voran. 1810 befanden sich so wenig Häuser im Bau, daß der Kaiser zum Mittel der Steuerbefreiung (»immunité«) griff, um Investoren anzulocken.[20] Nach dem Dekret vom 11. Januar 1811 wären ihnen die Steuern auf 30 Jahre erlassen worden. Aber auch diese Vergünstigung scheint wenig bewirkt zu haben, denn in einem neuen Dekret vom 26. August 1811 griff der Staat nun zu jenem Mittel, das ihm als Ultima ratio noch blieb. Er ordnete einfach den Neubau eines Hôtel de poste an. Damit war es möglich, das ganze Quartier zwischen den Rues de Rivoli und du Mont-Thabor und den Rues de Castiglione und Neuve-de-Luxembourg auszufüllen. Obwohl die Rue de Rivoli dadurch auf 90 Meter Länge geschlossen wurde, wirkte sie gegen Ende des Empire alles andere als fertiggestellt. Chateaubriand, der in der Straße wohnte, berichtet: »Man sah in dieser Straße nur die durch die Regierung gebauten Arkaden und da und dort erhoben sich einige Häuser mit ihren seitlichen Steinverzahnungen für die künftigen Anschlüsse.«[21] Es blieb einer späteren Zeit überlassen (siehe Abschnitt 5.1), sie in jenen vollständigen und ebenmäßigen Zustand zu versetzen, den der Korse ihr zwar zugedacht, aber in der ihm zur Verfügung stehenden Zeit nicht herzustellen vermocht hatte. Unterdessen blieb die weitere Erschließung der Place Vendôme auf der Tagesordnung. Vor allem wurde nunmehr der Anschluß an den nördlichen Boulevard-Ring für notwendig erachtet und, nachdem sich die Gemüter über die Zerstörungen auf dem Feuillants-Areal beruhigt hatten, auch in die Wege geleitet. Nach einem Dekret vom 19. Februar 1806 konnte der Geländeverkauf vorgenommen werden. Mit dem Abbruch der Kirchenfassade des Couvent des Capucines beseitigten die napoleonischen »démolisseurs« noch einmal ein wertvolles

30. Rue de Rivoli, Paris, mit Blick zur Place de la Concorde. Stich von Benoist. (Musée Carnavalet, Paris)

31. Rue de Castiglione, Paris, mit Durchblick
zur Place Vendôme. (Bibliothèque Nationale,
Paris)

Stück barocker Bausubstanz, ohne bei den Parisern jedoch viel Widerwillen hervorzurufen.[22]

Bezeichnend ist, daß nach den Erfahrungen mit der Rue de Rivoli in den »Cahiers des
charges« keine ästhetischen Auflagen mehr verzeichnet waren; ein breiter Straßenquer-
schnitt schien dem Repräsentationsbedürfnis zu genügen. Nur die Straßenbezeichnung
Rue Napoléon nahm sich noch anspruchsvoll aus, überdauerte aber, bald darauf in Rue
de la Paix umbenannt, das Premier Empire nicht.

Nach dem Willen der napoleonischen Akteure verwandelten die beschriebenen Straßendurchbrüche die Place Vendôme von einem geschlossenen »Königsplatz« intimen Charakters in einen Verkehrsraum. In der alten Fassung hatte sich die 124 mal 140 Meter
große Place Louis-le-Grand ganz eindeutig auf das bronzene Reiterstandbild Ludwigs XIV. von Girardon (1699) zentriert. Dieses Denkmal war aber 1792 der Revolution
zum Opfer gefallen. Nachdem nun auch die Kirchenfassaden in der Nord-Süd-Achse als
Points de vue fehlten, wurde der Ruf nach einem neuen Bezugspunkt für den Platz bald
laut. Der Vorschlag Denons von 1803 für eine »columna« zu Ehren Charlemagnes fand
keine Resonanz. Erst als die Académie des Beaux-Arts die Säule als »colonne d'Austerlitz
ou de la Grande-armée« firmierte und auf Napoleons Feldherrngenie bezog, stand der
Ausführung nichts mehr im Weg. Nach ihrer Aufstellung war jedoch für jedermann klar,
daß sie mit ihrer Höhe von 4 Metern alle Maßbeziehungen des klassischen Architekturplatzes mißachtet, den von Hardouin-Mansart gegebenen Rahmen sprengt und als ein
verselbständigtes Element wirkt. Sie geriet so mehr zu einer Ruhmessäule der napoleonischen Ära als zu der ästhetisch überzeugenden Markierung der Platzmitte. Man kann
hier sicher den Mangel der Zeit an »bon sens« beklagen.[23] Man sollte dabei jedoch auch
nicht übersehen, mit welcher Konsequenz »Napoléon urbaniste« den Städtebau als ein
Medium seines Ordnungssinns und seiner baulichen Verewigung handhabe. Das wird
im übrigen aus allen seinen anderen städtebaulichen Unternehmungen sichtbar.

Nicht von ungefähr zog der Louvre-Bereich Napoleon besonders an. An keinem anderen Ort bot sich ihm in demselben Maße die Möglichkeit, an der Aura der einstigen Herrscher Frankreichs zu partizipieren. Hier konnte er es den Bourbonen an architektonischem Elan gleichtun oder sie sogar übertreffen.

Nun wäre es sicher das Eindrucksvollste gewesen, an diesem Ort zu residieren. Aber dem Louvre war durch die Revolutionsereignisse schon die Rolle als Museum zugewiesen; die Restteile der Tuilerien, in denen Ludwig XVI. noch zum Schluß seines Lebens zu wohnen gezwungen war, befanden sich in einem desolaten Zustand. Zudem war der Raum zwischen den beiden Schlössern durch unübersichtliche und heruntergekommene Wohnviertel verbaut und verstellt. Als Residenz wählte Napoleon deshalb ab 1802 Saint-Cloud oder, wenn er sich direkt in Paris aufhielt, das Elysée, das er »ma maison de santé« nannte.

Indes wich er der städtebaulichen Aufgabe, im Louvre-Bereich Ordnung zu schaffen, nicht aus. Mit Beginn des Konsulats begannen die Arbeiten mit Freilegungen um die kleine Place du Carrousel. Der Erste Konsul dachte sich einen Straßendurchbruch in der Achse des Pavillon d'Horloge. Der Architekt Bélanger schlug vor, die Oper zwischen den Rues Saint-Nicaise und Fromenteau zu bauen. Weitere Projekte zeigten noch andere Lösungen auf.[24] Um Klarheit über das zukünftige Vorgehen zu gewinnen, wurde Fontaine 1803 offiziell beauftragt, Studien zu machen und Vorschläge auszuarbeiten. Doch bevor sich eine planerische Lösung herauskristallisierte, griff Napoleon wieder in den Ablauf ein. Nach der Rückkehr aus der Schlacht von Austerlitz ordnete er 1806 »à la gloire de nos armées« den Bau eines Triumphbogens auf der Place du Carrousel an,[25] der durch eine in der Ost-West-Achse des Louvre gelegene Rue impériale in die bauliche Umgebung einbezogen werden sollte. Während der Grundstein zum Arc de triomphe du

32. Entwurf zur Verbindung von Louvre und Tuilerien, Paris. Lageplan mit divergierenden Querflügeln von Percier und Fontaine. (Bibliothèque Nationale, Paris)

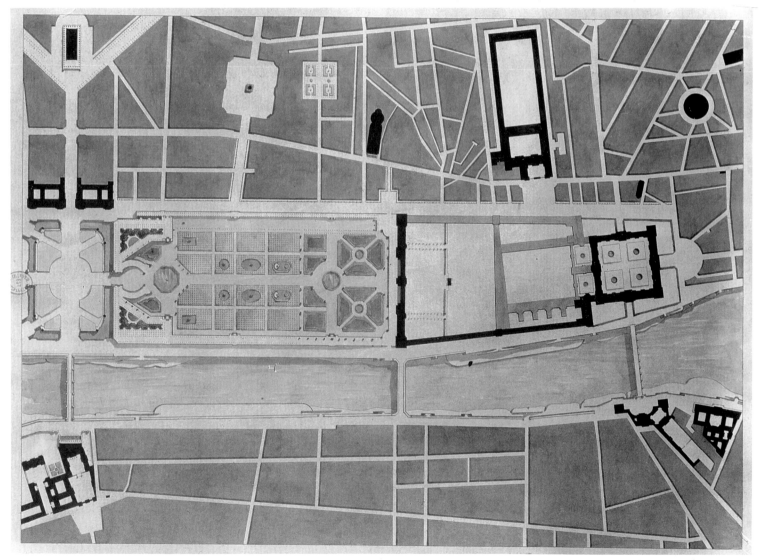

Carrousel prompt gelegt wurde und dieser auch Ende 1808 vollendet dastand, verfolgte man das Straßenprojekt nicht weiter. Zwar mangelte dem Bogen dadurch der Bezug zum Louvre, aber er wirkte, zur damaligen Zeit wenigstens, als monumentales Entrée zur Cour des Tuileries und als eine Art von Gelenkpunkt zwischen den verschiedenartig ausgerichteten Louvre- und Tuilerienfronten.

Am Louvre selbst hatten sich Percier und Fontaine inzwischen darangemacht, die unfertigen Partien zu vervollständigen. Die stilistisch heterogene Cour carrée mißfiel den Empire-Architekten besonders.[26] Sie wären, so weiß man, nicht davor zurückgeschreckt, an den architekturgeschichtlich bedeutsamen Westflügel von Pierre Lescot und Lemercier nur deshalb Hand anzulegen, weil sie »les traces des créations bizarres de Pierre Lescot« anstößig fanden oder, genauer gesehen, weil dieser Renaissance-Flügel in der Dachpartie und in der Wandgliederung nicht mit den später zugebauten Teilen übereinstimmte. Napoleon war besonnen genug, die Architekten zu einer vernünftigen Lösung mit Respektierung der Renaissanceformen zu veranlassen.[27]

Schließlich liefen die Pläne immer eindeutiger auf eine Verbindung von Louvre und Tuilerien hinaus. Denn das Thema war mit dem stärkeren Hervortreten der Galerie du bord de l'eau durch die Freilegung aktuell geworden. 1807, nach dem Frieden von Tilsit, wurde es ernsthaft aufgegriffen. Percier und Fontaine legten in den folgenden zwei Jahren nicht weniger als sieben Projekte vor. 1809 kam es sogar zu einem Wettbewerb, der 47 Vorschläge erbrachte. Alle aufgezeigten Lösungen drehten sich um das Problem, dem weiten Hofzwischenraum eine überzeugende Ausformung zu geben, sei es in der im 18. Jahrhundert üblichen Manier mit konkaven Verbindungsbauten, sei es, wie bei Fontaines Projekten, durch einen Querflügel, dessen divergierende Außenseiten sowohl die Louvre- als auch die Tuilerienflucht aufnehmen.

Napoleon ließ sich durch all diese Planspiele nicht irritieren: »Ich würde mich nicht dazu entscheiden einen Platz zu teilen, dessen hauptsächlicher Vorteil die ›grandeur‹ sein muß.« Um dem Hof die erwünschte Kontur zu geben, ließ er im Frühjahr 1810 den nördlichen Verbindungsflügel beginnen, womit sich auch die Rue de Rivoli über die Place des Pyramides hinaus fortsetzte. Ein Jahr später verkündigte das »Exposé de la situation de l'Empire« bereits stolz: »Une seconde galerie réunit les deux palais.« In Wirklichkeit jedoch stand dieser Bauteil bei Napoleons Sturz nicht einmal zur Hälfte, und in diesem torsohaften Zustand verblieb die Nordspange mit den noch bestehenden Einbauten bis um die Jahrhundertmitte.

Es erübrigt sich, hier auf die anderen städtebaulichen Unternehmungen Napoleons in Paris noch näher einzugehen. Denn sie alle folgen längst erkennbaren Prinzipien. Einmal geht es immer wieder im Sinne des Plan des Artistes um Straßendurchbrüche, die weniger zur Sanierung heruntergekommener Viertel als vielmehr zur axialen Einbindung herausragender Monumente gedacht waren. Dazu gehören als Beiträge südlich der Seine die Anlage der Rue Soufflot und der Rue d'Ulm, die dem Panthéon neue Perspektiven verschafften, die Rue de Val-de-Grâce, durch die die barocke Abteikirche herausgestellt wurde, und die Avenue de l'Observatoire, mit der ab 1808 eine axiale Verbindung zwischen dem Palais du Luxembourg und dem Observatoire entstand und die zudem in den schräg abgehenden Rues de l'Ouest und de l'Est das aus dem barocken Städtebau her bekannte Strahlenmotiv aufzeigt. Zum anderen handelt es sich ganz bewußt um das Freistellen und Hervorheben architektonischer Dominanten im Stadtkörper. Das ist zu beobachten bei der Vergrößerung des Parvis Notre-Dame, für die die Krönungsfeier von 1804 den äußeren Anlaß ergab; beim Ausbau der Place Saint-Sulpice, wo die Platzwandungen eine einheitliche Gestaltung erfuhren, und auch beim Bau des Arc de triomphe des Champs-Elysées, bei dem Fontaine die »grandeur colossale« zur wichtigsten Voraussetzung erklärte, dessen städtebauliche Bedeutung aber doch wohl in der Fixierung einer für die Zukunft des Pariser Westens wirksamen Stadtachse bestand. Sogar die in der Place de la Concorde und der Rue royale gegebene Querachse wurde mit Points de vue aktiviert: Rechts der Seine erhielt der Madeleine-Bau seine Bestimmung als »temple aux soldats de la Grande Armée«; auf der Gegenseite verkörperte wiederum die Salle de Séances eine klassische Tympanon-Architektur. Darüber hinaus schwebte dem Kaiser auf dem Montmartre-Hügel noch ein Janustempel vor, ein Zeichen dafür, wie stark er in römisch-antiken Architekturkategorien dachte.

33. Entwurf für die Stadterweiterung auf dem Champs de Mars, Paris. (Ch. Percier, P.-F.-L. Fontaine, *Résidences des Souverains ...*, Paris 1833)

## Pariser Utopien

In der Tat waren Napoleon utopische Planungen nicht fremd, bei aller Rücksicht, die er auf das Budget nahm, und bei aller Bevorzugung, die er den Ingenieurbauten und auch dem Ingenieurkorps entgegenbrachte. Je höher er stieg und je mehr Dignität er sich zulegte oder von den Franzosen zugesprochen erhielt, um so weniger konnten Bauten wie der Louvre oder die Tuilerien, von Colbert schon als »rapetasseries« (Flickschustereien) charakterisiert, seinem einmaligen Rang entsprechen. Wenn sich in Paris, wie der Kaiser sagte, »ein Dutzend Könige zusammenfinden könnten«, dann bedurfte es auch der diesen Majestäten »konvenablen« Baulichkeiten.[28]

34. Entwurf für das Palais du Roi de Rome auf dem Chaillot-Hügel, Paris, von Percier und Fontaine. (Louis Hautecœur, *L'Histoire de l'Architecture classique en France*, Bd. 5, Paris 1953)

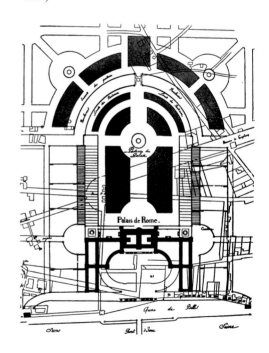

Unter diesem Aspekt fiel es Percier und Fontaine nicht schwer, Napoleon ein gewaltiges Schloßprojekt auf dem Chaillot-Hügel zu präsentieren. Nach der Heirat mit der Habsburgerin Marie-Louise zögerte dieser nicht mehr, es in modifizierter Fassung zu akzeptieren, einen Baufonds von 30 Millionen Francs einzurichten und das notwendige Gelände aufzukaufen. Das Palais du Roi de Rome, wie das Schloß genannt wurde, sollte hoch über der Seine thronen und mit seinen Rampen, seinen weitausgreifenden Flügeln und seinen herausragenden Corps de Logis in einer Achsbeziehung zum Champ-de-Mars und zur Ecole Militaire stehen. Diese Ausrichtung führte wiederum zu weiteren baulichen Ausformungen, zum Projekt einer neuen Stadt.

Vier gewaltige Gebäudekarrees, als Staatsarchiv, Kasernen und Militärhospital geplant, säumen die Achse. Den Übergang zur bestehenden Bebauung an der Seine vermittelt ein Palais de l'Université, ein Hôtel des Douanes und ein Marktplatz. Im rückwärtigen Bereich findet sich, in die bestehende Bebauung und in die Place de Breteuil eingerückt, ein Gefängnis und das Schlachthaus von Grenelle.

Man könnte zunächst über das anscheinend wahllos zusammengestellte Gebäudeprogramm erstaunt sein, aber genauer besehen scheinen sich hier das Napoleon eigene

Nützlichkeitsdenken und das für ihn ebenfalls typische Prestigebedürfnis zu einer »ville nouvelle« vermischt zu haben. Trotz den Kriegsereignissen kam es am 15. August 1812 zur Grundsteinlegung des Palais du Roi de Rome. Offenbar war es Napoleon mit diesem Projekt ernst. Selbst der Rückzug aus Rußland konnte ihn nicht veranlassen, es aufzugeben. Er wollte das Schloß nur auf das überschaubare Maß eines Landsitzes reduziert wissen. Im übrigen kam wieder sein Mißtrauen gegen die Architekten zum Vorschein, wenn er Duroc gegenüber feststellte: »Je veux faire construire ce palais pour moi et non pour la gloire de l'architecte.«[29] Aber bald darauf zerrann alles, was mit geradezu barocker Geste geplant worden war – das Kaiserschloß auf dem Chaillot-Hügel und die neue Stadt zwischen Esplanade des Invalides und Champ-de-Mars –, zu einem Nichts, zur Utopie einer napoleonischen Empire-Stadt.


### 3.1.2. Rom und Mailand

Als weiteres Betätigungsfeld seines urbanistischen Ehrgeizes suchte sich Napoleon bezeichnenderweise Rom aus, die zweitgrößte Stadt seines Reichs. Wenn er sich schon als Imperator (»empereur«), als zweiten Augustus sah, mußte ihn da »Roma aeterna« nicht unwiderstehlich anziehen? Fraglos bedeutete die Ewige Stadt ihm ein Synonym für das Vorbildhafte der Antike, für Tugend, Tapferkeit, Ehre und Kunstsinn. Weitab in seinen Feldlagern und in Paris gab er sich der Täuschung hin, die Antike müßte auch im Rom des beginnenden 19. Jahrhunderts noch gegenwärtig sein. Und er glaubte, es bedürfe nur der Initiative seiner französischen Statthalter, um deren unvergängliches Erbe wieder zum Vorschein zu bringen.

Zu diesem Verlangen, sich mit der Antike zu identifizieren, gesellten sich noch die archäologische Neugierde des Entdeckens und der Ehrgeiz, die geschichtsträchtigen Stätten im Zentrum des römischen Imperiums freizulegen. Als Rom ab 1809 zu einem der 130 französischen Departements geworden war, schien es für den Anfang so, als wolle die römische Verwaltung (la Consulta) in diesem Sinne wirken. Sie begann, allerdings ohne besondere Eile, damit, auf dem Forum Boarium den Rundtempel der Vesta und den Tempel der Fortuna Virilis freizulegen. Das war dem ungeduldigen Kaiser aber zu wenig. In einem Dekret vom 6. Oktober 1810 ordnete er die Zuständigkeiten neu. In einem weiteren Dekret vom 27. Juli 1811 stellte er einen Kredit von einer Million Francs bereit.[30]

Damit war für den französischen Präfekten Camille de Tournon der Weg frei, die Ausgrabungen mit Verve voranzutreiben.[31] Wo bislang die Ställe römischer Senatoren gestanden und Trümmerhaufen Säulenstümpfe zugedeckt hatten, schälten sich nunmehr die feinziselierten Marmorteile römischer Tempel heraus. Zwischen 1811 und 1813 wurde das Forum Romanum zum größten Teil bis auf das Niveau der Via sacra freigeschaufelt und als urbanes Kunstwerk der Nachwelt wieder zugänglich gemacht. Auch das im Norden anschließende Forum des Trajans erhielt soweit Kontur, daß sich die Basilica Ulpia mit ihren Mauern und Säulenbasen abzeichnete und die Trajanssäule als ein kunstvolles Signum der Geschichte wiedergewonnen war.

Freilich beschränkte sich Tournon bei seinem Drang, Rom baulich aufzuwerten, keineswegs auf das antike Stadtzentrum.[32] Mit französischen Augen gesehen, fehlte Rom, bei allem Glanz der Monumente, eine große öffentliche Promenade. Sie sollte auf dem Abhang vom Monte Pincio zur Piazza del Popolo gewonnen werden. Für dieses Projekt, dem Napoleon zustimmte und das die Bezeichnung Le Jardin du Grand-César erhielt, lagen bereits Pläne des italienischen Architekten Giuseppe Valadier (1762–1839) vor.[33] Sie waren jedoch nach französischen Begriffen der Aufgabe nicht angemessen. Da Napoleon in den römischen Unternehmungen die einheitliche Note vermißte, entsandte Paris daraufhin die beiden Architekten A.-J.-B.-G. Gisors (le Jeune) und Louis Berthault zum »embellissement de Rome«. Nach ihrer Ankunft im Februar 1813 entstand ein neues Promenaden-Projekt. In ihm sind die Prinzipien der klassischen französischen Gartenbaukunst auf den Pincio-Hügel übertragen. Der Park wird in einer Querachse nach Osten an die apsidial ausgeformte Piazza del Popolo angeschlossen, zugänglich über symmetrisch angeordnete Rampen und Treppen. Im städtebaulichen Sinne nimmt sich der von Alleen, Rundplätzen (»places de réunion«) und Esplanaden geprägte Plan insofern konsequent aus, als auch die Gegenseite im Westen in die Platzgestaltung mit einbezogen wird und die gedachte Freilegung hier einen Ausblick über den Tiber hinweg auf die Engelsburg und den Vatikanbereich mit St. Peter eröffnet hätte.[34] In dieser weitausgreifenden Kon-

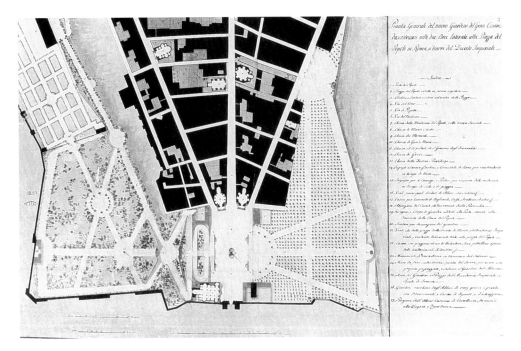

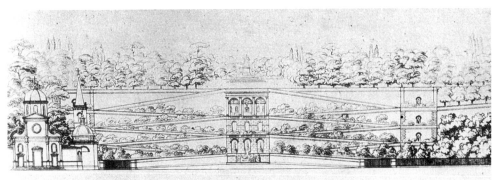

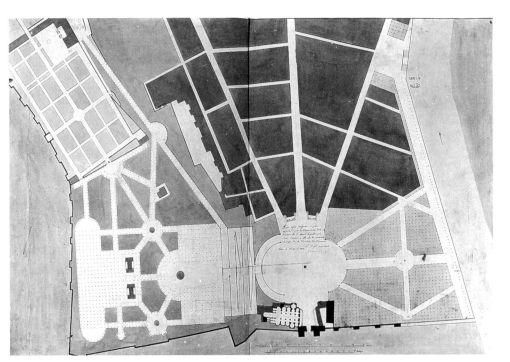

zeption machte der Plan von Louis Berthault den hohen stadtgestalterischen Ansprüchen Roms alle Ehre.

So sehr sich die Franzosen auch beeilten, ihn in die Wirklichkeit umzusetzen, indem sie die Weinberge aufhoben und den Hemicycle-Platz anzulegen begannen, so wenig konnten sie den Wettlauf mit der Zeit gewinnen. Napoleons Sturz lieferte das Projekt dem päpstlichen Gegenspieler Pius VII. aus, und Valadier, der schon 1794 die Neugestaltung

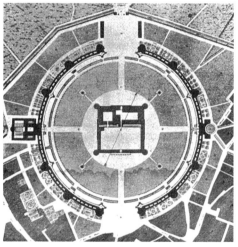

39. Französischer Entwurf eines Straßendurchbruchs zwischen der Engelsburg und dem Petersplatz, Rom. (Camille de Tournon, *Etudes statistiques sur Rome*, a.a.O.)

40. Entwurf des Forum Bonaparte, Mailand, von Giannantonio Antolini, 1806. (G. Antolini, *Descrizione del Foro Bonaparte*, Parma 1806)

der Piazza del Popolo initiiert hatte, blieb es vorbehalten, an dieser Stelle Park und Platz durch wohlüberlegte Höhenabstufungen in eine gleichermaßen schwebende wie feste Beziehung zueinander zu bringen. So wenigstens ist der Eindruck, der sich dem Beschauer von den Terrassen des Monte Pincio aus bietet.

Zum Nachteil des Platzes zeigten sich die neuen Bauherren nicht imstande, die Öffnung nach Westen durchzusetzen. Die bestehende Bebauung blieb als Riegel bestehen, und man begnügte sich mit der Ausrundung dieser Platzseite.

Die Aufgabe des Embellissement verleitete die französischen Planer auch noch zu anderen Projekten. So besaß der Palatin als Standort der großen Kaiserpaläste eine besondere Anziehungskraft.[35] Wider Erwarten trat hier jedoch das archäologische Interesse ganz in den Hintergrund. Das von Louis Berthault entworfene »Projet d'Aménagement du Palatin« verrät eher, wie an dieser Stelle der antike Topos zu einer urbanen Selbstdarstellung der französischen Kompositionsprinzipien benutzt werden sollte: nimmt sich doch in diesem Plan das eingeebnete Palatin-Plateau wie ein Ausschnitt des Schloßparks von Versailles aus. Und wie in einer französischen Hauptstadt umziehen in den Senken die durch vier Baumreihen markierten Avenuen den Hügel. Für die archäologischen Belange war es ein Glück, daß das auf zwei Millionen Francs Baukosten geschätzte Projekt erst gar nicht begonnen worden ist.

Ebenso erging es anderen Plänen, in denen die bestehende Situation bedeutender Monumente verändert werden sollte. Sowohl dem Pantheon wie der Fontana di Trevi waren größere Vorplätze zugedacht. Dahinter stand nichts anderes als die von Quatremère de Quincy entwickelte Idee der »beauté du vide«. Schließlich machte das französische Verschönerungsbestreben auch nicht Halt vor der Piazza di San Pietro. Ob Berninis raumschließender Lösungsvorschlag bekannt war, sei dahingestellt. Jedenfalls fehlte nach dem französischen Architekturverständnis dem grandiosen Platz die axiale Erschließungsstraße vom Tiber her. Hier ließ sich, das war klar, das Exempel eines wirkungsvollen Straßendurchbruchs statuieren, zu dem allein schon der Durchblick auf Fassade und Kuppel von St. Peter motivieren mußte. Wie sehr dieser ebenfalls unverwirklichte Plan die zukünftige Entwicklung vorwegnahm, ersieht man aus der Lösung, die 1935/37 gewählt wurde.[36] Unter diesem Aspekt gesehen mußte die französische Stadtplanung für Rom, so wenig sie für den Augenblick auszurichten vermochte, als ein wegweisender Beitrag für den Urbanismus verstanden werden.

In Italien hatte jedoch neben Rom auch noch Mailand als Hauptstadt der zisalpinen Republik eine bauliche Aufwertung verdient. Indem die Franzosen als Befreier des unterjochten italienischen Volkes kamen, war es nur folgerichtig, daß sie an Stelle der alten Zitadelle einen Platz schaffen wollten, der den Gedanken der überbrachten Freiheit symbolisierte. Das drückt sich im Projekt des Forum Bonaparte aus, das Napoleon 1806 durch den italienischen Architekten Giannantonio Antolini (1754–1842) ausarbeiten ließ.[37] Die Idee des Rondellplatzes ist bei mehr als 600 Metern Durchmesser ins Gigantische übersteigert. Doch weisen die ausgerundeten Platzwände zur maßstäblichen Unterteilung Pavillons auf. Sie sind außerdem an zwei Stellen unterbrochen, wodurch sich im Südosten eine Öffnung zur Stadt und im Nordwesten ein Anschluß an die Simplonroute ergibt. Die Achse, die dabei entsteht, verbindet den Rondellplatz mit der Stadt und hebt zugleich den alten Palazzo ducale als Platzzentrum heraus. Für den Anfang schien es so, als wollten die Mailänder diesen ehrgeizigen Plan für ein neues Stadtzentrum in die Tat umsetzen. Jedenfalls verschwand die alte Zitadelle. Es folgte noch die feierliche Grundsteinlegung zum Forum. Der Architekt Luigi Cagnola (1762–1832) begann zudem mit dem Bau eines Triumphbogens. Dann aber war die Kraft bereits erschöpft. Schließlich stellten die Österreicher, die bald die Herrschaft wieder übernahmen, 1838 wenigstens den angefangenen Bogen fertig. Die städtebaulichen Probleme Mailands harrten jedoch weiterhin einer Lösung.

Das napoleonische Empire hat in der kurzen Zeit seines Bestehens noch an manchen anderen Orten stadtplanerische Überlegungen in Gang gesetzt. Zu nennen sind in Italien Florenz, Turin und Neapel; in Belgien Brüssel, Gent, Antwerpen[38] und Lüttich; in Deutschland Aachen, Mainz, Kassel und Düsseldorf.[39] Soweit es zu Ausführungen kam, blieben diese aber immer auf Einzelaktionen beschränkt, die später nicht mehr als eigenständige Beiträge der napoleonischen Ära erkennbar blieben.

### 3.1.3. Neue Stadtanlagen in der französischen Provinz

La Roche-sur-Yon, Napoléon-Vendée

Wenn auch die bisher geschilderten Stadtumbauten und Embellissement-Projekte im wesentlichen das napoleonische Planungsrepertoire darstellen, so runden schließlich zwei Stadtneugründungen, von denen bis jetzt noch nicht die Rede war, das Bild vollends ab. Denn aus ihren Plänen läßt sich nun eindeutig und frei vom Zwang der sonst üblichen Vorgaben die Konzeption einer kompletten Empirestadt ablesen.

Die eine davon, La Roche-sur-Yon,[40] oder zuweilen auch Napoléon-Vendée genannt, verdankt ihre Entstehung 1804 dem Umstand, daß die Regierung für die rebellische Vendée eine zentral gelegene Hauptstadt schaffen wollte. Napoleon selbst wählte ihren Standort bei einem verlassenen Schloß und Weiler am Yon aus. Fast wie selbstverständlich bestimmten die militärischen und administrativen Belange die Planstruktur und den Stadt-

41. Entwurf für die neue Napoleonstadt – Napoléon-Vendée –, La Roche-sur-Yon, 1804. (Archives de France, Paris)

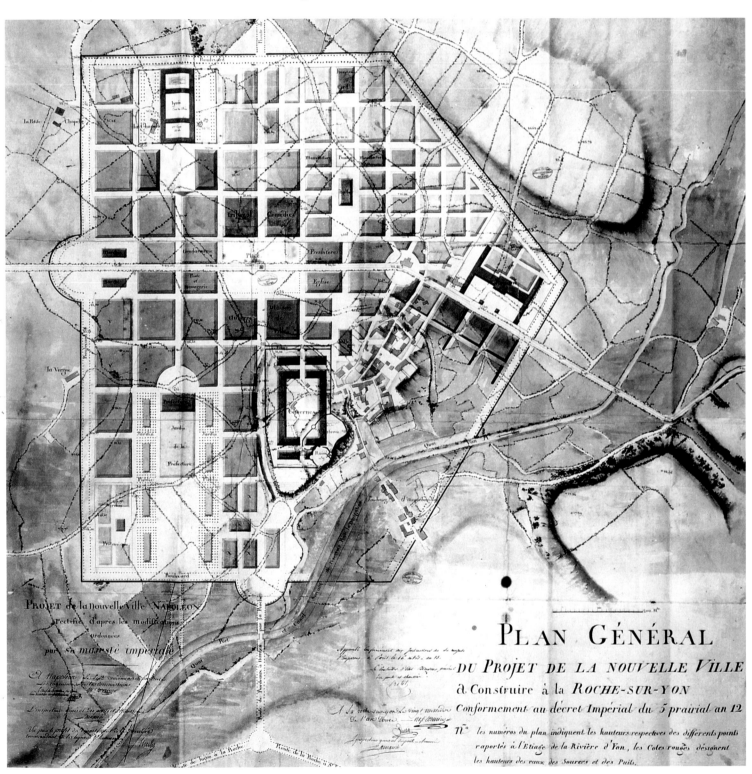

42. La Roche-sur-Yon aus der Luft. (Stadtverwaltung La Roche-sur-Yon)

43. La Roche-sur-Yon im Jahr 1893. (La Roche-sur-Yon, Service documentation-archives)

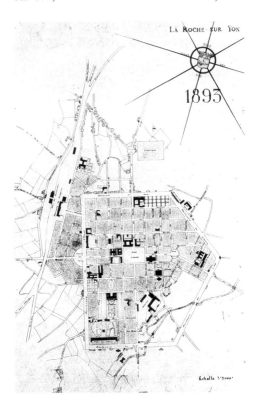

ausbau. Das »Décret du 5 prairial an XII« (25. Mai 1804) traf die ersten Festlegungen: Ein Ingenieur des Corps des Ponts et Chaussées hatte sich der zivilen öffentlichen Bauten, ein Genieoffizier der Militärbauten anzunehmen. Jedem stand ein Kredit von 50000 Francs zur Verfügung. Einem zweiten »Décret du 9 pluviose an XIII« (29. Januar 1805), das die Einzelheiten des Grunderwerbs für die Bauinteressenten regelte, war der Bebauungsplan für die auf 15000 Einwohner ausgelegte Stadt beigegeben.

Wie man aus dem Planbild ersehen kann, bildet ein zentral gelegener Platz von 125 auf 225 Meter Umfang den Stadtmittelpunkt. Um ihn herum gruppieren sich nicht weniger als acht öffentliche Gebäude. Er ist auch Schnittpunkt des Hauptstraßenkreuzes, in dem die Verkehrsrichtungen von Nantes nach Luçon und von Sables-d'Olonne nach Cholet aufgenommen sind. Die übrige Aufteilung folgt dem konventionellen Muster des französischen Städtebaus. Ein im Fünfeck angelegter äußerer Ringboulevard von 32 Metern Breite umgrenzt die Bebauungsfläche. Die nördliche Stadthälfte setzt sich aus den schachbrettförmig angeordneten Wohnquartieren der Zivilbevölkerung zusammen. Die südliche Hälfte ist dagegen weitgehend für die Kasernen, die Präfektur und die Parks bestimmt.

Der Plan ist zweifellos klar und übersichtlich konzipiert. Darüber hinaus sind in ihm auch stadtgestalterische Absichten erkennbar, wie etwa die Abwechslung in den Platzformaten (Rechteck-, Halbrund- und Rundplatz) und in den Straßenbreiten (12, 13 und 16 Meter) sowie die Auflockerung der Bebauung durch Hallen, Parks und den Flußlauf. Bei diesem tragfähigen Grundgerüst wäre nun alles auf eine einheitliche und ausdrucksvolle Bebauung angekommen. Doch vermutlich verführten die beschränkten Mittel die Ingenieure dazu, für die Kasernen, das Lyzeum und andere Bauten die im südlichen Frankreich bekannte Lehmbauweise zu wählen. Das bedeutete für die Vendée eine Fehlentscheidung, die bald schlimme Folgen hatte. Nach kurzer Zeit nämlich waren die Hauswände undicht, die Räume liefen voll Wasser, und die feuchten Gebäude erwiesen sich als unbewohnbar.

Napoleon bemerkte diesen Tatbestand, als er im August 1808 La Roche-sur-Yon inspizierte. Er geriet darüber derart in Zorn, daß er Cormier, einen der verantwortlichen Ingenieure, in aller Öffentlichkeit übel beschimpfte und sogar, wie berichtet wird, ohrfeigte. Immerhin blieb dabei dem »Napoléon urbaniste« die wichtige Einsicht »les villes ne se fondent pas en un jour« nicht erspart. Trotzdem ging ihm auch später der Stadtausbau zu langsam voran, und die Ausgaben mußten nach wie vor auf das Notwendigste beschränkt bleiben. Die Situation änderte sich erst, als nach 1815 genügend Mittel bereitgestellt wurden, um die öffentlichen Gebäude zu erneuern und brauchbare Häuser zu bauen. Daraufhin stieg die Bevölkerungszahl an, und die Stadt füllte allmählich den im Plan festgelegten Rahmen aus.

Pontivy, Napoléonville

Die andere napoleonische Stadt, nämlich das in der Bretagne gelegene Pontivy, entstand unter anderen Voraussetzungen.[41] Hier, in dem Residenzstädtchen des ehemaligen Herzogtums Rohan, war ein alter bretonischer Stadtkern mit schönen spätmittelalterlichen Häusern vorhanden. Im Ort kreuzten sich sechs Fernverkehrsstraßen, außerdem bestand durch den Canal de Blavet eine Verbindung zum Atlantik.

Auf Grund der strategischen Bedeutung ordnete der »Arrêté du 30 fructidor an XI« (17. September 1803) eine Erweiterung des Ortes an. In der Neustadt sollten einerseits Militärbauten für ein Kavallerieregiment und eine Infanterie-Halbbrigade, für ein 300-Betten-Lazarett und für ein Proviantamt entstehen, andererseits wurden als öffentliche Gebäude für den zivilen Bedarf ein Gericht mit Gefängnis, eine Unterpräfektur bzw. ein Hôtel de Ville und Wohnbauten geplant. Ein erstes Projekt, das der Chefingenieur des Corps des Ponts et Chaussées Pichot selbst verfaßte, war zu bescheiden, um Beifall zu finden. Chabrol,[42] der damals als Unterpräfekt in Pontivy amtierte und selbst als Ingenieur ausgebildet war, arbeitete einen Gegenvorschlag aus, dem er das Ausmaß und die Form einer eigenständigen Stadt gab. Diese nannte er, wohl nicht ohne tiefere Absichten, »Na-

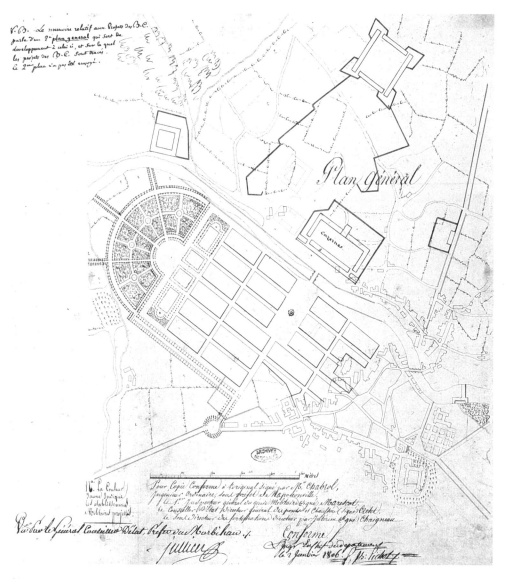

44. Entwurf einer Neustadt – Napoléonville –, Pontivy, von Chabrol, 1803. (Archives de France, Paris)

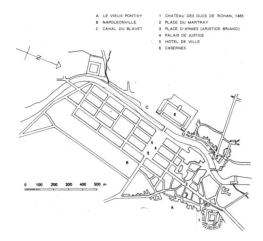

0   100   200   300   400   500 m

45. Pontivy, Ausführungsplan nach 1806.
46. Pontivy aus der Luft.

poléonville«. In seinem Entwurf wird der die Altstadt tangierende Blavet-Fluß zur klaren Unterteilung der Bebauung benutzt. Rechts des Flusses sollten die Kasernen, links davon, im Anschluß an die Altstadt, die neuen Wohnviertel liegen. Die additive Aufreihung der 24 Quartiere in diesem Bereich wirkt auf den ersten Blick hin schematisch, doch stellen das Achskreuz der Hauptstraßen, der 125 auf 200 Meter große und zum Fluß hin ausgerichtete Zentralplatz, der halbrund ausgeformte Park und ein breiter, dem Halbrund folgender Boulevard durchaus wirkungsvolle Anordnungen dar. Vielleicht waren damit die künstlerischen Ansprüche schon zu hoch angesetzt. Denn bei der Verwirklichung übernahm man zwar die Grundidee der Trennung nach Militär- und Zivilbereich und der Lage des Zentralplatzes am Canal de Blavet, man verzichtete aber auf den äußeren Boulevard und den extravagant geformten Jardin public. Damit brachte man Pontivy um jene Kompositionselemente, die ihm erst die erwünschte einmalige Note gegeben hätten. Im Gegensatz zu La Roche-sur-Yon war hier aber, wie die Mairie zeigt, die Bauausführung solide und formal bestimmt. Die napoleonische Stadtgründung kann deshalb, auch wenn der weitere Ausbau nur langsam voranging, als ein Erfolg angesehen werden.

### 3.1.4. »Napoléon Ier Urbaniste«

Die Einschätzung Napoleons als »urbaniste«[43] in der französischen Städtebauliteratur und die angelsächsische Annahme einer »era of Napoleonic planning«[44] sind nach allem, was von seinen urbanistischen Aktivitäten zu berichten ist, keine leeren Phrasen. Im Vergleich mit anderen Akteuren der Weltgeschichte mutet es geradezu erstaunlich an, mit welchem Engagement und mit welcher Bestimmtheit sich Napoleon der städtebaulichen Probleme vor allem in Paris angenommen hat. Er war sich, darüber gibt es keinen Zweifel, der Bedeutung des Bauens für den Wirtschaftsprozeß und für den Staatshaushalt bewußt.[45] Außerdem war es für ihn klar, daß die Bedürfnisse der nachrevolutionären Zeit auch eine Einrichtung wie die Stadt vor neue Aufgaben stellten. Diese bestanden für ihn zuerst einmal darin, die beengten und unzureichenden Verkehrsverhältnisse zu verbessern, die Bebauung zu ordnen, der Stadtbevölkerung in ausreichendem Maße Gemeinschaftseinrichtungen und Versorgungsanlagen zu verschaffen und schließlich dem Ganzen jenes künstlerische Ambiente zu geben, das ihm von römisch-antiken Städten her vor Augen stand.

Ohne Zweifel bewegten sich die Stadtbauvorstellungen Napoleons und seiner Architekten zum Teil noch im Rahmen der klassisch-französischen Tradition, wenn es um die Betonung der monumentalen Perspektiven, um die Anlage von Boulevards und Avenuen und um die architektonische Ausstattung von Plätzen und Straßen mit Triumphbögen, Arkaturen und Monumenten in Form von Säulen und Elefanten ging. Und fraglos vertraute der einzigartige Armeeführer, Gesetzgeber und Staatengründer genauso wie seine absolutistischen Vorgänger auf die Memorialwirkung der von ihm errichteten Bauten und Monumente. Daß er sich darin keiner Täuschung hingab, beweist der Arc de triomphe in Paris zur Genüge.

Zum anderen Teil kommen aber auch neue Vorstellungen zum Vorschein: Straßen wie die Rue de Rivoli und die Rue de Castiglione in Paris wurden im Sinne einer einheitlichen Stadtgestaltung als Ensembles behandelt. Die Kaufverträge für die Bauplätze, die Modellpläne und Gestaltungsauflagen der Regierungsarchitekten und die Dekrete wurden dazu eingesetzt, ein bisher unvorstellbares Maß an formaler Konkordanz zu erzwingen. Die Anlage der Straßen selbst basierte auf dem von der Revolution in den Vordergrund geschobenen Gedanken der »belles percées«, hinter dem neben allen ästhetischen Ansprüchen auch die funktionelle Absicht der Verkehrsregulierung stand. Und nicht nur das: Die Durchbrüche setzten in der Regel einen Abriß bestehender Bauten voraus, denen, wie bei den Couvents des Capucines et des Feuillants in Paris oder bei den Antikenresten auf dem Palatin in Rom, durchaus ein künstlerischer oder kulturgeschichtlicher Wert eigen sein konnte. Hier aber, im Verzicht auf das Alte, auf die geschichtliche Dimension und in der unbekümmerten Sicherheit der eigenen Selbstdarstellung, lagen gleichermaßen die progressive Modernität und die Problematik des napoleonischen Planungsansatzes. Denn es ist nicht zu übersehen, daß die modernen Verfahren des Straßendurchbruchs und der Platzfreilegung vielerlei Gefahren in sich schlossen. War es da nicht ein kurzer Schritt zum »vandalisme«, ein Vorwurf, den man später Napoleon und seinem Corps des Ponts et Chaussées nicht erspart hat. Dabei ist schwer zu entscheiden, was bei ihm mehr zählte: die Ahnungslosigkeit der historischen Bausubstanz gegenüber oder die Absicht, durch deren Beseitigung alle Reminiszenzen an die verhaßten Bourbonen und des Ancien régime zu beseitigen und statt deren Bauten die eigenen Werke sprechen zu lassen.

Aber selbst wenn der Abriß vollzogen war, blieb immer noch das Problem, ob die neue Lösung als gleichwertig oder besser einzuschätzen war. Aus der zeitlichen Distanz gesehen mag man für Paris das Verschwinden wertvoller historischer Bauten beklagen. Man muß aber zugleich anerkennen, daß jene Neuordnungen, die im Louvrebereich und in seiner Umgebung unter Napoleon Bonaparte zustande kamen, eine Tat darstellten, die für die Zukunft gedacht war und die das verbrauchte Ancien régime nicht mehr zu vollbringen imstande gewesen ist. Vor diesem Hintergrund gesehen wirkt Napoleons Beitrag als einer jener befreienden Anstöße, deren der Urbanismus immer dann bedarf, wenn er den Weg in die Zukunft sucht.

47. London aus der Luft. (Hunting Aerofilms, Boreham Wood)

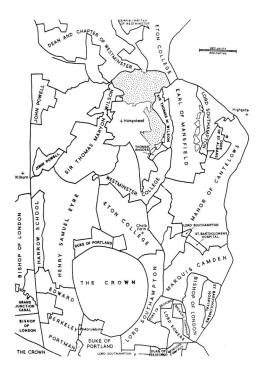

48. Grundbesitzverhältnisse im Nordwesten Londons, um 1834. (*Greater London*, hrg. von J.T. Coppock, London 1964)

## 3.2. Das Ende der Square- und Estate-Planungen in London

### 3.2.1. Das englische Pachtsystem – »leasehold system«

Mit Paris verglichen, erscheint London als die Metropole des britischen Weltreiches vielen Betrachtern weit weniger übersichtlich und effektvoll gestaltet. Dieser erste Eindruck hängt wohl einfach damit zusammen, daß die Stadt weder durch breite Boulevards noch durch innere oder äußere »Ringe« strukturiert ist. Man spürt in London keinen vereinheitlichenden städtebaulichen Willen, eher eine schwer übersehbare Vielfalt von autonomen Teilen, die durch das Band der Themse zwar zusammengehalten, durch große Parkanlagen und bepflanzte Plätze aber auch aufgelockert werden und so der Stadt ihre eigentümliche Anziehungskraft geben. Im einzelnen gesehen wirken manche Bezirke jedoch durchaus planvoll angelegt. Im Westend tritt dieser Eindruck am deutlichsten zutage, wenn man die architektonische Einheit und die räumliche Geschlossenheit der Squares in Bloomsbury oder der Straßenräume in Mayfair, Belgravia und Bayswater auf sich wirken läßt. Tatsächlich sind die urbanen Schöpfungen des »georgianischen London« besonders geeignet dazu, die Grundstruktur der Stadt in der Formulierung des späten 18. und des frühen 19. Jahrhunderts darzustellen und von diesem Hintergrund her die Weiterentwicklung im späten 19. Jahrhundert zu verfolgen.[46]

Auf sich bezogen zeigen die einzelnen architektonisch abgestimmten Bereiche dieser Stadtteile einen einheitlichen städtebaulichen Stil, der sich als eine Eigenart alter tradierter Feudalverhältnisse vom System des Bodenbesitzes her äußert. Denn das innerstädtische Areal Londons setzte sich nicht wie in den bürgerlichen Städten des Kontinents aus vielen kleinen Grundeigentümern zusammen, sondern es befand sich in großen zusammenhängenden Flächen in den Händen des Königshauses, des Hochadels und religiöser, schulischer und handwerklicher Korporationen. So gehörten zu Beginn des 19. Jahrhunderts das nördliche Mayfair (heute Pimlico und Belgravia) dem Herzog von Westminster, Marylebone größtenteils dem Herzog von Portland und dem Lord Portman, Covent Garden, Bloomsbury und Figs Mead dem Herzog von Bedford, Clerkenwell und Islington dem Marquis von Northampton, große Teile von Hampstead dem Lord of the Manor, Sir Thomas Maryon Wilson usw. Den Besitz des nördlichen London teilten sich aber auch noch der Bischof von London, das Eton College, die Harrow School und schließlich die Krone, die über den Marylebone Estate (später Regent's Park) als früheres Jagdgebiet verfügte.[47] Alle diese Grundeigentümer – »landlords« – hatten, solange sie die allgemeinen Gesetze (»acts of Parliament«), die speziellen Bauvorschriften Londons (»building acts«) und die Auflagen der »district surveyors« beachteten, jederzeit die Möglichkeit, ihren Boden zu bebauen und auf diese Art die Entwicklung der Stadt zu bestimmen.[48] Ob sie das uneigennützig zur Verbesserung und Verschönerung der Metropolis oder spekulativ zur Anhebung ihrer Grundrenten auf Kosten der wohnungssuchenden Bevölkerung taten, blieb weitgehend ihrer sozialen Einstellung überlassen. Finanziell und gesellschaftlich unabhängig, fanden sie sich aber kaum bereit, den zur Bebauung geeigneten Grund und Boden zu veräußern. Um aber die Grundrente dennoch durch Überbauung zu verbessern, vergaben sie Bauland gewöhnlich in Pacht auf eine bestimmte Zeit (»leasehold system«) zwischen 21 und 99 Jahren.[49] Für diese Baupacht gab es bestimmte Modalitäten: Der Grundeigentümer konnte in eigener Regie mit einem Bauunternehmer Planung, Bebauung und Verpachtung selbst betreiben, wobei er aber alle Risiken allein zu tragen hatte, oder er vergab – und das geschah meistens – gegen eine festgelegte Grundrente sein Land in Pacht an eine Baufirma oder Baugesellschaft, die ihrerseits nach den vertraglichen Abmachungen mit dem Grundherrn alle notwendigen Erschließungs- und Bauarbeiten ausführte oder auch wieder an Subunternehmer weitervergab. Diese städtebauliche Praxis basierte auf jahrzehntelangen Erfahrungen beim Ausbau der großen Güter (»great estates«) im georgianischen London. Dabei bestimmten die vom Landlord für den Bauunternehmer festgelegten »building agreements«, die aus einem Bebauungsplan, detaillierten Bebauungsvorschriften und Pachtbedingungen bestanden, in starkem Maße die soziale Topographie eines Viertels, also die gesellschaftliche Klassifizierung der Bewohner, das Ansehen und den Ruf der Nachbarschaft sowie den architektonischen Rahmen. Letzten Endes hingen aber Erfolg oder Mißlingen dieser Unternehmungen davon ab, wie weit die Bauaufseher der Landlords den städtebaulichen Vorstellungen der georgianischen Zeit von Ordnung, Gleichmäßigkeit und Detailausformung Geltung zu verschaffen wußten.

### 3.2.2. Die Squares in Bloomsbury

Als Beispiel einer geplanten und auf die Ideale einer aristokratischen Lebensweise der »upper middle class« abgestimmten Stadterweiterung soll hier der Bedford Estate in Bloomsbury angeführt werden.[50] Die erste Ausbaustufe von der Mitte des 17. Jahrhunderts bis zum letzten Viertel des 18. Jahrhunderts umfaßte die Überbauung des Geländes südlich der Great Russell Street in der Umgebung des Bloomsbury Square. In barocker Manier beherrschte noch das Southampton House bzw. das Bedford House die übrigen Platzwandungen, ohne daß sich aber ein ganz einheitliches architektonisches Bild ergab. Eine zweite Ausbauphase setzte 1776 ein, als die Great Russell Street nach Westen verlängert wurde und auf der Nordseite auf freiem Feld in einem Raster von sich rechtwinklig kreuzenden Straßen der Bedford Square entstand. Nach dem Willen des Grundherrn sollte das nördliche Bloomsbury ein in sich abgeschlossenes Stadtviertel der gehobenen Mittelklasse bilden, das sich allerdings nicht selbst versorgte. Diese Absicht manifestierte sich im Fehlen von Durchgangsverbindungen und Geschäftsniederlassungen, im eindeutigen Wohncharakter der Straßen (etwa bei Southampton Row, Woburn Place, Gower Street), in der fast monumentalen Gestaltung der großangelegten Stadtresidenzen des Adels und in der baulichen Geschlossenheit des Bedford Square, der sich nach dem Vorbild des King's Circus in Bath richtete. Über die architektonische Form und die bauliche Qualität wachten die Aufseher des Bedford Office. Der Bebauungsplan war nicht starr fixiert, sondern so weit offengelassen, daß er immer wieder nach den neuesten Überlegungen modifiziert werden konnte. Nach einem Plan von 1795 waren die Long Fields nördlich des Bedford House als Parkanlage und Ausblick auf die Höhen von Hampstead aus-

49. Nördlicher Teil des Bedford Estate in Bloomsbury, London, um 1795. (Donald J. Olsen, *Town Planning in London*, New Haven, London 1964)

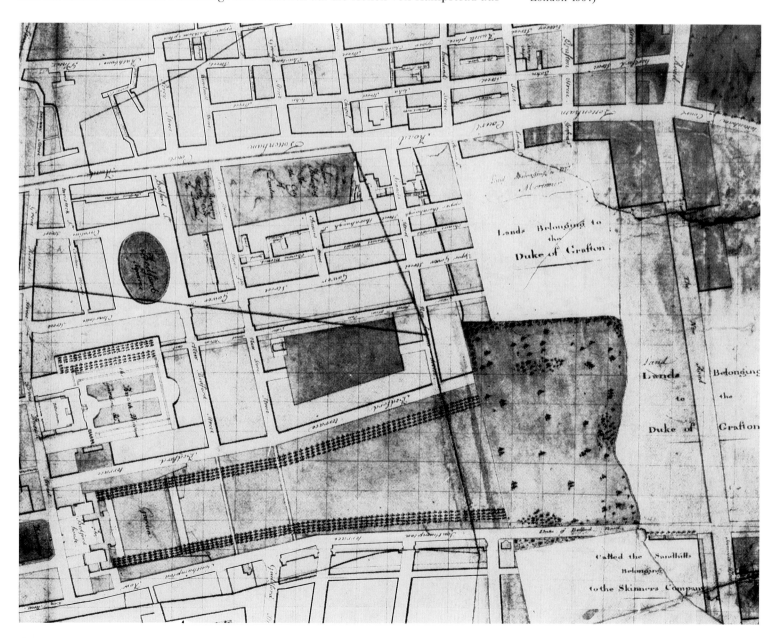

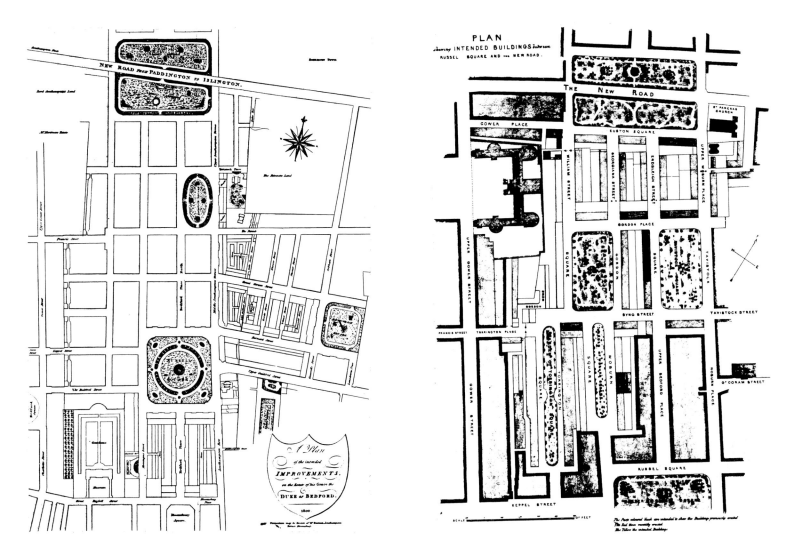

50. Entwurf der baulichen Veränderungen –
Improvements – des Bedford Estate, London,
1800.
51. Bedford Estate, London, um 1830.

gespart geblieben, eingerahmt von der Randbebauung der Bedford und Southampton Terraces. Um 1800 hatten die Bedfords sich wieder für eine neue Bebauung entschieden. Sie ließen kurzerhand ihre alte Residenz abbrechen. An Stelle des Bedford House und des dazugehörigen Parks sollten monumentale Wohnstraßen und Squares entstehen.
Dieser Plan mit der Achse des Bedford Place und dem Zentrum des Russell Square ist noch ganz auf die formale Platzvorstellung des 18. Jahrhunderts abgestellt. Die Ausführung wurde im Bereich des Bedford Place (also Nordseite Bloomsbury Square, Südseite Russell Square, Westseite Southampton Road und Ostseite Montague Street) dem damals bekannten Bauunternehmer und Architekten James Burton (1761–1837) übertragen.[51] Der sozialen Zweckbestimmung des Viertels entsprechend baute dieser Vertragspartner der Bedfords zumeist viergeschossige »first-rate houses«, das heißt Gebäude mit überaus großen und gut ausgestatteten Wohnungen. Der Bebauungsplan von 1800 wurde aber nur im südlichen Bereich verwirklicht, denn die Napoleonischen Kriege brachten das Bauen gegen 1812 zum Erliegen. Eine dritte und letzte Bauphase zeichnete sich 1821 ab, als die Verhältnisse sich wieder gebessert hatten und nun die Unternehmer Thomas Cubitt (1788–1855) und James Sim & Sons beauftragt wurden, die übriggebliebenen Teile des Bedford Estate bis zur New Road zu überbauen.[52] Noch einmal änderte das Bedford Office den Bebauungsplan: An Stelle der regelmäßigen Straßenquartiere belebten, außer dem bereits begonnenen Tavistock Square, der auf gleicher Höhe liegende Gordon Square und südlich davon die länglichen Woburn und Torrington Squares das Straßenbild des Bloomsbury-Viertels. Aber so architektonisch anspruchsvoll am Tavistock und Gordon Square mit klassischer Wandgliederung und Portikusmotiven auch gebaut wurde, so hatte Cubitt sich doch in Bauweise und -größe über die eigentlichen Bedürfnisse des Wohnungsmarktes um 1830 in London getäuscht. Während es an Stadtresidenzen dieser Art im Westend nicht fehlte, gab es viel zu wenig Wohnungen, die preisgünstig genug waren, um auch für die untere Klasse erschwinglich zu sein. Die wirtschaftliche Depression ab 1830 ließ den Kreis der Mieter für diese herrschaftlichen Wohnungen immer kleiner werden. Lustlos zog sich das Bauen in Bloomsbury ohne belebende Nachfrage noch bis zur Vollendung des Gordon Square im Jahre 1860 hin.

### 3.2.3. Regent's Park und Regent Street

Als in sich abgegrenzte Stadterweiterung ist indes die Umwandlung des königlichen Marylebone Estate zum Regent's Park im Norden Londons noch bekannter. Für diesen Kronbesitz liefen die Pachtzeiten zwischen 1803 und 1811 aus. Da die Stadt unter der Nachfrage nach immer neuen Wohnungen sich nach Norden über die New Road hinaus vorzuschieben im Begriff war, mußte die Nutzung dieser Areale neu überdacht werden. Ein Plan von Thomas Leverton (1743–1824) und Thomas Chawner vom Office of Land Revenue sah vor, das freie Gelände auf die herkömmliche Art durch ein Raster von Straßen und Squares in ein Villen-Wohngebiet zu verwandeln. Ein anderer Plan, der von John Nash (1752–1835) vom Office of Woods and Forests entworfen war, stellte eine monumentale Wohnhausarchitektur in die pittoreske Szenerie eines großen Landschaftspar-

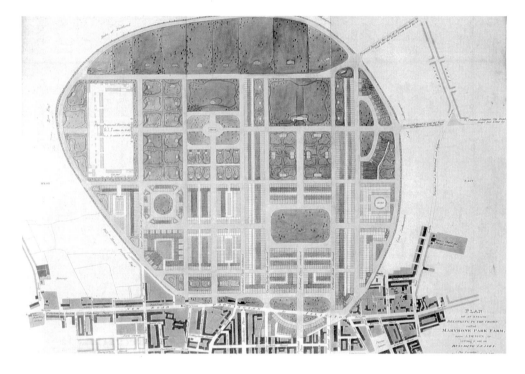

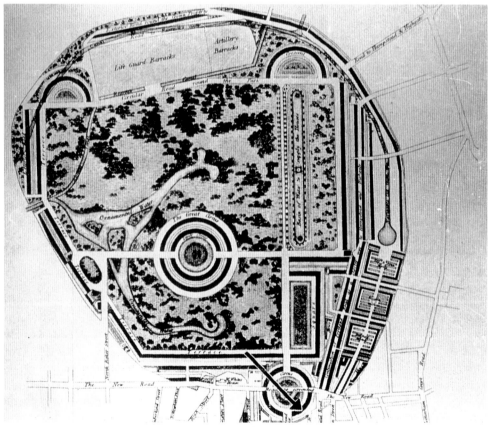

52. Entwurf für den Regent's Park, London, von Thomas Leverton und Thomas Chawner, 1811. (*First Report of the Commissioners of His Majesty's Woods, Forests and Land Revenues*, 1812)
53. Entwurf für den Regent's Park – Marylebone Park Farm –, London, von John Nash, 1812. (*First Report of the Commissioners of His Majesty's Woods, Forests and Land Revenues*, 1812)

54. Plan der neuen Straße – Regent Street – von Charing Cross zum Portland Place, London, von John Nash, 1814. (British Library, London, Crace Collection. Portfolio XII)

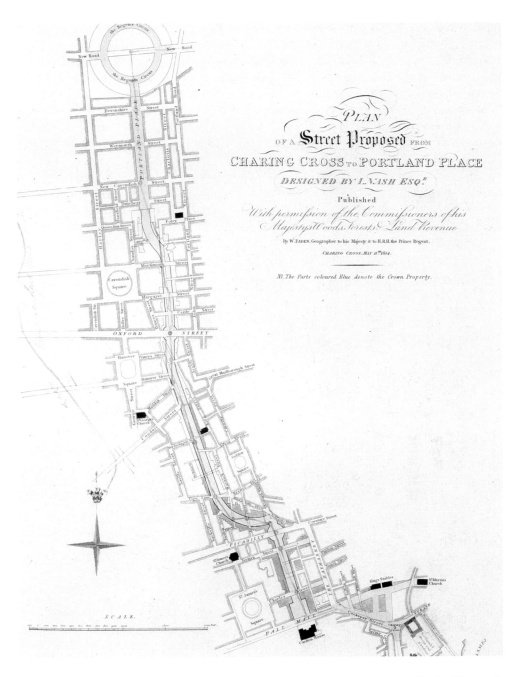

55. Ausführungsplan des Regent's Park, London, nach Festlegung des House of Commons. (*Fifth Report of the Commissioners of His Majesty's Woods, Forests and Land Revenues,* 1826)

kes.[53] In grandiosem Maßstab gliederten runde, abgewinkelte und geradlinige Hauszeilen (»terraces«) den offenen Freiraum, der allerdings weniger für die Allgemeinheit als vielmehr für den weiträumigen Ausblick und die Erholung der vornehmen Bewohner gedacht war. Ein doppelt kreisförmiger Square sollte die Mitte betonen, ein Park Crescent den Übergang zur Stadt vermitteln. Für den Grundherrn, den Prinzregenten (den späteren König Georg IV.), mußte zwischen seiner Residenz im Carlton House und dem neuen Regent's Park eine direkte Straßenverbindung hergestellt werden, die zugleich auch den Bewohnern der »fashionable residences« einen leichten Zugang über Charing Cross zu ihren Regierungsämtern in Whitehall, zum Parlament in Westminster und zu den Gerichtshöfen in der City verschaffte.

Mit dem Erweiterungsplan Levertons verglichen war Nashs Projekt ein genialer Vorschlag, wie in klassizistischer Sicht Architektur und Natur in einer Art von Stadtlandschaft – »garden townscape« – zur Wechselwirkung gebracht werden konnten.[54] Da der Prinzregent offensichtlich hinter Nashs Vorschlag stand und damit bestimmte Absichten verfolgte, wurde er akzeptiert. 1812 begannen erste Bauarbeiten und Baumpflanzungen. Mancherlei Umstände verhinderten jedoch, daß die ursprüngliche und städtebaulich wirksamste Planfassung ausgeführt wurde.[55] Am Eingang mußte der kreisförmig geplante Park Crescent nach dem Bankrott des Pächters auf einen halbrunden Park Square (1823–25) reduziert werden, eine Lösung, die aber immer noch einen wirkungsvollen Auftakt zum Park darstellt. Die einrahmenden Hauszeilen entstanden wenigstens teilweise. James Burton baute um 1820 die York, Cornwall und Clarence Terraces. Im Westen folgten 1822 die Bauten am Sussex Place und 1823 die Hanover Terrace. Im Osten entstanden ab 1825 die Cambridge und Chester Terraces, an die sich nördlich 1826 die Cumberland Terrace anschloß. Sie ist architektonisch am anspruchsvollsten ausgeführt und war auf die Achse des königlichen Sommerpalastes, der aber nie gebaut wurde, bezogen. Alle diese Bauten waren »first-rate houses« von monumentalen Ausmaßen, in ihrer architektonischen Wirkung noch gesteigert durch klassizistische Wandgliederung, pla-

56. Die Londoner Innenstadt mit Regent's Park und Regent Street aus der Luft. (Hunting Aerofilms, Boreham Wood)

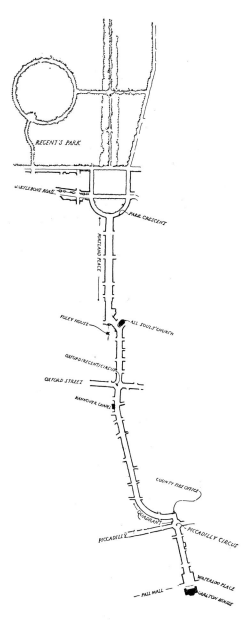

stisch vorspringende Portici und skulpturale Gesimsbekrönungen. Im Kontrast dazu standen die Gebäude der nördlichen Park Villages.[56] Diese verkörpern das Prinzip der lockeren, offenen Bauweise, der wenig später bereits die Zukunft gehörte. Aber ob kompakt oder malerisch frei gruppiert, die Gebäude waren in jedem Falle nur für jene wohlhabende Klasse gedacht, die durch ererbtes Vermögen oder durch Handels- und Industriegewinne imstande war, die hohen Pachtsätze zu bezahlen.

Der Park, der die gärtnerischen Gestaltungsprinzipien von Humphrey Repton (1752 bis 1818) spürbar werden läßt, kam über einzelne Ansätze nicht hinaus. Immerhin entstand ein offener Landschaftsgarten, den ein vom Tyburn gespeister See bereichert. Daß man aber auf das lange Bassin vor der Cumberland Terrace und die beiden halbrunden Crescents im Norden als wohlüberlegte architektonische Haltepunkte und auf den rechteckigen Square am Eingang von der New Road als räumliche Fassung verzichtete, machte die Ausführung um wesentliche Planungselemente ärmer. Zur ursprünglichen Konzeption neu hinzugefügt sind die Botanic Gardens und das St. Katherine's Hospital.

Die Regent Street, die den Park mit der Innenstadt zu verbinden hatte, wollte Nash über den vorhandenen Portland Place ohne große Umwege nach Süden zum Carlton House führen. Die besonderen Besitzverhältnisse des Foley House machten es aber notwendig, den Straßenzug leicht nach Osten zu versetzen, wodurch sich am Versatzpunkt die All Souls Church als Point de vue hervorheben ließ. Die Hauptkreuzung mit der west-östlich verlaufenden Oxford Street wurde geschickt durch die Ausrundung des Oxford Circus gelöst. Weiter südlich knickt die Regent Street bei der Hanover Chapel, die 1823 von C.R. Cockerell erbaut wurde, leicht nach Südosten ab. In diesem Abschnitt mußte sie durch ein Gewirr von engen Straßen und armseligen Häusern durchgebrochen werden.[57] Den Anschluß an den Piccadilly Circus vermittelte der nach Osten ausholende »Quadrant«, ein viertelkreisförmiger Straßenbogen, dessen Arkadengänge und Gehwegbreiten den Einkaufs-Charakter des Straßenzuges besonders unterstrichen.

Der südlichste Teil zwischen Piccadilly Circus und Waterloo Place, die Lower Regent Street, erhielt eine strengere architektonische Fassung. Diesen Straßenraum begrenzte im Norden am Knickpunkt zum Quadranten das 1819 von Robert Abraham erbaute County Fire Office, im Süden bildete das Carlton House, das aber 1826 durch die Carlton House Terrace ersetzt wurde, den Abschluß.

Mit dem Bau der Regent Street hatte London in den zwanziger Jahren des 19. Jahrhunderts ohne Übertreibung eine monumentale Geschäfts- und Wohnstraße erhalten, die durch ihre klare Gliederung in den einzelnen Abschnitten, durch die Akzentuierung an den Knick- und Versatzpunkten, durch den Wechsel und die Lebendigkeit der Richtungsänderungen und die Einheitlichkeit der Platzwandungen beispiellos im damaligen Städtebau war. Aber aufs Ganze gesehen war es doch nur eine auf den Straßenzug selbst begrenzte Einzelaktion, bei der auch wiederum nur die Einzelabschnitte in sich wirken und nicht zu einer Steigerung in der Gesamtwirkung führen.

Hier wie auch in Bloomsbury manifestierte sich das städtebauliche Dilemma Londons zu Beginn des 19. Jahrhunderts deutlich: Voneinander unabhängige Stadtplaner vermochten

57. Regent Street, London. Lageplan mit dem Straßenverlauf. (*Der Städtebau*, 1927)

58. »The Quadrant« in der Regent Street, London. Stich von Thomas H. Shepherd. (Guildhall Library, London)

59. Waterloo Place und Lower Regent Street, London. Stich von Thomas H. Shepherd. (Guildhall Library, London)

zwar Einzelpläne mit erstaunlicher Gestaltungskraft zu verwirklichen, im Gesamtplan der Stadt blieben diese Anlagen aber nur isolierte Ansätze, die die längst unübersichtlich gewordene Metropolis weder baulich umstrukturieren noch verkehrsmäßig reorganisieren konnten. Die formale, von klassizistischen Metaphern geprägte Stadtbauvorstellung war einfach nicht geeignet, die drängenden Probleme des »Great Wen«, des großen Auswuchses, anzugehen. Denn schließlich vermochte die historisch immer wieder tradierte Konzeption sich nur so lange zu halten, wie sie mit der aristokratischen Lebensform der Ober- und Mittelklasse kongruent war. Das Aufkommen der Arbeiterklasse mit anderen Bedürfnissen und Gewohnheiten ließ den bisherigen opulenten Zuschnitt der Stadthäuser und Wohnviertel nicht nur von der äußeren anspruchsvollen Aufmachung, sondern auch vom verschwenderischen Platzverbrauch her, besonders durch die weiträumigen Squares und Crescents, sehr fragwürdig erscheinen.[58] Die Arbeiter mußten diese Anlagen, die ihnen durch hohe Mieten und gesellschaftliche Absonderung verschlossen waren, wie Anachronismen empfinden. Ihnen blieb nur übrig, sich am Rande solcher Inseln niederzulassen, im steten Bewußtsein, durch eine soziale Barriere vom vornehmen Bezirk getrennt zu sein. Oder aber sie wurden in die noch freien Bereiche der Außenbezirke abgedrängt, und dort waren sie von Anfang an durch die soziale Einstufung der Suburbs gekennzeichnet.

Die soziale Differenzierung der Stadtviertel bahnte sich im Norden Londons schon an, als sich der Regent's Park noch im Planungsstadium befand. Zu Beginn des 19. Jahrhunderts war der Expansionsdrang so stark geworden, daß die New Road als Baugrenze nicht mehr zu halten war. Östlich des Regent's Park gestattete 1809 Lord Southampton, daß 20 Hektar seines Grundbesitzes mit 500 Gebäuden (als »third-rate houses« eingestuft) im leasehold system überbaut wurden. In den anschließenden Bezirken weiteten sich Camden Town (1771 projektiert) und Somers Town (1786 gegründet) ebenfalls mit einfachen Bauten immer stärker aus. Im nördlichen Marylebone überließ E.B. Portman seinen Grundbesitz dem Kaminfeger David Porter zur beliebigen Überbauung.[59] Mit dem geringsten Aufwand und auf die schnellste Art entstanden auch hier zahlreiche Wohnbauten von minderwertiger Qualität, die sich rasch mit den Bewohnern der niedrigsten Einkommensklassen füllten. Nash sah den Kronbesitz von unerwünschten Gebäuden und Bewohnern eingekreist, bevor überhaupt mit seiner Erschließung begonnen worden war. Man geht sicher nicht fehl, wenn man unter diesen Umständen aus der ganzen Grundstruktur seines Planes eine gewisse Abwehrhaltung abliest. Im Osten und Westen hatten die geschlossenen Wohnzeilen den Parkbereich nach außen hin fast zugangslos abzuschirmen, im Süden blieben die Öffnungen zur Stadt auf Portland Place und Baker Street beschränkt. Nach Norden hin bot sich zwar ein freier Ausblick auf die Höhe von Hampstead, im Vordergrund dienten aber der Regent's Canal sowie Mauern und Hecken als Trennungselemente.

Offenbar sollten hier wie in Bloomsbury den oberen Klassen ungestörte innerstädtische Lebensräume reserviert werden, die sich aber ab 1830 als weitgehend überholte soziale und urbane Modellvorstellungen erweisen mußten. Mit der Einführung der Eisenbahnen in den Stadtkörper und mit der Ausbreitung der Arbeiterklassen in den Außenbezirken der Stadt war schließlich eine so prekäre Situation gegeben, daß weder Grundbesitzer noch Stadtplaner sie länger ignorieren konnten.

## 3.3. Klassizistischer Städtebau in Deutschland

### 3.3.1. Berlin in der ersten Hälfte des 19. Jahrhunderts

Industrialisierung – Bevölkerungsanstieg – Wohnungsnot

Als Haupt- und Residenzstadt Preußens trug Berlin zu Beginn des 19. Jahrhunderts noch keineswegs jene großstädtischen Züge, die Paris und London um diese Zeit bereits auszeichneten. Der Ort hatte neben seinen kommunalen Einrichtungen einen ländlichen Einschlag. Aus der mittelalterlichen Vergangenheit herrührend, wurde eine ausgedehnte Felderwirtschaft betrieben, deren Aktionsbereiche vor allem in der Altstadt, im östlichen Vorland, in der Luisenstadt und in der Köpenicker Vorstadt lagen. Trotzdem galt Berlin – auf die kleinstaatlichen deutschen Verhältnisse bezogen – als eine architektonisch bemerkenswerte Residenzstadt, die durch den Hofstaat, die Beamtenschaft, das Militär, die zahlreichen Zentral- und Provinzialbehörden und die Schulen ihre besondere Note erhielt. Das militärische Element war seit der Zeit der preußischen Soldatenkönige auffällig stark ausgeprägt. Das drückte sich in der Relation der Zivil- zur Militärbevölkerung deutlich aus:

1786:  113 766 Zivilpersonen zu   33 625 Militärpersonen,
1805:  155 706 Zivilpersonen zu   11 489 Militärpersonen.

Und schließlich war Berlin seit den Befreiungskriegen und nach der Verkündigung der Gewerbefreiheit im Jahre 1810 im Begriff, ein Gewerbe- und Fabrikort zu werden. Die

60. Berlin im Jahr 1802.

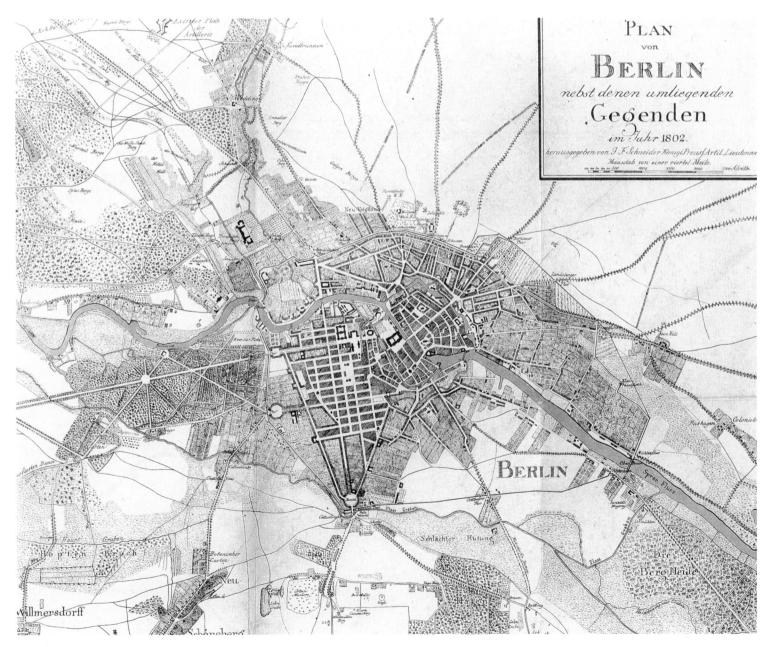

durch königliche Aufträge gestützten Textilmanufakturen hatten ohne Zweifel eine erste Grundlage dafür geschaffen. Das preußische Zollgesetz von 1818 ermöglichte den Übergang zum modernen Freihandel. Die Gründung des deutschen Zollvereins 1833/34 und die Abschaffung der Inlandzölle brachten einen weiteren Auftrieb.

Zudem versuchte die staatliche Gewerbeförderung unter Leitung von Christian Peter Wilhelm Beuth (1781–1853) Hilfestellung beim Übergang zum modernen Fabrikwesen zu geben.[60] Wenn es auch anfänglich am notwendigen Kapital fehlte, so waren doch die verschiedenen staatlichen Initiativen bei der Anlage der Land- und Wasserstraßen, der Einrichtung der Dampfschiffahrt auf der Spree, Havel und Elbe, beim Bau der privaten Eisenbahnen von großem Wert. Trotz der zögernden Haltung Friedrich Wilhelms III. versäumte Preußen nicht, sich dieses neue Verkehrsmittel dienstbar zu machen. Daß Berlin dabei zum Sammelpunkt der großen Fernverkehrslinien bestimmt wurde, war allein schon von den militärstrategischen Gesichtspunkten her von Anfang an klar.[61]

Ab 1838 entstanden mit staatlicher Konzessionierung auf privatwirtschaftlicher Basis in rascher Folge die wichtigsten Linien (1837/38, 1846 Berlin–Potsdamer Eisenbahn; 1841, 1848 Berlin–Anhalter Eisenbahn; 1842/43 Berlin–Stettiner Eisenbahn; 1840/42 Niederschlesisch–Märkische Eisenbahn; 1843/46 Berlin–Hamburger Eisenbahn). Sie endeten so zufällig, wie die Grundstücksverhältnisse es eben ergaben, mit einem Kopfbahnhof an der Peripherie der Stadt. Die Linien wurden ausschließlich unter dem Aspekt des Fernverkehrs gebaut, ohne Rücksicht auf Durchgangsverbindungen oder Vororterschließungen. Nur eine eingleisige, auf Straßenniveau verlegte, primitive Verbindungsbahn ermöglichte ab 1851 in kleinerem Umfang einen Güterverkehr oder, was den Staatsbehörden wohl wichtiger erschien, schnelle Truppentransporte.

So einseitig und planlos man indes die Eisenbahneinrichtungen – Linienführungen und Bahnhofssituierung – behandelte, so folgenschwer erwiesen sich bald deren städtebauliche Auswirkungen. Denn mit den neuen Kommunikations- und Distributionsmöglichkeiten waren nun die wichtigsten Voraussetzungen für die industrielle Entwicklung im Berliner Raum gegeben. In rascher Folge wurde die Stadt zu einem überörtlichen Handelszentrum ausgebaut, wozu die 1820 gegründete Kaufmannschaft von Berlin und Charlottenburg im praktischen und das 1821 eröffnete Gewerbeinstitut im theoretischen Sinne gleich stark beitrugen. Zunächst ermöglichten die vorhandenen Kleidermanufakturen eine Ausweitung der Textilverarbeitung.[62] Das Resultat war eine fortschrittliche Bekleidungsindustrie, die durch Nähanstalten und Wäschegeschäfte getragen wurde und bereits ab 1837 zur Konfektionierung der Ware überging. Zur Textilproduktion kam bald eine beachtliche Eisenindustrie hinzu.[63] Die ersten Anstöße dazu gab der Eisenbahnbau. Außer Gußeisenteilen, Gittern, Schrauben usw. produzierten die ersten Maschinenfabriken bald Dampfmaschinen, Lokomotiven und landwirtschaftliche Geräte. Auf der einen Seite öffneten sich im Osten neue Absatzmärkte für die erzeugten Produkte, auf der an-

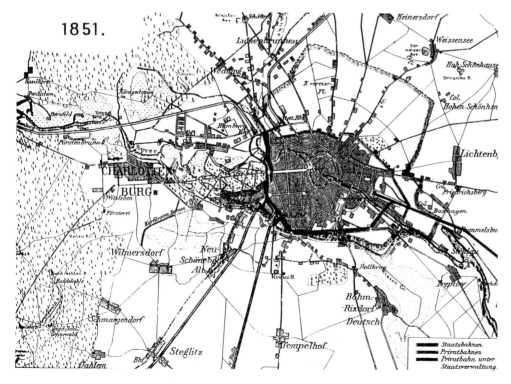

61. Berlin um 1851 mit den Hauptlinien der Eisenbahnen. (*Berlin und seine Eisenbahnen 1846–1896*, Bd. 1, Berlin 1896)

deren ergaben sich Anschlüsse an die Rohstoffvorkommen des schlesischen Industrierevies und an die Welthandelszentren an der Nord- und Ostsee. Unter diesen Voraussetzungen« vollzog sich zwischen 1830 und 1880 ein breit angelegter Industrialisierungsprozeß, der auch die Elektroindustrie (Siemens, AEG), die chemische und pharmazeutische Industrie (Schering, Spindler) sowie das Druck- und Verlagswesen mit einschloß.[64]

Die wohl folgenreichsten Auswirkungen dieses städtischen Ausformungsprozesses sind auf dem demographischen Sektor zu beobachten. Bereits nach 1810 hatte die Agrarreform mit ihrer »Bauernbefreiung« große Teile der Landbevölkerung freigesetzt. Und alle jene, die durch Mechanisierung der Landgüter kein Auskommen mehr im ländlichen Bereich fanden, fühlten sich, in der Hoffnung auf Arbeit und Brot, von der größten und betriebsamsten Stadt Preußens angezogen. Die im Aufbaustadium begriffene Industrie Berlins verfügte deshalb jederzeit über die erforderlichen Arbeitskräfte.[65] Schon bald wurde jedoch der Zustrom aus den östlichen Provinzen und der umgebenden Mark so zahlreich, daß es zu einer ersten Übervölkerung kam. Tatsächlich war bei dem vorhandenen Gebäudebestand die Aufnahmefähigkeit für Zuwanderer rasch erschöpft. Dies macht die beigegebene Tabelle deutlich.[66]

| Jahr | Einwohner | Gebäude | E/Grundstück |
|------|-----------|---------|--------------|
| 1786 | 147388    |         | 18−19        |
| 1815 | 191000    | 6463    | 30           |
| 1820 | 186000    |         | 21,4         |
| 1830 | 267677    | 7300    | 35           |
| 1840 | 331663    | 7730    | 43           |
| 1850 | 417665    | 8725    | 48           |

Die Folgen der Bevölkerungskonzentration waren Arbeitslosigkeit und Wohnungsmangel. Die sozial gespannte Atmosphäre dieser Notlage kam bald immer deutlicher zum Ausdruck, wozu freilich auch die polizeilichen Bespitzelungen der Reaktionszeit und die immer schärfere Trennung nach Besitzenden und Besitzlosen beitrugen. Die Schneiderrevolution von 1830, die Feuerwerksrevolution von 1835 und die Kartoffelrevolution von 1847 sind als solche Zeichen zu verstehen.

Aufschlußreich ist, welche Rolle Staat und Kommune bei diesem, den Zeitgenossen kaum bewußt gewordenen Urbanisierungsprozeß spielten. Am auffälligsten nimmt sich das starke Engagement des Staates bei der Gewerbeförderung aus. Die Behörden bemühten sich, den sich regenden industriellen Kräften den Weg zu bahnen, um durch unternehmerischen Wagemut ein modernes Fabriksystem zu schaffen. Denn dieses mußte – so weit reichte das erneuerte Merkantilismusverständnis des preußischen Beamtentums immerhin – schließlich auch zum Wohle des staatlichen Fiskus gereichen. Trotzdem aber standen die preußischen Finanz- und Geheimräte allen sozialen Konsequenzen, die mit der Einführung dieses Systems notwendigerweise verbunden sein mußten, verständnislos und, wie die Reaktionen zeigten, verunsichert gegenüber. Mit dem Maßstab fiskalischer Korrektheit und preußischer Pflichterfüllung deuteten sie die frühen Aufstände der Arbeiterschaft nicht als Ausdruck sozialer Benachteiligung und Desintegration, sondern sie stempelten diese Vorkommnisse als Polizeiaffären ab, die sie dann auf ihre Art, mit dem Aufgebot der 12000 bis 15000 Mann starken Militärgarnison, zu erledigen verstanden. Aber schließlich halfen alle Vertuschungsmanöver nicht weiter: Armut und erbärmliche Wohnungszustände waren seit Beginn der dreißiger Jahre für die nach außen hin glanzvolle Residenzstadt Berlin eine unübersehbare Tatsache.[67]

Es lohnt sich deshalb, die Aktionen für den Wohnungsbau etwas genauer zu verfolgen. Schon viel früher war im Voigtlande zwischen dem Hamburger und Rosenthaler Tor versucht worden, Bauhandwerker anzusiedeln. 1820 bis 1824 bereicherte ein Freiherr von Wülcknitz diese Siedlung in spekulativer Absicht um fünf minderwertig gebaute »Familienhäuser«.[68] Bezeichnenderweise entpuppte er sich, nachdem er mit dem Kapital nach Paris durchgegangen war, als Bankrotteur. 1824 versuchten die Gebrüder Träger zusammen mit baukundigen Helfern in privater Initiative auf einem vom Magistrat in Wedding bereitzustellenden Gelände etwa 40 Vierfamilienhäuser als »Elisenstadt« zu bauen und diese durch eine Lotterie zu verlosen. Sie gaben vor, sich der Not der »arbeitenden Volksklasse« anzunehmen, und wollten den Gewinn der Armendirektion spenden, mit einem Spritzenhaus als Zugabe. Hier deutete sich bereits die Vorgehensweise der Bauspekulation, so wie sie sich bis heute in der Praxis bewährt hat, in den ersten Umrissen an.

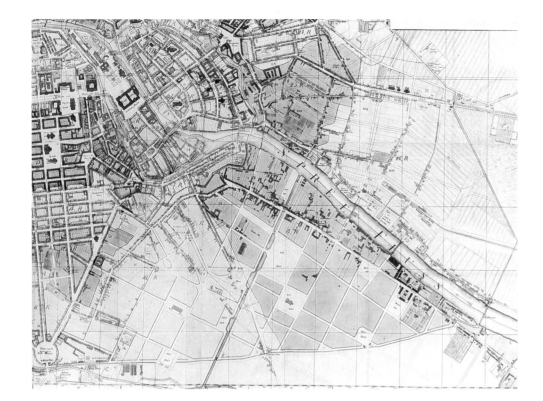

62. Bebauungsplan des Köpenicker Feldes, Berlin, nach dem Entwurf des Geheimen Baurats Schmid. Dargestellt in J.C. Selters Grundriß von Berlin, 1826. (Landesarchiv Berlin)

Wie verhielt sich nun der Magistrat in dieser Situation? Immerhin lehnte er das Ansinnen einer Wohnbaulotterie ab. Er sah sich aber für die Schaffung von Wohnraum genausowenig zuständig wie die Staatsbehörden. Freilich konnte er in seinem Tätigkeitsbericht von 1829 die Wohnungsfrage nicht mehr übergehen. Denn gerade das Voigtland entwickelte sich immer mehr zum slumartigen Massenquartier. In den »Familienhäusern«, die in rascher Folge mehrfach den Eigentümer wechselten, wohnten 1827 nicht weniger als 496 Familien mit 2 197 Bewohnern. Die Jahresmiete betrug pro Stube 25 bis 36 Rheintaler und bescherte den Eigentümern ohne jeden Aufwand 8000 bis 10 000 Rheintaler jährliche Mietzinseinnahmen. Doch waren Unternehmen dieser Art kaum geeignet, der Wohnungsnot abzuhelfen. Es wäre darauf angekommen, im Stadtgebiet auf den noch freien Flächen durch Bebauungspläne ausreichend Baugelände nachzuweisen, einen sozial determinierten Wohnungsbau durch staatliche und kommunale Subventionierung in Gang zu bringen und sich um sinnvoll angelegte Wohnungen mit ausreichenden Wohn- und Nebenräumen zu bemühen. Aber diesen Erfordernissen standen unüberwindbare Schwierigkeiten entgegen.

Die in Gang gebrachte Diskussion der Wohnungsfrage zeigte rasch das soziale Desinteresse der maßgebenden Kreise. Es beeindruckte den König und seine Ratgeber kaum, daß die »kühne Vorrednerin« Bettina von Arnim 1843 in ihrer Schrift *Dies Buch gehört dem König* auf die kläglichen Wohnungszustände im Voigtlande hinwies.[69] Und nicht besser erging es Viktor Aimé Huber (1800–69), einem Professor der Berliner Universität, der sich schon 1837 mit dem Wohnungsproblem beschäftigte und seine Gedanken dazu 1845 bis 1848 in der konservativen Zeitschrift *Janus* publizierte. Sein Ratschlag, den Arbeiterwohnungsbau nach englischem Vorbild auf gemeinnütziger und genossenschaftlicher Grundlage zu organisieren und die vermögenden Klassen aus einer sittlichen Verantwortung heraus daran zu beteiligen, verhallte vorerst ungehört (siehe Kapitel 6.3.2., Viktor Aimé Huber: Die Genossenschaftssiedlung in der Innenkolonisation). Die gesellschaftliche Konstellation begünstigte andere Tendenzen: Der Staat war darauf aus, alle obrigkeitlichen Belange zu reglementieren, ohne daraus aber soziale Verpflichtungen abzuleiten. So nahm er ohne weiteres für sich in Anspruch, Bebauungspläne aufzustellen und das Baupolizeirecht auszuüben. Die Stadt ihrerseits schob ebenfalls alles, was auf soziales Engagement hinauslief, weit von sich. Der Wohnungsbau blieb, nach dem Selbstverständnis der Zeit, dem freien Spiel des Marktes überlassen. Er sollte in voller Absicht der maßgebenden Stellen das Betätigungsfeld des auf Bereicherung ausgerichteten Erwerbsbürgertums der kommenden Gründerzeit sein.

Erweiterungspläne

Von der Stadt selbst war demnach kein Beitrag zur Lösung oder Minderung der drängenden Wohnungsprobleme in Berlin zu erwarten. Dagegen sah sich das staatliche Polizeipräsidium, sei es nun aus Furcht vor Umsturzversuchen oder als Ausfluß der erwarteten Pflichterfüllung, schließlich zum Handeln veranlaßt. Nachdem 1823 durch eine topographische Aufnahme des Stadtgebietes im Maßstab 1:2000 eine brauchbare Arbeitsgrundlage geschaffen worden war, ließ es 1824 bis 1825 durch den Geheimen Baurat Schmid für die noch freien Gebiete innerhalb der Akzisemauer die Bebauungsmöglichkeiten aufzeigen. Dabei kamen Teilbebauungspläne zustande für das Gebiet vor dem Oranienburger Tor, für die Gegend zwischen Landsberger und Stralauer Tor und für die nördlich der Dorotheenstadt auf freiem Gartenland angeordnete Friedrich-Wilhelm-Stadt.[70] Während hier ab 1830 tatsächlich auch gebaut wurde, kam es an den anderen Stellen vorerst nur zu einer sporadischen und unkontrollierten Besiedelung. Die größte Freifläche mit etwa 370 Hektar nahm jedoch das Köpenicker Feld im Südosten ein,[71] für das Schmid, den Grundsätzen der staatlichen Sparsamkeit entsprechend, einen einfachen und weitmaschigen Rasterplan ausarbeitete. Das Gebiet sollte zudem von einem Kanal durchflossen werden. Zur räumlichen Akzentuierung waren je zwei Markt- und Kirchplätze vorgesehen. Bei der Planung der Straßenfluchten wurde versucht, den vorhandenen Feldwegen zu folgen, um die Abfindungen für Straßen möglichst gering zu halten. Offensichtlich war dieser Plan dem preußischen Kronprinzen Friedrich Wilhelm IV. doch zu anspruchslos. Er faßte deshalb seine eigenen Vorstellungen in einer Skizze zusammen,[72] nach welcher der königliche Gartendirektor Peter Joseph Lenné (1789–1866) einen Alternativentwurf aufzuzeichnen hatte. Kernstücke waren eine in Verlängerung der Kochstraße gedachte Avenue mit Rondellplatz und einem dazu in Verbindung gesetzten Kirchenforum. Karl Friedrich Schinkel hatte in seiner Eigenschaft als höchster preußischer Baubeamte die nicht gerade angenehme Aufgabe, diese Pläne zu begutachten.[73] Er attestierte dem Schmidschen Plan eine realistische und sparsame Einteilung, während der Vorschlag des Kronprinzen als kaum realisierbar und stark ästhetisierend beurteilt wurde. Lenné verfaßte wohl im Auftrag des Kronprinzen, der sich noch längst nicht geschlagen gab, einen neuen Bebauungsvorschlag für dieses Gebiet, bei dem wiederum die monumentalen Aspekte im Vordergrund standen. Aber auch diese Version war unrealistisch, da auf den verplanten Äckern und Wiesen noch die mittelalterlichen Nutzungs- und Hütungsrechte der Dreifelderwirtschaft lagen. Bevor an eine Überbauung zu denken war, mußten diese Rechte abgelöst und eine Separation vorgenommen werden. Die Eigentümer sträubten sich jedoch gegen diese Maßnahmen und gegen die Anlage neuer

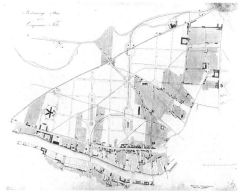

63, 64. Bebauungspläne für das Köpenicker Feld, Berlin, zwei Varianten von Peter Joseph Lenné, 1840. (Geheimes Staatsarchiv Preußischer Kulturbesitz, Berlin)

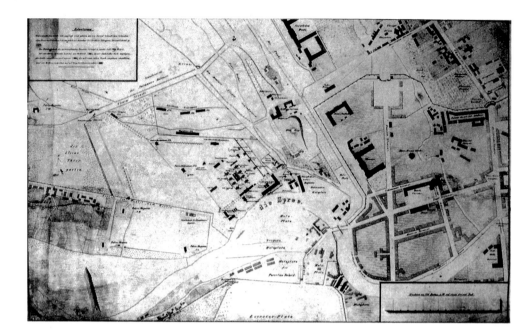

Wege, und so blieben große Teile der freien Flächen noch eine Zeitlang blockiert. Separationen in größerem Umfang wurden zuerst 1819 bis 1826 bei den sogenannten »Berliner
Hufen« vorgenommen, dem großen Ackerland zwischen dem Hamburger und Prenzlauer
Tor. Auf dem Köpenicker Feld zog sich dieser Vorgang bis in die fünfziger Jahre hin, vor
dem Halleschen Tor sogar bis 1858.

Bei Hindernissen dieser Art blieb genügend Zeit, den Schmidschen Plan noch einmal
durch einen Beamten der Bau- und Finanzdirektion umarbeiten zu lassen, wobei das gewählte Straßenraster wenigstens noch durch die von Lenné aufgezeigte Kanalführung
bereichert wurde. Nach diesem Plan ist dann gebaut worden.[74] 1848 entstand der Luisen-
städter Kanal, um Arbeitslose zu beschäftigen. Der Wohnungsbau war durch die Verzögerungen der Stadterweiterung gezwungen, sich andere Wege zu suchen. Es blieb nichts
anderes übrig, als die Baulücken in den vorhandenen Straßen auszufüllen, niedrige Bauten auf drei bis vier Geschosse aufzustocken und die Parzellen auch in den Hofpartien
durch Hinterhäuser intensiver zu überbauen.

Der einmal in Gang gesetzte Urbanisierungsprozeß erzwang auch schon frühzeitig die
ersten infrastrukturellen Einrichtungen. Der Staat als eigentlicher Stadtherr reagierte so
selbstherrlich, wie es ihm zustand. Ohne die städtischen Institutionen überhaupt zu fragen, schloß das Innenministerium einen Vertrag mit der englischen Imperial Continental
Gas Association ab. Mit Hilfe dieser Firma hatte Berlin ab 1829 Gasbeleuchtung in einzelnen Straßen. Durch den Bau von zwei Gasometern war ab 1844 die Gaserzeugung in
eigener Regie gewährleistet.

Die Cholera-Epidemie von 1831 rückte die stadthygienischen Gesichtspunkte stärker in
den Vordergrund. Es kam zur Organisation der Gesundheitspflege und zum Ausbau der
Wasserversorgung, die man zur Spülung der Straßen für unerläßlich hielt.[75] Da die Stadt
der staatlichen Aufsichtsbehörde auch auf diesem Gebiet zu langsam agierte, vergab das
Polizeipräsidium kurzerhand den Wasserlieferungsvertrag an die englische Firma Fox
and Crampton. Der Betrieb wurde 1856 aufgenommen, ohne daß er aber auf Dauer für
die großstädtischen Verhältnisse befriedigend gewesen wäre.

Wie das Köpenicker Feld im Südosten, so war im Nordwesten bei Moabit noch ein freies
Gelände von etwa 41 Hektar innerhalb der Stadtmauern vorhanden. Es handelte sich hier
um ein nördlich der Spree gelegenes staatseigenes Areal, das nach der Verlegung der königlichen Pulverfabrik nach Spandau neu genutzt werden sollte. Der Kronprinz griff
auch hier in die Planung ein, allerdings mit mehr Berechtigung als in der Luisenstadt.
Durch Skizzen deutete er die Lösung an: Er wollte die staatlichen Gebäude in einem monumentalen Rahmen zusammenbinden und in eine Beziehung zum nahen Tiergarten,
zum friderizianischen Invalidenhaus und zur östlich gelegenen Friedrich-Wilhelm-Stadt
bringen. Es ist verständlich, daß bei diesem weitausholenden Gestus für Wohnbauten
kein Platz mehr übrigblieb, ging es vorderhand doch darum, dem Exerzierplatz (Mars-
feld) am Tiergarten und den dazugehörigen Kasernen einen würdigen Rahmen zu verschaffen sowie endlich das als dringend notwendig erachtete Mustergefängnis im militärischen Schutzbereich zu plazieren. Diese Aufgabenstellung war wichtig genug, die

beiden angesehensten Planer des Königreichs damit zu beauftragen. Auf Anweisung des Staatsministeriums legten sowohl Schinkel als auch Lenné 1839/40 Planvorschläge vor.[76] Wie man sieht, zeigen beide eine auffallende Übereinstimmung, was nicht weiter verwundert, wenn man die Weisungsgebundenheit der Planer an ihre Auftraggeber bedenkt. In beiden Versionen ist der halbrunde Spreebogen zur Grundlage einer symmetrischen Konfiguration gemacht, die sich aus einer stark betonten Nord-Süd-Achse und einem darauf bezogenen forumähnlichen Paradeplatz zusammensetzt. Als tragendes Gerüst hat dieser Formgedanke im Königsplatz und heutigen Platz der Republik schließlich alle Veränderungen der Zeit überdauert, während die sonstigen Planinhalte – mit Ausnahme der militärischen Versatzstücke – durch die Bauten des Lehrter und Hamburger Bahnhofs und durch den Humboldthafen zunichte gemacht wurden. Die Ohnmacht der Planer in diesem Falle ersieht man schon daraus, daß Lenné kurz darauf als fachkundiger Gutachter für die raumsprengenden Trassen der Lehrter und Hamburger Eisenbahn fungieren mußte, wobei er gewissermaßen seinen eigenen Plan aus den Angeln zu heben gezwungen war.

Nicht viel besser erging es Lenné bei seinem Bebauungsvorschlag für die Schöneberger Feldmark von 1844, durch den das Gebiet zwischen Potsdamer und Belle-Alliance-Straße zum Bauen erschlossen werden sollte. Es scheint die früheste Fixierung des sogenannten »Generalzugs« zu sein (siehe Kapitel 5.4.), obwohl der Planer ja bereits mit den zwischen 1838 und 1841 gebauten Trassen und Bahnhöfen der Anhalter und Potsdamer Eisenbahn rechnen mußte. Die Ausdehnung dieser Anlagen hat dann auch bald darauf diesen Planansatz mit der Idee des Wahlstattplatzes korrumpiert. Aufs Ganze gesehen hat sich Lenné aber – im Gegensatz zu Schinkel – nicht nur auf vereinzelte Teilbebauungspläne beschränkt. Er war durch Entwürfe für den Tiergarten ab 1819 und durch dessen Ausbau ab 1833 mit den urbanen Problemen Berlins vertraut. Den Auftrag zur Projektierung des Köpenicker Feldes und des Pulverfabrikgeländes hat Lenné zum Anlaß genommen, diese Teile in einen städtebaulichen Gesamtrahmen einzubinden und den zuständigen königlichen Hausministerien des Innern und der Finanzen einen »Situationsplan, welcher die Hauptstadt und ihre Umgebung umfaßt«, zu übersenden. Dieser Plan weist, wie die beigegebene Bezeichnung »Projectirte Schmuck- und Grenzzüge von Berlin mit nächster Umgebung« andeutet, ein besonderes Merkmal auf: einen die ganze Stadt umgebenden Ring, der im Halbrund nördlich der Spree durch einen Boulevard gebildet wird und im Bereich südlich der Spree sich in Verbindung mit einem »schiffbaren Wassergraben«,

66. Bebauungsplan für das Pulverfabrikgelände in Moabit, Berlin, von Karl Friedrich Schinkel, 1840. (Landesarchiv Berlin)
67. Bebauungsplan für das Pulverfabrikgelände in Moabit, Berlin, von Peter Joseph Lenné, 1839. (Verwaltung der Staatlichen Schlösser und Gärten, Berlin)

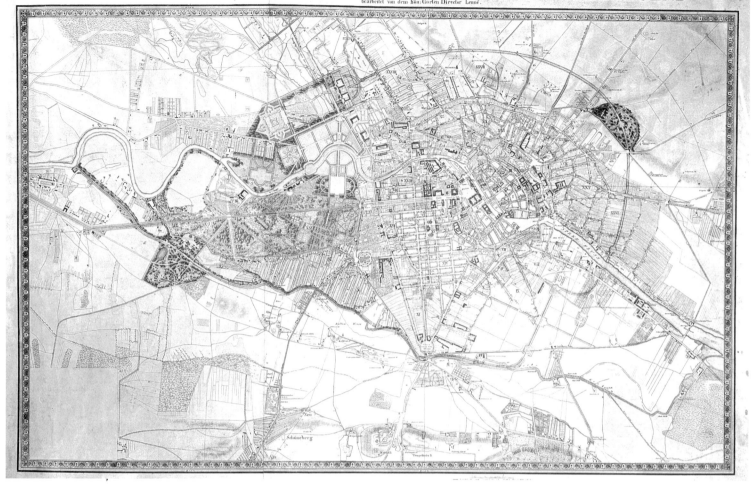

dem Luisen- und Landwehrkanal, abhebt. In einer Erläuterung zu seinem Plan stellt
Lenné die hydrotechnischen Aspekte heraus. Er sieht in der südlichen Kanalverbindung
eine wesentliche Voraussetzung für das wirtschaftliche Gedeihen der Stadt. Auch die bewußt weiträumig angelegten Quartiere des Köpenicker Feldes sollten große »Gewerbe-
Etablissements« aufnehmnen und später im »Interesse der einzelnen Besitzer« parzelliert
werden, ein, wie sich bald herausstellen sollte, äußerst folgenreicher Vorschlag. Daneben
wird aber die Ausstattung mit Parks und Spazierwegen, die Lenné bereits als Erholungs-
einrichtungen für alle Stände versteht, nicht vernachlässigt. Man kann gegen den Plan
im Detail mancherlei einwenden: Der Kanal war technisch mangelhaft konzipiert und
in seiner wirtschaftlichen Bedeutung stark überschätzt; ihn als südliche Stadtbegrenzung
anzusehen, zeugte kaum von jener Weitsicht, die hier in planerischem Sinne notwendig
gewesen wäre. Auch wirkt der vom König erwünschte und von Lenné projektierte Ringboulevard für Berlin als großstädtisches Strukturierungselement wenig überzeugend. Die
Bedeutung des Planes liegt sicher in der zusammenfassenden Gesamtschau, die hier zum
ersten Male für Berlin vorgenommen worden ist, zum Erstaunen der Berliner Behörden.
Obwohl auch Schinkel mit verschiedenen stadtplanerischen Aufgaben betraut war, die
sich vornehmlich auf den Stadtkern bezogen, ist von ihm ein derartiger Versuch, Berlin
als Gesamtkomplex zu sehen, nicht bekannt. Die Kritiker haben diesen Mangel seinem
klassizistischen Architekturverständnis vom autonomen Einzelkunstwerk zugeschrieben. Diese Erklärung ist durchaus plausibel. Aber ihm deshalb ein völliges städtebauliches Versagen zu attestieren, wie das Werner Hegemann getan hat, geht am Kern der historischen Wirkungszusammenhänge vorbei.[77] Ob Schinkel wie Lenné einen Plan dieser
Art gemacht hätte, wäre nur für seine Biographie von Belang. Denn der Wille, ihn un-
verstümmelt zu realisieren, war weder für die eine noch für die andere Version vorhanden. Dem preußischen Herrscherhaus fehlte zu diesem Zeitpunkt längst der Impetus zu
einer stadtbildprägenden Aktion; der Magistrat und die Stadtverordneten aber begnügten
sich, wenn sie auf dem baulichen Sektor überhaupt tätig wurden, mit Stückwerk und
Kleinigkeiten. Unter diesen Umständen war die Tradition des künstlerischen Städtebaus
in Berlin so gut wie erloschen.

68. »Projectirte Schmuck- und Grenzzüge von
Berlin mit nächster Umgebung«, von Peter Jo-
seph Lenné, 1840. (Verwaltung der Staatlichen
Schlösser und Gärten, Berlin)

### 3.3.2. München – die ludovizischen Straßen und Plätze

**Erste Stadterweiterungsversuche**

In München war zu Beginn des 19. Jahrhunderts eine Stadterweiterung genauso unausweichlich wie in Berlin, ohne daß in diesem Falle die Industrialisierung eine Rolle gespielt hätte. Den Anlaß dazu gab vielmehr das immer stärkere Hervortreten der Stadt als Verwaltungs- und Herrschaftszentrum der verschiedenen bayerischen Landesteile und der stetige Bevölkerungsanstieg.[78] 1777 verlegte der aus der pfälzischen Linie stammende neue bayerische Kurfürst Karl Theodor seinen Hof von Mannheim nach München. Dieser Vorgang allein verursachte einen Zuwachs um 2000 bis 3000 Menschen, die alle in der stark verdichteten, durch den Festungsring umschlossenen und in der Bausubstanz völlig veralteten Stadt ein Unterkommen suchten. Drei Jahrzehnte später war München bereits die Haupt- und Residenzstadt des neugeschaffenen Königreichs Bayern. Diese Rangerhebung forderte endgültig die notwendigen städtebaulichen Konsequenzen: Zum einen mußten die neuen Zentralinstanzen ihrer Bedeutung entsprechend in monumentalen Gebäuden untergebracht und zum andern die Zuziehenden mit neuem Wohnraum versorgt werden.[79]

Was in dieser Hinsicht noch vor der Jahrhundertwende geschehen war, konnte schwerlich als Abhilfe bei der großen Bevölkerungszunahme angesehen werden. Immerhin ließ bereits die Anlage des Englischen Gartens (1789/90 und 1811) eine neuartige, dem Bürger verpflichtete Auffassung von der Funktion eines Stadtparks erkennen.[80] Auch die im Zusammenhang damit vor den nördlichen Festungswällen entstandene und durch kurfürstliches Reskript vom 24. April 1797 sanktionierte Schönfeld-Vorstadt bot wenigstens den wohlhabenden Ständen die Möglichkeit, die Enge der Altstadt gegen die Weite und Naturnähe der Villengrundstücke im Vorstadtbereich zu vertauschen. Aber da man dabei

69. München im Jahr 1781, mit der Situation vor der Entfestigung. (Münchner Stadtmuseum)

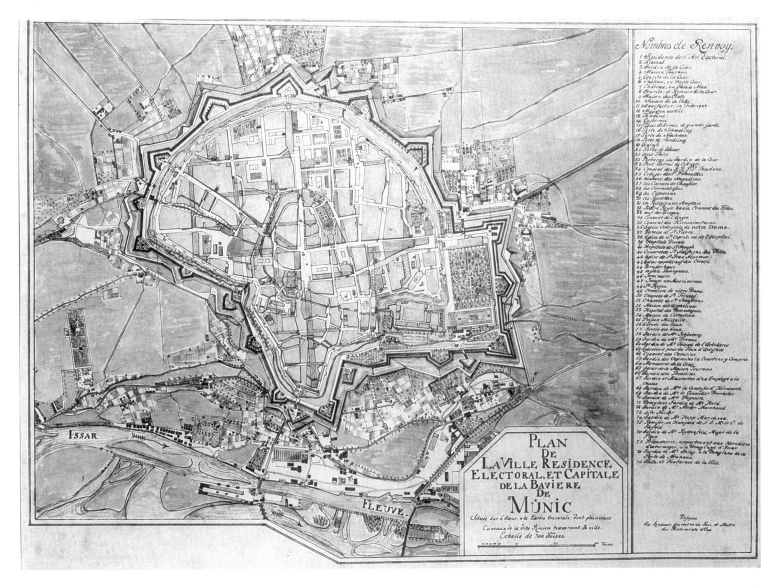

die Erdwerke, Bastionen und Gräben unangetastet ließ, blieb die Stadt weiterhin von ihrem Festungsring eingeschnürt und im Verkehr behindert. Nur die Entfestigung der Stadt konnte diesen anachronistischen Zustand beenden.[81] Trotz mancherlei Bedenken rang sich der Kurfürst 1791 dazu durch, das Karlstor als erstes Teilstück aus der Fortifikation herauszubrechen. Dabei waren die Bürger und die Zünfte, denen diese Aktion zugute kommen sollte, aufgerufen, die Finanzierung zu übernehmen. Das geringe Echo auf diesen Plan zeigt deutlich, wie verständnislos die Einwohnerschaft damals den städtebaulichen Problemen gegenüberstand. Unter diesen Umständen muß es als eine glückliche Fügung bezeichnet werden, daß der Kurfürst den Ritter von Thompson mit den Bauarbeiten am Karlstor betraute.[82] Dieser in bayerischen Diensten stehende Engländer besaß genügend Weitsicht und Energie, seinen Auftrag auch unter widrigen Bedingungen zu verfolgen. Er ließ seine Idee eines halbkreisförmigen Torplatzes mit Wohnbebauung von dem ihm beigeordneten Baumeister Franz Thurn aufzeichnen. Und er war mutig genug, die Rondellbauten ohne den Einsatz der Bürger zu Lasten der Militärkasse zu bauen und zu vermieten. Auf diese pragmatische Art nahm die Entfestigung Münchens ihren Anfang, ohne daß noch eine offizielle Erklärung darüber erfolgt wäre.[83]

Schon bald wurde jedoch klar, daß derartige Improvisationen nicht genügten, um der Stadt die notwendigen Bauflächen zu verschaffen. Nach dem Weggang Thompsons und beim Regierungsantritt des neuen Kurfürsten Max IV. Joseph beauftragte man deshalb Franz Thurn damit, an der nordwestlichen Peripherie der Stadt im Vorfeld des dort befindlichen Maxtores eine Erweiterung zu planen, die etwas euphorisch die Bezeichnung Maximiliansvorstadt erhielt. Thurns Lösungsvorschläge sind aus mehreren Projekten abzulesen. Als positiver Aspekt muß an ihnen gewertet werden, daß die Erweiterung nun einen größeren Sektor erfaßte und insofern jetzt von einer bewußten Stadtplanung, wenn auch in bescheidenem Rahmen, die Rede sein konnte. Wie die Planfigurationen jedoch ausweisen, reichten Thurns Vorstellungskraft und Kompetenzen nur gerade so weit, um an Stelle des alten Walls einen durchgehenden Gebäuderiegel vorzuschlagen, der wiederum mehr als eingrenzender Abschluß denn als Öffnung ins Umland wirkte. Daß in der Folge nach diesen Vorschlägen nur drei für sich isoliert stehende Häuser entstanden, zeigt zur Genüge, wie statisch und rückwärtsgewandt dieser erste Erweiterungsplan war. Sein Scheitern mochte einer der Gründe sein, weshalb am 14. Dezember 1804 eine Baukommission gebildet wurde, der man unter anderem auch die Aufgabe des Stadtausbaus übertrug.[84] Denn die Absicht, im Nordwestsektor über den mißratenen Maximiliansplatz hinaus eine Stadterweiterung vorzunehmen, blieb nach wie vor bestehen.

Als weitere Beiträge dazu entstanden 1804 das neue Maxtor und 1807 die Max-Joseph-Straße, die nun in das freie Gelände hinausstieß und die Altstadt mit dem nach Nymphenburg führenden Fürstenweg verband. Zur Bebauung der Straße wurden auch Baulinien und Bauvorschriften festgelegt. Und nachdem sich die Bodenspekulanten rasch des Geländes bemächtigt hatten, gingen auch schon die ersten Baugesuche ein.

Die Art und Weise, wie vor dem Maxtor ohne planerisches Grundkonzept vorgegangen wurde, veranlaßte daraufhin den mit dem Bau des Botanischen Gartens beauftragten

Carls Thor von München.

70. Das neue Karlstor, München, 1803/05. Aquarell von Franz Thurn. (Münchner Stadtmuseum)

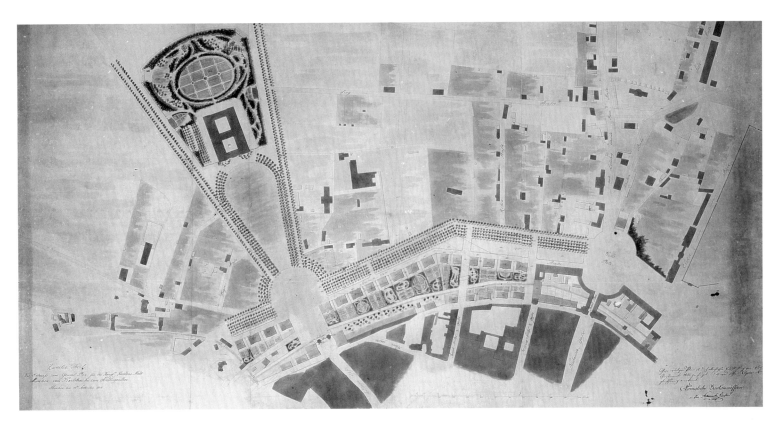

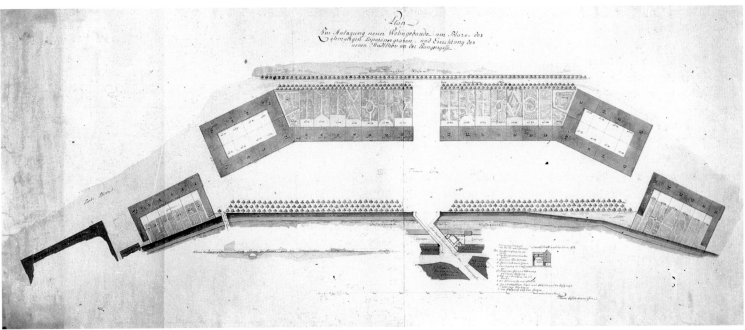

71. Bebauunsplan für das Gelände vor dem Sendlingertor, München, von Ludwig von Sckell, 1809. (Bayerisches Hauptstaatsarchiv, München)

72. Entwurf zur Bebauung des Kapuzinergrabens – Maximiliansplatz –, München, von Franz Thurn, 1803. (Bayerisches Hauptstaatsarchiv, München)

Gartenbaudirektor Friedrich Ludwig von Sckell (1750–1823) zum Einschreiten.[85] Für die »regulaire und rechtwinkelicht Vorstädte«, in denen sich der Ausbau Münchens nach seiner Ansicht entwickeln sollte, forderte er klare Vorstellungen und Richtlinien. Auf seine Initiative hin kam es tatsächlich zu einem Planungswettbewerb für die neue Maxvorstadt.[86] Im Februar 1808 lagen der Baukommission 14 Bebauungsvorschläge vor. Alle Verfasser mühten sich mit der schwierigen Aufgabe ab, einen plausiblen Anschluß an die Altstadt zu finden. Die in den verschiedenen Plänen gegebenen Anregungen dienten schließlich der Baukommission als Grundlage für den Generalplan der Maxvorstadt. Darin übernahm sie Sckells Gedanken, die regelmäßig zugeschnittenen Bauquartiere und ihr rechtwinkliges Straßensystem auf die Flucht der Hofgartenfront zu beziehen. Als Bezugsachse diente die begradigte Linie des Fürstenwegs, die durch einen Rechteckplatz, den heutigen Königsplatz, und im Anschluß an die Dachauer Straße durch einen Rondellplatz, den heutigen Luitpoldplatz, aufgewertet werden sollte. Die Aufhebung der kurz zuvor angelegten Max-Joseph-Straße rief die Intervention des mit der Baulandumlegung befaßten Landesdirektionsrates von Schwaiger hervor. Er setzte durch, daß diese Diago-

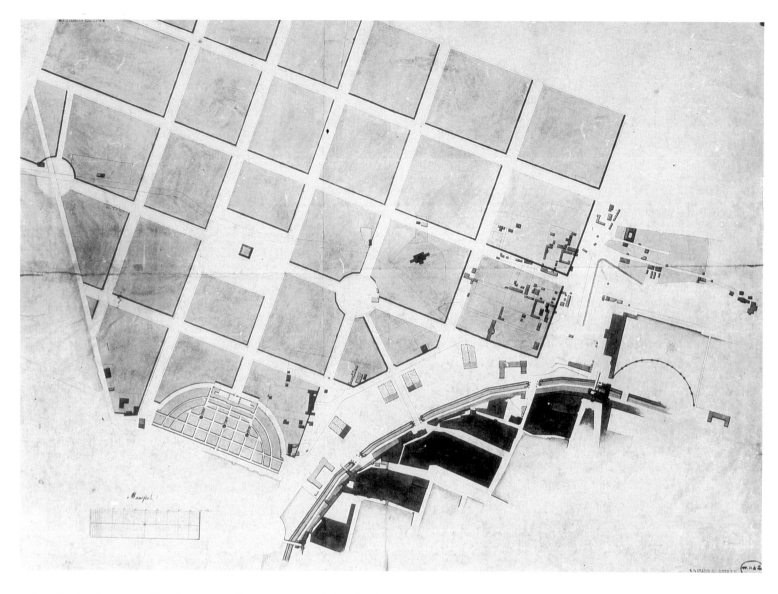

nalstraße in eine neue Planfassung aufgenommen und durch einen weiteren Rondellplatz, den heutigen Karolinenplatz, an den Hauptstraßenzug angeschlossen wurde. Der
dadurch entstandene kurze Verbindungsweg durch das Maxtor hindurch zur Altstadt
nützte jedoch wenig, da die Prannergasse den Verkehr nicht geradlinig weiterführte.
Unter diesen Umständen lag es nahe, die Maxvorstadt durch einen Platz vor dem Schwabingertor an die Innenstadt anzubinden.

Brienner Straße mit Karolinenplatz und Königsplatz

Von dieser Voraussetzung ging der Architekt Karl von Fischer (1782–1820) aus,[87] als er
ab 1808 dem begradigten Fürstenweg nun unter der Bezeichnung »Königs Straße« (heute
Brienner Straße) am Karolinenplatz die erste Form und Gestalt gab. Er konnte, solange
er sich der Gunst des Kronprinzen und des mächtigen Staatsministers Montgelas erfreute, nicht weniger als acht Palais erbauen.[88] Mit Hilfe des Vorstandes der Domänenver-
waltung, des Freiherrn von Asbeck, gelang es ihm, die auch von Sckell vertretene offene
Bauweise durchzusetzen, bei der im starken Kontrast zur Innenstadt freistehende Gebäude und dazwischengestellte Baumgruppen in einer Art von Parklandschaft die 232 auf
189 Meter großen Stadtquartiere bildeten. Geradezu revolutionär nahm sich diese Konzeption beim Karolinenplatz aus, wo entsprechend der herkömmlichen Auffassung eines
Rondellplatzes geschlossene Platzwände geboten erschienen. Fischer ordnete auch hier
einzelne Palais an, denen er Nebenbauten beigab, die die einmündenden Straßen ein-
rahmten und so weit nach vorne gerückt waren, daß sie zusammen mit den dazwischengeschobenen Bäumen die Rundform des Platzes spürbar machten.[89] Verglichen mit
Friedrich Weinbrenners Lösung des Rondells in der Karl-Friedrich-Straße in Karlsruhe,
die Fischer genau kannte, verriet seine aufgelockerte Pavillon-Bauweise eine ganz neue

73. Entwurf für die Maxvorstadt mit Fixierung
des Karolinenplatzes und der Max-Joseph-
Straße, München, 1808. (Bayerisches Hauptstaatsarchiv – Kriegsarchiv, München)

und progressive Auffassung vom Städtebau. Man kann sie als Ausdruck eines neuen Verhältnisses von Staatsgewalt und Individuum, von Architektur und Natur und als eine gesellschaftliche Öffnung zum Bürgertum hin deuten. Man kann darin auch, trotz der soeben durch Napoleons Gnaden erfolgten Konstituierung der Monarchie, eine Absetzbewegung von der staatlich diktierten, im Bauvolumen geschlossenen Architekturkonzeption des Absolutismus sehen. So jedenfalls mochte wenig später Kronprinz Ludwig den fortschrittlichen Plan einschätzen. Es nimmt dann nicht mehr wunder, daß Fischer als dessen Verfasser bald in Ungnade fiel und ab Ende 1812 vergeblich auf neue Bauaufträge wartete.

Als zu dieser Zeit die auf den Karolinenplatz folgende, schon im Generalplan von 1808 vorgesehene rechteckige Raumausweitung als Königsplatz genauer fixiert wurde, war Fischers Einfluß bereits so gering geworden, daß er fast nur noch zum Schein einen Wett-

74. Bebauung der Maxvorstadt mit Karolinenplatz, München. Modellaufnahme. (Nationalmuseum, München, Modell von L. Seitz)
75. Karolinenplatz, München, 1839. Aquarellierte Bleistiftzeichnung von Emil Kirchner. (Münchner Stadtmuseum)

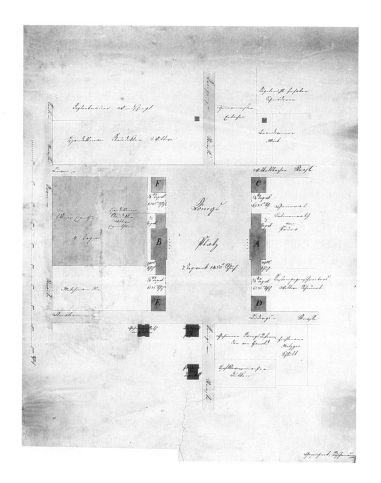
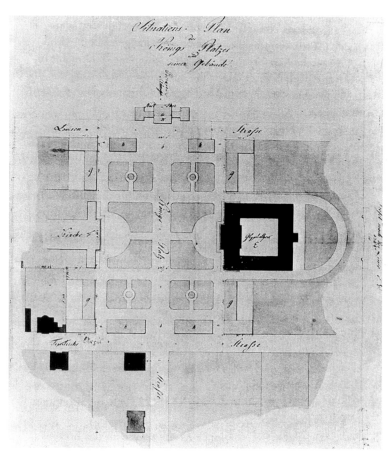

bewerbsentwurf für die Glyptothek, mit der Ludwig die eine Platzwand füllen wollte, liefern durfte. Ab 1816 besaß der neuberufene Hofbaumeister Leo von Klenze (1784–1864) das Vertrauen des Kronprinzen, und nach seinen Entwürfen erhielt dieser Platz in den folgenden Jahrzehnten seine wesentliche Ausgestaltung durch die Glyptothek und die Propyläen.[90] Klenze war es dann auch, der im Sinne des Kronprinzen Sckells und Fischers offene Grundkonzeption der Maxvorstadt bei der Anlage des Königsplatzes aufhob und diesen zu einem geschlossenen Architekturplatz mit Torabschluß nach Westen und mit Tempeldominanten auf der Süd- und Nordseite umbaute.

Doch trotz aller Planveränderungen und dem Architektenwechsel läßt die Brienner Straße eine Raumsequenz deutlich werden, die zu den besten Beiträgen der Stadtbaukunst gerechnet werden muß: In seinem Wechselspiel von Rund- und Rechteckform, von Straßenverengung und Platzausweitung belebte der von palladianischen Villen eingesäumte Straßenzug das weitmaschige Bebauungsraster der Königsstadt und hob sie so mit seinem Formanspruch über den damals sonst üblichen städtebaulichen Schematismus hinaus. Was der auf diese Weise ausgezeichneten Straße jedoch noch fehlte und was Sckell in seinem Entwurf von 1808 bereits erkannt hatte, war die räumliche Verknotung mit dem nördlichen Stadtausgang. Da auch der Kronprinz diesem Punkt große Bedeutung zumaß, wandte sich die Aufmerksamkeit bald stärker der neuen Platzgestaltung vor dem Schwabingertor zu. Die Stadtentwicklung verlagerte sich so vom nordwestlichen in den nördlichen Sektor.


Die Ludwigstraße


Die Bemühungen um eine Neugestaltung des Schwabingertors reichen bis zu einem Projekt Cuvilliés' d.Ä. aus den sechziger Jahren des 18. Jahrhunderts zurück. Weitere Beiträge dazu lieferten Franz Thurn im Zusammenhang mit den Planungen für den Maximiliansplatz (Kapuzinergraben), der Stadtbaudirektor Schedel von Greifenstein (1752–1810) und der Hofbauintendant Andreas Gärtner (1744–1826). Es handelte sich um kleinmaßstäbliche Lösungsversuche, die nicht über den Rahmen der unmittelbaren Torumgebung hinausreichten und allesamt nicht zur Ausführung kamen. Erst Ludwig von Sckell, dem 1810 die Bearbeitung des Generalplans für den Abschnitt Karls- und Schwabingertor übertragen wurde, setzte in seinem Entwurf vom 1. Juli 1811 neue Maßstäbe, indem er

76. Entwurf zur Bebauung des Königsplatzes, München, 1812. Gezeichnet Röschenauer. (Bayerisches Hauptstaatsarchiv, München)
77. Situation des Königsplatzes, München, 1823. Zeichnung von Leo von Klenze. (Stadtarchiv München, Städt. Grundbes.)

nun die volle Öffnung nach Norden vollzog und eine neue Platzgestaltung vorschlug, bei der alle wichtigen Bauten dieses Bereichs wie die Theatinerkirche, die königliche Residenz, der Hofgarten und die Reitschule einbezogen werden sollten. Auch die Anschlüsse an die Brienner Straße im Westen und an die nordwärts führende Schwabinger Landstraße waren berücksichtigt, ja diese Straßenzüge sollten sogar durch die beidseitige Einpflanzung doppelter Baumreihen ein besonderes Gewicht erhalten. In der räumlichen Gliederung geht Sckell von zwei Plätzen aus: Der eine legt sich längsgerichtet zwischen Residenz und Theatinerkirche über die eingeebnete Fläche des Stadttores, der andere schließt sich, etwas nach Westen versetzt, an und öffnet sich vor der Reitschule. Obwohl dieser Plan aus Kostengründen zurückgestellt und durch Reduktionen stark verstümmelt wurde, sprach er mit seiner nach Norden gerichteten Platzabfolge und mit seinem avenueartigen Straßenstück das Thema der späteren Ludwigstraße[91] zum erstenmal an.

Um endlich einer Lösung näherzukommen, übertrug Kronprinz Ludwig die bisher unbewältigte Bauaufgabe 1816 seinem Günstling Klenze. Dieser hatte davon auszugehen, daß die neue Stadtausfahrt sich von der Ausmündung der beiden Altstadtgassen, der Schwabinger- und Residenzgasse an geradlinig nach Norden fortsetzte, wobei der Abbruch der Reitschule in Kauf genommen und die erforderlichen Grundstückskäufe eingeleitet wurden.

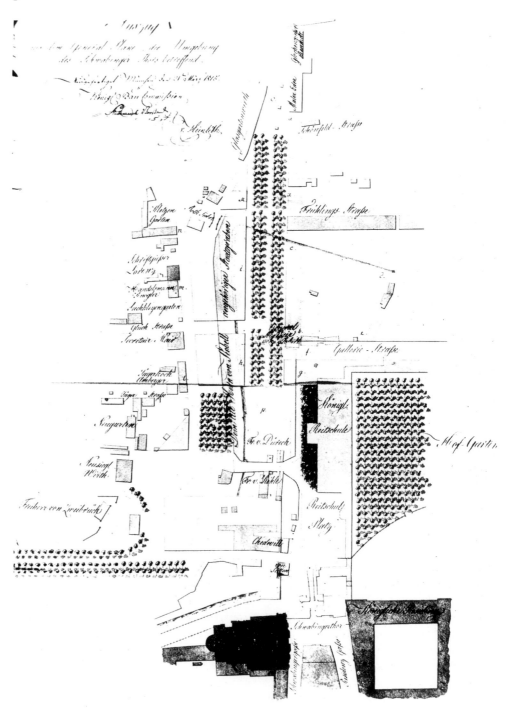

78. Ausschnitt aus dem Generalplan zur Neugestaltung des Gebietes vor dem Schwabingertor, München, 1815. Entwurf von Ludwig von Sckell. (Stadtarchiv München)

Der Entwurf, den Klenze noch im November 1816 der Baukommission vorlegte, folgte anderen architektonischen Vorstellungen als der Sckellsche Plan. In ihm weisen die Plätze eine klar umrissene räumliche Kontur auf. Ihre Ausbildung erfolgt nach dem alten Prinzip der blockhaft geschlossenen Bebauung. Auf dieser Basis eröffnet ein länglicher Vorplatz mit den Wandungen der Residenz und der Theatinerkirche und mit der Einmündung der Brienner Straße die Platzfolge. Durch eine optische Verengung abgegrenzt, schließt der nahezu quadratisch angelegte Hauptplatz an. Ihn bestimmt eine nach Westen gerichtete, durch eine exedraförmige Ausbuchtung betonte Querachse. In seinem dritten abschließenden Raumabschnitt nimmt ein kurzes Straßenstück, ähnlich wie in Sckells Projekt, die Nordrichtung wieder auf. Es mündet durch eine vage Verschwenkung in die Schwabinger Landstraße ein. Dieser monumentale Plan nahm, das ist offensichtlich, von der im Bau befindlichen Maxvorstadt wenig Notiz. Klenze war deshalb genötigt, Modifikationen vorzunehmen, die zu einer Vereinfachung der Formen und zu einer stärkeren Öffnung nach Westen führten. In dieser Fassung wurde das Projekt 1817 durch ein Schlußreskript genehmigt. Um seiner Ausführung die vom Kronprinzen und vom Planer gleichermaßen gewünschte formale Einheitlichkeit zu geben, sicherte sich Klenze das Recht, die Fassadenrisse in verbindlicher Weise festzulegen und die Oberbauleitung auszuüben.[92]

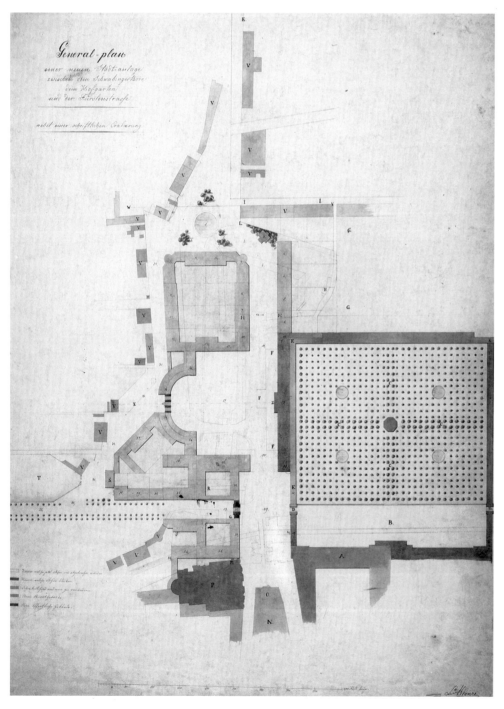

79. Generalplan einer neuen Stadtanlage auf dem Gelände vor dem Schwabingertor, München, von Leo von Klenze, 1816. (Staatliche Graphische Sammlung, München)

80. Die Anfänge der Ludwigstraße und des Odeonsplatzes mit dem neuen Leuchtenbergpalais und der alten Reitschule, München, 1825. Federzeichnung von Gustav Kraus. (Münchner Stadtmuseum)
81. Ludwigstraße, München, 1870, Blick nach Norden. Kolorierter Stich von A. Meermann nach einer Zeichnung von C. A. Lebsché. (Münchner Stadtmuseum)

Die Umstände wollten es, daß er selbst das neue Unternehmen schon 1816 mit dem Bau der Hofgartenmauer und des Hofgartentors beginnen konnte. Das war der Auftakt zur räumlichen Fassung des Vorplatzes. Der Hauptplatz, ab 1827 als Odeonsplatz bezeichnet, erhielt seine erste Markierung durch das Leuchtenbergpalais (1817–21). Eine weitere Ausformung erbrachte das Odeon, das als symmetrisches Pendant 1826 hinzukam. Für die Erneuerung der Ostwand mußte die Reitschule schon 1818 weichen. Deren Abbruch machte den Platz frei für das Basargebäude, das in der Flucht wesentlich zurückgenommen wurde.

Im Zusammenhang mit dem Odeonsplatz entstanden auch ab 1817 die ersten Wohnbauten, und zwar auf der Nordseite das Haus des königlichen Rats Lampel und als Teil der Ludwigstraße (Nr. 1) das Haus des Ministerialrats Franz von Kobell. Weitere Häuser für den Schneidermeister Gampenrieder (Nr. 5) und den Baurat Métivier (Nr. 3) folgten. Alle diese Bauherren mußten sich, selbst wenn sie wie Métivier als Baufachleute gelten konnten, nach einer vertraglichen Abmachung an die Fassadenpläne des Hofbauintendanten Klenze halten. So sprach alles dafür, daß sich unter diesen Voraussetzungen ein einheitliches Straßenbild einstellte. Indes vermochte die entstehende Wohnhausbebauung die Erwartungen des Kronprinzen Ludwig nicht zu erfüllen. Auf der einen Seite war Klenze, der Finanzierbarkeit und praktischen Nutzung der Bauten wegen, zu formalen Zugeständnissen gegenüber den bürgerlichen Bauherren gezwungen, auf der anderen Seite hatte sich der Kronprinz vorgenommen, eine Prachtstraße mit toskanischen und römischen Renaissancepalästen zu bauen, bei denen die Monumentalität vor jeder praktischen Erwägung stand. Um sich in diesem Sinne durchzusetzen, wurden die Bauvor-

schriften noch strenger gefaßt: Geschoßzahl und Gesimshöhe, Fensterzahl und Toraus-
bildung, Gebäudenutzung und Fertigstellungstermin mußten sich fortan genau nach
Klenzes Festlegungen richten. Diese übertriebene Reglementierung führte dazu, daß sich
das gewerbetreibende Bürgertum kaum mehr an Neubauten beteiligte. Infolgedessen stagnierte das Unternehmen schon im ersten Bauabschnitt, der bis zur Einmündung der
Frühlingsstraße (heute von-der-Tann-Straße) reichte. Mit Ludwigs Thronbesteigung
1825 trat eine neue Situation ein. Die königlichen Vollmachten für den Einsatz staatlicher
Mittel sicherten die Fortführung der Straße, die nach dem Willen des Souveräns nun in
gerader Linie weiter nach Norden durch das vorstädtische Villengebiet des Schönfeldes
geführt werden sollte. Die Einmündung der Theresienstraße ergab den Markierungs-
punkt des zweiten Bauabschnittes, für den Klenze wiederum den Entwurf zu fertigen
hatte. Ab 1827 stand für den König der volle Umfang des Projektes fest: Die Ludwigstraße
sollte mit geschlossenen Wandungen bis zur Adalbertstraße (bis 1829 als »letzte Straße«
bezeichnet) geführt werden und sich von da aus, markiert durch die Zäsur eines Rund-
platzes, durch die Leopoldstraße in offener Bauweise hinaus nach Schwabing fortsetzen.
Um diesen Plan, dem Klenze bereits nicht mehr ganz folgen wollte, zu verwirklichen,
mußte die Stadtgemeinde auf Geheiß des Königs beiderseits der projektierten Straße einen genügend tiefen Baustreifen aufkaufen und für die Bebauung herrichten. Dabei fielen der neuen Straßenführung etwa 30 zum Teil neuere Landhäuser zum Opfer. Der
Neubau des Palais für den Herzog Max (1827–29), den Ludwig durch Überlassen eines
billigen Bauplatzes als Bauherrn gewann, und der Umbau des Kriegsministeriums
(1824–30) brachten den zweiten Bauabschnitt in Gang. Ein Baublock mit drei Häusern
zwischen Frühling- und Schönfeldstraße setzte den Ausbau fort. Der dritte Bauabschnitt,
der ab 1828 Gestalt annahm, stand bereits nicht mehr im Zeichen Klenzes. Nachdem sich
beim König ein Gesinnungswandel in der architektonischen Auffassung von der Klassi-
zität zur mittelalterlichen Romantik vollzogen hatte, kam nun der Architekt Friedrich
Gärtner (1792–1847) zum Zuge.[93] Er übernahm die Oberbauleitung der Ludwigstraße
und plante und gestaltete ab 1827 deren wichtigste Neubauten: auf der Ostseite die Hof-
und Staatsbibliothek und gegenüber der Einmündung der Löwenstraße die Kirche des
St. Ludwig. Während die Bibliothek wegen Finanzierungsschwierigkeiten erst 1832 bis
1843 zur Ausführung kam und nach Vollendung mit ihrer Länge von 155 Metern einen
weiten Straßenabschnitt füllte, wurde die Kirche auf Ludwigs Drängen hin bereits 1829
begonnen.[94] Doch zog sich ihre Fertigstellung bis 1844 hin. Durch den Pfarrhof im Norden und Gärtners Wohnhaus im Süden und durch die jeweils verbindenden Arkaden
wurde die Kirche mit ihrer stark akzentuierten Doppelturmfassade geschickt in den
Straßenzug mit einbezogen. Für die Bebauung der Westseite blieb aus finanziellen Gründen nur noch der Ausweg, vom Staat abhängige Stiftungen und Betriebe heranzuziehen.

82. Ludwigstraße, München, 1840, Blick nach
Süden mit der Bayerischen Staatsbibliothek.
Lithographie von C. A. Lebsché. (Münchner
Stadtmuseum)

83. Blick vom Universitätsplatz nach Süden in die Ludwigstraße, München, 1841. Bleistiftzeichnung von H. Adam. (Münchner Stadtmuseum)

84. Universitätsplatz mit Siegestor im Hintergrund, München, 1845. Aquarell von G. Seeberger. (Münchner Stadtmuseum)

Auf diese Art entstanden zwischen Löwen- und Theresienstraße die Landesblindenanstalt (1833–37) und auf Kosten des Damenstifts St. Anna und des Königlichen Zentral-Schulbuchverlages ein 128 Meter langes Gebäude mit Mietwohnungen (Damenstiftgebäude, 1840–43). Der Neubau der Bayerischen Berg- und Salinenadministration (1840–43) trieb die Bebauung rasch weiter nach Norden voran.

Unterdessen hatte eine generelle Auseinandersetzung mit dem alten Bebauungsplan Klenzes stattgefunden. Gärtner war schon 1835 beauftragt worden, am nördlichen Abschlußplatz, der als Rondell Reminiszenzen an die Piazza del Popolo in Rom wachrufen sollte, die Landesuniversität zu planen. Er entwarf, der Situation der Ludwigstraße angemessen und vom König als »billigere Lösung« anerkannt, für den Universitätsplatz ein viereckiges Forum. Bei dessen baulicher Realisierung entstanden im westlichen Teil die Ludwig-Maximilians-Universität (1835–40), im östlichen Teil das Georgianum (1835–41) und das Max-Joseph-Stift (1842–44).

Noch während diese Partien trotz aller Opposition der Stadt ausgeführt wurden, bekam Gärtner die Aufgabe, die Abschlüsse des Straßenzugs zu gestalten. Dies sollte in einer

85. Odeonsplatz mit Feldherrnhalle und Theatinerkirche, München, 1847. Stich von Seeberger. (Münchner Stadtmuseum)

Form geschehen, die den bereits erstellten Bauten adäquat war. Am südlichen Punkt drang er mit seinem, die Florentiner Loggia dei Lanzi kopierenden Entwurf für die Feldherrnhalle (1841–44) in den von Klenze geformten Bereich ein. Im Norden setzte er schließlich noch durch das Siegestor (1843–50), das nach dem Vorbild des römischen Konstantinbogens konzipiert wurde, den notwendigen Schlußpunkt. Dieser Torbau war der Straße schon seit 1827 als wirkungsvoller Point de vue zugedacht. Seine Vollendung erlebte Gärtner aber nicht mehr und Ludwig I. nur noch als abgedankter Monarch.

Im Gesamtorganismus der Stadt München um 1850 stellt die Ludwigstraße vor allem eine breite, nördliche Ausfallstraße nach Schwabing dar und bildet die Hauptachse einer Stadterweiterung vor dem Schwabingertor und auf dem Schönfeld. Insofern richtete sich ihr Zug, ihre Abfolge von Süden nach Norden, von der Innen- zur Vorstadt.[95]

Die Genesis der Straße beweist den städtebaulichen Weitblick Ludwigs. Unbeirrt von allen Widerständen aus der Regierung, der Stadtverwaltung und der Bevölkerung betrieb er Abschnitt für Abschnitt den Ausbau der Straße. Seine planerische »Vorgabe« bestand darin, außerhalb der Stadt, auf freiem Feld, das Grundgerüst für die zukünftige Stadtentwicklung im voraus zu fixieren. Die Betonung der Entwicklungsachse bedeutet zudem ein klares Abheben von dem meist undifferenzierten Rechtecksystem der üblichen Bebauung und eine klare Orientierung im städtischen Kommunikationssystem.[96]

In ihrer räumlichen Sequenz weist die Straße beachtenswerte Differenzierungen auf. Die Abfolge beginnt mit einem Vorplatz im südlichen Teil: Auf der einen Seite bringt das einbogige Hofgartentor (1817/18) den erforderlichen Anschluß an den Residenzkomplex, zugleich markiert es auch die Querachse der Brienner Straße. Auf der anderen Seite wird, nachdem der südliche Abschluß so weit wie möglich zurückverlegt worden war, noch die Front der Theatinerkirche als Platzwand einbezogen. Ihre Türme bilden einen unübersehbaren visuellen Auftakt und können als Zeichen der geschichtlichen Kontinuität gedeutet werden. Als südliche Querwand gibt die Feldherrnhalle in ihrer dreibogigen Aufteilung diesem Vorplatz einen tiefenwirksamen, vom Spiel der Schatten belebten Abschluß. Diesem unregelmäßigen Vorraum am Verknüpfungspunkt mit der Altstadt folgt im Odeonsplatz ein weiteres, größeres Ensemble, das sich, da es von keinen baulichen Gegebenheiten mehr abhängig war, nach einer strengen Architekturordnung richtet. Obwohl in der Längsrichtung des Straßenzugs angelegt, wird eine Querachse eingeführt, auf die sich Leuchtenbergpalais und Odeon als korrespondierende Elemente und das Basargebäude in seinem Mittelrisalit als Blickpunkt beziehen. Der Symmetrie in dieser Querrichtung zuliebe wurde sogar das Odeon als Konzertsaal und Akademiebau in das vom Leuchtenbergpalais vorgezeichnete Wohnbauschema gepreßt. Die ganze Anlage dieses Platzes mit dem Gleichklang der Seitenstücke, der einheitlichen Reliefierung im »Neo-Renaissancestil«, der beabsichtigten Markierung der Mitte durch einen Obelisken bedeutet eine räumliche Pointierung im Sinne alter Architekturplätze. Hier ist der Bewegungsablauf noch einmal bewußt aufgehalten, um den Blick auszuweiten und auf die Querachse zu lenken. Der Raumrhythmus wird dadurch in besonderer Weise akzentuiert. Der Straßenzug selbst wird von dieser Ausweitung nur tangiert, nicht unterbrochen,

86. München, Ausschnitt aus dem Stadtplan 1838 mit der weitgehend ausgebauten Ludwigstraße. (Münchner Stadtmuseum)

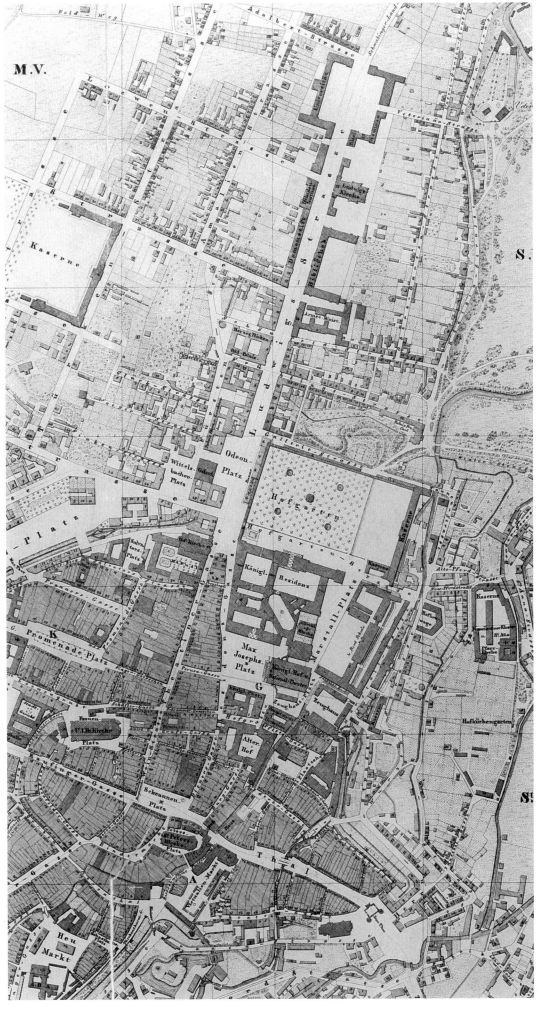

und so führt die nördliche Platzöffnung in dem längsgezogenen Straßenraum von 37 Metern Breite weiter. Dessen Wände bilden Monumentalbauten, die in ihrer Höhe genau festgelegt wurden. Die Aufreihung dieser füllenden Elemente ergibt einen einheitlichen Duktus, der besonders in seiner Wiederholungs- und Ausrichtungstendenz spürbar wird. Am Grenzpunkt, wo die additive Abfolge der durchweg flächig gehaltenen Fassaden bei dem auf Innovation bedachten Beschauer in Monotonie überzugehen droht, ist die Ludwigskirche plaziert. Durch ihre doppeltürmige Schauseite wird die östliche Straßenlängswand in die Höhe gezogen, und dem Straßenzug wird die in diesem Bereich so dringend notwendige Höhendominante gegeben. Die Ausrichtung der Kirche auf die Löwenstraße (heute Schellingstraße) betont wieder, wie beim Odeonsplatz, eine Querachse, wodurch der gleichmäßige Fluß der Ludwigstraße zusätzlich rhythmisiert und belegt wird. Im anschließenden Universitätsforum ist, wenn man von den räumlichen Dimensionen ausgeht, der Straßenzug zu seinem Höhepunkt geführt. Die Transformation vom beabsichtigten Rondell zum Vierecksplatz änderte nichts an der Kompositionsabsicht, hier die Straße zu einem sammelnden Platz auszuweiten: Diese anspruchsvolle, etwa 1 220 Meter lange Straße soll nicht einfach nach außen hin akzentlos in eine andere Bahn übergehen, sie soll vielmehr durch eine neue, tiefenräumliche Zäsur beendet und gefaßt werden. Das in die Straßenachse gesetzte Siegestor bestätigt diese Absicht in visueller Hinsicht nur noch einmal.

Neben der aufgezeigten Differenzierung der Straßensequenz sind weitere Gesichtspunkte bemerkenswert. Sofort fällt die räumliche Geschlossenheit und die formale Gesamtwirkung auf. Die Straße ist indes, wie die kurze geschichtliche Darstellung aufweist, weder in einem einheitlichen Baustil noch in einem Guß von einem einzigen Planer erbaut worden. Sie ist in höchstem Maße historisierend und reicht vom Renaissance-Klassizismus italienischer Provenienz bei Klenze bis zu einem an mittelalterlichen Bauformen orientierten Romantismus bei Gärtner. Aber für die räumliche Wirkung, für das visuelle Erlebnis ist dieser den Begrenzungsflächen aufgeprägte Eklektizismus sekundär – sei er nun als einfallsloses Kopieren historischer Muster oder als eigenschöpferisches Gestalten im Sinne des 19. Jahrhunderts verstanden. Entscheidend ist, daß die über die stilistische Bindung gewonnenen Räumlichkeiten in einer abwechslungsvollen Sequenz geordnet sind, indem die Längsachse durch mehrere Querachsen zerlegt wird und die verschiedenen Plätze mit ihren Ausbuchtungen als Überraschungsmomente wirken. Ohne Zweifel ist in der morphologischen Substanz der geschlossenen Platz- und Straßenräume das Erbe einer langen städtebaulichen Tradition lebendig. Es drückt sich jedoch nicht nur äußerlich in der Oberflächentextur aus. Viel präsenter ist dieses Erbe in der angemessenen Proportionierung der Bauvolumen und Fassaden. Massengruppierung und Flächengliederung der Bauten sind verständlich. Der Beschauer sieht sich in eine überschaubare Umwelt versetzt, und er begreift die der Straße zugemessene Bewegungstendenz und die den Plätzen innewohnende Aufforderung zum Verweilen und Wahrnehmen. Schließlich ist auch die monumentale Komponente unübersehbar. Die als »via triumphalis« apostrophierte Straße versinnbildlicht, zumal Staatsbauten überwiegen, ludovizisches Sendungsbewußtsein. Ludwig I. steuerte den eingeleiteten Prozeß der Stadterweiterung souverän in der Manier der absolutistischen Städtegründer, nachdem das Bürgertum sich dem Unternehmen verschlossen hatte. Ausmaß und Form standen für ihn bald fest, seinen Hofarchitekten oblag vornehmlich die Gestaltgebung, und der ihm verpflichtete Hochadel und die ausgewählten staatlichen Institutionen und Stiftungen hatten, gewissermaßen ersatzweise, als Bauherren zu fungieren. In dieser Konstellation liegt die Einseitigkeit, wenn nicht die Abwegigkeit dieser städtebaulichen Schöpfung. Das Bürgertum, das sich in der Revolution von 1848 auch in München unüberhörbar politisch bemerkbar machte und die Abdankung Ludwigs I. von Bayern bewirkte, hätte bei einer baulichen Aktion dieses Ausmaßes nicht einfach zur Seite geschoben werden dürfen. Die Ambitionen des Königs, sich als Protektor der Wissenschaften, der Sammlungen, der Künste und der staatlichen Einrichtungen baulich zu verewigen, verstand die Stadtbevölkerung freilich kaum. So blieb fürs erste das Aufkommen persönlicher Wechselbeziehungen zu den Monumentalpalästen problematisch. Am ehesten mochten sie noch bei den offenen Institutionen wie der Universität, der Staatsbibliothek und der Kirche zu gewinnen sein, wo die Benutzung der Gebäude jedermann freistand. Insofern konnte sich diese Straße doch, wenn auch mehr im funktionellen als im repräsentativen Sinne, im Laufe der Zeit zu einem wesentlichen Bestandteil des urbanen Lebens der bayerischen Landeshauptstadt entwickeln.

### 3.3.3. Karlsruhe – der Stadtausbau durch Friedrich Weinbrenner

Die Geschichte der Stadt Karlsruhe beginnt 1715 mit dem Bau des Jagdschlosses »Carols-Ruhe« und der damit verbundenen Wohnkolonie. Die Planvorstellungen, von denen sich der Bauherr Markgraf Karl Wilhelm von Baden-Durlach (1679/1708–1738) leiten ließ, folgten sowohl dem geschlossenen Radialsystem der Renaissancetheoretiker als auch dem gerichteten Fächersystem des Barock.[97] Die Anlage selbst brachte in ihrer ersten Fassung die Herrschaftsverhältnisse der Zeit unmißverständlich zum Ausdruck. Der äußere Kreis, der mit seinen 32 Radialwegen den Park- und Schloßbereich umzieht und durch die Nord-Süd-Achse eine dem Meridian folgende Ausrichtung erhält, sowie der innere Kreis mit Turm und Schloß als Zentrum symbolisieren augenfällig den Herrscherwillen und die Selbstdarstellung eines absolutistischen Territorialherrn. Eine Querachse in Ost-West-Richtung, die der Landstraße von Mühlburg nach Durlach folgt, gibt der Komposition in der Form eines Dreiecks eine gewisse Verankerung. In diesem tangentialen Bereich war den Bürgern und Handwerkern, entsprechend ihrer untergeordneten gesellschaftlichen Rolle, der Platz in der Residenz zugewiesen. Der Ausbau dieses ersten, von formalen wie ständischen Überlegungen gleichermaßen bestimmten Grundplanes beanspruchte etwa ein halbes Jahrhundert.[98]

Als gegen 1765 unter dem Markgrafen Karl Friedrich (1728/56–1811) die Bebauung über die Ost-West-Achse nach Süden ausgedehnt wurde, erwies sich die Ausgestaltung der vom Schloß ausgehenden Nord-Süd-Achse als notwendig. Denn der kleine Marktplatz am Schnittpunkt der beiden Achsen mußte vergrößert und die lutherische Konkordienkirche (1719–29), die bisher den Abschluß der Schloßstraße gebildet hatte, beseitigt werden. Die Planung für diese Erweiterung wurde dem Straßburger Architekten Salins de Montfort übertragen, dessen Entwurf für Marktplatz, Rondell und südlichen Torabschluß 1784 in einer markgräflichen Resolution für den weiteren Ausbau vorgesehen wurde. Salins' Bebauungsvorschlag erwies sich jedoch in der Folgezeit als wenig überzeugend. Aus diesem Grund reichten andere Architekten, teils auf Bestellung, teils auch unaufge-

87. Die erste Stadtanlage von Karlsruhe 1715–65. Stich von Christian Thran, 1739. (Badisches Generallandesarchiv Karlsruhe)

fordert, Alternativentwürfe ein.[99] Am aufschlußreichsten ist der Beitrag des Eichstättischen Hofbaudirektors Maurizio Pedetti (1719–99), in dem noch einmal alle Trümpfe des barocken Stadtbaus ausgespielt sind. Im Vorschlag des jungen, aus Karlsruhe gebürtigen Architekten Friedrich Weinbrenner (1766–1826)[100] war bei aller unsicheren Verhaltenheit bereits eine neue vereinfachte Formauffassung spürbar, für die aber um 1790 die Zeit offenbar noch nicht reif war.

Erst als Weinbrenner nach den durch die Französische Revolution auch in Baden ausgelösten Wirren 1797 zu einem neuen Bebauungsvorschlag für die Schloßstraße aufgefordert wurde, fand er eine Lösung, die 1801 sowohl vom Landesherrn als auch vom Gemeinderat akzeptiert und dem Stadtausbau im folgenden Vierteljahrhundert zugrunde gelegt wurde. Danach konnten der Marktplatz, die Stadtkirche und das Rathaus sowie die Stadtpalais des Adels und des Bürgertums im Zuge der Schloßachse die Ausgestaltung erfahren, die man bei einer Residenz- und Landeshauptstadt für angemessen hielt.[101] Trotz dieser Zustimmung wurde Weinbrenner, der ab 1801 als Baudirektor amtierte, die Übertragung seines Planes in die Wirklichkeit keineswegs leicht gemacht. Denn es war bereits eine Anzahl von dreigeschossigen Gebäuden nach dem Plan von Salins de Montfort errichtet worden, die die Fluchten bestimmten.[102]

Weinbrenners Beitrag begann am Rondell. Er baute im Nordwesten 1799 bis 1800 das Haus des Staatsrats Wohnlich. Mit dem Motiv des über das Dach hochgeführten Mittelrisalits mit Giebelabschluß gab er die antikisierende Richtung an, die für die Baukörperbehandlung bestimmend sein sollte. Selbst in seinem eigenen Wohnhaus, das er 1801 am Ettlinger Tor etwa zehn Meter hinter die Straßenflucht gesetzt hatte, fehlte der antike Portikus als Gliederungselement nicht.[103] Das Ettlinger Tor, das er 1803 in Erinnerung an die Verleihung der Kurfürstenwürde an Karl Friedrich zu errichten hatte, nahm sich selbstredend wie ein griechischer Propylon aus, nur waren Gesims-Triglyphen und Tympanon nicht aus kostbarem Marmor, sondern aus Holz und Mörtel und hielten deshalb nicht für die Ewigkeit.[104] 1804 erfolgte der Bau eines weiteren Rondellhauses (Haus

88. Entwurf (General Plan) zum Ausbau des neuen Marktplatzes und der Schloßstraße, Karlsruhe, von Friedrich Weinbrenner, 1803. (Badisches Generallandesarchiv Karlsruhe)

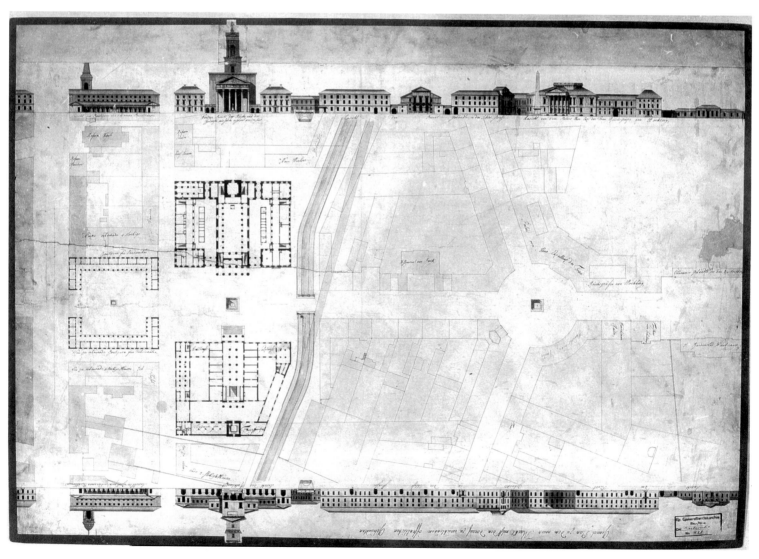

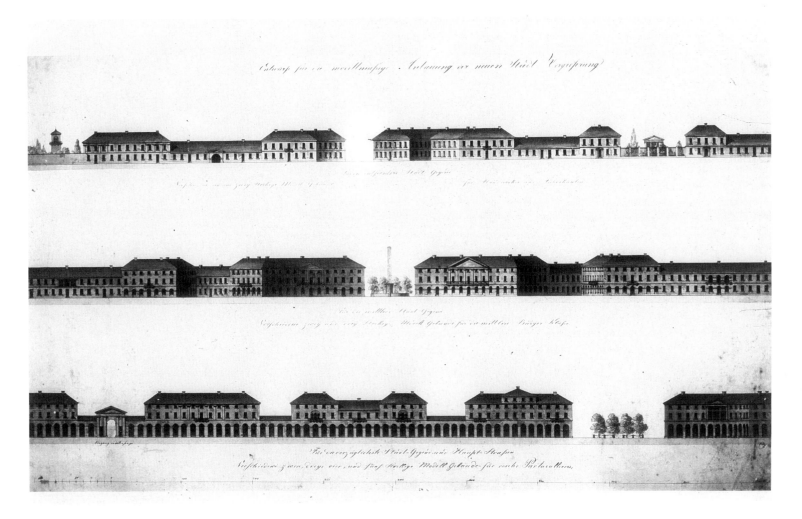

Entwurf für eine musterhaftige Anbauung der neuen Stadt Vergrößerung

89. Modellentwürfe für Gebäude der Stadterweiterung, Karlsruhe, von Friedrich Weinbrenner. (Badisches Generallandesarchiv
Karlsruhe)

Reutlinger) im nordöstlichen Sektor, zu dem 1809 ein Gebäude im Südwesten (Haus
Stemmermann) kam. Im stumpfwinkligen Baublock des nordöstlichen Teils dieses Platzes gelang Weinbrenner eine reife Lösung mit dem Markgräflichen Palais, das er 1803
bis 1813 für die Söhne Karl Friedrichs aus der Verbindung mit der Reichsgräfin von
Hochberg erbaute.

Das Kernstück der Schloßstraße, der Marktplatz, nahm wesentlich langsamer Gestalt
an.[105] Obwohl die platzbildenden Hauptgebäude in den Plänen von 1797 und 1803 in
ihren Grundzügen bereits festgelegt waren, entstanden sie nur abschnittweise: zuerst
1803 im Osten das Lyzeum als Teil des Kirchenblocks und auf der Westseite 1805 das
Mehl- und Salzhaus sowie die Schlachtbank als nördlicher Teil des zukünftigen Rathauses. Der Bau der übrigen Teile dieses Blockes zog sich bis 1825 hin, wobei der Rathausturm durch Geldmangel lange Zeit in Frage gestellt blieb. Für die evangelische Stadtkirche fertigte Weinbrenner mehrere Entwürfe (1791, 1797, 1802) an. Den Ausführungsplan
genehmigte der Großherzog erst 1807. Doch wurden auch gegen diese Fassung noch er-
hebliche Bedenken vorgebracht. Man verstand die Aufteilung des Lyzeums in zwei Flügel um der Symmetrie der Baugruppe willen nicht. Zudem sah man durch die enge
Karree-Anordnung die Belichtung des Kircheninnern beeinträchtigt. Allen Einwänden
zum Trotz wußte sich Weinbrenner in diesen Punkten durchzusetzen, wenn er auch
genötigt wurde, der Kirche mit dem römischen Tempelportikus auf der Rückseite einen
Turm aufzusetzen. Die Einweihung 1816 schloß dieses Unternehmen ab.

Der nördliche, breiter angelegte Platzteil für den Wochenmarkt sollte seitlich von dreigeschossigen Wohnbauten eingefaßt und in der Randzone von umgebenden flachen
Laden-Kolonnaden ausgefüllt sein. Von dieser Vorstellung ließ sich nur die platzum-
schließende Wohnbebauung verwirklichen. Um ihr und auch den anderen Teilen der
Stadt die notwendige architektonische Einheitlichkeit und Ensemblewirkung zu verschaffen, hatte Weinbrenner Pläne für Hausmodelle in zeitgemäßer Fassung aufgestellt,
die als tragende Elemente der Stadtgestaltung bei der Gewährung von Baugnaden der
Bauausführung zugrunde gelegt werden mußten.[106] Je nach Lage im Stadtkörper waren
drei Wohnhaustypen vorgesehen: außen, in der entfernteren Stadtgegend, ein- und zwei-
stöckige Modellgebäude für Handwerker und Fabrikanten; im mittleren Stadtbereich

verschiedene zwei- und dreistöckige Modellgebäude für den Mittelstand; »für die vorzüglichste Stadtgegend und Hauptstraßen verschiedene 2-, 3-, 4- und 5-stöckige Modellgebäude für reiche Particullieres«; mit dieser abgestuften Anordnung wollte Weinbrenner eine Maßstabsteigerung und eine massenmäßige Akzentuierung zur Stadtmitte hin erreichen. Die Bauabsichten der Privatleute sollten durch die von Karl Friedrich 1804 erlassenen Baugnaden besonders geweckt werden. Diese gewährten jedem Bauherrn, der auf einem leeren Platz in der Stadt eines der oben genannten Modellgebäude errichtete, entsprechend der Stadtlage und Gebäudehöhe einen Zuschuß von 2 bis 20 Gulden je Fuß Fassadenlänge. Als sich dieser Anreiz noch als zu gering erwies, wurden die Geldbeträge erhöht. So sind zwischen 1804 und 1812 die drei- und viergeschossigen Wohnhäuser am Marktplatz nach den Modellplänen Weinbrenners ausgeführt worden. Der nördliche Abschluß an der Langen Straße (heute Kaiserstraße) zog sich jedoch noch länger hin. Aber immerhin hatte damit die Schloßstraße als Mittelachse der Stadt nach etwa zwanzigjähriger Bauzeit eine Form angenommen, aus der eine bewußte räumliche Komposition und ein starker Gestaltungswille abzulesen sind.

Für den Ausbau der ganzen Stadt wies Weinbrenner mit seinen Erweiterungsplänen von 1802 und 1814 den Weg. Sie zeigen die Ausdehnungsmöglichkeiten nach Westen auf und zwar dergestalt, daß das radiale Straßensystem nun auch auf das Mühlburger Tor übertragen wurde. Dabei bildete sich mit der Stephanien- und Amalienstraße als Schenkel und der Karlstraße als Querabschluß ein Dreieck heraus, das in der Folgezeit teilweise mit anspruchsvollen Gebäuden überbaut wurde.[107]

Für die Lange Straße, die sich immer deutlicher als Hauptverkehrsader und als Geschäftsstraße herausstellte,[108] entwickelte Weinbrenner 1808 ebenfalls eine Modellvorstellung. Nach ihr sollte die inzwischen entstandene ungeordnete Bebauung hinter durchlaufenden, hohen Arkadengängen zusammengefaßt werden. Da diese Lösung allein schon von der Ausführung, aber auch von der Belichtung her gesehen überaus pro-

90. Entwurf zur Erweiterung der großherzoglichen Residenzstadt Karlsruhe, von Friedrich Weinbrenner, 1809–14. (Badisches Generallandesarchiv Karlsruhe)

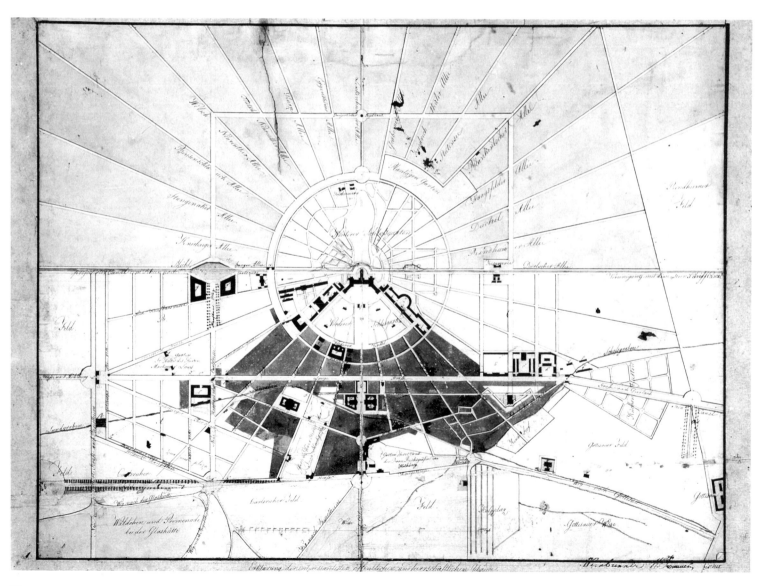

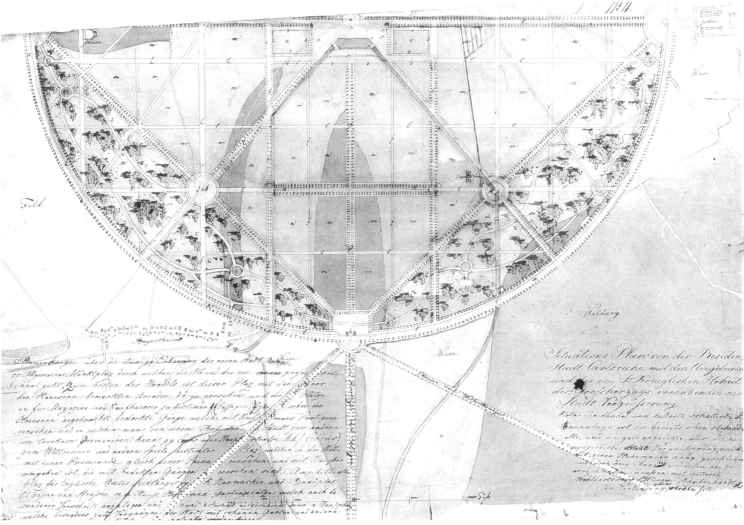

91. Entwurf für den Ausbau der Langen Straße, Karlsruhe, von Friedrich Weinbrenner,
1808. (Badisches Generallandesarchiv Karlsruhe)
92. Entwurf zur Stadtvergrößerung (sogenannter Tullaplan), Karlsruhe, von Friedrich Weinbrenner, 1814/15. (Badisches Generallandesarchiv Karlsruhe)

blematisch war, hat sie die Bürgerschaft nie näher in Erwägung gezogen.[109] Und als später die Vergrößerung der Residenzstadt noch einmal zur Diskussion stand, gelang es
Weinbrenner ebenfalls nicht mehr, mit seinem Vorschlag durchzudringen. Im sogenannten Tulla-Plan von 1814/15[110] wich er von dem nicht endlos fortsetzbaren System der Radialstraßen ab. Auf der Basis einer neu eingeführten Ost-West-Achse (an Stelle der Kriegs-
straße) stellte er der Altstadt eine dreieckförmige Südstadt mit orthogonal aufgeteilten
Baublöcken und einem halbrunden Umfassungsboulevard entgegen. Für diesen kühnen

planerischen Vorgriff in die Zukunft brachten die Zeitgenossen jedoch kein Verständnis auf. So blieb der Ausbau von Karlsruhe schon bald nach Weinbrenners Ableben (1826) weitgehend dem Zufall überlassen, und die Stadt verlor rasch ihre strukturelle Prägnanz und Einmaligkeit.

Ohne Zweifel kommt der Schloßstraße allein schon von der Wertigkeit der Plätze und Bauten her gesehen eine besondere Bedeutung zu. Dieser von Weinbrenner ausgestaltete Straßenzug betont in seiner Achsführung, dem frühesten Ansatz folgend, die Ausrichtung auf das Schloß. Darin ist also nach wie vor die übergeordnete Stellung des Stadt- und Landesherrn symbolisiert. In sich weist die Straße aber eine Reihe selbständiger Raumschwerpunkte auf, in denen ein neuerwachtes bürgerliches Bewußtsein zum Ausdruck kommt.

Es ist aufschlußreich, diese räumliche Sequenz einmal genauer zu verfolgen. Der etwa einen halben Kilometer lange Straßenzug erstreckt sich zwischen den Bezugspunkten Schloß und Ettlinger Tor.[111] In diesem Zwischenraum wechseln Straßenstücke als Verengungen und verschieden geformte Plätze als Ausweitungen in einer kontrastreichen Folge miteinander ab. Die Weite des Schloßplatzes im Norden (Breite 500 bzw. 200 Meter, Tiefe 300 Meter) wird man als die Selbstdarstellung landesfürstlicher Größe und Dignität zu deuten haben. Der Betrachter erlebt sie, wenn er aus dem engen nördlichen Schloßstraßenstück in den »Vorderen Cirkel« (Schloßplatz) tritt und den über neun Fächerstraßen ausgesparten Freiraum mit dem Schloß als Blickpunkt und den seitlichen Zubauten als einrahmende Kulisse vor sich sieht. Doch dieser Schloßbereich hat durch Weinbrenners Beitrag im Marktplatz einen Kontrapunkt erhalten, aus dem nicht weniger beredt der städtische Lebenswille der Bürgerschaft spricht. Den Blick auf dieses Platzgebilde gibt die Schloßstraßenverengung in umgekehrter Richtung frei. Dieser Platz hat seine räumliche Fixierung in einem historischen Entwurfsprozeß erfahren, bis er schließlich in der klassizistischen Formulierung seine endgültige Fassung erhielt. Als Vorbild standen dem Planer die griechische Agora und das römische Forum vor Augen. Diesen Mustern folgte er, als er das vom Barock abgelöste einfache und klare Raumformat mit seinen geradlinigen Begrenzungen wählte. In durchaus praktischer Erwägung beginnt der dem Handel und dem Wochenmarkt zugedachte Platzteil die längsgerichtete Raumfolge. Mit Absicht hatte Weinbrenner hier innerhalb der einfassenden hohen Platzwände

93. Karlsruhe im Jahr 1880. (Stadtarchiv Karlsruhe)

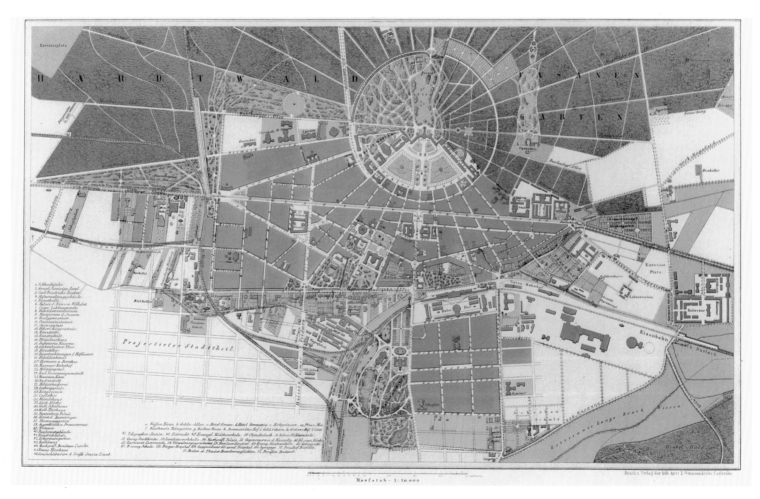

94. Perspektivisches Schaubild des Marktplatzes, Karlsruhe, mit den von Weinbrenner geplanten »Boutiquen«. Kopie nach Friedrich Weinbrenner von Georg Moller, 1804. (Staatliche Kunsthalle Karlsruhe)
95. Der Marktplatz in Karlsruhe im ausgebauten Zustand. Stahlstich von Joh. Poppl nach Zeichnung von J. Pozzi. (Stadtarchiv Karlsruhe)

ein eingeschossiges, in der Straßenachse offenes Ladengeviert mit inneren Arkadengängen vorgesehen, um gleich am Eingang den Verkehr zu regeln und die einladende Atmosphäre eines Kaufhofes zu schaffen. Zudem hoffte er, gestalterisch in diesem Flachbau einen spannungsreichen Kontrast und Maßstabsbezug zu der höheren Umbauung und einen Abschluß für den nachfolgenden Platzteil zu gewinnen. Die Tatsache, daß diese »Boutiquen« nicht gebaut wurden, brachte die Ausführung um ein wesentliches Moment. Doch hatte Weinbrenner wenigstens die Genugtuung, daß die eingerahmte Marktplatzbebauung nach seinen Modellplänen ausgeführt wurde. So muß man gerade diese zur Bauvorschrift erklärten Stadtgestaltungsvorlagen als eine wesentliche Voraussetzung für die formale Geschlossenheit des Karlsruher Stadtbildes im frühen 19. Jahrhundert ansehen.

In der vereinfachten Form stellt sich der erste, etwa quadratische Platzteil in regelmäßiger, dreigeschossiger Bebauung dar, mit durchgehender Gesimslinie und gleichmäßiger Fassadenaufteilung, die Mitte markiert durch die Grabpyramide des Stadtgründers. Ohne die vorgesehenen Flachbauten wirkt die Eingangspartie breit und offen, und die ganze Raumfolge präsentiert sich von der Langen Straße aus gesehen wie in einem tiefgestaffelten Architekturprospekt. Im anschließenden, mehr offiziellen Platzteil ist die Flucht beidseits um einige Meter vorgerückt, gleichwohl um die Bedeutung der hier plazierten öffentlichen Gebäude hervorzuheben und in ihrer dreidimensionalen Körperlichkeit zu betonen. In den seitlichen Platzwandungen stehen sich die Stadtkirche im Osten und das Rathaus im Westen korrespondierend gegenüber. Der Sakralbau ist Teil einer symmetrisch aufgebauten Dreiergruppe, die in der abgestuften Umrißführung der flankierenden Lyzeumsbauten, der niedrigen Verbindungsarkaden und des plastisch vorstehenden, hochaufgerichteten Tempelgiebels eine bewegte Ausgestaltung erfährt. Das gegenüber-

liegende Rathaus greift diesen Dreierrhythmus auf, nur gliedern hier die flachen Risalite mit Giebelkrönung die durchgehende Baumasse verhaltener. Im Hintergrund der beiden Baugruppen steigt jeweils ein Turm auf, wodurch eine zusätzliche räumliche Ausweitung entsteht, die das Auge in einer höheren Ebene, in einer neuen visuellen Beziehung zwischen Kirche und Rathaus wahrnimmt. Im Stadtbild akzentuieren diese Dominanten weithin sichtbar die Zentren des bürgerlichen und religiösen Lebens. Nach Süden erhält die abgestaffelte Platzfolge (etwa 60 bzw. 45 Meter breit und 180 Meter lang) ihren Abschluß durch die bis auf das Straßenprofil verengte Wohnbebauung.

Das folgende Straßenstück (Karl-Friedrich-Straße) ist ganz auf Durchgang und Bewegung hin angelegt. Es führt zum Rondell, in seiner gleichmäßigen dreigeschossigen Bebauung nur durch das zurückgesetzte Becksche Haus unterbrochen. Der Wechsel der Raumformate vom quadratischen über den rechteckigen bis zum runden Zuschnitt belebt die Sequenz spürbar. In praktischer Hinsicht ist der Rundplatz natürlich ein probates Mittel, die schräg ankommende Erbprinzen- und Spitalstraße in die Hauptachse einzuführen. Im übrigen hat Weinbrenner diese barocke Raumlösung einfach aus der vorhergehenden Planung übernommen. Es ist für sein Architekturverständnis aber doch charakteristisch, daß er es nicht bei einer konkaven Auskurvung der Platzwände und ihrer stockwerksweisen Reliefierung im Sinne des Barocks beließ, sondern daß er die segmentförmigen Baublöcke mit Tempelgiebeln akzentuierte und auf diese Art zusätzliche Plastizität und Abwechslung in den zylindrischen Straßenraum von 48 Metern Durchmesser hineinbringt.

Schließlich leitet ein kurzes Straßenstück zum Abschluß beim Ettlinger Tor über. Die Bebauung ist am Ende weiter auseinandergerückt, um dem Tor die perspektivische Wirkung zu sichern. Der Torbau selbst stellt den visuellen Schlußpunkt der Sequenz dar, obwohl sich die Achse selbst, als Baumallee, in der Landschaft noch weiter fortsetzt.

Offensichtlich hat man es bei der geschilderten Raumfolge mit einer bewußt angelegten, stadtgestalterischen Komposition zu tun. Ihre Elemente sind augenfällig einem gesicherten historischen Bestand entnommen, und ihre formale Behandlung ist ganz aus dem Geist der Zeit, aus dem Glauben an die Beispielhaftigkeit hellenistischer Muster zu verstehen. Aber darin erschöpft sich Weinbrenners Beitrag nicht. Was ihn leitete, war nicht allein die Reproduktion historischer Einzelformen an zusammenhanglosen Bauten, wie sie später bei Hübsch, Berckenmüller, Eisenlohr, Durm u.a. zu beobachten ist. Ihm ging es vielmehr, in Fortführung der alten Stadtbautradition, zuerst darum, die Stadt als eine formale Einheit zu behandeln, bei der die räumlichen Schwerpunkte durch Straßenbeziehungen untereinander verknüpft und durch einen maßgebenden Formenkanon aufeinander abgestimmt sind.

Da die Grundstruktur aber klar, einfach und einprägsam ist, weil die Baumassen übersichtlich gegliedert und maßstäblich proportioniert sind, weil die geschaffenen Räume im Format differenziert, in den Wandungen spannungsreich und im Eindruck geschlossen und angenehm wirken, kann die Schloßstraße in Karlsruhe in der Fassung Weinbrenners unabhängig von ihrem stilistischen Habitus als ein Lehrstück urbaner Raumgestaltung gelten.

### 3.3.4. Klassizistischer Stadtausbau in weiteren deutschen Städten

Zweifellos bringen die bisher behandelten Residenzstädte Berlin, München und Karlsruhe die Prinzipien der im 19. Jahrhundert weiterwirkenden traditionellen Stadtbauauffassung so eindeutig und exemplarisch zum Ausdruck, daß für die anderen ebenfalls ausgebauten Orte hier bei der Darstellung des Urbanismus im Industriezeitalter Hinweise auf das Wesentliche genügen können.

Es liegt nahe, von Karlsruhe aus den Blick nach D a r m s t a d t zu richten, wo der Weinbrenner-Schüler Georg Moller (1784–1852) die anstehende Stadterweiterung plante.[112] Darmstadt war 1806 die Hauptstadt des neugebildeten Großherzogtums Hessen-Darmstadt geworden.[113] Der Landesherr, Großherzog Ludwig X., übertrug dem 1810 als Hofbaumeister eingestellten Moller die Aufgabe, die Stadt zu erweitern und auf die stärker in den Vordergrund gerückten repräsentativen Ansprüche auszurichten. Pläne zu einer Stadterweiterung im westlichen Bereich gab es schon aus früherer Zeit. Nach ihnen waren die ersten Straßen und Bauten bereits im Entstehen begriffen. Unter diesen Umständen mußte Moller zwei wichtige Vorgaben übernehmen: die in Ost-West-Richtung als Auffahrtsallee zur fürstlichen Residenz angelegte Rheinstraße und den auf deren Achse bezogenen, als Auftakt zum Schloßbereich gedachten Luisenplatz.

In den Bebauungsplänen zur westlichen Vorstadt, die Moller in mehreren Varianten zwischen 1811 und 1818 ausgearbeitet hat, ist der Rahmen für das neue, klassizistische Darmstadt abgesteckt. Indem nun die Neustadt gegenüber den alten Plänen durch die Anlage

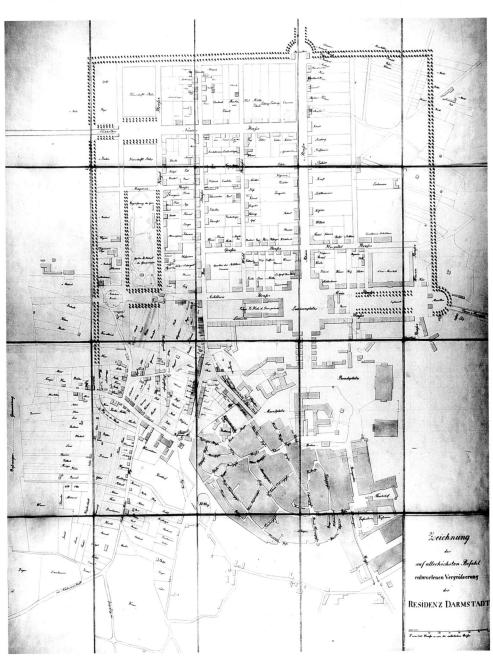

97. Entwurf für die westliche Stadterweiterung, Darmstadt, von Georg Moller, 1818. (Hessische Landes- und Hochschulbibliothek Darmstadt)

der winkelrecht zur Rheinstraße angeordneten Neckar- und Wilhelminenstraße und durch die vier dazwischengespannten Querstraßen stärker nach Süden verlagert ist, ergab die Planung einen auch für den Schloßherrn akzeptablen Ausgleich zwischen der als »via triumphalis« begriffenen Rheinstraße und den von dem Bürgertum gewünschten, locker bebauten und mit großen Gartenarealen ausgestatteten Wohnvierteln. Den Übergang zur mittelalterlich strukturierten Altstadt vermittelt der dreiseitig angelegte Ludwigsplatz, der in seiner geschlossenen Umbauung als Geschäftszentrum zu verstehen ist. Nach der klassizistischen Stadtvorstellung umgrenzen auf den offenen Seiten, gewissermaßen zur formalen Konturierung, schnurgerade Baumalleen das große Rechteck der Neustadt. Und auch die auf Main, Rhein und Neckar ausgerichteten Straßenzüge erhalten ihre als Abschluß zur Natur verstandenen Torbauten. Sicher sind in der strukturellen Ausformung keine größeren Gegensätze vorstellbar als das unübersichtliche Gewirr der Altstadtgassen im Osten und das weiträumig gezogene orthogonale Straßengitter im südwestlichen Neubaubereich. Aber die sogenannte Mollerstadt entsprach, nachdem sie bis zur Jahrhundertmitte durch den weiteren Ausbau Gestalt angenommen hatte, mit ihrem nach Haupt- und Nebenstraßen differenzierten klassizistischen Aufteilungssystem und mit ihrer räumlichen Akzentuierung durch die verschiedenen Architekturplätze (Mathilden-, Luisen-, Wilhelminen- und Marienplatz) genau den Vorstellungen, die sich der Fürst und die Bürger von einer der Industrialisierung noch nicht ausgesetzten Residenzstadt machten. Daß diese Idylle formaler Ausgewogenheit und vermeintlicher urbaner Ordnung aber schon bald keinen Bestand mehr haben konnte, darauf wiesen die ab 1820 in der Neustadt einsetzenden Grundstücks- und Hausspekulationen bereits unübersehbar hin.

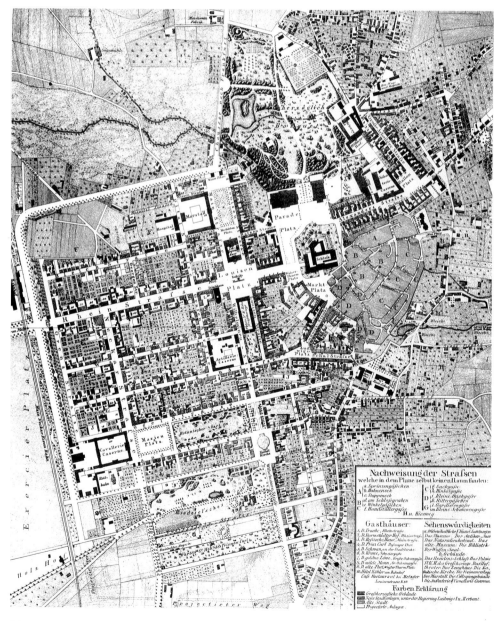

98. Darmstadt, Plan der Residenz, 1852. Gezeichnet und graviert von Eduard Wagner.

Ein formal ähnlicher Ansatz wie in Darmstadt läßt sich auch bei der Stadtentwicklung von W i e s b a d e n beobachten. Nur spielt an diesem Ort das Bade- und Brunnenwesen die entscheidende Rolle.[114] Wiesbaden galt dank seiner 26 heißen Quellen schon seit alter Zeit als Heilbad. Es war aber seit 1744 auch Sitz der nassauischen Landesregierung, jedoch mit der Eigentümlichkeit, daß die Fürsten von Nassau-Usingen nicht in der Stadt, sondern im nahegelegenen Barockschloß zu Biebrich am Rhein residierten. Um dem rückständigen und mit anderen Kurorten wie Bad Schwalbach, Bad Ems, Wilhelmsbad und Baden-Baden nicht konkurrenzfähigen Wiesbaden mehr Anziehungskraft zu geben, setzten sich die ortsansässigen Spielpächter ab 1805 für den Bau eines Gesellschaftshauses ein. Die nassauischen Fürsten waren weitblickend genug, dieses Vorhaben zu unterstützen. Sie ließen ihren Baudirektor Carl Florian Goetz (1763–1829) einen Stadtbauplan mit einem neuen Kurhaus und mit einem vergrößerten Promenadegarten vor dem Sonnenberger Tor ausarbeiten. Da die Badestuben sich im mittelalterlichen Stadtkern befanden, war in diesem Plan das neue »Cur-Haus« im Rahmen eines Architekturplatzes der bestehenden Bebauung zugeordnet.

Als jedoch Wiesbaden 1806 auch zur Landeshauptstadt des neugeschaffenen Herzogtums Nassau erhoben wurde, traten die Gesichtspunkte der baulichen Repräsentation noch stärker in den Vordergrund. Herzog Friedrich August übertrug deshalb die Planung dem versierten Architekten Johann Christian Zais (1770–1820).[115] Wohl in der Einsicht, daß sich das Kurhaus in der Altstadt aus Platzmangel nicht befriedigend unterbringen ließ, wählte dieser die radikale und für die weitere Entwicklung Wiesbadens folgenreiche Lösung, es vom Stadtkern deutlich abzurücken und auf die Quelle des im nördlichen Vorfeld der Stadt liegenden Wiesenbrunnens zu setzen. Die Architektur gliederte der Planer nach dem typischen klassizistischen Aufteilungsschema mit dem Saalbau als mittig vorgesetztem Portikus, an den sich beidseits Säulenkolonnaden anschließen, die zu den Eckpavillons führen. Das in dieser Form zwischen 1808 und 1810 ausgeführte Kurhaus stand sodann breit hingelagert vor der Stadt. Es war in seiner beabsichtigten distinguierten Distanz aber keineswegs beziehungslos plaziert. Denn stadtseitig entstand, im Sinne einer Gegenform, die Einbuchtung des Wilhelmsplatzes, durch die die Verbindung zum Altstadtkern gegeben ist. Im übrigen weist der Zaissche Plan für den Raum zwischen diesem Platz und dem Kurhaus ein Bowling-green mit beidseitigem Baumbestand als verbindendes Naturelement aus.

Zum weiteren Ausbau des Kurbezirks trug der 1810 bis 1812 von Hofgärtner Schweitzer angelegte Park auf der Rückseite des Kurhauses bei, auf dessen gewundenen Pfaden an einem großen Weiher entlang die Kurgäste die erwünschte »Distraktion« finden konnten. Die stetige Erweiterung der Kuranlagen, die Wiesbaden rasch zum mondänen Modebad aufwerteten, machte bald auch die bauliche Neuordnung der Stadt erforderlich. In dieser Hinsicht konnte Zais auf die im Goetzschen Plan fixierten neuen Straßenzüge abheben. Es handelte sich um die über dem trockengelegten Warmen Damm am nördlichen Stadtrand angeordnete Alleestraße (heute Wilhelmstraße) und die rechtwinklig darin einmündende Friedrichstraße, die den Südrand der Stadt markieren sollte.

Dieses vorgegebene Straßengrundgerüst weitete Zais in seinem 1818 vorgelegten Stadterweiterungsplan in der Weise aus, daß er nun die ganze Stadt wie zur Konturierung in der Form eines Fünfecks mit Straßen umgab. Die topographischen Gegebenheiten am Taunushang scheinen ihn zu dieser ungewöhnlichen Umrißlinie veranlaßt zu haben. Was der klassizistische Planer mit dieser Straßenumrandung (durch die Wilhelm-, Rhein-, Schwalbacher, Röder- und Taunusstraße) erreichen wollte, ist klar: die unregelmäßig strukturierte Altstadt sollte von neuen, exakten Gestaltungsregeln unterworfenen Häusern umschlossen sein, um so, wenn auch nur von außen gesehen, den Eindruck eines einheitlichen und ästhetisch ansprechenden Stadtbildes zu vermitteln. Das war die exklusive Kurstadt, so mochte der perfektionistische Planer argumentieren, ihren Gästen und Besuchern schuldig. Als Zais im Jahre 1820 starb, war die Zahl der Kurgäste sprunghaft angestiegen und der überregionale Ruf des Badeorts gesichert. Offensichtlich hatten sich die bisherigen Aufwendungen für die Kuranlagen gelohnt.

Indes blieb der Ausbau der Stadt nicht stehen. Die zwischen Wilhelmsplatz und Kurhaus eingeschaltete Promenade wurde 1823 auf der Nordseite mit den Brunnen- und 1839 auf der Südseite mit den Theaterkolonnaden überbaut. Zwischen 1834 und 1836 unterzog man das Kurhaus großen Umbauten, durch die der Spielleidenschaft der erforderliche Tribut gezollt wurde.[116] Dabei verwandelte sich der große Kursaal in eine Spielhalle für Roulette und Trente-et-quarante. Das waren Veränderungen, die nicht mehr den Zaisschen Vorstellungen entsprachen, die aber der neue Zeitgeist diktierte und rechtfertigte.

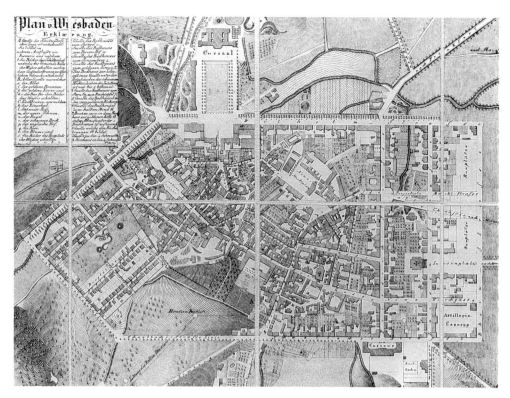

99. Wiesbaden um 1831. Lithographie von Jacob Zingel. (Sammlung Nassauischer Altertümer, Museum Wiesbaden)
100. Bebauungsplan für die Erweiterung von Wiesbaden, 1871. Lithographische Anstalt von F. Wirtz in Darmstadt. (Sammlung Nassauischer Altertümer, Museum Wiesbaden)

Endlich kam auch die Zeit, da der nassauische Herzog Biebrich als Residenz aufgab und nach Wiesbaden zog. Er ließ sich nach den Plänen von Georg Moller aus Darmstadt 1837 bis 1840 sein neues Schloß an einem abgewinkelten Straßenzug inmitten der Altstadt erbauen. Wie man sieht, schloß die liberale Haltung des Fürsten nun auch sein Wohnen im Umkreis der Stadtbürger nicht mehr aus.

Die Verlegung der herzoglichen Residenz regte wiederum zu neuen städtebaulichen Aktivitäten an. Nun wurden die Anlagen hinter dem Kurhaus weiter in Richtung Sonnenberg ausgedehnt. 1858 bis 1862 entstand auf dem Warmen Damm im Bereich östlich der Wilhelmstraße auf Betreiben von Herzog Adolf ein großer Landschaftsgarten und Kurpark. Wiesbaden bot nun alle Voraussetzungen für einen mondänen, die nationalen Grenzen überschreitenden Kurbetrieb. In dieser Situation wußte die Stadtverwaltung auch noch die letzten städtebaulichen Konsequenzen zu ziehen. Sie erschloß das östlich der Wilhelmstraße und des neuen Kurparks gelegene Gebiet in großen Gartenarealen für den Bau von Landhäusern und Villen.[117] In diesem »Grünen Viertel«, für das Stadtbaumeister Alexander Fach 1871 den Aufteilungsplan lieferte, fand Wiesbaden dann das ihm als »Weltkurbad« gemäße Ambiente. Ein Vergleich mag vergegenwärtigen, wie sich hier zu Ende des 19. Jahrhunderts getrennte Welten der urbanen Ausformung gegenüberstanden: westlich der Wilhelmstraße die geschlossene blockhafte Form der klassizistischen Stadt, östlich davon die vom Stilpluralismus gekennzeichnete individuelle Villenbebauung, deren urbane Auflösungstendenz evident ist und die das Ende einer geschlossenen Stadtbauvorstellung markiert.

Zum Abschluß der Darstellung klassizistischer Stadterweiterungen soll nur noch andeutungsweise auf einige andere Beispiele hingewiesen werden.

D ü s s e l d o r f erhielt nach der Schleifung der weitläufigen Fortifikationen, die auf Grund der Festlegung des Friedensvertrags von Lunéville erfolgte, ab 1801 eine neue Ausformung durch die Architekten Caspar Anton Huschberger, Adolf von Vagedes (1777–1842) und den Landschaftsgärtner Maximilian Friedrich Weyhe (1775–1846).[118] Dabei entstand nach den Ideen von Huschberger und Weyhe eine einmalige und unvergleichliche Anlage. Ein doppelter Alleenzug umzieht im Osten wie ein Band, über 800 Meter lang, 82 Meter breit und mit dem Kanal der Düssel in der Mitte die Stadt, um weiter nördlich in teichartigen Ausweitungen in den Hofgarten überzugehen.[119] Auch wenn vorerst im Westen dieser Allee der Platz für napoleonische Aufmärsche reserviert blieb und nach Osten hinaus nur Gartenland anschloß, so war doch mit dieser Planidee die spätere Königsallee als das urbane Herzstück der Stadt geschaffen.

101. Düsseldorf mit seinen Umgebungen, um 1805. Mit der Situation nach der Schleifung der Festungswerke. (Stadtarchiv Düsseldorf)

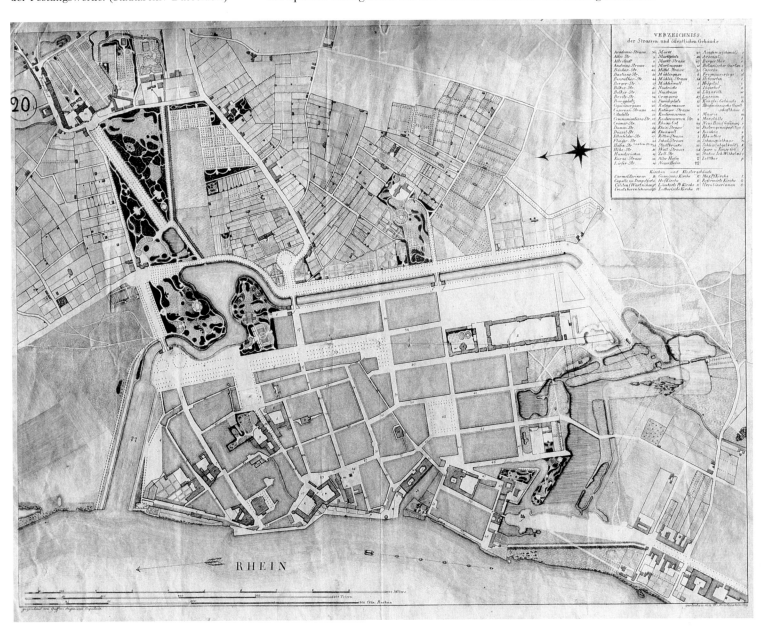

In K r e f e l d zeigt der Stadterweiterungsplan von Adolf von Vagedes aus dem Jahre 1819 noch einmal das von Wiesbaden her bekannte Motiv der durch Alleen hergestellten Stadtumgrenzung, in diesem Falle in strenger Rechteckform (mit der Bezeichnung Wallviereck).[120] Freilich sind innerhalb dieses Rahmens keine neuen Planideen erkennbar. Das durch die vorhergegangenen Stadterweiterungen vorgegebene Straßenraster wird einfach fortgesetzt, um die durch die Alleen (West-, Süd- und Ostwall) umschlossene große Rechteckfläche auszufüllen. Sicher erhält auf diese Weise der südlich des mittelalterlichen Kerns gelegene Stadtteil von 1711 gleich auf drei Seiten neue Bauflächen, und auch die nördlichen Stadtgebiete, die aus der Zeit Friedrich Wilhelms I. (1739) und Friedrichs II. von Preußen (1752 und 1766) herrühren, gewinnen im Westen eine Quartierbreite hinzu. Aber die Fortführung des alten Aufteilungssystems gibt dem Plan doch eine gewisse Starrheit und Trockenheit. Daran kann auch die räumliche Ausweitung durch den Friedrichsplatz im nördlichen Bereich nicht allzuviel ändern.

Auf den ersten Blick gesehen scheint die von Vagedes gewählte Lösung mit der Alleenumrandung vor allem darauf ausgerichtet zu sein, in der bekannten Art den urbanen Bereich gegen die freie Landschaft hin abzugrenzen oder, formal genommen, den Stadtkörper als einen geschlossenen Block auszuweisen. Bezeichnenderweise wird dabei die Stadt nach dem klassizistischen Vorstellungsvermögen als eine feststehende Größe begriffen. Genaugenommen ist dieser Griff zur »enceinte« aber eher als ein letzter Versuch zu interpretieren, mit dem Formenrepertoire einer bereits unzeitgemäß gewordenen Architektur und Stadtbaukunst die Raumansprüche der an anderen Orten inzwischen

102. Entwurf für die Stadterweitung von Krefeld, von Adolf von Vagedes, 1817–19. (Stadtarchiv Krefeld)

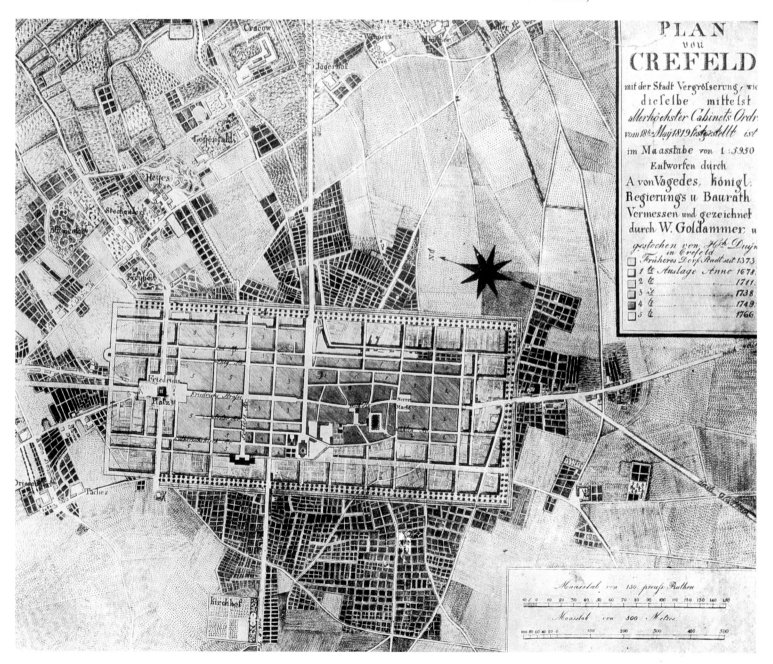

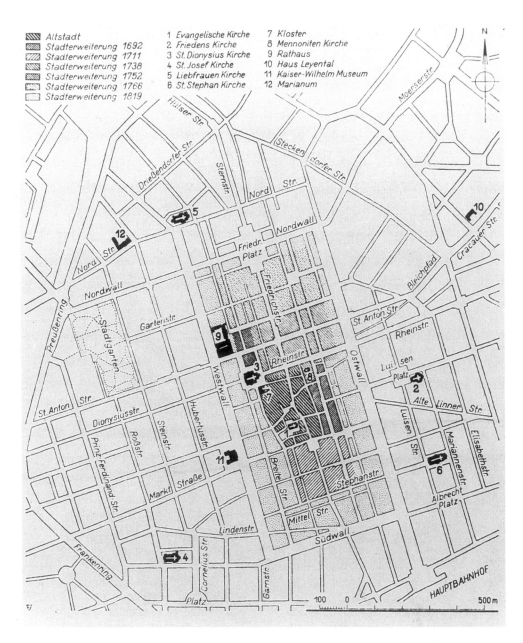

Wirklichkeit gewordenen industriellen Zeit abzuwehren. Immerhin haben die damals angelegten Alleen bzw. Wälle die Strukturierung der Stadt so nachhaltig bestimmt, daß sie auch heute noch als das unverwechselbare städtebauliche Kennzeichen von Krefeld gelten.

Das letzte Beispiel, das hier in diesem Zusammenhang noch genannt werden soll, hat wenig mit klassizistischer Stadtbaukunst, um so mehr aber mit der Technik des Hafenbaus zu tun. Es handelt sich um B r e m e r h a v e n , das ab 1827 als eine Tochterstadt Bremens 60 Kilometer weserabwärts nördlich der Geestemündung auf schwer bebaubarem Gelände entstanden ist.[121] Mit dieser Gründung sollte die Geltung der alten Hansestadt als Warenumschlagplatz und als Wirtschaftsstandort gesichert werden, nachdem die größer gewordenen Schiffe den im Land gelegenen bremischen Hafen nicht mehr erreichen konnten.

Den Plan zu der neuen Hafenstadt entwarf der Holländer Johann Jakob van Ronzelen, der im Wasserbau und in der Stadtplanung als ein erfahrener Fachmann galt. Sein planerisches Grundkonzept sah vor, die Stadt zwischen dem parallel zur Weser verlaufenden Hafenbecken und dem in einer großen Kurve ausschwingenden Geeste-Fluß zu plazieren. Bei der nach dieser Disposition vorgegebenen räumlichen Einschränkung und bei der Bedeutung, die der Hafenpartie zugemessen wurde, mußte sich die Stadtanlage selbst mit einem formal anspruchslosen Aufteilungsschema begnügen. So liegt ihr ein auf die Himmelsrichtungen abgestimmtes orthogonales Straßenraster zugrunde, von dem nur zwei Diagonalverbindungen zur Geeste hin abweichen. Aus der additiven Aufreihung der 50 auf 120 Meter großen Wohnquartiere heben sich einmal der bescheiden bemessene quadratische Marktplatz und zum anderen der doppelt so große Platz mit der

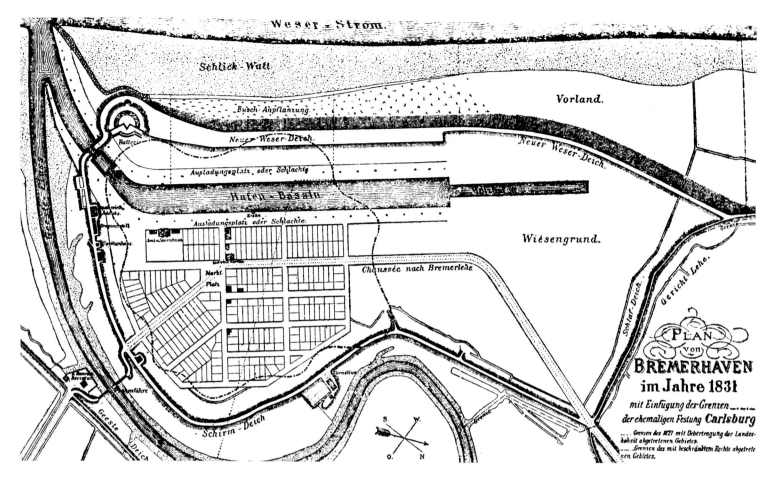

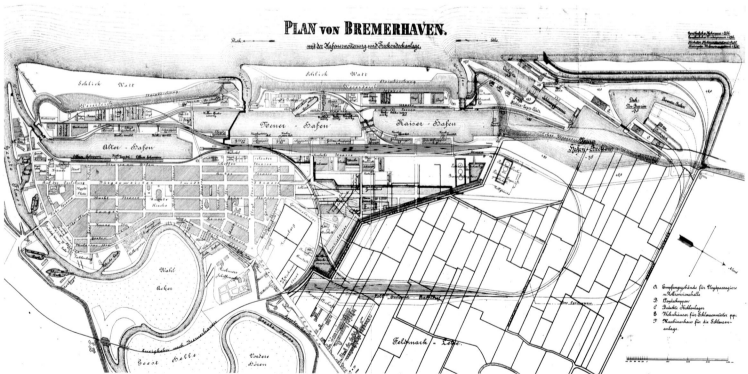

Kirche ab. Besonders herausgestellt ist auch noch das Hafenhaus als südliche Eckmarkierung der Stadt zum Hafen hin.

Künstlerischen Ansprüchen wollte diese auf den Hafenbetrieb fixierte Stadtanlage sicher nicht genügen. In ihr äußert sich deshalb schon deutlich jene andere Stadtbauauffassung, die den sachlichen Zwängen und der wirtschaftlichen Zweckerfüllung mehr Gewicht beimißt als der formalen Ausgestaltung durch Auffahrtsstraßen und Architekturplätze. In diesem Sinne kann dieses Beispiel als Ausdruck einer neuen Einstellung zum Städtebau genommen werden und zu den nachfolgenden Themen überleiten.

104. Bremerhaven im Jahr 1831. Stadtplan nach einem Entwurf von Johannes Jacobus van Ronzelen. (Stadtarchiv Bremerhaven)
105. Bremerhaven, um 1892. (Stadtarchiv Bremerhaven)

## 4. Sozialutopische Stadtbaumodelle in der Frühzeit der Industrialisierung

### 4.1. Das sozialutopische Stadtbaumodell als Lösungsvorschlag für urbane Probleme

Die bisherigen Ausführungen haben deutlich gemacht, daß trotz der revolutionären Ansätze im munizipalen und industriellen Bereich das klassische Stadtbauideal mit seiner formal orientierten statischen Auffassung sowohl in Europa als auch in den USA weiterhin maßgebend blieb. Überall fehlte den Politikern und Magistratsbeamten das tiefere Verständnis für die neuartigen sozialen und ökonomischen Probleme der Industriestadt. Aber offensichtlich genügten die bisherigen Vorstellungen einer fiskalischen Administration nicht mehr, um den komplizierter gewordenen Lebens- und Produktionsprozeß im urbanen Bereich zu steuern. In dieser Situation des Umbruchs, in der die Stadt von den politischen Organen nach wie vor als ein Polizei- und Verwaltungsbezirk, vom Handel und von der Industrie dagegen als ein Freiraum schrankenloser Expansion angesehen wurde, erschienen bereits in den ersten Jahrzehnten des 19. Jahrhunderts von den Frühsozialisten Gracchus Babeuf (1760–97), Claude Henri de Saint-Simon (1760–1825), Robert Owen (1771–1858), François Marie Charles Fourier (1772–1837), Etienne Cabet (1788–1856), James Silk Buckingham (1786–1855) und anderen Publikationen mit phantastischen Zukunftsentwürfen. Diese Äußerungen enthielten nicht nur Angaben zur gesellschaftlichen Neustrukturierung, sondern sie schlossen auch neuartige räumliche Vorstellungen mit ein. In ihrer umfassenden Planungsabsicht befaßten sich diese »Sozialutopien« teilweise bis in die Details mit den ungelösten Urbanisierungsproblemen.[1] Bezeichnenderweise bedienten sie sich noch zum Teil der literarischen Form des Romans. Sie tradierten auf diese Weise jene naive Vorstellungswelt von der fernen Insel und dem glücklichen »Nirgendwo«, die aus den Schriften von Thomas Morus, Campanella, Bacon und anderen Utopisten des 16. bis 18. Jahrhunderts längst bekannt war.[2] Indem diese Autoren aber bereits über den Ursprung ihrer Utopien reflektierten, begnügten sie sich nicht mehr mit der Ausflucht in schwärmerisch ausgemalte Traumwelten, sondern sie analysierten schonungslos und scharfsichtig die sozialen und baulich-räumlichen Notstände. Aus ihren Diagnosen und Einsichten entwickelten sie in einer Art von Totalplanung Visionen, die für die spätere urbane Entwicklung so bedeutungsvoll sind, daß hier näher auf die wichtigsten Beiträge dieser »idealen« Stadtentwürfe eingegangen werden muß.

Bei diesen frühindustriellen Sozialutopien handelt es sich um eine sozialtheoretische Äußerungsform, die mit ihrem Modus der bildhaften Kontrastierung  im geistes- und wissenschaftsgeschichtlichen Rahmen nur als eine frühe und naive soziologische Bewußtseinsstufe begriffen werden kann. Denn die utopischen Absichten und Wünsche sind jeweils allein aus der gegebenen historischen Konstellation heraus begreifbar. Die Utopisten bleiben bei ihrem kühnen Griff in die Zukunft immer an ihre Vorstellungsebene, an die politische und soziale Bedingtheit ihrer Zeit gebunden. Jedoch tritt bei ihnen bereits spürbar das Moment einer kritischen Intention in den Vordergrund.[3] Diese manifestiert sich zuerst einmal weniger im Projekt, wie es künftig sein soll, als vielmehr in der Negierung der bisherigen Zustände, der schlechten Gegenwart mit ihrer ungerechten Gesellschaftsstruktur und Herrschaftsform und ihrem städtebaulichen Chaos.[4] Um ihren Intentionen Gehalt zu geben, gehen die Utopisten zumeist von normativen Vorstellungen aus. Sie orientieren sich an so übergeordneten Idealen und Werten wie Glück, Gerechtigkeit und Freiheit. Sie greifen gerne den platonischen Denkansatz auf, daß der Mensch die Glückseligkeit nur erreicht, wenn er vortrefflich und tugendhaft ist und ein naturgemäßes Leben führt. Das Glücklichsein wird mithin als ein Problem der sittlichen Vervollkommnung gesehen.

Jedoch erfährt der einzelne Mensch, seiner geselligen Natur entsprechend, das höchste Glück nur in der Identifikation mit dem Glück der Gemeinschaft. Diese wiederum setzt zuerst einmal ein vollkommenes Gemeinwesen voraus, das sich im Idealstaat oder in der Idealstadt, die ein und dasselbe sein können, ausdrückt. Freilich ist diese klassische Auffassung meist vermischt mit sinnlich-äußerlichen Aspekten. Denn das Glück wurde längst im Sinne der Aufklärung in der Befriedigung all jener materiellen und physischen Bedürfnisse gesehen, die das leibliche Wohlergehen des Menschen sichern. Und da das Individuum auf sich selbst gestellt eine optimale materielle Versorgung allein schon wegen der Arbeitsteilung nie zu erreichen vermag, wirft das Verlangen nach Glück unausweichlich das Problem der »gerechten« gesellschaftlichen Ordnung auf. Indes zieht diese normative Ausrichtung, sei sie nun moralisch oder materiell begründet, die Utopie in den

Strudel der weltanschaulichen Kontroversen. Wie sollte die individuelle und gesellschaftliche, die wahre und gerechte Lebens- und Wohnform aussehen? Die Utopien konnten diese entscheidende Frage nur im Spannungsfeld der Ideologien beantworten.[5] Aber gerade dadurch, daß sie von ihren Wunschträumen einer neuen politischen, sozialen und räumlichen Wirklichkeit ausgingen, lieferten sie ihren Gegnern alle Angriffspunkte, auf denen sich im Laufe der Zeit die konservativen Gegenutopien und Verdächtigungen aufbauten.[6] Gerade ihr Selbstverständnis als heuristische Kategorie, ihre Wirksamkeit als sozialgeschichtliches Antriebsmoment machte sie zu einem ärgerlichen Unruhefaktor. Unter diesem Blickwinkel konnte die Utopie in den Augen der Gegner nicht mehr nur als Oppositionsdenken eingestuft werden. In ihrem Drang zur Veränderung, in ihrem Appell zur Beseitigung repressiver Zustände und sozialer Ungleichheit – ausgedrückt in ihrem Bruch mit der Vergangenheit – mußte sie vielmehr als ein Wegbereiter der Revolution verstanden werden.[7] Der offensichtliche Widerspruch zwischen utopischem Ideal und Wirklichkeit und der Drang, beides in Einklang zu bringen, führt zu einer Spannung. Auf der einen Seite stehen die Kräfte, die das Alte, Herkömmliche bewahren wollen und den Geschichtsablauf als einen organischen Prozeß interpretieren, der im voraus weder machbar noch bestimmbar ist. Auf der anderen Seite äußern sich Kräfte, die auf eine rationale Gestaltbarkeit oder Machbarkeit der gesellschaftlichen und räumlichen Verhältnisse abheben und mit diesem sozialrevolutionären Ansatz, mit dieser utopischen Planungsintention den Widerwillen der Traditionalisten herausfordern. Aus ihrer Ergebenheit in ein geschichtliches Fatum aufgeschreckt, denunzieren diese nun die Utopien dadurch, daß sie deren Prinzip der »Ganzheits-Planung« als totalitär verdächtigen[8] und alle utopischen und eudämonistischen Intentionen zu einer inhumanen, kaum lebenswerten Welt umdeuten.[9]

Diese Kontroversen um Normen, Werte und Planungsmöglichkeiten haben schließlich zu einer neuen Begriffsvariante der Utopie geführt, in der sie sich nur noch als rein instrumentale, wertfreie Kategorie darstellt.[10] Dergestalt reduziert und objektiviert scheinen sich ihr im geistigen Experimentieren mit Möglichkeitsmodellen neue Perspektiven aufzutun. Den frühindustriellen Stadtbauutopien war diese Begriffsfassung ebenfalls nicht unbekannt. In ihnen wurden, wie im folgenden noch aufzuzeigen ist, immer wieder Siedlungs- oder Stadtmodelle konstruiert, die für eine bessere Zukunft gelten sollten. Einem rein instrumentalen Utopieverständnis entzogen sich diese Projekte aber immer wieder durch den Verbund von gesellschaftlichen und räumlich-architektonischen Aussagen, bei denen normative Festlegungen nicht auszuschließen waren. Damit ist der Stellenwert und die Aussagekraft dieser Stadtbauutopien wenigstens im Umriß angedeutet. Sie reflektieren in der Sicht Owens, Fouriers und anderer neben den gesellschaftskritischen auch die architektur- und städtebaukritischen Momente des frühen Industriezeitalters.[11] Jenseits aller herkömmlichen Planmuster bringen sie Denkanstöße, durch die die Architektur und die Stadt erstmals mit Bewußtsein in ihrer gesellschaftsbezogenen Dimension begriffen und als Planungs-Entität eingesetzt wird. Man darf sich hier durch Einzelaspekte wie den Vorgriff auf technische Novitäten oder den Rückgriff auf überholte ästhetische Formmuster nicht irritieren lassen. Alle diese Mittel stehen immer im Dienste gesellschaftspolitischer Ambitionen und zielen am Ende darauf ab, durch die Verbesserung der Lebensverhältnisse das Los der Menschen zu verändern.

Wie es scheint, geben erst die kritischen Auseinandersetzungen mit der schlechten Wirklichkeit den Weg frei zu Entwürfen, die einen tieferen Einblick in die sozialen Wunschvorstellungen und Stadtbauideale ihrer Zeit gestatten als alle auf dem Wege der Kontinuität und Routine hervorgebrachten Realitäten. Selbst noch die Darstellung und die Analyse der Vorgänge, wie die abstrakten Modelle in die Tat umgesetzt und mit Leben erfüllt werden sollten, vermitteln insofern wichtige Einsichten, als bei dem Zusammenprall mit der realen Welt alle jene Gegenkräfte erkennbar werden, die sich einer gesellschaftlichen Umschichtung entgegenstellten.

So isoliert und festgelegt sich die Stadtplanung in ihrer offiziellen Version im Dienste der Höfe oder der Magistrate auch sehen mochte, den Urbanismus im ganzen erschließt sie nicht. Er wird in vollem Umfang nur sichtbar in den Kritiken und Versionen der Utopien. Auf ihren Experimentierfeldern erst erwuchsen im Kontext mit einem ersten Soziologieverständnis jene neuen Dimensionen, die es hier im einzelnen aufzuzeigen und zu deuten gilt.

106. Robert Owen (1771–1858).

## 4.2. Robert Owen – Die Idee der kooperativen Kommunität

### 4.2.1. New Lanark – ein frühes Sozialexperiment

Für die Geschichte des Urbanismus sind die Utopien, die die unbewältigten gesellschaftlichen und städtebaulichen Probleme des Frühindustrialismus in einem Zug auf kommunitärer Grundlage zu lösen versuchen, besonders aufschlußreich.

Der Engländert Robert Owen (1771–1858) machte als einer der ersten Vorschläge in dieser Richtung.[12] Schon in seiner Jugend erwies er sich als ungewöhnlich strebsam und tatkräftig. Nach Lehrjahren in Manufakturunternehmungen war er bereits mit 19 Jahren selbständig und betrieb eine Spinnerei; zwanzigjährig war er Teilhaber der bekannten Baumwollspinnerei Drinkwater in Manchester. 1800 kaufte er zusammen mit einigen Teilhabern die Mills in der Nähe des schottischen Städtchens Old Lanark und übernahm selbst die Leitung dieses New Lanark genannten Fabrikbetriebes. Schon nach kurzer Zeit überraschte er die Arbeiter durch bisher unbekannte soziale Anordnungen.[13] Zuerst führte er eine genau geregelte Arbeitszeit von elf Stunden ein. Ohne Zögern schaffte er die Fabrikarbeit sechs- bis achtjähriger Kinder ab. Statt dessen ließ er sie im Lesen, Schreiben und Rechnen unterrichten. Die Arbeiterfamilien teilte er in Wohngemeinschaften ein. Regularien und Inspektionen sorgten für Sauberkeit in den firmeneigenen Wohnungen, auf den Straßen und an den Arbeitsstätten. Zur Verbilligung der Lebenshal-

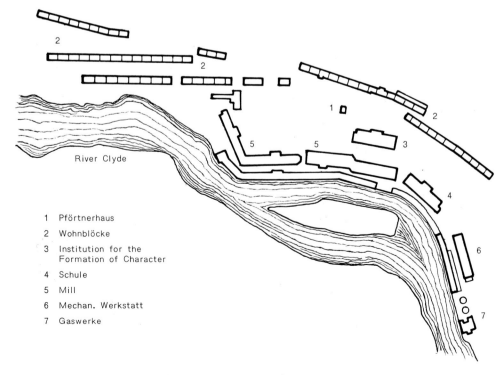

River Clyde

1 Pförtnerhaus
2 Wohnblöcke
3 Institution for the Formation of Character
4 Schule
5 Mill
6 Mechan. Werkstatt
7 Gaswerke

107. Die cotton mills am Clyde, New Lanark/Schottland, um 1820.
108. Die cotton mills in New Lanark. Lageplanskizze.

tungskosten trug er dadurch bei, daß er Konsumgüter im großen einkaufte und diese den Arbeitern zum Selbstkostenpreis überließ. Schließlich unterwies er die Bewohner New Lanarks auch noch darin, wie sie ihre Freizeit sinnvoll für Erholung und Weiterbildung nutzen konnten.

Nach anfänglichen Widerständen erkannten die Arbeiter, wie sehr Owens Maßnahmen ihre Lage verbesserten. Die Straßen und Wohnungen waren sauber geworden, die Bewohner zeigten sich ausgeglichen und gesittet. Die bisher als Arbeitssklaven behandelten Menschen lebten auf und handelten nach einer neuen Moral. Durch diesen sozialen Versuch sah Owen seine Erwartungen bestätigt, daß sich durch eine Veränderung der Umweltverhältnisse und eine erzieherische Einwirkung eine Besserung des menschlichen Charakters erreichen ließ. Er hat diese für sein späteres Lebenswerk grundlegenden Erkenntnisse in vier 1812 bis 1814 verfaßten Essays mit dem Titel *Eine neue Auffassung von der Gesellschaft* näher dargestellt.[14]

Dem ersten Essay (1812/13) stellt er das Axiom voran: »Any general character, from the best to the worst, from the most ignorant to the most enlightened, may be given to any community, even to the world at large, by the application of proper means; which means are to a great extent at the command and under the control of those who have influence in the affairs of men« (Jeder Gemeinschaft, ja der ganzen Welt kann ihr allgemeiner Charakter, vom besten bis zum schlechtesten, vom unwissendsten bis zum aufgeklärtesten, durch die Anwendung geeigneter Mittel gegeben werden. Über diese Mittel haben jene, die die menschlichen Angelegenheiten beeinflussen, in weiterem Umfange die Verfügungsgewalt und die Kontrolle).[15] Als Leitmotiv allen menschlichen Handelns nimmt Owen das Streben nach individuellem Glück an. Es ist aber seiner Ansicht nach nur durch die Förderung des allgemeinen Glücks erreichbar. Der Mensch ist sich dieses Zusammenhangs kaum bewußt. Dieser muß ihm deshalb schon in frühem Kindesalter durch eine tiefgründige Erziehung, durch eine Unterweisung zur Gemeinschaft verständlich gemacht werden.

Im zweiten und dritten Essay (1813/14) geht Owen genauer auf die Zustände in New Lanark ein. Er stellt sein Vorgehen als ein Sozialexperiment dar, dem man entnehmen kann, daß die Lebensumstände und die Umweltverhältnisse viel stärker den Charakter des Menschen beeinflussen als sein eigener Wille.[16] Als die größten Hindernisse, die die Ausformung des Charakters behinderten, glaubte er die zu langen Arbeitszeiten, die schlechten Erziehungsmöglichkeiten und, daraus resultierend, die Unwissenheit ausmachen zu können. Um hier Abhilfe zu schaffen, plädierte er für ein geistig wirksames Gemeindezentrum, eine »Neue Anstalt«, wo den Kleinkindern im Spiel, den Jugendlichen im Unterricht und den Erwachsenen in Vorlesungen oder in zwanglosen Gesprächen der Ausgleich von Theorie und Praxis, die Toleranz und der Sinn für Altruismus gelehrt werden könnten. Denn weil so die Menschen zur gegenseitigen Rücksichtnahme erzogen würden, müßte es ihnen auch möglich sein, alle sozialen Antagonismen zu überwinden und dadurch nicht nur des individuellen, sondern auch des gemeinschaftlichen Glücks teilhaftig zu werden. Das ist der Kernpunkt, der sich aus den sozialpädagogischen Erörterungen des vierten Essays (1814) herauslesen läßt.

Die von Owen am 1. Januar 1816 eröffnete »Institution for the Formation of Character« schuf die Wirkungsstätte für das postulierte Erziehungsideal. Aus der Ansprache, die der Gründer bei der Eröffnung dieser Bildungsanstalt gehalten hat, wird ersichtlich, wie sehr seine Bestrebungen bereits über den Rahmen von New Lanark hinauswiesen und wie sich immer deutlicher sozialreformerische Ansätze im Sinne des »communitarianism« abzuzeichnen begannen.[17] Owen prophezeite schon: »Zu gegebener Zeit werden vollkommenere Gemeinschaften gebildet werden, die allen offenstehen, die sich von der üblen Wirkung des alten Systems freimachen können, um des Glücks einer vollkommeneren Gesellschaftsform teilhaftig zu werden.« Offenbar hatten die Erfahrungen in den Mills Owen die Einsicht vermittelt, daß die vom neuen Fabriksystem aufgeworfenen sozialen Probleme nicht mehr allein durch praktische Fürsorgemaßnahmen in den Betrieben zu lösen waren, sondern nur noch auf der überzeugenden moralischen Basis einer neuen Gesellschaftsordnung.

Kritisch betrachtet ist aber das, was Owen in seinen Essays von 1812/14 als wichtige intellektuelle Einsichten für seine Zeit darlegte, nicht neu und unbekannt. Eigentlich adaptierte er nur die wichtigsten Lehrsätze der damals in England in hohem Ansehen stehenden sensualistischen Morallehre. William Godwin (1756–1836) hatte in seiner Publikation *Enquiry concerning political justice* bereits 1793 den grundlegenden Satz formuliert: »Die Eindrücke bestimmen den Menschen, und mit dieser Herrschaft der Eindrücke

verglichen sind die bloßen Unterschiede der Anlagen äußerst unwichtig.« Diese Annahme bedeutet, daß das Handeln der Menschen weit mehr von den Sinneseindrücken abhängt, die die äußeren Umstände und Ereignisse bei ihnen hinterlassen, als von ihren
ursprünglichen Anlagen. Und da es im Wesen der Erziehung begründet liegt, immer
neue Eindrücke im menschlichen Geist hervorzurufen, muß die Beschaffenheit der Umwelt bei der Charakterbildung des einzelnen Menschen eine ganz besondere Rolle spielen. Verschafft also die Erziehung dem Menschen in einem geordneten Milieu den notwendigen Entwicklungsspielraum, dann muß dadurch auch der Charakter im guten Sinne beeinflußt werden.

Durch die Resultate in New Lanark sah Owen die Grundthesen der sensualistischen Mo-
raltheorie voll bestätigt; er glaubte sogar, hier auf einer Erfahrung aufzubauen, über die
Godwin und die anderen Moralphilosophen nicht verfügten.[18] Danach hielt er es für gerechtfertigt, sein bisheriges Vorgehen auch auf einen größeren Bereich zu übertragen.
Denn seiner Meinung nach war ein allgemeingültiges praktisches Sozialsystem gefunden, das, wenn man es Stufe um Stufe unter den Arbeitern Großbritanniens einführte,
dieselben sittlichen Besserungen wie in dem schottischen Industrieort hervorzubringen
imstande war. Die letzte gedankliche Konsequenz Owens aus dem Sozial- und Erzie-
hungsexperiment von New Lanark war schließlich die Einsicht, daß der jeweils gleiche
Grad von Glück, den er allen Menschen unterschiedslos zubilligte, auch jeweils die gleichen materiellen Lebensbedingungen voraussetzte. Um diesen Punkt stärker herauszustellen, bedurfte es eines Neubeginns. Den Anlaß dazu gab auch bald die Entwicklung in
New Lanark selbst. Es kam nämlich schon kurz nach der Eröffnung der Bildungsanstalt
unter den Partnern zu Differenzen über die Prinzipien der Kindererziehung. Owen wurde allmählich aus der von ihm mit soviel Erwartungen gegründeten Schule verdrängt.
Er wandte sich deshalb immer mehr von New Lanark ab[19] und richtete sein Augenmerk
auf verheißungsvollere Projekte.

4.2.2. Die soziale und räumliche Kommunität

Owen wurde 1816 von dem Komitee zur Unterstützung der Armen in Industrie und Landwirtschaft gebeten, die Ursachen der Not, die unter der Arbeiterbevölkerung herrschte,
zu untersuchen und Wege zu deren Behebung aufzuzeigen. Damit war für ihn die Möglichkeit gegeben, sich über den örtlichen Rahmen von New Lanark hinaus zum Problem
einer gerechten Sozialordnung und einer neuen Umweltgestaltung zu äußern. Er befaßte
sich intensiv mit der ihm gestellten Aufgabe und faßte seine nun auch auf eine
räumliche Veränderungen ausgerichteten Überlegungen im »Report to the Committee ...
for the Relief of the Manufacturing and Labouring Poor« (März 1817) zusammen.[20] Im ersten Teil dieser Schrift konstatiert er die Ursachen der überall sichtbaren Mißstände. Dabei wird das Gesellschaftssystem des herrschenden Manchestertums, des skrupellosen
Laisser-faire-Systems scharf kritisiert. Der schrankenlose Wettbewerb erscheint ihm als

ein überaus fragwürdiges Regulativ des nationalen Wohlstandes. Er schlägt deshalb als Alternative dazu im zweiten Teil seines Berichts die Einrichtung von genossenschaftlich organisierten Gemeinwesen mit landwirtschaftlicher und manufaktureller Produktion vor. Sie sollen als geschlossene Einheiten existieren, sich jedoch auch untereinander kooperativ unterstützen. Der Bericht ist mit der perspektivischen Ansicht einer solchen Einheit illustriert; sie wird vieldeutig als »Agricultural and Manufacturing Village of Unity and Mutual Co-operation« bezeichnet.

Nach Ansicht Owens läßt sich das Los der Armen nur dann bessern, wenn zugleich die Voraussetzungen für eine gute Kindererziehung und für eine sinnvolle und befriedigende Arbeit der Erwachsenen geschaffen werden. Dieses Ziel ist aber nur in einer überschaubaren Bevölkerungseinheit und in einer neuen, der menschlichen Natur gemäßen Umgebung zu erreichen. Owen will sie auf etwa 1200 Personen beschränkt wissen, wobei aber jedes Alter und Geschlecht, jede Art und Befähigung vorhanden sein sollen. Zu ihrer räumlichen Fassung sind vierflüglige Hausanlagen vorgesehen, die in ihrem Innen-

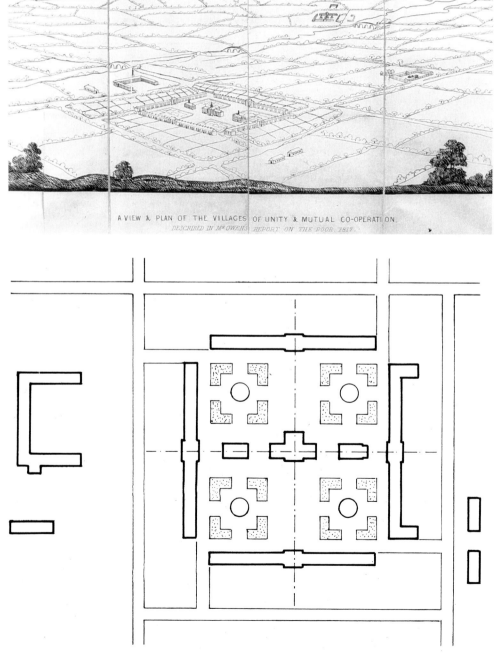

110. Agricultural and Manufacturing Village of Unity and Mutual Co-operation – Schaubild eines genossenschaftlichen Gemeinwesens.
(Robert Owen, *Report to the Committee ... for the Relief of the Manufacturing and Labouring Poor*, März 1817)
111. Rekonstruierte Lageplanskizze eines genossenschaftlichen Gemeinwesens.

hof alle notwendigen Gemeinschaftsbauten wie Zentralküche, Speiseraum, Schulbauten sowie Turn- und Spielplätze aufweisen. Die Flügelbauten selbst nehmen auf drei Seiten die Familienwohnungen mit vier Zimmern auf. Der vierte Flügel besteht aus Schlafräumen für die Kinder. In der näheren Umgebung des Gebäudekarrees liegen die Gärten und Obstpflanzungen, weiter draußen Fabriken, Gewerbebetriebe, Schlachthof und Waschanstalten. Noch weiter nach außen abgerückt, inmitten der Äcker und Viehweiden, befinden sich die Meiereien und Bauernhöfe. Die Vorzüge dieser lockeren räumlichen Anordnung liegen für Owen auf der Hand: In diesem überschaubaren Rahmen können die maschinellen Einrichtungen voll zur Befriedigung der menschlichen Bedürfnisse eingesetzt werden. Sie entlasten die Fabrik- und Landarbeiter von manueller Tätigkeit und verschaffen ihnen Freizeit und Wohlstand. Und da für alle Einwohner gleiche Rechte und Pflichten gelten, werden auch die Ursachen der menschlichen Uneinigkeit beseitigt sein. Auf einen längeren Zeitraum gesehen, mußte es unter diesen Lebensbedingungen bei einem entsprechenden Erziehungssystem seiner Meinung nach möglich sein, die Menschen von ihren schlechten Charaktereigenschaften zu befreien. Durch einen Kostenvoranschlag versuchte Owen nachzuweisen, daß eine Realisierung seines Planes finanziell keine unüberwindlichen Schwierigkeiten bot. Tatsächlich schienen die angegebenen Aufwendungen von 96000 Pfund Sterling für eine Siedlungseinheit nicht übermäßig hoch.

Die Reaktion der führenden politischen Kreise auf dieses Projekt war voraussehbar. Liberale, Malthusianer und Konservative sahen sofort, daß der Siedlungsplan sich nicht mit der Einrichtung von Armenkolonien begnügte, sondern daß er ein neues soziales und kommunitäres Gesellschaftssystem einzurichten versuchte, das alle bisher gültigen ökonomischen Prinzipien in Frage stellte. Mit dem Hinweis auf Unwirtschaftlichkeit, Zwang und totalitärer Tendenz taten sie den Plan kurzerhand ab. Owen ließ sich durch diese Argumente jedoch nicht irritieren. In mehreren Briefen an Londoner Zeitungen weitete er seinen Plan noch aus.[21] Im ersten Brief vom 25. Juli 1817 deutete er die Anwendungsmöglichkeit seiner Siedlungskonzeption auch im großen Rahmen an. Im zweiten Brief vom 7. August 1817 beschrieb er die Villages of Unity and Mutual Co-operation als Gegenposition zu den menschenunwürdigen Manufakturstädten. Er charakterisierte in einer Art von Schwarzweißmalerei die städtischen Konglomerate als Orte des Schmutzes und der Trostlosigkeit, wo jede Arbeiterfamilie auf sich allein gestellt wirtschaftet und kaum ihren kargen Lebensunterhalt bestreiten kann. Die geplanten Gemeinwesen hingegen sah er mit bequemen und zweckmäßigen Häusern ausgestattet. Sie würden im freien Raum und in frischer Luft stehen, und das genossenschaftliche Prinzip, nach dem sich in ihnen das Leben vollziehen sollte, würde jeder Familie den täglichen Lebensbedarf garantieren und sie überdies von den konjunkturellen Schwankungen unabhängig machen. Euphorisch nannte Owen seine Gemeinschaftsdörfer »the abode of abundance, active intelligence, correct conduct, and happiness« (Herbergen der Wohlfahrt, der tätigen Intelligenz, der Nächstenliebe und des Glücks). Im vierten Brief vom 6. September 1817 versuchte Owen seinen Plan zur »Emanzipation der Menschheit« für alle Gesellschaftsschichten annehmbar zu machen. Die soziale Umwandlung, die er forderte, sollte sich durchaus im Rahmen der bisherigen sozialen Gruppierung vollziehen. Während die Armen und besitzlosen Arbeiter keine Ansprüche geltend machen konnten und froh sein mußten, überhaupt eine Beschäftigung zu finden, sollte es den Handwerkern, Kaufleuten und Kapitalisten überlassen bleiben, sich in zwölf »voluntary and independent associations« (freiwilligen und unabhängigen Vereinigungen) zusammenzuschließen. Der wohlhabenden Klasse wurde sogar zugesichert, daß die ihr zustehende Bequemlichkeit sich nach dem eingebrachten Kapital richten sollte. Diese klassenbetonte Unterteilung motivierte Owen mit dem Hinweis, nur Menschen aus derselben Klasse und mit den gleichen religiösen und politischen Vorstellungen könnten zu einer homogenen Gesellschaftseinheit zusammengefaßt werden. In letzter Absicht mag er aber immer noch auf die tatkräftige Mitwirkung und Hilfe der bürgerlichen Kreise bei der gesellschaftlichen Erneuerung gehofft haben. Denn nur so erklären sich seine Zugeständnisse für die auffällig ungleiche Behandlung der einzelnen Gruppen. Da die Reaktion auf diese Briefe aber ebensowenig zu Initiativen führte wie bei dem zuvor veröffentlichen Bericht, blieb Owen nichts anderes übrig, als seinen Plan neu zu durchdenken und ihn wieder der Öffentlichkeit zu unterbreiten. Der Auftrag, Vorschläge für die soziale und wirtschaftliche Strukturverbesserung der schottischen Grafschaft Lanark auszuarbeiten, gab ihm Gelegenheit dazu.[22] Im »Report to the County of Lanark« (1820) findet sich kein Rückgriff mehr auf eine klassenmäßige Unterteilung. Als Ausgangspunkt diente Owen jetzt die

Wertlehre Ricardos. Auf ihr fußend kam er zu dem Ergebnis, daß der natürliche Wertmaßstab im Prozeß der Produktion und Güterverteilung nicht das gebräuchliche Papier- und Münzgeld sein kann, sondern nur die »menschliche Arbeit oder die in Aktion gesetzte körperliche und geistige Kraft des Menschen«.[23] Natürlich liegt es im Interesse aller Menschen, die größtmögliche Summe wirklicher Werte mit dem geringsten Kräfteaufwand in rationeller Weise zu produzieren. Wie aber soll das geschehen? Für Owen bietet sich die optimale Anwendung des neuerkannten Arbeitswertmaßstabes im Rahmen der schon im »Report on the Poor« vorgeschlagenen kooperativen Siedlungen an. In Gemeinschaften mit 600 bis 1200 Mitgliedern könnte das Leben am ehesten nach dem Wert der geleisteten Arbeit ausgerichtet werden. Denn das gemeinsame Tun, der gemeinschaftliche Besitz der Güter, der gleiche Anteil an Pflichten und Rechten und die Ausgabendeckung durch die Gesamtheit schaffen die notwendigen Voraussetzungen. Die Bevölkerung wird in diesem Mikrokosmos gleichermaßen teilnehmen an der Landwirtschaft, der Gärtnerei, am Handwerk und an der Fabrikation. Sie bedarf nicht mehr der Arbeitsteilung des Fabriksystems und fühlt sich deshalb auch nicht mehr als Einzelteil in einem unbegreiflichen Ganzen. Im übrigen gewährleistet eine Anbaufläche von 600 bis 1800 Morgen Land jederzeit eine ausreichende Güterproduktion. Die Kooperation ermöglicht es sogar, über den Einzelbedarf hinaus zu produzieren und die überschüssigen Produkte unter den Gemeinschaften auszutauschen. Die damit gewährleistete restlose Befriedigung der Bedürfnisse läßt den Wunsch nach individuellem Reichtum oder nach Privateigentum erst gar nicht aufkommen. So erübrigt sich auch die bisher übliche Unterteilung in verschiedene Klassen. Die einzigen Unterscheidungsmerkmale in diesen Gemeinschaften bilden noch das Alter und die im Laufe des Lebens gesammelten Erfahrungen, also Kriterien, nach denen sich gerechterweise die Arbeitsanteile zumessen lassen. In einem dergestalt vorgenommenen Ausgleich aller Interessen geht letzten Endes, daran zweifelt Owen nicht, der Eigennutz des einzelnen im Gemeinnutz der Gesamtheit auf. Die räumliche Ordnung stellte sich Owen so vor, daß die einzelnen Siedlungen mit dem notwendigen Umland (etwa 243 bis 728 Hektar) versehen sind und sich einfach aneinanderfügen. Bei den Bauten selbst ist alles darauf abgestellt, das Leben nicht mehr nach den individuellen Interessen, sondern sowohl in der Arbeit wie auch in der Verköstigung und der Erziehung nach den Prinzipien der Vereinigung und des gegenseitigen Beistandes (»principle of union and mutual co-operation«) auszurichten. In ihrer überschaubaren Größe und in ihrem Verbindungssystem untereinander werden sie alle Vorteile zu bieten vermögen, die das städtische und ländliche Wohnen auszeichnen, ohne jedoch deren Nachteile aufzuweisen.

Wie man sieht, haben sich in dieser neuen Vision die Dörfer des »Report on the Poor« von 1817 zu selbständigen Siedlungsassoziationen weiterentwickelt, in denen eine vollkommene Bedürfnisbefriedigung dem Menschen auch im industriellen Zeitalter ein glückliches Leben ermöglicht.

Indes ist auch die räumliche Lösung, die Owen hier bietet, nicht neuartig. Wenn er die bereits erwähnte, 1798 in dritter Auflage erschienene Abhandlung von Godwin genau studiert hat, war ihm dessen Forderung nach kleinen autonomen Gemeinwesen nicht unbekannt.[24] Zum Thema der Armenfürsorge gab es überdies noch die Vorschläge von John Bellers und Jeremy Bentham, mit denen sich Owen intensiv auseinandergesetzt hat.[25] Freilich beachtete er bei diesen Anregungen gewisse Grenzen. Der extreme Individualismus Godwins, bei dem die persönliche Freiheit des einzelnen eine Kooperation im Gesamten ausschließt, war für ihn undenkbar. Ebensowenig vermochte er Benthams Popularphilosophie zu billigen, die auf dem Ansatz basiert, die größtmögliche Freiheit des einzelnen, seine egoistischen Zwecke zu verfolgen, ergäbe auch das höchste Maß an Glück für die Gesamtheit. Owen bediente sich dieser Theorien nur insoweit, als sie seinem übergeordneten Ziel eines sozialen Ausgleichs entgegenkamen. Dies schien ihm bei einem Erziehungssystem zur Charakterbildung, bei einem Wertmaßstab der Arbeit und bei einer Kooperation in sozial überschaubaren Siedlungseinheiten gewährleistet zu sein. An der Überlegenheit dieser eigenen Kombinationen gegenüber allen alten Einrichtungen bestand für ihn schon längst nicht mehr der geringste Zweifel. Nur galt es dafür noch vor aller Welt den Beweis zu führen.

Bei dem Sozialexperiment von New Lanark hatte Owen weder die bauliche Ausgestaltung der Umgebung noch das Produktionssystem frei wählen können. Durch seine Eingriffe gelang es ihm lediglich, unter den gegebenen Umständen halbwegs humane Lebensbedingungen zu schaffen. Nach den inzwischen gewonnenen sozialtheoretischen Erkenntnissen lag ihm aber viel daran, die Anwendbarkeit und Effizienz des neuen Systems in dem von ihm selbst bestimmbaren Rahmen einer eigenständigen und selbstgenügsamen Gemeinschaft zu demonstrieren.

Die Gelegenheit dazu ergab sich, als ihm der Amerikaner Richard Flower im August 1824 das Areal der Rappistengemeinde Harmony in Indiana/USA zum Kauf antrug.[26] Owens eigene Recherchen an Ort und Stelle ergaben, daß Lage und Einrichtungen für das beabsichtigte Siedlungsexperiment geeignet erschienen. Das Dorf war schachbrettartig in regelmäßigen Vierecken angelegt und umfaßte 35 Backsteinhäuser, 45 Gebäude aus Holzfachwerk und 100 Blockhütten. Während die Wohngebäude für städtische Lebensan-

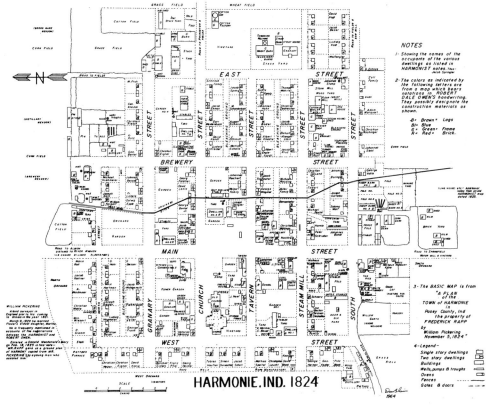

112. New Harmony/Indiana, nach einem alten Gemälde zur Zeit des Siedlungsexperiments. (G.B. Lockwood, *The New Harmony Communities*, Marion/Ind. 1902)
113. Die Rappistengemeinde, Harmony/Indiana, 1824. Lageplan. (Don Blair, *The New Harmony Story*, New Harmony, Ind. o.J.)

sprüche unbequem sein mochten, erwiesen sich das Rappsche Haus, der Saalbau, Läden und Manufakturen, die Internatsschule und mehrere Pensionen als weiträumig und gut ausgestattet. Die Rappisten hatten sogar in einem großen Gebäude eine Fabrik eingerichtet und in einem anderen Bau Maschinen zur Wollverarbeitung aufgestellt, die eine Dampfmaschine antrieb. Die vorhandene Weberei, Färberei und Schneiderei wiesen Kapazitäten auf, die weit über die Bedürfnisse der Ortsbewohner hinausgingen. Eine große Brauerei, ein Lohehof, eine Kerzen- und Seifenfabrik sowie weitere Handwerksbetriebe vervollständigten die Ausstattung.[27] Dieses etwa 8000 Hektar große Anwesen ging samt Zubehör durch Vertrag vom 3. Januar 1825 zu einem Kaufpreis von 135000 Dollar in das Eigentum Owens über. Noch im Frühjahr des gleichen Jahres begann der englische Sozialreformer durch Vorträge in amerikanischen Städten seine Ansichten über eine neue Gesellschaftsordnung und deren Baulichkeiten darzulegen. Er zeigte dabei sorgfältig ausgearbeitete Baupläne und Modelle der »new communities«. Vor seinen Zuhörern bezeichnete er die USA als besonders geeignet dafür, mittels neuer, sozial ausgeglichener Gemeinden ein Reich des Friedens und der Menschenliebe einzurichten.[28]

Noch während seiner Vortragsreise forderte er die »Fleißigen und Wohlgesinnten aller Völker« auf, nach New Harmony, wie er die von ihm erworbene Ortschaft nannte, zu kommen, um dort ein neues Leben zu beginnen.[29] Dieser öffentliche Aufruf verfehlte seine Wirkung nicht. Als er am 13. April 1825 dort eintraf, hatte sich bereits eine große Zahl erwartungsvoller Menschen eingefunden. Er selbst brachte eine Gruppe von Wissenschaftlern mit, die an diesem Ort eine neue pädagogische Provinz gründen wollten. Zu ihr gehörten der bekannte Geologe William Maclure, den Owen schon 1824 in New Lanark kennengelernt hatte, und die Pestalozzi-Anhänger Charles Alexander Lesueur, Constantin Samuel Rafinesque, Joseph Neef, Marie D. Fretageot und andere. Unter den Anwesenden befanden sich aber auch zwielichtige Existenzen, die das in Aussicht gestellte Experiment in ihrem Sinne zu nutzen trachteten.

Owen selbst hatte für das Zusammenleben und für den Produktionsablauf in der Siedlungsgemeinschaft kaum Vorbereitungen getroffen. Er war sich offenbar gar nicht bewußt, daß bei der praktischen Erprobung seines Systems nun alles darauf ankam, die ideal klingenden Programmpunkte der Kooperation, des Gemeinbesitzes und der Klassenlosigkeit, der gegenseitigen Achtung und Duldung in die Wirklichkeit des täglichen Lebens zu übertragen. Auch hatte er versäumt, Kriterien für die Auswahl der Mitglieder aufzustellen und seine Eigentumsrechte als Kapitalgeber für alle Beteiligten klar genug zu fixieren.

Der Enthusiasmus und Optimismus, der aus seiner Eröffnungsrede vom 27. April 1825 in der Hall of New Harmony, der alten Rappistenkirche, herausklang, überbrückte vorerst jedoch alle Schwierigkeiten. »I am come to this country to introduce an entire new state of society; to change it from the ignorant, selfish system to an enlightened social system, which shall gradually unite all interests into one, and remove all causes for contest between individuals ...«[30] Fürs erste betonte Owen noch die Übergangssituation. Er bezeichnete die beabsichtigte Systemveränderung einschränkend als »halfway house between the old and the new«. Er ließ zugleich aber keinen Zweifel daran, daß nach einigen Jahren der Erprobung und des Sichkennenlernens der Übergang zur egalitären Gesellschaft vollzogen werden sollte. Unter diesem Aspekt wollte er auch in der Anfangsphase keine Ungleichheit geduldet wissen und nur Alter und Erfahrung als Kriterien gelten lassen.

In diesem Sinne war eine Art von Verfassung – The Constitution of the Preliminary Society – ausgearbeitet worden, die Owen zum Abschluß seiner Rede verlas.[31] Sie wurde in einer Abstimmung angenommen und trat ab 1. Mai in Kraft. Ohne weitere Auswahl nahm Owen daraufhin etwa 800 Personen in die Präliminargesellschaft auf. Er selbst bot sich an, deren Leitung für ein Jahr auszuüben. Anstatt sich aber nun um die Produktionsaufnahme in den verschiedenen Werkstätten zu kümmern, reiste er schon fünf Wochen später aus geschäftlichen Gründen wieder nach England zurück. Nach kurzer Zeit stellte sich heraus, daß unter den Einwohnern nur wenige so viel handwerkliche Fähigkeiten besaßen, um wenigstens den Eigenbedarf der Dorfgemeinschaft zu decken. Zu diesen ersten internen Schwierigkeiten kamen noch Angriffe von außen hinzu. Orthodoxe religiöse Kreise opponierten heftig gegen die von Owen in seinen Veröffentlichungen vertretene Verneinung der Sünde und der menschlichen Verderbtheit. Obwohl dieser der Kampagne kaum Bedeutung beimaß, schadete sie dem Siedlungsunternehmen mehr als ihm lieb sein konnte: Er galt als Häretiker, und diese Klassifizierung war seinem Ruf als Sozialreformer abträglich.

114. Lageplan einer für New Harmony geplanten »new community«.

115. Perspektive einer »new community«. Gezeichnet von Stedman Whitwell. (John W. Reps, *The Making of Urban America*, Princeton, New Jersey, 1965)

Die Geschäftsleitung unter Owens Sohn William hatte große Mühe, wenigstens die Bestellung der Felder und die Produktion in einigen Gewerbebetrieben in Gang zu bringen. Jedoch verbrauchte die Präliminargesellschaft weit mehr, als sie zu produzieren imstande war. Nur das in der Ortsverfassung garantierte und durch Owens Einlagen gedeckte Kreditsystem ermöglichte die Existenz des neuen Gemeinwesens.

In sozialer Hinsicht zeigten sich anfangs durchaus positive Ergebnisse. Rasch hatte sich eine besondere Lebensatmosphäre herausgebildet. Die ideelle und religiöse Freiheit, die pädagogische Aktivität, die existentielle Sicherheit und der soziale Ausgleich hoben New Harmony klar von den sonstigen kargen Pioniersiedlungen des mittleren Westens ab. Es schien so, als ob es dem liberalen Komitee bereits gelungen sei, den aus allen Richtungen hergekommenen Menschen jenen Gemeinschaftssinn zu vermitteln, den der Initiator des Experiments als das tragende Element seines neuen sozialen Ortes betrachtete.

Als Owen im Januar 1826 wieder zurückkehrte, brachte er zwar nicht die dringend benötigten Facharbeiter oder neu durchdachte Aktionspläne mit, dafür aber neue Baupläne und ein großes Modell für die »new communities«.[32] Einige Zeitungen stellten diesen Beitrag publizistisch besonders heraus, und schon war die Rede davon, das Baumodell in nächster Zeit unter Anleitung der aus England mitgebrachten Architekten Stedman Whitwell und Donald Macdonald auf der Hochfläche über dem Wabash in drei Meilen Distanz von der ehemaligen Rappisten-Niederlassung zu verwirklichen. Durch seinen Vorschlag, die Präliminargesellschaft ohne weiteres Abwarten in eine »Community of Equality« zu überführen, verstärkte Owen noch die Hochstimmung. Eine neue egalitäre Verfassung, die auf der Gleichheit der Rechte und Pflichten, dem Gemeinbesitz und der kooperativen Vereinigung aller Mitglieder basierte, wurde schon am 5. Februar 1826 einmütig angenommen,[33] obwohl in organisatorischer Hinsicht die Meinungen weit auseinandergingen.

Wohl als Kompromiß wählte man die Unterteilung in die sechs Departments Landwirtschaft, Manufaktur und Fabrikation, Literatur, Wissenschaft und Erziehung, Hauswirtschaft, allgemeine Wirtschaft und Handel. Diese Einrichtungen bestimmten ihre Vorsteher selbst. Das Recht, innerhalb der Gemeinschaft Vorschriften zu erlassen, stand jedoch allein der Versammlung zu, und als Exekutive, die deren Befolgung überwachte, fungierte ein Rat. Trotz dieser konstitutionellen Regelung blieben noch viele Punkte offen, wie etwa die Eigentumsrechte Owens an Liegenschaften und Zubehör, die Arbeitslohnanteile des einzelnen, die Verteilung des Gesamtgewinns usw. Nach 14 Tagen stellte sich bereits heraus, daß das gewählte System der Selbstverwaltung nicht funktionsfähig war. Einerseits waren die Einwohner New Harmonys in der Kooperation völlig ungeübt, anderer-

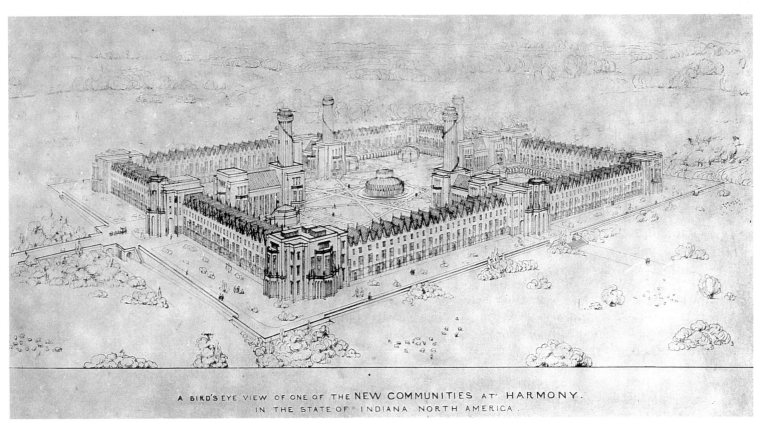

A BIRD'S EYE VIEW OF ONE OF THE NEW COMMUNITIES AT HARMONY. IN THE STATE OF INDIANA NORTH AMERICA.

seits standen sie dem Sozialexperiment teilweise gleichgültig gegenüber und dachten nicht daran, ihr Arbeitspensum zu erfüllen. Zudem verunglimpften die mit manueller Arbeit Beschäftigten die im Schul-Department tätigen Erzieher und Wissenschaftler, die sogenannten »Literati«. Unruhe, Mißgunst und Zweifel an der verfassungsmäßig garantierten Gleichheit waren die Folge. Eine Minderheit, die sich an Owens religiöser Libertät stieß, weigerte sich sogar, die Verfassung zu unterzeichnen und in die Permanentgesellschaft einzutreten. Diese Dissidenten bildeten ab 15. Februar eine eigene Gemeinschaft, die man, um den Bruch nicht publik zu machen, als Community No. II bezeichnete. Tatsächlich setzte sich aber die Bezeichnung Macluria durch.

Wenig später schlossen sich enttäuschte englische Farmer ebenfalls zu einer neuen Gemeinde zusammen, die sich den Namen Feiba-Peveli zulegte. Owen widersetzte sich diesen Absonderungen zuerst nicht. Er sah darin Tochtergründungen der Hauptsiedlung und trat deshalb an Feiba-Peveli sogar 566 Hektar beste Anbaufläche ab. Als aber schließlich seine eigenen Söhne Dale und William sich in einer Community IV absondern wollten, wurde ihm endlich die Gefahr einer völligen Auflösung bewußt. Er reagierte nun mit dem Versuch, die ökonomischen und finanziellen Verhältnisse klar zu regeln. Für den Fall, daß das Unternehmen Bestand hatte, wollte er einen Teil seines Grundbesitzes gegen Bezahlung an die Gemeinschaft abgeben. Schlug es fehl, so sollte alles an ihn zurückgehen. Macluria und Feiba-Peveli stimmten diesen Bedingungen ohne weiteres zu, New Harmony, das den weitaus größten Kaufpreis zu entrichten gehabt hätte, jedoch nicht. Kurz entschlossen wählte Owen deshalb 24 Personen aus, die seine Forderungen unterstützten, und aus ihnen bildete er den »Nukleus« der Permanentgesellschaft. Auf die Dauer fand New Harmony jedoch auch dadurch nicht die notwendige soziale Stabilisierung. Nach wie vor war das Problem der Arbeitsorganisaton und -teilung ungelöst. Es ging nicht an, die Bewohner nach dem Zeitmaß der körperlichen Arbeit einzustufen, zumal auf diese Weise die intellektuellen Beiträge des Lehrpersonals immer disqualifiziert wurden.

Auf Betreiben Maclures kam es zu einer Neugruppierung nach den wichtigsten Tätigkeiten in eine Schul-, Landwirtschafts- und Gewerbegesellschaft. Während dieser sich so ein freies Betätigungsfeld für seine pädagogischen Ambitionen schuf, blieb es Owen nun überlassen, mit Leuten, die weder willens noch geeignet waren, die wirtschaftliche Existenz des Gesamtunternehmens zu sichern. Als unausweichliche Folgen dieser neuen Gliederung brachen Streitigkeiten zwischen den einzelnen Gesellschaften aus. Die bei manchen wahrnehmbaren Absichten, sogar die eigenen Mitbewohner zu übervorteilen, zerstörten den letzten Rest von Zusammenhalt.[34] Im September 1826 versuchte Owen, durch die Auflösung der Gesellschaften (ausgenommen der »School or Education Society«) und durch eine Straffung der Geschäftsleitung dem sich abzeichnenden Chaos Einhalt zu gebieten. Aber alle Rettungsversuche blieben vergeblich. Maclure fiel gänzlich ab und ließ sich zu einer häßlichen Polemik gegen Owen hinreißen. Auch die letzte Hoffnung, den Fortbestand von der Dezentralisation zu erwarten und eine größere Anzahl von unabhängigen Kommunitäten in der Umgebung anzusiedeln, hatte sich somit als Illusion erwiesen.

Als die Situation für das Ganze unhaltbar geworden war, verabschiedete sich Owen am 26. Mai 1827 mit einer Ansprache.[35] In ihr machte er den raschen, eigentlich gegen seine Absicht erfolgten Übergang zur Permanentgesellschaft dafür verantwortlich, daß sich keine tragfähige Gemeinschaft in New Harmony hatte bilden können. Er glaubte aber immer noch daran, mit den verbliebenen Einrichtungen den Grund für ein neues soziales System gelegt zu haben. Und noch einmal bot er allen kooperationswilligen Familien seinen Boden für ein Wirken in seinem Sinne an. Wie sehr er sich auch bei dieser Einschätzung der Umstände wieder geirrt hatte, erwies sich, als er etwa ein Jahr später nach seinem Besitztum sah. Die verpachteten Güter waren unmittelbar nach seiner Abreise in die Hände von Privatleuten und Spekulanten gelangt, und die einstigen Kommunitäten existierten längst nicht mehr. So endigte für ihn dieses Unternehmen mit einem finanziellen Verlust von 200 000 Dollar und mit der Erkenntnis, daß sein neues Sozialsystem offenbar ein zu hohes Maß an Altruismus vorausgesetzt hatte.

Die Frage, welche Rolle die Architektur bei diesem Experiment hätte spielen können, blieb allerdings unbeantwortet. Weder die Mittel noch die Zeit hatten ausgereicht, um jene Pläne, der Siedlung auch eine den sozialen Absichten adäquate bauliche Fassung zu geben, zu verwirklichen. Nach allem, was geschehen war, konnte aber angenommen werden, daß auch die beabsichtigten Idealbauten nicht die integrative Kraft entwickelt hätten, um den Einwohnern den für die »Community of Equality« erforderlichen Geist der Selbstlosigkeit und Kooperationsbereitschaft zu geben. Trotz diesem enttäuschenden Ausgang des philanthropisch gedachten Unternehmens darf Owens Wirken in den USA nicht als völlig vergeblich angesehen werden. Immerhin hatte er die Idee der kommunitären Siedlung publik gemacht und den Weg für nachfolgende Experimente geebnet.[36]

4.2.4. Die Innenkolonisation als Ausweg

Wie Owens Publikationen, Reports und Sozialexperimente zeigen, liegt seiner Vorstellung ganz allgemein die Annahme zugrunde, daß die menschlichen Charaktereigenschaften sowohl durch pädagogische Anstrengungen als auch durch Milieuverbesserungen positiv beeinflußt werden könnten. Unter diesen Voraussetzungen steigerten sich seine Ansprüche an einen sozialen Ausgleich zusehends, wobei einzelne Entwicklungsstufen zu erkennen sind.

Ein erster Ausbruch aus den temporären Umweltverhältnissen einer Fabrikationsstätte des Frühkapitalismus gelang bei der ortsbezogenen Umformung des New Lanark Environment. Dieser sicht- und meßbare Erfolg ermutigte den Reformer zu seinem ungewöhnlichen Lösungsvorschlag für die soziale Integration der arbeits- und besitzlosen Armen. Die von ihm vertretene Idee der autonomen Gemeinschaft und des Gemeineigentums nahm man zu jener Zeit in dem für die Sozialkritik relevanten Rahmen als Diskussionsbeitrag gerade noch hin. Als er aber noch einen Schritt weiter ging und sein System der Villages of Unity als eine praktikable Lösung für eine neue Sozialordnung und Stadtbaukonzeption darstellte, überschritt er bereits die Grenzlinie der für seine Zeitgenossen möglichen Vorstellungswelt. Verfänglicherweise legte Owen seinem Projekt – ob aus taktischen Gründen sei dahingestellt – immer noch eine klassenbedingte Schichtung zugrunde. Sie sollte erst dann aufgegeben werden, wenn die Arbeiterklasse sich durch Fleiß und Charakterbildung auf einen höheren Status vorbereitet hatte. Doch rückten die unausgeglichenen Verhältnisse im Umfang der Gesellschaftsklassen und in ihrem Besitzstand bald den Gedanken der Gleichheit und der Gütergemeinschaft stärker in den Vordergrund. Diesen Idealen hoffte Owen am ehesten in der baulichen Fassung und in der sozialen Verklammerung der kommunitären Siedlung gerecht zu werden. Die ausgeglichene Kombination von Industrie und Landwirtschaft, die Kooperation der Gesellschaftsmitglieder, die Beschränkung auf überschaubare, in lockerem Verband assoziierte Siedlungsgemeinschaften, die Zusammenfassung in geschlossenen Gebäudekarrees, das alles schien ihm jenen großen ökonomischen Überschuß zu garantieren, mit dem nicht nur die Versorgung jedes einzelnen gesichert, sondern auch noch Vorratswirtschaft und gegenseitiger Güteraustausch ermöglicht werden konnten. Die auf diese Art erreichte Befriedigung aller Bedürfnisse machte seiner Meinung nach den bisher wirksamen Drang nach individuellem Reichtum und Besitz gegenstandslos. Freilich ließ diese Annahme, kritisch betrachtet, alle ökonomischen Erfahrungen und psychologischen Beobachtungen des menschlichen Konsumverhaltens außer acht. Was Assoziation und bauliche Konzentration tatsächlich bewirken konnten, blieb offen. Sicher war jedoch, daß das hauptsächlich auf der Landwirtschaft basierende Produktionssystem auf eine primitivere Wirtschaftsstufe zurückführte, als der frühe Industrialismus bereits erreicht hatte. So klammerte Owen die wirklichen ökonomischen Probleme der Zeit aus, wie etwa die Abstimmung von Produktion und Konsum oder den Ausgleich von Angebot und Nachfrage. Nicht weniger problematisch war die von Godwin übernommene politische und gesellschaftliche Autonomie der Kommunitäreinheiten. Diese mußte mit einer kulturellen Isolierung und einer Einschränkung in der Lebenshaltung verbunden sein, für die die Vorteile einer geschlossenen Kleingesellschaft keinen adäquaten Ersatz boten. Ein Lichtblick indes mochte die klare Vorstellung der baulichen Anordnung sein. Jeder Bewohner der Villages of Unity hatte ein Anrecht auf eine menschenwürdige Wohnung, und wenn sie sich auch nicht in der bisher üblichen Abgeschlossenheit darbot, so hob sie sich auf alle Fälle von den bekannten Slums deutlich ab.

Eine höhere Stufe der sozialen Integration bahnte sich bei dem Experiment von New Harmony an. Owen hatte inzwischen unter dem Einfluß so radikaler Sozialtheoretiker wie Thomas Hodgskin, John Gray und William Thompson die konservative Klassifizierung der Gesellschaft überwunden. Als Idealmodell erschien ihm nun eine Kommunität auf kooperativer und egalitärer Basis. Bei der praktischen Erprobung wurde er jedoch schwer enttäuscht. Denn in New Harmony fehlte es sowohl an der Zusammenarbeit wie auch an Fleiß und Sparsamkeit, schließlich auch an der gegenseitigen Achtung und an der sozialen Einsicht der Teilnehmer. Und Owens Hoffnung, das fehlende soziale Selbstverständnis durch eine kommunitäre Propädeutik zu erwecken, endete ebenfalls mit einer Enttäuschung. So blieb am Schluß nur die Erkenntnis, daß bei den Menschen noch lange nicht der für die vollkommene Gleichstellung erforderliche charakterliche und soziale Reifegrad erreicht war. Trotzdem konnten auch die großen materiellen Verluste, die mit New Harmony verbunden waren, den Philanthropen Owen nicht dazu veranlassen, seine Grundthesen aufzugeben. Er vertraute weiterhin auf eine geduldige Erziehungsarbeit und hoffte, auf diesem Wege die unbefriedigenden gesellschaftlichen Zustände zu verändern.[37]

So begann ab etwa 1832 eine dritte Phase oder Stufe seines Wirkens, in der er um die Formulierung einer »Science of Society« rang. Das inzwischen ebenfalls mißglückte Experiment von Queenswood in England machte ihn vorsichtiger und abwägender als zuvor. Die sozialrevolutionäre Idee der Kommunität reduzierte sich nun zum harmlosen Vorschlag der »Home Colonisation« – Innenkolonisation –, bei der, zur Entschärfung der Situation, die verschiedenen Gesellschaftsklassen wieder in Erscheinung traten.[38] Notgedrungen orientierte sich Owen bei seinem »rationalen System der Gesellschaft« stärker an der Realität. Er selbst jedoch wünschte sich, darüber können alle Modifikationen seiner Gesellschaftstheorie nicht hinwegtäuschen, nach wie vor die Aufhebung der sozialen Antagonismen. Denn niemand konnte ihm den festen Glauben an die Utopie des säkularen Millenniums nehmen.

Natürlich war bei Owen das Problem der Umweltgestaltung auf keiner Entwicklungsstufe von den eben skizzierten sozialen Ansätzen zu trennen. Der Ausgangspunkt der sensualistischen Charakterdetermination verwies ihn immer wieder auf die Einwirkungen des Environments. Wenn in der Tat, wie New Lanark zu beweisen schien, die bloße Umgebung den Charakter des Menschen zu verbessern vermochte, so mußten die Arbeiter aus der stumpfsinnigen Welt der verrußten Fabrikbezirke herausgelöst werden. Um hier einen Weg zu weisen, redete Owen nicht etwa schrittweisen und bescheidenen Verbesserungen in der Stadthygiene oder im Arbeiterwohnungsbau das Wort, wie es die konservativen Sozialreformer taten. Er stellte vielmehr antithetisch den häßlichen Industriestädten die genossenschaftlich organisierten autonomen Gemeinden gegenüber und zeigte so, in planerischer Hinsicht, der zeitgenössischen Städtebaupraxis des Laisser-faire eine kompromißlose Alternative auf. Zur Verdeutlichung bediente er sich großformatiger Modelle und Perspektiven. Man ersieht aus ihnen, daß die Vorstellung der Einheit und Kooperation zu einer zusammengefaßten Bauform führte. Sie war offensichtlich von den »manor houses« (Landsitze) und »squares« des englischen Bereichs beeinflußt. Es ist aber bezeichnend, daß diese herkömmlichen Architekturvorstellungen in keinem Falle verwirklicht wurden. Weder in New Harmony noch bei den anderen Versuchen schenkte man dem architektonischen Rahmen jene Aufmerksamkeit, die dieser von den theoretischen Voraussetzungen her hätte beanspruchen müssen. Man behalf sich einfach mit den vorhandenen und für das Experiment beziehungslosen Baulichkeiten. Unter diesen Umständen konnte auch nie in Erfahrung gebracht werden, ob die publizierte architektonische Fassung der autonomen Gemeinden sich als eine der gesellschaftlichen Erneuerung adäquate Bauform erwiesen hätte.

Trotz dieser offensichtlichen Ergebnislosigkeit in städtebaulicher Hinsicht darf Owens Beitrag nicht als wirkungslos gelten. Auf den verschiedenen Vorstellungsebenen seines Kommunitärsystems sind wichtige urbanistische Einsichten vorhanden: Eine gesellschaftliche Neuordnung oder Umorientierung zur Herstellung einer größeren sozialen Gerechtigkeit muß auch eine städtebauliche Umstrukturierung involvieren, damit die Ansprüche auf gleiche Lebens- und Umweltbedingungen befriedigt werden können.

Erkenntnisse dieser Art haben überhaupt erst die allmähliche Humanisierung des urbanen Bereichs im Verlauf des Industriezeitalters ermöglicht. Wenn V.A. Huber nach 1848 die soziale Frage in Deutschland als eine sittliche Aufgabe begriff, die mit der genossenschaftlich organisierten Innenkolonisation gelöst werden sollte, dann wird ersichtlich, welche unmittelbare Ausstrahlung selbst die abgeschwächte Fassung der Owenschen Kommunitätstheorie besaß. Und zweifellos ist auch der Bau der Arbeiterkolonien von Saltaire, Bournville und Port Sunlight ab 1850 von Owens Überlegungen inspiriert worden (siehe Kapitel 6.1). Auch bei dem späteren Versuch, Stadt und Land in Form der Garden City zu vereinigen, sind Owens kommunitäre Pläne wieder aufgenommen und in zeitlicher Anpassung abgewandelt worden. Und eben in dieser Rolle einer moralischen Stimulanz zur Ordnung im gesellschaftlichen und baulichen Bereich hat man Owens unmeßbaren, aber wertvollen Beitrag zur Evolution des Urbanismus zu sehen.

116. Charles Fourier (1772–1837).

## 4.3. Charles Fourier – die Utopie der Phalansterien

### 4.3.1. Die grundlegenden Ansätze: Kritik – Assoziation – Attraktion

Etwa zu derselben Zeit, als Robert Owen in New Lanark seine ersten sozialpädagogischen Erfahrungen sammelte und Saint-Simon zur Bewältigung der von der Industrialisierung aufgeworfenen sozialen Probleme die universelle Assoziation verkündete, entwickelte François Marie Charles Fourier (1772–1837) in Frankreich eine Assoziationstheorie, die wiederum die bauliche Gestaltung der Orte des menschlichen Zusammenlebens in die ökonomischen und sozialen Erneuerungsvorschläge mit einbezog.[39]
Obwohl die Interessen Fouriers in seiner Jugend der Musik, Geographie und Botanik galten, war er gezwungen, sich nach dem frühen Tod seines Vaters einer kaufmännischen Lehre in Lyon zu unterziehen. Später verdiente er als Handelsgehilfe in diesem Ort seinen Lebensunterhalt. Dabei lernte er jene schwerwiegenden sozialen Probleme kennen, die ein frühindustrielles Zentrum wie Lyon hervorbrachte. Immer wieder führten Stockungen im Warenabsatz und Konkurrenzkämpfe der Unternehmer zu Lohnkämpfen und Aufständen und zu einer auf die Dauer gesehen sozialpolitisch unhaltbaren Situation.
Persönliche Erfahrungen und Beobachtungen schulten Fouriers Intellekt immer mehr, und schon bald gelang ihm eine klare Analyse der bestehenden Gesellschaftsverhältnisse. 1797 wandte er sich erstmals mit Organisationsvorschlägen an das Direktorium. 1803 veröffentlichte er »Harmonie universelle«, seinen ersten Artikel, in dem er bereits sein zukünftiges System beim Namen nannte.[40] Und in »Lyon ville bourbeuse« entdeckte er bald danach die »attraction passionnelle«, das Gesetz der Anziehungskraft der Leidenschaften bzw. der Triebe, das er zum Angelpunkt seiner weiteren Überlegungen machte. Die erste Fassung seiner neuartigen Sozialtheorie entwickelte Fourier in der 1808 auf seine Kosten gedruckten Schrift *Théorie des quatre mouvements et des destinées générales.*[41]
Beobachtungen bei der landwirtschaftlichen Assoziation machten Fourier auf die verschiedenen Aspekte einer genossenschaftlichen Vereinigung aufmerksam. Dort fiel zum einen der ökonomische Effekt des Zusammenschlusses ins Auge. Zum anderen konnte die organisierte Genossenschaft den Menschen all das vermitteln, wonach sie sich in ihrem Verlangen nach Glück von alters her so leidenschaftlich sehnten: dem Reiz des Genusses und des Reichtums. Die »passions« (Leidenschaften), diese Ziele zu erreichen, lösen bei den Menschen eine Attraktion, eine Anziehung aus, die mit der »destinée sociale« (gesellschaftliche Bestimmung), diese zu befriedigen, in Einklang steht. Fourier drückt das in der Formel aus: »Les attractions sont proportionnelles aux destinées.« Um zur Vollendung, zur Harmonie zu führen, muß sich die Attraktion nach einer bestimmten Reihenfolge vollziehen. Die Menschen werden deshalb, das ist der Kernsatz des von Fourier neu entdeckten Attraktionsgesetzes, durch ihre Triebe – »passions« – nach den stufenweise sich entwickelnden Serien (»séries progressives«) zu einer neuen sozietären Gesellschaftsordnung, zur universellen Harmonie zusammengeführt. Bei dieser Assoziation ist weder Egalität noch Moderation erwünscht; je mehr Luxus und Raffinement die Triebe hervorbringen, je lebhafter und zahlreicher sie sind, um so besser stimmen sie zusammen.[42]
Im einzelnen unterscheidet Fourier drei Hauptrichtungen: die sensitiven Triebe, die sich in den fünf Sinnen äußern und auf Gesundheit und im Luxus auf Schönheit und Reichtum abzielen; die affektiven Triebe, bekannt als Freundschaft, Liebe, Familiensinn und Ehrgeiz, die die Menschen in den kleineren Gesellschaftskörpern der Gruppen zusammenhalten; und schließlich noch die distributiven Triebe, die mit »cabaliste« (aus der Einheit ausbrechend), »papillonne« (auf Abwechslung gerichtet) und »composite« (zur Einheit, zur Vollendung drängend) umschrieben werden und mit ihrer vereinten Kraft die Serien hervorbringen. Indem jeder dieser Triebe seine volle Befriedigung findet, ist der »Unitéisme«, die innere und äußere Harmonie des Menschen, erreicht.[43]
Natürlich lassen sich gegen diese Trieblehre, wie Lorenz von Stein bereits 1849 dargelegt hat, schon im Grundansatz gewichtige Einwände vorbringen.[44] Fourier geht von einer möglichen Harmonie aller Dinge aus, von einer Analogie des Seins des einzelnen mit dem Sein des Gesamten. Damit ist aber die entscheidende Frage des Werdens ausgeklammert, und eine erkenntnistheoretische Behandlung der Dinge findet erst gar nicht statt. Abgesehen davon, daß den Begriffen der »attraction passionnelle« und der »destinée sociale« jede Dialektik fehlt, sind die Triebe auch nicht antizipierbar. Sie sind im voraus unbestimmt und können deshalb auch nicht von der Innenwelt des einzelnen konstruk-

tiv auf die Außenwelt der Gesamtheit übertragen werden. Jedoch ist hier nicht Fouriers System auf seinen erkenntnistheoretischen Gehalt hin zu prüfen, sondern es soll in erster Linie einmal in heuristischer Sicht als sozialevolutionärer Beitrag verstanden werden. Auf dieser Ebene hat seine von Tautologien nicht freie Theorie tatsächlich neue Wege vorgezeichnet. Bei den beschriebenen Ansätzen läuft schließlich alles darauf hinaus, die menschlichen Triebe im wirklichen Dasein auf der Erde zu befriedigen. Wenn diese sich also am höchsten Glück, sensualistisch verstanden am materiellen Glück, orientieren, dann ist es vor allem anderen notwendig, allen Menschen gleichermaßen zum größten Reichtum zu verhelfen. Wie aber kann das geschehen?

Den Weg weisen nach Fouriers Meinung die universellen Bewegungen, vor allem die »mouvements sociaux«, die er in einer phantastischen Kosmogonie erfaßt. Danach vollzieht sich die soziale Menschheitsgeschichte in einem Gesamtablauf von annähernd 80 000 Jahren, unterteilt in vier Phasen. Die zwei ersten ansteigenden Phasen stellen Kindheit oder aufsteigende Inkohärenz in 5000 Jahren und Zuwachs oder aufsteigende Kombination in 35 000 Jahren dar. Die zwei absteigenden Phasen, nach denselben Zeiträumen unterteilt, markieren Niedergang oder absteigende Kombination und Hinfälligkeit oder absteigende Inkohärenz. Die Zeiten der Inkohärenz stehen im Zeichen der sozialen Zwietracht und bringen den Menschen Unglück. Die langen Phasen der Kombination weisen die soziale Einheit auf und bedeuten Glück. Die erste Phase der Kindheit unterteilt sich in sieben Perioden: 1. die ungeordneten Serien (séries confuses) zur Zeit des Paradieses, 2. der Zustand der Wildheit (sauvagerie), 3. das Patriarchat mit der Herrschaft des Familienvaters, 4. die Barbarei mit dem Kampf der Familien untereinander, 5. die Zivilisation, in der sich die Menschheit nach Fouriers Meinung gerade befindet, 6. der Garantismus, der die ersten Assoziationen bringen wird, und 7. die Vorstufe zum Glück, die Zeit der »séries ébauchées«. Die nächste Periode stellt bereits die Stufe der Harmonie dar, die in ihren unvorstellbaren Freiheiten vorerst aber so schockierend wirkt, daß man sie mit Worten wie »ridicule, gigantesque, impossible« abtun wird.

Man kann diese in einem großen Bogen gespannte Geschichtskonstruktion belächeln oder verspotten. Immerhin hat sie den Erfinder zu einer Zivilisationskritik veranlaßt, wie sie schärfer und treffender zu jener Zeit wohl kaum zu finden war. Das Regulativ des absoluten Mißtrauens – »le doute absolu«, »l'écart absolu« – befähigte ihn, den kleinen, unscheinbaren Handlungsgehilfen, dazu, der eigenen Zeit – der Epoche der Revolutionen, der aufkommenden Industrien, der liberalen Ökonomie und der »unexakten« Wissenschaften – die Maske vom Gesicht zu reißen. Solange die Moral nur darauf sinne, im Menschen die Triebe und Begierden zu unterdrücken, den Ehrgeiz zu verurteilen, den Luxus zu verabscheuen, die Frau zu knechten und durch Verbote eine höhere sittliche Gesinnung zu erzwingen, werde sie keinen Betrag zum sozialen Wohlstand, zum eigentlichen Glück der Menschen leisten. Auch die Industrie als eigentliche Quelle des Reichtums könne, selbst wenn sie über die ganze Welt verbreitet würde, das Los der Menschheit nicht verbessern, wenn sie nicht ihre isolierte Arbeitsweise aufgäbe.

Fourier begreift den Reichtum, der für das Glück so wesentlich ist, als eine Frucht geleisteter Arbeit. Mithin handeln diejenigen, die ohne produktive Arbeit auf Kosten anderer leben, der sozialen Bestimmung zuwider. Unter diesem Gesichtspunkt, sicher aber auch aus persönlicher Abneigung, rechnet Fourier besonders hart ab mit dem Handel, den er »cloaque d'infamie« nennt. Er sieht in ihm einen dauernden Raub an der Gesellschaft, der für sich allein gesehen schon zum Niedergang der Zivilisation führen muß.

Die fundamentale Kritik schließt den Städtebau und die Architekten nicht aus. In der Zivilisation werde nach festgelegten Straßenfluchten und Platzbildern gebaut. Als Resultat entstehe in der Regel ein trostloses Schachbrettmuster, das durch seine Monotonie und Ausdruckslosigkeit das Auge ermüdet. Oder die Bebauung löse sich auf in die vielen kleinen Einzelhäuser der Außenbezirke. In diesem Falle bilde sie ein getreues Abbild der vom Handel und von der Industrie her bekannten Zerstückelung und Unordnung. Das Zusammendrängen der Menschen in den großen Städten, die mangelnde Stadthygiene, kostspielige und unsinnige Konstruktionen, die Spekulationen mit überbelegten Mietshäusern, die Unwirtschaftlichkeit der Einzelhaushalte, die Aufsplitterung der Einzelbesitze und schließlich die allgemeine Teilnahmslosigkeit der Bewohner am Gesamtwohl der Stadt, das alles seien Anzeichen genug dafür, daß die für den Städtebau verantwortlichen Architekten, Verwaltungsbeamten, Ökonomen und Politiker bisher nicht imstande waren, auf das soziale Wohl aller hinzuwirken. Die Erklärung für dieses ästhetische und sozialökonomische Versagen fällt nicht schwer. Könne man den einzelnen Bürgern ihren Egoismus übelnehmen, wenn ihnen die Philosophen in einem falsch verstandenen Liberalismus dauernd die individuellen Freiheiten, die auf Kosten der Gesamtheit gehen, einreden? Sei bei den vielen Versprechungen die Verlockung zum unbürgerlichen Verhalten nicht verständlich? Wie könnten Architekten, die von der Funktion ihrer Disziplin im Sozialmechanismus keine Ahnung haben, einen Beitrag zum allgemeinen Wohl und zum Glück der Menschen leisten? Ohne Zweifel liege die Schuld an diesen Unzulänglichkeiten in dem einfachen bzw. falschen Eigentumsbegriff und in der einschichtigen Architekturauffassung der Zivilisation. Solange mit dem Eigentum gegen die Interessen der Allgemeinheit egoistische Zwecke verfolgt werden könnten und die Architektur sich ausschließlich ästhetisch orientiere, werde auch in den Städten das soziale Chaos kein Ende nehmen. Dieser Kritik ist kaum etwas hinzuzufügen. Sie führt zu einem gespannten Erwarten, was Fourier zur Überwindung dieser Zwänge und Mängel für die späteren Perioden in den weiteren Publikationen aufzeigt.

Im Mai 1819 formulierte Fourier das Gleichgewichtsgesetz der einfachen Assoziation. Daraufhin konnte sein Plan, die eigene Sozialtheorie in einer kompletten Abhandlung darzustellen, greifbare Gestalt annehmen, zumal Just Muiron, ein Präfekturbeamter aus Besançon, ihn eindringlich zu einer Veröffentlichung aufforderte. So erschien 1822 der *Traité de l'Association domestique-agricole.*[45] Diese Schrift bedeutet eine weitere Vertiefung der sozialtheoretischen Überlegungen. Es kommt darin zu einer Präzisierung des sozietären Systems, wobei nun auch die notwendigen städtebaulichen Konsequenzen gezogen werden.

Um allen Menschen ein Minimum an Reichtum und somit an Glück zu gewährleisten, entwickelt Fourier die Grundbegriffe der häuslichen und landwirtschaftlichen Vergesellschaftung der »association domestique-agricole« und der industriellen Anziehungskraft durch die Triebe, der »attraction industrielle«. Bei der Assoziation geht es im wesentlichen um das Zusammenlegen der einzelnen Grundbesitze. Dadurch soll der Weg geebnet werden für Produktionsgemeinschaften, die in einem neuen Arbeitsrhythmus in den schon erwähnten Gruppen und Serien agieren. Oder sie bezieht sich, im Hinblick auf die Konsumation, auf die Zusammenfassung der einzelnen Haushalte. Auf diese Weise soll eine Ökonomie des Verbrauchs erreicht werden, womit indirekt ebenfalls ein Beitrag zum Reichtum geleistet wird. Den komplizierten Mechanismus, der die landwirtschaftliche und gewerbliche Arbeit erfreulich und anziehend, also zu einer Quelle der inneren Beglückung mache, steuere die »attraction industrielle«, wobei die schon genannten sensitiven, affektiven und distributiven Triebe der Menschen als Agens wirken. Freilich basiere der »Mechanismus der Serien« auf der Ungleichheit der Menschen. Ein offensichtlicher Kontrast, eine Gradation von reich zu arm, von gelehrt zu unwissend, von jung zu alt gewährleiste erst die angestrebte soziale Harmonie in der Arbeit und in der Freizeit. Bei Fouriers Absicht, Besitz und Arbeit als die beiden Faktoren des Reichtums neu zu ordnen, sind einige Ungereimtheiten nicht zu übersehen. Fourier bezieht die Vergesellschaftung im wesentlichen auf den Bodenbesitz, da er sich alle wichtige Produktion nur von der Nutzung des Bodens her vorstellen kann. Durch diese Agrar-Orientierung bleibt seinem System die Zukunft verbaut, zumal die Kraft des industriellen Kapitals nicht in produktivem Sinne in Bewegung gesetzt wird.[46] Im Eifer, die Arbeit von ihrer Mühsal und Eintönigkeit zu befreien, hat Fourier zudem übersehen, daß die Verschiedenheit, der der Mechanismus seinen Antrieb verdankt, die persönliche Entfaltung und Freiheit, also den Aufstieg von arm zu reich, von unwissend zu wissend unterbindet. Es konnte von ihm doch nicht im Ernst beabsichtigt sein, einerseits die Menschen nur deshalb auf einer bestimmten materiellen und charakterlichen Stufe verharren zu lassen, um den Sozialmechanismus in Bewegung zu setzen, andererseits die volle Harmonie zu propagieren, die die volle Freiheit zur persönlichen triebhaften Betätigung und Entfaltung jenseits aller postulierten Gradation voraussetzte.


## 4.3.2. Die Stadt des Garantismus

Trotz den systemimmanenten Bedenklichkeiten, die Fouriers theoretischen Ansätzen innewohnen, sind seine Vorschläge für eine architektonische und städtebauliche Neuordnung von grundsätzlicher Bedeutung. Denn bei der Überwindung der Zivilisation oder, wie Fourier es weit dramatischer ausdrückt, beim »Absprung vom Chaos zur Harmonie« erhält die Architektur die besonders bedeutsame Rolle eines Angelpunkts zugesprochen. Zwar wird auf einer Tafel eine ganze Reihe von Auswegen zusammengestellt,[47] aber schließlich konzentrieren die Vorschläge sich doch auf die sozietäre Utopie und die sozietäre Architektur. Mit Hilfe eines waghalsigen Utopisten (»casse-cou utopiste«) könnte ein despotischer Herrscher etwa vom Schlag eines Nero rasch den Beweis führen, daß selbst die durch Zwang verordnete sozietäre Kombination nicht nur in der Haushaltsführung unerwartete Ersparnisse zeitigt, sondern auch die durch die verschiedenen Triebe geprägten Serien hervorbringt, wodurch jener Sozialmechanismus ausgelöst wird, der zur »attraction industrielle« führt. Dieser Plan der casse-cou-Utopie bleibt für Fourier jedoch nur ein Gedankenspiel, da er von Gewaltanwendung generell nicht viel hält. Sein besonderes Augenmerk richtet sich auf die unmittelbar zu bewältigende Übergangsphase des Garantismus, durch die das zivilisierte Dasein in ein sozietäres Zusammenleben übergeleitet werden soll. Diese Stufe sei gekennzeichnet durch einen wahren Liberalismus, bei dem die Lebensgarantien auf die ganze durch den »code social« verbundene Gesellschaft ausgedehnt sind.

Fourier entwickelt seine Vorstellungen über die notwendigen Garantien an zwei Modellen: im Bereich des Nützlichen durch politische Absicherungen in einer kommunalen Handels-AG (»comptoir communal actionnaire«), die die Gesellschaftsmitglieder vor Armut schützt; im Bereich des Angenehmen oder der Kunst durch eine materielle Befriedigung der fünf Sinne, also der sensitiven Triebe. Er fordert eine »Garantie des Visuismus« oder des visuellen Vergnügens.[48] »Die Zivilisierten, die dieses Vergnügen des Visuellen als überflüssig betrachten, wetteifern darin, ihre Wohnstätten, die sie Städte und Dörfer nennen, zu verunstalten, obwohl deren einheitliche Verschönerung den Aufschwung der fünf Sinne gesichert haben würde.«[49] Auf die Assoziationstheorie angewandt bedeutet der Fouriersche Visuismus, daß Stadtverschönerung und Stadthygiene brauchbare Mittel sein können, um stufenweise zur Vergesellschaftung und damit zur universellen Einheit zu gelangen.

Im »Plan einer Stadt der 6. Periode« versucht Fourier, den Beweis für diesen städtebaulichen Regenerationsansatz zu führen. Er geht davon aus, daß die Architekten nicht schuldlos sind an den Verfehlungen der Zivilisation. Bei den neueren Stadtgründungen wie Philadelphia und Mannheim, bei Stadterweiterungen in Nancy und Marseille hätten die Stadtherren und die Planer die wesentlichen Erfordernisse der garantistischen Ordnung außer acht gelassen. Sie hätte eine zusammenfassende Methode erforderlich gemacht, bei der eine koordinierte Struktur das Wohlbefinden und den visuellen Reiz für alle Stadtbewohner gesichert hätte.[50] Da den Architekten diese komplexe Sichtweise abgeht, umschreibt Fourier nun selbst die Stadt des Garantismus. Sie gliedert sich in drei Raumabschnitte: die Innenstadt; die Vorstädte und die großen Fabriken; die Avenuen und die äußere Vorstadt. Die Trennung erfolgt durch Hecken, Rasenflächen und Pflanzungen. Im Stadtzentrum muß jedem Gebäude mindestens so viel Gartenfläche zugeordnet sein, wie es mit den Nebengebäuden an überbauter Fläche einnimmt. In den äußeren Abschnitten muß die Freifläche doppelt bzw. dreimal so groß sein. Die Gebäude sind freistehend und in ihren Abständen und Einfriedungen, in ihrer Außengestaltung und Höhenentwicklung bis in die Details geregelt. Um eine monotone Schachbrettaufteilung zu vermeiden, führen die Straßen teilweise geschwungen auf Aussichtsplattformen und Berge, auf Brücken und Kaskaden oder auch auf größere Bauten zu. Plätze und Baumpflanzungen an den Straßen wirken ebenfalls der Gleichförmigkeit entgegen. Aber letzten Endes werden auch alle diese Maßnahmen nicht ausreichen, um die geschilderten Triebe der Menschen aller Gesellschaftsschichten zu befriedigen. Denn in allen diesen Bauten und in ihrer Verteilung spiegele sich immer noch der Geist des »einschichtigen Eigentums«, der Zerstückelung, der Isolierung und der Unwirtschaftlichkeit. Dieses für die Zivilisation charakteristische System vermöge lediglich die individuelle Einbildungskraft zu befriedigen, es wirke aber den Interessen der Allgemeinheit entgegen und ziele nur auf die Verfeinerung des Egoismus und des Fiskaldenkens ab. Welche Wirkungen es hervorbringe, zeige sich besonders in der Architektur und im Städtebau: Allein aus spekulativen Absichten entstehen ungesunde und schlecht gebaute Wohnblöcke, die mit viel zu vielen Bewohnern belegt werden, wobei dieses Vorgehen noch ungehindert im Namen der Freiheit geschieht. Tatsächlich sei für viele Gesellschaftsmitglieder der Bau freistehender Häuser zu kostspielig. Sie seien deshalb gezwungen, sich mit einer Mietwohnung zu begnügen. Um ihnen den Mietzins erträglich zu machen, liege es durchaus nahe, große Wohngebäude zu errichten, in denen etwa hundert Familien wohnen können. In ihnen würden die Menschen nicht mehr isoliert aneinander vorbeileben. Sie würden sich vielmehr, ohne es vielleicht zu beabsichtigen, der kollektiven Ökonomie bedienen, aus der sich bereits die partielle Assoziation ergibt. Darüber hinaus ließen sich bei diesem kombinierten Bautyp neue Vorstellungen der Stadt- und Gebäudehygiene verwirklichen. Allerdings würden nur ein paar dieser Großwohnbauten, die man isoliert irgendwo in der Stadt anordnet und in denen sich die Menschen fremd sind, kaum den erwarteten Assoziierungseffekt hervorbringen. Dafür seien Hunderte dieser Anlagen erforderlich. Wenn sie miteinander in Verbindung gebracht würden und untereinander konkurrierten, bildeten sich wie von selbst die Protoformen der Assoziation heraus. Der erste Zusammenschluß, das sei voraussehbar, ergäbe sich bei der Nahrungsbeschaffung und -zubereitung. Rasch werde jedoch das Kombinationsprinzip auch auf die Arbeitsorganisation übertragen. Und so würden die Großwohnbauten zur sozialökonomischen Basis der ganzen Stadt.

Man sieht, der Architektur wird hier eine transformatorische Kraft zugesprochen. Sie kann, als »architecture composée« bzw. »architecture unitaire« begriffen, den Übergang zu einer sozietären Gesellschaftsordnung bewirken. Dabei kommt den verschiedenen Garantien eine wesentliche Funktion zu. Der Visuismus läßt die Welt des Sichtbaren zu einem Genuß und Erlebnis des Betrachters werden. Offensichtlich sind hier bereits heutige Forderungen der Stadtgestaltung (Visuisme von Le Corbusier, optische Kultur von Walter Gropius, Stadtbildvorstellungen von Kevin Lynch) antizipiert. Die aus der Städtebaukritik der Zivilisation abgeleitete Garantie des »vielschichtigen Eigentums« helfe, das individuelle Besitzsystem zu überwinden. Denn das gruppen- und serienweise Zusammenleben der Menschen mache die soziale Verschränkung des Eigentums einfach erforderlich. Wenn diese Einsicht einmal vorhanden sei, dann habe der einzelne auch eine neue Einstellung zur Gesellschaft gewonnen: Als Teilhaber am ganzen Kanton liege ihm dessen Prosperität am Herzen. Darum werde er sein persönliches Interesse mit dem kollektiven identifizieren und sich für das Wohl der Gemeinschaft einsetzen. Erst in dieser Einstellung äußere sich der wahre Bürgersinn.

### 4.3.3. Die Phalansterien als Wohnstätten der sozialen Harmonie

Bei der überaus wichtigen Funktion, die den Großwohnbauten im sozietären System zukommt, ist es verständlich, daß diese ungewöhnlichen Einrichtungen hinsichtlich ihrer Bewohnerschaft und ihrer räumlichen Disposition in allen Einzelheiten beschrieben werden. Fourier bedient sich dabei des gedanklichen Modells eines Versuchskantons, der die Basis für ein Sozial- und Siedlungsexperiment abgeben sollte.[51]

Für eine Siedlungseinheit, die Fourier »Phalange« nennt, sind etwa 1500 bis 1600 Personen und ein Areal von etwa 2300 Hektar notwendig. Die Teilnehmerzahl ist nicht willkürlich angenommen. Fourier errechnet sie aus der Einteilung der Menschen in 14 bzw. 16 verschiedene Altersstufen, nach der sich 810 Charaktere als soziale Klaviatur ergeben. Da nur etwa die Hälfte davon vollkommen aktiv sein kann, ist diese Zahl (bei Berücksichtigung der Kinder, Kranken, Alten) zu verdoppeln. Erst bei 1620 Menschen ist somit die Funktionsfähigkeit für den Sozialmechanismus der vollen und vielschichtigen Harmonie gewährleistet. Allerdings scheinen auch kleinere Versuchskantone mit der einfachen Harmonie möglich. Bei der Gründung darf nichts dem Zufall überlassen werden. Der Platz ist nach Lage, Klima und Bodenqualität sorgfältig auszusuchen. Die Auswahl der Teilnehmer hat nach den Attraktionsgesetzen der Leidenschaften zu erfolgen. Sie muß die richtige Gradation nach Alter, Geschlecht, Charakter, Vermögen, Kenntnissen und Fertigkeiten aufweisen.[52]

Produziert wird in allen üblichen Agrarkulturen bis hin zur Gewächshauszucht. Mindestens drei Manufakturen sorgen dafür, daß die Bewohner auch im Winter und in Regenzeiten beschäftigt werden können. Auch für eine wissenschaftliche und künstlerische Betätigung müssen die notwendigen Einrichtungen vorhanden sein. Für alle wichtigen Tätigkeiten werden den Trieben entsprechend Gruppen und Serien gebildet.[53] Ein Areopag, dem Vertreter jeder Serie angehören, berät den Einsatz der Triebe. Seine Kompetenz besteht aber nur darin, die dem landwirtschaftlichen und manufakturellen Betrieb angemessene Dosis der Anziehungskraft abzuschätzen. Über den Einsatz entscheidet die Serie selbst in voller Freiheit, da die Harmonie keinerlei Zwang verträgt.

Um den sozietären Mechanismus der Phalanx in Gang zu bringen, ist es gut, wenn der für die Verflechtung der Triebe erforderliche Spielraum zuerst einmal in einer selbstgewählten Isolierung geschaffen wird. Nur so lassen sich die Hemmnisse der zivilisatorischen Umgebung ausschalten.

Auch die Finanzierung des Versuchskantons widerspricht den geschäftlichen Vorstellungen der Zivilisation. Als Grundlage dient die sozietäre Gewinnumlage, die sich nach dem

Verteilungsschlüssel fünf Zwölftel für die Arbeit, vier Zwölftel für das Aktienkapital und drei Zwölftel für Kenntnisse und Talent richtet. Jedem Sozietätsmitglied steht es frei, eine oder mehrere Möglichkeiten der Beteiligung wahrzunehmen. Auf alle Fälle werden die Leistungen eines jeden vom Rat genau registriert und bei der jährlichen Gewinnausschüttung berücksichtigt.

Fourier ist überzeugt davon, daß der Kostenaufwand, der je nach Phalanx-Größe 20000 bis 200 Millionen Francs betragen kann, bei einer Aufteilung in nicht zu große Anteile leicht zu bestreiten ist. Sobald ein Fürst oder eine Gesellschaft die ersten Anteile gezeichnet hat, werden andere folgen und sich in unbegrenzter Höhe beteiligen. Nun könnte man, vielleicht aus Gründen der Vereinfachung und Kostenersparnis, verleitet sein, die Versuchsphalanx in vorhandenen Gebäuden, etwa in einem alten Schloß oder Kloster, unterzubringen. Für die einfache Harmonie mit 200 bis 400 Mitgliedern würde diese Lösung zur Not gerade noch akzeptabel sein; für die zusammengesetzte Harmonie sei sie auf alle Fälle abzulehnen, da die Struktur und die Dimensionen dieser Gebäude nicht auf die Wirksamkeit der Serien abgestimmt sind. Die sozialpsychologischen Funktionen, die die Unterkunft der Phalanx überall zu erfüllen habe, erfordere einen neuartigen Gebäudetyp: das Phalansterium – »le Phalanstère«.[54]

Fourier geht davon aus, daß die geschlossene Viereckform, die Owen für New Harmony vorsah, für den sozietären Mechanismus nicht geeignet ist.[55] Denn das Karree versinnbildlicht für ihn die vollkommene Monotonie. Die neue Bauform soll aber gerade die gegenteilige Wirkung hervorbringen und zur sozialen Verflechtung anregen. Er sieht deshalb eine ganze Gebäudegruppe vor. Diese weist das Hauptgebäude oder eigentliche Phalanstère auf, das mit den parallel gelegten und um Innenhöfe herum angeordneten Flügelbauten (a, aa, O, oo) in der Planfigur einer Cour-d'honneur-Anlage gleicht. Kleine Einzelbauten für die Kirche (ss) und für die Oper (S) kommen auf jeder Seite noch hinzu. Dem Phalansterium gegenüber liegt abgetrennt durch eine Straße (L) und den großen Versammlungsplatz (P) eine doppelte Reihe von Nebengebäuden (x, y, z, xx, yy, zz), die als Werkstätten, Magazine, Ställe und Getreidespeicher dienen. Das Zentrum des Phalansteriums bildet ein mit Bäumen bepflanzter Innenhof oder Wintergarten (A), der auf

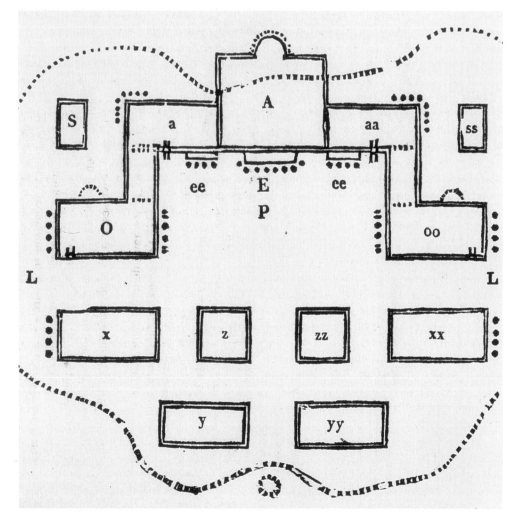

117. Die Anlage eines Phalanstère, nach Charles Fourier. (*Œuvres Compl.*, Bd. 6, Paris 1845)

allen vier Seiten von Gebäudeflügeln umschlossen ist. In diesen zentralen Bauteilen befinden sich die Einrichtungen, die gemeinschaftlich benutzt werden: Speisesaal, Beratungszimmer, Börse, Bibliothek und Studierräume. In einem in der Gebäudeachse errichteten Turm sind der Telegraph, das Observatorium und das Glockenspiel untergebracht. In diesem Bereich kommen noch weitere Räume hinzu, die speziell auf die Bedürfnisse der Serien abgestimmt sind. Fourier bezeichnet sie als »Séristères« und meint damit genau abgestufte Raumgruppen, die als »Orte der Begegnung« die wichtige Funktion haben, den Nexus der Individuen zu Gruppen und Serien zu ermöglichen. Aus diesem Grunde besteht jedes Seristerium aus mindestens drei Haupträumen, von denen einer für die Gruppen des Zentrums bestimmt ist, während die zwei anderen die Flügel der Serie aufnehmen. Für die Begegnungen im engeren Kreise der Ausschüsse und Gruppen sollen noch weitere kleinere Räume angeschlossen sein. Dieses vielschichtige Raumsystem, das vor allem der Pflege der kollektiven und kabalistischen Beziehungen unter den Mitgliedern dient, darf nach Fouriers Meinung natürlich nicht mit den üblichen Versammlungsstätten der Zivilisation verwechselt werden, wo die vielschichtige Harmonie nie entstehen kann. Um den ganzen Gebäudekomplex für die Bewohner aber nicht zu unübersichtlich zu machen, schließen sich an das Zentrum abgewinkelte Flügelteile an, die ebenfalls um besondere Innenhöfe (O, oo) herum gelegt und durch Arkadengänge erschlossen sind. Überhaupt legt Fourier auf übersichtliche und kurze Verbindungswege im Innern des Phalansteriums besonderen Wert. Er sieht deshalb drei Haupt- und einige Zwischengeschosse vor. Die innere Kommunikation geschieht durch offene Galeriegänge, die überdies noch erlauben, die Wohnräume sowohl von der Außenseite wie von den Innenhöfen her direkt zu belichten. Durch diese Galerien und durch unterirdische Gänge werden alle Gebäudeteile so eng miteinander verbunden, daß von den baulichen Dispositionen her gesehen der »attraction passionnelle« nichts mehr im Wege steht.

Die Wohnungen werden vom Rat an die Teilnehmer vermietet oder als Vorschuß abgegeben. Und da beim Wohnen die Gesetze der Attraktion ebenfalls zu beachten sind, handelt es sich keineswegs um gleichartige Wohneinheiten. Im Sinne der vielschichtigen und verschränkten Ordnung werden in den einzelnen Bauteilen jeweils 10 bis 14 verschiedene Mietpreise festgesetzt, deren Gradation den Reichen, Armen und Angehörigen der Mittelklasse erlaubt, sich nach ihren finanziellen Möglichkeiten einzumieten.

In der Gesamtanlage befinden sich die Gärten mit den Obst- und Gemüsekulturen gleich unmittelbar auf der Rückseite des Phalansteriums, während die für die Agrarproduktion notwendigen Wiesen und Äcker sich hinter den Ställen und Vorratsspeichern weit in das Land hinaus erstrecken.

Natürlich schaffen diese Baulichkeiten letzten Endes nur die materiellen Voraussetzungen, daß die Triebe wirksam werden können. Ihr Ablauf selbst ist noch von immateriellen Dispositionen abhängig, die Fourier ebenfalls ausführlich erörtert, deren sozialpsychologische und -pädagogische Determination hier aber nicht weiter verfolgt zu werden braucht. Es bleibt nur noch anzumerken, welche spektakuläre Wirkung Fourier von diesem soziëtären Siedlungsmodell erwartete. Im Geiste sah er den ersten Versuchskanton schon von Scharen Neugieriger umlagert, die alle darauf warteten, den Mechanismus der sozialen Harmonie in seiner ersten Erprobung kennenzulernen. Damit hielt er sein wichtigstes Ziel bereits für erreicht: der ganzen Welt die Praktikabilität seines Assoziationssystems vor Augen geführt zu haben.

Ohne Zweifel ist die Geschlossenheit der Fourierschen Konzeption auf den ersten Blick hin frappierend: Hier soll mit den baulichen Mitteln der soziëtären Architektur eine zugleich kontrastierende und ausgleichende Wechselwirkung im gesellschaftlichen Zusammenleben der Menschen erreicht werden. Das ist für die Zeit zu Anfang des 19. Jahrhunderts ein erstaunlicher Ansatz, der sofort die Frage aufwirft, inwieweit hier Fourier eigenen oder fremden Eingebungen folgte.

Natürlich war der Gedanke der Assoziation längst bekannt und auch von Saint-Simon und Owen aufgegriffen worden. Es ist aber Fouriers eigener Beitrag, die »attraction passionnelle« als konstituierendes Element der Assoziierung entdeckt zu haben. Für eine dem soziëtären System angemessene räumliche und bauliche Fassung gab es genügend Vorbilder. Schon in den bäuerlichen Hausgemeinschaften, die unter der Bezeichnung »communautés agricoles« im 15. und 16. Jahrhundert in der Normandie, der Bretagne, im Anjou und Poitou weit verbreitet waren, lebten mehrere Familien in größeren Gebäuden zusammen.[56] Diese Einrichtungen hatten schon vor Fourier verschiedenen Verfassern von Utopien als Vorbilder für ihre Gemeinschaftsbauten gedient. Man braucht nur auf die »Osmasien« in Denis Vairasse d'Alais'[57] utopischem Sevarambien oder auf die Gesellschaftsbauten für die Megapatagonen bei Nicolas E. Rétif de la Bretonne zu verweisen.[58] Aber trotzdem sind die von den Attraktionsgesetzen bestimmten Phalansterien eine eigenständige Vertiefung dieses Themas durch Fourier. Denn für die im baulichen Organismus völlig integrierten Teile der Séristères als den eigentlichen Interaktionsstätten gab es kein Vorbild. Hier entwickelte Fourier bereits die Einsicht, daß nur die Bauformen, die auf gruppendynamische Belange Rücksicht nehmen und durch ihre Dispositionen und Strukturen soziale Bande knüpfen, der sozialen Evolution genügen und ein adäquater Ausdruck der zukünftigen Gesellschaftsordnung sein werden. In der großräumlichen Konsequenz schließlich folgt Fourier nur wieder anderen Sozialutopien. Seine »unité d'habitation« deckt sich, wie bei Owen, nicht mehr mit der üblichen Vorstellung urbaner Stadtverdichtung und urbaner Stadtkultur.[59] Ganz offensichtlich sind der herkömmliche Städtebau und noch viel mehr die zeitgenössische Stadtbaukunst ihres tieferen Sinnes beraubt, denn eine Vielzahl von Phalansterien ersetzt sowohl das Einzelhaus wie auch die geschichtlich entstandene Stadt. Fourier hat damit die letzten Konsequenzen aus seiner fundamentalen Städtebaukritik der Zivilisation gezogen und der herkömmlichen Stadt die Antithese der sozietären Siedlungseinheit der Phalansterien gegenübergestellt.

### 4.3.4. Versuche zur baulichen Verwirklichung

Aus vielen Äußerungen Fouriers ist zu ersehen, daß er von Anfang an eine praktische Erprobung seiner Theorie im Sinne hatte.[60] Von einem Versuchskanton erwartete er die Initiative und die Beweiskraft für sein neues Sozialsystem. Nur konnte er selbst, mittellos und ohne Verbindungen, keine ernsthafte Erprobung in Szene setzen. Indes griff der Deputierte Baudet-Dulary die Idee des Versuchskantons begeistert auf. Er betrieb ab 1833 auf seinem eigenen großen Areal in Condé-sur-Vesgre (Seine-et-Oise) eine »colonie sociétaire«.[61] Die Teilnehmer errichteten die erforderlichen Wirtschaftsbauten, bestellten die Felder und beabsichtigten auch, ein Phalansterium zu bauen. Kapitalmangel ließ schließlich das ganze Projekt, das weder sorgfältig geplant noch nach den Vorschlägen Fouriers unternommen wurde, nach kurzer Zeit mißlingen.
Natürlich erwies sich diese erste fehlgeschlagene »Realisation« nicht gerade als Empfehlung. Fourier selbst sah sich um eine große Hoffnung gebracht. Und da er trotz seinen Erwartungen weder den Mäzen – »l'Augustin du monde social« – noch die erwünschten Freiwilligen gefunden hatte, zog er sich immer mehr in sich selbst zurück und kümmerte sich kaum mehr um die Verwirklichung seiner Ideen. Die Ecole sociétaire, die sich inzwischen aus einem Kreis seiner Anhänger (Just Muiron, Clarisse Vigoureux und Victor Considérant) gebildet hatte, lehnte jede Identifizierung mit dem Experiment von Condé-

118. Schaubild eines Phalanstère. Zeichnung von Victor Considérant.

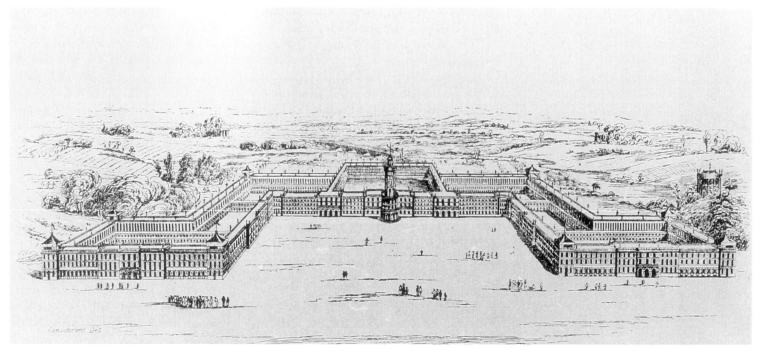

119. Schematischer Lageplan eines Phalanstère.

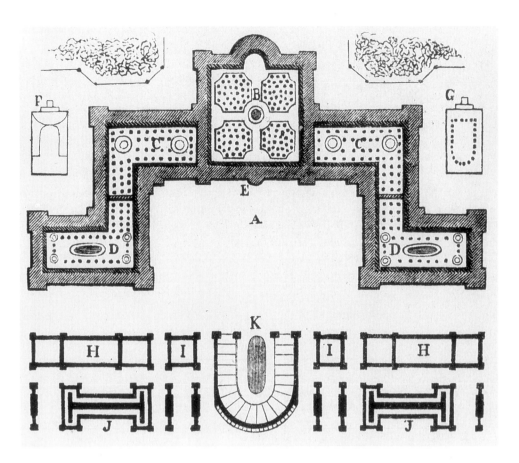

sur-Vesgre ab, um etwaigem Zweifel am Sozietärsystem entgegenzutreten.[62] Im übrigen machte sie keinen Hehl daraus, daß sie ihre sozialen Ziele weniger durch Siedlungsexperimente als vielmehr mit Hilfe publizistischer und politischer Mittel erreichen wollte. Damit konnte jedoch die Schule dem Problem, die in Fouriers Abhandlungen herausgestellten Assoziationstechniken in die Praxis umzusetzen, auf Dauer nicht ausweichen, zumal viele Anhänger in der Provinz auf einer Realisation durch Versuchskantone bestanden. Da in diesem wesentlichen Punkt kein Konsensus zu erreichen war, kam es schon 1837, im Todesjahr Fouriers, zu einer Spaltung der Anhängerschaft.

Die Ecole sociétaire, als die theoretische Richtung, legte alles darauf an, ihre Doktrin in eine politisch verbindliche Sozialreform einmünden zu lassen.[63] Sie verschaffte sich die schriftlichen Hinterlassenschaften Fouriers und publizierte in der Folge, sorgsam ausgewählt, jene Manuskripte, die ihren Absichten am meisten entsprachen.[64] Aufschlußreich ist, wie Considérant, der sich zum Sprecher der Schule machte, die sozietäre Theorie akzentuierte.[65] Er reduzierte das Problem der globalen Ordnung einfach auf die optimale Organisation im kommunalen Rahmen, wobei die Assoziierung sich nur auf die Teilbereiche der Arbeit und des Wohnens bezog, während Kultur, Recht und Politik auf die alten Normen bezogen blieben. Um wenigstens der kritisierten Zerstückelung der Individualbesitze entgegenzuwirken, sollten jeweils etwa 400 Familien mit 1800 bis 2000 Personen in einem Gesamthaushalt zusammengefaßt und in einem Großwohnbau, dem Phalansterium oder der »cité ideale d'Harmonie« untergebracht werden. In fortgeschrittenen Entwicklungsstufen war an die Anlage ganzer Phalansterien-Städte gedacht, ja an eine Welt-Hauptstadt als Zentrum aller sozialen Beziehungen des Universums. Die Neigung, in die politischen Tageskämpfe einzugreifen, stellte die Ecole sociétaire jedoch bald vor eine neue Situation. Ihre Anhänger wurden nach dem Staatsstreich Louis Napoléons verfolgt. Considérant floh, des Hochverrats angeklagt, nach Belgien.

Dort erschien ihm nun der Gedanke der Realisation in einem anderen Licht. Er gründete 1850 mit Gleichgesinnten die Société de Colonisation au Texas. 1854 fuhr er, nachdem auf seinen Aufruf hin 1,5 Millionen Francs für das texanische Siedlungsunternehmen gezeichnet worden waren, mit über tausend Teilnehmern nach den USA. In der Siedlung Réunion versuchte er, gleichsam in einer verspäteten Rechtfertigung, den Garantismus Fouriers zu verwirklichen.[66] Es war ein vergebliches Unterfangen, das 1863 endgültig scheiterte und damit das Ende der Ecole sociétaire anzeigte. Die andere Richtung, die man zur Unterscheidung als »fouriérisme pratique« bezeichnet, konzentrierte sich, vom Zeitpunkt der Abspaltung an, auf die Realisierung verschiedener Assoziationsprojekte.[67]

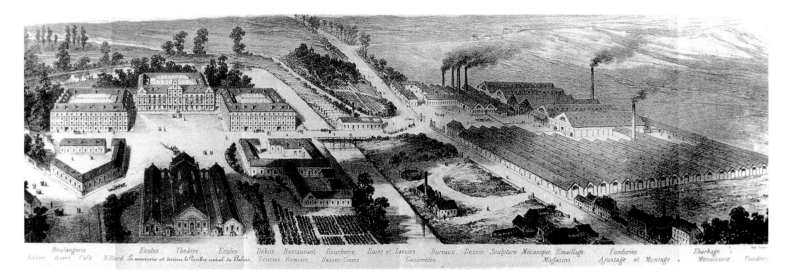

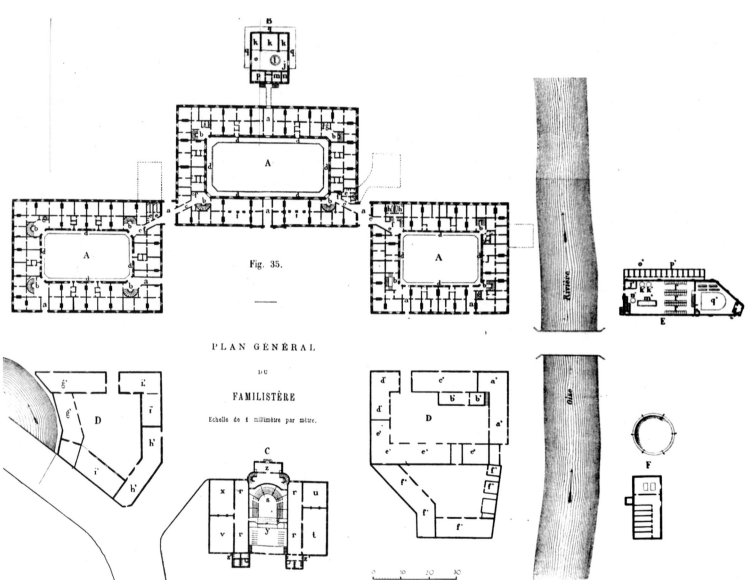

120. Familistère und Fabrikanlage in Guise.
(J.-B.-A. Godin, *Solutions Sociales*, Paris 1871)
121. Das Familistère in Guise. Grundriß der
Wohn- und Gemeinschaftsbauten. (J.-B.-A. Godin, *Solutions Sociales*, Paris 1871)

Sie haben aber alle, mit einer Ausnahme, die städtebaulichen Aspekte der Sozietärtheorie unberücksichtigt gelassen und sind deshalb hier ohne Belang.

Nur Jean Baptiste André Godin (1817–88) hat in Frankreich noch den ernsthaften Versuch unternommen, Fouriers Vorschläge auch in baulicher Hinsicht praktisch anzuwenden. Er fügte seiner Usine à Guise, in der Heizapparate produziert wurden, ab 1859 ein Sozialpalais als »Familistère« an.[68] Der Gesamtplan, nach dem die einzelnen Teile bis 1883 sukzessive ausgeführt wurden, ist dem Fourierschen Phalanstère auf den ersten Blick hin ähnlich. Eine genauere Grundrißanalyse zeigt jedoch, daß das Familistère nur die simple Addition von selbständigen, mit Küchen ausgestatteten Wohnungseinheiten darstellt. Von Fouriers »vielschichtiger Architektur« ist nichts zu spüren. In der Tat bedurfte es ihrer auch nicht, da der Sozialpraktiker Godin dem Mechanismus der Attraktion, dem Angelpunkt der Fourierschen Assoziationstheorie, nicht die geringste Bedeutung zumaß. Er anerkannte lediglich die Schlüsselstellung der Architektur bei einer sozialen Neuordnung, worüber er sich in seiner Publikation *Solutions sociales* 1871 ausführlich ausließ. So eindrucksvoll auch heute noch das Familistère von Guise erscheinen mag, es kann keine Rede davon sein, daß Fouriers sozietäre Architektur hier Wirklichkeit geworden ist. Was in diesem Falle tatsächlich erreicht worden ist, stellt den Versuch dar, die Architektur auf einer ersten Stufe in die soziale Evolution mit einzubeziehen.

Die besondere Konstellation in den USA in den dreißiger und vierziger Jahren des 19. Jahrhunderts mit den ökonomischen Krisen und sozialen Spannungen, mit der Antisklavenbewegung und mit der Besiedelung unerschlossener Landstriche verschaffte dem Fourierismus weitere Gelegenheiten zur Erprobung.

Noch zu Lebzeiten Fouriers war 1832 der junge Amerikaner Albert Brisbane (1809–90) nach Paris gekommen, um die Sozialtheorien Saint-Simons und Fouriers zu studieren.[69] Fasziniert von der Idee des attraktiven Arbeitsprozesses verbreitete er nach seiner Rück-

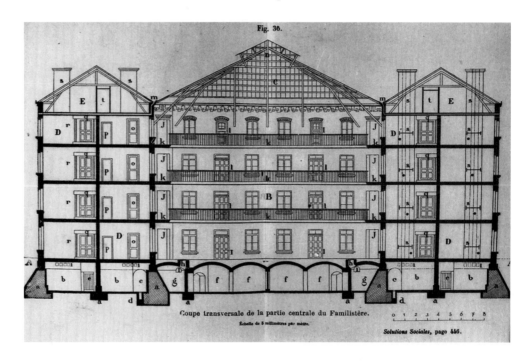

122. Das Familistère in Guise. Querschnitt.
123. Familistère in Guise, Aufteilung der Wohnungen. Grundrißausschnitt.
124. Arbeiterfeier im Innenhof des Familistère in Guise.

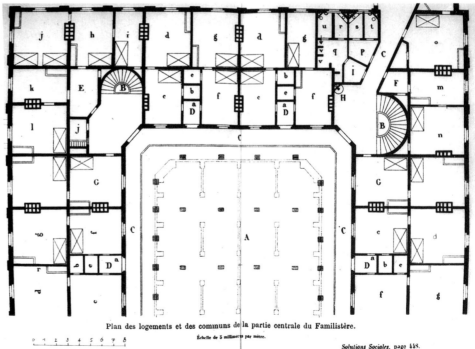

kehr in die USA Fouriers Lehre in mehreren Schriften.[70] Allerdings war er klug genug, die Assoziationstheorie klar und vereinfacht darzustellen, um sie dem pragmatischen Sinn seiner Landsleute anzupassen. Allein die Hinweise auf Siedlungsexperimente rückten den Fourierismus bald in den Mittelpunkt der sozialen Diskussionen. Man glaubte in der fourieristischen Phalanx ein wirksames Mittel gegen die wirtschaftliche Krisenanfälligkeit gefunden zu haben; und so entschloß man sich ohne große Bedenken zu einer Reihe von Siedlungsversuchen.[71]

Die wohl bedeutendste unter den etwa 40 bis 50 bekannten fourieristischen Assoziationen war The North American Phalanx. Von Brisbane beraten, wählte sie ihr Versuchsgelände in der Nähe von Red Bank (Monmouth County/New Jersey) aus und trat ab 1843 in Aktion. Obwohl die finanzielle Ausstattung unzureichend war, kam es zum Bau eines dreigeschossigen Phalansteriums und mehrerer Werkstätten. Die Assoziation betrieb, in Gruppen und Serien eingeteilt, auf 28 Hektar Anbaufläche Obst- und Gemüsebau. Die Modalitäten des Arbeitseinsatzes und der Gewinnverteilung folgten anfangs weitgehend der Assoziationstheorie. Als sich aber gegen die Jahrhundertmitte die Begeisterung für den Fourierismus zusehends abschwächte, ließ der Zusammenhalt in der Phalanx bald nach. Die Mitglieder zerstritten sich jetzt über die geschaffenen Einrichtungen und über die Verteilung der Einnahmen. 1854 war die Zerstörung der Getreidemühle durch einen Brand Grund genug, die Assoziation kurzerhand aufzulösen. Den Kapitalgebern blieb nach der Zwangsversteigerung der Güter gerade noch ein Drittel ihres Einsatzes. So sah die ernüchternde Bilanz des längsten Phalanx-Experimentes in den USA aus.[72]

Anderen Unternehmungen wie der Brook Farm Phalanx oder der Wisconsin-Phalanx erging es nicht besser.[73] Immer zeigten die Versuche etwa denselben Ablauf: Hoffnungsvoll, aber in der Theorie unvorbereitet, gründeten Leute, die sich als Assoziationisten bezeichneten, eine Phalanx. In fast jedem Falle war ihre Kapitalausstattung unzureichend. Dieses Manko zwang oft dazu, billiges, d.h. unfruchtbares und abgelegenes Siedlungsgelände zu erwerben. Meist mußte man sich auch bei den Bauten mit Provisorien begnügen, ohne die von Fourier geforderten Phalansterien errichten zu können. Aus dieser Ausgangsposition heraus rangen die Siedler eine Zeitlang um ihre Existenz. Statt der versprochenen Harmonie lernten sie nur Mühen und Entbehrungen kennen. Zumeist blieb auch der wirtschaftliche Erfolg aus. An dieser Konstellation zerbrachen die Assoziationen dann früher oder später. Nach diesem allgemeinen Scheitern der Versuche war in den USA klar, daß das vielgepriesene universale Reformsystem Fouriers einer experimentellen Erprobung nicht standgehalten hatte. Daran vermochten auch die Rechtfertigungsversuche Brisbanes und Considérants nichts mehr zu ändern.[74] Aufs Ganze gesehen belegen die Siedlungsversuche nur wieder, wie sehr die Fundamentalsätze der Theorie der universellen Harmonie auf utopischen Ansätzen basierten. Was wäre erreicht gewesen, wenn ein Versuchskanton tatsächlich nach dem beschriebenen Sozialmechanismus in einem eigens dafür eingerichteten Phalansterium floriert hätte? Er wäre ein kurioser Ausnahmezustand in einer unveränderten Umgebung geblieben, denn die Welt hätte sich durch sein Beispiel noch lange nicht verändern lassen. Zu sehr entzogen sich Fouriers Vorschläge damals jeder Faßbarkeit. So bedeutete die grundsätzliche Annahme, daß die in der Interaktion freigelegten und kanalisierten »Passionen« das soziale Glück der ganzen Menschheit begründen könnten, nichts als eine kühne Hypothese. Heute weiß man aus den Erfahrungen der Gruppendynamik wenigstens soviel, daß sich der Ausgleich von Interessen und Bestrebungen, von Ambitionen und Neigungen innerhalb einer den menschlichen Sinnen ausgelieferten Gesellschaftseinheit mehr durch Aggressionen und Spannungen als durch harmonische Verbindungen vollzieht.

Trotz aller dieser Einwände hinterläßt Fouriers Utopie der Phalansterien vor allem im Hinblick auf den einsetzenden Deformationsprozeß der urbanen Zentren den Eindruck eines visionär konzipierten Gleichgewichtsmodells, das sich nicht den bekannten Formeln gesellschaftlicher Statik bediente, sondern begriffen sein wollte als die dynamische Anthropologie des kommenden Industrialismus. Auf den Städtebau bezogen markierten der geforderte Visuismus, die sozialpsychologische und -ökologische Bestimmung der Architektur, der sozietäre Eigentumsbegriff und das urbane Selbstverständnis des Bürgers im Civismus Vorgriffe auf spätere Forderungen.

### 5. Die großen Stadtsanierungen, Stadtverschönerungen und Stadterweiterungen

#### 5.1. Die Transformation von Paris 1850 bis 1870

#### 5.1.1. Paris vor 1850

Die Ansätze zu einer städtebaulichen Erneuerung in Paris, die unter Napoleon Bonaparte sichtbar geworden sind (siehe Kapitel 3.1), wurden nach 1815 nicht mehr weiter verfolgt. Von den Bourbonenkönigen Louis XVIII. (1814–24) und Charles X. (1824–30) waren in dieser Hinsicht keine Initiativen zu erwarten. Erst die Juli-Revolution von 1830 erweckte neue Hoffnungen, wenigstens bei den Saint-Simonisten, die sie als »le signal d'une révolution ou plutôt d'une régéneration sociale« begrüßten.[1] Sie forderten ein Aktionsprogramm öffentlicher Arbeiten. Es sollte umfassen: die Fortsetzung des Straßendurchbruchs der von Napoleon I. begonnenen Rue de Rivoli bis zur Bastille, die Versorgung der Stadt mit Frischwasser, die Verbesserung der sanitären Verhältnisse und den Bau von Eisenbahnen. Es schloß auch, als ein altes Anliegen der Ecole Saint-Simonienne, die Modifikation des Enteignungsgesetzes mit ein. Wie sich jedoch schnell erwies, eilten die saint-simonistischen »Ingenieur-Apostel« mit diesen Forderungen ihrer Zeit weit voraus. Nur die Eisenbahnen fanden allmählich stärkere Beachtung.

Für Paris brachten die zwei Jahrzehnte unter dem Bürgerkönig Louis Philippe d'Orléans (1830–48) keine aufsehenerregenden Neuerungen.[2] Man öffnete den Boulevardring, nahm den Durchbruch und die Verlängerung der Rues Rambuteau, du Havre, d'Arcole und Vieille-du-Temple vor, baute die Seine-Quais und gab dem Place de la Concorde nach den Plänen von Jakob Ignaz Hittorff (1792–1867) eine neue Fassung. In diese Zeit fällt auch der Bau der ersten Eisenbahnlinien und Bahnhöfe und der Ausbau und die Belebung der Passagen, unter deren Glasdächern die Flaneure Cafés, Restaurants und Luxusgeschäfte vorfanden.[3] Aber es kam auch zu einer Art von urbaner Bestandsaufnahme, die sich bei den Saint-Simonisten in soziologischen Visionen, ansonsten jedoch in literarischer Kritik artikulierte.

Als Ausdruck der lebendigen Urbanität in Paris ist indes das Phänomen der Boulevards zu beobachten. Diese städtischen Promenaden hatten sich, über ihre bauliche Bestimmung hinaus, zum Ort der kulturellen Aktivität entwickelt. In ihrer Anlage gingen sie auf die Regierungszeit Ludwigs XIV. zurück. Sie waren am Stadtrand an Stelle der aufgelassenen Fortifikationen als Ringstraßenzug von der Bastille über den Temple bis zur Rue Poissonnière im Westen nach einem Plan von Bullet und Blondel aus dem Jahre 1676 angelegt worden. Während zu Beginn des 19. Jahrhunderts noch der östliche Boulevard du Temple Schauplatz des Volkslebens und -vergnügens war, hatte sich in der Restaurationszeit die Situation bereits geändert: Von nun an galten die Boulevards der westlichen

125. Boulevard des Italiens, Paris. Stich von Guerard. (Musée Carnavalet, Paris)

Stadtteile von der alten Oper bis zu den Champs-Elysées als Treffpunkte des intellektuellen und modischen Lebens. Honoré de Balzac (1799–1851) beschrieb das Fluidum dieser Pariser Boulevards der Juli-Monarchie in seinem literarischen Werk zwischen 1830 und 1850 sehr treffend. Die Boulevards wirkten in seiner Sicht wie ein Stimulans, wie ein Lebenselixier für die künstlerische Existenz. Und auch deutsche Literaten wie Heinrich Heine, Ludwig Börne, Karl Gutzkow und Friedrich Hebbel hatten auf den Pariser Boulevards dieselben Eindrücke und Stimmungen.[4]

In den Nebengassen dieser Straßenzüge lagen die Redaktionsstuben der freiheitlichen Presse. Hier schrieben die aufgeklärten und fortschrittsbesessenen Journalisten. Unerschrocken mokierten sie sich, zusammen mit Karikaturisten wie Honoré Daumier (1808–79), Paul Gavarni (1804–66) und später Cham (C.H. Amédée de Noé, 1818–79) über das herrschende Regime und dessen regierungstreue Spießer. Freilich stießen sich die geistreichen »hommes de lettres« nicht im geringsten an der säuberlichen Klassentrennung nach reich und arm, nach genießenden und arbeitenden Schichten und an den unbeschränkten Gewinnchancen in der neuen Kapitalgesellschaft. Für sie war die klare Grenzziehung quer durch Paris auf der Linie Rue Saint-Denis selbstverständlich: Die Viertel westlich dieser Markierung waren der Zivilisation, der Mode und dem Intellekt vorbehalten, die Viertel östlich davon blieben den Arbeitermassen überlassen. Dort begann, mit den Augen Alfred de Mussets gesehen, bereits »Hinterindien«. Die soziale Topographie der Stadt war damit zur Genüge gekennzeichnet.

Trotzdem ließen sich ernsthafte Beobachter der städtischen Szenerie nicht davon abhalten, die Nöte der Menschen und die städtebaulichen Unzulänglichkeiten eindringlich zu beschreiben. In Honoré de Balzacs Romanen *La Cousine Bette* und *Illusions perdues* und in Jules Barbey d'Aurevillys *Les Diaboliques (La Vengeance d'une Femme)* fehlt es nicht an Aussagen über die sozialen und baulichen Zustände. Paris als eine Art von Mystifikation beschrieb der Romancier Eugène Sue (1804–57) in den täglich erscheinenden Fortsetzungen des *Journal des Débats* von 1842 bis 1843. Wenn seine *Mystères de Paris* auch auf literarische Trivialmotive nicht verzichteten, so gaben sie doch ein wahres Bild vom Elend in den Armenvierteln, vom deprimierenden Schicksal verarmter Handwerker und

126. Rue de la Colombe im Quartier de la Cité, Paris. (Musée Carnavalet, Paris; Photo: Charles Marville)
127. Straßenszene in Alt-Paris.

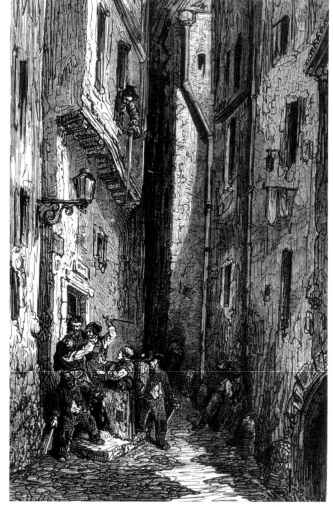

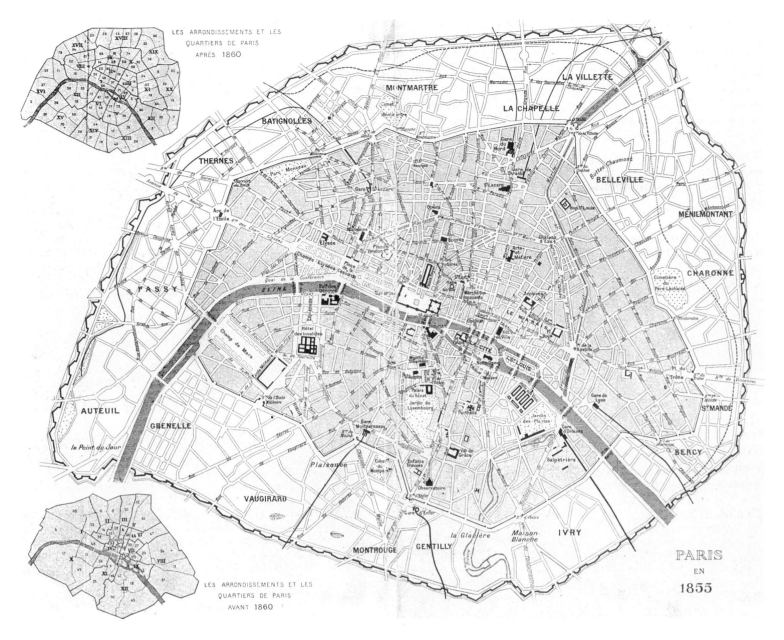

128. Paris im Jahr 1855. (Louis Réau, Pierre
Lavedan, u. a., *L'Œuvre du baron Haussmann*,
Paris 1954)

Heimarbeiterinnen. Sie lösten sicher bei vielen Lesern soziale Reflexionen aus, und so
war das andere Paris, jenes der Schlupfwinkel, Kloaken und Hinterhöfe, nicht mehr aus
dem öffentlichen Bewußtsein zu verdrängen.

Im Sachlichen noch ergiebiger als die gesellschaftskritischen Romane waren die Unter-
suchungen von H.-A. Frégier, dem Büroleiter der Préfecture de la Seine.[5] Nach seinen
Angaben befanden sich drei Stadtviertel in einem besonders desolaten Zustand: das
Quartier Saint-Honoré, dessen verbauteste Teile südlich der Markthallen zwischen Louvre und Châtelet lagen; das Quartier des Arcis zwischen der Place du Chatelèt und dem
Hôtel de Ville und schließlich das Quartier de la Cité. Bei diesem ältesten Stadtteil auf der
Seine-Insel stimmten sogar Sues romanhafte Milieuschilderung und Frégiers stadttopo-
graphische Enquète ohne große Abweichungen überein. Dieses Viertel war so eng überbaut, so unübersichtlich und verkommen, daß es an Verwegenheit grenzte, sich in die
etwa 2,5 Meter breiten Gassen zu wagen, in denen Diebe, Säufer und Gesindel den Ton
angaben. Doch darüber hinaus wußte Frégier rechts der Seine als weitere Elendsstätten
zu nennen: Teile im Quartier Faubourg Saint-Antoine im äußersten Osten und im Quartier Sainte-Avoye, das nördlich an das Quartier des Arcis anschloß. Auch die links der
Seine liegenden Stadtteile, in denen etwa ein Viertel der Gesamtbevölkerung wohnte,
hatte neben dem vornehmen Bezirk des Faubourg Saint-Germain verbaute Viertel im
Quartier Saint-Jacques, um den Jardin des Plantes herum und im Quartier Saint-Marcel.
Aber das südliche Paris besaß dennoch mit den großen Gärten der Montagne Sainte-
Geneviève und dem Jardin du Luxembourg doch weit gesündere Lebensbedingungen als
der Norden mit den sonnenlosen Häuserschluchten um die Rue Saint-Denis und der
Osten mit dem Werkstättengewirr des Kleinhandels jenseits der großen Boulevards oder

den zumeist fünfgeschossigen Mietshausblöcken um die Kirche Saint-Eustache, in denen die »outcasts« von Paris dahinvegetierten. Überhaupt befanden sich viele Gebäude in einem abbruchreifen Zustand. Oft erhielten die rückwärtigen Teile Licht nur durch enge Schächte und Innenhöfe, in denen noch Aborte hingen, deren Fäkalien den Hof verpesteten.[6]

Diese heruntergekommenen Wohnviertel waren zudem stark übervölkert.[7] Für das Kerngebiet rechts der Seine ließ sich eine Bevölkerungsdichte von 850 bis 1000 Einwohnern pro Hektar errechnen. In einem seltsamen Gegensatz dazu standen allerdings die westlichen Quartiere Roule, Champs-Elysées, Place Vendôme und Tuileries, die lediglich etwa 200 Einwohner pro Hektar aufwiesen. Nicht ohne Grund wüteten an diesen wunden Stellen des Stadtkörpers 1832 und 1849 die Cholera-Epidemien besonders furchtbar (1831/32 mit 18400 Toten und 1848/49 mit 19000 Toten). Ganz allgemein lag hier die Todesrate mit 48 je 1000 Einwohner sehr hoch. Und ohne Zweifel bildete die vorhandene soziale Unzufriedenheit ein wesentliches Element der revolutionären Ereignisse zwischen 1830 und 1850, denn die engen Gassen und die unübersichtlichen Verkehrsverhältnisse boten sich als idealer Rahmen für Barrikadenkämpfe und Hinterhalte an. Daß die Menschen in dieser Enge zu leben gezwungen waren, hatte verschiedene Ursachen. Die Rundform des Pariser Stadtkörpers entwickelte schon von der Anlage her eine starke zentripetale Tendenz. Sie wurde noch durch die Befestigungsringe aus den verschiedenen Epochen verstärkt. Die Octroi-Mauer, mit der die Zollpächter die Stadt 1784—91 ringförmig umzogen hatten und die als offizielle Stadtgrenze galt, hemmte die Expansion der Stadt stark. Es nützte nicht viel, daß sich außerhalb dieses Mauerzuges in dem Zwischenraum bis zu dem von der Juli-Monarchie 1841 bis 1845 erbauten Fortifikationsring eine Reihe von suburbanen Gemeinden befand (Batignolles, Montmartre, La Chapelle, La Villette, Belleville, Menilmontant, Charonne, Ivry, Montrouge, Vaugirard, Grenelle, Auteuil, Passy), denn es war in den vierziger Jahren nicht gelungen, die Stadtgrenzen bis zum äußersten Festungsgürtel hinauszuschieben und für die Stadt Paris weiteren Entwicklungsraum zu schaffen. Nach wie vor auf das Weichbild innerhalb der Octroi-Mauer festgelegt, litt die Stadt bei dem dauernden Zuzug von außen bald an erheblichem Platzmangel. Während die städtische Baufläche mit 3437 Hektar immer gleich blieb, nahm die Einwohnerzahl unaufhörlich zu.[8]

| Jahr | Einwohner | Jahr | Einwohner |
|------|-----------|------|-----------|
| 1801 | 547000 | 1851 | 1277000 |
| 1831 | 861000 | 1856 | 1538000 |
| 1836 | 1002600 | 1861 | 1696100 |
| 1841 | 1059800 | 1866 | 1825300 |
| 1846 | 1227000 | 1870 | ca. 1970000 |

Der Bevölkerungszuwachs ging jedoch nicht, wie bei englischen und nordamerikanischen Städten zu beobachten ist, auf eine stärkere Industrialisierung zurück. Was Paris so anziehend machte, war seine Rolle als Zentrum des ganzen Landes. Es war seit den politischen Ereignissen der Französischen Revolution und seit Napoleon I. hier die staatliche Zentralisation institutionalisiert hatte, die anerkannte Metropole der politisch einst eigenständigen Provinzen. In der Hautpstadt befanden sich die »grandes écoles«, und nur durch ihren Besuch vermochten Wissenschaftler, Literaten, Künstler und Politiker Karriere zu machen.

Auf diese Metropole liefen auch alle wichtigen Eisenbahnlinien zu, nachdem ein Gesetz im Jahre 1842 den Bau von sechs Hauptlinien konzessioniert hatte, um die Verbindung mit Straßburg, Marseille, Bordeaux, Nantes, Le Havre und Lille herzustellen. Sobald die Eisenbahnen in Betrieb waren, war es bei den niedrigen Fahrpreisen leicht, auch aus größerer Entfernung nach Paris zu gelangen. So gab es schon in den vierziger Jahren etwa 30000 Saisonarbeiter aus dem Zentralmassiv (Département de la Creuse), die vor allem auf den Baustellen der Hauptstadt Arbeit fanden.[9] Die vermehrte Bevölkerung beanspruchte in der Folge neue Verkehrswege, Transportmittel und Märkte. Aber gerade die Verkehrsverbindungen in der Stadt waren nach 1830 völlig unzulänglich geworden. Schon der Seine-Präfekt Chabrol beklagte 1819, daß in weiten Stadtteilen »freie und bequeme Kommunikationen« fehlten.[10] Seit 1828 fuhren die ersten Pferdewagen im Linienverkehr. Edouard Texier liefert für die Verkehrsdichte im Jahre 1853 genauere Angaben: Man zählte in 24 Stunden auf den großen Boulevards durchschnittlich 8000 bis 9000 Wa-

129. Der alte Boulevard du Temple, Paris, durch die Tranformation teilweise demoliert. (Adolphe Joanne, *Paris illustré en 1870 et 1877*, a.a.O.)

gen.[11] Doch waren diese verhältnismäßig breiten Ringstraßen dem Verkehr noch am ehesten gewachsen. Als völlig unzureichend erwiesen sich dagegen die engen Straßen und Gassen der Innenstadt, die oft durch historische Bauten verstellt oder beengt waren. Die berühmte »croisée de Paris« (Pariser Verkehrskreuz), die in den vorhergehenden Jahrhunderten der Stadt eine durchgehende, klare Nord-Süd- und Ost-West-Verbindung gegeben hatte, war um 1850 so verbaut, in der Linienführung abgewinkelt und durch fahrende und vor den Geschäftshäusern abgestellte Wagen versperrt, daß ein ungehinderter Durchgangsverkehr nicht mehr möglich war. Die Eisenbahnen hatte man von der Peripherie her mit Kopfbahnhöfen meist bis etwas innerhalb der Octroi-Mauer in die Stadt hereingeführt. Ihre Lage war so zufällig, wie Ankunftsrichtung und billig erworbenes Bauland es gerade ergaben. Die Gare Saint-Lazare, die 1840 provisorisch, 1842 ausgebaut benutzt wurde, lag einfach an der querlaufenden Rue de la Pépinière und an der Rue Saint-Lazare. Eine wenn auch völlig unzureichende, Radialverbindung zum Stadtinnern war erst vorhanden, als die Rue du Havre 1843 auf 20 Meter Breite geöffnet wurde. Nicht viel besser stand es um die Erschließung und Einbindung der übrigen Bahnhöfe. Aufs Ganze gesehen waren die Eisenbahneinführungen und die Bahnhofserschließungen völlig unbefriedigend. Sie verlangten sowohl eine bessere Integration als auch eine Querverbindung untereinander.

Zu der Übervölkerung, dem Zerfall ganzer Stadtviertel und den Verkehrsverstopfungen kamen noch unhaltbare stadthygienische und sanitäre Verhältnisse. Die Wasserversorgung basierte im wesentlichen auf den einst weitsichtigen Maßnahmen Napoleons I. Den größten Teil des Frischwassers führte der unter ihm erbaute Canal d'Ourcq mit täglich 105000 Kubikmetern heran. Der Aqueduc de Ceinture verteilte das Wasser auf die verschiedenen Stadtviertel. Doch hing die Möglichkeit der Wasserzuführung bei den Gefälleleitungen ganz von der Höhenlage ab. Bezirke, die höher als der Wasserspiegel der Leitung lagen, konnten nicht versorgt werden und mußten sich mit Wasserträgern behelfen. Zusätzlich zur l'Ourcq-Wasserzuführung pumpten Maschinen am Pont Notre-Dame, bei Gros-Caillon und bei Chaillot täglich etwa 7000 Kubikmeter Wasser aus der Seine. Kleinere Mengen Wasser lieferten örtliche Quellen wie in Belleville, Prés-Saint-Gervais und Rungis. Etwa 112000 Kubikmeter Frischwasser täglich für eine Großstadt mit über einer Million Einwohnern entsprach einfach nicht mehr den hygienischen Bedürfnissen der Zeit.

Bei der Entwässerung gab es kein geschlossenes System. Man begnügte sich vor 1848 damit, das Schmutzwasser noch innerhalb des Stadtbereichs in die Seine abzuleiten. Die Fäkalien sammelte man in verschlossenen Gruben, die man von Zeit zu Zeit von Arbeitskolonnen entleeren ließ.

Die geschilderten Zustände beweisen also deutlich: Dieses Paris mit seinen Mängeln und Nöten befand sich als Metropole einer politisch wie kulturell gleichermaßen einflußreichen Nation in einer kritischen Lage. Nur noch eine durchgreifende städtebauliche Erneuerung konnte der Stadt den Weg in die Zukunft öffnen.

Durch die Februar-Revolution von 1848 entstand in Paris mit der Proklamation der Republik eine neue Situation. Der Kampf, der bisher dem restaurativen Scheinkonstitutionalismus gegolten hatte, setzte sich nun im gesellschaftlichen Antagonismus zwischen Besitzbürgertum und Arbeiterschaft fort. Spätestens im Juni war klar, daß das bürgerliche Lager sich durchgesetzt hatte und eine Stabilisierung der unruhigen Verhältnisse anstrebte. In dieser Konstellation stellte die bonapartistische Bewegung Louis Napoléon Bonaparte (1808–73), den Neffen Napoleons I., als Garant der staatlichen Ordnung und als Verfechter einer populären Sozialpolitik vor. Das französische Volk zögerte nicht, diesem »Napoléon republicain« sein Vertrauen auszusprechen, indem es ihn am 10. Dezember 1848 zum Präsidenten der französischen Republik wählte.[12]

130. Louis Napoléon (1808–73).

Schon bald jedoch entpuppte sich der Prinz-Präsident als ein verschlossener, eigenwilliger und autarker Herrscher, dem republikanische Gesinnung und demokratisches Handeln fremd waren. Sein innenpolitisches Programm zielte auf Ordnung, Autorität des Staates und Gemeinwohl ab. Nahm man seine Worte ernst, dann sollten die Besitzlosen von ihrem Helotendasein erlöst und durch Assoziation, Erziehung und Disziplin in eine bessere Zukunft geführt werden.

Mit urbanen Problemen war Louis Napoléon durch Aufenthalte in London (1837–40) vertraut. Es war die Zeit, in der nach Chadwicks Mahnungen in London die sanitären und hygienischen Verhältnisse verbessert, die Squares und Parks vermehrt, neue Verkehrswege und -mittel geschaffen und ganz allgemein städtebauliche Themen diskutiert wurden. Aus der fortschreitenden Erschließung durch Untergrundbahnen, Bahnhöfe und neue Straßen dürfte Louis Napoléon die Notwendigkeit einer Erneuerung der Großstädte im Zuge einer industriellen Urbanisierung klargeworden sein. Mit den Vollmachten seines neuen Amtes ausgestattet, lag es für ihn nun nahe, Paris in einer großangelegten Veränderung, in einer »Transformation«, auf die neuen Lebensbedingungen umzustellen. Von den ersten Tagen seiner Präsidentschaft an ließ ihn sein »grand dessein« (großer Plan) nicht mehr los. Wie von Besuchern berichtet wird, hatte er in seinen Amtsräumen einen großen Stadtplan von Paris aufgespannt, vor dem er oft stand und in den er mit verschiedenfarbigen Stiften Straßendurchbrüche, Boulevardtrassen, Squares und Parks einzeichnete. Als geübter Gartengestalter und Zeichner war er dazu durchaus in der Lage; und was ihm an baulichen Kenntnissen fehlte, suchte er sich durch die Lektüre von Architekturbüchern, die er in der Nationalbibliothek auslieh, anzueignen. Die planerischen Absichten der Transformation gehen aus Louis Napoléons »coloriertem Plan« klar hervor und brauchen hier nicht näher beschrieben zu werden.[13] Genauer aufgeschlüsselt werden muß jedoch, inwieweit fremde Vorbilder und eigene Überlegungen den Präsidenten bei diesem Transformationsplan von Paris inspiriert haben. Vor allem anderen steht fest, daß die Grundidee des Planes, die Stadt mit Hilfe von Straßendurchbrüchen und Quartiersanierungen neu zu ordnen und zu verschönern, um 1850 keineswegs originell war. Voltaire hatte den Gedanken der Stadtverschönerung schon 1739 in seiner Schrift *Des embellissements de Paris* vorgetragen. Die Technik der Platzgestaltung und -zusammenschlüsse war von Pierre Patte 1765, das Motiv der Straßendurchbrüche vom »Plan des Artistes« 1793 aufgezeigt worden.[14] Louis Napoléon bediente sich dieser Anregungen allein schon deshalb, weil er in ihnen die Möglichkeit sah, als Vollender des von seinem Onkel Napoleon I. begonnenen Werkes aufzutreten. Wie dieser wollte auch er Paris zur schönsten Stadt der Welt machen.

Gegenüber den Vorbildern zeigte aber sein Plan schon die Ansätze zu einer Gesamtschau des Kommunikationssystems und zur durchgreifenden Sanierung des Stadtkörpers. Wahrscheinlich war dabei der Einfluß längst bekannter sozialpolitischer Vorstellungen wirksam, wie sie von Fourier, Cabet und den Saint-Simonisten vertreten wurden. Das Wohl der Arbeiter durch öffentliche Unternehmungen – »grands travaux« – zu fördern, neue, gesündere und geordnetere Lebens- und Arbeitsbedingungen zu schaffen, war eine der wichtigsten Forderungen der Zeit. Louis Napoléon, der sich lediglich durch diktatorische Gewalt und Plebiszit an der Macht hielt, wußte, wie wichtig für ihn das Vertrauen und die Zustimmung der Arbeiterschaft im ganzen Lande waren. Deshalb stand die Arbeitsbeschaffung in seinem innenpolitischen Programm der Ordnung und des sozialen Fortschritts an erster Stelle. In Paris war sie um so mehr erforderlich, als seit 1847 viele Bauarbeiter unbeschäftigt waren und nur durch neue Aktivitäten die lähmende wirtschaftliche Rezession überwunden werden konnte. Auch die noch ungewöhnliche Auffassung, durch Anleihen die »grands travaux« zu finanzieren, also das Kapital zum Wohle der Allgemeinheit arbeiten zu lassen, machte er sich unter dem Einfluß seiner saint-simonistischen Berater Michel Chevalier, Charles Duveyrier, Emile und Isaac Pereire zu eigen.[15]

Wie sehr Louis Napoléon unter dem Eindruck seiner Londoner Erlebnisse und Beobachtungen stand, ist schon erwähnt worden. Auf alle Fälle kannte er die Bestrebungen des Earl of Shaftesbury und Edwin Chadwicks. Im Sinne des nationalen Konkurrenzdenkens lag es für ihn deshalb nahe, die englischen Errungenschaften der Verkehrsmittel, der Stadthygiene und der offenen Parks auf die französischen Verhältnisse zu übertragen. Anregungen in dieser Hinsicht hatte Cabets utopischer Roman *Voyage en Icarie* bereits 1840 geliefert.

Louis Napoléon verfolgte bei der Transformation ohne Zweifel auch militärstrategische Absichten.[16] Der in frühere Komplotte verwickelte Planer wollte sich durch die Straßendurchbrüche und ihre geradlinige Trassenführung gegen zukünftige Rebellionen und Barrikadenkämpfe absichern. Man muß sich dabei vergegenwärtigen, daß es von 1830 bis zum Staatsstreich im Dezember 1851 nicht weniger als sieben Aufstände gab, die immer denselben Ablauf aufwiesen: Die Revolutionäre brachen aus den östlichen Stadtquartieren zwischen der Barrière Saint-Jacques und Rochechouart hervor, bemächtigten sich des Hôtel de Ville und proklamierten von dort aus die provisorische Regierung.[17] Um dieser Taktik entgegenzutreten, bedurfte es eines übersichtlichen Straßensystems, das von strategisch wichtigen Punkten aus zu übersehen war. Allein schon aus Gründen der bloßen Existenzsicherung und Machtabstützung mußte sich Louis Napoléon dieser Strategie bedienen. Den Transformationsplan aber nun ganz oder in seinen wesentlichen Teilen aus diesen strategischen Absichten abzuleiten, geht an jenem höheren Ziel vorbei, das dessen Initiator mit seinem romantischen Sozialismus vorschwebte. Im übrigen ließen sich die militärstrategischen und die bloß verkehrstechnischen Funktionen der

131. »Colorierter Plan« von Paris, von Louis Napoléon. (André Morizet, *Du Vieux Paris au Paris Moderne*, Paris 1932)

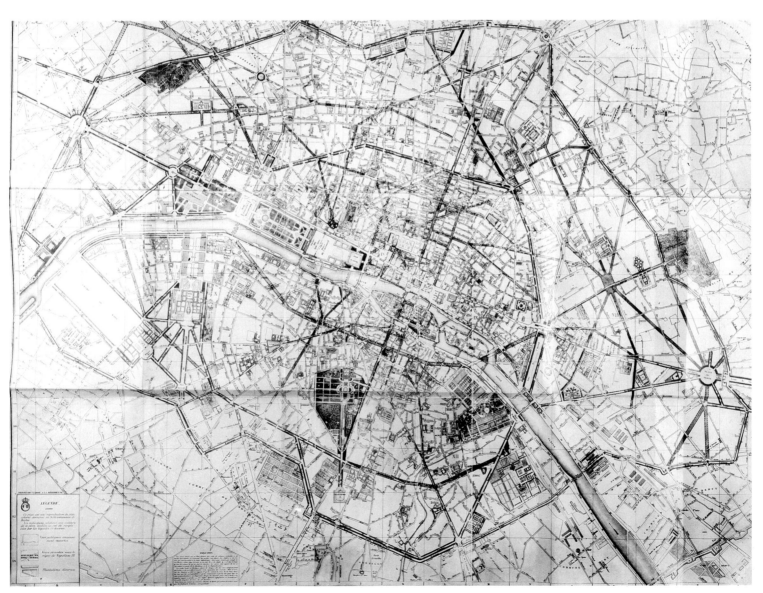

Straßen kaum klar voneinander trennen. Der Plan mußte aber, wollte er den Anforderungen der neuen Zeit genügen, direkte und übersichtliche Hauptverkehrsverbindungen und ausreichende Erschließungsstraßen aufweisen. Daß die Maßnahmen für die Absicherung des politischen Systems mit der Verwirklichung des bonapartistischen Sozialprogramms identisch waren, erwies sich in der Folge nur als ein neuer starker Antriebsfaktor für die urbane Transformation.

Unmittelbar nach seiner Proklamation zum Präsidenten der Republik am 20. Dezember 1848 ernannte Louis Napoléon den Bürgermeister des II. Arrondissement von Paris, Jean-Jacques Berger (1790–1859), zum »préfet de la Seine« (Präfekt des Seine-Departements). Als städtisches Beratungsgremium wirkte die durch das Dekret vom 8. September 1849 neu zusammengestellte Commission Départementale. Deren 36 für Paris ernannte Mitglieder bildeten zugleich die Commission Municipale, wobei aber 13 Republikaner durch bonapartistische Anhänger ersetzt wurden. Durch die Initiative des neuen Seine-Präfekten Berger und die Unterstützung dieses Gremiums, das von der Verwaltung berufen und nicht von der Bevölkerung gewählt worden war und – wie die Opposition immer wieder betonte – die Bezeichnung »Stadtrat« nicht verdiente, hoffte der Präsident seinen Transformationsplan in die Wirklichkeit umzusetzen.

Als Auftakt der »grands travaux« schlug er vor: Fertigstellung der Rue de Rivoli; Bau der »Halles centrales« (zentralen Markthallen); Durchbruch des Boulevard de Strasbourg auf dem rechten und der Rue des Ecoles auf dem linken Ufer der Seine; außerdem sollte der schon früher begonnene Boulevard Malesherbes fortgeführt werden. Dieses Programm erschien Berger, der das Hôtel de Ville auszubauen vorzog, völlig irreal. Auch die zuständige Commission Municipale, die in der Mehrheit eine sparsame Haushaltsführung im Sinne des früheren Präfekten Rambuteau vertrat, zeigte wenig Neigung, auf die Vorstellungen von Louis Napoléon einzugehen. Obwohl der Ausbruch der Cholera-Epidemie im Winter 1848/49 die Sanierung dringender denn je zuvor erscheinen ließ, zogen die Verhandlungen sich weit in das Jahr 1849 hinein, unterbrochen und aufgehalten durch die Wahlen und das »Complot des Arts et Métiers«. Allein die Finanzierung für den Weiterbau der Rue de Rivoli und für die Freilegung der Cour du Carrousel führte zu längeren Auseinandersetzungen in der Assemblée Constituante. Die Provinzabgeordneten widersetzten sich weitreichenden Arbeiten in der Hauptstadt. Erst als sie durch eine Gesetzesvorlage über den Bau neuer Eisenbahnen im Land zufriedengestellt waren, kam am 2. August 1849 ein Vertrag über diese Arbeiten zustande, wonach der Staat zwei Drittel und die Stadt ein Drittel der Kosten übernehmen wollten.

Im Hinblick auf die politische Lage zogen sich diese Vorbereitungen für Louis Napoléon aber viel zu lange hin. Es war ihm nämlich noch nicht gelungen, seine Macht im beabsichtigten Maße zu stabilisieren. Im Frühjahr 1850 verschlechterte sich die Situation noch weiter, als es bei den Teilwahlen den Kandidaten der »Ordnung« nicht gelang, sich gegen Sozialisten und Republikaner durchzusetzen. Fast die Hälfte der auf vier Jahre beschränkten Amtszeit war schon abgelaufen, ohne daß ein sichtbares Resultat der versprochenen »grands travaux« zu verzeichnen war. Um wenigstens die finanzielle Grundlage dafür zu schaffen, wurde vom Elysée-Palast aus eine Anleihe über 50 Millionen Francs ins Gespräch gebracht. So sehr sich auch der sparsame Präfekt und die Commission Municipale sträubten, der Präsident setzte sich durch. Am 4. August 1851 beschloß das Corps Législatif ein Gesetz, das den Bau der Rue de Rivoli und der Halles centrales endgültig regelte. Für Neubauten an den neuen Streckenabschnitten wurde eine zwanzigjährige Befreiung von bestimmten Steuern gewährt. Zur Deckung der Ausgaben war eine 50-Millionen-Anleihe vorgesehen. Für 21 Millionen Francs sollte die Rue de Rivoli von der Place du Louvre bis zum Hôtel de Ville mit einer Breite von 22 Metern verlängert, und für 37 Millionen Francs sollten die Halles centrales errichtet werden. Ein weiterer Aufschub war nun nicht mehr möglich. Mit einem Vorschuß von 20 Millionen Francs der Bank von Frankreich ging Berger daran, die von Louis Napoléon festgelegte geradlinige Trasse der Rue de Rivoli durch das »Quartier Saint-Honoré zu brechen. Die Vorarbeiten zum Neubau der Markthallen, die bereits 1844 unter Rambuteau begonnen hatten, gingen so rasch voran, daß der Präsident am 15. September 1851 den Grundstein zum ersten Pavillon bei der Kirche Saint-Eustache legen konnte. Damit zeigte die Transformation ihre ersten bescheidenen Ansätze.

Indes bewies der Staatsstreich vom 2. Dezember 1851, bei dem die republikanische Verfassung vollends außer Kraft gesetzt wurde, daß Louis Napoléon nicht mehr daran dachte, seine politische Stellung von den Resultaten der öffentlichen Arbeiten abhängig zu machen. Seinem konspirativen Charakter folgend, hatte er die Gewaltlösung vorgezogen

132. Durchbruch der Rue de Rennes, Paris.
Holzschnitt. (*L'Illustration*, Paris, 8. Februar
1868)

und damit zugleich auch für die Transformation eine wesentlich bessere Ausgangsposition geschaffen. Nach der neuen, vom Präsidenten diktierten Zusammensetzung der Nationalversammlung, des Staatsrats und der Commission Municipale war von diesen Institutionen vorerst kein Widerstand mehr zu erwarten, genausowenig wie von der städtischen Bevölkerung, die in der Mehrheit teilnahmslos dahinlebte. Unter diesen Umständen konnte Louis Napoléon es wagen, den Gang der öffentlichen Arbeiten selbst zu bestimmen. In rascher Folge erließ er seine Dekrete. Bereits am 10. Dezember 1851 gab er das Zeichen zum Bau der Pariser Ringbahn. Am 13. Dezember genehmigte er einen Kredit über 2,1 Millionen Francs für die Freilegung der Cour du Carrousel. Am 10. März 1852 bewilligte er der Stadt einen Betrag von 1,67 Millionen Francs und leitete damit die Arbeiten ein für den ersten Teil der Nord-Süd-Achse, den 30 Meter breiten Boulevard de Strasbourg auf dem Abschnitt von der Gare de l'Est bis zum inneren Boulevardring. Zwei Tage später ordnete er den Ausbau des Louvre an. Für diese Baumaßnahme gab der Staat, da es vornehmlich um dessen eigene Interessen ging, einen Zuschuß in Höhe von 25,68 Millionen Francs. In einem Gesetz vom 13. Juli 1852 übertrug Louis Napoléon den Bois de Boulogne aus staatlichem in städtischen Besitz. Die Transaktion war als ein Geschenk an die Pariser Bevölkerung gedacht und nur mit der Bedingung verknüpft, daß die Stadt sich mit 2 Millionen Francs an den Instandsetzungsarbeiten beteiligte. Um auch den Beifall der immer etwas vernachlässigten Arrondissements auf dem linken Ufer der Seine zu erlangen, nahm er durch ein Dekret vom 24. Juli 1852 den Durchbruch der Rue des Ecoles und die Verlängerung der Rue de Rennes als Erschließungsstraße der Gare de Montparnasse in das Programm der öffentlichen Arbeiten auf. Freilich hatte Louis Napoléon nach dem Gewaltstreich allen Grund, sich der öffentlichen Gunst zu versichern. Berger und seinen Anhängern blieb nichts anderes übrig, als die Initiativen des autoritären Staatspräsidenten aufzugreifen, zumal der neue, für die baulichen Veränderungen zuständige Innenminister Jean-Gilbert-Victor Fialin de Persigny (1808–72) als einer der treuesten bonapartistischen Parteigänger galt.[18] Der Präfekt legte am 3. April die 50-Millionen-Anleihe auf. Innerhalb kürzester Frist war sie voll gezeichnet.

Um dieselbe Zeit machte Berger dem Innenminister den Vorschlag, den jährlichen Haushaltsüberschuß der Stadt von 4 Millionen Francs für außerordentliche Arbeiten einzusetzen. Persigny reagierte darauf nicht wie erwartet, sondern entwarf seinerseits nun einen Plan: Statt sich auf diese unbedeutende Summe zu beschränken, solle die Stadt damit die Jahresraten für Zins und Amortisation bestreiten, um Kapital in viel größerem Umfang für die öffentlichen Arbeiten zu beschaffen; die Stadt riskiere dabei nichts. Bei der schnell wachsenden Bevölkerung würden die städtischen Einnahmen eine stetige jährliche Steigerungsrate aufweisen. Bei den Operationen könne die Stadt dann an dem durch die Sanierung hervorgebrachten Mehrwert der Baugrundstücke partizipieren. Im übrigen diene das ausgeliehene Kapital nur dazu, die verbauten Quartiere zu belüften, zu belichten und zu beleben. Das aber ergebe einen solchen wirtschaftlichen Auftrieb, daß sich die Stadt letzten Endes für den ganzen Kapitaleinsatz durch höhere Steuereinnahmen reichlich entschädigt sehe. Berger zeigte sich auf diese Visionen Persignys hin völlig konsterniert. Er teilte weder dessen Zukunftsglauben noch war er gewillt, die solide Grundlage der städtischen Haushaltspolitik aufzugeben. Mit der Feststellung: »Ich würde mich niemals dazu hergeben, die Stadt mit Hilfe des Haushaltsüberschusses zu ruinieren«,[19] lehnte er Persignys Plan schroff ab. Damit war sein Schicksal als Seine-Präfekt besiegelt. Denn Louis Napoléon hatte an der von seinem Innenminister vorgeschlagenen Finanzierungsmethode verständlicherweise nichts auszusetzen. Bergers Weigerung, sie zu akzeptieren, ergab endlich einen plausiblen Vorwand, sich des unwilligen Präfekten zu entledigen. Die Aufgabe, einen neuen, aber willfährigeren Helfer ausfindig zu machen, übernahm Persigny.

Um festzustellen, wer unter den hohen Verwaltungsbeamten Frankreichs der schwierigen Aufgabe gewachsen war, Paris nach dem Plan Louis Napoléons gegen die Widerstände der vorhandenen Opposition zu erneuern, lud der Innenminister die bedeutendsten Präfekten des Landes der Reihe nach vor. Er horchte sie aus, wie sie in ihren Departements den Staatsstreich bewältigt hatten und wie sie sich zu den Pariser Sanierungsarbeiten stellten, ohne ihnen aber zu sagen, daß Berger ersetzt werden sollte. Der Präfekt des Département de la Gironde, Georges-Eugène Haussmann (1809–91) aus Bordeaux, beeindruckte Persigny am stärksten, allerdings weniger durch seine Intelligenz als vielmehr durch bestimmte Charaktereigenschaften, die ihn für die Stelle besonders geeignet erscheinen ließen. Seinen Gesprächspartner charakterisierte Persigny so: »Ich hatte einen der außerordentlichsten Typen unserer Zeit vor mir. Groß, stattlich, stark, energisch und zugleich fein, schlau und mit einem um Auswege nicht verlegenen Geist, scheute sich dieser verwegene Mann nicht, offen zu zeigen, was er war ... Nichts Merkwürdiges fand er an der Art, mit der er mir seinen Halsbandcoup des 2. Dezember erzählte, seine Streitigkeiten mit dem Marineminister, diesem armen, von zwei Frauen in Verlegenheit gebrachten M. Ducos, und besonders seine Kämpfe mit dem Conseil Municipal von Bordeaux ... Während sich diese aufdringliche Persönlichkeit vor mir mit einer Art von brutalem Zynismus ausbreitete, konnte ich, was mich anbetraf, meine lebhafte Genugtuung nicht fassen. Um, so sagte ich mir, gegen die Ideen, die Vorurteile einer ganzen ökonomischen Schule, gegen verschlagene, skeptische, in der Wahl der Mittel wenig skrupelhafte und zumeist aus der Börsenkulisse oder dem Advokatenstand hervorgegangene Leute zu kämpfen, ist hier der richtige Mann gefunden. Da, wo der geistreichste, gewandteste, rechtschaffenste und nobelste Edelmann unvermeidlich scheitern würde, wäre diesem kräftigen Athleten mit starkem Rückgrat und plumpem Nacken, voll Verwegenheit und Geschicklichkeit und fähig, Ausweg gegen Ausweg, Hinterhalte gegen Hinterhalte zu setzen, der Erfolg sicher. Ich genoß im voraus den Gedanken, dieses großgewachsene, katzenartige Tier mitten in die Herde von Füchsen und Wölfen zu werfen, die gegen alle edlen Bestrebungen des Kaiserreiches gehetzt wurden. Nie ist mir die Lehre Hahnemanns Similia similibus curantur angebrachter erschienen.«[20] Außer durch seine geschwätzige Vorstellung empfahl sich Haussmann dem herrschenden Regime auch noch aus anderen Gründen. Er hatte sich nämlich seit der Wahl von Louis Napoléon zum Präsidenten als eifriger Befürworter des bonapartistisch-imperialistischen Kurses hervorgetan und war dafür auch nach langjähriger Verwendung im Verwaltungsdienst mit den Präfekturen der Départements du Var, de l'Yonne und de la Gironde belohnt worden. In Bordeaux, seiner letzten, kurzen Station, hatte er sich noch ganz besonders als Organisator der im Herbst 1852 unternommenen »voyage d'interrogation« des Staatsoberhauptes hervorgetan. Im Rahmen einer von ihm organisierten Veranstaltung der Handelskammer hatte Louis Napoléon jene mysteriöse Rede gehalten, die ein neues Empire fast unverhüllt ankündigte. In ihr prägte der Präsident die programmatische Formel: »L'Empire, c'est la paix.« Er sprach von Eroberungen, die er, wie der Kaiser (gemeint war Napoleon I.), zu machen habe. Sie bestünden für ihn aber darin, die vom Staat

133. Georges-Eugène Haussmann (1809–91).

abfallenden Parteien zu einigen, riesige unbewirtschaftete Flächen zu kultivieren, Straßen zu bauen, Brücken zu errichten, Flüsse schiffbar zu machen und das Eisenbahnnetz zu vervollständigen. Wenig später wurde der Prinz-Präsident, und zwar wieder mit Hilfe eines Plebiszits, am 2. Dezember 1852 als Napoleon III. zum Kaiser der Franzosen gewählt. Das Second Empire war Wirklichkeit geworden.[21] Eignung und Einsatzwille sprachen also gleichermaßen für Haussmann. Es fiel dem Kaiser deshalb leicht, Persignys Rat zu folgen und sich für diesen Mann zu entscheiden.

Am 23. Juni 1853 wurde Haussmann zum »préfet de la Seine« ernannt.[22] In vielen, in seinen *Mémoires* minutiös beschriebenen Antrittsbesuchen tastete er das ihm neue Terrain ab. Besonders eindrucksvoll für ihn war die Vereidigung in Saint-Cloud. Hier erläuterte ihm Napoleon III. seinen »colorierten Plan«, in dem jeweils nach dem Dringlichkeitsgrad, die neuen Straßen blau, rot, gelb oder grün eingezeichnet waren.[23] Er erfuhr auch, daß eine »Commission des Grands Travaux de Paris« benannt worden war, in der die einzelnen Sanierungsmaßnahmen beraten werden sollten. Über dieses Gremium zeigte sich der Präfekt verwundert. Bedurfte es einer solchen beratenden Versammlung? Für Napoleon III. war die absichtsvolle Frage Grund genug, diese offizielle Kommission aufzugeben, bevor sie überhaupt in Aktion getreten war. Als Mann der Tat hatte Haussmann nicht das geringste Interesse daran, die Transformation mit einem intermediären Gremium zu diskutieren. Die wichtigen Entscheidungen sollten allein dem Kaiser und seinem Präfekten, der staatlicher Verwaltungsbeamter und Bürgermeister in einer Person war, überlassen bleiben. Freilich hatte sich Haussmann noch mit der amtierenden Commission Municipale abzustimmen. Ihr Präsident Delangle verhehlte nicht, daß man den Abgang Bergers auf das lebhafteste bedauerte. In der ersten Sitzung dieser Institution erläuterte der neue Präfekt die finanzielle Situation der Stadt. Er wies für den Haushalt 1854 einen Überschuß von 22 Millionen Francs nach und bemerkte dazu, daß unter normalen Verhältnissen damit große Pläne zu realisieren seien. Da er jedoch für den Moment weder auf eine neue Anleihe reflektierte noch überhaupt die Absicht erkennen ließ, die Arbeiten auszuweiten, erhob sich kein grundsätzlicher Widerspruch. Unbehindert konnte er die von Berger eingeleiteten Arbeiten weiterverfolgen.

Rasch stellte sich jedoch heraus, daß die planerischen Unterlagen und Vorbereitungen unzureichend waren. Für die verschiedenen Projekte gab es nur zusammenhanglose Einzelpläne. Ein offizieller Gesamtplan in größerem Maßstab fehlte. Kurz entschlossen teilte Haussmann die Planung – Service du Plan de Paris – in zwei Ämter auf. An die Spitze des Planungsamtes stellte er Barillet-Deschamps, einen Absolventen der Ecole des Beaux-Arts und »architecte voyer« im Dienste der Stadt. Er war ihm in dem kurzen Zeitraum der Einarbeitung als zuverlässiger und unbestechlicher Planer aufgefallen. Die Projektierung der Be- und Entwässerung übertrug Haussmann Marie-François-Eugène Belgrand (1810–78), einem Angehörigen des Corps des Ponts et Chaussées, mit dem er im Département de l'Yonne schon 1850 zusammengearbeitet hatte. Die Verantwortung für die Ausgestaltung der Parks und der gärtnerischen Anlagen übernahm Jean-Charles-Adolphe Alphand (1817–91), ein Bauingenieur aus Bordeaux, der sich im Dienst der dortigen Präfektur bewährt hatte und Haussmann ebenfalls bekannt war.

Um zu brauchbaren Planungsunterlagen zu gelangen, nahm man eine Triangulationsvermessung des ganzen, von der Octroi-Mauer umgrenzten Stadtgebietes vor. Sie zog sich über ein Jahr hin und reizte die Karikaturisten zu spöttischen Darstellungen. Sie war aber unerläßlich, und erst auf der Grundlage ihrer Meßergebnisse war es Barillet-Deschamps möglich, einen exakten Gesamtplan im Maßstab 1:5000 anzufertigen. Er setzte sich aus 21 Einzelblättern zusammen und wurde im Original im Arbeitszimmer des Präfekten aufgestellt. Eine Höhenvermessung erwies sich ebenfalls als unumgänglich. Hier hatte Rambuteau mit den Nivellements der alten Boulevards etwas vorgearbeitet. Unter Berger war jedoch die Höhenkotierung der Rue de Rivoli nicht sorgfältig genug überlegt worden. Als man nämlich weiter nach Osten vordrang, ergaben sich Schwierigkeiten in der Trassierung. Es fiel Haussmann deshalb nicht schwer, die Commission Municipale von der Dringlichkeit genauerer Höhen- und Flächenmessungen zu überzeugen und zur Genehmigung der notwendigen Mittel zu veranlassen. Alle diese Vorbereitungen dauerten bis 1854. Von diesem Zeitpunkt an war die Transformation in vollem Gange.

## 5.1.3. Die Arbeiten der drei »réseaux«

### Der erste Abschnitt zwischen 1853 und 1858

Die von Berger bereits begonnenen Projekte bestimmten zunächst auch unter Haussmann den Ablauf der Arbeiten. Am weitesten gediehen war die Rue de Rivoli. Man hatte den ersten Abschnitt bereits vollendet, den zweiten konnte man 1854/55 abschließen. Beim dritten Abschnitt ergaben sich unvorhergesehene Schwierigkeiten in der Festlegung der Höhen. Als die Nivellements des Quartier des Arcis vorlagen, stand fest, daß der Pont Notre-Dame abgesenkt, weit mehr Bausubstanz als angenommen abgebrochen und die Tour Saint-Jacques de la Boucherie, wenn sie erhalten werden sollte, mit einer Substruktion unterfangen werden mußte. Zudem hatte noch ein Dekret vom 19. Februar 1853 eine Vergrößerung der Place de Grève (heute Place de l'Hôtel de Ville) vorgeschrieben. Diese Ausweitungen der Arbeiten sprengten den Rahmen der bisherigen Straßendurchbrüche. Sie stellten alle Beteiligten zum ersten Mal vor die Probleme einer durchgreifenden Quartier- und Stadtsanierung. Die unangenehmsten Folgen zeigten sich bei den Kostenerhöhungen. Anstatt der geschätzten 18 Millionen Francs summierten sich die Ausgaben des dritten Abschnitts auf 30 Millionen, zu denen noch 18 Millionen für die Freilegung des Hôtel de Ville hinzukamen. Sie wurden hingenommen. Ein Dekret vom 29. September 1854 ordnete den letzten Abschnitt der Rue de Rivoli bis zur Place de Birague an. Zur gleichen Zeit trieben 3000 Arbeiter die Erweiterung des Louvre nach den Plänen der Architekten L.-T.-J. Visconti (1791–1853) und Hector Lefuel (1810–80) voran.[24] Die feierliche Einweihung am 14. August 1857 machte den ersten großen Erfolg der Transformation sichtbar: Mit der direkten Verkehrsverbindung von der Place de la Concorde zur Place Saint-Antoine (heute Place de la Bastille) war endlich die Croisée de Paris in Ost-West-Richtung für die Durchfahrt wieder offen. Mit der Vergrößerung des Louvre hatte das Second Empire außerdem einem symbolischen Bau seine Reverenz erwiesen.

Wie aber stand es um die Nord-Süd-Verbindung? Der Durchbruch des Boulevard de Strasbourg hatte einen Anfang gesetzt. Ohne weiteres stimmte der Kaiser dessen Verlängerung quer durch die ganze Stadt bis zur Barrière d'Enfer zu, zumal er in seinem »colorierten Plan« diese Trasse selbst vorgesehen hatte. Doch ließ sich diese weitreichende Absicht nur in Teilabschnitten verwirklichen. Das Dekret vom 29. September 1854 stellte den öffentlichen Nutzen – utilité publique – des 30 Meter breiten Straßendurchbruchs vom Boulevard Saint-Denis bis zur Place du Châtelet unmittelbar am rechten Seine-Ufer unter der Bezeichnung Boulevard de Centre (nach dem Krimkrieg Boulevard Sébastopol) fest, wobei auch noch die Queranschlüsse der neuen Rues Réaumur, E. Marcel, de la Cossonnerie und Turbigo mit je 20 Metern Breite berücksichtigt wurden. Durch diese Arbeiten verschwanden manche Alt-Pariser Straßen und Gassen. Wieder zeigte es sich, daß ein Straßendurchbruch in diesem Ausmaß den Umbruch ganzer Stadtviertel bedeutete. Was dabei neben allen Verkehrsverbesserungen bezweckt werden sollte, verrät Haussmanns Kommentar deutlich: »Das war das gewaltsame Aufbrechen des alten Paris, des Aufruhr- und Barrikadenviertels durch eine breite, zentrale Straße, indem man Teil für Teil dieses fast unbenutzbaren Labyrinths durchschnitt und mit Querverbindungen versah.«[25] Die Pariser Bevölkerung nahm diese »Sanierungen« nicht mit ungeteiltem Beifall auf. Die Liebhaber von Alt-Paris konnten sich mit dem Verlust der alten Palais und der

134. Durchbruch des Boulevard de Centre – Boulevard Sébastopol –, Paris (Louis Réau, Pierre Lavedan, u.a. *L'Œuvre du baron Haussmann*, a.a.O.)

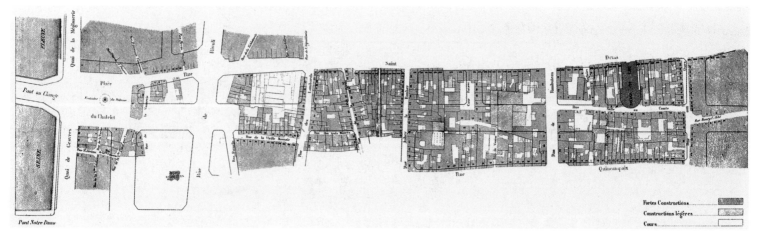

historischen Gassen nicht ohne weiteres abfinden. Sie wiesen darauf hin, daß die Bau-
behörden sich an ein Fluchtliniengesetz aus dem Premier Empire (»Loi d'Alignement du
16 septembre 1807«) hätten halten müssen. Haussmann kümmerte sich wenig darum,
denn es war ihm klar, daß der Rahmen dieses Gesetzes längst gesprengt war. Im übrigen
konnten nach dem von der Nationalversammlung im April 1850 beschlossenen »Loi de
Melun«[26] Sanierungen durchaus vorgenommen werden, und das »Décret organique du
23 mars 1852« lieferte auch praktikable Enteignungsvorschriften.

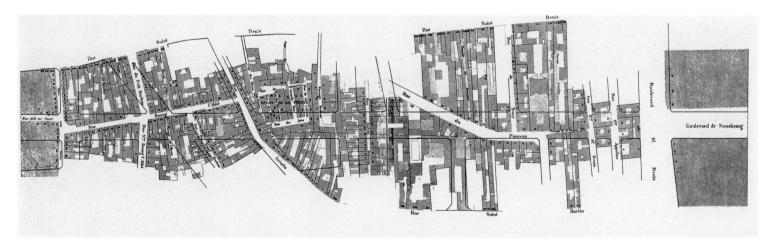

Ungeachtet einzelner Proteste trieb Haussmann die Arbeiten voran. Er erreichte, daß ein Gesetz vom 19. Juni 1857 die weitere Verlängerung der Nord-Süd-Achse vorschrieb. Es gab den Weg frei für die Öffnung der Cité durch den Boulevard du Palais und für den Durchbruch auf dem linken Seine-Ufer bis zur alten Place Saint-Michel (heute Place Médicis). In diesem Stadtteil ordnete er außerdem den Baubeginn an dem ringförmigen Boulevard Saint-Germain an, der auf der einen Seite bis zur Rue Hautefeuille geführt, auf der anderen Seite nach und nach bis zum Quai Saint-Bernard vorgeschoben wurde. Napoleon III. hätte es allerdings lieber gesehen, wenn der innere Boulevardring des linken Seine-Ufers der von ihm angelegten Rue des Ecoles gefolgt wäre. Aber der Präfekt konnte ihn schließlich überzeugen, daß die vorhandenen Höhenverhältnisse diese Lösung ausschlossen.

Mit einem anderen Vorzugsobjekt des Kaisers, den »Halles centrales«, mußte sich Haussmann ebenfalls auseinandersetzen. Als nämlich ein erster Pavillon nach den Plänen von Victor Baltard (1805–74) und Félix Callet (1792–1854) noch zur Amtszeit Bergers Gestalt angenommen hatte, sprachen die Pariser bei der massiven, durch festungsähnliche Vorbauten gegliederten Halle vom »Fort de la Halle«.[27] Diese abschätzige Charakterisierung hatte Napoleon III. veranlaßt, den Bau einstellen zu lassen und einen Wettbewerb zu veranstalten, um eine neue Lösung zu finden. Bei diesem Stand der Dinge versuchte Haussmann zu ergründen, was dem Kaiser eigentlich als passende Markthallen-Architektur vorschwebte. Eisenkonstruktionen wie beim Ostbahnhof, in der Form riesiger Parapluies, waren die Antwort. Mit dem Hinweis »Eisen, Eisen, nichts als Eisen« veranlaßte der Präfekt den ihm aus der Schulzeit bekannten Baltard zu einem neuen Entwurf. Als der Kaiser diesen zu sehen bekam, war er begeistert. Auf seine Frage nach dem Architekten antwortete Haussmann: »Es ist derselbe Architekt, aber es ist nicht mehr der gleiche Präfekt.«[28]

Ein Dekret vom 21. Juni 1854 brachte den Bau der Markthallen nach dem neuen Plan wieder in Gang. Straßen und Hallen erhielten einen größeren Zuschnitt. An Stelle von 8 sollten nun 14 Pavillons entstehen. Und statt 147 mußten jetzt noch zusätzlich 180 Ge-

137. Durchbruch des Boulevard du Palais mit den Zerstörungen in der Rue de la Barillerie, Paris. Stich von H. Linton. (Musée Carnavalet, Paris)

138. Paris aus der Luft mit den Halles centrales, dem Louvre und dem Palais Royal. (ign France, Photothèque Nationale, Saint-Mandé)

bäude den Neubauten weichen. Es zeigte sich auch hier, in welche Dimensionen Haussmann die Aufgabe zu rücken wußte. Als nördlicher Abschluß umgrenzte die ausgeweitete Rue Rambuteau den Bezirk. Die Rue du Pont-Neuf stellte die Verbindung mit der Rue de Rivoli und dem Seine-Quai her; die Rue des Halles eröffnete den Weg zur Place du Châtelet. Während die Bemühungen Rambuteaus und Bergers zwischen 1844 und 1853 lediglich eine Steinhalle hervorgebracht hatten, die so unzeitgemäß war, daß sie wieder abgetragen werden mußte, gelang es Haussmann scheinbar mühelos, zwischen 1854 und 1857 sechs große Pavillons errichten zu lassen. Sie waren zum größten Teil in Eisen und Glas konstruiert; ihre Durchfahrtsdächer, ihre Belichtung und Luftzirkulation galten als vorbildlich.[29] Die von 15 auf 44 Millionen Francs gestiegenen Baukosten wußte Haussmann auf seine Art zu begründen: Nicht die Höhe der Ausgaben, sondern nur der tatsächliche Nutzen und die weitsichtige Anlage würden später einmal über den Wert seines Werkes bestimmen. Am nötigen Selbstvertrauen fehlte es dem Präfekten nicht, allerdings auch nicht am Erfolg. Das am meisten bewunderte Werk in den ersten Jahren des Second Empire gelang Napoleon III. und Haussmann mit der Neugestaltung des Bois de Boulogne.[30] Auch hier verstand der Präfekt es wieder, den ursprünglichen Rahmen des napoleonischen Projektes zu sprengen, indem er den Parc de Madrid und die Plaine de Longchamp in den neuen Park mit einbezog und diesen bis an die Seine ausdehnte. Da ihm ein Gesetz vom 13. April 1855 außerdem noch ermöglichte, abgelegenes Gelände in Passy, Boulogne und Neuilly zu veräußern, ergab die Bilanz nach der Einweihung im März 1857, daß der Bois de Boulogne die Stadt lediglich 3,4 Millionen Francs gekostet hatte. Insofern war der neue Park als Auflockerung und Durchgrünung des Stadtkörpers wirklich ein Geschenk an die Pariser Bevölkerung, wenn er auch hauptsächlich dem mondänen Publikum des Westens zugute kam. Aber gerade diese Tatsache ließ den Kaiser nicht ruhen, dem proletarischen Osten ebenfalls eine ähnliche Anlage zu verschaffen. Das Jahr 1855, in dem die erste große Weltausstellung in Paris stattfand, zeigte Haussmann in voller Aktion. Um beim Bau des Boulevard Saint-Michel und bei anderen Projekten ohne staatliche Kostenbeteiligung operieren zu können, nahm er seine erste Anleihe über 60 Millionen Francs auf. Damit und mit den Restmitteln der früheren Anleihen konnte er ohne gravierenden Einwand der Opposition die ab 1851 begonnenen Arbeiten zur vollen Zufriedenheit seines »auguste maître«, wie er den Kaiser manchmal ehrfurchtsvoll nannte, zum Abschluß bringen. Und dieser dankte seinem treuen Diener bei der feierlichen Eröffnung des Boulevard de Sébastopol am 5. April 1858 dadurch, daß er ihn gegen alle Angriffe in Schutz nahm, vor allem aber gegen jene, die aus dem Corps Législatif kamen. Alle Kritik an dem agilen und selbstgerechten Präfekten konzentrierte sich vorerst noch auf die private Affäre mit der Tänzerin Francine Cellier. Attacken dieser Art ließen ihn so ungerührt wie seinen Herrn, der nicht nur als Kaiser verehrt, sondern auch mit dem Spitznamen »Badinguet« verspottet wurde.[31]

139. Der Bois de Boulogne, Paris, vor der Erneuerung.
140. Der Bois de Boulogne, Paris, nach der Erneuerung: 1 Bagatelle, 2 Pré Catelan, 3 Cercle des Patineurs, 4 Société impériale zoologique d'Acclimatation, 5 Hippodrome de Longchamp. (P. Lavedan, *Histoire de l'Urbanisme, Epoque contemporaine*, Paris 1952)

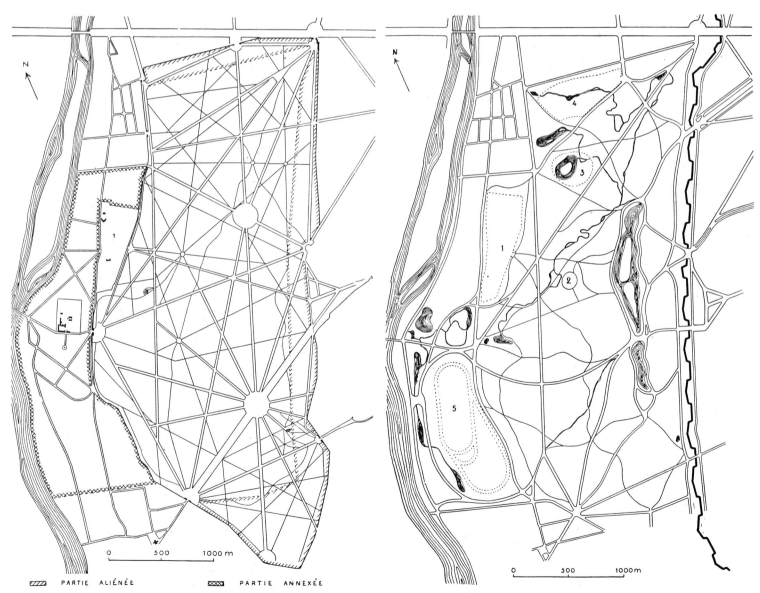

PARTIE ALIÉNÉE          PARTIE ANNEXÉE

Der zweite Abschnitt zwischen 1858 und 1869

Zur Zeit des Second Empire sind die Pariser Straßendurchbrüche und Sanierungen allgemein durch drei Straßennetze (»trois réseaux«) klassifiziert worden. Diese Unterteilung
hatte weder eine städtebaulich-funktionelle Bedeutung noch bestimmte sie die zeitliche
Folge der Baumaßnahmen. Sie war, wie Haussmann in diesem Falle völlig sachlich an-
merkt, »un classement de comptabilité: rien de plus« und diente lediglich dazu, die vom
Staat subventionierten Straßen gegen jene, die die Stadt auf eigene Kosten angelegt hatte,
abzugrenzen.[32] Natürlich war eine zeitliche Staffelung vorhanden. Alle jene Arbeiten, die
zwischen 1850 und 1858 auf der Grundlage des Gesetzes vom 4. Oktober 1849 abgewickelt
worden waren, teilte man nachträglich, unabhängig davon, ob sie nun staatlich subven-
tioniert waren oder nicht, dem »1$^{er}$ réseau« zu. Die Basis des »2$^e$ réseau« bildete der Vertrag vom 18. März 1858, den man den »Traité des 180 Millions« nannte. Der Staat, vertreten durch den Minister der öffentlichen Arbeiten Rouher und den Finanzminister Magne,
und die Stadt, repräsentiert durch den Präfekten Haussmann, legten in vertraglicher
Form fest, daß der Staat für die in neun Paragraphen beschriebenen Arbeiten ein Drittel
der Kosten übernehmen sollte. In Vorverhandlungen hatte man sich darüber geeinigt, für
welche Straßen ein öffentliches Bedürfnis bestand. Zur Absicherung des Staates sollte
dessen Betrag auf maximal 60 Millionen Francs beschränkt sein. Außerdem hatte die
Stadt die Arbeiten innerhalb von zehn Jahren auszuführen. Das Corps Législatif stimmte
diesem Vertrag jedoch erst zu, als die Subvention auf 50 Millionen Francs reduziert worden war. Stärker als beim »1$^{er}$ Réseau« bekamen nun die Initiatoren der Transformation
den Widerstand der Legislative zu spüren. Die Deputierten ließen keinen Zweifel daran,
daß sie nur Straßen mit überregionaler Bedeutung subventionieren wollten. Alle im Vertrag aufgeführten Straßen wurden daraufhin einer genauen Prüfung unterzogen. Indessen reichten die Pläne Napoleons III. und Haussmanns weit über den Rahmen der »lignes
magistrales« hinaus, denn aus ihrer Sicht sollten nicht nur Hauptstraßen die Stadt durchqueren, sondern es mußten darüber hinaus unzugängliche und ungesunde Stadtviertel
erschlossen und saniert, Bahnhöfe in das Straßensystem eingebunden und schließlich
auch Vorkehrungen für die öffentliche Sicherheit getroffen werden. Um diese geheimen
Absichten nicht ganz bloßzulegen, blieb dem Präfekten nichts anderes übrig, als alle jene
Straßendurchbrüche auszuklammern, für die offensichtlich kein Staatszuschuß zu erwarten war und über die am besten auch gar nicht öffentlich diskutiert werden sollte.
Zudem machten die in Gang befindlichen und nach der Eingliederung der Banlieue ab
1860 neu erforderlichen Operationen manche unvorhergesehenen Ausweitungen und
Ergänzungen notwendig. Alle diese Maßnahmen faßte man im »3$^e$ réseau« zusammen,
für das Haussmann, da er eine staatliche Kostenbeteiligung nicht mehr erhoffen konnte,
eine überaus dubiose Finanzierungsmethode wählte. Ein Gesetz vom 18. Mai 1858 gab
das Zeichen zum Beginn der umfangreichen Arbeiten des zweiten Abschnitts. Es war

145

Haussmann gelungen, fast alle im »colorierten Plan« fixierten Durchbrüche im Ausführungsprogramm des »Traité des 180 Millions« unterzubringen. Obwohl die Arbeiten im Vertrag scheinbar zusammenhanglos aufgezählt wurden, bildeten sie dennoch einzelne Schwerpunkte, die insgesamt gesehen durchaus Methode und Absicht erkennen lassen. In der Zusammenschau der einzelnen Unternehmen zeichnet sich am Ende der Grundplan deutlich ab.

Die Grande Croisée de Paris als ein Hauptbestandteil des »grand dessein« war zwar zu einem großen Teil verwirklicht, machte nun aber den Druchbruch durch die Cité im Zuge der alten Rue de la Barillerie erforderlich (Traité, §9). Und da Haussmann in diesem Stadtteil einmal am Werk war, begnügte er sich nicht mit dieser Verkehrsverbesserung. Er bezog gleich die ganze Cité in seine Pläne mit ein. War in diesem Gewirr von engen Gassen, düsteren Höfen und winkligen Buden überhaupt etwas erhaltenswert? Sicher mußten die Kathedrale Notre-Dame, die Sainte-Chapelle beim Palais de Justice und die Place Dauphine geschont werden. Aber weder das alte Hôtel-Dieu am Seine-Arm noch die verbauten Blöcke zwischen der Rue de la Pelleterie und dem Quai du Marché Neuf schienen erhaltenswert, wenn man literaturhistorische Reminiszenzen beiseite schob. Haussmann ließ sich auf keine Diskussion ein und machte Tabula rasa.
Außer den genannten Baudenkmälern blieb nur das Viertel an der Rue Chanoinesse nördlich von Notre-Dame stehen, um saniert zu werden. Die freigemachten Flächen bo-

142. Das alte Hôtel-Dieu, Paris, 1850, vor dem Abbruch. Kupferstich von Charles Meryon. (Bibliothèque Nationale, Paris)

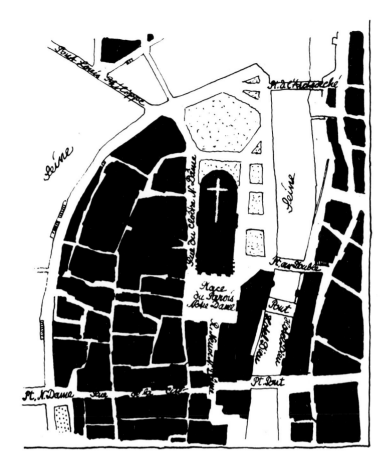

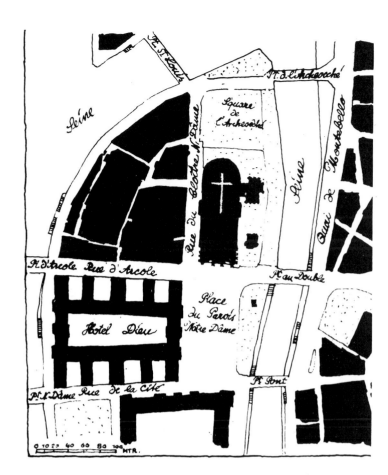

143. Ostpartie der Cité, Paris, vor der Transformation.
144. Ostpartie der Cité, Paris, nach der Freilegung der Kathedrale Notre-Dame und mit dem Neubau des Hôtel-Dieu. Lageplanskizzen von Hans Speckter. (*Baumeister*, 1963, H. 7)

ten nach des Präfekten Meinung die einmalige Gelegenheit, die Cité ausschließlich als administratives und episkopales Zentrum auszubauen. Für diesen Idealplan hätte Haussmann auch noch die Place Dauphine umgestaltet und das Hôtel-Dieu an die Stadtperipherie verlegt. Der Kaiser entschied sich für Kompromisse. Westlich des Boulevard du Palais ordnete man die Gebäudegruppe des Palais de Justice nach den Plänen des Architekten J.-L. Duc (1802–79) neu. Östlich dieser Hauptquerspange entstanden das Tribunal de Commerce und die Caserne de la Cité. Weiter nach Osten schloß sich das neue Hôtel-Dieu so an, daß vor der Kathedrale die Place du Parvis Notre-Dame ausgespart blieb. Diese Freilegung der Turmfassade war typisch für die maßstabslose Architekturauffassung der Zeit. Ganz unsicher zeigten die Beteiligten sich in der Behandlung des Hôtel-Dieu. Ob diesem Bau und seiner baulichen Umgebung drei oder vier Geschosse angemessen waren, wußte niemand genau zu sagen. Aufs Ganze gesehen war man sich auch darüber unschlüssig, ob nicht doch noch ohne Not zuviel vom alten Paris demoliert worden war.

Auf dem linken Seine-Ufer war der Boulevard Saint-Michel bis zur Einmündung der Rue Soufflot gediehen. Seine Fortsetzung in Richtung der Rues d'Enfer und de l'Est erforderte besonders aufwendige Baumaßnahmen. Um eine gleichmäßige Steigung zu erreichen und die Querstraßen auf gleicher Höhe anzuschließen, mußte der Hügel vor der Ecole des Mines um einige Meter abgetragen werden. In diesem Zusammenhang griff Haussmann auch den alten Plan auf, zwischen der Rue Soufflot und dem Odéon eine Querverbindung zu schaffen. Er begnügte sich dabei aber nicht damit, wie es für diese Nebenstraße vielleicht angemessen gewesen wäre, den schmalen Rues de Vaugirard und Monsieur-le-Prince zu folgen, sondern er setzte sich in den Kopf, die das Odéon tangierende Rue Corneille und die Rue Soufflot im Schnittpunkt ihrer jeweiligen Verlängerung zusammenzuführen. Dieser Lösung hätten ein Eckstück des Jardin du Luxembourg und einige Pavillons des Senats geopfert werden müssen. Das Projekt stieß deshalb auf lebhaften Widerstand. Der Architekt des Senats, Alphonse de Gisors, stellte einen Gegenvorschlag auf. Eine Petition von fünfzehn Künstlern – nach Haussmann »une pétition signée d'inconnus« – brachte den Fall am 1. Mai 1861 vor den Senat. Haussmann, der seit 1857 selbst Senator war,[33] scheute sich nicht, sein Projekt vor der Kammer, der er angehörte, selber zu verteidigen. Es ist anzunehmen, daß er, im Zenit seiner Laufbahn angelangt, sein Durchsetzungsvermögen demonstrieren wollte. Immerhin mußten sich alle Beteiligten mit einem Vergleich zufriedengeben. Der Präfekt hatte es hinzunehmen, daß die neue

Rue de Médicis so weit wie möglich vom Jardin du Luxembourg abgerückt wurde. Der Senat dagegen verlor seine Pavillons, um an anderer Stelle dafür entschädigt zu werden. Mit dem Abschluß des zweiten Abschnitts des Boulevard Saint-Michel, der im Süden durch einen Rechteckplatz in den Boulevard Montparnasse einmündet, und mit dem Umbau der Pont au Change und Pont Saint-Michel war die Croisée de Paris gegen 1862 ganz hergestellt.

Am Schnittpunkt der Boulevards Saint-Michel und Montparnasse läßt sich ein anderes Grundthema der Transformation weiterverfolgen: die Anlage der Boulevardringe. Im »1er réseau« war dafür nur auf dem linken Seine-Ufer (Rive Gauche) beim Boulevard Saint-Germain ein Ansatz gemacht worden. Noch früher hatte der Kaiser die Rue des Ecoles durch das Quartier Saint-Jacques brechen lassen. Zur Erschließung der Hochschulen (Sorbonne, Collège de France, Ecole Polytechnique) war das durchaus sinnvoll. Als Ringverbindung kam diese Straße aber nicht in Frage. Haussmann stellte sie deshalb zunächst einmal zurück und wandte sich dem mittleren Boulevardring zu. Bei ihm gab es im Bereich links der Seine noch zwei große Lücken zu schließen. So entstanden im östlichen Teil als abgeknickte Verlängerung des Boulevard Montparnasse die neuen Boulevards de Port-Royal und Saint-Marcel (Traité, § 8). Sie mündeten beim Hôpital de la Salpêtrière in den bereits vorhandenen Boulevard de l'Hôpital ein. Damit war eine große Umfassungsstraße um das XII. Arrondissement gelegt. Aber dabei blieb es nicht. Das alte Aufstandsviertel mußte auch noch die unerläßlichen Durchdringungsstraßen erhalten. Der Kaiser hätte gern die alten Trassen der Rues Mouffetard und Descartes bis zur Ecole Polytechnique benützt, um von dort aus mit drei kurzen Zwischenstraßen an die Rue des Ecoles anzuschließen. Haussmann setzte aus topographischen Gründen eine Lösung durch, bei der neue Straßen mit 20 Metern Breite um die Montagne Sainte-Geneviève herumführen: im Westen die Rues Claude-Bernard und Gay-Lussac, im Osten die Rue Monge, die im Nordwesten an die Rue des Ecoles anschließt. In der Süd-Ost-Richtung vereinigen sich beide Straßen am Knickpunkt der Boulevards de Port-Royal und Saint-Marcel, von wo aus die 40 Meter breite Avenue des Gobelins zur Barrière d'Italie und der Boulevard Arago zur Barrière d'Enfer weiterführen. Im westlichen Bereich schloß Haussmann diesen mittleren Verkehrsring, indem er zwischen dem Hôtel des Invalides und der Ecole Militaire die Trasse für den Boulevard de La Tour Maubourg zur Pont de l'Alma durchbrechen ließ (Traité, § 7). Hinzu kam noch die Avenue Rapp als Erschließung des zukünftigen Ausstellungsgeländes Champ-de-Mars. Den Endausbau des inneren Boulevardrings links der Seine plazierte der Präfekt aus einleuchtenden Gründen in das »3e réseau«. Im Quartier du Faubourg Saint-Germain geriet er nämlich auf das Terrain der politisch einflußreichen Aristokratie. Die für den Straßendurchbruch notwendigen Enteignungen ließen sich hier besonders schwer an und verschlangen nicht nur hohe Abfindungssummen, sondern erforderten auch viel Zeit. Tatsächlich war der Ring an dieser Stelle 1870 noch nicht geschlossen.

Die Beiträge des »2e réseau« für den inneren Boulevardring auf dem rechten Seine-Ufer hatten mehr additiven Charakter. Die großen Boulevards bildeten bereits einen festen Bestand. Es ging nur noch darum, die von Napoleon III. konzipierte weitausholende Ringbewegung von dem Place du Trône zur Place de l'Etoile zu verwirklichen. Mit einigen Modifikationen folgte Haussmann diesem Konzept.

Im Osten wurde die Place du Château d'Eau (heute Place de la République) zum Ausgangspunkt wichtiger Straßendurchbrüche (Traité, § 1). Die direkte, geradlinige Verbindung zum Place du Trône (heute Place de la Nation) ergab der etwa 3 Kilometer lange und 40 Meter breite Boulevard du Prince-Eugène (heute Boulevard Voltaire). Man zog diesen den Abmessungen nach gewichtigen Straßenzug mitten durch dichtbewohnte Arbeiterviertel, ganz offensichtlich mit der Absicht, die alten Sammelpunkte des Aufruhrs zu vernichten. Aus der Lage der Caserne de la République läßt sich ersehen, wie man die neuen Straßen zu überwachen trachtete. Das Problem, den vorhandenen Canal Saint-Martin zu überqueren, löste Belgrand. Er ließ dessen Wasserspiegel um 6 Meter absenken. Der Präfekt war damit in die Lage versetzt, den Kanal mit dem breiten neuen Boulevard Richard Lenoir zu überbauen. Die Ausgestaltung durch zwei äußere Verkehrsspuren und einen dazwischenliegenden breiten Grünstreifen mit Bäumen und Brunnen fand das besondere Lob des Kaisers. Auf diese Art hätte er gern als »empereur des ouvriers« die Straßen der Arbeiterviertel gebaut. Aber diese lebendige Ausführung blieb die Ausnahme. Eine nicht zu verbergende strategische Bedeutung kam auch der 20 Meter breiten Rue de Turbigo zu, die man von der Place du Château d'Eau in Richtung der Halles centrales durch das unübersichtliche Quartier Saint-Martin des Champs mit dem Con-

145. Boulevard Richard Lenoir, Paris, mit Blick auf den überbauten Canal Saint-Martin. Holzschnitt. (Adolphe Joanne, *Paris illustré en 1870 et 1877*, a.a.O.)

servatoire des Arts et Métiers hindurchbrach. Als die Straße 1867 fertiggestellt war, erwies es sich rasch, daß der verkehrstechnische Nutzen die strategische Absicht rechtfertigte. Der Verkehr, der sich um die Markthallen herum konzentrierte, fand in dieser Richtung eine Entlastung. Nach Nordwesten ging von der Place du Château d'Eau auch noch der lange Boulevard Magenta aus, der seiner Funktion nach aber den Radialstraßen zuzuordnen ist.

Im »3ᵉ réseau« kam es schließlich zum großangelegten Umbau der Place du Château d'Eau selbst. Der rechteckige Längsplatz mit fast 300 Metern Länge, dem man die Bezeichnung Place de la République gab, sammelte konzentrisch die Straßen aus allen Richtungen. Abgesehen davon, daß die Dimensionen den menschlichen Maßstab vermissen lassen, erwies sich diese Bündelung des Verkehrsflusses auf einen Punkt hin auch schon damals als überaus problematisch.[34] Haussmann war indes besonders stolz auf den symmetrischen Zuschnitt des unförmigen Platzes. Auch das andere Ende des 1862 feierlich eingeweihten Boulevard du Prince-Eugène, die Place du Trône, erhielt im »3ᵉ réseau« seine feste Form als Rondellplatz mit nicht weniger als 127 Metern Durchmesser. Nach der Absicht des Kaisers sollten auch die Arbeiterquartiere im Osten durch einen Sternplatz bereichert werden.

In den westlichen Vierteln rechts der Seine wurde Napoleons III. Plan des ausgeweiteten Boulevardrings ebenfalls verfolgt. Die Ringtangenten, die in diesem noch nicht stark überbauten Gelände anzulegen waren, mündeten jeweils in die Place de l'Etoile ein und sind deshalb mit deren Ausbau untrennbar verbunden. Im »2ᵉ réseau« begann man den Boulevard Beaujon (heute Avenue de Friedland). Nach Osten in Richtung der großen Boulevards gerichtet, entsprach er genau dem »colorierten Plan«. Das dazwischenliegende Verbindungsstück des Boulevard Haussmann kam erst später hinzu.

Beim Ausbau des Westens mit Grand Opéra und der Place de l'Etoile konzentrierte sich der Präfekt zuerst auf die Freilegung des Opernplatzes, die er mit den Durch-
brüchen der Rue Auber auf der einen und der Rue Halévy auf der anderen Seite mit
größter Vorsicht in die Wege leitete (Traité, § 3), denn im »Traité des 180 Millions« war
von einer neuen Oper nicht die Rede, und der Präsident des Staatsrates hatte auf Gerüch-
te hin einen Neubau in Abrede gestellt. Haussmann ließ sich von diesem Dementi nicht
einschüchtern. Mit Mitteln des »3ᶜ réseau« betrieb er die Erschließung des Platzes weiter,
indem er die Rues Scribe, Gluck und Meyerbeer baute, die Rue Napoléon (heute Rue du
Quatre-Septembre) verlängerte. Gleichzeitig arbeitete der Architekt Rohault de Fleury im
Auftrag des Ministers Fould an einem Entwurf, und die Platzwände, die inzwischen entstanden, hatten sich nach seinen Vorstellungen zu richten. Doch noch blieben die Absichten verdeckt. Erst als Haussmann den erforderlichen Baugrund zugunsten des Staates billig erworben hatte und nachdem die Stadt durch den Verkauf von staatlichem

146. Die Lage der Grand Opéra im Stadtkörper
von Paris. (ign France, Photothèque Nationale,
Saint-Mandé)

150

Gelände im Trocadéro-Bereich für den Grunderwerb der Oper entschädigt worden war,[35] gaben der Kaiser und sein Präfekt ihr Geheimnis preis. Der mit so vielen Winkelzügen begonnene Bau der Grand Opéra, für den nicht Rohault de Fleury, sondern der junge Charles Garnier (1825–98) die Pläne entwarf,[36] wurde zur decouvrierenden Selbstdarstellung des Second Empire: spekulativer Grunderwerb und fragwürdige Finanzierung, Raumdisposition nach den Sicherheitserwägungen für die kaiserliche Majestät, eingekeilte Lage in einer dicht bebauten Umgebung, hohle Raum- und Fassadenpracht ohne den traditionellen »bon sens«. Es ist fast als Ironie des Schicksals zu deuten, daß der mit so großen Ambitionen begonnene Repräsentationsbau beim Sturz des Regimes nach einem Jahrzehnt immer noch als Baustelle dalag, ohne daß der Kaiser und seine »grands dignitaires« ihn je zu einem Auftritt benutzt hatten.

Weiter außen im Westen waren die Bedingungen für den Stadtausbau wesentlich günstiger, da in diesem Bereich nur sporadisch Gebäude standen. Erst nachdem die Stadt, den Verpflichtungen eines Gesetzes von 1828 entsprechend, daran gegangen war, die Place de la Concorde und die Champs-Elysées zu verschönern, und nach der Einweihung des Arc de Triomphe im Jahre 1836, hatte sich das Quartier des Champs-Elysées stärker belebt. In der Frühzeit des Second Empire etablierten sich im Dreieck zwischen Faubourg Saint-Honoré, Rue de Chaillot und Cours la Reine Gesellschaftskreise mit Rang und Namen. Die Weltausstellung von 1855 führte die Besucher in die Ausstellungshalle auf dem Carré Marigny. Die Erneuerung des Bois de Boulogne machte den Westen noch attraktiver. Von da an wohnte, spazierte und kutschierte hier die feine Welt, die sich aus Hofleuten vom Lakai bis zum Duc de Morny, dem »demi-frère d'empereur«,[37] aus Spekulanten und Finanziers, aus Literaten und Bonvivants, aus hochwohlgeborenen Komtessen und nicht minder hochfavorisierten Maitressen zusammensetzte. Für diese vornehmen Kreise sollte die Place de l'Etoile die passende Drehscheibe abgeben. Im »colorierten Plan« hatte Napoleon III. lediglich ein Achskreuz der Route Saint-Germain und der Boulevards Extérieures vorgesehen, das noch ein schräganschneidender Straßenzug von Osten nach Westen unterteilte. Davon war der erwähnte Boulevard Beaujon schon im Bau, während eine ansehnliche Verbindung zum Bois de Boulogne und eine Integrierung dieses Parks in den Stadtkörper noch herzustellen war. Diese Aufgabe übernahm der Architekt Jakob Ignaz Hittorff (1792–1867). Er hatte die Place de la Concorde 1838–40 und 1854 umgeformt, Panorama, Brunnen und Kandelaber der Champs-Elysées bestimmt und mit Varé zusammen an der Erneuerung des Bois de Boulogne mitgewirkt. Daraus mochte er ein gewisses Anrecht ableiten, auch diesen Verbindungsweg zu gestalten. Mit einem Vorschlag, dem ein mittlerer Fahrweg und zwei durch Grünstreifen mit Baumreihen abgetrennte Seitenalleen von zusammen 40 Metern Breite zugrunde lagen, hoffte er Haussmanns Zustimmung zu gewinnen. Indigniert hielt ihm jedoch der Präfekt vor: »Keine Bäume! Der Kaiser will keine. Und glauben Sie, daß Seine Majestät mit einem 40 Meter breiten Boulevard zufrieden ist? Ist das die Ausdehnung des Bois de Boulogne nach Paris hinein? Aber Monsieur, wir brauchen das Doppelte, das Dreifache. Ja, ich meine wohl, das Dreifache: 120 Meter! Fügen Sie Ihrem Plan zwei Rasenstreifen viermal breiter als Ihre Gegenalleen hinzu, nämlich jeden mit 32 Metern, und jenseits davon noch zwei Wege mit 8 Metern für die Erschließung der angrenzenden Grundstücke, die ich mit einem Bauverbot auf 10 Meter belasten werde. Auf diese Art werden wir 140 Meter Gebäudezwischenraum erhalten, das sind 100 Meter mehr als in Ihrem Projekt.«[38] Kein Zweifel, hier bestimmte nicht der Architekt die städtebaulichen Dimensionen, sondern der Präfekt, der seinem Kaiser imponieren wollte. Als die außergewöhnliche Promenade, von Haussmann mit Verbeugung vor der Kaiserin Avenue de l'Impératrice (heute Avenue Foch) benannt, mit einem Kostenaufwand von 2 Millionen Francs 1856 fertiggestellt war, zeigte sich das aristokratische und bürgerliche Paris begeistert. Es hatte seine »promenade des Lions«, wo der forsche Löwe, mit Schnurrbart und Monokel, in Nanking-Hose und Gehrock sich vor der schönen Löwin in der Krinoline verneigte (siehe Charles Baudelaire, *Le peintre de la vie moderne).*

Vom Erfolg dieser Schöpfung getragen, konnte der Präfekt an die Ausgestaltung der Place de l'Etoile gehen, wie sie ihm, über die Andeutungen des »colorierten Plans« hinaus, angemessen dünkte. Vor allem anderen strebte er ein »arrangement symétrique« an. Da der Strahlenkranz außer durch die erwähnten Straßen auch noch durch die vorhandene Avenue de Saint-Cloud (heute Avenue Victor Hugo) und den Boulevard de Bezon festgelegt war, blieb nichts anderes übrig, als den Kreis in zwölf Radialstraßen aufzuteilen, wobei sich im Westen und Osten je vier gleich große, schmale und im Norden und Süden je zwei breitere, gleich zugeschnittene Bauplätze ergaben. Der Rondellplatz erhielt 120 Meter Durchmesser und wurde zwischen 1864 und 1867 durch Gebäude mit uniformen Steinfassaden nach Entwürfen Hittorffs gebaut.[39] Den viel zu weiten Innenraum unterteilten die davorliegenden, mit einer eisernen Einzäunung abgegrenzten Rasenstücke. Von Anfang an erwies sich die Abstimmung der Bebauungshöhe auf die Platztiefe als fast unlösbar. Als Ausweg mußten eingepflanzte Baumkulissen die vorhandenen Verhältnisse vertuschen. Die Erschließung der Platzbebauung vollzog sich von rückwärts her. Es bedurfte dafür noch eines zusätzlichen schmalen Straßenringes, den die Rues de Tilsit und de Presbourg bilden (Traité, § 5). Sicher ist nie mehr an Symmetrie der Straßenführung, nie Imposanteres an Raumtiefe bei einem Rondellplatz erreicht worden. Haussmann war sich dessen bewußt und blickte besonders stolz auf dieses Meisterwerk seiner Administration.[40] Daß diese schöne Ordnung aber nur aus der Vogelschau oder von der Plattform des Arc de Triomphe aus voll gesehen und erlebt werden kann, stimmte ihn nicht im geringsten nachdenklich. In seiner naiven Vorliebe für Symmetrie empfahl er diesen Standort sogar noch besonders.

147. Place de l'Etoile und Avenue Foch – früher Avenue de l'Impératrice –, im Westen von Paris. (ign France, Photothèque Nationale, Saint-Mandé)

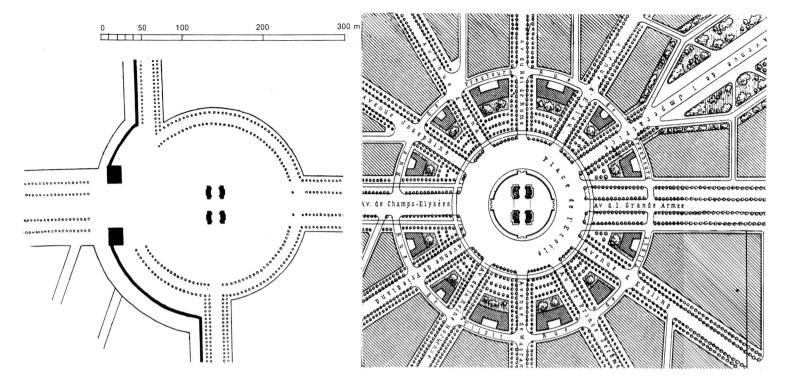

148. Der Arc de Triomph, Paris, mit der Stadtmauer und den alten »barrières«, vor der
Transformation.
149. Place de l'Etoile, Paris, im ausgebauten
Zustand nach der Transformation.

Der Ausbau der in den Platz einmündenden Straßen erfolgte Zug um Zug. Zur Avenue
de l'Impératrice kamen die Avenues Marceau, de la Reine Hortense (heute Avenue
Hoche), du Prince-Jérôme (heute Avenue Mac-Mahon et Avenue Niel) und d'Essling
(heute Avenue Carnot) hinzu. Die Achse winkelrecht zur Avenue des Champs-Elysées fixierte im Norden die Avenue Wagram, im Süden die Avenue du Roi-de-Rome (heute
Avenue Kléber), über die sich später die Verbindung zur Place du Trocadéro ergab.

Im Zusammenhang mit diesem Schwerpunkt müssen auch noch die Straßendurchbrüche der 40 Meter breiten Avenues de l'Alma (heute Avenue George-V) und de l'Empereur (heute Avenue du Président Wilson) zur Erschließung des Trocadéro-Geländes
gesehen werden (Traité, § 6).

Während die Croisée de Paris und die Boulevardringe immer mehr Gestalt annahmen,
warf der Zustand der Stadt als Gesamtorganismus neue Fragen auf. Es erwies sich allmählich als notwendig, zur Weiterentwicklung der Stadt die Verkehrsadern bis in das
Umland hinauszuführen. Doch dem nach allen Seiten expandierenden Gemeinwesen
stellte sich die Octroi-Mauer der Generalpächter als willkürliche Barriere entgegen. Als
Zollgrenze hatte dieser Mauerring im Laufe der Zeit ganz unerwünschte Wirkungen gezeitigt. Außerhalb der Mauer waren nämlich, für den Fiskus unerreichbar, Niederlassungen aller Art entstanden. Besonderen Zuspruchs erfreuten sich die Schenken an den
Hauptausfallstraßen, in denen »vin à six sous« angeboten wurde. Auch der Bau von Spei-
chern erwies sich als einträglich. Die Industrie zog es ebenfalls vor, sich außerhalb der
Steuergrenze niederzulassen, vor allem an jenen Orten, wo die Eisenbahn den Anschluß
an das Verkehrsnetz gewährleistete und die Arbeitskräfte heranbrachte. In der Banlieue,
wie man das Gebiet außerhalb der Octroi-Mauer und auch noch außerhalb des Fortifi-
kationsrings nannte, gab es an einigen Stellen eine ungeahnte Bevölkerungszunahme. Im
Norden war La Chapelle von 800 Einwohnern im Jahre 1800 auf 33 000 Einwohner 1856
angewachsen. Batignolles, das 1830 überhaupt erst entstanden war, zählte 1856 nicht weniger als 44 000 Einwohner. Im Süden war in Vaugirard die Einwohnerzahl in der ersten
Jahrhunderthälfte von 2 000 auf 26 000 gestiegen.[41] Ohne Rücksicht auf ihre kommunalen
Lebensbedingungen wurden diese Gebiete durch die 1841 bis 1844 entstandenen Fortifikationen von dem äußeren Umland abgetrennt. Die Mauern, der Vorgraben und die völlig frei gehaltene, 250 Meter tiefe Sicherheitszone schufen eine räumliche Zäsur, die auf
die Dauer unerträglich war. Haussmann besaß genügend kommunalpolitische Weitsicht
und Überzeugungskraft in der Argumentation, um die Eingemeindung der Banlieue
durchzusetzen. In Denkschriften an die Commission Départementale und an den Conseil
Municipal wies er die Unzulänglichkeiten der bestehenden Situation nach.[42] Das straff
gelenkte, geordnete Paris konnte es nicht mehr länger hinnehmen, von einer äußeren
Zone umgeben zu sein, die in 18 selbständige Kommunen zerfiel, von denen jede ihre eigenen Straßengebühren erhob und trotzdem ein beklagenswertes Wegenetz fast ohne

Pflasterung, Beleuchtung und Entwässerungsleitungen aufwies. Diesmal überzeugten die vorgebrachten Gründe das Corps Législatif. Am 1. Januar 1860 trat die »Annexion« in Kraft. Die offizielle Stadt- und Steuergrenze bildete fortan der Fortifikationsring. Außer in Villette und Auteuil gab es kaum Proteste. Nur die Karikaturisten machten sich darüber lustig, wie das mütterliche Paris sich seiner Kinder bemächtigte (Daumier und Cham). Administrativ wurde der Eingemeindung dadurch Rechnung getragen, daß zu den zwölf alten, in den Grenzen aber modifizierten Arrondissements acht neue an der Peripherie hinzukamen. Und der Conseil Municipal erweiterte sich bei nunmehr 7802 Hektar Gesamtfläche von 36 auf 60 Mitglieder.

Die städtebaulichen Konsequenzen dieser Veränderung waren weitreichend. Man brach sofort die Octroi-Mauer ab und legte in ihrem Verlauf einen Boulevardring an, indem man den äußeren und inneren Mauerweg zusammenzog, die Linienführung begradigte und Bäume pflanzte. Haussmanns weiterreichender Vorschlag, außerdem im Bereich der Fortifikationen ebenfalls einen Boulevardring zu schaffen und die militärische Sicherheitszone als unbebauten Grüngürtel zu erhalten, wurde von Baroche, dem Präsidenten des Conseil d'Etat, hintertrieben. Überhaupt versuchte der Staatsrat, der das Recht hatte, alle Gesetze zu beraten und zu verbessern, die Transformation bei jeder sich bietenden Gelegenheit zu verhindern.[43]

So war nun endlich auch der Weg frei geworden für die 1851 begonnene Gürtelbahn (»Chemin de Fer de Ceinture«). Schon 1863 schloß sich der Ring, nachdem der Viadukt von Auteuil fertiggestellt worden war. Lebhaft begrüßte man diese neue Errungenschaft, ohne zu erkennen, daß mit den Einschnitten und Aufschüttdämmen der Schienentrasse wieder eine neue Einschnürung entstanden war, die sich für die Ausdehnung der Stadt mindestens so hinderlich erweisen mußte wie der soeben aufgelassene Mauerring.

Wie wichtig die Erschließungsstraßen zu den Vorstädten waren, erkannte Haussmann allerdings nicht erst durch die Eingemeindung. Er hatte schon im »Traité des 180 Millions« einige Boulevards unterzubringen gewußt, denen als Radialstraßen die Funktion zugedacht war, die Außenbezirke zu erschließen. Von ihnen besaß der Boulevard Malesherbes (Traité, § 4) die größte Bedeutung. Die Anfänge dieses Straßenzugs gehen bis auf das Premier Empire zurück. Berger hatte ihn ebenfalls in sein Bauprogramm aufgenommen, im Hinblick auf die hohen Baukosten aber 1853 wieder zurückgestellt. Die Linienführung von der Kirche La Madeleine durch das Viertel La Petite Pologne, am Parc Monceau vorbei bis in den Festungsbereich von Batignolles war längst bekannt. Daran änderte sich auch nicht viel, als Haussmann, um auf geringer bebaute Flächen auszuweichen, die Straße etwas stärker nach Westen hin verschob als Napoleon III. es im »colorierten Plan« vorgesehen hatte. Als man schließlich an die Ausführung ging, hatten die Immobilienspekulanten (Pereire, de Chazalles, Jadin, d'Offémont) längst ihr Ge-

150. Boulevard Malesherbes, Paris, mit der Kirche La Madeleine. Stich. (Musée Carnavalet, Paris)

151. Boulevard Malesherbes, Paris, mit der Kirche Saint-Augustin als »vista«. Stich von Felix Thorigny. (Musée Carnavalet, Paris)

schäft gemacht. Jacob Emile Pereire, dem große Ländereien in der Ebene von Monceau gehörten, trat nicht nur die erforderlichen Straßenanteile für den Boulevard Malesherbes, sondern des weiteren noch für die Avenues de Wagram und de Villiers kostenlos ab. Seine Großzügigkeit wurde durch die Wertsteigerung der durch die Erschließung gewonnenen Bauplätze um ein Vielfaches belohnt. Man lernt hier eine neue Variante der Haussmannschen Erschließungstechnik kennen. Die öffentliche Hand kam mit einem Minimum an Kostenaufwand davon, jedoch um den Preis, daß einige gutinformierte Spekulanten ein Maximum an Gewinn davontrugen. Diese Umstände riefen dann auch bei den Enteignungen im Bereich der Rues de la Madeleine, Lavoisier und de la Ville-l'Evêque Widerstände und Entrüstung hervor.[44]

Trotz aller Schwierigkeiten, die sich auch bei der Umgestaltung und den Enteignungen des Parc Monceau ergaben, versäumte Haussmann nicht, dem 34 Meter breiten und 2,6 Kilometer langen Boulevard eine künstlerische Note zu geben. Er akzentuierte die Knickstelle am Boulevardring durch die Kirche Saint-Augustin. Der hochragende Kuppelbau von Baltard wirkt von weitem gesehen als anziehender Blickpunkt, als »vista«; im Zusammenhang des Straßenraums betrachtet, ist er aber nichts anderes als der Auftakt einer bedeutenden Radialstraße in die nordwestlichen Außenbezirke. Ebenfalls als Ausfallstraße, aber auch zur Entlastung der Gare Saint-Lazare wurde die Rue de Rome durch das Quartier du Roule gebrochen (Traité, § 3). Sie verläuft eine Strecke weit parallel zum Boulevard Malesherbes, schwenkt dann aber in großem Bogen nach Westen ab und setzt sich im Boulevard Pereire weiter fort, über den der Anschluß an die äußere westliche Umfassungsstraße, an die Boulevards Beauséjour und Exelmans hergestellt ist. Eine andere wichtige Radialstraße, den Boulevard Magenta, führte man von der Place du Château d'Eau in nordwestlicher Richtung zur Barrière Poissonnière (Traité, § 1). Seine Funktion als Zubringer für die nördlichen Vororte Montmartre und Clignancourt war von Anfang an klar, in der Verlängerung durch die Boulevards Barbes und Orano wurde sie aber noch betont.

Zur Erschließung der Gare Saint-Lazare unternahm Haussmann im »3e réseau« große Anstrengungen, ohne letztlich aber eine überzeugende Lösung zu finden. Wie kostenintensiv sich hier die Sanierung erwies, zeigen die 25,5 Millionen Francs an, die allein für die Verbreiterung der Rues Saint-Lazare und de la Pépinière aufgebracht werden mußten. Als nordöstliche Ausfallstraße war die Rue Lafayette von der Rue du Faubourg Poissonnière bis zum Ortsausgang an der Barrière de la Villette bereits von alters her vorhanden. Aus Mitteln des »3e réseau« verlängerte Haussmann diesen Straßenzug stadteinwärts bis zum inneren Boulevardring an der Oper. Mit nur 20 Metern Breite fehlte ihm aber die sonst übliche großzügige Dimensionierung.

Nicht weniger dringend als der Westen und Norden verlangte auch der Osten von Paris nach Ausfall- und Umfassungsstraßen. Napoleon III. wollte nicht den Anschein erwecken, als benachteilige er die östlichen Arbeiterviertel gegenüber dem Gebiet der Champs-Elysées. Im »1er réseau« hatte Haussmann im Osten, wo es die Umstände nur irgendwie erlaubten, gärtnerisch gestaltete Squares bei der Tour Saint-Jacques, beim Conservatoire des Arts et Métiers, bei der Place du Temple und vor der Kirche Sainte-Clotilde eingerichtet. Er fühlte sich dazu wohl veranlaßt, weil er die Vorliebe des Kaisers für englische Plätze dieser Art kannte. Aber gegenüber dem Bois de Boulogne waren das nur unzulängliche Einschübe in die geschlossene Quartierbebauung. Auf der Suche nach einem gleichwertigen Ersatz für den Osten richtete Napoleon III. schon ab 1857 sein Augenmerk auf den alten königlichen Forst von Vincennes, der 1852 dem Krongut zugeschlagen worden war. Er ließ dort zuerst auf Kosten seiner Privatschatulle Wege herrichten. Ein Gesetz vom 24. Juli 1860 machte seine Absichten deutlich: Der Bois de Vincennes ging mit Ausnahme des Schlosses und des militärischen Übungsgeländes in den Besitz der Stadt über. In den folgenden fünf Jahren formte ihn Alphand zusammen mit Barillet-Deschamps und Davioud zu einem Park und Erholungsgebiet für die Bevölkerung der östlichen Bezirke um.

Der Ausbau des Bois de Vincennes außerhalb des Festungsrings warf gleich wieder die Frage der Zugangswege auf. Da die vorhandene Rue du Faubourg Saint-Antoine das Gebiet nur tangierte, sah Haussmann schon im »2e réseau« die Avenue Daumesnil als Erschließungsstraße vor (Traité, §2). Mit 33 Metern Breite von der Place de la Bastille bis zur Porte de Picpus angelegt, schuf sie einen auch optisch betonten Zugang zum neuen Park. Offensichtlich genügte dem Kaiser und seinem Präfekten dieser Grünflächenbeitrag noch nicht. Wie zur Abrundung des Programms kam 1867 der Parc des Buttes-Chaumont im Norden hinzu, und im südlichen Bereich wurde in demselben Jahr die Anlage des Parc de Montsouris begonnen.

Die Arbeiten zwischen 1853 und 1869 wären lückenhaft dargestellt, wenn die stadthygienische Erneuerung unerwähnt bliebe. Louis Napoléon hatte der unzulänglichen Pariser Wasserversorgung während seiner Präsidentschaft keine besondere Aufmerksamkeit geschenkt. Haussmann dagegen ging das Problem der städtischen Be- und Entwässerung bald nach seinem Amtsantritt an. Im April 1854 fand die entscheidende Aussprache mit dem Kaiser statt. Der Präfekt wollte das aus der Seine gepumpte und filtrierte Flußwasser durch Quellwasser ersetzt wissen. Und er erreichte auch, daß die Wasserversorgung nicht, wie Napoleon III. es vorhatte, Privatgesellschaften in Konzessionen überlassen, sondern der Stadt in eigener Regie übertragen wurde. In geschickter Anspielung auf die römischen Aquädukte, die der Kaiser sehr bewunderte, erhielt er von diesem freie

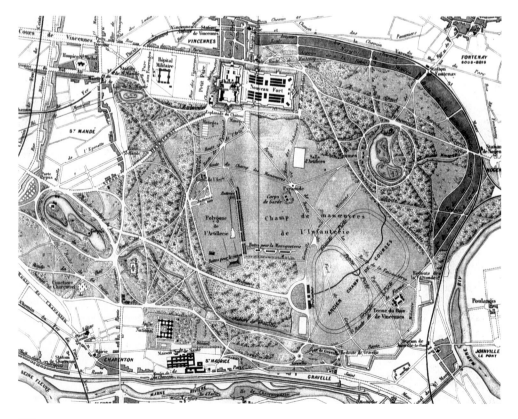

152. Bois de Vincennes, Paris. Lageplan.
(Adolphe Joanne, *Paris illustré en 1870 et 1877*, a.a.O.)

Hand für die Ausarbeitung von Vorschlägen. Voruntersuchungen von Belgrand wiesen ergiebige und erreichbare Trinkwasserquellen an der Somme und an der Soude nach.[45] Obwohl ein Projekt für dieses Gebiet zwischen 1854 und 1858 im Detail ausgearbeitet und vom Conseil Municipal akzeptiert wurde, scheiterte es am Widerstand der Quellenbesitzer und am Desinteresse des Kaisers. Als Ersatzlösung schlug Haussmann 1860 das Dhuis-Projekt vor. Es wurde angenommen und nach zweijährigen Grunderwerbsverhandlungen im Herbst 1862 begonnen. Ab 1863 entstand der etwa 130 Kilometer lange Aquädukt entlang der Marne, durch den ab Oktober 1865 täglich 30 000 Kubikmeter frisches Quellwasser in das Reservoir auf der Höhe von Menilmontant flossen. Aber das war für die Gesamtversorgung der Stadt zu wenig. Haussmann sah sich Ende 1865 genötigt, noch das Vanne-Projekt in Niederburgund vorzuschlagen, für das er selbst unauffällig Quellen aufgekauft und Belgrand Pläne entworfen hatte. Der Bau des 140 Kilometer langen Aquäduktes zog sich bis 1874 hin. Mit dieser ergänzenden Wasserzuleitung konnte die Versorgung von Paris auch nach Haussmanns Abgang als gesichert gelten.[46] Für die Entwässerung waren unter Berger Arbeiten an der Sammelleitung unter der Rue de Rivoli begonnen worden. Außerdem gab es im Stadtgebiet rechts der Seine einen Abwasserkanal, der etwas außerhalb des inneren Boulevardrings von Belleville bis zur Seine bei Chaillot verlief. Aber fast alle vorhandenen Leitungen waren nicht ausreichend dimensioniert und genügten den Anforderungen der sanierten Viertel nicht. Mit Zustimmung des Conseil Municipal ließ Haussmann deshalb Pläne für ein neues Entwässerungsnetz aufstellen.[47] Sie sahen elf Kollektoren vor, die so über das ganze Stadtgebiet verteilt waren, daß schließlich die gesammelten Abwässer über einen Hauptkollektor bei Asnières, also weit unterhalb der damaligen Stadt, in die Seine flossen. Der Bièvre-Kollektor des Gebietes links der Seine führte in einem Syphon unter dem Fluß durch. Allerdings erfaßte dieses ganze Leitungssystem nur das Schmutzwasser, nicht die Fäkalien. Haussmann konnte von den Fachleuten nicht überzeugt werden, alles zusammen in einem Mischsystem abzuleiten. So mußten während des Second Empire immer noch Spezialkolonnen bei Nacht die Fäkaliengruben entleeren. Für eine fortschrittlichere Lösung war die Zeit offenbar noch nicht reif.

## 5.1.4. Die Finanzierung der Transformation

Bei den umfangreichen Arbeiten der Transformation ist bis jetzt nur die Finanzierung des »1er réseau« erwähnt worden. Die Einstellung Haussmanns in finanzieller Hinsicht war klar. Er identifizierte sich mit der von Persigny vorgeschlagenen Finanzierungsmethode der öffentlichen Arbeiten so weitgehend, daß er sie in seinen *Mémoires* als seine eigene Idee ausgibt. Um die Stadt kreditwürdig erscheinen zu lassen, verfolgte er die Taktik, in ihrem Budget möglichst große Überschüsse auszuweisen. Im Bericht zum Haushalt 1855 schätzte er sie für die nächsten fünfzehn Jahre auf 250 Millionen Francs. In dieser Perspektive war schon der Weg zu der größeren finanziellen Aktion des »Traité des 180 Millions« angedeutet. In der parlamentarischen Debatte über diesen Vertrag beeindruckte sein Optimismus aber wenig. Die Mehrheit der Deputierten sprach 7 der aufgeführten 21 Straßen eine nationale Bedeutung ab und kürzte dementsprechend den Staatsbeitrag zuerst auf 45, schließlich auf 50 Millionen Francs. Den Restbetrag von 130 Millionen mußte die Stadt aus Octroi-Einnahmen und Verkaufserlösen selbst aufbringen. Genaugenommen war das nur der offizielle Teil der städtischen Belastung. Vom »3e réseau« her gesehen gab es noch einen inoffiziellen Teil, in dem all jene Straßen zu finanzieren waren, die der Vertrag nicht erwähnte, die aber trotzdem für die Initiatoren der Transformation von substantieller Bedeutung waren. Außerdem mußten die Ausgaben für die Wasserversorgung und das neue Entwässerungssystem verkraftet werden. Die Eingemeindung der Vororte ab 1860 machte weitere Ausgaben erforderlich, denn die zusätzlichen Steuereinnahmen vermochten keinen Ausgleich herzustellen. Und wer garantierte schließlich dafür, daß die Kostenschätzung des Vertrags, selbst wenn man sich auf die festgelegten Durchbrüche beschränkte, mit 180 Millionen Francs stimmte? Tatsächlich ergaben unvorhergesehene Kostensteigerungen 410 Millionen. An dieser Summe hatte die ab 1858 veränderte Enteignungspraxis einen entscheidenden Anteil. Nach dem Décret organique du 23 mars 1852 war es der Stadt möglich gewesen, den Baugrund beidseits der neuen Straßen zwecks guter Parzellenaufteilung von den Eigentümern gegen Entschädigung zu übernehmen – Haussmann spricht von komplementärer Enteignung – und diesen dann nach der Sanierung auf eigene Rechnung zum neuen Verkehrswert zu verkaufen. Ein Beschluß des Staatsrates vom 27. Dezember 1852, den Jules Baroche als dessen Präsident und Repräsentant der individuellen und kommerziellen Interessen auf der Grundlage des alten Enteignungsgesetzes vom 3. März 1841 herbeizuführen wußte und auch Napoleon III. trotz Haussmanns Intervention billigte, zwang die Stadt fortan, allen Baugrund, der nicht für die öffentliche Straßenfläche benötigt wurde, wieder an die Eigentümer zurückzugeben. Die durch die Sanierung geschaffene Wertsteigerung kam also nicht mehr der Stadt, sondern ausschließlich den Grundbesitzern zugute. Auf Haussmanns Einnahmenseite entfiel damit ein wichtiger Posten.

Fast noch nachteiliger wirkte sich ein Beschluß der Cour de Cassation von 1860 aus, wonach die Stadt sogar Pächter und Mieter entschädigen mußte, sobald der Abbruch der von ihnen bewohnten Mietsgebäude feststand, selbst wenn sie sicher sein konnten, wieder an die alte Stelle zurückzukehren. Um den Betroffenen zu helfen, setzten die unabhängigen Enteignungsausschüsse erstaunlich generöse Entschädigungen fest. Romane und Anekdoten wissen zu berichten, wie man damals in Paris Vermögen machen konnte.[48] Die Enteigneten priesen sich glücklich und die »Insider« um Haussmann herum nicht weniger. Jedenfalls kamen Bodenspekulanten, Bilanzfälscher und Immobilienagenten auf ihre Kosten, so daß es Literaten und Karikaturisten nicht an entsprechendem Stoff fehlte. Die Entrüstung und das Jammern Haussmanns über diese Zustände berühren allerdings seltsam. Hatte er nicht selbst die Geister erweckt, deren er sich nun nicht mehr zu erwehren wußte? Wäre es nicht seine Aufgabe gewesen, sich auch in dieser Hinsicht abzusichern? Ohne Zweifel befand er sich in einer schwierigen Lage. Obwohl auf der Höhe seiner Macht, vermochte er Staatszuschüsse nach 1858 überhaupt nicht mehr, Anleihen nur noch unter Protest durchzusetzen. 1860 stimmte der Ministerrat nach der Annexion der suburbanen Zone gerade noch einer 130-Millionen-Anleihe zu. Sie wurde nur zögernd gezeichnet. Erst im Oktober 1862 war sie untergebracht, wobei der Crédit Mobilier ein Fünftel des Angebotes übernahm. War Haussmann damit am Ende seiner Finanzierungskunst angelangt? Er gab sich 1864 vor dem Conseil Municipal sehr gelassen. Die Arbeiten sollten ohne besondere Eile mit den vorhandenen Mitteln innerhalb von zehn Jahren beendet werden. Die Regierung widersetzte sich diesem Vorschlag und bedrängte die Stadt, alle Durchbrüche in fünf Jahren fertigzustellen. In geschicktem Gegenzug erbat Haussmann die Zustimmung für eine Anleihe über 300 Millionen Francs. Was blieb der Regierung und dem Corps Législatif anderes übrig, als wenigstens auf 250 Millionen einzuwilligen. Unter Umgehung des Parlaments erhöhte der Kaiser den Betrag noch um 20 Millionen Francs. In weiser Voraussicht hatte Haussmann diesmal den Crédit Mobilier darauf festgelegt, alle ungezeichneten Anteile nach sechs Tagen Zeichnungsfrist zu übernehmen. Indem er nun über 400 Millionen Francs verfügte, schien die Finanzierung der Transformation gesichert zu sein. Da kam plötzlich, 1865, von den oppositionellen Deputierten Ernest Picard, Léon Say und Jules Ferry der Vorwurf auf, der omnipotente Seine-Präfekt bediene sich zusätzlich noch »verborgener Anleihen« (»emprunts déguisés«).[49] Was war geschehen? Hatte Haussmann tatsächlich die legalen Wege der Finanzierung verlassen? Kaiserliche Dekrete vom November und Dezember 1858 und vom Januar 1859 hatten der Stadt ermöglicht, die Caisse des Travaux de Paris einzurichten. Obwohl diese Sonderkasse für die öffentlichen Arbeiten von Paris im Parlament von Anfang an mißtrauisch aufgenommen worden war, hatte sie ihre Berechtigung. Für die Stadt waren die Kosten für die einzelnen Operationen im voraus nie genau zu übersehen, und sie benötigte auch für die Vorbereitungen, die noch keine Einnahmen abwarfen, eine frei verfügbare Manövriermasse. Die Kasse war deshalb mit einer Einlage von 20 Millionen Francs ausgestattet, welche wiederum als Deckung galt für die Ausgabe schatzscheinartiger Bons bis zum Gesamtbetrag von 100 Millionen Francs. Hinzu kamen noch die Einnahmen aus den Materialverkäufen der Abbruchobjekte. Der Präfekt hatte also noch einmal innerhalb dieser Grenzen die Möglichkeit, sich Kredite zu verschaffen. Durch die hohen Entschädigungszahlen überfordert, genügte ihm jedoch auch dieser Spielraum nicht mehr. Die Vergabe- und Abrechnungspraxis der öffentlichen Arbeiten bot ihm einen verführerischen Ausweg. Nach 1858 führte die Stadt die Arbeiten kaum mehr wie früher in eigener Regie aus. Sie vergab Abbrüche, Entschädigungsregulierungen und Neubauten eines Straßenabschnitts an Baufirmen gegen einen Festpreis. Dieser war von der Stadt aber erst nach Abnahme des fertigen Werkes in Raten, die sich bis auf acht Jahre erstrecken konnten, zu bezahlen. Die Unternehmer hatten jedoch die vertraglich übernommenen Arbeiten im voraus durch Einlagen in die Caisse des Travaux de Paris zu begleichen. Sie gewährten der Stadt damit kurzfristig Kredite, und diese zahlte dafür auch dieselben Zinsen wie für ihre Anleihen. Sobald die Zahlungen klar fixiert und festgelegte Teilabschnitte vollendet waren, konnten die Firmen ihre Kredite an die Stadt durch »bons de délégation« an eine Bank abtreten, um sich selbst wieder Mittel zu beschaffen. Das war allein schon deshalb notwendig, weil es sich um Beträge handelte, die eine Größenordnung bis zu 20 Millionen Francs erreichten. Die Firmen sahen sich aber dadurch, daß sie Kapital zugleich für die Ausführung der laufenden Arbeiten und für die Kredite der aufgeschobenen Zahlungen bereitstellen mußten, einer starken finanziellen Belastung ausgesetzt. Als 1863 unerwartet Zinserhöhungen am Geldmarkt eintraten, geriet zuerst das Unternehmen Ardoin, Ricardo et Cie beim Bau der neuen Rue Lafayette in Zahlungsschwierigkeiten. Es war nicht mehr in der Lage, fällige Vergütungen in Höhe von 12 Millionen Francs zu bezahlen. In höchster Not kam die Hypothekenbank Crédit Foncier der Firma und der Stadt mit einem Kredit zu Hilfe und zahlte die erforderliche Summe in die Caisse des Travaux de Paris ein. Haussmann ermöglichte diese Finanzierung, indem er die Arbeiten am ersten Bauabschnitt der Rue Lafayette als abgeschlossen, also als kreditwürdig bezeichnete, obwohl sie noch im Gange waren.

1864 sah sich die Firma Berlencourt et Cie beim Bau des Boulevard de Magenta vor dieselbe Situation gestellt. Sie hatte 20 Millionen Francs als Vorschuß in die Caisse des Travaux de Paris eingezahlt, konnte aber auf diesen Betrag als arbeitendes Kapital nicht verzichten. Wieder erklärte der Präfekt das Werk – obwohl es erst in der Ausführung begriffen war – für fertiggestellt, und die Firma sah sich nun in die Lage versetzt, wieder über ihr Geld in Form von »bons de délégation«, die auf die Stadt gezogen und von dem Crédit Foncier diskontiert wurden, zu verfügen. Haussmann hatte damit einen Mechanismus in Bewegung gesetzt, mit dem er ohne legislative Sanktion öffentliche Arbeiten in unbegrenztem Umfang finanzieren und abwickeln konnte.

Natürlich waren diese Praktiken auf Dauer nicht zu verheimlichen. 1866 wies Picard dem Parlament genau nach, daß Haussmann mit Hilfe des Crédit Foncier etwa 400 Millionen Francs zusätzliche Schulden gemacht hatte. Für die Opposition stand fest, daß der Präfekt sich fortwährend über geltendes Recht hinwegsetzte, sogar, wie Jules Ferry meinte, »mit einer Art von Koketterie«.[50] Haussmann wollte nicht wahrhaben, wie weitgehend sich inzwischen das politische Klima im Lande gewandelt hatte. In einem Bericht an den Kaiser versuchte er, die finanzielle Lage von Paris zu verteidigen. In seinen Augen wog der Gewinn der Straßendurchbrüche alle Wagnisse auf. Bald, so argumentierte er, könne man daran denken, die städtischen Steuern zu senken, und es müsse auch möglich sein, die aufgenommenen Anleihen innerhalb von zehn Jahren zurückzuzahlen. Ahnungsvoll schloß er mit der Feststellung, daß es klug erscheine, nach Abschluß der laufenden Arbeiten die Ausführung des Planes aufzuschieben.[51] Doch Haussmanns Argumentationen blieben wirkungslos. Der Geist des »empire libéral« duldete autoritäre Alleingänge nicht mehr, und das Parlament strebte stärker als früher danach, die Finanzen unter seine Kontrolle zu bringen. Als die Anschuldigungen gegen den Präfekten immer lauter wurden, suchte die Regierung zu vermitteln. Sie zwang Haussmann im November 1867, die durch die »bons de délégation« verursachten städtischen Schulden bei dem Crédit Foncier aufzudecken. Die 398 Millionen Francs, die sich ergaben, sollte die Stadt in halbjährlichen Raten über 60 Jahre hinweg zurückzahlen. Die Legislative war jedoch mit dieser Entschuldungsaktion nicht mehr zufriedenzustellen. Unbeeindruckt zwang die Opposition Regierung und Präfekt auf die Anklagebank. In einer Parlamentsdebatte, die vom 22. Februar bis zum 6. März 1869 dauerte, mußte Staatsminister Rouher Rede und Antwort zur Finanzierung der drei »réseaux« stehen. Picard, Garnier-Pagés und Thiers führten die Angriffe. Rouher, der kein Freund von Haussmann war, schloß Unregelmäßigkeiten in den Handlungen des Präfekten nicht aus. Thiers konstatierte: »Es ist nicht nur eine Irregularität, es ist eine flagrante Beleidigung des Gesetzes und die erstaunlichste Beleidigung, die je begangen wurde.«[52]

Mit Billigung des Kaisers ließ Rouher den Präfekten fallen. Die Regierung stimmte allen Forderungen des Parlaments zu: Verbot jeder außerbudgetären Finanzierung, Abschaffung der »bons de délégation«, Auflösung der Caisse des Travaux de Paris, Kontrolle des Budgets der öffentlichen Arbeiten durch ein Prüfungskomitee des Parlaments. Danach war Haussmann, obwohl er noch bis zur Regierungsneubildung Olliviers im Januar 1870 im Amt blieb, ein geschlagener Mann. Daran konnte auch sein Abgangscoup vor dem Innenminister, in voller Uniform, »mit erhobenem Kopf und starkem Herzen«, nichts ändern.

Wie von der Opposition beabsichtigt, verlangsamte sich die Transformation merklich. Wenig später war das Second Empire Vergangenheit.

### 5.1.5. Ergebnis und Problematik der Transformation

Das Resultat der 17 Jahre während »grands travaux« mutet imposant an. 1852 betrug die Gesamtlänge der Pariser Straßen 384 Kilometer. Durch die Sanierungen wurden 49 Kilometer davon aufgelassen und 95 Kilometer neu hinzugefügt. In den eingemeindeten Vororten wuchs die Straßenlänge zwischen 1860 und 1870 um 70 Kilometer. An neuen baumbepflanzten Boulevards kamen 48 Kilometer hinzu, wobei die Anzahl der Bäume von 50 466 auf 95 577 stieg. Insgesamt waren bis 1869 an die 165 Kilometer neue Straßen entstanden, die ein Fünftel des Pariser Straßennetzes ausmachten. Dazu kamen noch viele Kilometer Entwässerungsleitungen, Aquädukte, Wasserreservoirs, Brücken, Kirchen, öffentliche Gebäude, Plätze, Squares, Parks, Brunnen, Straßenbeleuchtung und Verkehrseinrichtungen.[53]

Die Ausgaben für diese Arbeiten sprengten den Rahmen aller bisherigen Vorstellungen. Für den Straßenbau wandte die Stadt etwa 1430 Millionen Francs auf, wovon sie vom

153. Paris aus der Luft im Jahr 1978. (ign France, Photothèque Nationale, Saint-Mandé)

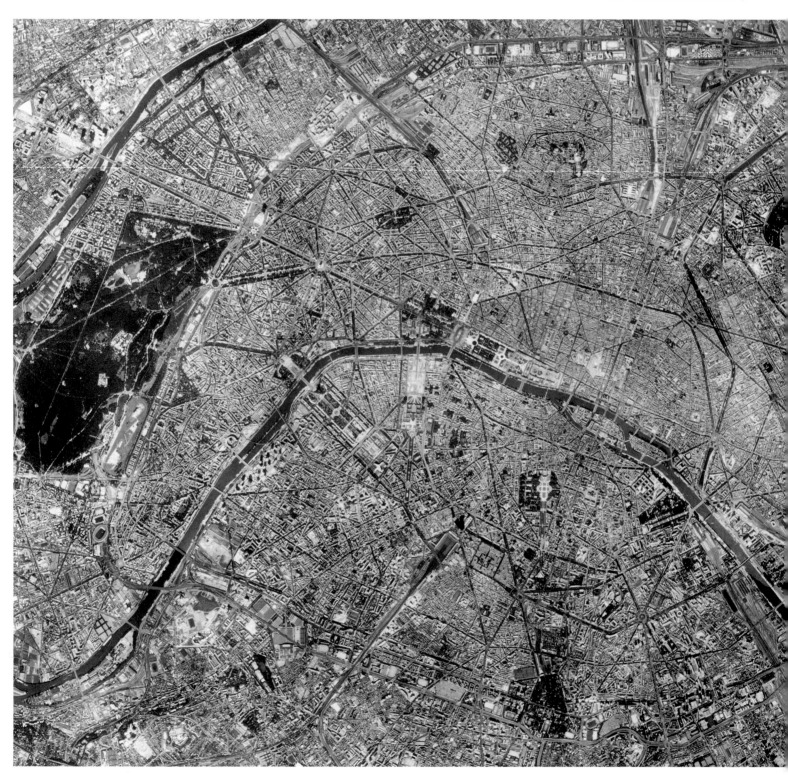

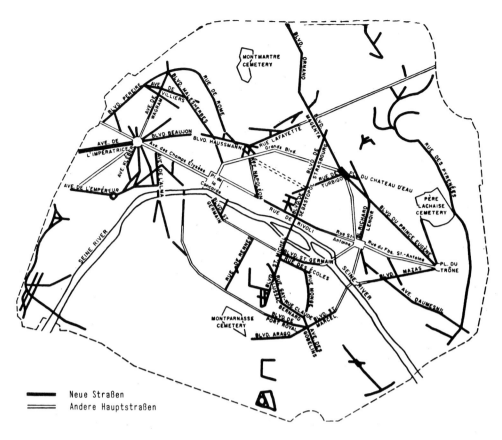

154. Die neuen Straßen von Paris, entstanden zwischen 1850 und 1870. (D.H. Pinkney, *Napoleon III and the Rebuilding of Paris*, Princeton, New Jersey 1958)

— Neue Straßen
═ Andere Hauptstraßen

Staat lediglich eine Subvention in Höhe von 96 Millionen Francs für den »1$^{er}$« und »2$^e$ réseau« erhielt. Hinzu kamen aber noch Aufwendungen von 283 Millionen für Hochbauten, 178 Millionen für öffentliche Straßen und Promenaden, 154 Millionen für Wasserversorgung und Kanalisation, 17 Millionen für Quais und Brücken, 53 Millionen für städtische Beiträge zu verschiedenen Operationen. Die Einzelposten ergaben noch einmal eine Summe von 685 Millionen Francs. Für den Schuldendienst hatte die Stadt 302 Millionen Francs, für den Rückkauf von Konzessionen 136 Millionen Francs aufzubringen. Nach Haussmanns Angaben kosteten demnach die öffentlichen Arbeiten des Second Empire in Paris alles in allem etwa 2554 Millionen Francs.[54] Um diese ungeheure Summe aufbringen zu können, bediente sich Haussmann, darüber gibt es keinen Zweifel, irregulärer, oder wie Thiers feststellte, illegaler Praktiken. Die parlamentarische Opposition erwies sich jedoch gegen Ende des Second Empire als so wachsam und stark, daß sie in der Parlamentsdebatte im Frühjahr 1869 den schlauen und rücksichtslosen Präfekten in seinem Handeln völlig zu lähmen imstande war. Mit den Augen der Zeitgenossen gesehen, war die leidenschaftliche Kritik an Haussmann durchaus verständlich. Die Schuldenlast, die er ohne Unterlaß immer weiter auftürmte, mußte den Steuerzahlern zum Alpdruck werden. Tatsächlich hatte die Stadt jahrzehntelang daran abzuzahlen.

Zumeist gingen die gehässigen Angriffe jedoch am Kern der eigentlichen Probleme vorbei, und es erübrigt sich, näher auf die unbegründbaren Verdächtigungen der »ganaches« (Einfaltspinsel)[55] einzugehen, Haussmann habe sich persönlich durch Bestechungsgelder, Bodenspekulationen oder sonstige Manipulationen bereichert. Wie weit er seinen Freunden und Bekannten, die in manche Aktion verwickelt waren, nützliche Hinweise und Winke gegeben hat, wird nie genau zu klären sein. Gegner, die ihm persönliche politische Ambitionen vorwarfen, weil er den Kaiser mehrere Male bedrängt hatte, ihn zum »ministre de Paris« zu ernennen, waren sich über seine Position wohl nicht ganz im klaren. Denn sie war, durch die Auswahlprozedur Persignys und noch mehr durch die bis 1869 nie in Frage gestellte Unterstützung durch Napoleon III., nur politisch zu verstehen. Wenn Haussmann in seinen *Mémoires* alle Angriffe gegen sich als indirekte Attacken auf den Kaiser und das Empire deutet, so mag er mit dieser Version nicht unrecht haben. Er selbst hat immer wieder betont, daß er sich nur als Ausführungsgehilfe des Kaisers betrachtet habe und sich verpflichtet sah, dessen Plan in die Wirklichkeit zu transponieren. Tatsächlich hätte er diese Mission nie erfüllen können, wenn ihm Napoleon III. nicht immer wieder den Weg mit Dekreten geöffnet und ihn nicht jederzeit gegen alle Angriffe gedeckt hätte. Indem Haussmann sich also von Anfang an für die vollständige Realisierung des Planes entschieden hatte, blieb ihm, als das Parlament nach 1858 zu weiteren Subventionen nicht mehr zu bewegen war, nur noch die Wahl, entweder das Werk als gescheitert aufzugeben, oder sich nach unkontrollierten Geldquellen umzusehen. Aber selbst bei den »bons de délégation«, an denen er schließlich scheiterte, sah er sich durch kaiserliche Dekrete gedeckt. Bis zum Schluß betonte er deshalb auch in dieser Angelegenheit seine Unschuld. So gesehen, ist das Schicksal Haussmanns von dem des Second Empire nicht zu trennen. Indes war das »empire libéral« 1869 in seiner politischen Durchsetzungskraft bereits zu schwach, um seinem treuen Seine-Präfekten in höchster Bedrängnis noch helfen zu können. Rouher erkannte den Ernst der Lage klar: Für Napoleon III. und seine Umgebung ging es darum, den Sturz des Empire zu verhindern. Haussmann zu opfern, war kein zu hoher Preis dafür.

Im zeitlichen Abstand von mehr als einem Jahrhundert wird man heute nicht mehr, wie Picard, Ferry und Say, die für die damalige Zeit ungewöhnliche Finanzierungsmethode der »dépenses productives« zum Angelpunkt einer kritischen Bewertung der Transformation machen. Andere Gesichtspunkte, die damals allerdings ebenso wichtig waren wie heute, müssen zu einer objektiveren Beurteilung herangezogen werden.

Die Verkehrsverbindungen zu verbessern, das Straßensystem wieder funktionsfähig zu machen, galt als eine der wichtigsten Intentionen des Planes. Zu welchem Ergebnis hat die Transformation in dieser Hinsicht geführt? Um die positive Seite vorwegzunehmen: Die Öffnung der Grande Croisée de Paris erwies sich ebenso wie der Bau der einzelnen Boulevardringe als vorteilhaft. Einer Durchfahrt mitten durch die Stadt und einer Umgehung am Rande der Innenstadt oder der Peripherie stand nichts mehr im Wege. Für eine wirkungsvolle Erschließung der Bahnhöfe fehlte aber sowohl beim Kaiser als auch beim Präfekten das volle Verständnis. Scheinbar seherisch stellte Napoleon III. fest: »Les embarcadères des chemins de fer sont, de nos jours, les véritables barrières de Paris.« So

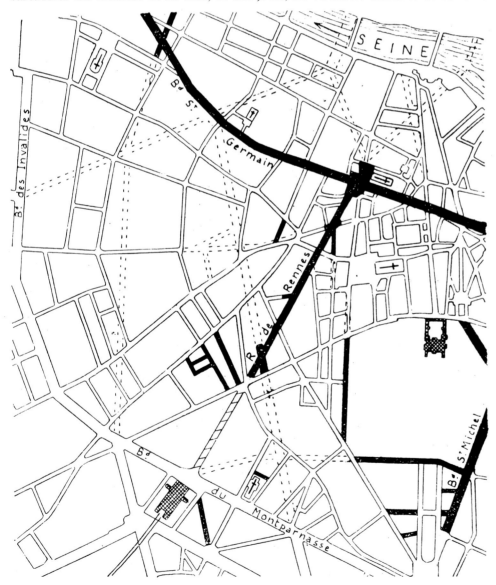

155. Die Erschließung der Gare Montparnasse durch die Rue de Rennes, Paris. (Pierre Lavedan, *Histoire de l'Urbanisme, Epoque contemporaine*, Paris 1952)

wie die Kopfbahnhöfe aber im Stadtkörper nun einmal lagen, erwiesen sie sich, um den Doppelsinn des Wortes »barrières« auszuschöpfen, in Wirklichkeit nicht nur als Stadttore, sondern ebensosehr als Barrieren, als unverrückbare Einschübe im Bebauungsgefüge. Mit einer architektonisch vornehmen Fassade allein war ihren eigentlichen städtebaulichen Ansprüchen nicht zu genügen. Weder die Gare du Nord noch die Gare Saint-Lazare erhielten unmittelbare Anschlüsse an das Stadtzentrum und auch der Gare de Montparnasse auf dem linken Seine-Ufer verhalf das Stückwerk der Rue de Rennes nicht zu einem direkten Verbund mit dem Stadtkern.

Die Halles centrales mochten auf ihrem Platz mitten in der Innenstadt von der Versorgung der Bevölkerung her gesehen günstig liegen. Für den Verkehr aber nahmen sie sich wie ein Magnet aus und blockierten die Zirkulation. Die Situierung des Marktes an dieser Stelle war genausowenig als eine optimale Lösung anzusehen wie die Ansiedlung vieler Industrie- und Gewerbebetriebe im Marais, die ebenso zu einer neuen Verkehrskonzentration führen mußte. Wendet man sich dem Straßensystem selbst zu, das in der Tat das Rückgrat der ganzen Transformation bildete, so fällt bei dessen Linienführung sofort eine Eigentümlichkeit auf, die nur aus der formal-ästhetischen Grundhaltung der Planer zu erklären ist. Die Straßen laufen sehr oft – am auffälligsten bei den »rondelles«, aber auch bei den »carrefours« – gebündelt auf einem Platz zusammen. Den Verkehr systematisch auf bestimmte Punkte zu konzentrieren, mußte bei einer stärkeren Verkehrsbeanspruchung immer zu Schwierigkeiten führen, ganz abgesehen davon, daß die von den Verkehrsströmen zerschnittenen Plätze um ihre architektonische Wirkung gebracht wurden.

Oft laufen wichtige Straßenzüge auf baulich anspruchsvoll ausgebildete Dominanten zu: Der Boulevard de Sébastopol hat die Kuppel des Tribunal de Commerce, der Boulevard Henri IV die Kuppel des Panthéon, der Boulevard Saint-Michel den Dachreiter der Sainte-Chapelle und der Boulevard Malesherbes die Kirche Saint-Augustin als Blickpunkt. Die geraden, lang hingezogenen Straßen mit den wirkungsvoll in Szene gesetzten Monumenten entsprachen sicher einer spektakulären Architekturkonzeption, deren sich der französische Städtebau seit der absolutistischen Ära verpflichtet sah. Aber durfte sich in dem, was Walter Benjamin als »einen unauslöschlichen Durst nach Perspektiven«[56] bezeichnet hat, oder in anderen architektonischen Formalismen der tiefere urbane Sinn der Transformation erschöpfen? Denn an diesem Punkt wird doch ganz deutlich, wie sehr Haussmann die städtebauliche Betätigung formal-mechanisch auffaßte, so als gelte es, nur immer wieder die gleichen Kunstregeln anzuwenden und sich im übrigen auf die von ihm verfügten Bauvorschriften und Servituten zu verlassen. Die breiten, geradlinigen, mit uniformen Fassaden eingefaßten Boulevards und Avenues, die die alten gekrümmten Gassen ersetzten und von den Kritikern als reizlos, stumpfsinnig, ermüdend und megaloman empfunden wurden, entsprachen jenen Regeln der Perspektiven mit Vistas, der korrekten Alignements, der systematisierenden Bauvorschriften, die Haussmann zu beherrschen glaubte. Ging es aber um subtilere Festlegungen, um die Proportionen von Plätzen und Straßenräumen, um die strukturelle Klarheit bei Gebäuden und um die architektonische Ausdruckskraft und Zurückhaltung bei Fassaden, dann versagte die Gestaltungstechnik Haussmanns und seiner Berater zumeist. Was hätte an räumlicher Belebung gewonnen, an wertvoller historischer Bausubstanz erhalten werden können, wenn für manche Straßen an Stelle der geraden eine gekrümmte oder abgebogene Führung gewählt worden wäre? Der Präfekt war nicht jene künstlerische Natur, für die er sich selbst hielt. Als Vertreter des Corps préfectoral war er auch nicht in dem Maße, wie er sich dies einredete, auf die große planerische Aufgabe der Transformation vorbereitet. Jedenfalls verrät seine Feststellung »L'architecture n'est autre chose que l'administration« die Grenzen seines architektonischen und urbanistischen Vorstellungsvermögens. Und unglücklicherweise standen ihm auch keine Architekten zur Seite, die genug Originalität, Gestaltungskraft und Urteilsvermögen besaßen, um sich über den eklektizistischen Zeitgeschmack des Second Empire und über die Forderungen des Tages zu erheben.

Der Preis – diesmal nicht kostenmäßig zu erfassen –, um den diese neue Schönheit der imposanten Boulevards erkauft wurde, bestand im unwiederbringlichen Verlust von Alt-Paris. Die Liebhaber der alten Stadt haben Haussmann des Vandalismus bezichtigt.[57] Allgemein und mit Recht beklagt wurde der Abbruch zahlreicher wertvoller Hôtels, Palais, Kapellen und Kirchen aus dem 17. und 18. Jahrhundert. Eugène Viollet-le-Duc und Prosper Merimée haben dem »démolisseur« das Abräumen der alten Viertel in der Cité besonders übelgenommen.[58] Für Haussmann, der selbst ein gebürtiger Pariser war, wiegen

**PARIS EN 1860.**

Vue à vol d'oiseau prise au dessus du quartier de St Gervais

diese Anschuldigungen schwer. Indes muß man sich fragen, ob ihm überhaupt jenes Sinnlich-Urbane von Paris, das von den Romanciers und Dichtern so nuancenreich und lebhaft dargestellt wird, gegenwärtig war, ob er wenigstens eine leise Ahnung hatte »von der Tiefe der Perspektiven, in der alle Dramen der Vergangenheit nachklingen« (Baudelaire). Sicher dürfen dergleichen Regungen weder bei ihm noch bei Napoleon III., über dessen Paris-Kenntnisse sich Victor Hugo lustig machte, vorausgesetzt werden. Für die Initiatoren der Transformation mußte jede Rücksichtnahme auf historisch wertvolle Gebäude oder Baugruppen dort aufhören, wo diese Objekte den Grundzügen des Planes im Wege standen. Im übrigen war in der Sicht des Kaisers, des »parvenu«, Architektur aus der Zeit der Bourbonen und der Orléans nicht unbedingt erhaltenswert. Bei einem Bonapartisten vom Schlage Haussmanns darf diese Einstellung ebenfalls angenommmen werden. Nachzuforschen, bis zu welchem Punkte der Präfekt das alte Paris hätte erhalten können, ist müßig. Eine Absonderung historischer Zonen lag außerhalb seines Blickfeldes und entsprach auch nicht dem zugrunde liegenden Ansatz der Sanierung. Sein und des Kaisers Ziel war ein neues Paris, das in den Dimensionen der Straßen, Plätze und Monumente alle Maßstäbe der alten Gassen und Häuser sprengte. Wenn aber der Sinn der Transformation nicht nur in der Perspektive monumentaler Achsen bestand, denen zuliebe der alte Baubestand rücksichtslos geopfert worden ist, so mußte er konsequenterweise in der Effizienz der Sanierung selbst liegen. Natürlich entstanden, nach Abzug der größeren Straßen- und Platzflächen, an Stelle der alten Elendsquartiere neue, besser belichtete und belüftete Viertel. Aber die geschlossene hohe Blockbauweise, die man für die Überbauung wählte, entsprach keineswegs jenen Erwartungen, die Wohnungsreformer schon einige Jahrzehnte früher sowohl in Großbritannien als auch in Deutschland

156. Das neue Paris – Paris nouvel — im Jahr 1860. (*Paris dans sa splendeur*, Bibliothèque Nationale, Paris)

ausgesprochen hatten. Zudem erwiesen sich die Mietpreise der neuen Wohnungen für die einkommensschwachen Bevölkerungskreise als viel zu hoch. Die Folge war, daß ein Exodus in die Vororte, die »banlieue«, einsetzte, wo es bald wieder zu ähnlichen Zuständen wie in den alten Stadtvierteln kam und in denen dann planerische Überlegungen völlig fehlten.

Haussmann hat wie nach einer mechanischen Formel alte Gebäude abgebrochen und neue gebaut, das menschliche Problem der Wiederansiedlung (»relogement«), das die Transformation von Anfang an implizierte, hat er aber nie ernsthaft ins Auge gefaßt. Die dichtbebauten Viertel im Osten einfach der Arbeiterbevölkerung zu überlassen, den Westen bewußt für die wohlhabenden Schichten anzulegen und im übrigen die Neuzuziehenden und die Armen in der Banlieue ihrem Schicksal zu überlassen, diese fatale Konzeption läßt ein tieferes Verständnis für die soziale Komponente der Transformation vermissen. Diese Achtlosigkeit den menschlichen Bedürfnissen gegenüber ist um so erstaunlicher, als zur selben Zeit Frédéric le Play, ein Staatsrat des Kaiserreichs, aufschlußreiche Untersuchungen über die Lage der Arbeiterfamilien anstellte und sich geradezu als Sozialtechniker empfahl.[59]

Während Haussmann die sozialen Probleme aus Ahnungslosigkeit und Desinteresse vernachlässigt haben mag, läßt sich dasselbe bei Napoleon III. nicht sagen. Der Kaiser hatte den Arbeitern in seinen frühen Publikationen und Reden große Versprechungen gemacht, aber er betrachtete offenbar seine sozialen Verpflichtungen durch die Schenkungen und Zuschüsse für die »cités ouvrières« und für die großen Parks als abgegolten. Sicher ergaben der Bois de Boulogne, der Bois de Vincennes und die übrigen Grünanlagen wertvolle Freiräume in der großen Häusermasse von Paris, und ihre soziale Ausgleichsfunktion bleibt unbestritten. Aber es wäre letztlich seine Pflicht gewesen, über diese Ansätze hinaus die Transformation in jene soziale und humane Richtung zu lenken, von der in seinen Programmen so verführerisch die Rede war. In diesem Punkt erwies er sich letzten Endes als »Napoléon le Petit« (Victor Hugo). Haussmanns originelle und bewunderungswürdigen Beiträge für die Transformation lagen im technisch-praktischen Bereich, wo seine organisatorische und administrative Befähigung voll zur Wirkung kam. Sein und Belgrands Verdienst ist es, Paris sowohl ausreichend mit Quellwasser versorgt als auch mit einer umfangreichen Kanalisation ausgestattet zu haben. Hält man sich vor Augen, wieviele Opfer Cholera-Epidemien noch um die Jahrhundertmitte in Paris gefordert hatten, so ermißt man erst, welche Bedeutung Haussmanns Werk der saniatären Neuordnung beizumessen ist.[60]

Als nicht weniger bewundernswerte Leistung des Präfekten muß gelten, daß er den Plan Napoleons III. mit Energie, Ausdauer und Durchsetzungsvermögen nicht adaptiv, sondern oft verbessert und weiterentwickelt in die Tat umgesetzt hat. Wäre Haussmann nicht mit dieser Aufgabe betraut worden, so wäre die Transformation zum größten Teil ein Plan oder Stückwerk geblieben, denn der unstete Kaiser hätte kaum die Kraft und die Geduld zu ihrer Realisierung aufgebracht.[61]

Aber auch hier muß wieder gefragt werden, um welchen Preis diese Tat möglich war. Die Zeitgenossen erfuhren es sicher am eindrucksvollsten und eindeutigsten: Sie war nur denkbar im Alleingang, in der völligen Mißachtung der Umwelt und der Kritik. Der Präfekt, den Ferry nicht ohne Grund »le Louis XIV municipal« nannte, war nie gewillt, sein Werk der Kontrolle einer frei gewählten Selbstverwaltungskörperschaft zu unterwerfen. Daraus erklärt sich auch seine Einstellung, daß Paris einer echten Munizipalverfassung nicht bedurfte. Das fast unbegrenzte Vertrauen, das sein »auguste maître« ihm entgegenbrachte, die omnipotente Stellung als Seine-Präfekt und der eigene Glaube an die große und einmalige Mission zu Ehren des zweiten bonapartistischen Kaiserreiches enthoben ihn aller Achtung vor Regierung, Parlament und Öffentlichkeit.

Hier liegt der Schlüssel zum Geheimnis des einmaligen städtebaulichen Ereignisses. Die Transformation von Paris war nur möglich bei der besonderen Machtkonstellation der bonapartistischen Diktatur, nur durchsetzbar, weil Napoleon III. den monumentalen Teil seines innenpolitischen Programms unter der Sekundanz Haussmanns mit einer Zielstrebigkeit und Festigkeit verfolgte wie bei keinem seiner sonstigen politischen Abenteuer. Und sie konnte schließlich nur glücken, weil sich in Georges-Eugène Haussmann ein Helfer gefunden hatte, der alle Bindungen beiseite schob, um der »capitale des capitales« den Weg in die Zukunft zu ebnen.

### 5.1.6. Die Auswirkungen des Pariser Vorbilds

Die in Paris praktizierte Sanierungsmethode der Straßendurchbrüche – von auswärtigen Beobachtern als »haussmanisation« bezeichnet – wurde offensichtlich als so wirkungsvoll angesehen, daß sie schon bald in einer Reihe von französischen Provinzhauptstädten zur Nachahmung führte. Dabei entstanden, wohl um der bonapartistischen Staatsführung die erwünschte Reverenz zu erweisen, vielleicht aber auch um die benötigten Zuschüsse zu erlangen, zumeist Straßen, die Namen wie »Rue Impériale« oder »Rue de l'Impératrice« erhielten, mit denen aber auch andere ehrgeizige architektonische und urbanistische Projekte verbunden sein konnten.

An Zielsetzung und Umfang am nächsten kommt dem Pariser Beispiel die Transformation von Lyon.[62] Dieses im Südosten Frankreichs gelegene Industrie- und Handelszentrum bedurfte, genau wie Paris, aus wirtschaftlichen und sozialpolitischen Gründen einschneidender städtebaulicher Veränderungen. Lyon zählte 1854 etwa 258000 Einwohner, es war zu dieser Zeit die zweitgrößte Stadt Frankreichs. Da die Arbeiterschaft, wie schon dargestellt worden ist, als widerspenstig und republikanisch eingestellt galt,[63] mußte Louis Napoléon die Stadt allein schon der Machterhaltung wegen besonders im Auge behalten. Das unterstrich der von den »canuts« am 15. Juni 1849 gegen ihn unternommene Aufstand, der ihn veranlaßte, Lyon fortan durch die Truppen der Alpen-Armee des Marschalls de Castellane in Schach zu halten.[64] Danach verlief auch an diesem Ort der Coup d'Etat vom 2. Dezember 1851 im Sinne des bonapartistischen Regimes.

Nach diesem politischen Gewaltakt stand munizipalen Veränderungen in Lyon nichts mehr im Wege. Ein Dekret vom 24. März 1852 verfügte den Zusammenschluß der bisher selbständigen Vororte Vaise, La Croix-Rousse, Les Brotteaux und La Guillotière mit Lyon, wodurch sich das Stadtgebiet fast verdoppelte. An Stelle der örtlichen Gemeinderä-

157. Lyon im Jahr 1863, Straßendurchbrüche und Veränderungen in der Innenstadt. (Musée historique de Lyon)

te gab es nur noch eine einzige Commission municipale, deren dreißig Mitglieder nicht gewählt, sondern von Louis Napoléon aus dem Kreis seiner Anhänger ernannt wurden. Auch an diesem Ort sorgte der damalige Innenminister Persigny dafür, daß ein dem Bonapartismus ergebener Mann die einflußreiche Position des »préfet du Rhône« übernahm.[65]

Seine Wahl fiel auf Claude Marius Vaïsse (1799–1864), der sich bereits aus dem Corps préfectoral zurückgezogen hatte und dem Staatsrat angehörte.[66] Abgesichert durch den militärischen Schutz des Marschalls de Castellane und aller lokalen Kontrollen durch kaiserliche Dekrete enthoben, konnte Vaïsse nach seiner am 5. März 1853 erfolgten Ernennung zum Präfekten die Transformation von Lyon in die Wege leiten. Auch in diesem Fall ging es wie in Paris darum, die unübersichtliche, den Erfordernissen des Verkehrs und der Stadthygiene nicht mehr gewachsene Innenstadt durch Straßendurchbrüche und Quartiersanierungen zu erneuern und durch diese »travaux publics« einen wirtschaftlichen Aufschwung einzuleiten. Als besonders prekär erwies sich die Situation in dem zwischen Saône und Rhône gelegenen halbinselförmigen Stadtzentrum, wo besonders enge Straßen und hohe Bauten die Kommunikation zu den außenliegenden Stadtteilen behinderten. So blieb dem Präfekten gar nichts anderes übrig, als die Transformation auf dieses Gebiet zu konzentrieren. Denn in diesem Bereich war schon 1846/47 mit der Ausführung des ersten Abschnitts der Rue Centrale durch den Unternehmer Benoît Poncet ein Anfang gemacht worden. 1848 war noch der zweite Abschnitt begonnen worden, doch die Februar-Revolution hatte das Unternehmen zum Erliegen gebracht. Vaïsse konnte sich auf dieses Vorhaben berufen und unter dem neuen Regime des Second Empire einen Straßendurchbruch im östlichen Teil des Zentrums vom Hôtel de Ville bis zur Place Bellecour vorschlagen. Die Gründe für dieses Projekt mußten auch der Regierung in Paris einleuchten: Indem diese Rue Impériale (heute Rue de la République) den neu erbauten Perrache-Bahnhof im Süden mit dem an der Place de la Comédie gelegenen Hôtel de Ville im Norden verband, entsprach sie sowohl den Verkehrs- als auch den Sicherheitsbedürfnissen. Außerdem konnte damit die örtliche Bau- und Geschäftstätigkeit angeregt werden.

Mit der Vision eines wirtschaftlichen Aufschwungs ohnegleichen wußte Vaïsse die Lyoner Bürgerschaft für seine Pläne zu gewinnen.[67] Da diese auch den Erwartungen der Regierung entsprachen, war die Finanzierung der auf 12 Millionen Francs geschätzten Ausführungskosten kein Problem. Die Rue Impériale wurde einfach als übergeordnete Verkehrsstraße eingestuft, für die der Staat ein Drittel der Kosten übernahm. Zur weiteren Finanzierung könnte die Stadt langfristige Anleihen aufnehmen.

Den Plan der Rue Impériale, die auf Geheiß Napoleons III. noch von 20 auf 22 Meter verbreitert wurde, entwarf der Lyoner Chefarchitekt René Dardel. Die 1030 Meter lange Straße führt vom Hôtel de Ville geradlinig südwärts bis zur Place Impériale, um dann nach diesem 110 Meter langen und neu angelegten Rechteckplatz mit einer Abknickung in die nordöstliche Ecke der Place Bellecour einzumünden. Die Ausführung der Straße wurde dem Bauunternehmer Benoît Poncet übertragen. Der Kontrakt, den er 1854 mit der Stadt abschloß, berechtigte ihn dazu, im Bereich der neuen Straße Enteignungen und Wohnungsausweisungen vorzunehmen. Entsprechend den Schätzungen hatte die von ihm gegründete und mit einem Kapital von 7 Millionen Francs ausgestattete Société anonyme de la rue Impériale de Lyon nach der Umlegung eine bebaute Fläche von 31827 Quadratmetern an die Stadt zu übergeben. Dafür erhielt die Gesellschaft, je nach Fertigstellungstermin, in drei bis vier Teilzahlungen die Gesamtsumme von über 12 Millionen Francs. Hinzu kamen noch Vergünstigungen besonderer Art. Die Gebäude, die an der neuen Straße und den Plätzen entstanden, waren 25 Jahre lang von der Grundsteuer und der Fenster- und Türenabgabe befreit.

Mit diesen Vollmachten ausgestattet und finanziell gut abgesichert, entfaltete sich Poncet, wie sein Mitarbeiter und späterer Biograph Clair Tisseur berichtet,[68] rasch zum »Enteignungskönig« und zum »Schrecken der Enteigneten«. Um der neuen Straße den nötigen Platz zu verschaffen, mußten 270 Gebäude und 2500 Mieter weichen. Von der Umsetzung sollen etwa 12000 Menschen betroffen gewesen sein. Und nach den Feststellungen von Vaïsse beliefen sich die Zahlungen für Entschädigungen auf über 27 Millionen Francs. Nach der Ausquartierung der Bewohner begannen ab 1855 die Abbrüche und die Umlegung auf einen Kilometer Länge und etwa 60 Meter Tiefe. Aus einem zeitgenössischen Bericht erfährt man darüber: »Von den höchsten Punkten der Erhebungen von Fourvière und La Croix-Rousse konnte man eine lange weiße Staubwolke in der Luft aufsteigen sehen, welche einem Feuer ähnelte, das aus den Ruinen aufstieg.«[69] Danach wuchsen die

Neubauten in schneller Folge hoch, und schon im Sommer 1857 konnten viele Häuser bezogen werden. Die Planungsmannschaft Poncets, zu der Tisseur und einige andere junge Architekten gehörten, produzierten gewissermaßen am laufenden Band die Pläne für die Gebäudeblöcke, wobei sie für einen Block die bescheidene Summe von 1000 Francs als Vergütung bekamen. Das Resultat waren gleichartige Standardlösungen sowohl in den Fassaden wie in den Grundrissen. Für Poncet standen bei dieser Massenproduktion finanzielle Gesichtspunkte an erster Stelle. Allem Anschein nach mußte er beim Straßenbau Verluste hinnehmen. Jedenfalls beliefen sich für ihn die Enteignungskosten auf 456 Francs pro Quadratmeter; die Stadt vergütete ihm aber nur 400 Francs pro Quadratmeter für die fertige Straße mit den abgeräumten Gebäuden. Dieses Manko machte er jedoch mit dem großen Gewinn beim Bau der Häuser wett, deren Kosten er mit dem Einverständnis von Vaïsse so niedrig wie möglich hielt.

Als für die Stadt offensichtlich geworden war, daß Poncet die im Vertrag fixierten Leistungen voll und ganz erfüllen würde, ging sie dazu über, die Arbeiten auf andere Bereiche auszuweiten. In einem neuen Vertrag vom 4. März 1855 verpflichtete sich der Bauunternehmer zu weiteren fünf baulichen Aktionen: die Öffnung der Rue Buisson im Bereich östlich der Börse; den Bau eines überdachten Marktes entlang dieser Straße; die Verbreiterung und Verlängerung der Rue Grenette als Querverbindung zwischen der Place des Cordeliers und dem Quai Saint-Antoine und Neubauten mit zurückgesetzten Straßenfluchten im Bereich des Hôtel de Ville an der Place des Terreaux zur Verschönerung und zur Erhöhung der örtlichen Sicherheit, um damit die alten Quartiere Massif de l'Hôtel du Parc und Massif des Terreaux zu sanieren. Dies war nämlich der Ort, wo bei den bisherigen Aufständen die »canuts« von La Croix-Rousse zusammengeströmt waren, um in Frontstellung zum Hôtel de Ville ihren Forderungen Geltung zu verschaffen. Beim Bau des neuen Massif des Terreaux unterlief dem sonst so gerissenen Unternehmer Poncet eine folgenreiche Fehleinschätzung. In der Meinung, es handle sich um eine wertvolle Geschäftsanlage, stattete er die dem Rathaus zugewandte Platzseite mit aufwendigen Arkaden und Luxusgeschäften aus. In der Tat hatte sich aber die Geschäftszone bereits in die von ihm selbst gebaute Rue Impériale verlagert. So wurde dieses Einzelunternehmen für ihn ein geschäftlicher Reinfall.

Der Durchbruch und der Bau der Rue Impériale war aber, aus dem Blickwinkel der damaligen Zeit betrachtet, ein großer Erfolg. Noch bevor die Baugerüste entfernt waren, rissen sich einheimische und Pariser Geschäftsleute darum, in der Straße ihre Läden zu eröffnen. Von der ersten Lyoner Omnibuslinie befahren und mit vier Meter breiten Gehwegen ausgestattet, galt sie nach ihrer Fertigstellung im Jahre 1859 als die dominierende Geschäftsstraße der Stadt.

Sobald sich das Gelingen des ersten großen Straßendurchbruchs abzeichnete, brachte Vaïsse den neuen Plan auf, nun noch eine zweite längsgerichtete Straße durch das unübersichtliche Häusergewirr zwischen Rue Centrale und Rue Impériale hindurchzubrechen. Dieser von der Place des Terreaux bis zur Place Bellecour in gerader Linie durchgehende Straßenzug erhielt die Bezeichnung Rue de l'Impératrice (heute Rue du Président Edouard Herriot). Die Pläne dazu arbeitete der seit 1854 in Lyon tätige Chefingenieur Joseph Bonnet aus. Sie zielten darauf ab, ein Geschäftszentrum mit guter Verkehrserschließung nach dem Vorbild der Londoner City zu schaffen und Banken, Handelshäuser und Läden in diesem Bereich zwischen Rhône und Saône zu konzentrieren. Die äußeren Stadtteile sollten dagegen den Wohnquartieren und Industrieanlagen vorbehalten sein. Vaïsse trug im Herbst 1858 diese neuen Absichten der Commission municipale unter dem Vorwand vor, die öffentliche Meinung sei für diese zusätzliche Erneuerung. Da jedoch kaum jemand außer der Stadtverwaltung und den Grundbesitzern des betroffenen Gebietes den Nutzen dieser Pläne einsah, brach ein Proteststurm los. Vor allem die Aktionäre und Vorstände der Société anonyme de la rue Impériale, die um die Anziehungskraft ihrer neuen Straße fürchteten, konnten an diesem Vorhaben wenig Gefallen finden. Sie erhoben deshalb auch Einwände gegen das Einmünden der Straße an der gleichen Stelle in die Place Bellecour wie die Rue Impériale. Die Stadtverwaltung beharrte jedoch auf der geradlinigen Trassenführung und zeigte sich lediglich bei der Festlegung der Straßenbreite auf 15 Meter maßvoll und zurückhaltend, und das vermutlich nur aus finanziellen Erwägungen.[70] Denn die Mittel der Stadt reichten in diesem Falle nicht aus, die Straße in eigener Regie oder mit Hilfe einer Gesellschaft zu bauen. In dieser Situation konnte Vaïsse nur auf das Angebot der Banque Générale Suisse du Crédit International de Genève zurückgreifen, die mit diesem spektakulären Projekt in Frankreich ins Geschäft kommen wollte. Er schloß deshalb mit diesem Bankhaus am 30. Juli

158. Rue de la Republique – früher Rue Impériale –, Lyon, mit dem Hôtel de Ville im Vordergrund.

1858 den Vertrag über den Bau der Rue de l'Impératrice ab, mit dem auch noch die Umwandlung der alten Place de la Préfecture zur Place de l'Impératrice und der Durchbruch der Rue Childebert als südliche Transversale verbunden waren. Die Abmachungen sahen in diesem Falle vor, daß die Stadt der Bank von den acht Millionen Gesamtkosten nur eine Million Francs in börseneingeführten städtischen Obligationen bezahlte; den übrigen Ausgleich stellte sie durch die Abtretung von städtischem Gelände in Perrache und in La Croix-Rousse her. Andere Vergünstigungen wie Freistellung von der Grundsteuer waren nicht mehr vorgesehen. Mit der Ratifizierung des Vertrages durch den Aufsichtsrat am 9. Oktober 1858 akzeptierte die Bank die wenig attraktiven Bedingungen und verpflichtete sich, die neue Straße innerhalb von fünf Jahren zu bauen. Außerdem hinterlegte sie vertragsgemäß eine Million Francs in Genfer Staatspapieren als Sicherheit. Als ihre Agenten indes darangingen, in Lyon um Anteilseigner zu werben, mußte sie bald erkennen, daß niemand gewillt war, in dieses Projekt zu investieren. Zu spät ging der Bank auf, in welches riskante Geschäft sie sich in Lyon eingelassen hatte. Sie versuchte deshalb durch allerlei Einwände, sich den eingegangenen Verpflichtungen zu entziehen. In der Folge entwickelte sich ein offener Streit, der fürs erste bewirkte, daß die Bank, indem sie auf das Recht des Straßenbaus und auf die Übertragung des städtischen Geländes verzichtete, die Hälfte des deponierten Sicherheitsbetrags zurückerhielt.[71] Ohne auf etwaige spätere Entschädigungsansprüche zu verzichten, war die Stadt damit wenigstens in die Lage versetzt, den Straßendurchbruch nun selbst vorzunehmen. Die zweijährige Verzögerung hatte nämlich bewirkt, daß die Stadtbewohner die geplante Maßnahme inzwischen wesentlich günstiger einschätzten. Überdies hatte sich die finanzielle Lage der Stadt gebessert. So konnte der Präfekt ihr zumuten, eine Schuld von über 8 Millionen Francs aufzunehmen, um die Transformation fortzuführen. Außer der Rue de l'Impératrice sollten auch die Rue Trois-Carreaux, die Petite Rue Saint-Pierre und andere Straßen mit einbezogen sein.

Nachdem das Parlament in Paris diesen Plänen in einem Gesetz vom 14. Juli 1860 zugestimmt hatte, machte sich die Stadt sofort ans Werk und baute die Straße innerhalb von zwei Jahren. Ohne Zweifel hatte die lange Anlaufzeit auch nachteilige Folgen. Es war den Spekulanten ein leichtes, sich des Grund und Bodens entlang der geplanten Straße zu bemächtigen und die Preise in die Höhe zu treiben. Tatsächlich belief sich der Enteignungssatz bei dieser Straße bereits auf 786 Francs pro Quadratmeter, wozu allerdings die Enteignungsgerichte mit ihren generösen Entschädigungsurteilen nicht wenig beitrugen. Der Präfekt mußte unter diesen Umständen schon bald erkennen, daß mit der einen Schuldaufnahmennicht auszukommen war. Ein neues Gesetz vom 26. Juni 1861 erlaubte eine zweite Tranche mit 5 Millionen Francs. Damit war dann die Finanzierung auch dieses Unternehmens gesichert.

Ungelöst blieb jedoch noch der Streit mit der Bank um die zweite Hälfte des Sicherheitsbetrags und um die Entschädigungsansprüche der Stadt. Die gerichtlichen Auseinandersetzungen, die sich durch alle Instanzen bis Juli 1864 hinzogen, endeten schließlich mit der Verurteilung der Bank, nicht nur den Verlust des halben Sicherheitsbetrags hinzunehmen, sondern der Stadt noch eine Entschädigung in Höhe von rund 3,5 Millionen Francs für die Nichterfüllung der eingegangenen Vertragsverpflichtungen zu zahlen. Da die Stadt diesen Betrag jedoch im Endeffekt als Verlust abbuchen mußte, bot der Erfolg vor den Gerichten weder ihr noch dem Präfekten einen Anlaß zur Genugtuung.

Entgegen den früheren Bedenken erwies sich jedoch der Durchbruch der Rue de l'Impératrice als städtebaulich sinnvoll und berechtigt: Die Straße schuf Platz für weitere Läden und Geschäfte, sie trug als zweite Longitudinalerschließung zur Verkehrszirkulation und urbanen Belebung des Stadtzentrums bei, und sie verhalf einem weiteren Teil der Innenstadtquartiere zu besseren stadthygienischen Verhältnissen.

Als Folge der Straßendurchbrüche brachte die Transformation von Lyon auch eine Reihe von Neubauten hervor, auf die die Stadtverwaltung und die Einwohnerschaft sehr stolz waren. Als das imposanteste Werk wurde sicher die Börse – Le palais de la bourse et du commerce – empfunden, die mit ihrer unübersehbaren Baumasse zum einen als architektonische Dominante der Rue Impériale und zum anderen als Symbol der Handelsstadt zu verstehen ist.[72] Dieser Bau, der von dem schon genannten René Dardel entworfen und von 1856 bis 1862 ausgeführt wurde und an dessen skulpturaler und malerischer Ausschmückung Lyoner Künstler beteiligt waren, vermag eine gute Vorstellung von der damaligen Architekturauffassung des Eklektizismus zu geben.

Bei dem Hôtel de Ville, dessen Erneuerung der Transformation ebenfalls Glanz und Anziehungskraft verschaffte, war eine andere Ausgangssituation gegeben.[73] Dieses durch den Lyoner Architekten Simon Maupin zwischen 1646 und 1655 erbaute Rathaus hatte durch einen unzureichenden Bauunterhalt und durch die Aufstände von 1831 und 1834 schwer gelitten. Eine Renovierung war deshalb unumgänglich, zumal sich Vaïsse in den Kopf gesetzt hatte, darin die Präfektur einzurichten, um die Verwaltung an dieser Stelle zu konzentrieren. Taktisch klug begann er die Erneuerung in bescheidenem Rahmen und beruhigte die Commission municipale mit einem Kostenanschlag über eine halbe Million Francs. Je weiter der Umbau jedoch vorankam, um so mehr weiteten sich die Eingriffe aus. Am Ende betrugen die Umbaukosten rund 5 Millionen Francs, von denen die Innenausstattung mehr als die Hälfte beanspruchte. Dabei entstanden nicht nur luxuriöse Appartements für den Präfekten, sondern auch für den Kaiser, der im Hôtel de Ville von Lyon aber nie nächtigte. Zu dieser den Lyoner Verhältnissen ganz unangemessenen Attitüde merkte Dr. Jacques Louis Hénon, ein republikanischer Volksvertreter aus Lyon und ein Gegner von Vaïsse, auf einer Sitzung des Corps législatif in Paris im Januar 1861 an: »Während unsere Arbeiter vor Hunger sterben, werden dort prächtige Empfangsräume eingerichtet.«[74] Bei aller architektonischen Pracht geriet so das Hôtel de Ville kritisch gesehen weit weniger zum Glanzstück der Transformation als zum zwiespältigen Sinnbild des Aktionismus eines omnipotenten bonapartistischen Präfekten.

Doch trotz allem Hang zu der im Rathaus-Umbau zum Ausdruck gekommenen Überheblichkeit war Vaïsse weitsichtig genug, auch die außenliegenden Stadtteile Lyons in die Transformation mit einzubeziehen. So erhielt La Croix-Rousse, wo die Mehrzahl der organisierten Seidenweber ansässig war und wo ein Beitrag zur sozialen Befriedigung besonders wichtig war, zuerst einmal das verlangte Hospital. Am Abhang zur Saône entstand zwischen 1854 und 1857 als eine Art Panoramastraße der Cours der Chartreux (heute Cours du Général Giraud), der ab 1860 durch die Rue de l'Annonciade nach Osten verlängert wurde. Für den Anschluß an das Lyoner Stadtzentrum sorgten die Erweiterung und Erneuerung der Rue Terme und der Rue du Jardin des Plantes. Die zentrale Erschließung des Ortes durch einen großen Boulevard – den späteren Boulevard de la Croix-Rousse – wurde allerdings noch zurückgestellt.

In Vaise, einem Industrievorort im Nordwesten, veranlaßte der Präfekt den Bau eines Quais entlang der Saône, um dadurch die enge Durchfahrtsstraße zu entlasten. Demselben Zweck diente weiter südlich der am Fourvière-Abhang erbaute Quai Fulchiron. In den östlich der Rhône gelegenen Vororten Les Brotteaux und La Guillotière war es nach der Flutkatastrophe vom 31. Mai 1856 notwendig, überschwemmungssichere Uferbefestigungen zu errichten. Unter diesem Aspekt entstanden in der folgenden Zeit die durchlaufenden Quais am Rhône-Ufer (Quai d'Albret, Quai Joinville und andere). La Guillotière erhielt zudem als neue Hauptstraße den Cours des Brosses (später Cours Gambetta), der mit seiner Gesamtbreite von 25 Metern und mit den beidseitigen Baumreihen und den großzügig bemessenen Gehwegen Pariser Format erreicht. Natürlich stimulierte der Bau der Quais und der Straßen auch hier die weiteren baulichen Aktivitäten.

Für Les Brotteaux, das als bevorzugtes Wohngebiet galt, kam Vaïsse die Idee, die Domaine de la Tête d'Or zu einem großen Park auszubauen. Dabei mochte das Vorbild des

Bois de Boulogne in Paris mitspielen und der Wunsch, es Haussmann gleichzutun. Aber es dürfte auch die Einsicht vorhanden gewesen sein, daß die Bewohner Lyons einen Ort brauchten, wo sie frische Luft schöpfen und sich erholen konnten. Der 114 Hektar große Parc de la Tête d'Or entstand zwischen 1856 und 1858 nach den Plänen des Landschaftsarchitekten Bulher. Mit den großen Wiesen- und Waldpartien, den künstlichen Seen, dem zoologischen und botanischen Garten, der breiten Wagenpromenade und den über sieben Kilometer langen Fußwegen war diese Einrichtung eine sinnvolle Bereicherung der Stadt. Gerade der Parc de la Tête d'Or kann als Beweis dafür gelten, wie weitausgreifend und vorausblickend die Transformation von Lyon angelegt war. Auch wenn ihr kritisch angelastet werden muß, daß sie die sozialen Komponenten vernachlässigt und den »Kult der Straße« übertrieben hat, so ist sie trotzdem als ein wichtiger Beitrag des Bonapartismus zur Vitalisierung der Stadt einzustufen. Dabei sind sowohl in der Zielsetzung als auch in der Realisierung viele Parallelen mit Paris festzustellen. Aber das ist letzten Endes nur der Beweis dafür, wie stark das Pariser Vorbild wirkte.

Einen bemerkenswerten Einfluß übte das Werk Haussmanns auch in Montpellier aus, wo der Bürgermeister Pagézy versuchte, dem Seine-Präfekten wenigstens in kleinerem Rahmen nachzueifern.[75] Er brachte den Plan auf, durch einen Straßendurchbruch, der mitten durch die Altstadt führen sollte, die Promenade du Peyrou am westlichen Stadtrand mit der Promenade de l'Esplanade (Champ-de-Mars) im Osten zu verbinden. Auch diese Straße erhielt, der Usance an anderen Orten folgend, die Bezeichnung Rue Impériale. Im schrägen Anschnitt dazu sollten der Durchbruch der Rue Saint-Guilhem und die Verbreiterung der Rue de la Loge hinzukommen. Da die Departement-Verwaltung zu gleicher Zeit vorhatte, die Präfektur in dem Bereich, durch den die Rue Impériale führen sollte, zu erweitern und mit einer neuen Schauseite zu versehen, fand das städtebauliche Erneuerungsprojekt Pagézys sofort Anklang und Unterstützung. Am 5. Juli 1865 wurde ihm die für die Finanzierung wichtige »utilité publique« zuerkannt, obwohl von den damaligen Verkehrsbedürfnissen her gesehen kaum ein Grund dafür bestanden haben kann. Wahrscheinlich wurde mit dem Projekt auch nur die Absicht verfolgt, mit Hilfe der Straßendurchbrüche neue Geschäftslagen zu schaffen, verwinkelte und unhygienische Quartiere zu sanieren und den Wert des innerstädtischen Terrains zu steigern. Der staatlichen Zustimmung sicher, begann die Stadtverwaltung mit den vorbereitenden Arbeiten, indem sie den Grund und Boden und die alten Häuser im Sanierungsgebiet aufkaufte. Doch bevor sie damit zum Abschluß kam, war das Second Empire seiner eigenen Hybris erlegen. Immerhin hatte die Kaiserzeit noch dazu ausgereicht, die neue Präfektur am 18. Oktober 1870 ihrer Bestimmung zu übergeben.

1874 sahen dann die Pläne bei einer nüchternen Betrachtung um einiges bescheidener aus: Der in Ost-West-Richtung geführte Straßendurchbruch, nun zur Rue Nationale um-

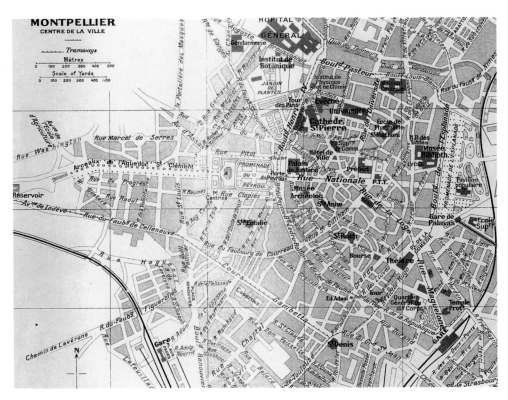

159. Montpellier um 1920.

benannt, wurde in der Breite von 20 Metern auf 14 Meter reduziert und endete an der Rue de l'Aiguillerie, ohne vorerst die Promenade de l'Esplanade zu erreichen. In den siebziger Jahren endlich ausgeführt, beeindruckte die Straße aber zumindest in der Gegenrichtung mit dem Blick zur Place du Peyrou durch eine einmalige Konstellation: Die von dem Architekten Charles Augustin Davile 1692 erbaute »porte en manière d'arc de triomphe« wirkt wie eine kostbare Fassung, in deren Rundbogenöffnung die auf der Promenade du Peyrou plazierte Reiterstatue Ludwigs XIV. als attraktiver Point de vue erscheint. Während demnach der Rue Nationale (heute Rue Foch) mehr eine monumentale Ausrichtung zukommt, folgt die bei der Präfektur nach Südosten abzweigende Rue de la Loge einem wirklichen Verkehrsbedürfnis. Denn sie leitet zur Place de la Comédie als dem belebtesten Platz der Stadt über, der nach Nordosten in die baumbestandene Esplanade übergeht und nach Südosten über die Rue Maguelone mit dem Hauptbahnhof verbunden ist. Wie sinnvoll gerade die Ausweitung und Begradigung dieser Straße war, ist auch heute noch an Ort und Stelle zu konstatieren.

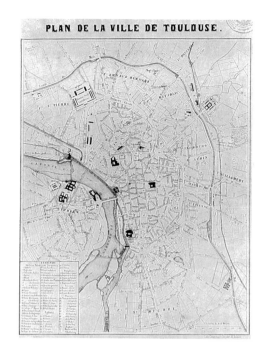

Die im Süden Frankreichs gelegene alte Hafenstadt Marseille verdankt dem Second Empire ebenfalls eine Rue Impériale (heute Rue de la République).[76] Sie ist in der Absicht entstanden, die Ostpartie des alten Hafens (Vieux-Port) auf kürzeste Entfernung mit den neuen Hafenanlagen, dem Bassin de la Joliette, zu verbinden. Dafür gab es zwar schon früher Lösungsvorschläge, von denen das Mirés-Projekt von 1858 mit dem Vorschlag aufwartete, die zwischen den beiden Häfen aufragenden Hügel mit Alt-Marseille abzutragen und die planierte Fläche mit einer regelmäßigen Bebauung zu versehen. Die Reaktion der traditionsbewußten Bewohner war jedoch so ablehnend, daß die Stadtverwaltung diesen Vorschlag nicht weiter verfolgte.

Mit der Übernahme der Marseiller Präfektur durch den ehemaligen Pariser Polizeipräfekten Maupas im Jahre 1860 war auch in dieser Stadt ein verläßlicher Anhänger des bonapartistischen Regimes präsent, um die beabsichtigte städtebauliche Erneuerung durchzusetzen. Als Napoleon III. in demselben Jahr im Zuge seiner »tour de France« Marseille besuchte, fiel die Entscheidung für eine geradlinige Verbindung zwischen dem Quai des Belges (Vieux-Port) und La Joliette. Aber auch die Ausführung dieser rund einen Kilometer langen Straße, die von 1862 bis 1864 entstand und dem Kaiser zu Ehren die Bezeichnung Rue Impériale erhielt, verlief nicht ohne starke Eingriffe in das Gelände und in die alte Bausubstanz. Es ergaben sich Stützmauern mit bis zu 15 Metern Höhe, und dem Durchbruch mußten 38 Straßen und 935 Häuser von Alt-Marseille geopfert werden.[77] Man ersieht daraus wieder, wie auch hier die »Chirurgie der Straße« das städtebauliche Vorgehen bestimmte. Zu weiteren Aktivitäten dieser Art kam es dann aber in Marseille während des zweiten Kaiserreichs nicht mehr.

In der aquitanischen Provinzhauptstadt Toulouse waren der permanente Bevölkerungsanstieg und die unzureichende Verkehrserschließung nach 1850 ebenfalls der Anlaß zu neuen Straßenprojekten.[78] Zunächst erwies es sich als notwendig, den Bahnhof an das Stadtzentrum anzubinden. Das geschah durch die 1854 angelegte Rue Bayard. Ganz unbefriedigend war überdies, wie sich die nach Spanien führende Route Nationale in engen Passagen durch die Stadt hindurchzwängte. Und auch der rechtwinklig dazu verlaufende Straßenzug von der Kathedrale Saint-Etienne durch den Stadtkern hindurch zum Pont Neuf über die Garonne bedurfte einer Erweiterung. Um in beiden Richtungen passable Durchfahrten zu schaffen, arbeitete Maguès, ein Ingenieur des Corps des Ponts et Chaussées, wohl nach Pariser Vorbild ein Croisée-Projekt aus. Es sah eine von Norden nach Süden geradlinig durchlaufende Longitudinalstraße – als Rue Impériale – und eine in Ost-West-Richtung angelegte und leicht abgeknickte Transversale – als Rue de l'Impératrice – vor. Dieser Vorschlag wurde im Januar 1867 vom Conseil municipal angenommen und nach der Prüfung der »utilité publique« durch ein kaiserliches Dekret vom 17. Juni 1868 genehmigt. Obwohl eine private Baugesellschaft – Le Crédit Foncier et Industriel Belge – sofort den nördlichen Teil der Längsstraße bis zur Kreuzung auszuführen begann, reichte die Zeit des Second Empire nicht mehr aus, um auch in Toulouse noch eine Rue Impériale entstehen zu lassen. Nach Abschluß der Arbeiten 1871 war daraus einfach die Rue d'Alsace-Lorraine geworden. Allerdings mußte in diesem Gebiet der geradlinige Straßenverlauf durch den teilweisen Abbruch des Augustinerklosters teuer erkauft werden. Das nach Plänen Viollet-le-Ducs erbaute Musée des Augustins war kunstgeschichtlich gesehen alles andere als ein adäquater Ersatz.

Beim Ausbau der Rue de Metz als Transversale erlahmte das Ausführungstempo merklich; erst 1923 war hier die letzte Baulücke gefüllt. Trotzdem hatte diese städtebauliche Veränderung einen unübersehbaren Effekt: Die Rue d'Alsace-Lorraine galt fortan

160. Toulouse im Jahr 1857, vor den Straßendurchbrüchen. (Archives de la Ville Toulouse)
161. Toulouse im Jahr 1924. (Archives de la Ville de Toulouse)

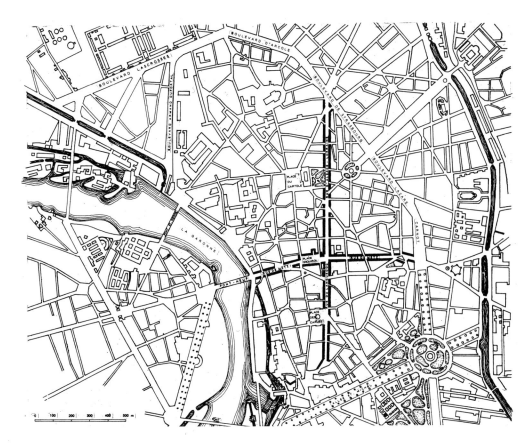

162. Toulouse mit den Straßendurchbrüchen der »route impériale« von 1860–63. (Archives de la Ville Toulouse)

als bevorzugte Geschäftsstraße und als beliebte Promenade. Außerdem war für das Verkehrsaufkommen der damaligen Zeit eine angemessene Lösung gefunden.

In Rouen waren allein schon aus stadthygienischen Gründen Sanierungen unumgänglich. An diesem Ort brachte der umfangreiche Bestand an architekturgeschichtlich wertvollen Baudenkmälern die Stadtverwaltung, die sich bei den Sanierungsbestrebungen des bonapartistischen Systems zum Handeln gezwungen sah, in eine schwierige Situation. Indem sie nämlich die in Paris praktizierte Methode der Straßendurchbrüche an-

163. Rouen mit den Straßendurchbrüchen des Second Empire.

164. Rouen, um 1855, vor den Straßendurchbrüchen. (D. Baedeker, *Paris und Umgebung*, *Koblenz 1858*, 2. Aufl.)

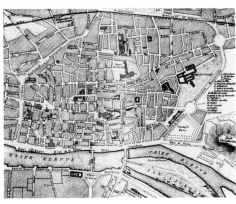

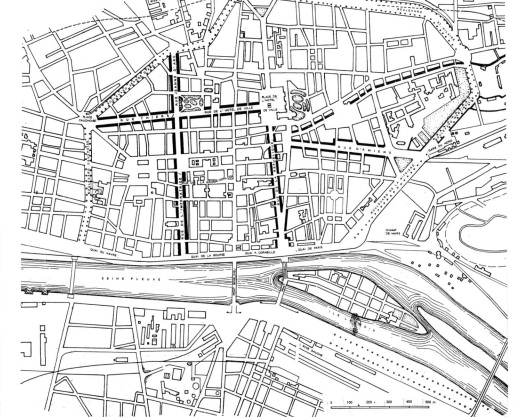

173

wandte, mußte sie rigoros in den Denkmälerbestand eingreifen und einen Verlust der geschichtlichen Authentizität hinnehmen. Allerdings hielten solche Skrupel die Verantwortlichen nicht davon ab, ihre Sanierungspläne in die Tat umzusetzen.[79]

Als ein besonders folgenreiches Unternehmen erwies sich die Erschließung des neu erbauten Bahnhofs im nordwestlichen Außenbereich der Stadt. Die dafür angelegte Straße – die Rue de l'Impératrice (heute Rue Jeanne-d'Arc) – wurde in Nord-Süd-Richtung mitten durch die Altstadt von Rouen gebrochen. Sie endete an der Seine, ohne daß sie sich zur damaligen Zeit über eine Brücke auf der anderen Seite fortgesetzt hätte. Nach den zeitgenössischen Planvorstellungen mußte die Straße geradlinig und rechtwinklig zur Seine verlaufen. Dieser fixen Idee fielen dann zwei alte Kirchen (Saint-Martin-sur-Renelle, Saint-André-aux-Febvres) und mehr als hundert Häuser Alt-Rouens zum Opfer, unter denen die Abbrüche an der Rue du Gros Horloge einen unersetzbaren Verlust an Renaissancebauten bedeuteten.[80]

Die vom Carrefour Cauchoise zur Stiftskirche Saint-Ouen im rechten Winkel zur Rue de l'Impératrice durchgebrochene und auf das Hôtel de Ville ausgerichtete Rue de l'Hôtel-de-Ville (heute Rue Thiers) trug ebenfalls zum Verschwinden einer Reihe schöner normannischer Fachwerkbauten und Hôtels des 17. Jahrhunderts bei. Strenggenommen erscheint die sorgfältig projektierte und zwischen 1870 und 1885 eingerichtete Frischwasserversorgung der Stadt als der überzeugendste Beitrag der Sanierungsarbeiten, während die Straßendurchbrüche, zu denen auch noch die Rue de la République und die Rue d'Amiens zu zählen sind, dem Verkehr zwar neue Bahnen eröffneten, dem Stadtbild Rouens aber schwere Wunden zufügten.

Indes blieben die Auswirkungen der »haussmanisation« keineswegs auf Frankreich beschränkt. Im benachbarten Belgien fallen vor allem die nach Pariser Muster vorgenommenen umfangreichen städtebaulichen Veränderungen in Brüssel ins Auge.[81] Auch in der belgischen Hauptstadt gingen die ersten Sanierungsarbeiten von einem Bahnhof, der Gare du Nord, aus. Der Straßendurchbruch, den Bürgermeister Jules Anspach (1829–79) zu dessen Erschließung zwischen 1867 und 1871 parallel zu der schon vorhandenen Rue Neuve und Rue du Midi durch den Kern von Brüssel vorantrieb, bedeutete aber mehr als nur eine Verkehrsverbesserung. Durch ihn erhielt der Stadtkörper die seit der Cholera-Epidemie von 1866 dringend geforderte hygienische Erneuerung. Dabei wurde die Senne, ein längst zur Kloake verkommenes Flüßchen, das sich mitten durch Brüssel hindurchwand, eingedolt und umgeleitet. Die damit verbundenen Arbeiten nahmen allmählich den Umfang einer Transformation an, bei der die alten gewundenen Gassen und die ungesunden Behausungen verschwanden und durch zeitgemäße Einrichtungen ersetzt wurden. Im Endergebnis verhalf diese Erneuerung der Stadt zu einem imposanten Durchgangs-Boulevard, der den Kernbereich in einer Breite von 60 Metern auf über 2 Kilometer Länge durchläuft. In die drei Abschnitte des Boulevard du Hainaut (heute Boulevard Maurice Lemonnier), Boulevard Anspach und Boulevard du Nord (heute Bou-

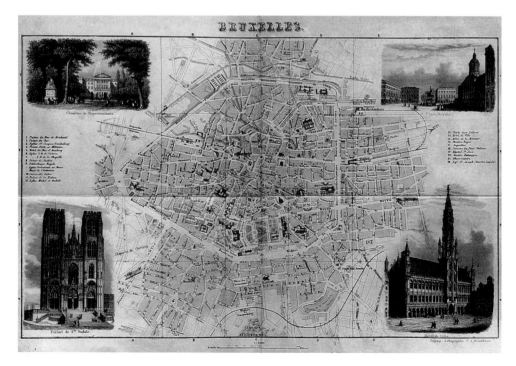

165. Brüssel im Jahr 1863. (Archives de la Ville de Bruxelles)

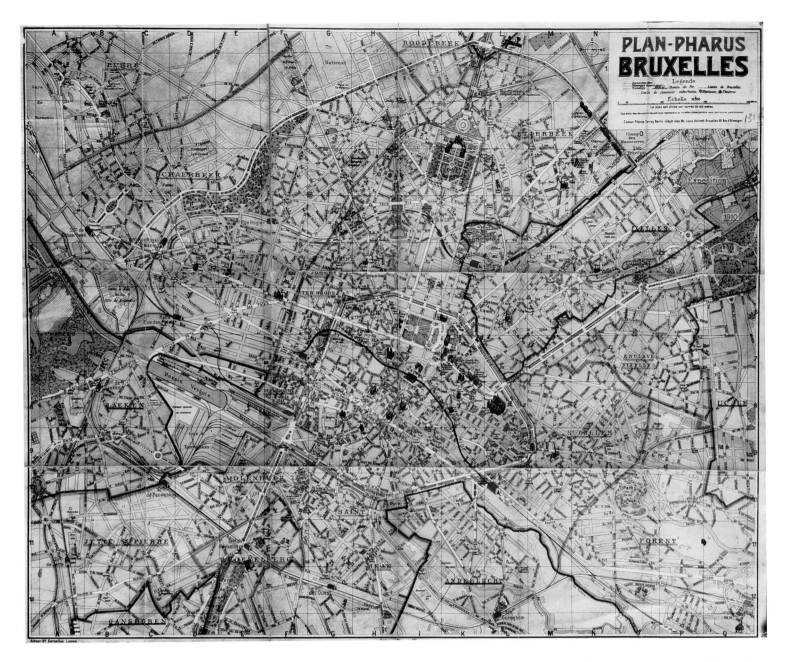

166. Brüssel im Jahr 1910. (Archives de la Ville de Bruxelles)

levard Adolphe Max) unterteilt und räumlich durch die Ausweitungen der Place Fontainas und der Place de Brouckère gegliedert, ist er zur monumentalen Bezugsachse der Stadt geworden. Der Plan, diesem anspruchsvollen Straßenzug durch eine französische Baugesellschaft – La Société des Nouveaux Boulevards – auch noch die formale architektonische Einheitlichkeit nach Pariser Vorbild aufzuzwingen, scheiterte allerdings an der belgischen Mentalität. So war die Stadtverwaltung genötigt, sich selbst als Bauträger zu engagieren.

Nach 1871 weitete Anspach die Transformation auch auf die Oberstadt – »ville haute« – aus, wo die sanitären Verhältnisse ebenfalls völlig unzureichend waren. Die Arbeiten umfaßten die Sanierung des Quartier de Notre-Dame-des-Neiges, die Anlage der Rue Royale, der Rue de Louvain und der Rue de la Sablonnière sowie den Bau eines neuen Stadtviertels um die Place de la Liberté.

Anspach folgte dem Pariser Beispiel sogar noch darin, Brüssel auch seinen »Bois de Boulogne« mit der angemessenen mondänen Erschließungsstraße zu verschaffen. Schon im April 1864 kam der an der südlichen Peripherie gelegene Bois de la Cambre in die Obhut der Stadt.[82] Sie erschloß dieses Erholungsgebiet vom Stadtzentrum her durch die Avenue Louise, eine Prachtstraße mit baumbestandenen Seitenalleen für Fußgänger und Reiter, die zwischen den Vororten Saint-Gilles und Ixelles nach Süden verläuft. Ohne Zweifel artikuliert diese aufwendige Anlage, die nach dem Vorbild der Pariser Avenue de l'Impératrice rasch zur Promenade der feinen bürgerlichen Gesellschaft wurde, am eindeutigsten die tiefgreifenden Auswirkungen der französischen Stadtbaumethode im belgischen Bereich.

In weiter gefaßtem Sinne hat das französische Vorbild seine Spuren auch bei den Stadtplanungen anderer Großstädte in Europa hinterlassen. In diesem Zusammenhang kann
auf die Erweiterungspläne von Barcelona verwiesen werden.[83] In der katalanischen
Hauptstadt hatte die Einwohnerschaft um die Jahrhundertmitte so stark zugenommen,
daß die durch Mauern und Festungsanlagen eingeschnürte Stadt eine Erweiterung nicht
mehr aufschieben konnte. Die spanische Regierung stimmte deshalb 1854 der Öffnung
und Entfestigung der Stadt zu und beauftragte Ildefonso Cerdá y Suñer, einen Ingenieur
und Feldmesser, mit der topographischen Aufnahme des Erweiterungsgeländes als
Grundlage für die Planungen. In der Begeisterung für seine Aufgabe beschränkte sich
Cerdà jedoch keineswegs auf die Geländeerfassung, sondern stellte gleich noch einen
großangelegten Schachbrettplan für die Stadterweiterung auf.[84] Das im Anschluß an die
Altstadt gleichmäßig über eine Fläche von drei auf sieben Kilometer ausgebreitete Raster
erhält in seiner orthogonalen Anordnung durch einige in der Breite hervorgehobene
Straßen eine gewisse Unterteilung. Das auffällige Strukturierungsmerkmal bildet jedoch
das über die ganze Neustadt gezogene diagonale Straßenkreuz. Der eine Arm davon, der
zur Avinguda Diagonal geworden ist, durchschneidet die Gebäudeblöcke in Ost-West-
Richtung und erschließt die westlichen Vororte (Sarriá und Gracia); er läuft freilich nach
Osten gewissermaßen ins Leere, da er am Meer endet. Etwas mehr Sinn ergibt die andere Diagonale (später zur Avinguda de la Meridiana geworden), die ihren Ausgang im
Hafen nimmt, die Neustadt in Nord-Süd-Richtung durchkreuzt und sich im Norden in einer Vorortstraße fortsetzt. Diese Diagonalen schneiden sich mit der von Südwesten nach
Nordosten in gerader Linie durchgehenden Hauptstraße – der Gran Vía – in einem
großen Platz, der, diagonal in das Raster gesetzt, das Zentrum der Neustadt markiert. Daneben weist der Plan noch einige einfach in das orthogonale Raster eingefügte Neben-
plätze und Parkanlagen auf. Auf ebenso rigorose Art wie die Diagonalstraßen sind auch
die Eisenbahntrassen, die es zu dieser Zeit schon zu berücksichtigen galt, in schrägem
Anschnitt durch die Bebauung geführt. Als füllendes Element bestimmt eine unübersehbare Zahl von Gebäudeblöcken in additiver Aufreihung das Planbild. Die zumeist mit
113 Meter Seitenlänge dimensionierten Blöcke erhalten durch die Abschrägung der

167. Entwurf für die Erweiterung von Barcelona, von Ildefonso Cerdà, 1859. (Arxiu de la Ciutat, Barcelona)

Ecken einen oktogonalen Umriß, der den Straßenkreuzungen immerhin mehr Weite und einen besseren Übergang vermittelt. Der Vorschlag des Planers, die Innenhöfe der Blöcke nicht zu überbauen und als Wohngärten zu nutzen, gibt der Randbebauung – ursprünglich nur an zwei gegenüberliegenden Seiten gedacht – eine halbwegs versöhnliche Note. Doch noch während Cerdà seinen Plan der zuständigen Behörde zur Beurteilung vorlegte, schrieb die Stadt Barcelona einen Wettbewerb zur Erlangung eines Erweiterungsplanes aus. Sie brachte im Programm klar zum Ausdruck, worauf es ihr bei der Erweiterung besonders ankam: Altstadt und Neustadt sollten durch ein System von Boulevards gut miteinander verzahnt werden, und zudem sollten die Vororte in die Erweiterungskonzeption mit einbezogen sein. Tatsächlich fand sich im preisgekrönten Beitrag des Architekten Antonio Rovira y Trias ein Plan, der auf diese Forderungen einging. Die Regierung in Madrid zeigte sich davon jedoch unbeeindruckt und bestimmte Cerdàs in mancherlei Hinsicht fragwürdigen Plan zur Ausführung. Gewissermaßen zum Ausgleich übertrug sie Rovira y Trias die Stelle des Stadtarchitekten von Barcelona. Die Mängel des maßgebenden Ausführungsplans bestanden aber gerade darin, daß die Altstadt und die Erweiterung nur ungenügend aufeinander abgestimmt waren und auch die Einbeziehung der Vororte mit Ausnahme von Gràcia kaum befriedigen konnte. Immerhin sah Cerdàs Plan, indem die Normalstraße 20 Meter, die Gran Via 50 Meter und der Passeig de Gràcia als wichtigste Vorortverbindung 60 Meter Breite erhielten, großzügige Straßenprofile vor.

Mit der gewählten Ausgangsbasis mußte die Planung im Laufe der Zeit immer wieder Korrekturen unterzogen werden. Ab 1868 setzte sich Rovira mit der naheliegenden Idee auseinander, die Altstadt mit einem Ringboulevard zu umgeben, um mit dieser Straßenführung einen besseren Verkehrsfluß zu erreichen. Als Ergebnis entstanden die Rondas, die noch mit Plätzen kombiniert wurden, von denen der Plaça de Catalunya besondere Bedeutung erlangte.[85] Neue Anregungen zur Stadterweiterung von Barcelona sollte 1905 ein international ausgeschriebener Wettbewerb erbringen. Die mit dem ersten Preis ausgezeichnete Arbeit des französischen Planers Léon Jaussely trieb das formal bedingte Rechteck- und Diagonalsystem, das schon Cerdàs Plan in einfacher Figuration zugrunde lag, derart auf die Spitze, daß nun der Planformalismus der Beaux-Arts-Richtung mit seinen monumentalen Achsen, Sternplätzen und Vistas über alles andere triumphierte. Da indes die abstrakte Geometrie dieses Plans die wirklichen urbanen Bedürfnisse – unter anderem die Integration der Eisenbahnen und der Industriebetriebe im Stadtkörper – so gut wie unberücksichtigt ließ, blieb dieser Beitrag Papier. Die Stadtentwicklung Barcelonas verlief dann in der Folgezeit weit weniger nach formalästhetischen als nach praktischen und zeitbedingten Gesichtspunkten.

Im italienischen Bereich ist die Einwirkung des Pariser Vorbilds vor allem in Rom spürbar, das nach dem Risorgimento ab 1870 Hauptstadt des Königreichs Italien geworden war und nach langer wirtschaftlicher und baulicher Stagnation einer städtebaulichen Erneuerung unterzogen werden mußte.

Rom war um diese Zeit ohne wirtschaftliches Leben und ohne Industrie. Es verfügte weder über eine ausreichende städtische Infrastruktur noch hatte es neuzeitliche und gesunde Wohnungen. In seiner Hauptstadtfunktion mußte es ab 1871 die zentralen Verwaltungen des Königreichs aufnehmen, die Voraussetzungen für den Bau von Wohnungen für die stetig anwachsende Einwohnerschaft schaffen, das Straßennetz den neuen Verkehrsbedürfnissen anpassen und schließlich Vorkehrungen gegen die Tiber-Überschwemmungen treffen.

Die zur Macht gekommenen politischen Kräfte waren sich dieser Aufgabenstellung durchaus bewußt. Schon wenige Tage nach dem Angriff auf Rom, den der besiegte Papst als »sakrilegisches Attentat« wertete, setzte der Regierungsausschuß am 24. September 1870 eine Kommission von Fachleuten ein, die mit der Aufgabe betraut wurde, die Verschönerung und Vergrößerung Roms zu studieren (»studiare l'abbellimento e l'ingrandimento di Roma e specialmente del progetto di costruzione di nuovi quartieri in quella parte, que maggiormente si presta alle nuovi edificazioni«). Ein Jahr später legte das Kommissionsmitglied Alessandro Viviani den ersten Entwurf eines Piano regolatore vor, der aber auf eine so lebhafte Kritik stieß, daß er einer weiteren Bearbeitung unterzogen werden mußte. Am 4. Juli 1873 konnte Viviani den Piano regolatore esecutivo vorweisen.[86] Die damit aufgeworfenen urbanen Probleme scheinen aber so gravierend gewesen zu sein, daß der Plan 1874 wieder zurückgezogen wurde und Bürgermeister Pianciani zurücktrat. Erst nachdem im Mai 1880 eine Variante des Viviani-Plans von 1873 angenommen worden war und 1882/83 der Plan im gesamten die Zustimmung der städtischen Gremien gefunden hatte, standen den Sanierungsvorhaben keine Hindernisse mehr entgegen.[87] Um Rom in städtebaulicher Hinsicht zu erneuern, orientierte sich Viviani am Vorbild der Pariser Straßendurchbrüche und der französischen Planmuster. Die im Nordosten der Stadt gelegenen Diokletiansthermen dienten ihm als Ausgangspunkt zu einer neuen Monumentalstraße, der Via Nazionale, die stadteinwärts bis zur Piazza Magnapoli auf über einen Kilometer Länge geradlinig verläuft. Während bei dieser Straße die Einführung vor den Diokletiansthermen durch die konkave Einbuchtung der Piazza Esedra (Piazza della Repubblica) architektonisch plausibel erscheint, ist der doppelte Haken, den sie nach dem Largo Magnapoli der Geländebeschaffenheit wegen und zur Schonung des Trajansforums schlägt, völlig unbefriedigend. Denn mit diesem Verlauf trägt die Straße kaum zu einer flüssigen Verkehrsführung im Sinne eines übergeordneten Verbindungssystems bei. Es ist bei der Via Nazionale nicht ohne Ironie, daß das für den Durchbruch erforderliche Gelände aus dem Besitz eines Prälaten herrührte, der es noch zur Zeit der »Secunda Roma« in spekulativer Absicht erworben hatte, dann aber doch kostenlos an die Stadt zum Ausbau der »Terza Roma« abtrat.

Wesentlich komplizierter als bei der Via Nazionale erwiesen sich die Verhältnisse bei der ab 1884 erfolgten Öffnung des Corso Vittorio Emanuele II. Hier handelte es sich im wahrsten Sinne des Wortes um einen Durchbruch, der in diesem besonderen Fall durch die architekturgeschichtlich wertvolle Bausubstanz der Renaissancezeit führte. Gerade in diesem hochsensiblen Bereich zeigte sich nun, daß Rom nicht mit Paris gleichzusetzen war und daß mit der Pariser Radikalkur des »percement« auf römischem Boden noch viel mehr Unheil anzurichten war als im mittelalterlichen und bourbonischen Denkmälerbestand der Seine-Stadt. Eigentlich wäre hier Haussmann mit seiner Methode nicht gefragt gewesen, denn die »ewige Stadt« hätte ein subtileres Verfahren als das vom Seine-Präfekten praktizierte nötig gehabt.

Immerhin erkannte Viviani, daß man diesen Durchbruch, auf den die Stadt nicht verzichten wollte, »nobel« hinter sich zu bringen hatte. In dieser Absicht wurde der Corso mit immer wieder wechselnden Abknickungen durch den dichten Baubestand hindurchgebrochen, um wenigstens die kostbarsten Baudenkmäler zu schonen. Den Corso rahmen so, von der Tiberbrücke her gesehen, eine Reihe erhalten gebliebener Renaissance- und Barockbauten ein: die Chiesa Nuova, der ein kleiner Platz vorgeschaltet ist, der Palazzo della Cancelleria und unmittelbar darauf folgend der Palazzo Massimo, die beiden Jesuitenkirchen San Andrea della Valle und Il Gesù, der Palazzo Venezia und zum Abschluß der große Palazzo Colonia. Am Straßenende lenkt die in der Achse der Via del Corso eingefügte Piazza Venezia den Blick auf das nach 1884 entstandene Monumento a Vittorio Emanuele II. In seiner alle örtlichen Maßstäbe sprengenden Größe und in seiner Diskrepanz zum Genius loci muß man dieses Werk des Giuseppe Sacconi (1854–1905), das durchaus den Beifall der Zeitgenossen gefunden hat, als das Sinnbild einer Zeit verstehen, die in ihrem Hochgefühl durch die nationale Einigung offenbar alle Wertmaßstäbe der räumlichen und historischen Einordnung vergaß.

168. Entwurf für die Erweiterung von Rom von Alessandro Viviani, 1873. (Istituto Nazionale di Studi Romani, Rom)

169. Plan mit dem Durchbruch des Corso Vittorio Emanuele II, Rom. (Italo Insolera, *Roma, Immagini e realtà dal X al XX secolo*, Rom 1985, 3. Aufl.)

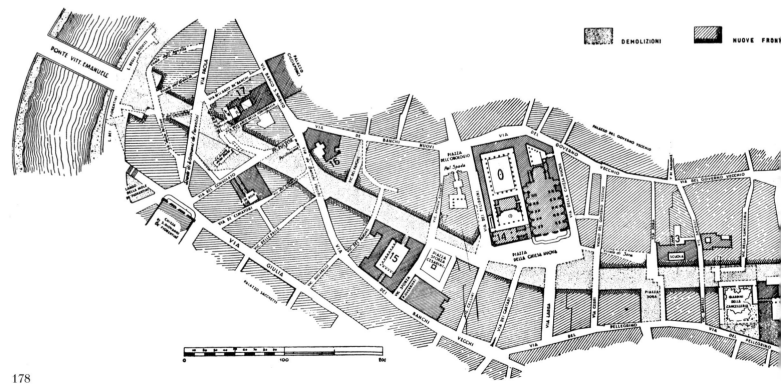

DEMOLIZIONI    NUOVE FRONT

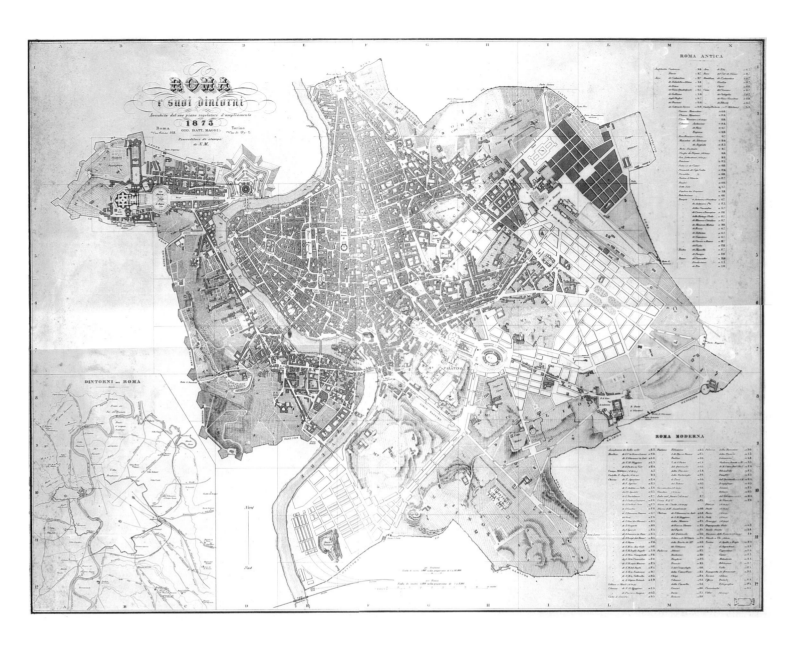

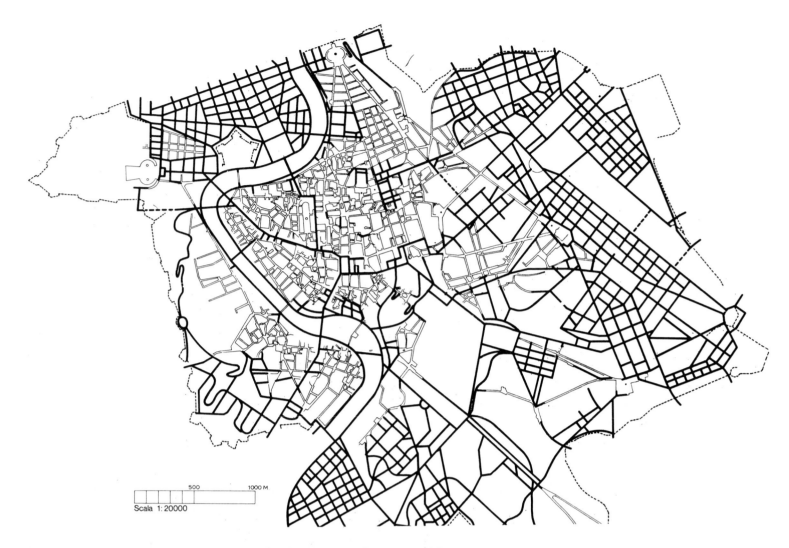

Doch soviel auch beim Durchbruch dieser Straße durch das Quartiere del Rinascimento an künstlerisch wertvoller Bausubstanz gerettet worden ist, die Kunstfreunde Roms zeigten sich über die Eingriffe in den Baubestand entsetzt und reagierten mit harter Kritik. Hermann Grimm sprach sogar von einer zweiten Vernichtung Roms. Jedenfalls war mit diesem Vorgang offensichtlich geworden, in welchem Zwiespalt sich die Stadtverwaltung befand. Es war ihr aufgegeben, Rom zu einer funktionierenden Großstadt auszubauen, und es wurde von ihr zugleich erwartet, das architektonische Erbe einer glanzvollen und langen Geschichte zu wahren. Strenggenommen schloß aber die eine Forderung die andere aus. Der bis 1908 gültige Viviani-Plan von 1882/83 legte indes nicht nur die Trassen für die Straßendurchbrüche fest, sondern wies auch, dem ersten Auftrag folgend, auf den unbebauten Flächen des Stadtgebiets neue Wohnquartiere aus. Diese richten sich in ihrer Planfiguration noch ganz an den Aufteilungsmustern des 17. und 18. Jahrhunderts aus, in der Art, daß die schematisch zugeschnittenen Rechteckquartiere um einzelne Plätze herumgelegt sind. Das auffälligste Beispiel dafür findet sich in dem Bereich zwischen dem Bahnhof und dem Esquilin mit der Piazza Vittorio Emanuele II. als Mittelpunkt. Ein anderes Wohngebiet dieser Art ist nördlich der Engelsburg in Prati di Castello im räumlichen Zusammenhang mit der Piazza Cavour entstanden. Bei diesen Wohngebieten können jedoch die Kunstfiguren der Plätze und die nach dem Patte-d'oie-Motiv auf sie ausgerichteten Straßen nicht über den Schematismus und die phantasielose Anhäufung der Wohnungen in den Mietskasernen hinwegtäuschen. Es ist einerlei, ob man sich die nichtssagenden Neubauten am Corso Vittorio Emanuele II., die Mietshäuser der Wohnquartiere, die gefühllos eingefügten hohen Ufermauern entlang des Tibers oder die mit Dekor überladenen öffentlichen Bauten vor Augen hält: Immer bleibt der Eindruck zeitlicher Befangenheit und künstlerischen Unvermögens zurück. Im Vergleich mit Paris mögen sich die Straßendurchbrüche und die Straßenneubauten in Rom bescheiden ausnehmen. Aber vom Charakter und der Einzigartigkeit dieser Kunststadt her gesehen kann das auch als eine glückliche Fügung angesehen werden. Denn eine vollkommene »haussmanisation« wäre für Rom verheerend gewesen.

170. Rom, Plan der nach 1870 entstandenen Straßen. (Leonardo Benevolo, *Roma da ieri a domani, (1870–1970)*, Bari 1971)

## 5.2. Wien – Bau der Ringstraße und Stadterweiterung 1857 bis 1895

### 5.2.1. Wien um 1850

Die kaiserliche Residenzstadt Wien, die wie Paris ebenfalls einen tiefgreifenden Veränderungsprozeß in der zweiten Häfte des 19. Jahrhunderts durchgemacht hat, erweist sich in der Metternichschen Ära noch als ein Ort des Beharrens und der Restauration. Weder Kaiser Franz I. (1804–35) noch Kaiser Ferdinand I. (1835–48) entfaltete irgendwelche Initiativen, die als ein Zeichen des Verständnisses der im 19. Jahrhundert entstehenden urbanen Probleme hätten gedeutet werden können. Die Stadtbürger wurden im Gegenteil absichtlich von den staatlichen und kommunalen Entscheidungsprozessen ausgeschlossen, um dem spätabsolutistischen Regierungssystem weiterhin seinen unbegrenzten Handlungsspielraum zu sichern. Von einer städtischen Autonomie konnte nicht die Rede sein, auch wenn der »Magistrat der kaiserlichen Residenzstadt Wien« amtierte und für den Außenstehenden ein bürgerliches Kollegium vortäuschte.[88] Die Angst vor dem Jakobinertum hatte dazu geführt, daß 1793 die letzten kommunalen Rechte der Stadtordnung beseitigt wurden. Die Bürgerschaft konnte weder den äußeren Rat wählen noch die Wahl der Mitglieder des Stadtrates beeinflussen. In allen entscheidenden Punkten des kommunalen Lebens gab der Landesherr den Ausschlag. Demzufolge blieben die für das frühindustrielle Zeitalter tyischen Bevölkerungsbewegungen und Ortserweiterungen unter dem feudalen Regime der ständischen Privilegien und der militärischen Vorherrschaft mehr oder weniger dem Zufall überlassen. Immerhin hatte das Burgfriedensprivilegium von 1698 die ersten Grenzen für eine städtische Gebietseinheit abgesteckt. Der 1704 aufgeworfene Linienwall schloß bald darauf einen Kranz von Vorstädten ein. Er gab Wien eine festere Konturierung gegenüber dem offenen Umland und umschloß rundum Freiräume für die zukünftige Expansion der Stadt.[89]

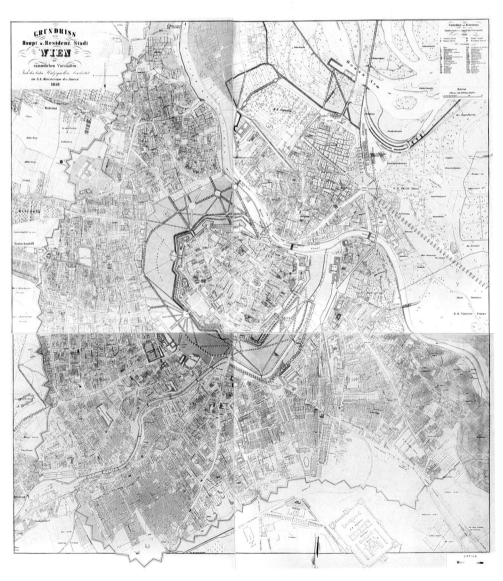

171. Wien mit den Vorstädten, 1858, vor dem Bau der Ringstraße. (Wiener Stadt- und Landesarchiv, Kartographische Sammlung)

Bei der permanenten Wohnungsknappheit in der Innenstadt, zu der die Quartieransprüche des Hofes nicht wenig beitrugen, boten die Vorstädte tatsächlich die einzige Ausweichmöglichkeit. Dementsprechend förderten Baulinienfestlegungen (1757) und Steuerbefreiungen (1767) Neubauten innerhalb des Linienwall-Bereichs. Die Vorstadtgemeinden selbst lösten im Laufe der Zeit die grundherrschaftlichen und ortsobrigkeitlichen Rechte ab und trugen so ihrerseits zu einer stärkeren Vereinheitlichung des gesamten Stadtgebietes bei. Ihre Verwaltungsstruktur folgte jedoch diesem Angleichungsprozeß nicht. Die Vorstädte blieben deshalb, obwohl sie die Innenstadt in der Bevölkerungszahl teilweise übertrafen, isolierte Gebilde, die sich zudem durch ein starkes soziales Gefälle vom Stadtzentrum abhoben.[90] Sie waren, wie Pezzl 1787 feststellte, »gewissermaßen nur die Domestiken ihrer im Mittelpunkt thronenden Frau«.[91]

Wenn aber die Altstadt weiterhin den gesellschaftlichen und geschäftlichen Mittelpunkt markierte und die neuen Wohn- und Gewerbebauten in die Vorstädte abgedrängt wurden, dann stellte sich in urbaner Sicht unausweichlich das Problem der gegenseitigen Verbindung und des organischen Überganges von innen nach außen. In baulicher Hinsicht konnte davon überhaupt keine Rede sein, solange die Bastionen, Kurtinen und das Glacis als Fortifikationsring um die Innenstadt gelegt und der Verkehr mit außen auf wenige Tore, Brücken und Auffahrtsrampen beschränkt blieb. Natürlich war der Gedanke, die Festungswerke aufzulassen, in der neueren Zeit immer wieder vorgebracht worden.[92] Er konnte sich aber gegen die Bedenken der maßgebenden Genieoffiziere nicht durchsetzen. Doch die einmal in Gang gesetzte gewerbliche Entwicklung ließ sich auch mit den spitzfindigsten staatspolitischen und militärischen Begründungen nicht mehr aufhalten.[93] Bereits 1850 zählte man in Wien an die 20000 Manufakturen und »Fabriken«, in denen Luxus- und Modeartikel, Galanterie- und Textilwaren produziert wurden. Es war für diese Gewerbezweige charakteristisch, daß sie weder mechanischer Herstellungsverfahren noch einer starken Arbeitsteilung bedurften und infolgedessen leicht in den niedrigen Flügelbauten hinter den Wohngebäuden untergebracht werden konnten. Die unaufhaltsame Entwicklung hin zur gewerblichen und leichtindustriellen Produktion zog immer mehr Arbeitskräfte in den Stadtbereich, was aus der nachfolgenden Aufstellung der Einwohnerzahlen deutlich wird:[94]

| Jahr | Einwohner | Jahr | Einwohner |
|------|-----------|------|-----------|
| 1796 | 235098 | 1857 | 476222 |
| 1810 | 224548 | 1864 | 550733 |
| 1820 | 260224 | 1969 | 607514 |
| 1830 | 317768 | 1880 | 705402 |
| 1840 | 356869 | 1886 | 764206 |
| 1851 | 431147 | 1890 | 827567 |

Die Vororte zeigen folgendes Anwachsen der Einwohnerzahlen:

| | | | |
|------|-----------|------|-----------|
| 1851 | 121013 | 1880 | 331689 |
| 1869 | 209935 | 1890 | 562745 |

Das gesamte Gemeindegebiet, das durch Gesetz vom 19.12.1890 von 55,39 qkm auf 178,12 qkm vergrößert wurde, wies folgende Einwohnerzahlen auf:

| | | | |
|------|-----------|------|-----------|
| 1890 | 1364548 | 1906 | 1988686 |
| 1900 | 1674957 | 1918 | 2238545 |

Außer dem gewerblichen Aufschwung mögen, wie in Paris, London und anderen Orten, die neu eingerichteten Eisenbahnen zu diesem Bevölkerungsanstieg beigetragen haben. Entsprechend der zentralistischen Staatsorganisation wurde Wien zum Ausgangspunkt der wichtigsten Linien gewählt. In rascher Folge entstanden ab 1838 für die sechs Hauptbahnen Trassen und Bahnhofsbauten, die sich von außen her aus allen Richtungen bis an den Linienwall heranschoben und der Residenzstadt eine schnelle Verbindung mit den Provinzen der Donaumonarchie verschafften.[95]

Der Bevölkerungszunahme um etwa 40 Prozent zwischen 1830 und 1850 stand lediglich eine etwa zehnprozentige Vermehrung des Wohnungsbestandes gegenüber. Wohnungsnot und -elend in der Altstadt wie in den Vorstädten mit allen bekannten Begleiterschei-

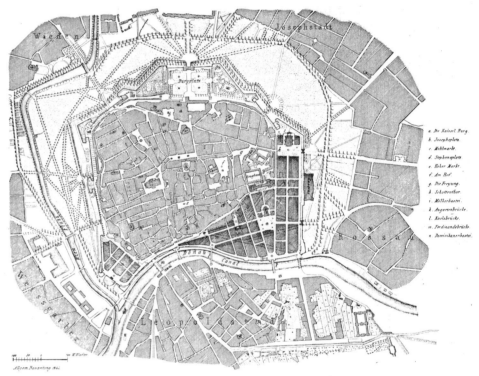

nungen kennzeichneten um die Jahrhundertmitte die soziale Lage der Großstadt Wien. Sie ließ sich mit ihren Schrecken und ihrer Trostlosigkeit durchaus mit den Zuständen in der Pariser Cité oder dem Londoner East End vergleichen, auch wenn sich hier kein Victor Hugo oder Charles Dickens fand, um das Schreckensregiment der Hauswirte und das menschliche Leid der Mieter und Schlafgänger literarisch darzustellen.

Die Regierung, die die kommunalpolitische Entscheidungsgewalt an sich gerissen hatte, wurde unter den gegebenen Umständen mit dem Problem konfrontiert, auf irgendeine Weise Raum für die Bevölkerung zu schaffen. Unversehens zu Hilfe kam ihr eine von dem Architekten Ludwig Förster (1797–1863) initiierte Bewegung, die für Stadterweiterungen durch ein Hinausrücken der Basteien eintrat. Bürgermeister J. Czapka präzisierte diese Vorstellungen durch den Antrag an die Regierung, wenigstens den strategisch belanglosen Platz beim Fischertor und der Gonzaga-Bastei gegen den Donaukanal hin für Neubauten freizugeben. 1840 bis 1843 arbeitete Förster einen Erweiterungsplan für das Gebiet vor der Melker Bastei aus, den der Verein Wiener Capitalisten der Regierung vorlegte.[96] Noch während über diese bescheidenen, der Aufgabe kaum angemessenen Projekte hin und her beraten wurde, erfaßte die Revolution von 1848 auch das kaiserliche Wien. Der politische Unmut des intellektuellen Bürgertums und die menschlichen Entwürdigungen des Proletariats waren inzwischen weit genug gediehen, um die progressivsten Kreise einen Ausbruch aus ihrem entrechteten Leben wagen zu lassen. Dieser mißlang zwar, wie bekannt ist, unter dem Ansturm der kaisertreuen Truppen, trotzdem hatte die absolutistische Bürokratie unter dem Schock dieser Ereignisse vorübergehend ihre alte Selbstsicherheit eingebüßt. Eine kaiserliche Entschließung vom 17. März 1848 gestattete der Bürgerschaft, wieder einen Rat, den Gemeindeausschuß, zu wählen. Graf Franz Stadion, von seinen Freunden als »Josef II. im Kleinen« bezeichnet, machte sich als zuständiger Minister bei der Ausarbeitung des provisorischen Gemeindegesetzes vom 17. März 1849, offenbar mit Blick auf die preußische Städteordnung, zum Anwalt der kommunalen Selbstverwaltung. Sein visionärer Blick ging so weit, alle Teile Wiens – Innenstadt, Vorstädte und Vororte – zu einer Großgemeinde zusammenzufassen, ein Plan, für den das tiefere Verständnis jedoch überall fehlte. Immerhin erhielt Wien mit dem Statut vom 6. März 1850 eine eigene Gemeindeordnung.[97] Zum erstenmal in der Stadtgeschichte bildeten nun die Innenstadt und die 34 Vorstädte eine Verwaltungs- und Gebietseinheit. Die Reichsverfassung vom 4. März 1849 deklarierte zudem Wien zur »Reichshauptstadt«. Alle diese Regelungen schienen dazu geeignet, der Stadt nun die schon lange erforderliche urbane Selbstbesinnung zu ermöglichen,[98] zumal der alte »Hofbaurat« seine bisher ausgeübte sterile ästhetische Herrschaft eingebüßt hatte und auf Anregung des schweizerischen Architekten J.G. Müller fortan Wettbewerbe zur Lösung der großen Bauaufgaben veranstaltet werden sollten.

In dieser kommunalpolitischen Aufbruchstimmung trat jedoch schon bald eine Ernüchterung ein. 15 kleine Vorstädte protestierten erfolgreich gegen die Eingemeindung. Es gelang ihnen, die Fusion um ein weiteres Jahrzehnt hinauszuzögern. Schließlich machten die kaiserlichen Patente vom 31. Dezember 1851 alle revolutionären Ansätze zunichte. Sie hoben das Stadionsche Gemeindegesetz von 1849 auf und stellten im Kommunalbereich die alten Abhängigkeitsverhältnisse wieder her. Für die Stadt war damit die Freiheit des Handelns, kaum daß sie gewonnen war, bereits wieder in weite Ferne gerückt, obwohl die drängenden Wohnungsprobleme keinerlei Aufschub duldeten.

Unterdessen hatte die Insurrektion der Stadtbevölkerung die Militärs nur noch mißtrauischer gemacht. Ihre Pläne für die innere Sicherheit liefen deshalb auf zusätzliche große Defensivanlagen hinaus, denen schon 1848 mit dem Bau des Arsenals am Fuße des Laaer Berges und etwas später, 1852, mit der Absicherung der Ostflanke durch die Franz-Joseph-Kaserne entsprochen wurde. Auch die erst 1870 vollendete Rudolfkaserne (heute Rosnauer Kaserne) im westlichen Bereich gehörte damals schon zu jener militärischen Stadtbaustrategie, die sich längst nicht mehr an äußeren Invasoren, sondern nur noch an den inneren Staatsfeinden orientierte. Man kann daraus ermessen, wie weit die Phrasen von kaiserlicher Huld und Fürsorge für die Bevölkerung und die realen Beweggründe für die Absicherung der Herrschaft miteinander kontrastierten.

Während somit die alten Fortifikationen und die neuen Defensivkasernen einem Zusammenschluß der Stadtteile im Wege standen, verschlimmerten die neuen Eisenbahnlinien die städtebauliche Situation noch weiter. Sicher sind der wirtschaftliche Auftrieb, den sie jeweils den umgebenden Stadtbezirken verschafften, und die verstärkte Kommunikation, die sie für die gesamte Bevölkerung bewirkten, positiv einzuschätzen. Strukturell gesehen markierten die Schienentrassen aber doch Grenzen und Einschübe im Stadtkörper, die in Zukunft nicht mehr leicht überbrückt werden konnten.

Auf kommunaler Ebene bestand zweifellos das drängendste Problem in der Beseitigung der Wohnungsnot.[99] Mieterhöhungen um 40 Prozent zwischen 1850 und 1856 und eine Verteuerung der Lebenshaltungskosten machten die Lage immer prekärer. Angesichts dieser Verhältnisse waren die Behörden zu einem ersten Entgegenkommen genötigt. Sie gaben im Vorfeld des Glacis nördlich des Schottentors und des Neuen Tors einen schmalen Geländestreifen zur Bebauung frei. Auf ihm konnten unter dem Namen Neu-Wien 71 Plätze für Wohnbauten gewonnen werden.[100] Selbstverständlich war dem Wohnungsmarkt mit Aktionen in dieser Größenordnung nicht geholfen. Im Frühjahr 1857 wurden die Zustände schließlich unhaltbar. Obdachlose der ärmeren Bevölkerungsschichten schlugen, da sie keinen Ausweg mehr sahen, ihr Domizil auf öffentlichen Plätzen auf. Um sie aus dem Straßenbild der vornehmen Residenzstadt zu eliminieren, logierte sie die Polizei in Stallungen und Gemeindearresten ein. In seiner Verantwortung für das Wohl der Bürger wandte sich Bürgermeister Seiller im Juli 1857 mit Vorschlägen zur Abhilfe an die Regierung. Sie enthielten die Anregungen zu einer Erweiterung der inneren

Stadt, zur Wohnungsfürsorge durch die Unternehmer, zur Steuerbefreiung bei Neu- und Umbauten und zur Erleichterung der Bauvorschriften. Durch Bereitstellung von Geldmitteln mittels einer neu zu gründenden Hypothekenbank sollte der Wohnungsbau belebt werden. Mit diesen konstruktiven Gedanken konfrontiert, konnten Regierung und Kaiser angesichts der vorhandenen Not einer klaren Stellungnahme nicht mehr ausweichen.

### 5.2.2. Die Wiener Stadterweiterungspläne

Noch bevor der Wiener Bürgermeister die Regierung zum Handeln drängte, war sich Kaiser Franz Joseph I. offenbar seiner Verantwortung um die Hauptstadt der Monarchie bewußt geworden. Bereits im April hatte er den Ministerpräsidenten Karl Graf Buol aufgefordert, Überlegungen zu einer Erweiterung der inneren Stadt anzustellen. Im Sommer gingen ihm die Beschlüsse der Regierung zu. Durch das Handschreiben vom 20. Dezember 1857 an den zuständigen Innenminister Alexander Bach äußerte er seine Absicht zur »Regulierung und Verschönerung der Residenz- und Reichshauptstadt Wien ...«: »Es ist mein Wille, daß die Erweiterung der inneren Stadt mit Rücksicht auf eine entsprechende Verbindung derselben mit den Vorstädten ehemöglichst in Angriff genommen und zugleich auch auf die Verschönerung meiner Residenz- und Reichshauptstadt Bedacht genommen werde. Zu diesem Ende bewillige ich die Auflassung der Umwallung der inneren Stadt, sowie der Gräben um dieselbe.«[101] Das Schreiben nahm auch Stellung zur finanziellen Abwicklung der Aktion. Die aufgelassenen Fortifikationen, Wälle, Gräben und Glacisflächen sollten verkauft und die Mittel aus ihrem Erlös in einen staatlichen Baufonds eingebracht werden. Mit diesem Finanzierungsinstrument konnte der Staat dann alle ihm obliegenden Aufgaben wie Abbruch der Basteien, Auffüllen der Stadtgräben, Errichtung öffentlicher Bauten usw. erfüllen. Die planerischen Unterlagen für die Erweiterung sollten durch einen Wettbewerb gewonnen werden.

Auf den ersten Blick hin scheinen diese Anordnungen des kaiserlichen Stadtherrn allen bisherigen Konservatismus Lügen zu strafen. Der Verzicht auf die Festung gegen den Willen der Militärberater schien ein Zeichen der Einsicht. Für die Planung ließ der Wettbewerb eine optimale Lösung erwarten. Doch trotz dieser liberalen Ansätze taktierte die Regierung sehr vorsichtig. Sie forderte nach wie vor – und sei es auch nur, um sich die hohen Erträge der Verzehrungssteuer zu sichern – den Verbleib der Linienwälle. An ein Zusammenwachsen der Vorstädte und Vororte war deshalb weiterhin nicht zu denken.[102] Bezeichnend ist auch, daß die Verschönerung der Residenz- und Reichshauptstadt ausdrücklich herausgestellt wurde, ein Hinweis auf die Überwindung der sozialen Not aber fehlte, obwohl gerade dieser Beweggrund den letzten Anstoß zur Erweiterung gegeben hatte.

Indem jedoch der Kaiser und seine Berater der Idee des Embellissement den Vorzug gaben, verrät sich die Stoßrichtung des ganzen Unternehmens im voraus: Es ging zuerst einmal um eine neue, monumentalere Fassung der Residenzstadt des österreichischen Kaiserhauses. Die praktischen Forderungen nach besseren Verbindungen und neuen Wohngelegenheiten mußten sich diesem höheren Ziel unterordnen. Wenn an Arbeiterwohnungen überhaupt gedacht wurde, glaubte man diese der architektonischen Gestaltung unwürdigen Objekte in den sozial abgewerteten Vorstädten am richtigen Platz. Die gesellschaftliche Situation zu Beginn der zweiten Hälfte des 19. Jahrhunderts, die durch eine allmähliche Verarmung des Adels und einen Aufstieg der Handels- und Unternehmerklasse gekennzeichnet ist, ließ es geraten erscheinen, vor allem auch das wohlhabende Bürgertum an der Stadterweiterung zu beteiligen, galt es doch nicht nur ideell hauptstädtische Ansprüche zu symbolisieren, sondern auch materiell das Spekulationsbedürfnis und den Bereicherungsdrang dieser Kreise zu stillen. Daß dagegen die Proteste der Hausbesitzer in der Altstadt, die eine Entwertung ihrer Immobilien befürchteten, und der Liebhaber Alt-Wiens, die ihre Spazierwege auf den Basteien und im Glacis für alle Zeiten erhalten wissen wollten, nicht viel fruchteten, dürfte von Anfang an klar gewesen sein.[103]

Mit großen Erwartungen verbunden war deshalb der Wettbewerb, der am 31. Januar 1858 in der Wiener Zeitung ausgeschrieben wurde. Einerseits verlangte das Programm, die Führung der Verkehrslinien nach den praktischen Bedürfnissen der Bevölkerung zu richten, andererseits stand die Anlage eines Ringboulevards auf dem Festungs- und Glacisareal ebenso wie der Bau der Hofoper, des Hoftheaters und anderer Hofgebäude in

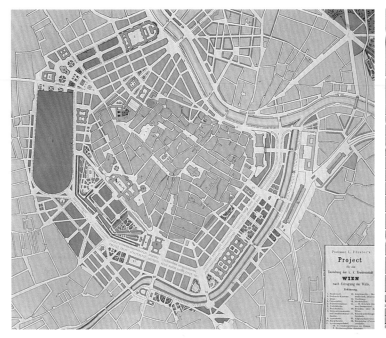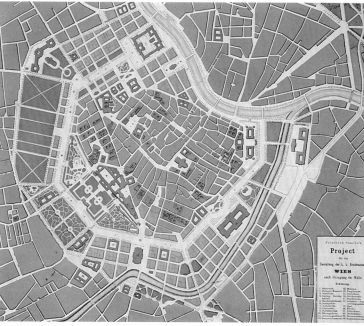

diesem Bereich von vornherein fest.[104] Ob bei dem Formgedanken der Ringstraße mehr repräsentative oder mehr militärstrategische Erwägungen mitgesprochen haben, mag offen bleiben. Jedenfalls war »der Ring« ein Element, das allen prämierten Lösungen eigen war. Ludwig Förster, der sich durch mehrere Vorprojekte mit der Materie längst vertraut gemacht hatte, achtete bei seinem Entwurf vielleicht noch am stärksten auf eine sinnvolle Verbindung der einzelnen Teile.[105] Die Leopoldstadt jenseits des Donaukanals wird über Brücken an den Altstadtkern angebunden, und auch die wichtigen Vorstadtverbindungen der Währinger- und Alsenstraße setzen sich folgerichtig bis in das Zentrum fort. Soweit ein baumbestandener Boulevard im östlichen und südlichen Bereich beabsichtigt ist, soll dieser etwa auf die Mitte des Glacis zu liegen kommen. Fast ganz durchgeführt erscheint der innere Ringboulevard bei dem Vorschlag von Friedrich Stache (1814–95).[106] Weiter außen wiederholt sich dieses Motiv bei den Gürtelstraßen, die die Stadt in immer größeren Kreisen umgeben. Im Plan der Architekten Eduard van der Nüll (1812–68) und August Sicard von Sicardsburg (1813–68) ist der rundum geführte Boulevard auf dem Terrain des Stadtgrabens enger an die Stadt herangelegt. Die Hofburg wird gewissermaßen zum Mittelpunkt der ganzen baulichen Regulierung gemacht.[107] So viele Anregungen diese drei preisgekrönten und die anderen noch ausgezeichneten Projekte von Martin Kink, Peter Joseph Lenné, Eduard Strache, Moriz Löhr und Ludwig Zettl erbrachten, das Innenministerium sah keines als zur unmittelbaren Ausführung geeignet an. Der offizielle Grundplan wurde deshalb von dessen Baudepartement selber unter Auswertung der besten Wettbewerbsideen aufgestellt und mit Datum vom 1. Januar 1859 durch den Kaiser genehmigt. Mit dieser planerischen Rechtsgrundlage war zu Anfang der sechziger Jahre der Rahmen für die Erweiterung der Innenstadt abgesteckt, wenn damit auch spätere Planänderungen nicht ausgeschlossen blieben. Wie man sieht, ist nun der Grundgedanke der »Ringverbauung« verbindlich fixiert. Die weitere Konzeption läßt sich aus dem Plan ablesen. Es ist aufschlußreich, daß die schwierige Aufgabe, die Altstadt in diese städtebauliche Erneuerung mit einzubeziehen, ausgeklammert ist. Die Regierung entzog sich ihr mit der fadenscheinigen Ausrede, dafür keine Mittel verfügbar zu haben und kurzfristig keinen Generalregulierungsplan aufstellen zu können. Demnach blieb die Stadt bei der Sanierung des Altstadtkerns und bei der Abklärung der Nahtstellen von Neu- und Altbebauung, also überall dort, wo die stadtsoziologisch schwierigen Probleme überhaupt erst begannen, auf sich selbst gestellt. Immerhin eröffneten die Neubauflächen dem kapitalkräftigen Bürgertum ein weites Betätigungsfeld für Spekulationslust und Geschäftstrieb. Denn bei den großen Baublöcken, die der Grundplan in schematischer Darstellung aufzeigt, konnte es sich nur um jenen Typus von mehrgeschossigen Miethäusern handeln, die in Wien schon seit der Zeit des absolutistischen Hofquartierwesens bekannt waren. Tatsächlich erwies sich die lokalhistorische Tradition dieser Wohnbauform als so übermächtig, daß an eine andere Disposition und an eine geringere Verdichtung nicht zu denken war.[108] Daran änderten auch die Vorschläge von Heinrich Ferstel (1828–83) und Rudolf Eitelberger (1817–85), kleinere Wohnhäuser nach dem eng-

174. Wettbewerbsentwurf der Wiener Ringstraße, von Ludwig Förster, 1858. (Rudolf von Eitelberger, *Die preisgekrönten Entwürfe zur Erweiterung der inneren Stadt Wien*, Wien 1859)

175. Wettbewerbsentwurf der Wiener Ringstraße, von Friedrich Stache, 1858. (Rudolf von Eitelberger, *Die preisgekrönten Entwürfe*, a.a.O.)

176. Wettbewerbsentwurf der Wiener Ringstraße, von Eduard van der Nüll und August Sicard von Sicardsburg, 1858. (Rudolf von Eitelberger, *Die preisgekrönten Entwürfe*, a.a.O.)

177. Wettbewerbsentwurf der Wiener Ringstraße, von Peter Joseph Lenné, 1858. (Rudolf von Eitelberger, *Die preisgekrönten Entwürfe*, a.a.O.)

178. Genehmigter Grundplan für die Erweiterung der inneren Stadt Wien vom 1. September 1859. (Österreichisches Staatsarchiv-Kriegsarchiv, Wien)

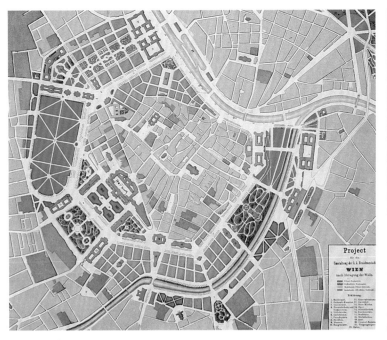

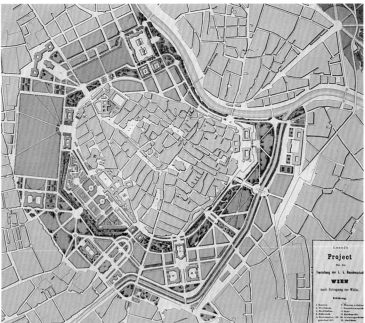

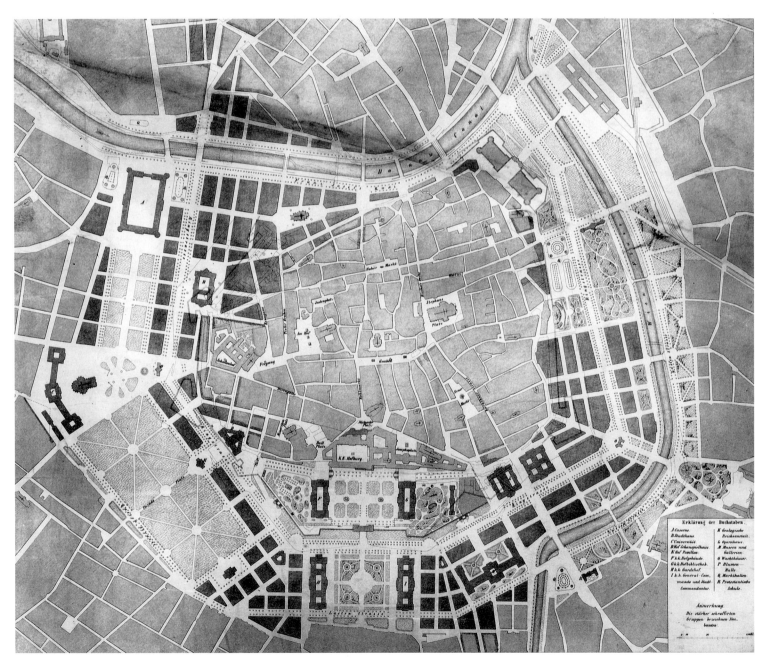

lischen Cottagesystem zu bauen, wenig.[109] Die Diskussion, die sich anschloß, zeigte nur,
daß den Befürwortern der Zinspaläste soziale Gedankengänge unbekannt waren. Sie plä-
dierten lediglich für eine neue Baugesetzgebung, um unter Ausnutzung einer maximalen
Verdichtung Baugesellschaften und Bauherren in Aktion zu setzen.
So wurde der Bau der Wiener Ringstraße zu einem Lehrstück liberaler Wirtschaftspolitik
auf kommunalem Boden. Während die neu gegründeten Banken, Gesellschaften und Ka-
pitaleigner zum großen Geschäft mit Wohnbau-Renditeobjekten rüsteten, sah die Stadtverwaltung sich urbanen Problemen gegenübergestellt, zu deren Lösung ihr sowohl die
finanziellen Mittel als auch die gesetzliche Hilfestellung fehlten.

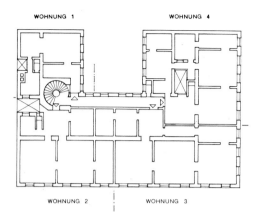

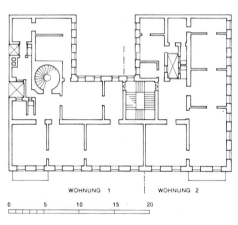

179. Wiener Zinspalast aus den 70er Jahren
am Parkring. Grundrisse. (*Die Wiener Ringstraße*, Bd. 6, Wien, Köln, Graz 1970)

### 5.2.3. Die Ausführung der Stadterweiterung

Erst als die Planung abgeschlossen und mit dem kaiserlichen Plazet ausgestattet war, sah
sich der zuständige Staatsminister Graf Agenor Goluchowski veranlaßt, mit der Stadtverwaltung über die Einzelheiten und Modalitäten zu verhandeln. Ohne Umschweife wurde
ihr die von der Regierung zugedachte Kostenbeteiligung eröffnet. Sie hatte zu
übernehmen: die Pflasterung, d.h. den Bau und den Unterhalt der Straßen samt der dazugehörigen Kanalisation und Beleuchtung; die notwendigen Straßenverbreiterungen in
der Innenstadt einschließlich der Ablösungen für die Abbruchobjekte; die Anlage der öffentlichen Parks; die Erstellung von Brücken über den Wienfluß und dessen Regulierung. Zur Finanzierung der Wohn- und Geschäftsbauten auf dem Stadterweiterungs-
gelände sollte die Stadt eine Bauvorschußkasse einrichten. Neben so vielen Verpflichtungen durfte sie wenigstens in der geplanten Stadterweiterungs-Kommission zusammen
mit dem Hof, den Staatsbehörden und den Baufachleuten Vertreter stellen. Für seinen
Teil gedachte der Staat auf Konto des Stadterweiterungsfonds für Kais und Brücken über
den Donaukanal und für den Bau der öffentlichen Gebäude aufzukommen. Die Mittel
dafür sicherte er sich durch den Erlös aus Verkäufen von Bauplätzen auf dem Glacis, von
Materialien aus den Festungswerken und aus Einlösungen für die Basteihäuser.[110]
Um die Belastungen zu verstehen, die nach diesem einfachen Verteilungsmodus auf die
Stadt zukamen, muß man sich einmal deren finanzielle Situation vor Augen halten. Das
städtische Budget war mit 5,34 Millionen Gulden Einnahmen gegen 5,31 Millionen Gulden Ausgaben 1860 erstmals nach sieben Jahren wieder ausgeglichen.[111] Irgendein Spielraum für außerordentliche Ausgaben war in ihm aber nicht vorhanden. Die Stadt ihrerseits empfand es als ein schreiendes Unrecht, daß der Fiskus sich des Glacisareals
bemächtigt hatte und aus dessen Verkaufserlös nun die staatlichen Anteile der Erweiterung bestreiten wollte.[112] Eine zusätzliche Schädigung für die Einnahmenseite des städtischen Etats bedeutete der Steuererlaß vom 27. Mai 1859, durch den Neubauten in der
übrigen Stadt auf 18 und 15 Jahre und Umbauten auf 15 und 12 Jahre von den landes-
fürstlichen Abgaben befreit wurden.
Dieser hoheitliche Akt neoabsolutistischer Städtebaupraxis mochte insofern noch gut gemeint sein, als Anreize zum Bau von Gebäuden aller Art gegeben werden sollten. Da die
Stadt aber nach der Gemeindeordnung keine eigenen Steuern erhob und zur Deckung
ihrer Ausgaben sich auf Zuschläge bis höchstens 25 Prozent zu den direkten und indirekten Staatssteuern angewiesen sah, war ihr auch in diesem Punkt jede Aussicht auf
Mehreinnahmen für Erschließungsarbeiten genommen. Um das Maß der Enttäuschung
seitens der Stadt voll zu machen, erging am 23. September 1859 noch die neue Bauordnung für Wien. Ihre sachlichen Bestimmungen über Straßenbreiten und -führung, Gebäudehöhen usw. konnten für die damalige Zeit als fortschrittlich gelten, obwohl die
starr fixierten geometrischen Ordnungsprinzipien weder die Geländeform noch die Ge-
bäudefunktionen berücksichtigten und deshalb zu jenem »fabriksmässigen Herunterlini-
ren« der Bauplätze führten, das später von Camillo Sitte so stark kritisiert wurde. Die Anordnung jedoch, alle wichtigen Bauangelegenheiten dem Entscheid einer Baukommission, der das Innenministerium vorstand, zu unterwerfen, bewies wiederum, wie der
Staat die im Nachwirken der Revolution gewährte städtische Autonomie mit Absicht aushöhlte, um alle wichtigen Entscheidungsprozesse in seinem Sinne zu beeinflussen.[113]
Unter diesen Umständen wählte die Stadtverwaltung die Flucht nach vorn. Sie machte
den staatlichen Behörden am 3. April 1860 den Vorschlag, die ganze Stadterweiterung
selbst in eigener Regie zu übernehmen. Sie bot an, für die Übereignung der Basteien,
Gräben und des Glacis 12 Millionen Gulden zu bezahlen und davon dem Hof und dem
Staat die im Grundplan ausgewiesenen Flächen für öffentliche Bauten, Kasernen, Exer-

zierplätze usw. kostenlos zu überlassen. Die Stadt wollte zudem die Basteien abtragen, die Gräben auffüllen, das Gelände planieren und darauf den Ring und dessen Nebenstraßen sowie die Parks anlegen. Ob die Finanzierung dieses von kommunalem Verantwortungsbewußtsein getragenen Projektes auch nur halbwegs gesichert war, mag dahingestellt bleiben. Jedenfalls hinterließ es bei den staatlichen Stellen nicht den geringsten Eindruck und war drei Wochen später mit kaiserlicher Bestätigung bereits abgelehnt. Was der Stadt schließlich von der Obrigkeit generös in Aussicht gestellt wurde, war eine einschränkung der verkündeten Steuerfreiheiten, aber auch das nur unter der Voraussetzung, »daß die Gemeinde die ihr obliegenden Verpflichtungen genau erfüllen und die Stadterweiterung kräftigst unterstützen werde«.[114]

In ihrer finanziellen und konstitutionellen Abhängigkeit blieb der Stadt letztlich nichts anderes übrig, als sich den staatlichen Anordnungen zu fügen. Und so vollzog sich, jenseits aller kommunalen Vorstellungen und Wünsche, unter der Ägide des jeweils amtierenden Innenministers und nach den Empfehlungen der mit allen Interessengruppen besetzten Stadterweiterungs-Kommission Abschnitt für Abschnitt der Bau der Ringstraße.[115]

Mit den ersten Abbrucharbeiten war indes schon bald nach der kaiserlichen Entscheidung, die Festung aufzulassen, am Rotenturmtor und an den Kasematten entlang des Donaukanals begonnen worden. Der Kaiser weihte diesen Streckenabschnitt bereits am 1. Mai 1858 ein. Die übrigen Festungsanlagen fielen je nach den Verkehrsbedürfnissen in den nächsten zwei Jahrzehnten der Spitzhacke zum Opfer. Um so früh wie möglich eine durchgehende Nord-Süd-Verbindung zu schaffen, beseitigte man auch gleich zu Beginn (1858/59) das Kärntner Tor und die Bastei auf der Seite des Kolowratschen Palais. In diesem Bereich nahm die Ringstraße ihre erste Gestalt an. Hier war, teils auf der Kärntner-Tor-Bastei, teils auf dem Stadtgraben liegend, der Neubau der Hofoper vorgesehen. Der Wettbewerb von 1860, den van der Nüll und Sicard von Sicardsburg gewannen, erbrachte den Entwurf. Er wurde 1861 bis 1869 im »Renaissancebogenstil« verwirklicht. Obwohl die formale Behandlung des Baus mit venezianischen Quattrocento- und französischen Renaissancemotiven des 16. Jahrhunderts dem Zeitgeschmack entsprach und seine Massengruppierung, Wandgliederung und Innenausstattung einen Höhepunkt des »romantischen Historismus« darstellten,[116] wurde die städtebauliche Einordnung dieses ersten »Ringstraßen-Monuments« als nicht besonders glücklich empfunden. Man sah das Bauwerk durch die nachträglich vorgenommene Niveauanhebung der umgebenden Straßen um etwa einen Meter zu stark in das Terrain gedrückt. Auch schien die Wirkung der Baumassen durch die direkte Einreihung in den Opernring und durch den Verzicht auf

180. Opernring, Wien, Ansicht der Innenstadtseite mit Hofoper. (Historisches Museum der Stadt Wien)

einen einrahmenden Vorplatz erheblich gemindert. Trotz dieser Einwände kam aber der »Opernkreuzung«, die sich als früheste Realisation der Ringstraßenarchitektur am Schnittpunkt des konzentrisch geführten Opern- und Kärntner Rings und der radial verlaufenden Wiener Hauptstraße und Kärntner Straße herausbildete, eine große Bedeutung zu. Denn das ganze Bauensemble setzte hier gleich zu Beginn der Stadterweiterung Maßstab und Richtung der Architektur fest. Das galt vor allem für den der Oper gegenüber liegenden Heinrichshof, der 1861/62 von Theophil Hansen erbaut wurde. Als »schönstes Wohnhaus der Welt« apostrophiert, prägte dieser über sechs Parzellen gelegte Baublock einen Palasttypus, der in seiner renaissancehaften Aufgliederung und in seiner anspruchsvollen Wandbehandlung mit Karyatiden und allegorischen Malereien zum Vorbild für viele nachfolgende Bauten wurde.[117]

Über den Zuschnitt der Ringstraße, die bei den Staatsstellen als das eigentliche Medium der städtebaulichen Ambitionen galt, kam es zu längeren Verhandlungen zwischen der Regierung und der Stadtgemeinde.[118] Am Schluß einigten sich beide Seiten für den 4400 Meter langen Straßenzug auf ein Boulevard-Profil von 57 Metern Breite. Sie entschieden

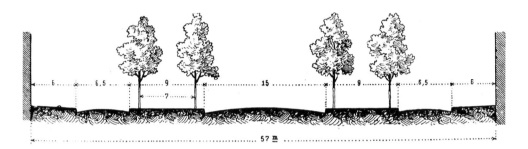

sich damit wie bei der weiter außen liegenden Gürtelstraße, die sogar 76 Meter Breite erhielt – wohl mit einem Seitenblick auf Paris –, für großstädtische Dimensionen. Die Opulenz dieser Abmessungen kam schon in den sechziger Jahren am Kärntner Ring zur vollen Entfaltung. Auf seiner nach Süden ausgerichteten Stadtseite bildete sich zwischen der Sirk-Ecke an der Oper und dem Schwarzenbergplatz bald eine Art von südländischem Korso heraus, wo die feine Wiener Welt in den Nachmittagsstunden unter Ailanthusbäumen und Platanen flanierte, um sich im Rahmen der neu erbauten Nobelhotels und Nobelzinspaläste gesellschaftlich zu präsentieren.

181. Ringstraße, Wien. Querschnitt.
182. Städtisches Leben an der Sirk-Ecke bei der Oper, Wien. (*Neue Illustrierte Zeitung,* Leipzig/Wien, 1. Jg. 1873/74)

183. Parkring und Kolowratring, Wien, mit der Karl-Borromäuskirche im Hintergrund. (Historisches Museum der Stadt Wien)

Am Schwarzenbergplatz, der Knickstelle zum Kolowratring, an der die radialen Verkehrsadern des Rennwegs und der Prinz-Eugen-Straße gesammelt und in den Stadtkern eingefädelt werden mußten, ließ man sich die Gelegenheit einer eindrucksvollen Platzgestaltung nicht entgehen. Dies um so mehr, als hier das barocke Schwarzenbergsche Sommerpalais als abschließender Point de vue im Süden benutzt werden konnte. Der damit fixierten diagonalen Einführungsachse entsprach auch die fast barocke Konzeption des Platzes mit den symmetrisch angelegten, durch Risalite gegliederten Wänden und dem zentral gesetzten Reiterdenkmal des Fürsten Carl zu Schwarzenberg. Die zum Stadtinnern abgestaffelte Bebauung führt trichterartig bis unmittelbar an den Altstadtrand heran. Die bauliche Wertigkeit der barocken Karl-Borromäus-Kirche hätte auch bei dem weiter südlich gelegenen Karlsplatz zu einer architektonischen Ausgestaltung reizen können, wenn nicht der damals noch offene Wienfluß als räumliche Zäsur empfunden worden wäre.[119] Ohne eine volle Platzwirkung im Auge zu haben, ging man dennoch über die normale Blockbebauung hinaus. In der Handelsakademie (1860–62) von F. Fellner, dem Künstlerhaus (1865–68) von A. Weber und dem Musikvereinsgebäude (1867–69) von Theophil Hansen erhielten die musisch-akademischen Kräfte Wiens in der architektonischen Ensemblewirkung dieser Bauten des strengen Historismus ihren beredten Ausdruck. Eine bauliche Akzentuierung war demnach keineswegs auf die unmittelbare Lage an der Ringstraße beschränkt. Der Ausbau des vom Schwarzenbergplatz zum Donaukanal verlaufenden Kolowratrings (heute Schubertring) und des Parkrings im Osten vollzog sich etwa zwischen 1864 und 1873. Die großen Baublöcke der südlichen Partie dienten teils als Geschäftshäuser, teils als vornehme und repräsentative Wohnpaläste, die im Palais des Erzherzogs Wilhelm (1864–67) von Theophil Hansen ihre stärkste Ausprägung fanden. Dieser reiche architektonische Hintergrund lud ebenfalls zu einem lebhaften Korsobetrieb ein.[120]

Die Unterbrechung der quergelegten Johannesgasse leitet zum Parkring über. Hier zeigt sich bei der Ringstraße, wie auch bei der Hofburg und dem Josefstädter Paradeplatz, eine neue, ausgeweitete Dimension. Denn die stadtauswärts gelegene Seite wird nicht mehr in der üblichen Weise durch eine Straßenwand abgeschlossen, sondern durch den Freiraum des Stadtparks geöffnet. Wenn auch im Gebäude der Gartenbaugesellschaft (1863/64) von A. Weber, im Kursalon (1865–67) von J. Garben und im Österreichischen Museum für Kunst und Industrie (1866–71) von Heinrich Ferstel wiederum unüberseh-

bare bauliche Akzente gesetzt wurden, so brachte nun der englische Landschaftsgarten mit seinen lebendigen Baumgruppen, Gewässern und Schlängelpfaden erst den notwendigen Ausgleich zu dem sonst orthogonal erstarrten Baublockraster.

Wie nüchtern und schon fast monoton die neue Bebauung ohne eine solche Auflockerung durch Grünflächen wirkt, belegt der Schottenring, der im nordwestlichen Bereich zwischen 1870 und 1880 ausgebaut wurde. Hier, im Dreieck zwischen Votivkirche, Donaukanal und Neutorbastei, wo sich die größte zusammenhängende Baufläche ergab, reihen sich die Quartiere einfach additiv aneinander. Um die einfallslose Disposition wenigstens einigermaßen wettzumachen, wurden die Zinshäuser wie monumentale Paläste behandelt, in den Fassaden über acht Einheiten zu einem Ganzen zusammengezogen und sogar durch Kuppeln und Eckpavillons rhythmisiert. Ob man auf diese barock aufgeladenen Wohn- und Handelshäuser, auf die palladianische Basilika der Börse (1868, 1875–77) oder auf das wehrhafte Ungetüm der Rosnauer Kaserne abhebt, ist einerlei: Überall spürt man das Pathos einer dem Kapital verpflichteten Gründerzeit, der keine Form zu hohl und kein Geschäftszweck zu gering war, um eine Selbstdarstellung zu rechtfertigen. Den Höhepunkt der Ringstraßenmonumentalität bringt indes erst der Burgring und der Franzensring (heute Dr.-Karl-Renner-Ring und Dr.-Karl-Lueger-Ring). Die Hofburg und der ihr vorgelagerte äußere Burgplatz mit dem Appendix des Volks- und Kaisergartens sowie das klassizistische Burgtor (1824) von Peter von Nobile verlangten geradezu nach einer prononcierten architektonischen Fassung. 1866/67 sollte ein Wettbewerb eine Lösung dieser wichtigen Partie bringen. Als die Aktion in Streitigkeiten vor dem Oberkämmereramt zu versanden drohte, wurde Gottfried Semper als Schiedsrichter beigezogen und seinen Entwürfen schließlich der Vorzug gegeben. Er griff den naheliegenden Gedanken auf, die ganze Platzanlage auf einen neuen Hofburgkomplex hin zu komponieren und die Kaiserresidenz in der Fassung eines römisch-barocken Forums zu symbolisieren. Die querorientierten Plätze zwischen den Segmentflügeln der Hofburg im Norden und den überkuppelten Baublöcken der Hofmuseen im Süden sollten dem unter Triumphbögen durchgeführten Burgring eine beidseitige räumliche Ausweitung von bisher unbekanntem Ausmaß verschaffen. Aber bei aller Faszination dieses Planes, der den Höhepunkt des historisierenden Adaptionsprozesses bei Semper darstellen mochte, und bei aller Ausdruckskraft der Figuration zur Vergegenwärtigung majestätischer Größe entschloß sich der Kaiser erst spät zu dessen Ausführung. So verfloß für den Ringstraßenausbau an dieser Stelle wertvolle Zeit. Ohne größeren Aufschub wurden wenigstens die Hofmuseen zwischen 1871 und 1882 hochgezogen und in den folgenden Jahren ausgebaut.[121] Zusammen mit dem südlich gelegenen Hofstallgebäude (heute Messepalast) umschließen sie den Maria-Theresia-Platz. Der Bau des Ostflügels der neuen Hofburg leitete die Einfassung des äußeren Burgplatzes ein. Die Fertigstellung dieses Flügels zog sich bis zum Zusammenbruch der Monarchie hin. Das raumabschließende westliche Pendant dazu wurde nie begonnen. Entgegen dem ursprünglichen Plan blieb

diese Flanke des Forums offen, und das Ganze gedieh nie über einen Torso hinaus. Dieser labile räumliche Zustand hätte hier aber gar nicht erst eintreten müssen, denn man war schon vorher am angrenzenden Franzensring auf das Problem der räumlichen Leere beim Josefstädter Paradeplatz aufmerksam geworden. Bürgermeister Cajetan Felder hatte den Mut, dem Kaiser die Unsinnigkeit dieses Truppenübungsfeldes im innerstädtischen Bereich deutlich zu machen.[122] Diesmal überzeugten die besseren Argumente, und ein Bebauungsplan des Architekten Friedrich Schmidt legte den Grund für den großzügigen Ausbau dieses letzten verbliebenen Freiraumes mit städtischem Rathaus, Reichsratsgebäude (heute Parlament) und Universität. Noch einmal weitet sich hier der Straßenraum des Rings im Rathausplatz zu einem weiten Grünraum aus, dem monumentale Wandungen einen Halt geben. Auf die kurze Distanz quer zum Franzensring korrespondieren Burgtheater und Rathaus. Dem Theaterbau (1874–88) von Gottfried

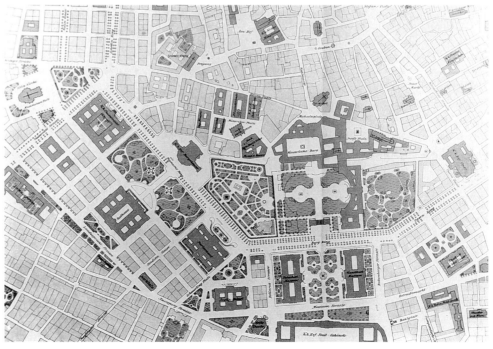

187. Rathausplatz in Wien aus der Luft, 1957. Mit den korrespondierenden Bauten von Burgtheater und Rathaus und von Universität und Parlament. (Landesbildstelle Wien)
188. Wiener Ringstraße mit Rathausplatz, Volksgarten und Hofburg. Lageplanausschnitt. (P. Kortz, *Wien am Anfang des 20. Jahrhunderts*, a.a.O.)

Semper und Carl Hasenauer kam neben seiner eigentlichen Bestimmung noch die städtebauliche Aufgabe zu, den Bezug zur Altstadtbebauung herzustellen, was der autonome Baukörper eher durch Distanzierung als durch direktes Anbinden zu erreichen versucht. Das ganz auf Breitenwirkung und lebhafte Silhouette abgestellte Rathaus ist noch stärker als sein Gegenpart Ausdruck jenes damals herrschenden Eklektizismus, der sich seiner Motivation selbst nicht mehr bewußt war und in diesem Falle als ein »Kompromiß zwischen Ringstraßenrenaissance und nordischer Rathausgotik« verstanden wurde. In der Längsrichtung begrenzen die Universität (1873–84) von Ferstel und das Reichsratsgebäude (1874–83) von Hansen den Freiraum, wobei es sich jeweils nur um deren Nebenseiten handelt und die gewichtigen Hauptseiten der Ringstraße ihre Reverenz erweisen. Vermutlich konnte nur so dem Konflikt, den die heterogenen Stilelemente der Gebäude hervorrufen mußten, begegnet werden.

Aufschlußreich ist auch, wie die beiden Knickpunkte des Rings gestaltet sind. Den nördlichen bestimmt die Achse der Votivkirche. Der dreieckige Maximiliansplatz (heute Rooseveltplatz) leitet durch seine räumliche Öffnung ohne weitere Komplikationen von der einen in die andere Richtung über und führt zugleich auch wichtige Radialstraßen in den Stadtkern hinein. Die südliche Abknickung dagegen wird von keiner Achse markiert. Den offenen Raumzwickel zwischen dem Parlament und der Bellaria-Wohnbebauung versucht der Justizpalast (1875–81) von A. Wielemans zu schließen, ohne daß aber ein harmonischer Übergang beim Schmerling-Platz erreicht ist.

Die letzte größere Lücke der Ringstraßenüberbauung schloß sich ab etwa 1890 im Abschnitt des Stubenrings. Obwohl an der Mündung des Wienflusses in den Donaukanal schon vor 1858 partielle Stadterweiterungen vorgesehen waren, hatte der Bau der Franz-Joseph-Kaserne (1854–57) und die Vergrößerung des Hauptzollamtes alle weiteren Bauvorhaben blockiert. Erst der Abbruch der Kaserne 1898 ermöglichte auch die längst fällige Regulierung dieses Gebietes, die neben einer Reihe neuerer Zinshäuser die Postsparkasse (1903–07) von Otto Wagner und als letzten großen Monumentalbau der Ringstraßenzeit das Kriegsministerium (1909–13) von L. Baumann entstehen ließ.

Die über Jahrzehnte hingezogene Realisierung der einzelnen Abschnitte macht klar, daß die Wiener Ringstraße keineswegs aus einem Guß entstanden ist. Die gegen 1864 vollendeten Demolierungsarbeiten und der rasche Fortschritt des Straßenbaus gestatteten zwar schon am 1. Mai 1865 die feierliche Eröffnung der Ringstraße zwischen Aspernbrücke und Burgtor und ab 1870 die Benützung auf der ganzen Länge. Aber fürs erste war der Straßenzug nur als Verkehrsfläche aktiviert, die Überbauung der Quartiere und die Ausstattung mit den notwendigen Versorgungsanlagen und Kanälen bedurfte eines viel längeren Zeitraums und dauerte bis zum Ende der Monarchie.

So sehr mit diesen Angaben die Ringstraße als kunsttopographisches Phänomen umschrieben sein mag, so wenig ist dennoch bis jetzt über die urbane Neuordnung in ihren verschiedenen Teilen gesagt. Denn dieses für die Stadt lebenswichtige Unterfangen konnte sich schließlich nicht auf den Ausbau einer Prachtstraße zugunsten eines nobilitierten Bürgertums beschränken, das in fast operettenhafter Selbsttäuschung an den gesellschaftspolitischen Realitäten vorbeilebte. Es mußte vielmehr darin bestehen, die baulich stark verdichtete Innenstadt und die nach außen hin stärker aufgelösten Vorstädte und Vororte trotz ihrer divergierenden sozialen und ökonomischen Ansprüche so organisch wie möglich miteinander zu verbinden. Die Frage, inwieweit die Ringstraße staatlichem und ständischem Geltungsbedürfnis Genüge tat, ist hierbei völlig irrelevant. Daß die Regierung nicht gewillt war, sich diesen komplizierten urbanen Problemen zu stellen, ersieht man allein schon aus ihrer Weigerung, im amtlichen Grundplan den Innenstadtkern in die Regulierung mit einzubeziehen. Obwohl sie über die besseren Finanzierungsquellen verfügte und mit einer fast omnipotenten Autorität ausgestattet war, überließ sie der Stadt bedenkenlos die prekäre Aufgabe, die wichtigsten Verkehrsanschlüsse zum Stadtkern herzustellen und für die Verbreiterung der engen Gassen selbst zu sorgen. Da der Ring den Verkehr aus allen Richtungen sammelte und dem Zentrum zuleitete, blieb der Stadt gar nichts anderes übrig, als nach Abhilfe zu suchen. Auch bei der Wohnraumbeschaffung für jene Schichten, die sich die Mieten der Zinspaläste an der Ringstraße nicht leisten konnten, war die Stadtverwaltung auf sich selbst angewiesen. Der Zeit entsprechend war dem Staat hier wie anderswo der Gedanke einer sozialen Wohnungsfürsorge noch völlig fremd. Die Regierung überließ deshalb den ganzen Wohnungsbau dem freien Spiel des Kapitalmarktes. Vom ideellen Standpunkt her gesehen vertrat die liberale Stadtverwaltung dieselbe Auffassung. Durch die tatsächliche Wohnungsnot war sie aber immerhin genötigt, für den Bau billiger und kleiner Wohnungen

189. Anfänge der Wiener Ringstraße, 1866. Plan der inneren Stadt mit Glacis und einem Teil der angrenzenden Vorstädte. (Österreichische Nationalbibliothek, Wien)
190. Wiener Ringstraße, 1879, im Zuge ihres Ausbaus. Planausschnitt. (Österreichische Nationalbibliothek, Wien)

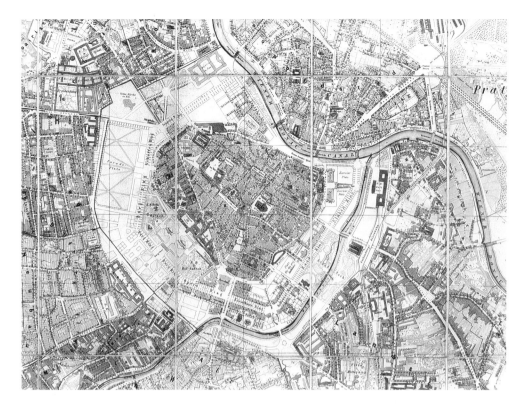

in den Außenbezirken die notwendigen planerischen und administrativen Voraussetzungen zu schaffen.[123]

An Raum dafür fehlte es im Gebiet der inzwischen eingemeindeten Vorstädte keineswegs. Die nördlichen Bezirke jenseits des Donaukanals wiesen neben den inzwischen erstellten Anlagen des Nord- und Nordwestbahnhofes großenteils nur Gärten und Holzhütten auf. In der Brigittenau kaufte die Stadt schon frühzeitig Liegenschaften auf. Ein Bebauungsplan Försters von 1864 sah dieses Gebiet als Stadterweiterungsgrund vor und bald entstand hier ein neuer Stadtteil mit Wohnblöcken, Werkstätten und öffentlichen Gebäuden. Für die Leopoldstadt und den noch weiter südlich gelegenen Prater brachte die Weltausstellung 1873 weitreichende bauliche Veränderungen.

Die tatsächliche erste große Stadterweiterung Wiens, die mit dem Bau der Ringstraße parallel verlief, aber meist kaum der Erwähnung für wert befunden wird, bestand – wie man aus dem gesamten Stadtplan ersieht – einfach darin, daß große freie Flächen der Außenbezirke nach der damaligen Städtebauvorstellung in der öden orthogonalen Rasteraufteilung mit Mietsblöcken überbaut wurden. Sie verfügten gerade noch über jenes Minimum an Wohnfläche und sanitärer Ausstattung, das man nach dem Stand der Zeit für unerläßlich ansah. Auf diese Art füllten sich die noch vorhandenen Freiflächen der älteren Vorstädte innerhalb der Gürtellinie schnell, wie in den Bezirken Landstraße (III), Wieden (IV), Mariahilf (VI) und Alsergrund (IX) zu beobachten ist. Neubau (VII) und Josefstadt (VIII) waren dagegen schon fast ganz überbaut. Hier vollzog sich die weitere Expansion außerhalb des Gürtels in den Arbeitervierteln um den Exerzierplatz »Auf der Schmelz«, in Lerchenfeld, Ottakring und Hernals. Damit verbunden war ein stadtsozio-

191. Wien und Vororte. Stadtplan 1874 von Heinrich Grave. (Wiener Stadt- und Landesarchiv)

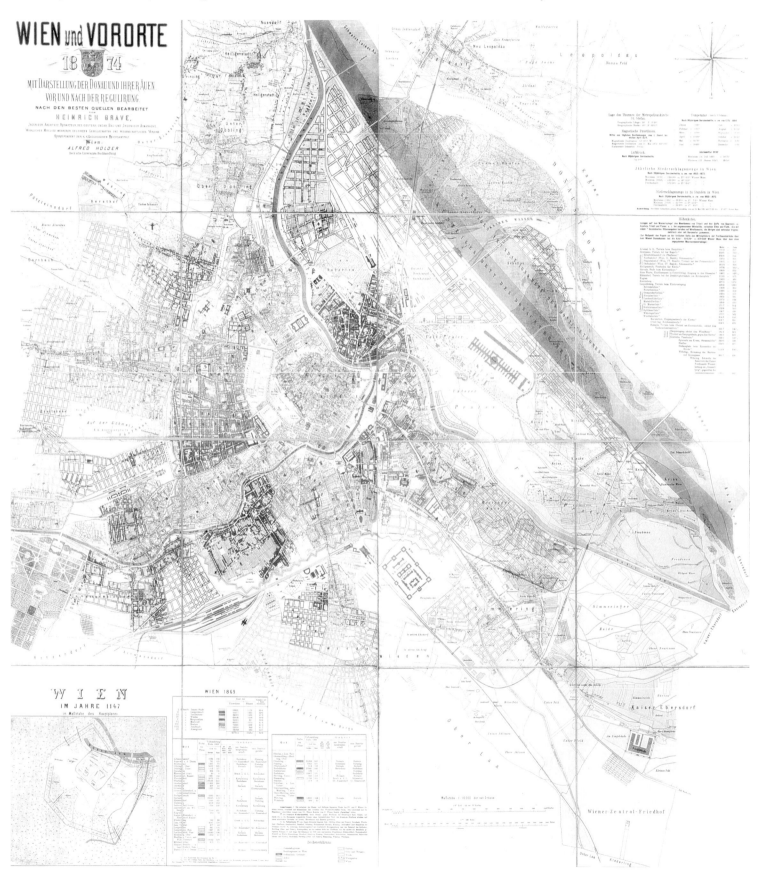

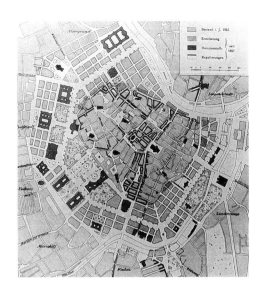

192. Wiener Altstadt, Straßenregulierungen und -durchbrüche, 1857–1905. (P. Kortz, *Wien am Anfang des 20. Jahrhunderts*, a.a.O.)

logischer Differenzierungsprozeß, der zu einem immer deutlicher werdenden Unterschied zwischen den bürgerlichen Vorortskernen und den anonymen Zinshausquartieren der Arbeiter und Taglöhner führte. Eine Vorstellung davon gibt die Entwicklung in den südlichen Stadtteilen. Im Zuge der Ausweitung mußte 1864 von der alten Straßenvorstadt Wieden als neuer Stadtteil Margareten (V) abgetrennt werden. Zehn Jahre später hatte eben dieser fünfte Bezirk bereits über 25 000 Einwohner, so daß man sich gezwungen sah, weiter südlich Favoriten als zehnten Bezirk zu bilden. Dieser aber wurde in seiner Vermischung von Mietskasernen und Fabrikanlagen, in seiner architektonischen Anspruchslosigkeit und in seiner isolierten Verkehrslage schnell zum Inbegriff eines sozial zweitrangigen Stadtteils.

Die Erschließungsarbeiten, die für diese Vorstadtregionen genauso notwendig waren wie für den Ring und alle damit zusammenhängenden Nebenstraßen, erforderten von der Stadt hohe Aufwendungen. Die Verwaltung behalf sich zuerst mit einem Rückgriff auf ihre finanziellen Reserven, indem sie ihre Wertpapiere teilweise unter dem Nominalwert abstieß. Außerdem versuchte eine Finanzkommission ordentliche und außerordentliche Ausgaben voneinander zu trennen, um auf eine langfristige Finanzierung der Baumaßnahmen hinzuwirken. Wie nötig das war, zeigte sich bald. 1866, als der Ausbau der Ringstraße in vollem Gange war, ergab sich bereits ein Defizit von 8,4 Millionen Gulden. Neue Ausgaben für die erste Hochquellwasserleitung, die Kanalisation, den Bau einer zentralen Markthalle, eines neuen Rathauses und von Schulen zwangen die Stadt schließlich zur Aufnahme einer Anleihe. Die liberale Partei im Rathaus sah sich dazu berechtigt, da sie alle diese Bauunternehmungen als eine kommunale Vermögensanlage betrachtete, die auch zukünftigen Generationen zugute kam.[124] Der Versuch, auf diese Art Mittel zu beschaffen, verlief jedoch wenig glücklich. Anstatt die Ermächtigung vom Januar 1867 zur Aufnahme einer Anleihe über 63 Millionen Gulden ausnützen zu können, mußte sich die Stadt in Auswirkung der Kriegsereignisse von 1866 mit 25 Millionen Gulden zufriedengeben. Erhöhungen der Materialpreise und der Löhne sowie die Kostenbeteiligung an der geplanten Donauregulierung verschlechterten bald wieder die finanzielle Lage. Unter diesen Umständen war an eine umfassende Transformation der Innenstadt etwa nach Pariser Vorbild überhaupt nicht zu denken. Die Stadt konnte jeweils nur die allernotwendigsten Eingriffe im Altstadtkörper vornehmen.[125] Sie mußte sich auch mit lang hingezogenen Einzelaktionen abfinden. Für die Verbreiterung einer so wichtigen Nord-Süd-Verbindung wie etwa der Kärntner Straße von 9 auf 19 Meter bedurfte es eines Zeitaufwandes von etwa 30 Jahren und außerdem eines geldlichen Einsatzes von 2,74 Millionen Kronen für Grundablösungen.

1872 versuchte man die Entwicklung durch ein neues Finanzprogramm in den Griff zu bekommen. Kernpunkt war eine neue Geldaufnahme in der Form einer unverzinslichen Lotterieanleihe über wiederum 63 Millionen Gulden.[126] Auch diesmal stand die Summe nur auf dem Papier. Der Börsenkrach im Mai 1873 durchkreuzte die Pläne und der Stadt verblieb, da für begonnene Objekte bereits über 7 Millionen Gulden im Vorgriff verausgabt waren, nur noch der Ausweg, bei Banken eine »schwebende Schuld« aufzunehmen, wofür die Restposten der Wertpapier-Rücklagen in die Waagschale geworfen werden mußten. In höchster Not entschloß sich der Gemeinderat noch im selben Jahr zu einer drastischen Erhöhung der Steuerumlagen und zu einer Reduktion der Anleihe auf 40 Millionen Gulden. Trotz der daraus resultierenden Einschränkung im programmatischen Teil – es mußte vorerst auf den Anschluß der Vororte und auf viele andere Vorhaben verzichtet werden – war nun eindeutig der Weg zu einer hohen Verschuldung und zu unpopulären Steuererhöhungen eingeschlagen. Von ihm wieder abzukommen, gelang weder der liberalen noch später der christlich-sozialen Kommunalpolitik. Denn auch alle jene Projekte, durch welche die 1859 begonnene Stadterweiterung ergänzt und teilweise erst voll funktionsfähig gemacht wurde, riefen große finanzielle Beanspruchungen hervor. Es handelte sich dabei um die Donauregulierung (1868–75) als Schutzmaßnahme gegen Überschwemmungen, den Bau der Hochquellwasserleitung (1869–73) zur Frischwasserversorgung, die Anlage der Wiener Stadtbahn (1892–99) und die Regulierungen des Donaukanals (1893–1903) und des Wienflusses (1894–99). Als schließlich zwischen 1892 und 1895 neue umfassende städtebauliche Überlegungen angestellt wurden, war eine zweite Phase der Stadterweiterung Wiens erreicht.[127] Ihr kommunalpolitisches Programm vertraten jedoch nicht mehr die großbürgerlichen Liberalen, sondern die von Gewerbe und Kleinbürgertum getragene Partei der Christlich-Sozialen. Diese neue, von Bürgermeister Karl Lueger angeführte Bewegung glaubte in ihrem Munizipalsozialismus ein neues kommunales Konzept gefunden zu haben.[128]

Unter der liberalen Stadtverwaltung hatte die permanente Finanzmisere wenigstens die eine positive Folge, daß der Staat sich mit seinem Stadterweiterungsfonds doch viel weitgehender materiell engagieren mußte als er in den Verhandlungen von 1859/60 zugestanden hatte. Als stärkerer Teil konnte er sich auch ohne Not generös zeigen. Die Aufhebung des Festungsrayons ergab etwa 240 Hektar hochwertiges Baugelände. Die Stadt erhielt davon einen nicht unerheblichen Anteil für die Parks auf dem Wasserglacis und vor dem neuen Rathaus, für Anlagen vor der Votivkirche und vor dem Justizpalast usw. Trotzdem löste der Staat aus dem Verkauf der ihm verbliebenen 50 Hektar immer noch den Betrag von 63 Millionen Gulden. Aus diesen Einnahmen konnte er unbedenklich die Kleinigkeit von über 300 000 Gulden zum Bau der Ringstraße und 1,3 Millionen Gulden für Gebäudeeinlösungen und Kanalisation beisteuern. Mit leichter Hand vermochte er die eigenen Prachtobjekte der Hofoper, des Hofburgtheaters und der Hofmuseen, aber auch zahlreiche Denkmäler und Brücken zu finanzieren. Und großzügig schoß er auch noch Beiträge zu vielen anderen öffentlichen Gebäuden zu.[129]

Diese Position des Gebens und Gewährens macht schließlich noch einmal deutlich, auf wie vielfältige Art die Regierung als Organ neoabsolutistischer und großbürgerlicher Machtinteressen der Stadterweiterung Wiens ihren Stempel aufdrücken konnte.


## 5.2.4. Die Fragwürdigkeit der Ringstraßenpracht

Versucht man abschließend aus allen bisher aufgezeigten Aspekten ein Resümee zu ziehen, so wird man gewahr, daß die urbane Entwicklung Wiens in der zweiten Hälfte des 19. Jahrhunderts nicht einfach auf den Ausbau seiner »via triumphalis« reduziert werden kann, wie es manche Publikationen in ihrer ästhetischen Interpretationskunst darzustellen versuchen. Die Kräfte, die Wiens räumliche Expansion bewirkt haben, sind vielfältiger und in ihrer sozialen Stoßrichtung weit heterogener, als man zuweilen wahrhaben will. Sie zu erfassen ist deshalb nur von der gesellschaftspolitischen Konstellation der Stadt als Ganzes her möglich.

Beim Kaiser und seinem Anhang lassen sich die Motive vielleicht noch am deutlichsten erkennen. Für diesen Kreis standen, obwohl letztlich die Wohnungsnot der kleinen Leute zum auslösenden Entschluß gedrängt hatte, die Symbolisierung von dynastischer Größe und die Repräsentation von staatlicher Macht im Vordergrund. Die Bauideen, die diese imaginären Werte verkörpern, werden allerdings eher verhalten als aufdringlich artikuliert. Der Impetus zur höfischen Selbstdarstellung reichte gerade aus, um in Hofoper, Hoftheater und Hofmuseen die besondere Verbundenheit des kaiserlichen Herrscherhauses mit den Künsten vor aller Welt zu demonstrieren. Die bauliche Arrondierung der Hofburg dagegen blieb Stückwerk. Man sieht wohl, wie sehr der Hof es noch versteht, sich in Szene zu setzen. Aber man spürt auch, daß dem Monarchen die Bauleidenschaft der Barockzeit fehlte und er nicht darauf drängte, seine Residenz zum Ausgangspunkt des Ringstraßenprojekts zu machen.

Wenn von einer Passion des Bauens gesprochen werden kann, dann eher bei jener Schicht von reichen Adligen und Bürgern, die in der Lage war, die teuren Areale vom Stadterweiterungsfonds zu erwerben, um sich darauf Paläste zu erbauen. Nicht ohne Stolz nutzten die Eigentümer die Beletage als Nobelappartement; auf den übrigen Geschossen aber ließen sie in weniger vornehmen Mietwohnungen ihr Kapital arbeiten. In diesem Vorgehen offenbart sich dann das stolze Selbstbewußtsein jenes »Neu-Wienertums«, dessen Lebenszweck sich im geschäftlichen Erfolg und im höfischen Ansehen erschöpfte. Die von der liberalen Partei gestellte Stadtverwaltung sah sich im Spiel der Kräfte hin und her gerissen. Sie war willens, die Entwicklung der Stadt nach besten Kräften voranzutreiben. Sie hatte an der Idee und am Stil der Ringstraße prinzipiell nichts auszusetzen. Sie war mit der Art und Weise, wie die Bauflächen den privatkapitalistischen Interessen überlassen wurden, ihrer liberalen Grundeinstellung entsprechend einverstanden. Ja, sie ließ sich sogar in einem Anflug von Gründerzeittaumel selbst zu Unternehmungen hinreißen, für die die finanzielle Fundierung und Absicherung fehlten. Die daraus folgende schwere Verschuldung belastete das städtische Budget auf lange Zeit einseitig und schadete ganz allgemein dem Ansehen der Kommune. Auf Dauer konnte sich die Stadt ihrer Verantwortung um den Wohnungsbau für die Gesamtbevölkerung natürlich nicht einfach durch eine liberale Laisser-faire-Haltung entziehen. Schon der Wettbewerb von 1858 hatte diesem Sektor viel zu wenig Beachtung geschenkt. Eine Kritikerin, der die sozialen Zusammenhänge damals schon geläufiger waren als ihren Zeit-

193. Wiener Ringstraßenzone und Innenstadt aus der Luft, 1962. (Landesbildstelle Wien)

genossen, stellte mit Recht fest, »daß fast alle Concurrenten in ihren nahezu einhundert Plänen eines der wesentlichsten Stücke, die bei jeder Stadterweiterung in Betracht zu ziehen sind, ›die Arbeiterwohnungen‹, übersehen und sich gar nicht darum bekümmert hatten.«[130] Während an der Ringstraße teure Nobelwohnungen freistanden, weil nur eine kleine Mieterschicht den Zins dafür aufbringen konnte, mangelte es, je weiter der Ausbau des repräsentativen Straßenzuges gedieh, um so mehr an billigen Wohnungen für die einkommensschwachen Schichten.[131] Notgedrungen erschloß die Stadtverwaltung ohne zusammenhängendes Konzept neue Baugründe in den Außenbezirken. Im übrigen beschränkte sie sich darauf, Kapitalisten und Baugesellschaften zum Bau von Kleinwohnungen und Volkszinshäusern zu animieren. Darüber hinaus wies sie, solange die liberale Partei herrschte, den Gedanken einer aktiven Wohnungsfürsorge oder gar einer umfassenden kommunalen Sozialpolitik von sich.

Positivere Züge kennzeichnen den Gemeinderat, wenn man dem ideologisch bedingten Desinteresse am sozialen Wohnungsbau die gemeinnützigen Unternehmungen der Wasserversorgung, der Kanalisation, der Donauregulierung und des Stadtbahnausbaus gegenüberstellt und wenn man zudem berücksichtigt, mit welcher Ausdauer er um einen finanziellen Ausgleich mit dem Staat gerungen hat, ohne allerdings je zu befriedigenden Resultaten zu gelangen. Auf die Gesamtsituation bezogen, mögen diese Interessendivergenzen der verschiedenen sozialen Ebenen wenigstens andeuten, was eine Stadterweiterung im vollen urbanen Sinne auch in Wien hätte leisten müssen. Was sie tatsächlich als Ausdruck des politischen, wirtschaftlichen und künstlerischen Zeitgeistes erbracht hat, enthüllt die Ringstraße. Ihre städtebauliche Form entspricht dem System, das durch die »grands boulevards« in Paris seit dem 17. Jahrhundert geprägt war und dessen Anwendung bei aufgelassenen Festungsgürteln nahelag.[132] Den Stadtbauvorstellungen des 19. Jahrhunderts kam die Anordnung eines Ringboulevards entgegen, weil sie die Möglichkeit schuf, ein freigebliebenes innerstädtisches Gelände zu einem architektonisch hochwertigen Straßenraum auszugestalten. Die Eigenart der polygonen Abwicklung entsprach noch in besonderem Maße dem zeitgenössischen Ideal von umgehender räumlicher Fassung, denn die Achsknickungen rücken die Straßenseiten und Platzwände immer wieder in den Blickpunkt des Betrachters. Sie verschaffen so in verschiedenen Abschnitten auch der Einzelarchitektur ihre Geltung. Zudem entsteht auf diese Weise der Eindruck von Geschlossenheit, den man wiederum für das Erlebnis des Ensembles für erforderlich hielt. Mit diesem Arrangement durfte man sich einer eindrücklichen Wirkung sicher sein, zumal die Architekten mit einem universalen Formenkatalog ausgestattet waren und die Handwerker und Künstler über erstaunliche Fertigkeiten verfügten. Ohne Bedenken übernahm man die Muster der vollendeten Stile als formales Gerüst. Im Bewußtsein des historischen Besitzstandes manifestierte sich der Beitrag der eigenen Zeit im wesentlichen in einer Adaptierung und Sublimierung längst bekannter Architekturformen. Das geht so weit, daß die artistischen Resultate auch beim ästhetisch orientierten Betrachter Bewunderung zu erregen vermögen. Der Zusammenhang von Architektur, Straßenraum, Landschaftspark und Skulpturen verleitet dazu ebenso wie die ausgewogene Proportionierung, Reliefierung und Chromatik der Einzelpartien. Aber man darf sich hier nicht zu stark von visuellen Impressionen hinreißen lassen. Die historischen Stile, die angewandt wurden, können dem skeptischen Betrachter bei den öffentlichen Bauten kaum durch die Begriffe der Motivkreise und noch viel weniger durch ihre künstlerische Verallgemeinerung bei den Zinspalästen als Ausdrucksformen eigenständiger Kreativität erklärt werden. Sie sind aus ihrer ursprünglichen kultursoziologischen Bedingtheit herausgelöst. Und sie täuschen einen stilistischen Rahmen vor, der der überwiegenden Mehrheit der Wiener Bürger zwar sehr vornehm, auf ihren eigenen Status bezogen aber ganz und gar unangemessen erscheinen mußte. Hatte Wien im Ernst nur einer dem Untergang geweihten Monarchie und einer damit verbundenen Schicht architektonischen Ausdruck zu verleihen? Oder hatte die Stadt nicht auch die baulichen Bedürfnisse anderer Bürger zu vertreten, für die Renaissancepaläste nur einen ärgerlichen Anachronismus bedeuteten? Die Geschichte hat gerade an diesem Ort die aufgeworfene Fragestellung klar genug beantwortet. Wer im urbanen Gesamtzusammenhang die Mietskasernenblöcke von Favoriten, Ottakring und Auf der Schmelz in seine Betrachtungen einbezieht, wer die unbewältigte Rückfrontpartie an der Donau vor Augen hat, wer den unorganischen Einbruch der Bahntrassen im Stadtkörper, den unzureichenden Anschluß der Innenstadt an die großen Ausfallstraßen und vieles andere mehr bedenkt, der wird die künstlerische Leistung der Ringstraße relativiert sehen und bedauernd feststellen, daß die Stadterweiterung Wiens zwischen 1857 und 1895 nicht allen Bevölkerungsschichten gleichermaßen zur architektonischen Erhöhung verholfen hat.

## 5.2.5. Weitere Ringstraßenprojekte nach dem Wiener Vorbild

Nach der Bedeutung, die Wien als Reichshauptstadt der Donaumonarchie zukam, lag es nahe, die dort realisierte Idee der Ringstraße auch auf andere Orte des Reichs zu übertragen. Vor allem bot sich für jene Städte, die ebenfalls vor dem Problem standen, ihre Fortifikationen aufzulassen, um auf dem gewonnenen Gelände Erweiterungen vorzunehmen, ein beeindruckendes Lösungsmodell an. Dieses ließ sogar die Alternative offen, den urbanen Bedürfnissen und Vorstellungen entsprechend den ehemaligen Festungsrayon entweder für eine Ringstraße mit monumentaler Bebauung zu nutzen oder den freigewordenen Raum von Bauten leerzuhalten, um in ihm Parkanlagen und Promenaden anzulegen. Wie das Wiener Beispiel zeigte, sprach auch nichts dagegen, beide Konzeptionen miteinander zu kombinieren. Die entscheidende Frage war immer, ob der Landesherr, dem nach absolutistischem Selbstverständnis das Befestigungsrecht zustand, der Beseitigung der Festungsanlagen zuzustimmen gewillt war. Welche Möglichkeiten sich in dieser Hinsicht boten, soll zunächst am Beispiel einiger österreichischer Städte aufgezeigt werden.[133]
In B r ü n n / Brno waren günstige Voraussetzungen für Pläne dieser Art zu einem fast so frühen Zeitpunkt wie in Wien gegeben. Denn in dieser mährischen Stadt ging nach einer Übereinkunft der militärischen und politischen Institutionen schon am 28. Oktober 1859 das Fortifikationsgelände in den Besitz des Bezirksausschusses über. Während dieser jedoch die Regulierung und Erweiterung der Stadt auf einen bestimmten Abschnitt zwischen Hackel- und Neuthor begrenzen wollte, bestand der Statthalter Graf Lazansky dar-

auf, das ganze Festungsgelände in die Überlegungen mit einzubeziehen und die Erweiterung von einem renommierten Architekten planen zu lassen. Obwohl der vom Statthalter initiierte »Regulierungsplan« nicht zustande kam, lagen ab 1861 die ohne Auftrag verfaßten Projekte des Gemeinde-Ingenieurs Johann Lorenz und des Wiener Architekten Ludwig Förster vor. Weitere Anregungen erbrachten ein »Concurs«, den der Bezirksausschuß noch zusätzlich auszuschreiben für notwendig befand, und ein »combirtes Stadterweiterungs-Project« des Stadtingenieurs Franz Neubauer. Unter Mitwirkung des neugewählten Bürgermeisters Christian Ritter d'Elvert kam schließlich ein Stadterweiterungsplan zustande, dem die städtischen Gremien und die Statthalterei zustimmten und der der Ausführung zugrunde gelegt wurde.[134] Danach konnten ab 1863 die Tore, Mauern und Wälle abgetragen und die Gräben aufgefüllt werden. Auf dem planierten Gelände erhielt Brünn wenigstens im westlichen und östlichen Bereich seine Ringstraße, an die sich großzügig bemessene Parkanlagen und Promenaden anschließen.[135] Zweifellos reichte die Kraft der Landeshauptstadt bei diesem städtebaulichen Erneuerungswerk nicht aus, es dem Wiener Vorbild an konzeptioneller Geschlossenheit und monumentaler Ausstattung gleichzutun. Aber es zeigte sich doch, daß die Idee der Ringstraße auch an diesem Ort zur Konturierung der Innenstadt und zur Regulierung der Verkehrsabläufe beitragen konnte.

In S a l z b u r g  gestattete Kaiser Franz Joseph I. in gleicher Weise wie in Wien in einem »Allerhöchsten Handschreiben« vom 4. Januar 1860 die Auflassung der Festungsanlagen zwischen Kapuzinerberg und Salzach. Auf diese noble Geste des Herrschers hin hoffte die Stadt, das Festungsgelände vom Domänenärar für eine Stadterweiterung kostenlos übertragen zu bekommen. Sie setzte deshalb ein beratendes Komitee ein, und der Architekt Rudolf Bayer legte einen mit der Regulierung der Salzach verbundenen Bebauungsplan vor. Da die Stadt sich indes nicht imstande sah, die Mittel für die geplanten umfangreichen Bauarbeiten aufzubringen, bot sich der Bauunternehmer Carl Schwarz an, die Stadterweiterung rechts der Salzach auf privater Basis zu übernehmen. Zu seiner Entschädigung sollten die neugewonnenen Grundstücke im Überschwemmungsgebiet in sein Eigentum übergehen. Der Gemeinderat stimmte dem Stadterweiterungsplan, den Schwarz ausarbeiten ließ, zu, und auch der Kaiser genehmigte am 29. November 1861 die Übertragung des Festungsgeländes zwischen der Eisenbahnbrücke und dem Lederertor an den Bauunternehmer.

Doch erst fünf Jahre später, als der Herrscher den restlichen Teil zwischen dem einstigen Mirabelltor und dem Kapuzinerberg der Stadt übereignete, konnten die Mauern und Festungswälle abgetragen und das Gelände planiert werden.[136] Was dann in dem von den Eisenbahnlinien, der Salzach und dem Kapuzinerberg umgrenzten Bereich als Stadterweiterung entstand, richtete sich nach dem 1872/73 verfertigten Parzellierungsplan. Obwohl dieser in der Strukturierung noch eine gewisse Ähnlichkeit mit dem Schwarzschen Stadterweiterungsplan von 1861 hatte, zeigte er von dessen großzügiger räumlicher Fassung so gut wie nichts mehr. Von dem Ringstraßensegment, das Schwarz in seinem Plan als breiten, mit einem baumbepflanzten Mittelstreifen unterteilten Monumentalboulevard vorgesehen hatte und das in seiner ungewöhnlichen Dimensionierung wie eine Replik der Wiener Ringstraße anmutete, blieb nur noch ein mehrfach geknickter Straßenzug übrig, der nicht mehr im Sinne des alten Plans eindeutig genug als Verbindungsglied zwischen den Dominanten des Berges und des Mirabell-Schlosses verstanden werden kann.

Die nach den Vorgaben des Parzellierungsplans ausgeführte Franz-Joseph-Straße macht schließlich deutlich, wie wenig die Planer in Salzburg mit der Ringstraßenidee anzufangen wußten, obwohl es an einem respektablen Vorschlag wenigstens für ein Teilstück nicht gefehlt hat.

Wesentlich langwieriger und komplizierter als in Wien, Brünn und Salzburg verliefen die Auseinandersetzungen um die Entfortifizierung in der als Hauptfestung eingestuften südmährischen Stadt O l m ü t z / Olomouc. Immer wieder stellten Bürgerkomitees und Gemeindevertreter die einengende und die Stadtentwicklung hemmende Wirkung der Festungsanlagen heraus, ohne über Jahre hin bei den Militärbehörden eine Reaktion auszulösen. Als endlich die Dringlichkeit der Stadterweiterung durch Petitionen und Projekte immer überzeugender belegt werden konnte, lenkte das zuständige k.u.k. Reichskriegsministerium ein und zeigte sich zu Verhandlungen über die Modalitäten der Auflassung bereit. Ohne Rücksicht auf die Finanzkraft der Kommune setzte es indes 1873 die Entschädigungssumme, die für die Übertragung des Festungsgeländes an den Staat zu bezahlen war, mit 5 Millionen Gulden so hoch an, daß die Stadtverwaltung aus finanzi-

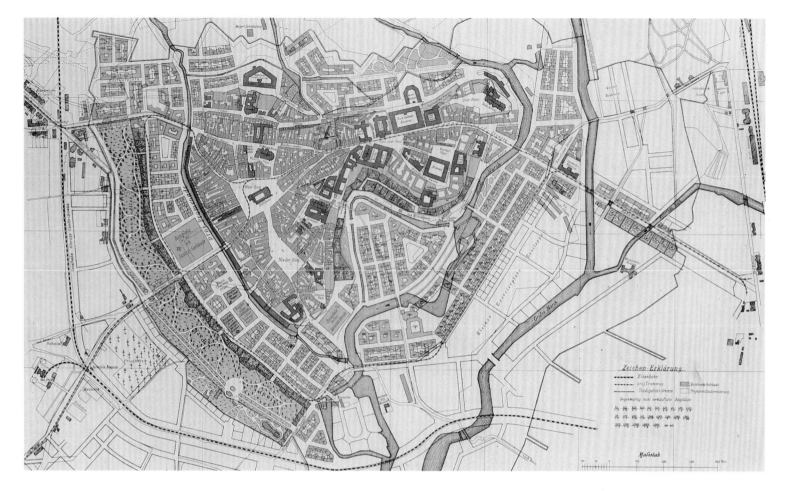

194. Entwurf für die Stadterweiterung von Olmütz von Camillo Sitte, 1894. (Camillo-Sitte-Archiv, Institut für Städtebau, Raumplanung und Raumordnung, Technische Universität Wien)

ellen Erwägungen weiterhin auf eine umfassende Stadterweiterung verzichten mußte. Sie beschränkte sich für die folgende Zeit darauf, die Festungstore abzubrechen, um wenigstens der Innenstadt etwas Luft zu verschaffen und bessere Verkehrsverbindungen herzustellen.

Erst 1893, als die Wälle und Gräben bereits wie anachronistische Relikte auf die Zeitgenossen wirkten, einigte sich die Gemeinde mit dem k.u.k. Ärar darauf, das ganze Festungsgelände gegen einen Betrag von 2 Millionen Gulden, der in zehn gleichen Jahresraten zu bezahlen war, zu erwerben. Damit war der Weg für die seit Jahrzehnten angestrebte Stadterweiterung endlich frei.[137] Wenn die Stadtentwicklung durch die lange Verzögerung sicher in vielerlei Beziehungen (etwa hinsichtlich der Industrialisierung) ins Hintertreffen geraten war, so hatte das doch auch eine gute Seite. Denn es war nun die Möglichkeit gegeben, die Planung am neuesten Stand der Städtebaulehre zu orientieren. Offensichtlich war sich die Stadtverwaltung dieser Chance bewußt. Sie ließ nämlich den von der »k.u.k. Geniedirection« entworfenen, dem herkömmlichen Aufteilungsmuster verpflichteten Bebauungsplan beiseite und übertrug die Planbearbeitung dem zu Anfang der neunziger Jahre durch seine Reformbestrebungen bekannt gewordenen Architekten Camillo Sitte (siehe auch Kapitel 7.1.).

Mit seinem Stadterweiterungsentwurf von 1894 enttäuschte Sitte die in ihn gesetzten Erwartungen nicht.[138] In seinem Plan ist der Festungsrayon nicht mehr durch eine in monumentalem Sinne aufgefaßte Ringstraße überbaut, sondern in dem freigewordenen Gelände legen sich jetzt ringförmig die differenziert behandelten neuen Wohnquartiere um den Altstadtkern herum. Dem Medium der Straße wird über die Erschließungsfunktion hinaus keine besondere Bedeutung mehr zugemessen. Dafür konzentriert sich die Sorgfalt des Planers auf die Ausformung der Wohnblöcke, deren längliches schmales Format – als »Olmützer System« bezeichnet – eine Überbauung der Innenhöfe verhindern soll. Sitte sieht es auch als selbstverständlich an, zwischen den Bauten Grünanlagen einzufügen. Auf der Südwestflanke der Stadt ist sogar ein langgezogener Parkgürtel angeordnet, um die Wohnbebauung vor der weiter außen geplanten Industriezone abzuschirmen. In Anwendung seiner Lehre belebt Sitte zudem die Bebauung durch eine Reihe von Plätzen, deren Größe und Zuschnitt auf die lokalen Umstände abgestimmt sind. Schließlich benutzt er geschickt die vorhandenen Wasserläufe als Nahtstellen zwischen der Altstadt und den neuen Quartieren, wohl in dem Bewußtsein, daß ihre vielen Windungen und Richtungsänderungen dem Stadtbild mehr Abwechslung verschaffen als alle Achsen und architektonischen Bezugspunkte. So ist letzten Endes die Stadt, die durch die Saumseligkeit der »kakanischen« Behörden bei der Entfestigung besonders lange hingehalten worden ist, durch den Beitrag Sittes zu einer Konzeption gelangt, die mehr als alle anderen Projekte in die Zukunft wies und die Belange der Bewohner berücksichtigte.

Im deutschen Bereich hat die Ringstraßenidee in K ö l n  eine so prägnante Verwirkli-chung erfahren, daß die Übereinstimmung mit Wien auf den ersten Blick hin augenfällig zu sein scheint. In der Tat war in beiden Städten in der Lage des Kernbereichs zum Fluß, in der Einschnürung durch den Festungsrayon und in der Überfüllung der alten Quar-tiere eine ähnliche Situation gegeben. Die Stadt Köln verfügte schon bald nach dem er-sten Industrialisierungsschub in den fünfziger Jahren über keine Reserveflächen mehr innerhalb des Mauerrings und der Bastionen. Sie war deshalb ohne weiteres Abwarten zu einer Stadterweiterung gezwungen. Um zu den dafür erforderlichen Flächen zu kom-men, lag es nahe, die Festungswerke weiter nach außen zu verlegen. Freilich konnte die Stadt nur in Übereinkunft mit dem für das Festungswesen zuständigen preußischen Kriegsministerium in den Besitz des Erweiterungsgeländes gelangen. Das glückte ihr schließlich nach längeren Verhandlungen, wobei der Kaufpreis, den sie dafür an den preußischen Fiskus zu entrichten hatte, nach den vertraglichen Vereinbarungen auf rund 11,8 Millionen Mark festgelegt wurde, zahlbar ab 1883 in zwölf zinsfreien, annähernd gleich großen Jahresraten. Sobald der Geländeerwerb gesichert war, schrieb die Stadt-verwaltung im Juni 1880 einen Wettbewerb zur Erlangung eines Bebauungsplanes aus. Die Vorgaben für die Anlage der Neustadt, wie das Stadterweiterungsgebiet fortan ge-nannt wurde, waren zuvor von der Stadtverordnetenversammlung festgelegt worden: Gedacht war an eine Ringstraße mit 35 Metern Breite, die die vielen Radialstraßen der Altstadt aufnehmen und in die Neustadt verteilen sollte; außerdem mußte eine neue Ha-fenanlage vorgesehen und die Einfügung eines »Zentral-Personen-Bahnhofs« bedacht werden, für den entweder ein Ausbau am alten Standort nördlich des Doms oder eine Plazierung im Erweiterungsgebiet in Frage kam.

Von den 27 eingegangenen Wettbewerbsbeiträgen wurden die beiden Entwürfe, die Karl Henrici (1842–1927) und Hermann Josef Stübben aus Aachen (1845–1936) verfaßt hatten, mit dem ersten und dem zweiten Preis ausgezeichnet.[139] Während das Preisgericht die

195. Anlage der »Neustadt«, Köln, 1880, Wett-bewerbsentwurf »Suum cuique« von Karl Hen-rici und Josef Stübben. (Rheinisches Bildar-chiv, Köln)

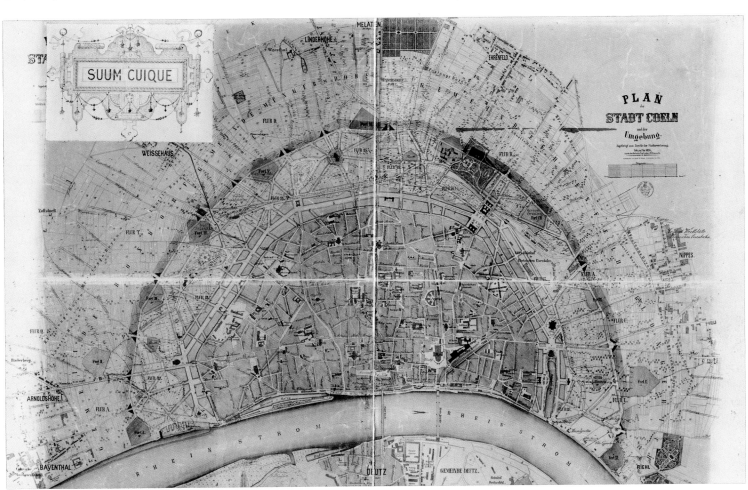

Mehrzahl der Pläne als unbrauchbar verwarf, glaubte es im Beitrag der Aachener Planer eine geniale Lösung gefunden zu haben. Das Lob galt allen wesentlichen Festlegungen des Entwurfs: der Führung der Boulevards (also der Ringstraße), den vielen Diagonalverbindungen, der Anordnung und Durchformung der öffentlichen Plätze und der Kombination des Bonner Bahnhofs mit der Hafenanlage. Was lag also näher, als den Preisträger Hermann Josef Stübben, der bereits Erfahrungen als Stadtbaumeister hatte, im September 1881 zum Ingenieur für die Kölner Stadterweiterung zu berufen und ihm die Aufstellung des endgültigen Bebauungsplans zu übertragen?

Stübbens Plan der Neustadt basiert, obwohl er durch die Interventionen der Stadtverordnetenversammlung und der Eisenbahnverwaltung immer wieder verändert worden ist, auf der Idee der Ringstraße.[140] Wie in Wien animierte das halbkreisförmig um die Altstadt gelegte Erweiterungsgelände zu einer Ringbewegung der Haupterschließungsstraße. Aber schon in der Ausgestaltung der Ringstraße selbst rückte Stübben vom Wiener Vorbild ab. Der »Kölner Ring« weist mit seiner Gesamtlänge von 5930 Metern (gegenüber den 4400 Metern in Wien) mehr Abknickungen und kürzere Straßenabschnitte auf. Deren Profile unterliegen auch nicht einem durchgehenden einheitlichen Maß, sondern sie verbreitern sich von 32 bis auf 114 Meter, wenn – wie beim Sachsenring, Kaiser-Wilhelm-Ring, Hansaring und Deutschen Ring (heute Theodor-Heuss-Ring) – bepflanzte Mittelstreifen eingefügt sind.

In Wien weitet sich die Ringstraße an vielen Stellen zu Plätzen und Parkanlagen aus und ruft dadurch den Eindruck von Weite und Abwechslung hervor; in Köln dagegen wirkt die dichte Wohnbebauung auf beiden Seiten des Rings wie eine starre Einrahmung und Vermauerung, die nur durch die verschiedenartige architektonische Behandlung der Hausfassaden und durch den Einschub der Bäume etwas abgemildert wird.

Als ganz eigener Beitrag Stübbens kann die weitere Aufteilung der Kölner Ringzone angesehen werden. Dem Althergebrachten noch ganz verpflichtet, sind die einzelnen Abschnitte nach dem Rechteck- und Diagonalsystem (oder Dreiecksystem) disponiert. Diese Aufteilung trägt sicher zu einer direkten Verbindung der Knotenpunkte im Straßennetz bei, sie führt aber an vielen Stellen zu jenen spitzwinkligen und unregelmäßigen Quartierzuschnitten, welche bei der Wohnhaus-Randbebauung vor allem in der Grundrißausbildung völlig unbefriedigende Lösungen ergeben mußten. Strenggenommen kam so nur ein geometrisch und figurativ aufgefaßter Straßenplan zustande, der formalen Ambitionen zuliebe eine optimale Überbauung mit gut durchlüfteten und besonnten Wohnquartieren verhinderte. Denn der Planer mußte in der damaligen Gründerzeit auf alle Fälle damit rechnen, daß die Bauspekulanten sich dieses Planes bedienen würden,

196. Barbarossaplatz und Salierring, Köln, um 1890. (Rheinisches Bildarchiv, Köln)

197. Entwurf für die Stadterweiterung von Köln. Plan mit der »Neustadt« von Josef Stübben, 1886. (Rheinisches Bildarchiv, Köln)

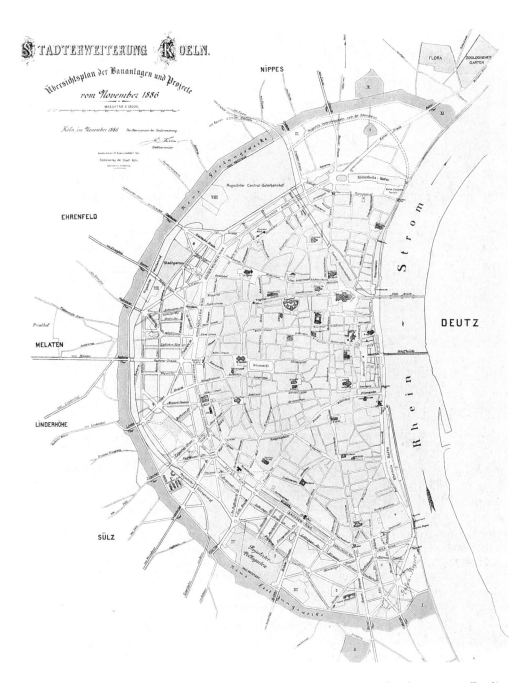

198. Köln, 1930, Bebauung der Krefelder Straße, Aquinostraße und Maybachstraße. Aufnahme von Hansahochhaus aus. (Rheinisches Bildarchiv, Köln)

um ein Maximum an Bebauungsdichte und Gebäudemassierung durchzusetzen. Zu diesem Aspekt hat Fritz Schumacher, der später als Planer Kölns genügend Einblicke hatte, dann auch lapidar angemerkt: »Zweifellos glaubte Josef Stübben, als er 1881 in dem freigemachten Gebiet seine breiten Straßen und weiten Blöcke anlegte und in die Mitte nach Wiener Vorbild einen ›Ring‹ projektierte, die gefährdete Stadt zu sanieren; zehn Jahre später war die ›Neustadt‹ hinter den bunten Fassaden eine ebenso versteinerte Wüstenei, wie die alte Kernstadt.«[141] Auf seinen Straßenplan fixiert, der im Sinne des französischen Stadtbauideals noch mit freigestellten Monumenten als Points de vue und mit Sternplätzen Effekte hervorzurufen versuchte, kam es Stübben auch nicht in den Sinn, zur baulichen Auflockerung und zur Verbesserung des Stadtklimas die Neustadt mit genügend Grünflächen zu durchziehen. Jedenfalls genügen die in die Randzone eingerückten Parks (Volksgarten und Stadtgarten) in ihrer isolierten Lage und in ihrem bescheidenen Flächenanteil den Anforderungen einer Durchgrünung nicht.[142]

Eine für das Stadtbild negative Rolle hat auch die Eisenbahn bei der Kölner Stadterweiterung gespielt. Für ihre Einfügung in die Altstadt waren durch den 1857 bis 1859 erfolgten Bau des Bahnhofs auf der Nordseite des Doms und die Errichtung der Eisenbahnbrücke über den Rhein (Dombrücke, auch »Mausefalle« genannt) die Weichen gestellt worden. Nach der 1880 vorgenommenen Verstaatlichung der bisher privat betriebenen Bahngesellschaften ging es dann um die Situierung des neuen Hauptbahnhofs, der Nebenbahnhöfe und der Trassenführung. Am Ende einigten sich Stadt und Staat nach einer lebhaften öffentlichen Diskussion 1883 auf die Lösung, den alten Bahnhof am Standort neben dem Dom durch einen Neubau zu ersetzen und die Neustadt in der äußeren Randzone durch eine auf einen Damm gelegte Eisenbahntrasse zu umfahren, um im Westen und Süden zwei neue Stadtbahnstationen anzulegen. Welchen verhältnismäßig großen Flächenanteil die Eisenbahn bei der Stadterweiterung beanspruchte, läßt sich am besten aus der Einrichtung des Güter-Verschiebebahnhofs im nordwestlichen Erweiterungssektor ablesen. In diesem Bereich erweisen sich die in großem Bogen durchgezogenen Bahntrassen und die zahlreichen Gleisharfen als eine so tiefgreifende Zäsur im Stadtkörper, daß jede Beziehung zum Umland aufgehoben ist. Aber auch die Fortführung des Bahndamms nach Süden trennt die Neustadt auf eine lange Strecke hin von der äußeren Umgebung ab und bedeutet eine neue Einengung und Barriere für die ganze Stadt. Da sich jedoch unmittelbar daran die neuen Festungswerke anschlossen, war für die damalige Zeit der Abschluß der städtischen Bebauung eindeutig markiert.

Doch diese Einkreisung durch den nach außen verlegten Festungsrayon konnte vierzig Jahre später, als Köln endgültig seinen Festungscharakter verlor, als ein Glücksfall der Stadtgeschichte angesehen werden. Der nun gewonnene Freiraum gab nämlich dem ab 1917 amtierenden Oberbürgermeister Konrad Adenauer die Möglichkeit, Köln linksrheinisch mit einem Grüngürtelsystem zu umgeben, zu dem der Hamburger Architekt Fritz Schumacher (1896–1947) die Pläne entwarf und das in den zwanziger Jahren wenigstens teilweise verwirklicht werden konnte.[143]

Außer in Köln hat die Ringstraßenidee auch noch in einer Reihe anderer deutscher Städte eine erwähnenswerte Rolle gespielt. Für B e r l i n ist das Thema schon zu einem früheren Zeitpunkt in Peter Joseph Lennés Plan »Projectirte Schmuck- und Grenzzüge von Berlin und Umgebung« von 1840 angedeutet. Es ist dann später im Bebauungsplan für die Umgebung Berlins von 1858/62 wieder aufgenommen worden (siehe Kapitel 5.4). Genau gesehen ist eine Ringstraße aber nur ansatzweise in bestimmten Streckenabschnitten wahrnehmbar. Und da von der Verkehrsführung her gesehen für einen geschlossenen Ring offenbar kein Bedürfnis bestand, ist dieser Ansatz beim Ausbau Berlins nicht weiterverfolgt worden.

In H a n n o v e r versuchte Theodor Unger (1846–1912), durch sein Ringstraßenprojekt von 1876 der Stadt in einem größeren Rahmen wieder die alte Geschlossenheit zu geben.[144] Immerhin war in der Humboldt-, Goethe- und Georgstraße bereits ein erkennbarer Ansatz zu einem Tangentenring vorhanden. Nach Ungers Vorstellungen sollte nun eine »Projectirte Ring-Straße« im südlichen Bereich den Zusammenschluß herstellen. Ungewöhnlich sind in seinem Projekt allerdings die beiden an die Ringstraße angeschlossenen und zwischen zwei großen Rondellplätzen eingespannten Bassins, die offenbar von der Binnen- und Außenalster in Hamburg inspiriert sind. Die geometrische Einordnung der neugeplanten Ringstraßenzüge und das Motiv der Rondellplätze deuten darauf hin, daß Unger weit mehr von formalen als von praktischen Überlegungen geleitet wurde. Und da sachliche Zwänge für eine derartige Lösung nicht vorhanden waren, blieb sein Projekt ohne Folgen.

In N ü r n b e r g veranlaßte die Auflassung der Festungsanlagen den Bleistiftfabrikanten Lothar von Faber, sich Gedanken über die städtebauliche Verwertung des freiwerdenden Geländes zu machen.[145] Um seine Vorstellungen zu verdeutlichen, ließ er sich 1879 von den zwei Fachleuten A. Gnauth und A. Wagner ein »Projekt zur Herstellung einer neuen Ringstraße mit Anlagen um die Stadt Nürnberg« ausarbeiten.[146] Obwohl die Kombination eines 44 Meter breiten Ringboulevards mit Promenaden und Parkanlagen den Zeitgenossen als ein überlegenswerter Vorschlag hätte erscheinen müssen, stieß Faber fast nur auf Ablehnung und Kritik. Der Nürnberger Magistrat fertigte schließlich die Privatinitiative des angesehenen Bürgers mit dem billigen Argument ab, die durch die Zeitverhältnisse bedingten Schwierigkeiten ständen einer so großartigen Idee entgegen.

Es mag genügen, zum Schluß noch summarisch auf einige andere Städte wie Mannheim, Lüttich, Antwerpen, Brüssel, Genf, Budapest und Barcelona zu verweisen, wo ebenfalls Ringstraßen projektiert oder ausgeführt worden sind. Sicher mußten sich diese zwar immer den lokalen Voraussetzungen und Bedürfnissen anpassen, vom methodischen Standpunkt aus gesehen führt ihre nähere Betrachtung aber zu keinen neuen Einsichten mehr.

Es bleibt abschließend nur noch festzustellen, daß die im 19. Jahrhundert vornehmlich nach monumentalen und repräsentativen Gesichtspunkten angewandte Ringstraßenidee keineswegs aus dem Gesichtskreis der Stadtplaner verschwunden ist. Nun ganz auf den Verkehr ausgerichtet, findet sie im Zeitalter des Kraftfahrzeugs in den City-Ringsystemen der modernen Städte ihre Anwendung.

199. Hannover im Jahr 1854. (Niedersächsisches Hauptstaatsarchiv Hannover)
200. Entwurf einer Ringstraße für Hannover, von Theodor Unger, 1876. Lageplanskizze. (*Zeitschrift des Arch.- und Ing. Vereins zu Hannover*, 1877)

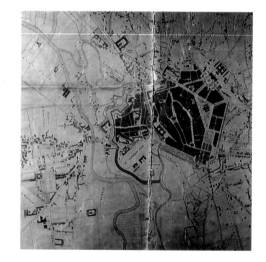

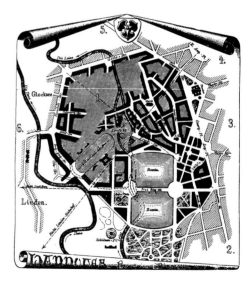

## 5.3. Die urbane Expansion Londons

In London, der Metropole des britischen Empire, ist im Gegensatz zu Paris und Wien, den kaiserlichen Residenz- und Festungsstädten des Kontinents, ein andersgearteter urbaner Entwicklungsprozeß zu beobachten. Die allgemein anerkannten demokratischen Spielregeln für den Machtausgleich zwischen Königshaus, Lords und Commons verhinderten hier jeden Ansatz zu diktatorischen Plänen oder gar absolutistischen Willküraktionen. Allein das Parlament in Westminster war dazu legitimiert, den Gang der urbanen Evolution in London zu bestimmen und den Auswirkungen der früh einsetzenden Industrialisierung mit neuen Gesetzen zu begegnen. Es hatte dabei die sorgsam gehüteten Privilegien der City of London gegen die Forderungen des Industriezeitalters abzuwägen und die alte Institution des »local government« den veränderten Zeitverhältnissen anzupassen. Denn die Erhebungen zu dem neuen Armengesetz von 1834 hatten unmißverständlich aufgezeigt, daß die kirchliche Gemeindevertretung als Selbstverwaltungskörper den administrativen Aufgaben der neuen Zeit nicht mehr gewachsen war. Im einzelnen hatten die Berichte von James Phillips Kay, Neil Arnott, Southwood Smith, John Howard u.a. die unhygienischen Zustände und die mißliche Lage im Wohnungswesen der unteren Klassen aufgedeckt. In der Folge waren, oft nur als spontane Maßnahmen zur Überwindung der Mißstände, in verschiedenen Kirchspielen Londons Kommissionen gebildet worden, die sich mit dem Bau von Straßen, Kanalisationen, Friedhöfen usw. beschäftigten. Die Untersuchungen von Edwin Chadwick 1842 über die sanitären Bedingungen, unter denen die Arbeiterschaft in den Städten Großbritanniens zu leben gezwungen war, machte vollends klar, daß auch in London in einer großangelegten urbanen Expansion neue Lösungen des Wohnungsproblems gesucht werden mußten.[147]

Stimulierend wirkte sich dabei der parlamentarische Einsatz des Earl of Shaftesbury aus. Es kam zu ersten punktuellen Unternehmungen in Form von Modellwohnbauten. Und zugleich setzte im großen Rahmen ein suburbaner Ausbau ein, der als charakteristischer Beitrag Londons zur Geschichte des Urbanismus näher beschrieben werden soll.[148]

## 5.3.1. Der Ausbau der Zoll- und Überlandstraßen

Im Stadtbild Londons sind die bereits beschriebenen Estate-Bebauungen des späten 18. und des frühen 19. Jahrhunderts immer noch als planmäßige Stadterweiterungen anzusehen, bei denen in einem überschaubaren Bereich eine räumliche Gruppierung und Ordnung angestrebt wurde. Trotz ihrer Randlage und ihrer Exklusivität waren sie auch rasch ein Bestandteil der Stadt geworden. In sich abgeschlossen, trugen sie aber weder zur Verkehrserschließung noch zur Lösung des Wohnungsproblems für breitere Schichten bei. Mit der aufkommenden Industrialisierung stellten nämlich Gütertransporte und Bevölkerungsbewegungen immer höhere Ansprüche an das Verkehrssystem. Private Gesellschaften bauten deshalb ab etwa 1750 ein weit in das Land hinaus verästeltes Netz von Zoll- und Überlandstraßen, an denen dann meist eine planlose Streubebauung entstand, die nur schwer in die Stadt integrierbar war.[149]

Für eine Besiedlung völlig unzulänglich erschlossen waren die südlichen Bezirke der South Bank. Seit Jahrhunderten besaß London nur die alte London Bridge als Themseübergang. Es fehlte also vor allem an Brücken, aber auch an einer durchgehenden Straßenverbindung zwischen Southwark und Lambeth. Mit der Westminster Bridge (1739–50) erhielt London endlich eine zweite Themsebrücke. Ihre Anschlußstraßen, die Westminster Bridge Street, die St. George's Road und die New Kent Road, erschlossen das St. George's Field in Ost-West-Richtung, ohne vorerst aber das vorstädtische Bauen zu beschleunigen. Als folgenreicher für die Besiedlung erwies sich die 1769 vollendete Blackfriar's Bridge, an die sich im Süden die Surrey New Road anschloß. Die Bebauung von St. George's Field war nun, nachdem eine direkte Verbindung mit der City hergestellt war, nicht mehr aufzuhalten. Als Mittelpunkt bildete sich St. George's Circus heraus, von wo aus sich der Verkehr radial nach allen Richtungen hin verteilte.[150]

Ab 1786 führte der Surrey New Road's Trust das Straßensystem immer weiter in das Land nach Süden hinaus. Es erfaßte zuerst Newington, Walworth und Camberwell, bald darauf auch Peckham und Dulwich. Die 1816 eröffnete Vauxhall Bridge verband Camberwell auch noch in nordwestlicher Richtung über die Camberwell New Road mit Westminster, so daß nun für diesen Bezirk eine geradezu stürmische bauliche Entwicklung einsetzte.

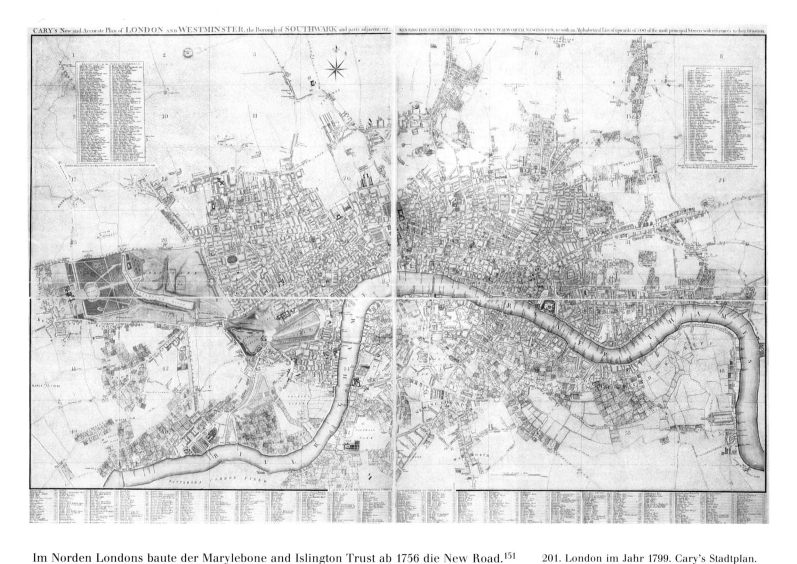

Im Norden Londons baute der Marylebone and Islington Trust ab 1756 die New Road.[151] Sie war ursprünglich als eine weit außen liegende Umgehungsstraße für den schweren Wagenverkehr zwischen Paddington und Islington konzipiert und sollte als »by-pass road« beidseits auf eine Tiefe von 15 Metern von jeder Bebauung frei gehalten werden. Überhaupt wurde diese Straße, da sie genau die nördliche Begrenzung der leicht bebaubaren Sand-Kies-Terrasse Zentrallondons bildete, als natürliche Baugrenze angesehen.[152] Aber bereits zu Beginn des 19. Jahrhunderts schob die unaufhaltsame Expansion der Stadt auch diese Markierung beiseite und machte weiter nördlich neue Verkehrserschließungen notwendig. Sie waren in ihren Hauptlinien darauf angelegt, die Innenstadt mit der Great North Road zu verbinden. Im Osten entwickelte sich ab 1812 aus der Marktstraße von Islington die New North Road. Im Westen verband die zwischen 1826 und 1835 gebaute, 6 Meilen lange Finchley Road das Westend mit der nördlichen Überlandstraße. Zudem war geplant, die Regent Street in einer nordöstlichen Ausfallstraße bis nach Epping weiterzuführen. Ein Parlamentsbeschluß von 1826 sicherte dieses Projekt ab. Mit der Albany Street, dem Parkway, der Camden Road und der Seven-Sisters Road war es 1836 bis nach Tottenham verwirklicht. Hier endete der Straßenzug jedoch, da das Aufkommen der Eisenbahnen um diese Zeit den raschen finanziellen Zusammenbruch der Zollstraßen-Unternehmen bewirkte.

Mochten in der Tat die Schlagbäume und Tore auf den Zollstraßen bereits überholt und die Vorliebe für das Neuartige der Eisenbahn verständlich sein, die grundsätzliche Bedeutung des Ausbaus der Verkehrsstraßen zwischen 1750 und 1835 wird dadurch keineswegs gemindert. London besaß damit viel früher als die Hauptstädte des Kontinents ein überregionales und ein suburbanes Straßennetz für eine rasche Personenbeförderung durch pferdegezogene Wagen. Diese Konstellation beschleunigte sicher den längst eingeleiteten Prozeß einer immer eindeutigeren Trennung von Arbeitsstätte und Wohnort, von City und Suburb, der zu einer großangelegten Dezentralisationsbewegung im Großraum London führte. Indem sich auf dieser Basis nun eine prinzipielle Lösungsmöglichkeit für den Wohnungsbau abzeichnete, war die weitere Entwicklung bei dem bedenkenlos angewandten Prinzip des Laisser-faire aber keineswegs befriedigend. Die Situierung

201. London im Jahr 1799. Cary's Stadtplan. (The British Library, London)

der neuen Suburbs hing oft nur von den Zufälligkeiten einer vorhandenen Durchgangsstraße oder eines Weilers ab. An der Edgware Road in Kilburn oder an der Old Kent
Road in Newington läßt sich belegen, wie vor dem Aufkommen der Eisenbahnen einfach
vorhandene Zoll- und Landstraßen den Rahmen der frühen suburbanen Expansion absteckten. Oft bestimmten auch nur die vom Zufall abhängigen kleineren Geländeaufkäu-
fe der spekulativen Bauunternehmer (»jerry-builders«), an welcher Stelle gerade gebaut
wurde.[153] Das Ausbautempo und die Bauklasse richteten sich dann nach dem gerade
vorhandenen Bedarf. Bei diesem Vorgehen blieben räumliche Ordnung und soziale Ausgewogenheit fast völlig außer Betracht. In dieser Hinsicht waren für die weitere Entwicklung im Zeichen der Eisenbahnen die Weichen bereits falsch gestellt.

### 5.3.2. Die Einführung der Eisenbahnen

Sobald die dampfgetriebenen Lokomotiven eine Nutzanwendung in größerem Maßstabe
zuließen, war die Erschließung Londons durch Eisenbahnlinien nicht mehr aufzuhalten.[154] Zuerst wurde mit Nachdruck eine Frachtverbindung Birmingham−London gefördert. Der »London and Birmingham Railway Act« von 1833 regelte den Bau dieser 180 Kilometer langen Eisenbahnlinie.[155] Aus dem Nordwesten kommend, endete sie in London
zuerst im Camden Town Depot. Von dort aus mußten die Frachten auf dem Regent's Canal mit Kähnen zu den Docks von Blackwall transportiert werden. Die Situierung der
Endstation in Camden Town und die weiten Abstände der einzelnen Haltestellen beweisen, daß diese Eisenbahnlinie anfänglich nicht für Personenbeförderung vorgesehen war.
Jedoch erkannte die Bahngesellschaft bald, wie einträglich gerade Personenzüge waren.
Schon 1835 holte sie deshalb die Erlaubnis ein, die Linie nach Süden bis nahe an die New
Road zu verlängern und dort die Euston Station zu errichten, um die Passagiere bis unmittelbar an den Stadtkern zu befördern. Zur selben Zeit entstand im Süden die London
and Greenwich Railway, die im Dezember 1836 eröffnet wurde.[156] Sie war von Anfang
an für den Personenverkehr bestimmt, und ihre Endstation London Bridge führte auch
unmittelbar an die City heran. Weitere Linien kamen in rascher Folge hinzu: 1837 nördlich der Themse die Great Western Railway,[157] die in Paddington Station endet; die Eastern Counties Railway, die sich 1839 bis 1843 nach Shoreditch am östlichen Rande der
City vorschob; um 1850 die Great Northern Railway mit Endstation in King's Cross und
1899 noch die Midland Railway (1863−68), die bis St. Pancras Station geführt ist.[158] Südlich der Themse erschlossen die South Eastern Railway, die South Western Railway und
dazwischen die London Chatham and Dover Railway das Land. Nimmt man noch die
verschiedenen Verbindungslinien hinzu, so sieht man gegen 1870 London von allen Seiten mit einem Eisenbahnnetz versehen.[159]

202. London, 1840, die Einführung der Eisenbahnlinien in den Stadtkörper.
203. London, 1860. (*Roy. Commission on London Traffic*, 1906, VI)

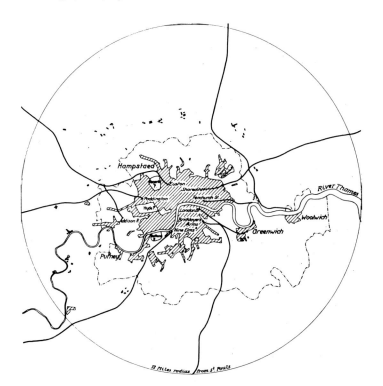

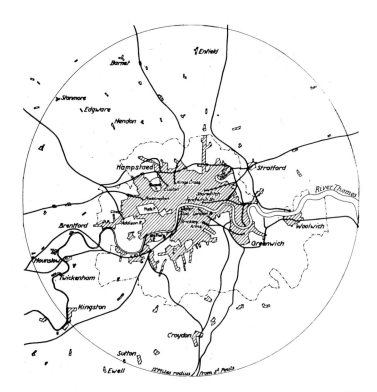

Städtebaulich gesehen, ist es aufschlußreich, wie die Eisenbahntrassen in die Stadt eingeführt wurden und welche Folgen sich daraus im einzelnen für die Bebauung ergaben. Die Eisenbahnen hatten sich vor allem an den topographischen und geologischen Gegebenheiten zu orientieren. Die nördlichen Erhebungen mußten, wenn sie nicht umfahren wurden, untertunnelt werden, und in den südlichen und östlichen Flußniederungen kam man ohne künstliche Gründungen, etwa durch Viadukte, nicht aus. Die auftretenden technischen Probleme irritierten die Ingenieure jedoch kaum.[160] So unterfuhr Stephenson für die London and Birmingham Railway die Ausläufer der Northern Heights im Primrose Hill Tunnel auf 1065 Metern Länge, und die London and Greenwich Railway lief fast die ganze Strecke von vier Meilen über einen Viadukt von 878 Bögen, auf dem außer den Gleisen auch noch Wohngebäude und Warenhäuser geplant waren. Daß dabei Geländeeinschnitte und Aufschüttungen, Dämme und Brücken eine bisher fast unberührte Landschaft veränderten, wurde hingenommen, und der kämpferische Einsatz William Cobbetts für die Erhaltung der ländlichen Szenerien verhallte als geistreicher literarischer Appell ohne spürbare Folgen.[161]

Indes richtete sich die Trassierung nicht nur nach günstigen Geländevoraussetzungen, die bestehende Bebauung und der Marktwert des beanspruchten Bodens beeinflußten die Planung nicht weniger. Den Eisenbahngesellschaften bereitete es keine allzu großen Schwierigkeiten, sich einen Weg in die Stadt zu bahnen, solange sich die geschlossene Bebauung in den Grenzen der New Road im Norden, der Themse im Süden, dem Hyde Park im Westen und den Docks im Osten hielt, wie es gegen 1835 noch der Fall war, und solange sich die Häuser in den Randbezirken nur in schmalen Baustreifen auf nicht zu große Entfernungen an den »high streets« entlang in das Land hinaus verästelten. Aber schon nach wenigen Jahren, als die Eisenbahnen in verstärktem Maße zur Personenbeförderung übergingen, wurde ihr Dilemma offensichtlich: Die Gesellschaften der Hauptlinien mußten bestrebt sein, ihre Endbahnhöfe so tief wie möglich in den Stadtkörper hineinzutreiben, um die Passagiere möglichst nahe an die Arbeitsstätten in der City heranzubringen. Dieser Absicht standen aber mancherlei Hindernisse entgegen. Entweder versperrten bebaute Wohnviertel mit ihren Gebäuden, Straßen und Kanalisationen den Weg oder machten die Bodenpreise von wertvollem, noch unbebautem Gelände exorbitant hohe Ablösungen notwendig. Um doch zum Ziel zu gelangen, wichen die Gesellschaften mit Trassen, Bahnhöfen und Güterhallen oft auf Gegenden mit ärmlicher Bebauung und niedrigen Bodenwerten aus, zumal sie dort mit einer geringeren Opposition und mit weniger parlamentarischen Auflagen zu rechen hatten als bei den Besitzungen einflußreicher Landlords. Meist verloren die betroffenen Bezirke dadurch noch den letzten Rest ihrer sozialen Wertigkeit. Die Gleis- und Bauarbeiten entfachten eine turbulente Geschäftigkeit, und der Lärm der Dampfhämmer und der Rauch der Essen vertrieben die mittelständischen Bewohner vollends. Diese ließen sich nun in den Suburbs nieder. Ihre bisherigen Wohnungen wurden entweder in Läden, Geschäftshäuser oder Wohnheime umgewandelt, oder aber sie zerfielen als Unterkünfte der Ärmsten immer mehr und beschleunigten damit die Verslumung der ganzen Umgebung.

THE HOUSES OF THE LONDON POOR.

204. Paradise Row in Agar Estate, London. Die Behausungen der Armen. (*The Builder*, XI, 1853)

Dieser urbane Entwertungsprozeß durch den Einbau der Eisenbahn hat wohl an keiner Stelle Londons so tiefgreifende Wirkungen hervorgebracht wie in Camden Town. Anschaulich beschreibt Charles Dickens in *Dombey and Son* (Kapitel 6) die Bauarbeiten im Jahre 1836 bei der Verlängerung der London and Birmingham Railway zur Euston Station. Kurz zuvor angelegte Straßen mußten aufgelassen, neugebaute Häuser abgerissen werden. Beiderseits der Bahn entstanden Warenhäuser und Fabriken, in der Albany Street, auf der Rückseite der Cumberland Terrace, sogar eine »steam gun factory«. Mochte die enge Bebauung des Bedford Estate und des Brewer's Estate durch die eingefügten Squares und Crescents noch an das einst gültige Niveau des herrschaftlichen Wohnungsbaus erinnern, in Agar Estate und Somers Town entstanden von Anfang an Slums.[162] Mit primitivsten Mitteln flickten Bauarbeiter Hütten ohne Wasserversorung und Entwässerung zusammen und bezogen sie. So beschreibt Dickens Agar Town als »an English Suburban Connemara« (*Household Words,* 1851). Obwohl unmittelbar benachbart, verkörperten die aristokratischen Hauszeilen des Regent's Park und die zusammengedrängten, armseligen Reihenhausblöcke von Camden Town getrennte Welten. Als unübersteigbare Barrieren markierten die Eisenbahneinschnitte nun auch visuell die klare soziale Trennung der Bezirke. Auch die Einführung der Great Northern Railway bis King's Cross Station an der New Road, die ein Prospekt von 1844 ankündigte, ergab weitreichende Veränderungen im städtebaulichen Gefüge um Maiden Lane.

Diesen von zufälligen Voraussetzungen abhängigen und für die soziale Strukturierung der Bewohner unheilvollen Vorgängen trat 1846 die Metropolitan Termini Commission entgegen.[163] Sie wandte sich entschieden gegen das Eindringen der Eisenbahnen in die dichtbebauten Viertel der Innenstadt. Aber obwohl 1863 die Verbotsfläche noch vergrößert wurde, konnte nicht verhindert werden, daß in der zweiten Hälfte des 19. Jahrhunderts, wie spätere Ermittlungen ergeben haben, nicht weniger als 76000 Menschen durch den Bau von Eisenbahnen aus ihren Wohnungen in London vertrieben worden sind.[164]

Die Eisenbahngesellschaften wußten sich den neuen Bedingungen anzupassen. Sie bauten ihre großflächigen Güter- und Wagenhallen außerhalb der Stadt in Gegenden mit erschwinglichen Bodenpreisen. Den Personenverkehr, der die Haupteinnahmen brachte, belebten sie dadurch, daß sie nun in engeren Abständen Stationen an den bestehenden Hauptlinien einrichteten.

Aber es verdichtete sich nicht nur zusehends das Netz der Stationen, auch Verbindungen zwischen den Kopfbahnhöfen in Form von Ringbahnen trieben die Verkehrserschließung weiter voran. Bereits 1846 war der Zeitpunkt für eine bessere Verbindung des Nordwestens mit den im Osten gelegenen Docks gekommen. Mit parlamentarischer Zustimmung entstand 1847 bis 1851, wiederum zuerst für den Warenverkehr gedacht, die Birmingham Junction Railway (ab 1853 North London Railway) zwischen Camden Town und den East and West India Docks. Entgegen allen Annahmen war das Güteraufkommen gering, während der Personenverkehr bald alle Erwartungen übertraf. Die Führung der Linie durch Islington, Hackney und Bow erschloß hier erstmalig in einem weitausholenden Bogen den ganzen Nordosten Londons. Bald darauf erhielt auch der Nordwesten ein Stück Ringbahn, als kurz nach 1853 die Hampstead Junction Railway zur Entlastung der North Western Railway gebaut wurde. Sie verschaffte Kentish Town, Gospel Oak, Hampstead Heath, Finchley Road und Harlesden direkte Anschlüsse an das Eisenbahnnetz.

## 5.3.3. Der Bau der Untergrundbahn

Noch bevor alle Hauptlinien der Eisenbahn ihre Kopfbahnhöfe an den zentralen Stadtbereich herangeschoben hatten, erreichten die Pendlerströme solche Ausmaße, daß auch die innerstädtischen Verkehrsverhältnisse neu geordnet werden mußten.[165] Vor allem anderen erwies sich eine durchgehende Verbindung der Bahnhöfe untereinander als notwendig. Bisher bestritt der schon 1829 durch George Shillibeer von Paris übernommene pferdegezogene Omnibus einen großen Teil des Verkehrs. Manche Vororte waren zuerst überhaupt nur durch dieses Verkehrsmittel, das sich in der Ebene leicht einsetzen ließ, an die City angeschlossen, wie etwa Camberwell, das ab 1835 zu einer der expansivsten Suburbs des Südens geworden war, aber erst 1862 einen Eisenbahnanschluß erhielt.[166] Auf diese Art gerieten auch abgelegene Vororte ohne Bahnverbindung in die urbane Einflußsphäre Londons. Denn die Tarife erlaubten immerhin der unteren Mittelklasse (»clerks and artisans«) regelmäßige Fahrten zu den Arbeitsstellen.

Im Norden erwies sich die New Road in ihrer Funktion als Ringstraße dem starken Pferdeverkehr bald nicht mehr gewachsen. Kühne Pläne kamen auf, um die Verhältnisse zu verbessern. Nach einem Vorschlag sollte eine Eisenbahn auf Bogenkonstruktionen über die Häuser hinweg, nach einem anderen im Boden versenkt im trockengelegten Bett des Regent's Canal gebaut werden, um die dringend notwendigen Zwischenverbindungen zu schaffen. Der Stadtanwalt Charles Pearson (1793–1862), der seit 1833 den Lord Mayor und den Common Council von London mit Plänen für einen Zentralbahnhof für ganz London in Farringdon Street bestürmte, brachte im Hinblick auf den kaum mehr zu entflechtenden Straßenverkehr den Gedanken auf, die notwendige Bahn auf der Linie der New Road »underground« anzulegen. Die Corporation of the City of London, als Stadtverwaltung an geordneten Verkehrsverhältnissen am stärksten interessiert, und die Great Western Railway fanden sich bereit, dieses ungewöhnliche Projekt zu finanzieren. Auf Grund eines parlamentarischen Beschlusses von 1853 konnte die North Metropolitan Railway Company 1860 daran gehen, die erste Untergrundbahnstrecke zwischen Edgware Road und Battle Bridge bei King's Cross zu bauen. Bei dem gewählten System des »cut-and-cover«, bei dem die Bahntrasse unmittelbar unter der darüberliegenden Straße eingegraben, abgefaßt und wieder zugedeckt wurde, ergaben sich, wie nicht anders erwartet werden konnte, ziemlich hohe Baukosten. Die technischen Risiken zeigten sich, als der eingebrochene Fleetkanal den fast vollendeten Tunnel auf 3 Meter Höhe überflutete. Trotz dieser Schwierigkeiten stellte der verantwortliche Ingenieur John Fowler (1817–98) die Linie fertig. Sie konnte im Januar 1863 eingeweiht werden.[167]

Der erfolgreiche Abschluß dieses Unternehmens rief viele Erweiterungsvorschläge hervor. Der eingesetzte Untersuchungsausschuß sprach sich nach Fowlers Planungen für die Lösung einer inneren Underground-Ringbahn aus. Sie sollte so geführt werden, daß sie möglichst viele Endbahnhöfe der Hauptlinien erfaßte. Unter diesem Gesichtspunkt vollzogen sich dann die Erweiterungsabschnitte der Metropolitan Railway. Sie reichte im Dezember 1865 bis Moorgate, im Dezember 1868 bis Westminster. Im Juli 1871 war sie bei Mansion House, im November 1876 bei Aldgate im Towerbereich angelangt. 1884 schloß sich die letzte Lücke des Inner Circle. Inzwischen war auch noch 1868 die Metropolitan District Railway zwischen South Kensington und Westminster begonnen worden. Diese zweite Linie – man sprach von »Twin Lines« – dehnte sich in den folgenden Jahren in einem großen Bogen nach Osten unter dem Victoria Embankment bis Blackfriars und nach Westen bis Bishops Road in Paddington aus. Als schließlich beide Ringbahnen zusammengeschlossen waren, zeigte sich schnell die begrenzte Wirksamkeit dieses Zirkulationssystems. Es umfuhr die City in engem, das Westend in weitem Bogen und brachte die vielen Pendler doch nicht direkt in die Mitte der City. Davon abgesehen fehlte nach wie vor eine direkte Durchgangsverbindung für den überregionalen Verkehr von der Südküste nach Mittelengland. So erwiesen sich neue Linien, aber auch eine billigere Konstruktionsmethode als notwendig. Die von P. Barlow schon 1869 beim Bau des Themse-Tunnels zwischen Tower und Bermondsey aufgezeigte »tube«-Methode führte weiter. Es handelte sich dabei um die Herstellung tiefliegender Tunnelröhren, die sich in den Londoner Kies-Tonböden mit weniger Aufwand und flexibler als die Unterpfla-

205. Metropolitan Railway Station – wahrscheinlich Euston Square –, London, am frühen Vormittag. (William Blanchard Jerrold, Gustave Doré, *London, A pilgrimage*, a.a.O.)

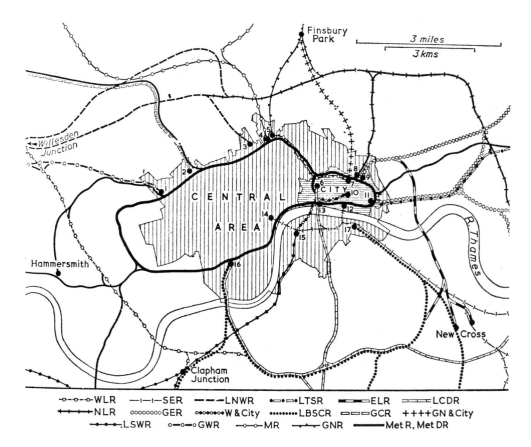

206. Metropolitan and District Railways und Eisenbahn-Hauptlinien in London.
WLR West London Railway, SE South Eastern Railway, LNWR London and North Western Railway, ELR East London Railway, LCDR London Chatham and Dover Railway, NLR North London Railway, GER Great Eastern Railway, W & City Waterloo and City, LBSCR London Brighton and South Coast Railway, GCR Great Central Railway, GN & City Great Northern and City, LSWR London and South Western Railway, GWR Great Western Railway, MR Midland Railway, GNR Great Northern Railway, MetR, Met DR Metropolitan and District Railways.
Bahnhöfe: 1 Paddington, 2 St. Marylebone, 3 Euston, 4 St. Pancras, 5 King's Cross, 6 Holborn Viaduct, 7 Moorgate, 8 Broad Street, 9 Liverpool Street, 10 Bank, 11 Fenchurch Street, 12 Cannon Street, 13 Blackfriars, 14 Charing Cross, 15 Waterloo, 16 Victoria, 17 London Bridge. (*Greater London*, hrg. von J.T. Coppock, Hugh C. Prince, London 1964)

sterbahnen ausführen ließen. Ab 1890 war die erste Untergrundbahn dieser Art, The City and South London Tube, von King William Street nach Stockwell von Elektro-Lokomotiven gezogen in Betrieb. 1898 folgte die Waterloo and City Railway. In dem ersten Jahrzehnt des 20. Jahrhunderts erweiterte sich das Netz immer mehr, wobei sich ein deutlicher Zug nach Westen abzeichnete.[168]

In den fortgeschrittenen Ausbaustufen erfüllte die Untergrundbahn schließlich jene distributive Funktion, die von Anfang an von ihr erwartet worden war.


### 5.3.4. Die suburbane Bewegung

Die Folgen der geschilderten Verkehrserschließung blieben im suburbanen Bereich nicht aus. Um die Eisenbahnhaltepunkte scharten sich schon nach kurzer Zeit freistehende Wohnhäuser in Form der »Victorian villas«.[169] Damit war der Grund zu den »railway suburbs« gelegt. Die günstigen Verkehrsanschlüsse zur Stadt lockten immer neue Bewohner an.[170] Ohne Rücksicht auf regionale und urbane Belange entstanden in willkürlichen Clusters zusammengestellte Häuserreihen. Mit ihrem Aufkommen war die Zeit der sorgfältig geplanten Estates endgültig vorbei. Der Umzug in diese frühviktorianischen Suburbs blieb aber jahrzehntelang den Angehörigen der Middle class, also begüterten Geschäftsleuten und gutbezahlten Angestellten, vorbehalten. Nur sie konnten in den ersten Jahren der Eisenbahn die hohen Kosten für die täglichen Fahrten aufbringen. Für die Arbeiter waren, solange ihr Wochenlohn ein Pfund oder weniger betrug, Fahrkarten zu einem Shilling unerschwinglich.[171] Noch nach der Jahrhundertmitte wohnten sie deshalb zumeist in Geh-Entfernung der Arbeitsstätten. Sie begaben sich täglich in einem Strom von Hunderttausenden zu Fuß zur Arbeit in die City. Die innerstädtischen Quartiere, in denen sie zu wohnen gezwungen waren, erwiesen sich längst als überfüllt und zeigten, wie später die Untersuchungen der Royal Commission on the Housing of Working Classes ergeben haben, nicht nur bauliche, sondern auch gesellschaftliche Zerfallserscheinungen.[172]

Freilich war die suburbane Absetzbewegung des Mittelstandes kaum geeignet, die Wohnungsnot zu lindern, sie trug eher zur weiteren Entmischung der Stadtbevölkerung und zur Fixierung gesellschaftlich abgegrenzter Bezirke bei. Jedoch gab es auch hier bestimmte Grenzen. Wenn die Bewohner einer Suburb ihre spleenige Absonderung zu weit trieben, wurden sie zur Zielscheibe des Spotts.[173] So asozial und planlos sich dieser Zug in die weitere Umgebung Londons in der ersten suburbanen Phase auch ausnahm, in ihm artikulierte sich immerhin der Wunsch nach einer Trennung von Arbeits- und Wohnstätte, nach eigenem Haus und Garten und überhaupt nach gesünderen Lebensbedingungen in einer heilen Umwelt. Gerade diese Ideale rückten immer stärker in den Vordergrund und konnten fortan auch den unteren Klassen nicht mehr vorenthalten werden.

Zwischen 1865 und 1885 änderte sich der soziale Hintergrund der suburbanen Bewegung. Es begann eine zweite Phase, in der nun auch der Arbeiterklasse der Umzug in die Vororte ermöglicht wurde. Für diesen Umschwung gab es verschiedene Gründe. Die Bevölkerung des Londoner Stadtgebietes nahm im 19. Jahrhundert in stetigem Maße zu, wie die folgende Aufstellung nachweist.[174]

| Jahr | Einwohner | Jahr | Einwohner |
|------|-----------|------|-----------|
| 1801 | 864845 | 1851 | 2362236 |
| 1811 | 1009546 | 1861 | 2803989 |
| 1821 | 1225694 | 1871 | 3254260 |
| 1831 | 1471941 | 1881 | 3834354 |
| 1841 | 1873676 | 1891 | 4232118 |

Spätestens ab 1860 waren die inneren Stadtteile zum Wohnen ungeeignet. Der Bau großer Geschäfts- und Kontorhäuser an Stelle abgebrochener Wohnbauten, etwa in der Oxford Street oder in The Strand, und überhaupt der Umwandlungsprozeß der City zur Handelsmetropole verschärfte die Wohnungssituation immer mehr. Den Menschen, die vom Land oder von Übersee in die Stadt zuzogen und jenen, die von Eisenbahn- und Straßenbauten aus ihren alten Behausungen vertrieben wurden oder auch einfach das längst zum Slum heruntergekommene Viertel wechseln wollten, blieb nichts anderes übrig, als sich in der weiteren Umgebung Londons nach einer neuen Wohnung umzusehen. Da bei der aus weltweitem Handel und Kolonialbesitz resultierenden Prosperität in London genügend Kapital für den spekulativen Wohnungsbau vorhanden war, kam es je nach Geldmarktlage immer wieder zu Booms (1868/69, 1878–80, 1898), in denen zahlreiche Vororte eine geradezu sprunghafte Erweiterung und Bevölkerungszunahme erfuhren. Die nachfolgende Aufstellung mag dies für einige der großen Suburbs verdeutlichen.[175]

| Jahr | Lambeth | Camberwell | Islington | Hackney |
|------|---------|------------|-----------|---------|
| 1801 | 27985 | 7059 | 10212 | 14192 |
| 1821 | 57638 | 17876 | 22417 | 25164 |
| 1851 | 139325 | 54667 | 95329 | 58529 |
| 1861 | 162044 | 71488 | 155341 | 83295 |
| 1871 | 208342 | 111306 | 213778 | 124951 |
| 1881 | 253699 | 186593 | 282865 | 186462 |
| 1891 | 275203 | 235344 | 319143 | 229542 |

Andere Gründe für diese neue gesellschaftliche Ausrichtung der suburbanen Bewegung waren auch noch, daß allmählich die öffentlichen Transportmittel billiger und die Miet- und Pachtzinse für viele Arbeiter endlich erschwinglich wurden. Auf die Tarifgestaltung nahm das Parlament nämlich dadurch Einfluß, daß es das weitere Vordringen der Eisenbahnen an den inneren Stadtkern und den damit verbundenen Abbruch von Arbeiterwohnungen von dem Einsatz besonderer Arbeiterzüge zu ermäßigten Fahrpreisen abhängig machte.[176] 1861 mußte die North London Railway, um die parlamentarische Erlaubnis für den 3 Kilometer langen Abzweig von Dalston Junction zur Broad Street Station zu erlangen, dieser Bedingung zustimmen. Die Great Eastern Railway gab 1864 dieselbe Zusage, um ihre Endstation mitten in der Stadt um die kurze Strecke von Shoreditch zur Liverpool Street vorzurücken. Die Metropolitan Railway setzte verbilligte Arbeiterzüge sogar ohne besondere Auflagen ein. Auf alle Fälle erkannten die Gesellschaften bald, daß diese Lösung sie weit billiger kam als ein Ersatzprogramm für die abgebrochenen Wohngebäude. Die Wirkung der Arbeiterzüge zeigte sich vor allem entlang der Great Eastern Railway. Im Nordosten wuchsen nun in Leyton und Walthamstow, in Tottenham und Edmonton die Working class suburbs hoch, meist überstürzt und chaotisch gebaut.[177] Wie an Walthamstow nachzuweisen ist, bestand sogar zwischen der Anzahl der Zugeinsätze und der Bevölkerungszahl ein unverkennbarer Zusammenhang. Als dieser Ort 1871 den ersten Arbeiterzug erhielt, zählte er 11 092 Einwohner, 1899 dagegen, als 8 Züge liefen, 95 131 Einwohner. Da eine Arbeiterrückfahrkarte lediglich zwei Pennies, etwa 17 Pfennig, kostete, ist dieser unglaubliche Anstieg durchaus plausibel. Verständlicherweise drängten die Arbeiter nun an all jene Orte, die sich dieser billigen Tarife erfreuten. Sie lagen aber nur an den bereits genannten Linien, und auf diese Art wuchs die Stadt völlig willkürlich und unmaßstäblich. Jene Bereiche hingegen, in denen es nicht nur an Arbeiterzügen, sondern auch an Beschäftigungsmöglichkeiten fehlte, wie etwa im Nordwesten und in Teilen des Südens, blieben im Ausbau plötzlich weit zurück. Tatsächlich lief diese frühe suburbane Umzugsbewegung der Arbeiterschaft in Ausrichtung und Intensität ohne jede städtebauliche Lenkung ab und führte oft zu chaotischen Verhältnissen.[178]

Trotzdem glaubten die mit der Wohnungsfrage befaßten Komitees und auch der kritisch eingestellte Charles Booth, daß mit dem Ausbau des Verkehrssystems, der Verbilligung der Tarife und dem Erwerb von Bauland in den Außenbezirken erträgliche Wohnverhältnisse für die untere Klasse geschaffen werden konnten.[179] In der Tat beschleunigte der »Cheap Train Act« von 1882 die Entwicklung. Doch es zeigte sich bald, daß die Dampfeisenbahn eben doch nicht den Anforderungen einer ausgeglichenen und sozial ausgewogenen Stadterweiterung gerecht werden konnte. Erst die Elektrifizierung der Bahn, der Einsatz elektrischer Tramcars und der Untergrundbahn schufen bei größerer Flexibilität neue Ansätze. Auf jeden Fall haben die Eisenbahnen die urbane Struktur Londons nachhaltig beeinflußt, und zwar sowohl im zentralen Bereich durch die trennenden Einschnitte als auch im suburbanen Bereich durch die baulichen Ausgangspunkte der Stationen.

Auch die Untergrundbahn hat dort, wo sie sich radial in die Außenbezirke hinausschob, denselben suburbanen Erschließungseffekt hervorgebracht wie die Eisenbahn. Die Vorortstrecke zu den Chilterns im Nordwesten mag dies verdeutlichen. Man baute sie 1868 über St. John's Wood Road und Marlborough Road bis Swiss Cottage, wo damals das offene Land begann. 1879 rückte sie noch weiter hinaus über die Stationen Finchley Road und Kilburn bis nach Willesden Green. Sobald die Orte an das Netz angeschlossen waren, verdichtete sich die bereits vorhandene Streubebauung. St. John's Wood auf dem H.S. Eyre-Estate galt in unmittelbarer Nachbarschaft des Regent's Park mit seinem reichen Baumbestand und den Villen als ein vornehmer und ruhiger Platz. Auch als hier ab 1893 die Great Central Railway unter viel Protest und Widerstand nach Marylebone durchgeführt wurde, sicherten parlamentarische Auflagen für Tunnels und Stützmauern sowie Bauverbote für Arbeiterwohnungen die Exklusivität sowohl des Eyre-Estate als auch des E.B. Portman-Estate.[180]

Beiderseits der Edgware Road erstreckten sich Villen und dazugehörige Stallgebäude anfangs der sechziger Jahre bereits bis nach Kilburn, und die noch weiter nördlich gelegenen Orte Hampstead und Highgate rückten zu dieser Zeit stärker in den Blickpunkt jener wohlhabenden Kreise, die sich aus Inner-London absetzen wollten.[181] In der von der Industrie unberührten pastoralen Landschaft der Northern Heights bauten sich Schriftsteller und Künstler, Bankiers und Reeder, pensionierte Offiziere und Kolonialbeamte idyllische Landhäuser, die dem Ideal englischer Wohnkultur entsprachen. Auch die Architektur versuchte, den höchsten formalen Ansprüchen gerecht zu werden, spiegelte aber letztlich doch nur die rückwärts gewandten Stilreminiszenzen der Zeit wider, wie die 1878 angelegte und gerühmte Fitzjohn's Avenue oder die 1875 von Norman Shaw zwischen Hampstead Towers und Ellerdale Road gebauten Villen zeigen.[182]

Das nördliche Hampstead blieb nach den Festlegungen des »Hampstead Heath Act« von 1871 großenteils als öffentliches Landschaftsschutzgebiet unbebaut. Die für dieses Gebiet schon 1893 beschlossene »Tube« ließ über ein Jahrzehnt auf sich warten, bis der amerikanische Millionär Charles Tyson Yerkes eingriff und die Linie 1904–07 seitlich am Höhenkamm vorbei in die Weidegründe von Golders Green hinausführte. Was daraufhin an diesem Ort geschah, kann als der Modellfall der Entstehung einer mittelständischen Londoner Suburb angesehen werden.[183] Von dem Zeitpunkt ab, als die Untergrundbahn einen guten Verkehrsanschluß gewährleistete, stiegen die Bodenpreise um das Sechsfache. In der Folge breitete sich auf dem freien Gelände eine offene und weiträumige Bebauung aus, die als Teil der Landschaft begriffen wurde und deshalb den Gesetzen einer malerischen und bewegten Gruppierung entsprach. Drei vom Hendon Council übernommene Parks und der inzwischen auf 252 Hektar vergrößerte Hampstead Heath verstärkten zusätzlich den Eindruck der Weiträumigkeit. Golders Green wuchs zwischen 1907 und 1914 um 3611 Häuser und von 9711 auf 23700 Einwohner. Aber es war wiederum nach Bauplatzzuschnitt, baulicher Ausstattung und sozialem Status, wie St. John's Wood, Hampstead und Highgate, einer bestimmten Klasse vorbehalten. Daran änderte auch der Versuch von Henrietta Barnett nichts, in der ab 1907 in der Nähe gebauten Hampstead Garden Suburb einen Klassenausgleich zu finden (siehe Kapitel 7.2.2.). Die suburbane Bewegung folgte in diesem Falle genauso jenen Umständen, die der liberale Bodenmarkt, die Erschließungstechniken, das Architekturprestige der Wohnbauten und die soziale Schichtung der Bewohner bestimmten, wie zu Beginn der frühviktorianischen Zeit.

Die Bebauung des Londoner Ostens stand in engem Zusammenhang mit dem Hafenausbau.[184] Noch zu Ende des 18. Jahrhunderts wurden die Güter, die aus Übersee kamen, themseaufwärts nur bis Blackwall gebracht und von dort aus auf Leichtern an die Kais beim Custom House befördert. Der steigende Güterumschlag machte aber größere, stadtnahe Docks und Lagerhäuser erforderlich, zumal eine große Schar von Dieben und Räubern den kurzen Zwischentransport und den Ladevorgang dazu benutzten, sich mit Waren aller Art einzudecken. 1800 schätzte man die Zahl dieser »riverside robbers« auf 11000 und den Warenwert des Diebesgutes auf eine halbe Million Pfund.

Mit dem Bau der verschiedenen Docks – West India Docks 1800–02; London Docks 1805, 1854; East India Docks 1806; Surrey Commercial Docks 1826; St. Katherine Docks 1827/28; Millwall Docks 1868; Royal Albert Docks 1880 – änderten sich die Verhältnisse. Die neuen Einrichtungen zogen viele Arbeiter mit ihren Familien an, die in nicht allzu großer Entfernung ein Unterkommen finden mußten. Unter dem Zwang immer weiterer Zuzüge verwandelten sich Orte wie Shoreditch, Whitechapel, Shadwell, Stepney, Bethnal Green, Limehouse, Bow, Bromley, Poplar, Canning Town in wenigen Jahrzehnten von teilweise kleinen Weilern zu dichtbesiedelten Arbeitervororten.

Wie nicht anders zu erwarten war, blieb ihre Erschließung, Anlage und Nutzung fast ganz dem freien Spiel des spekulativen Baumarktes überlassen, denn die führenden Schichten, von wenigen karitativen Institutionen abgesehen, stellten kaum Überlegungen an, wie die Dockarbeiter auf eine sozial halbwegs befriedigende Weise untergebracht werden konnten. Die Folge waren Slums, die in Bethnal Green und an anderen Stellen eine traurige Berühmtheit erlangt haben. Als einzige ordnende Elemente in der urbanen Strukturierung der überbauten Flächen erwiesen sich wieder die vorhandenen Highways, an denen man die anspruchslosen und tristen Häuser aufreihte und die Nebenstraßen anschloß. Um diese Suburbs in ihrem urbanen Gehalt zu erfassen, braucht man nur einen Blick in eine solche denaturierte Umgebung von kahlen Mauern und eintönigen Straßenfluchten, von verdunkeltem Horizont und glanzlosem Arbeiterdasein zu werfen. Dann begreift man, daß hier die bauliche Wirklichkeit keinen Raum gab für jene sozialen Interaktionen, die dem städtischen Leben erst Inhalt und Sinn vermitteln. Um jedoch zu dieser Einsicht zu gelangen, waren noch manche Umwege notwendig.

## 5.3.5. Die viktorianischen Improvements

### Die städtebauliche Exekutive

Der allmählich immer stärker forcierte Ausbau der Suburbs bewirkte schon bald eine Bevölkerungsbewegung, die gegenüber früher nun eine umgekehrte Tendenz aufwies. In den inneren Bezirken Londons nahm die Einwohnerzahl etwa ab Jahrhundertmitte stetig ab, wie die folgende Aufstellung der Bevölkerungsdichte verdeutlicht.[185]

|      | London City | Strand | Holborn | St. Giles |
|------|-------------|--------|---------|-----------|
| 1801 | 128968      | 50719  | 84895   | 36502     |
| 1811 | 121263      | 51195  | 99574   | 48536     |
| 1821 | 125197      | 55020  | 121244  | 51793     |
| 1831 | 123608      | 50385  | 136972  | 52907     |
| 1841 | 124749      | 52177  | 151046  | 54292     |
| 1851 | 129171      | 51722  | 165454  | 54214     |
| 1861 | 113387      | 48242  | 167616  | 54076     |
| 1871 | 75983       | 41339  | 163491  | 53556     |
| 1881 | 51439       | 33582  | 151835  | 45382     |
| 1891 | 38320       | 27516  | 141920  | 39782     |

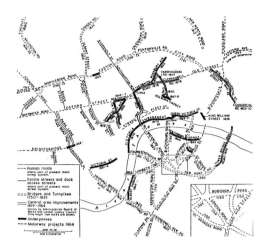

207. Londoner Improvements. Planskizze. (*Greater London*, a.a.O.)

208. London, um 1902, zentrale Bereiche. Bacon's portable map of London. (The British Library, London)

Die besondere Rolle Zentrallondons drückte sich aber noch darin aus, daß einer abnehmenden Nachtbevölkerung eine wachsende Tagesbevölkerung gegenüberstand und die Stadt an Werktagen eine starke Bevölkerungsfluktuation aufwies. Dem damit verbundenen, auf bestimmte Stunden konzentrierten Ansturm der Pendler war das Straßensystem der Innenstadt schon bald nicht mehr gewachsen. Es hatte sich weder beim Aufbau nach 1666 noch bei den Estate-Planungen der georgianischen Zeit nach einer übergeordneten Konzeption gerichtet, etwa mit dominierenden Achsen, Ringstraßen oder konsequent angewandtem Schachbrettmuster. Selbst der Durchgangsverkehr zwängte sich oft durch enge Straßen und über unübersichtliche Plätze. Wollte die Stadtverwaltung aber die in der suburbanen Zone begonnene Verkehrserschließung nicht im städtischen Vorfeld verpuffen lassen, so blieb ihr nichts anderes übrig, als im inneren Stadtbereich für neue Durchfahrts- und Verteilungsstraßen zu sorgen.

Die City Corporation hat dieses Verkehrsdilemma schon frühzeitig erkannt. Sie hat dagegen im Laufe der Regierungszeit Königin Victorias jene zahlreichen und kostspieligen Operationen unternommen, die als »metropolitan improvements« in die Stadtbaugeschichte Londons eingegangen sind.[186]

Es ist einigermaßen schwierig, aus der Abfolge und Richtung dieser Verkehrsverbesserungen bestimmte Tendenzen herauszulesen. Klar ist nur, daß ihre Realisierung eines langen Zeitraums, eines hohen finanziellen Aufwands und einer zuständigen exekutiven Institution bedurfte. Die Erfahrungen der ersten Hälfte des 19. Jahrhunderts bewiesen aber, daß die Bezirksverwaltungen (»vestries«) der komplizierten Aufgabenstellung der »improvements« nicht gewachsen waren.[187] Das Parlament versuchte im »Metropolitan Management Act« von 1855, diese Unzulänglichkeiten zu beseitigen, indem es den Metropolitan Board of Works als zuständige Baubehörde einrichtete. Außerdem nahm es eine Reorganisierung der Verwaltungsbezirke vor, bei der 78 Kirchspiele und die City zu 23 neuen Gemeinde-Vertretungen (»parish vestries«) zusammengefaßt wurden. London sollte dadurch zu einer kommunalen Einheit werden und eine klar umrissene Stadtgrenze erhalten. Die Reform mochte gut gemeint sein, aber die Übernahme vieler gesetzlich

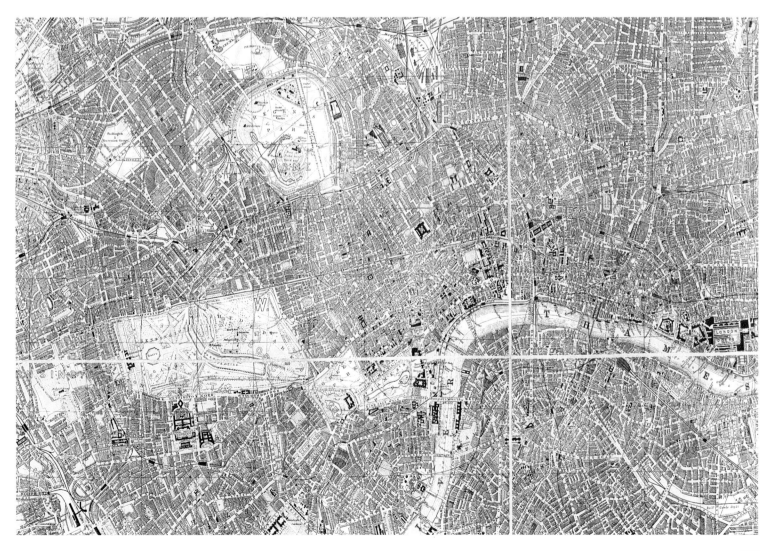

verbriefter Institutionen, der Versuch, für jede Aufgabe ein spezielles Komitee einzusetzen, und auch die unaufhaltsame Expansion in den Suburbs führten bald wieder zu einer administrativen Unübersichtlichkeit und Unsicherheit, die das Parlament 1889 erneut nötigten, einzuschreiten und den London County Council – L.C.C. – einzuführen.[188] Aber wie die Institutionen in der zeitlichen Abfolge auch gerade benannt werden mochten, die Notwendigkeit der Improvements stellten sie nie in Frage, und sie leiteten diese ein, sobald die Umstände es unaufschiebbar erforderten. Als ein wesentliches Tendenzmerkmal der Improvements darf deshalb ihre pragmatische Ausrichtung gelten, bei der die technischen Überlegungen im Vordergrund standen und die ästhetischen Belange zurücktraten.

Die jeweils von der Situation abhängige Nutzanwendung läßt es sinnvoll erscheinen, die Improvements nicht chronologisch, sondern im Zusammenhang mit den wesentlichen urbanen Verkehrsstrukturen darzustellen. Denn es ging schließlich um nichts anderes, als aufgestaute Verkehrsströme in neue Bahnen zu lenken und den durch meist willkürliche Bebauungen amorph gewordenen Stadtkörper mit richtungweisenden Straßenzügen zu strukturieren.

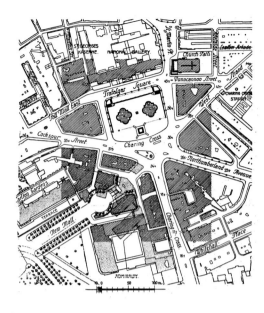

209. Trafalgar Square, London, nach 1910. (C. Gurlitt, *Handbuch des Städtebaus*, Berlin 1920)

Trafalgar Square

Zwischen Strand und Whitehall war wohl seit alter Zeit ein kleiner Platz vorhanden. An ihm standen die Kirche St. Martin-in-the-Fields (1721–26), die königlichen Ställe und ein übles Slumviertel, das unter dem Namen Bermuda oder auch Caribbee und Porridge Islands bekannt war. Nachdem die Ställe abgebrochen und die Slums bereinigt worden waren, entstand ab 1829 zu Ehren des englischen Seehelden Nelson das in der Höhengliederung fein abgestufte, weiträumige Platzgebilde des Trafalgar Square nach den Plänen von Sir Charles Barry.[189] Den abschließenden Hintergrund an der höchsten Stelle im Norden gibt die National Gallery (1832–38) ab, ein langgestreckter klassizistischer Bau, der mit seiner unscheinbaren Mittelkuppel und den seitlichen »pepper box«-Türmchen von der zeitgenössischen Kritik als der Situation nicht ganz angemessen empfunden wurde. Einen besonderen Akzent vermittelt die östlich davon gelegene, bereits erwähnte Kirche St. Martin-in-the-Fields durch ihren grazilen Glockenturm und ihre nach klassischem Vorbild gestaltete Tempelfront. Den Platz selbst füllen zwei große Brunnenanlagen, Statuen in den Ecken und das in die Mitte gesetzte, 56 Meter hohe Nelson Monument (1840–43). Platzwandungen im Osten und Westen und trichterförmig divergie-

210. Trafalgar Square und South Bank in London, aus der Luft, um 1950. (Hunting Acrofilms, Borcham Wood)

ewing S⸁ MICHAEL'S CHURCH, Crooked Lane, since taken down: taken on the spot. June, 1830.

rende Blöcke im Süden von Charing Cross, die im Laufe der Zeit baulichen Veränderungen unterworfen wurden, geben den seitlichen Halt. Der Square – »the finest site in Europe«, wie Sir Robert Peel meinte – fasziniert den Betrachter in mehrfacher Hinsicht: Mit dem Blick auf Galerie, Kirche und Gedenksäule spiegelt er monumentales Format im Sinne eines klassischen Architekturplatzes wider; im abgesenkten, von Stützmauern umrahmten Bereich der weiten Wasserbassins mit den plätschernden Fontänen scheint er ein Ort der Ruhe zu sein, zum Verweilen einladend; im unteren Verkehrsknoten des Charing Cross, wo sich mehrere Straßen bündeln, reflektiert er dagegen die ganze Hast und Unruhe des pulsierenden Stadtlebens, und hier entpuppt er sich als einer der wichtigsten städtischen Angelpunkte (»hubs of the City«).

Indes darf Trafalgar Square nicht als eine isolierte Operation der vorviktorianischen Zeit betrachtet werden. In der im Osten anschließenden Pall Mall East wurde 1820 die Straßenfront des königlichen Theaters (1790) nach Plänen von John Nash und George Repton vollendet. In der entgegengesetzten westlichen Richtung erneuerte man zwischen 1821 und 1831 die Nordseite des Strands bis zur King William IV Street. Dabei trat noch einmal der verhaltene Klassizismus der Regent Street in Erscheinung.[190]

### Islington-Southwark

Der erste große Straßendurchbruch folgt einer Linienführung, die wohl als umfassende Nord-Süd-Verbindung von Islington nach Southwark wirksam sein sollte. Der nördliche Ansatz war in der City Road längst vorhanden. Eine Fortsetzung nach Süden durch die Moorfields zum Mansion House hatte deren Planer Robert Dingley zwar schon um 1740 vorgesehen, er stieß damit bei seinen Zeitgenossen aber auf Ablehnung. Ein Jahrhundert später war der Zeitpunkt für diesen Durchbruch gekommen. Zwischen 1835 und 1840 trieb man Moorgate Street parallel zur Coleman Street durch ein Häusergewirr nach Süden vor. Die Straße erhielt 15 Meter Breite und eine viergeschossige Bebauung mit Stuckfassaden. Nahm man die anschließende Princess Street hinzu, konnte in ihr der Verkehr endlich ungehindert bis zum Platz beim Mansion House und der Bank of England fließen, einem nicht weniger wichtigen »hub« als Charing Cross. Von der entgegengesetzten Richtung her war durch den Bau der New London Bridge (1825–31) vorgearbeitet worden. Um die Brücke einzubinden, erwies sich zumindest im Norden ein leistungsfähiger Straßenanschluß als erforderlich. Die Stadtverwaltung schuf ihn 1831 bis 1835 mit der King William Street. Dieser Durchbruch, der in Abchurch, Nicholas und Clement's Lane viele alte Häuser verschwinden ließ, sicherte die angestrebte Durchgangsverbindung von Süd- nach Nordlondon, indem er ebenfalls bis Mansion House durchgezogen wurde.

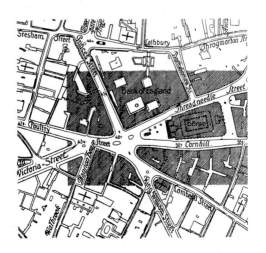

Durchgehende West-Ost-Verbindungen waren für den Stadtorganismus nicht weniger wichtig. Einige Straßen hatten diese Funktion schon teilweise übernommen, wie etwa die Oxford Street, die als Highway fast geradlinig vom westlichen Bayswater zum zentral gelegenen Holborn verläuft. Sie wurde zwar noch 1890 als »a rather shabby thoroughfare« bezeichnet, wies zumeist nur »third-rate«-Häuser auf und war durch vorspringende Bauten am St. Giles's Circus sehr verengt, aber sie erfüllte ihre Aufgabe bis zur Einmündung der Tottenham Court Road halbwegs ausreichend. Von diesem Punkt ab schwenkte der Straßenzug jedoch nach Südosten ab, um sich erst nach einem bogenförmigen Umweg durch St. Giles's Rookery und an Seven Dials vorbei in der Hauptrichtung nach Osten fortzusetzen. Diese Armenviertel und Slums, die Charles Dickens in *Sketches by Boz, Oliver Twist* und *Our Mutual Friends* in ihrer ganzen Trostlosigkeit skizziert hat, versperrten den Weg. Da sie allen stadthygienischen Vorstellungen Hohn sprachen und völlig überfüllt waren – in einem Raum schliefen bis zu 50 Personen –, lag nichts näher, als die Verlängerung der Oxford Street durch diesen Bereich hindurchzuführen. Unter dem Namen New Oxford Street vollzog man, nach den Plänen von James Pennethorne, zwischen 1845 und 1847 den Durchbruch.[191] Danach blieben von The Rookery noch 95 Häuser in der Church Lane und Carrier Street übrig, in denen weiterhin nicht weniger als 2850 Menschen auf engstem Raum dahinvegetierten. Für den Wohnungsbau der unteren Klassen mochte es ein erster Lichtblick sein, daß die Society for Improving the Conditions of the Labouring Classes 1846 ein sechsgeschossiges Modellwohnhaus in der George Street errichtete.[192] Aber die Wohnungsnot blieb nach wie vor ein großes Problem, das die Straßendurchbrüche jedesmal eher neu aufwarfen als lösten. Die New Oxford Street war für Londoner Verhältnisse großzügig angelegt. Demzufolge füllten sich die Baufluchten rasch, und die stark frequentierte Shopping Street florierte.

Mit diesem Durchbruch war der Anschluß an High Holborn gewonnen, eine alte Straße, die an Lincolns Inn Fields vorbei weiter nach Osten verläuft. Für eine schnelle Durchfahrt tat sich jedoch in der querlaufenden Senke des Fleet Ditch mit der Farringdon Street ein neues Hindernis auf. Man beschloß, nachdem verschiedene Projekte diskutiert worden waren, die tiefliegende Farringdon Street durch den Holborn Viaduct kreuzungsfrei

213. St. Giles's Rookery, London.
214. »Nächtliche Gasse der Armen«, London. Holzschnitt von Gustave Doré. (William Banchard Jerrold, Gustave Doré, *London. A pilgrimage*, a.a.O.)

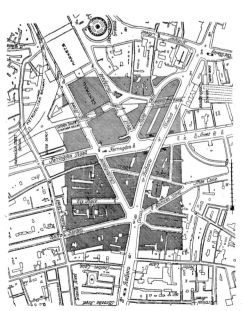

zu überqueren. Die City Corporation begann die Arbeiten dazu 1863 mit zahlreichen Hausabbrüchen. Das Projekt beschränkte sich nicht auf den 420 Meter langen und 24 Meter breiten Überbau zwischen Hatton Garden und Newgate Street, es umfaßte auch die seitlichen Zubringer für die Farringdon Street, die vom Holborn Circus aus nach Nordosten durch die Slums von Field und Chick Lane gelegt, nach Südosten noch weiter ausgreifend zum Ludgate Circus geführt wurden. Holborn Circus selbst konnte im November 1869 durch Königin Victoria eröffnet werden. Wie angenommen worden war, brachte dieses Improvement, das über 2 Millionen Pfund verschlungen hatte, für den Durchgangsverkehr eine wesentliche Verbesserung. Denn nun war der Knotenpunkt am Mansion House über die Newgate Street, Cheapside und Poultry leicht zu erreichen. Ein anderer von der New Oxford Street ausgehender Straßenzug holt weiter nach Nordosten aus, um den Verkehr in einer Umfassungsbewegung über Clerkenwell nach Shoreditch und zu den Docks an der Themse zu leiten. Er besteht aus der 1878 eröffneten Theobald's und der Clerkenwell Road sowie den schon früher ausgeführten Abschnitten der Commercial Street (1845–54) und der Great Eastern Street (1876). Spätestens ab 1880 war also der nördliche Bereich Londons mit durchgehenden Querverbindungen versehen, und es bereitete keine Umstände mehr, auf der Straße von West End zur Bank of England, zum Hafen und nach Southwark zu gelangen.

Westminster – Embankments – Bank of England

Für den inneren Stadtverkehr war indes auch eine übersichtliche West-Ost-Verbindung unmittelbar nördlich der Themse erforderlich, damit man auf kürzestem Weg von Westminster zur Bank of England gelangen konnte. Ein erstes wichtiges Teilstück dieser Route ergab die Victoria Street, die 1845 durch einen »Act of Parliament« gebilligt wurde. Die Bauarbeiten dafür zogen sich verhältnismäßig lange hin, da auch Nebenstraßen wie James Street (heute Buckingham Gate) einbezogen werden mußten und sich der Grunderwerb von über 160 Hektar mit 3000 bis 4000 Gebäuden schwierig anließ. Um die Sanierung so effektvoll wie möglich zu machen, erhielt die Umgebung der Straße, sobald der alte Baubestand abgeräumt war, eine neue Kanalisation, die im übrigen so angeordnet wurde, daß das Hochwasser der Themse keinen Schaden mehr anrichten konnte. Nach fast siebenjähriger Bauzeit gab die Stadtverwaltung die Victoria Street im August

217. Victoria Street in Westminster, London. Holzschnitt. (Illustrated London News, 1854)

1851 für den Verkehr frei, obwohl die Gesamtoperation sich noch bis 1854 fortsetzte. Mit einer Breite von 24 Metern steht die Straße in einem spürbaren Kontrast zu der engen und strukturlosen Bebauung der Umgebung. Bei dem Durchblick auf die doppeltürmige Front der Kathedrale und den dahinterliegenden Victoriaturm der Houses of Parliament ist ihr auch eine monumentale Wirkung nicht abzusprechen. In dieser Hinsicht braucht sie sicher einen Vergleich mit bekannten kontinentalen Straßenräumen nicht zu scheuen.

Unterdessen zwang der Zustand der Themse zu neuen, weitreichenden Überlegungen. Der Fluß war nämlich in wenigen Jahrzehnten zu einem großen, offenen Abwasserkanal geworden. Das Verbot für geschlossene Senkgruben von 1847 bewirkte fortan, daß die Fäkalien einfach in die Themse eingeleitet wurden. Der Fluß verschmutzte stark, und in den Sommermonaten war der penetrante Gestank in seiner Umgebung kaum auszuhalten. Der Metropolitan Board of Works behalf sich eine Zeitlang damit, Kalk in die Themse zu schütten. 1859 entschloß sich die Stadtverwaltung endlich zum Bau eines Hauptentwässerungssystems.[193]

Die Diskussion über die Sauberhaltung der Themse schob ein anderes Projekt in den Vordergrund, das schließlich alle anderen Unternehmen des viktorianischen London übertreffen sollte: das der Embankments, also der Einfassung des Flusses mit Stützmauern und Uferstraßen. Der Plan war sicher nicht neu und originell, hatten doch schon die nie ausgeführten Aufbaupläne nach dem »Great Fire« von 1666 unmittelbar am Flußufer gelegenen Straßen vorgesehen, und Napoleon Bonaparte soll später die Meinung geäußert haben, London wäre dadurch zu einer der imponierendsten Städte zu machen.[194]

An Anregungen fehlte es also nicht. Aber eine starke Opposition, die ihre Interessen am Ufergelände über alle öffentlichen Belange stellte, hatte bisher alle Erneuerungspläne zu vereiteln gewußt. Trotzdem projektierte kurz nach 1860 der leitende Ingenieur des Metropolitan Board of Works, Sir Joseph Bazagette, für die nördliche Uferstrecke zwischen den Westminster und Blackfriar's Bridges das Victoria Embankment. Auf den South Banks sah er das Albert Embankment vor, das sich nach seinen Vorstellungen von der

Vauxhall bis zur London Bridge erstrecken sollte. Der Kommissionsvorsitzende Cowper trug die Pläne im Parlament vor, und eine »bill« von 1862 bestätigte deren Ausführung.

Die Bauarbeiten am Victoria Embankment begannen im Februar 1864. Dadurch, daß man die Ufersanierung zugleich mit dem Einbau der Untergrundbahn auf demselben Streckenabschnitt kombinierte, ergaben sich unvorhergesehene Verzögerungen. Ab 1868 konnte wenigstens der uferseitige Fußweg benutzt werden. Im Mai 1870 beförderte die Metropolitan Railway endlich die ersten Passagiere. Bald war dann der Schacht geschlossen und die Fahrbahn gepflastert. Im Juli eröffnete der Prince of Wales, der spätere Edward VII., das Victoria Embankment feierlich. Es war für die damalige Zeit ein bewundernswertes Ingenieurbauwerk. Nach Bazagettes Plänen hatte man die etwa 10 Meter hohen Stützmauern in Granitblöcken ausgeführt, die mit Backsteinen hintermauert und auf Beton gegründet waren. Dahinter wurde reichlich Platz für Kanäle und Versorgungsleitungen vorgesehen und, wenn notwendig, auch die Untergrundbahn plaziert. In der Außenansicht gliedern Piers in regelmäßigen Abständen die Ufermauern, und die Fahrbahnen werden durch eingepflanzte Bäume belebt.

Der Versuchung, die gewonnene Fläche von etwa 15 Hektar außer durch die 30 Meter breite Straße auch durch eine geschlossene Bebauung zu nutzen, widerstand man. Die alten Temple Gardens erwiesen sich als Vorbild. Es lag deshalb nahe, das Somerset House (1547, 1774) mit seiner palladianischen Uferfassade in die neu angelegten Embankment Gardens einzubinden.

Aus der Nähe besehen stört freilich die Charing Cross Bridge (1863–66), die etwa auf der Höhe von Trafalgar Square schwer über Fluß und Ufer lastet und die das Parlament noch kurz vor der Embankment-Planung wohl mehr kurzsichtig als ahnungslos genehmigt hatte, den Eindruck sehr. Läßt man die Uferstraße jedoch in ihrem großen, weitausholenden Schwung vom Victoria Tower des Parlamentsgebäudes bis zur Kuppel von St. Paul auf sich wirken, so versteht man vielleicht, warum die Londoner damals diese Partie für ein besonders gelungenes Stück ihres Stadtausbaus hielten.

Am Südufer kamen die Arbeiten des Albert Embankment 1866 in Gang. Sie blieben aber auf den Abschnitt zwischen Westminster und Vauxhall Bridge beschränkt. Die Grundeigentümer erwiesen sich als so einflußreich, daß an einen Uferausbau unterhalb der Waterloo Bridge (1811–17) überhaupt nicht zu denken war. Doch auch das Areal unmittelbar oberhalb dieser Brücke blieb mit Schuppen und Lagerplätzen verstellt, bis es ein halbes Jahrhundert später für den Bau der London County Hall (1912–22) genutzt wurde. Ohne daß besondere Schwierigkeiten auftraten, stellte man das Albert Embankment im November 1869 fertig. Nach Länge und Lage rangiert es hinter seinem nördlichen Pendant. Doch weitet es sich ebenfalls in seiner mittleren Partie beim Lambeth Palace, der alten Residenz des Erzbischofs von Canterbury, zu einem Parkbereich – The Archbishop's Park – aus. Besonders ins Auge fällt von dieser Seite her der malerische Umriß der turmreichen Houses of Parliament und der doppeltürmigen Westminster Abbey. Das späteste Embankmentprojekt realisierte man zwischen 1871 und 1874 in Chelsea, doch kam dieser Anlage nicht die Verkehrsbedeutung der vorhergehenden Unternehmen zu.

218. Victoria Embankment, London. (Guildhall Library, London)

Der Kostenaufwand für die geschilderten Uferausbauten war, bedingt durch die schwierigen Wasserbauarbeiten, weitaus höher als bei den Straßendurchbrüchen. Die Embankments kosteten zusammen etwa 2,5 Millionen Pfund.[195] Auf kontinentale Verhältnisse umgerechnet ergab das ungefähr 50 Millionen Mark. Sicher steht dieser Betrag in keinem Verhältnis zu den Aufwendungen zur selben Zeit in Paris. Aber man muß bedenken, daß London seine Mittel ohne das Pariser Spekulationsfieber, ohne kommunale Verschuldung auf Jahrzehnte, ohne Düpierung des Parlaments und des Publikums aufgebracht hat. Gerade die Finanzierung zeigt, wie nüchtern und zielbewußt London seine Improvements betrieb.

Blickt man noch einmal zum Ausgangspunkt in Westminster zurück, so muß man feststellen, daß der dort begonnene und im Victoria Embankment fortgesetzte Straßenzug als durchgehende West-Ost-Verbindung nur wirken konnte, wenn er noch weiter ostwärts durch die City hindurch bis zum Verkehrsknoten Mansion House verlängert wurde. Die Queen Victoria Street schuf dieses Verbindungsglied. 1867 begonnen, wurde sie in Teilabschnitten für den Verkehr geöffnet und im November 1871 ganz fertiggestellt. Sie erhielt trotz den beengten Verhältnissen der Innenstadt 21 Meter Breite. Obwohl 624000 Pfund aufgewendet worden sind, ist diese Aktion ein Beispiel für die Erfahrung, daß nicht jeder Durchbruch den erwarteten Effekt hervorbringt. Die Straße ist nur zögernd bebaut worden und hat nicht jenes Verkehrsvolumen angenommen, das ihr wohl zugedacht war. Demgegenüber hatte die vom Themseufer weiter abgerückte West-Ost-Verkehrsader des Strand und der Fleet Street von alters her eine hohe Verkehrsdichte aufzuweisen. Um indes auch hier eine durchgehende Verbindung nach Osten zu schaffen, bedurfte es im City-Bereich ebenfalls verschiedener Straßenerweiterungen und Durchbrüche: ganz im Osten der neuen Cannon Street (1848–54), dazwischen St. Paul's Churchyard und Ludgate Hill. Gegen 1880 war auch diese Route, die von Charing Cross bis zur London Bridge reichte, in vollem Betrieb.


Die späteren Durchbrüche im Westen Londons

In spätviktorianischer Zeit kam es im Westen Londons noch zu einigen großen Improvements, durch die versucht wurde, weitere Verkehrsengpässe zu beseitigen. Es handelte sich dabei um die Shaftesbury Avenue, die 1886 eröffnet wurde und als Diagonalverbindung zwischen dem umgebauten Piccadilly Circus und der New Oxford Street zu sehen ist. Die Charing Cross Road, die um dieselbe Zeit entstand, ergab in Nord-Süd-Richtung das Bindeglied zwischen Tottenham Court Road und Trafalgar Square.

Das Bedürfnis nach einer weiteren Durchgangsroute in dieser Richtung, diesmal zwischen Holborn und Strand, führte zum Kingsway-Aldwich-Improvement, das nach längeren Vorbereitungen 1900 bis 1905 ausgeführt wurde. Die Bedeutung dieses damals viel bewunderten Unternehmens, das sich mit seinen 5 Milionen Pfund Baukosten als das aufwendigste Improvement erwies, ist heute nicht so sehr in seinem monumentalen Aspekt als vielmehr in seinem Sanierungseffekt zu sehen. Endlich wurde mit den »gin-palaces« in Drury Lane und den Slums um die Sardinia Street und den Clare Market aufgeräumt. Offensichtlich war jetzt, nachdem die wirklichen Wohnungszustände in der Stadt von Sozialkritikern wie Charles Dickens, Henry Mayhews, Charles Booth längst aufgedeckt worden waren, der Öffentlichkeit bewußt geworden, daß die Millionenstadt nicht unbedingt prachtvoller Avenuen und hinreißender Vistas bedurfte. Auf was sie aber nicht länger verzichten konnte, waren in ausreichender Zahl geschaffene preiswerte Wohnungen in einer gesunden Umgebung. Dieser Einsicht schien man sich jetzt bewußt geworden zu sein, denn der Wohnungsbau nahm sowohl durch die Gartenstadtbewegung wie auch durch die verstärkte Bautätigkeit privater Trusts, gemeinnütziger Baugenossenschaften und der Stadtverwaltung selbst (bzw. des L.C.C.) einen großen Aufschwung. Damit war die Epoche der spektakulären Improvements im Sinne urbaner Einzelaktionen endgültig vorbei.

Um abschließend den spezifischen Gehalt der urbanen Expansion Londons im 19. Jahrhundert – hier als prägnantes Beispiel des englischen Städtebaus dargestellt – voll zu erfassen, liegt es nahe, Paris zu einem Vergleich heranzuziehen. Jedenfalls fordert das der damaligen Zeit innewohnende nationalistische Konkurrenzverhalten und die offensichtliche Affinität der Operationen in Form der Straßendurchbrüche und Verkehrsverbesserungen dazu heraus. Beide Städte standen vor derselben Aufgabenstellung der Verkehrserschließung, der Sanierung heruntergewirtschafteter Altstadtviertel und der Schaffung

219. Die Verkehrsverhältnisse am Ludgate Circus, London. Holzschnitt von Gustave Doré. (William Blanchard Jerrold, Gustave Doré, *London. A pilgrimage*, London 1872)

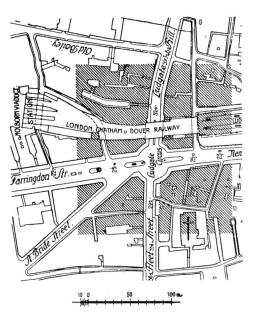

220. Ludgate Circus, London. (C. Gurlitt, *Handbuch des Städtebaus*, a.a.O.)

menschenwürdiger Wohnungszustände für eine rasch anwachsende Bevölkerung. Wie Paris, befangen in einer Jahrhundert alten Architektur- und Stadtbautradition, diese Aufgabe in einem auf wenige Jahrzehnte bemessenen impulsiven Gewaltakt im Second Empire gelöst hat, ist ausführlich dargestellt worden (siehe Kapitel 5.1). Im Vergleich dazu fehlte London die große Geste, die einheitliche Konzeption, die monumentale Haltung und letzten Endes auch das unvergleichliche Flair der Seinestadt. An der Themse ließen demokratisches Selbstverständnis und merkantile Nüchternheit Akteure und Schuldenmacher vom Schlage eines Louis Napoléon oder Haussmann nie aufkommen. Die urbanen Veränderungen gediehen langsamer, kontinuierlicher. Sie blieben in jeder Phase der parlamentarischen Kontrolle unterworfen und leiteten sich zumeist aus pragmatischen, verkehrsorientierten Überlegungen ab. Es ist jedoch offensichtlich, daß London sich schon um die Jahrhundertmitte durch die weitgespannte Entfaltung seiner Verkehrsmittel (Eisenbahn, Untergrundbahn, Tramcars) eine städtebauliche Ausgangsposition geschaffen hatte, über die weder das durch seinen Fortifikationsring beengte Paris noch die anderen Städte des Kontinents verfügten. Die schnellen und übersichtlichen Verkehrsverbindungen ermöglichten London dann jene suburbane Expansion, die zu dieser Zeit in dem beschriebenen Ausmaß sonst in keiner europäischen Großstadt zu beobachten ist. Während die Fläche Londons sich zwischen 1837 und 1897 von 120 auf 300 Quadratkilometer vergrößerte und die Einwohnerzahl in demselben Zeitraum von 2,27 auf

4,23 Millionen stieg, blieb die mittlere Einwohndichte mit etwa 141 Einwohnern pro Hektar oder 14 150 Einwohnern pro Quadratkilometer um 1890 weit unter den Werten in Paris und Berlin. In dieser Hinsicht bestanden in London für eine Lösung des Wohnungsproblems keine ungünstigen Voraussetzungen, sieht man einmal von manchen örtlichen Verdichtungen wie etwa in Bethnal Green North (909 Einwohner pro Hektar) oder in Spitalfields (720 Einwohner pro Hektar) ab. Gegen Ende des Jahrhunderts war die Trennung zwischen Arbeits- und Wohnstätten bereits so weit gediehen, daß eine halbe Million in der City Beschäftigter draußen in den Suburbs wohnte. Wenn heute Pendlerströme in diesem Ausmaß als ein Faktum urbaner Desorganisation gewertet und abgelehnt werden, so ist doch zu bedenken, daß dieser Vorgang vielen Menschen eine Wohnung mit eigenem Garten und eine gesunde Umgebung verschafft hat. Wohnungsreformer des Kontinents haben in der in den Suburbs praktizierten Flachbauweise des Cottage-Systems ein Vorbild gesehen. Vor diesem Hintergrund ist sicher auch die Formulierung der Gartenstadtidee gerade in London nicht als ein bloßer Zufall zu werten. Bei einer kritischen Einstellung sind jedoch manche Bedenken vorzubringen. Bei vielen Londoner Suburbs mochte die Situierung und die ziellose Ausbreitung stadtgeographisch wenig sinnvoll, die städtebauliche Struktur unübersichtlich und schlecht akzentuiert und die bauliche und räumliche Fassung architekturpsychologisch deprimierend sein. Zudem mußte sich die Beschränkung auf bestimmte Bevölkerungsschichten an einzelnen Orten nicht nur als urbane Desintegration, sondern sogar als eine bewußt asoziale Aktion erweisen. Bedenklich war aber auch die Wirkung, die sich aus der rapiden Ausbreitung der Eisenbahn ergab. Ursprünglich über weite Distanzen zur Güterbeförderung geplant, bestimmte sie bald als entscheidender Faktor, an welcher Stelle ein neuer Vorort entstehen sollte. Abgesehen davon, daß die Dampfeisenbahn die ihr zugedachte suburbane Verkehrsfunktion von den technischen Voraussetzungen her nur unzureichend erfüllen konnte, war die Konzeption, den Urbanisierungsprozeß weitgehend von den Zufälligkeiten ihrer Netzerweiterung abhängig zu machen, geradezu unverständlich. Das alles deutet darauf hin, daß in London in der zweiten Hälfte des 19. Jahrhunderts von Planung und Koordination kaum die Rede sein konnte. Im freien Spiel der antagonistischen gesellschaftlichen Kräfte entstanden, stellten die Suburbs nur die Folgen jenes Laisser-faire-Prinzips dar, dem die viktorianische Epoche aus voller Überzeugung huldigte und von dem ihre aristokratisch-bürgerliche Führungsschicht auch unter dem Druck der sozialen Evolution nur zögernd und widerwillig abrückte. Dem Zufall und der Spekulation überlassen, konnten die Suburbs tatsächlich nicht mehr sein als Konglomerate beziehungslos zusammengestellter Wohneinheiten, bei denen weder an ein städtisches Kernstück noch an ein kulturelles Zentrum gedacht war. Solange ihnen jedoch diese kommunikativen Verankerungen fehlten, blieben sie dazu verurteilt, wesenlose Orte einer entpersönlichten Welt zu sein. Doch bei all diesen Mängeln wiesen sie immerhin im Rahmen der großen urbanen Dezentralisationsbewegung einen Lösungsansatz auf, der gegenüber dem unhygienischen und komprimierten Mietskasernensystem von Paris, Wien und Berlin noch über wesentliche Vorteile verfügte. So kam doch wenigstens jedem Einwohner jene mehrschichtige Verkehrserschließung zugute, die ihn immer über alle Distanzen hinweg mit dem Zentrum der Stadt verband. Dieser Einrichtung zuliebe hat London im Gesamten eine Summe aufgewandt, die den 2,5 Millarden Francs der drei »réseaux« in Paris etwa gleichzusetzen ist. Auf den inneren Bereich Londons bezogen, sind die »metropolitan improvements« der Pariser Transformation sicher am ähnlichsten. Die Aufwendungen an öffentlichen Mitteln für diese Straßendurchbrüche und Quartiersanierungen in Höhe von etwa 10 Millionen Pfund – etwa 200 Millionen Mark – bedeuteten auch für englische Verhältnisse ein beträchtliches Opfer. Die Frage, ob diese Summe tatsächlich sinnvoll und effizient angelegt worden war, führt mitten in die Problematik der städtebaulichen Praxis der zweiten Hälfte des 19. Jahrhunderts. Indem man die traditionelle Form der Stadt bedenkenlos auch auf das Industriezeitalter übertrug, mußte die Notwendigkeit derartiger Maßnahmen natürlich bejaht werden. Aber je stärker sich die Durchbrüche der Idee des monumentalen Straßenraumes mit seiner merkantilen und administrativen Zweckbestimmung unterordneten und je mehr sich dabei öffentlicher Verkehr, unpersönlicher Geschäftsbetrieb und individuelles Wohnen vermischten, desto fragwürdiger mußten sie sein. An dem Punkt aber, wo diese Operationen die sozialen Komponenten des Städtebaus völlig ignorierten, desavouierten sie sich schließlich selbst. Denn da erwiesen sie sich nur noch als Manifestationen einer fragwürdigen Liberalität, die der Stadt höchstens vorübergehende Erleichterungen, keinesfalls aber eine organische Erneuerung verschaffen konnte.

226

### 5.4.1. Die Bauordnung von 1853

Durch die Revolution von 1848 wurden in Berlin, genau wie an anderen Orten, im Bürgertum die Hoffnungen auf ein freieres und eigenständigeres städtisches Leben erweckt.[196] Dazu berechtigte die neue Gemeindeordnung vom 11. März 1850, die man Friedrich Wilhelm IV. abgetrotzt hatte und von der man sich, trotz dem Zensus und dem Dreiklassenwahlrecht, eine Neubelebung der kommunalen Selbstverwaltung versprach (siehe auch Kapitel 1.2.).

Aber in Preußen war die Zeit für eine demokratische Erneuerung in den Städten und Landgemeinden noch nicht reif. Gerade die liberale Gemeindeordnung hatte den besonderen Argwohn der reaktionären Junkerkreise erregt, und sie wurde deshalb auf deren Betreiben mitsamt den nicht weniger fortschrittlichen Kreis-, Bezirks- und Provinzialordnungen sistiert und durch die »Städteordnung für die sechs östlichen Provinzen vom 30. Mai 1853« ersetzt.[197] Die darin dekretierte erweiterte Staatsaufsicht und die Stärkung der Magistratsexekutive gegenüber der Stadtverordnetenversammlung hielten noch einmal auf Jahrzehnte hinaus alle bürgerschaftlichen Betätigungen in engen Grenzen.[198]

Und wie zur Abwehr aller urbanen Veränderungen umgab sich der preußische König mit Ministern und Beamten, die nach seinem Willen die »Eiterbeule« Berlin im Auge behalten mußten. Einer seiner eifrigsten Handlanger war der noch in den Revolutionswirren von 1848 zum Polizeipräsidenten von Berlin bestellte Carl Ludwig von Hinckeldey (1805–56),[199] den man als »Hauptvertreter des rücksichtslos durchgreifenden, alles überwachenden Polizeisystems« gesehen hat.[200] Er amtierte trotz preußischer Städteordnung und kollegialer Behördenorganisation gleich einem französischen Präfekten oder Polizeiminister, und Vergleiche mit Haussmann oder gar Fouché liegen durchaus nahe.[201]

Dieser Polizeipräsident war es auch, der die verworrenen Zustände des Berliner Baurechts zu ordnen versuchte und so die rechtlichen Grundlagen für den dringend notwendigen Wohnungsbau schuf. Man muß sich dabei vergegenwärtigen, daß in Berlin bis zu diesem Zeitpunkt nach einer Vielzahl von teilweise völlig veralteten Vorschriften gebaut wurde: nach einer Bauordnung vom 30. November 1641;[202] nach Spezial-Bau-Observanzen, die sich aus dem Gewohnheitsrecht herausgebildet hatten;[203] nach einer Reihe von Feuerverordnungen (1672, 1691, 1727) und nach dem »Allgemeinen preußischen Landrecht« von 1794, das grundsätzliche Ausführungen zur Bebaubarkeit des Bodens enthielt.[204]

Im Zuge der für Preußen typischen staatlichen Verwaltungspraxis erließ das Berliner Polizeipräsidium kurzerhand die »Bau-Polizei-Ordnung für Berlin und den weiteren Polizei-Bezirk vom 21. April 1853«.[205] Ob deren Verfasser sich der Tragweite der neuen Vorschriften überhaupt bewußt waren, muß bezweifelt werden. Jedenfalls erwies sich diese Bauordnung bei dem bald darauf einsetzenden Massenmietshausbau von so verheerender Wirkung, daß hier kurz auf die wichtigsten Bestimmungen eingegangen werden muß.

Für die Festlegung der Baulinie als der bedeutsamsten Bebauungsmarkierung war allein die Behörde zuständig.[206] »Die Fluchtlinie für Gebäude und bauliche Anlagen an Straßen und Plätzen wird von dem Polizeipräsidium bestimmt« (§ 10). Zur Überbauung der Grundstücke heißt es: »Gebäude dürfen nur auf Grundstücken an öffentlichen Straßen und Plätzen mit einer hinreichenden Zufahrt von mindestens 5,34 Meter Breite errichtet werden« (§ 26). »Auf jedem Grundstück muß bei der Bebauung ein freier Hofraum von mindestens 5,34 auf 5,34 Metern verbleiben« (§ 27). »Neue Vordergebäude dürfen überall 11,30 Meter hoch gebaut werden, bei 2,51 Meter im Lichten Mindeststockwerkshöhe also vier Geschosse hoch; an Straßen von 11,30 bis 11,93 Meter Breite ist eine Gebäudehöhe von 1 1/4 der Straßenbreite zulässig, also mit fünf Geschossen. Bei noch breiteren Straßen besteht keine Höhenbeschränkung« (§ 28). Eine Verordnung vom 12. März 1860 schränkte diese Freiheit insofern wieder ein, als die Gebäudehöhe fortan nur noch gleich der Straßenbreite sein durfte. Zu den Gebäudeabständen ist vorgeschrieben: »In der Regel sollen alle Gebäude hart an der Nachbargrenze aufgeführt werden.« Gebäude auf demselben Grundstück müssen mit den Fronten mindestens 5,34 Meter voneinander entfernt bleiben. Für Hintergebäude – und solche gab es in Berlin schon seit langem – sind bei mehr als 31,40 Meter Grundstückstiefe Durchfahrten von mindestens 2,51 Meter Breite und 2,83 Meter Höhe für Löschfahrzeuge anzuordnen (§ 31). Bei den Wohnräumen begnügte sich die Bauordnung mit einer Mindesthöhe von 2,51 Metern im Lichten und der

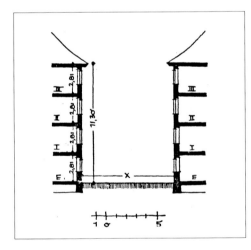

221. Zulässige Gebäudehöhe in jedem Fall für Vordergebäude in Berlin nach der Bau-Polizei-Ordnung von 1853.
222. Zulässige Gebäudehöhe im optimalen Fall. (Heinz Ehrlich, *Die Berliner Bauordnungen*, Jena 1933)

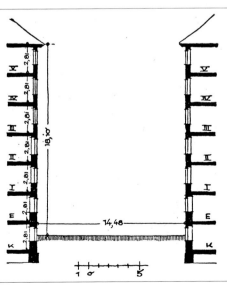

allgemeinen Forderung nach »hinlänglich Luft und Licht« (§§ 87 und 88). Wie diese bei den zulässigen Gebäudehöhen und Innenhofabmessungen erfüllt werden sollte, blieb das Geheimnis der staatlichen Baukontrolleure. Geradezu demaskierend für das Wohnverständnis der Baurechtsschöpfer sind die Auslassungen zu den Kellerwohnungen. Diese durften eingerichtet werden, wenn die Decke wenigstens 94 Zentimeter (3 Fuß) und der Sturz des Fensters 62 Zentimeter (2 Fuß) über dem Niveau der Straße lagen (§ 89). Doch war weitblickend an den Schutz gegen aufsteigende Erdfeuchtigkeit gedacht.

Ohne Zweifel brachte diese neue Bauordnung gegenüber früher mehr Rechtssicherheit. Ihre Grundhaltung und Akzentuierung versteht sich aus der damaligen Auffassung. Da wird, den Erfahrungen entsprechend, dem Brandschutz besondere Aufmerksamkeit zugewandt, während für gebäude- und stadthygienische Belange fast jedes Verständnis fehlt. Da soll, in der aufklärerischen Sicht des »Allgemeinen Landrechts«, die freie Verfügbarkeit des Eigentums auch beim Bauen gewährleistet bleiben, ohne daß man sich den Drang nach höchstmöglicher Wertschöpfung bei den Grundstücken und den möglichen Mißbrauch durch die Bauspekulanten vergegenwärtigte. Und vermutlich wurde die Ahnung, daß der Wohnbau auch soziale Komponenten haben könnte, einfach verdrängt.

Eine weitere Klärung für die Stadterweiterungen brachte der Erlaß des Ministeriums für Handel ... vom 12. Mai 1855 zur »Aufstellung von städtischen Bebauungs- bzw. Retablissements-Plänen«. Danach mußten die Kommunen in Zukunft die Bebauungspläne aufstellen, wobei sie aber die staatlichen Stellen anzuhören hatten. Im besonderen Falle war die Regierung aber auch befugt, die Polizeibehörde den Bebauungsplan anfertigen zu lassen. Das war ein Schachzug, der wohl von Anfang an auf Berlin abzielte. Der Planumfang sollte sich »nach dem voraussichtlichen Bedürfnis der näheren Zukunft« richten und den Verkehr sowie den Bedarf an öffentlichen Plätzen und Gebäuden berücksichtigen. Das Bebauungsplanverfahren schrieb eine öffentliche Bekanntmachung und eine Auslage von acht Tagen vor. Es ließ Einwendungen und Änderungen zu. Die Prüfung erfolgte durch die Regierung, die Genehmigung durch den König. Eindeutig war, daß die Gemeinde die Kosten der Planfertigung zu tragen hatte; unklar blieb aber weiterhin, wem die Kosten für die Straßenanteile zufielen. In der Praxis lief alles darauf hinaus, daß die Behörden darauf spekulierten, den Straßengrund von den Grundstückseigentümern unentgeltlich zu erhalten, was in der Regel durchaus akzeptiert wurde, wenn der Bebauungsplan den Nutzungswünschen der Beteiligten entgegenkam. Um welchen Preis der Staat mit diesem Winkelzug seine hoheitliche Stellung aushöhlte, blieb offenbar unbedacht, denn die auf so fragwürdige Weise praktizierte preußische Sparsamkeit mußte die Spekulanten geradezu herausfordern.

Unterdessen setzte sich der Urbanisierungsprozeß Berlins unaufhaltsam fort, ohne daß ein Gesamtplan vorhanden gewesen wäre oder daß man wenigstens auf durchgehende Verbindungslinien und Zonenunterteilungen, auf einen Zusammenhang von innen und außen geachtet hätte. In einem so entscheidenden Zeitpunkt, als die aufkommende Industrie und der Arbeiterwohnungsbau an vielen Stellen expandierten, blieben die Siedlungsaktivitäten einfach dem Zufall überlassen. Und ohne daß die Stadt es begriff, begann sich ihre Sozialtopographie auszuformen.[207]

Immer mehr konzentrierte sich im Norden Berlins die Maschinenbauindustrie, wobei die verkehrsgünstige Lage zu den Schiffahrtswegen und zur Eisenbahn und die niedrigen Bodenpreise vor der Stadtmauer ausschlaggebend sein mochten. An der Chausseestraße vor dem Oranienburger Tor reihten sich die Fabrikanlagen von August Borsig (Nr. 1), F.A. Egell und C. Woderb (Nr. 2–4), F.A. Pflug (Nr. 7–9), L. Schwartzkopf (Nr. 23) und F.J.L. Wöhlert (Nr. 36/37) auf, in denen Dampfmaschinen, Lokomotiven, Eisenbahneinrichtungen und Gußeisenteile hergestellt wurden. Dazu kamen noch Fabriken in Alt-Moabit und im Spandauer Viertel. Natürlich blieb diese Konzentration der Werkstätten nicht ohne städtebauliche Folgen: Die hier beschäftigten Arbeitskräfte suchten ihre Unterkünfte in der nächsten Umgebung, da zu dieser Zeit für ferngelegene Wohnungen kaum innerstädtische Verkehrsverbindungen vorhanden waren. So begannen sich die Oranienburger und Rosenthaler Vorstadt mit Miethäusern zu füllen.

Auch im südöstlichen Bereich Berlins wurde in den späten fünfziger Jahren eine für die Zukunft wichtige sozialtopographische Strukturierung eingeleitet. Hier hatten die schon erwähnten Kattundruckereien zwischen der Oberspree und der Köpenicker Straße (F.J. Dannenberger, Nr. 3; Ruben Goldschmidt, Nr. 24) die Richtung gewiesen. Das Stralauer Viertel, die Luisenstadt und Teile der angrenzenden Friedrichstadt entwickelten sich zum Standort der Bekleidungsindustrie, an dem sich nicht nur die Mehrzahl der Schneider und Weißnäher, sondern auch die Nebengewerbe der Schuh-, Hut- und Handschuh-

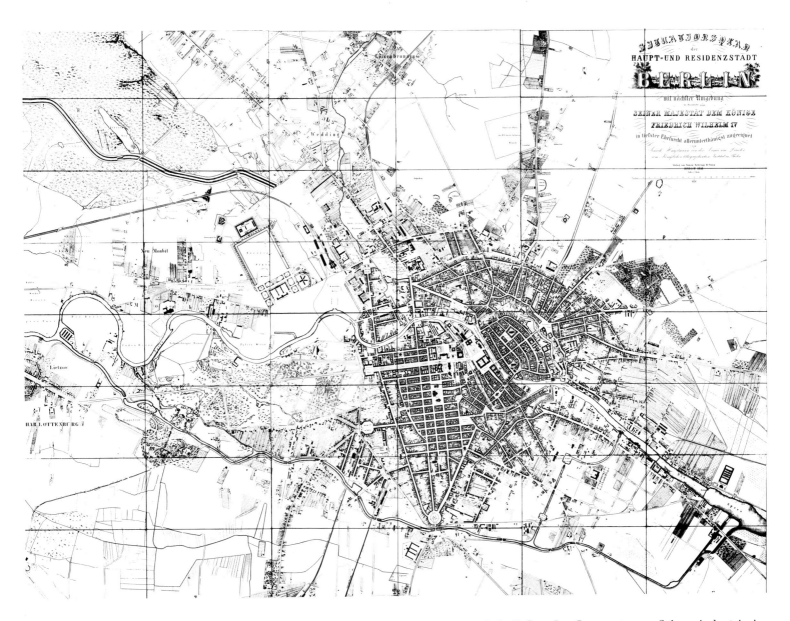

223. Berlin im Jahr 1859. Stadtplan von Sineck.
(Berlin Museum, Berlin)

macher und der Kleiderreinigung niederließen. Im Gegensatz zur Schwerindustrie im
Norden vollzog sich der Herstellungsprozeß der ab etwa 1860 eingeführten Wäschekonfektion in kleineren Werkstätten, beim Zwischenmeistersystem auch in Heimarbeit
durch Hausfrauen und Schulkinder in den üblichen Mietwohnungen. Demzufolge kam
es im Südosten zu einer starken Funktionsvermischung, zu der noch kleine mechanische
Werkstätten des Apparate- und Instrumentebaus und ab 1858 die Nähmaschinenproduktion beitrugen. Im Zuge der allgemeinen Expansion hätte auch bereits eine Neigung zur
Überbauung der Freiflächen im Süden und Südwesten nach Tempelhof und Schöneberg
bestanden. Nur verlangten die Bauunternehmer, bevor sie sich zu Investitionen entschlossen, die Eingemeindung dieser jenseits der Stadtmauer und des Landwehrkanals
gelegenen Gebiete. Die Stadtverordneten wiesen jedoch dieses Ansinnen weit von sich.
Das Polizeipräsidium sah deshalb keinen Anlaß, einen Bebauungsplan aufzustellen, und
so unterblieb vorerst eine geregelte Überbauung. Unterdessen wußte aber die Lehrter
und Anhalter Eisenbahnverwaltung ihre Chance zu nutzen: Sie sicherte sich östlich der
Potsdamer Straße ein großes Areal für die zukünftige Erweiterung der Bahnanlagen, um,
wie sich später herausstellte, in einem breit angesetzten Trassenkeil von außen her den
Stadtkörper bis zum Potsdamer Tor aufzusprengen und die südliche Ringstraßenverbindung zu durchkreuzen. Kommunale Kurzsichtigkeit und staatliche Untätigkeit haben
hier gleichermaßen die Voraussetzungen für diese städtebauliche Mißbildung geschaffen.
Freilich gab es auch Stadtviertel, die nach wie vor der Oberschicht als Wohnbereich vorbehalten blieben, wie die Friedrich-Wilhelm-Stadt, die Dorotheenstadt und die Friedrichvorstadt. Im Bereich südlich des Tiergartens, im »alten Westen«, entstand ein Villenvorort, in dem sich, ganz im Kontrast zur gewerblichen Hektik der Umgebung, der Wohlstand alter Adels- und Bürgergeschlechter zur Schau stellte.[208] Besonders bekannt
geworden ist das »Geheimratsviertel« vor dem Potsdamer Tor, dem die Architekten ihre

ganze Hingabe angedeihen ließen.[209] Den Arbeiterwohnungsbau dagegen ließen sie unbeachtet, da eine solche Aufgabe, wie sie argumentierten, »zu wenig architektonisches
Interesse biete«.

## 5.4.2. Der Gesamtbebauungsplan von 1862

Als die Bautätigkeit in Berlin im Verlauf der fünfziger Jahre auf Grund der Bevölkerungszunahme immer mehr zu städtebaulichen Entscheidungen drängte, sahen die Behörden
sich endlich zum Handeln gezwungen. Zwar existierte ein in fünf Abteilungen geglieder-
ter Bebauungsplan für die Umgebung Berlins von 1830, den der schon bei der Planung
des Köpenicker Feldes erwähnte Oberbaurat Schmid entworfen hatte. Es war jedoch
klar, daß die vor Jahrzehnten vorgenommenen Planfestlegungen den neuesten Bedürfnissen vor allem im Hinblick auf die Eisenbahnanlagen und die inzwischen durchgeführten Separationen nicht mehr entsprachen. Ab 1852 wurde deshalb mit der Revision
des Bebauungsplanes für die Umgebung Berlins begonnen. Aus einem Erläuterungsbericht des Geheimen Regierungsbaurats Rothe ist von der Aufteilung in nunmehr 14 Abteilungen zu erfahren, die bei größeren Planausschnitten sogar noch in einzelne Sektio-
nen aufgeteilt sind. Sorgen bereitete indes der große Aufwand für die Vermessungs-, Kar-
tierungs- und Planungsarbeiten. Als 1859 die gleichmäßige Kostenverteilung auf Staat,
Berliner Magistrat und umliegende Gemeinden entschieden war, wurde mit Nachdruck
weitergearbeitet und im Polizeipräsidium eigens ein Kommissarium zur Ausarbeitung
der Bebauungspläne für die Umgebung Berlins eingerichtet.
Die Leitung dieser Stelle übernahm ab März 1859 der im Wasser-, Wege- und Eisenbahnbau ausgebildete Baumeister James Hobrecht (1825–1902).[210] Er betrieb, seinen Dienst-
instruktionen entsprechend, die Bereitstellung der erforderlichen Planungsunterlagen
(Revision und Vervollständigung der vorhandenen Karten, Herstellung eines Nivelle-
mentsplanes) und entwarf selbst die noch fehlenden Teilpläne, unter anderem die Abteilungen I, III, VII, IX, X und XI mit den dazugehörigen Erläuterungsberichten. Seine
Dienstaufgaben umfaßten außerdem noch den Entwurf eines Entwässerungsprojekts für
die geplanten Straßen und Plätze und nach der Plangenehmigung das Abstecken und
Vermarken des Straßennetzes. Als Grundlage für die im Maßstab 1:2000 verfertigten Ori-
ginale dienten vorhandene Separationskarten und Stadtpläne, die aber Ungenauigkeiten
aufwiesen und durch Vermessungen berichtigt und ergänzt werden mußten.
Unterbrochen wurde seine Planungstätigkeit durch eine Reise, die er im Auftrag des
Handelsministeriums zusammen mit zwei anderen Ingenieuren von August bis November 1860 unternahm, um in Hamburg, Paris, London und anderen englischen Städten die
Kanalisationseinrichtungen zu studieren. Mit neuen Erkenntnissen zurückgekehrt, arbeitete Hobrecht bis zu seinem Weggang nach Stettin im Dezember 1861 an dem Planwerk.
Er hat auch alle Besprechungen und Verhandlungen mit den zuständigen Magistrats-
behörden von Berlin und Charlottenburg und mit den neugebildeten Kommissionen geführt und bei Einspruchsfällen die Kompromißlösungen ausgehandelt.
Die planerischen Festlegungen des Bebauungsplanes sind somit keineswegs so ungebunden und selbstherrlich erfolgt, wie ihm in der Literatur zum sogenannten »Hobrechtplan«
zumeist angelastet wird. Schließlich stimmten Magistrat und Stadtverordnetenversammlung von Berlin in den Verhandlungen am 29. April und 2. Mai 1862 dem Bebauungsplan
zu. Der preußische König genehmigte die einzelnen Abteilungen durch allerhöchsten Erlaß, wodurch sie die nötige Rechtskraft erlangten. Sie wurden daraufhin im Auftrag des
Polizeipräsidiums vom Lithographen Leopold Kraatz im Maßstab 1:4000 gedruckt und
standen in dieser Fassung ab Ende 1862 jedermann im Handel zur Verfügung.[211]
Welche Funktionen diesem Plane zugedacht waren und wie die Behörden ihn behandelt
und verstanden wissen wollten, geht am besten aus dem erläuternden Reskript des Ministeriums für Handel hervor.[212] Danach bestand die Hautpaufgabe des Planes darin, das
bei Stadterweiterungen für Straßen und Plätze bestimmte Terrain von jeder Bebauung
frei zu halten, also im Sinne einer Negativbestimmung Bauverbotsflächen auszuweisen,
aus denen dann das zukünftige Straßensystem entstehen sollte. Ein Rechtsanspruch auf
Entschädigung für das Abtreten dieser Flächen wurde ausdrücklich abgelehnt, wie überhaupt die weiteren Initiativen zur Baulandumlegung und zum Straßenbau entweder den
privaten Grundbesitzern oder, soweit öffentliche Belange auf dem Spiele standen, den
Kommunalverwaltungen zugeschoben wurden. Nur die große Gürtelstraße, »bei deren
Projektierung die Allerhöchsten Intentionen wesentlich mitbestimmend gewesen sind«,

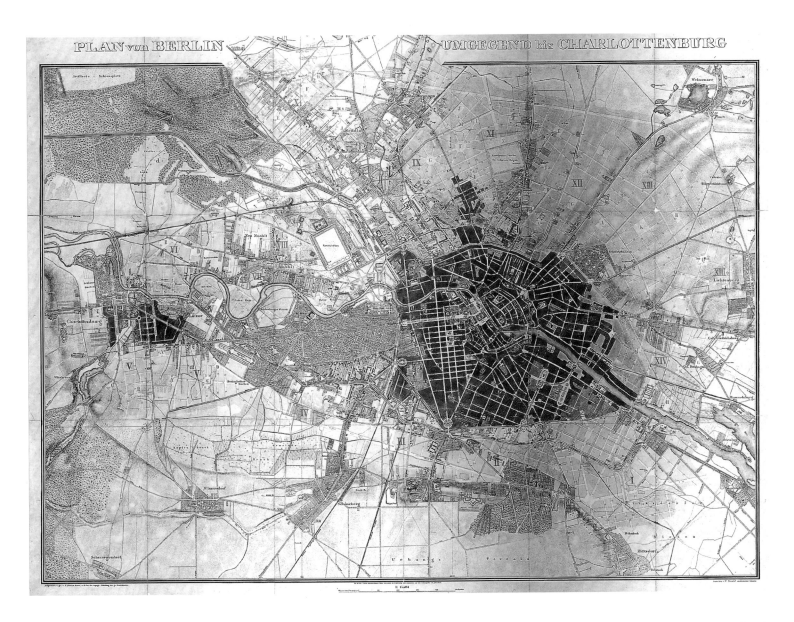

224. Plan von Berlin und Umgebung bis Charlottenburg (sogenannter Hobrechtplan). Lithographische Anstalt Leopold Kraatz, Berlin. (Landesarchiv Berlin)

konnte auf eine »Staatsbeihülfe« hoffen. Die verbleibenden Positivflächen waren durch Baufluchtlinien markiert, innerhalb deren Begrenzung nach den Vorschriften der Bauordnung von 1853 gebaut werden durfte. Welche Perspektiven sich hier im Zusammenspiel von primitivem Fluchtlinienplan und ahnungsloser Bauordnung auftaten, sollte sich bald erweisen. Immerhin war das Handelsministerium so weitsichtig, dem »auf ein Jahrhundert hinaus berechneten Plan« die Möglichkeit für »größere oder geringere Abänderungen« zuzugestehen. Man hielt also den Weg für Modifikationen, im schlechten wie im guten Sinne, von Anfang an offen.

Nachdem somit die behördlichen Absichten des Plans gekennzeichnet sind, soll dieser noch in seinen strukturellen Ansätzen charakterisiert werden. Obwohl keine besondere Dienstanweisung für die Planbearbeitung bekannt ist, muß doch bedacht werden, daß die Planer von einigen feststehenden, nicht diskutierbaren Vorgaben auszugehen hatten, die in der späteren Erörterung um diesen Plan oft nicht genügend berücksichtigt worden sind.[213]

Den Gegenstand der Planung bildete nur das Gebiet außerhalb der Stadtmauer. Es blieb deshalb unausgesprochen, welche Rückwirkungen die rundumgelegten Erweiterungen auf den Stadtkern selbst haben mußten. Fixiert war das Projekt von Anfang an durch die von König Friedrich Wilhelm IV. eingebrachte Idee des Ringboulevard.[214] Es handelte sich dabei um ein komplexes Planungsmuster, dem weit mehr monumentale als kommunikative Bedeutung zukam und das durch die Vorbilder der Transformation von Paris und des Ausbaus der Wiener Ringstraße geradezu in der Luft lag. Wie sehr Preußens Residenz- und Hauptstadt mit diesen Machtzentren zu konkurrieren trachtete, braucht hier nicht näher erläutert zu werden. Tatsächlich blieb den Planern nichts anderes übrig, als den von Lenné im »Schmuck- und Grenzzüge-Plan« von 1840 publizierten Promenadenboulevard aufzugreifen und dem neuen Bebauungsplan einzugeben, ohne daß dafür aber zwingende Gründe der Verkehrsverteilung oder der räumlichen Verknüpfung maßgebend waren. Auch der von Lenné aufgestellte Teilbebauungsplan für die Schöneberger Feldmark von 1844 durfte nicht ignoriert werden. Ein Planvergleich zeigt, daß dieser fast unverändert übernommen wurde und die von Lenné erfundene Platzfolge das Grundgerüst des südlichen Rings, des sogenannten Generalzugs, ergab.

Natürlich sahen sich Hobrecht und die anderen Planbearbeiter auch durch den Zwang belastet, möglichst große und schnell verfügbare Bauflächen auszuweisen. Deshalb lag der Gedanke an einen schematischen Rasterplan nur allzu nahe. Doch blieb die ganze Planung verunsichert durch das ungelöste Problem der Entschädigung für abgetretenes Straßenland. Um den Behörden in dieser Hinsicht möglichst wenig Unannehmlichkeiten zu bereiten, waren die Planverfasser darauf aus, die Straßen, soweit es nur ging, auf vorhandene Grundstücksgrenzen, Feldwege und Landstraßen zu legen.[215] Insofern berücksichtigte die Planung durchaus die örtlichen Gegebenheiten und brachte wenigstens im Nordosten die vorgegebene Radialstruktur deutlich zum Ausdruck.

Für die Aufteilung der Baublöcke scheint Hobrecht die Anweisung des zuständigen Ministeriums gehabt zu haben, sich nach den Abmessungen in der Friedrichstadt zu richten. Das hätte Quartiergrößen von etwa 75 auf 120 Metern ergeben. Dem Polizeipräsidium erschienen diese Maße aber zu gering, und so wurden wesentlich größere Quartiere mit Längen von 250 Metern und mehr geplant. Hinter dieser Großrasterung stand die Absicht, die Blöcke bei der Bebauung durch private Wohnstraßen weiter zu untertei-

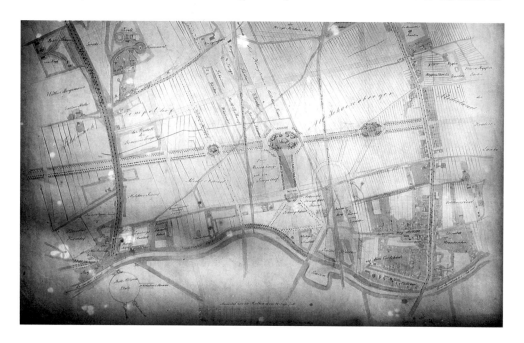

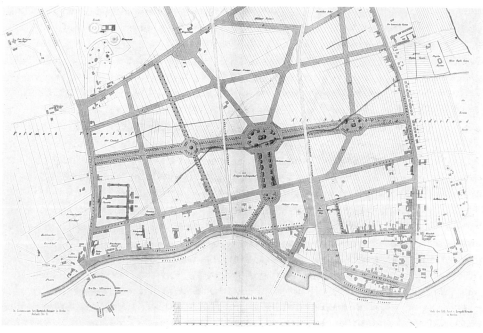

225. Teilbebauungsplan für die Schöneberger Feldmark, Berlin. Entwurf von Peter Josef Lenné, 1844. (Staatliche Schlösser und Gärten, Potsam-Sanssouci)

226. Bebauungs-Plan der Umgebungen Berlins, Abt. III, genehmigt am 18. Mai 1861. (Staatsbibliothek Unter den Linden, Berlin)

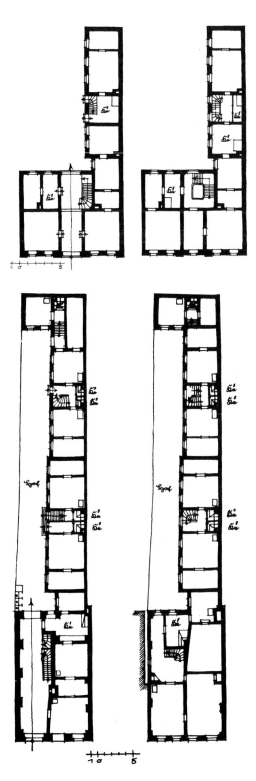

227. Berliner Mietshaustyp mit Vorderhaus und Seitenflügel. Haus Grenadierstraße 23, Grundrisse von Erd- und Obergeschoß.
228. Berliner Mietshaustyp mit Vorderhaus, Seitenflügel und Hinterhaus. Haus Fischerstraße 32, Grundrisse von Erd- und Obergeschoß. (Heinz Ehrlich, *Die Berliner Bauordnungen*, a.a.O.)

len, ein Wunschdenken, dem sich später nicht nur die Spekulanten, sondern auch die Stadtverordneten widersetzten.[216] Diese Vorliebe für die ungewöhnlichen Quartiertiefen mochte wiederum eine andere Vorgabe beeinflußt haben. In Berlin dominierte schon seit Jahrzehnten der Mietshausbau. Die Praxis, schmale und tiefe Baugrundstücke stark zu überbauen, hatte längst zu einem Mietshaustyp mit Vorder- und Hinterhäusern und verbindenden Seitenflügeln geführt. Von dieser Hausform, die auch von Schinkel und seiner Schule benutzt wurde, war auszugehen, und der Bebauungsplan hatte auf alle Fälle die Realisierung dieses Typs zu ermöglichen.[217]

Zu allem Unglück mußten die Straßen nach den Vorschriften überdies eine Mindestbreite von 19 Metern aufweisen, wodurch nach der Bauordnung von 1853 eine vier- bis fünfgeschossige Überbauung sanktioniert war. Diese Festlegung verhinderte jede weitere Differenzierung des Straßensystems: Reine Wohnstraßen erhielten viel zu weite, Durchgangsstraßen mit starkem Verkehr jedoch zu enge Abmessungen.

Schließlich muß auch die Wirkungskraft der zeitgebundenen Vorstellungskategorien im formalen und sozialen Bereich bedacht werden. Hobrecht selbst konnte, seinem ganzen Werdegang und Alter nach, keineswegs als ein in der Stadtplanung erfahrener Fachmann gelten. Um so mehr orientierte er sich an den damals gültigen Formalismen der »Stadtbaukunst«, was so viel bedeutete, daß er einfach das übliche Rechteck- und Diagonalsystem aufgriff und dieses undifferenziert in additiver Manier anwandte. Die künstlerische Essenz mochte in seinen Augen darin bestehen, den Plan noch nach klassischen Vorbildern durch die Kunstfiguren der Stern-Rechteckplätze zu bereichern. Offensichtlich war er sich aber eines gesamträumlichen Zusammenhangs oder einer auf Steigerung angelegten Raumabfolge nicht bewußt.

Im übrigen mußte um die Mitte des 19. Jahrhunderts ein Stadtplan jenseits aller ästhetischen Überlegungen den Handlungsspielraum für das mit Kapitalien agierende Bürgertum offenhalten. Die durch das gültige »Allgemeine Preußische Landrecht« garantierte Möglichkeit zur freien Nutzung des Grundeigentums durfte auch von den Planern nicht übersehen werden, wenn sie bei ihrem Plan auf die Zustimmung der Behörden und der Stadtverordneten rechnen wollten. In der Tat bestimmen die soeben angedeuteten Vorgaben und Einflüsse den Gesamtbebauungsplan weitgehend. Wie man sieht, ist um den durch die Akzisemauer eingegrenzten Kernbereich nach außen hin ein Kranz von schematisch aufgeteilten Bauquartieren gelegt, der bis an die älteren Siedlungskerne von Rixsdorf (Abt. I), Hasenheide (Abt. II), Schöneberg (Abt. III), Zoologischer Garten (Abt. IV), Charlottenburg (Abt. V+VI), Alt- und Neumoabit (Abt. VII+VIII), Wedding und Luisenbrunnen (Abt. IX—XI), Weißensee und Lichtenberg (Abt. XII+XIII) und bis zu den Kolonien Friedrichsberg und Boxhagen (Abt. XIV) reicht. Das gewählte Schachbrettmuster läßt aber in seiner amorphen Ausbreitung zwischen dem Stadtkern und den Vororten keine überzeugende strukturelle Ordnung erkennen und wirkt mitsamt den eingestreuten Platzfiguren unmotiviert und zufällig.

Der Plan zeigt zwar die Ansätze zu verschiedenen Boulevardringen auf, aber diese Ringbewegungen sind, aufs Ganze gesehen, weder prägnant genug herausgehoben noch durch Verkehrserfordernisse begründet. Der äußere Ring, der dem Plan halbwegs ablesbar ist, scheint in erster Linie als Stadtbegrenzung, als Umrandungsband gedacht gewesen zu sein, obwohl klar sein mußte, daß auf diese Art die gewünschte Arrondierung des Stadtkörpers kaum zu erreichen war.

Eigentlich hätte es zur plausiblen Strukturierung von Berlin viel näher gelegen, auf die radialen Hauptausfallstraßen zurückzugreifen, zumal damit einem echten Verkehrsbedürfnis des Umlandes entsprochen worden wäre. Aber auch dazu brachte der Plan, außer in nördlicher und östlicher Richtung, keine überzeugenden Ansätze. Die erstaunliche Reichweite des Plans ist sicher nur von der Motivation der Eingemeindungen her verständlich.[218] Seit den vierziger Jahren waren darüber irritierende Debatten im Gange, in die auch die örtliche Presse eingriff.[219] Im Blickpunkt standen vor allem Moabit und Wedding, das Gebiet vor dem Halleschen Tor, Alt- und Neuschöneberg und die Köllnische Heide. Genauer gesehen wirkten jedoch die verschiedensten Absichten gegeneinander. Die Stadtverordneten als die eigentlichen Vertreter der städtischen Interessen lehnten auf der einen Seite die Eingemeindung der steuerlich unergiebigen Ortschaften im Norden und Osten rundweg ab. Wedding etwa war in ihren Augen eine »Armen- und Verbrecherkolonie«, die die Ausgaben für die Pflasterung, Beleuchtung und Reinigung der Straßen und für die Armenfürsorge nicht wert war.[220] Auf der anderen Seite wäre ihnen die Einbeziehung der westlichen und südlichen Gebiete in Charlottenburg, Schöneberg und Tempelhof mit deren wohlhabenden und steuerkräftigen Bewohnern er-

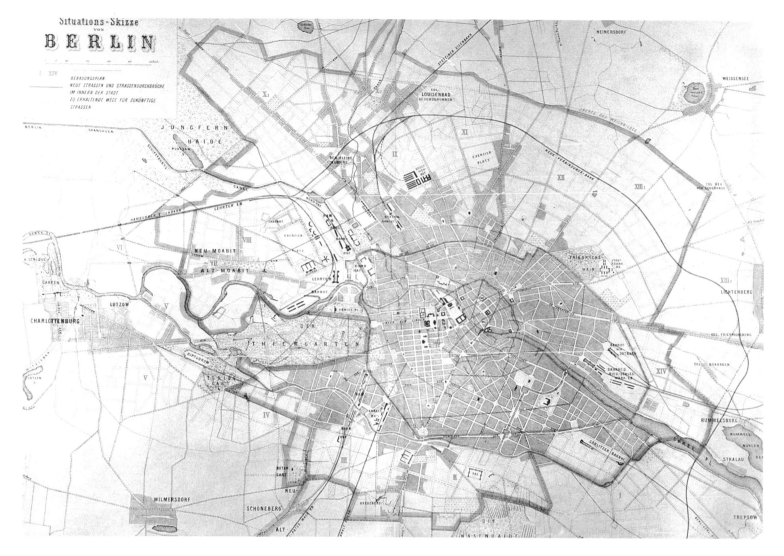

wünscht gewesen, doch zeigten diese ihrerseits nicht die geringste Neigung zu einem An-schluß an Berlin. Den einleuchtendsten Standpunkt vertrat das Staatsministerium, das – zu diesem Zeitpunkt noch ohne Furcht vor großstädtischer Ballungskraft – einfach die Tatsache der Stadtauswüchse berücksichtigen und daraus die Konsequenzen für einen Zusammenschluß ziehen wollte.[221] Zur allgemeinen Unsicherheit wechselten die gesetz-lichen Grundlagen mehrfach. Nach der Gemeindeordnung von 1850 konnten Gebietsän-derungen nur noch durch Gesetze vorgenommen werden. Die Städteordnung von 1853 hob diese Voraussetzungen wieder auf und ermöglichte die Veränderung der Kommu-nalgrenzen auch gegen den Willen der Betroffenen mit Genehmigung des Königs, falls ein öffentliches Interesse vorlag. Als es gar noch zum Konflikt innerhalb der städtischen Gremien zwischen Magistrat und Stadtverordnetenversammlung kam, war der Regie-rung die Anwendung der neuen Städteordnung nicht mehr zu verdenken. Und so regelte die Kabinetts-Ordre vom 28. Januar 1860 die Eingemeindung durch einen autoritären Machtspruch. Dem Berliner Weichbild wurden zugeschlagen: nördlich der Spree Alt- und Neumoabit mit dem kleinen Tiergarten, Wedding und Gesundbrunnen; südlich der Spree die zu Charlottenburg gehörende Lützower Feldmark und das Tiergartenfeld, Teile des Tiergartens und der Hasenheide, Gebiete von Schöneberg und Tempelhof und ein Stück von Rixdorf. Das Stadtgebiet wuchs mit einem Schlag um 2412 Hektar auf eine Ge-samtfläche von 5923 Hektar, während die Bevölkerung lediglich um 35457 Einwohner zunahm. Durch diesen Gewaltakt einer 69prozentigen, größtenteils unüberbauten Ge-bietserweiterung hatte die Staatsgewalt nun ihrerseits – entgegen dem Willen der Stadt-verordneten – die räumlichen und administrativen Voraussetzungen für die weitere städ-tebauliche Entwicklung Berlins geschaffen. Mit dem notwendigen Spielraum ausgestat-tet, kam für die expandierende Stadt jetzt alles darauf an, wie auf der Grundlage des neuen Bebauungsplans und der Bauordnung von 1853 die baulichen Erweiterungen tatsächlich vollzogen wurden. Erst wenn diese Auswirkungen im einzelnen dargestellt sind, ist ein abschließendes Urteil über die urbane Entwicklung Berlins im generellen und über den Berliner Gesamtbebauungsplan (Hobrechtplan) im speziellen möglich.

229. Die Weichbildgrenzen von Berlin vor und nach der Eingemeindung vom 28. Januar 1860. (*Jahrbuch für brandenburgische Landesge-schichte*, Bd. 3, Berlin 1952)

## 5.4.3. Zur Wohnungswirtschaft und Wohnungsnot nach 1850

Die erwähnten administrativen Maßnahmen – Bauordnung von 1853, Eingemeindung 1860/61, Gesamtbebauungsplan von 1862 – können jedoch nicht darüber hinwegtäuschen, daß in Berlin von einer Stadtentwicklungsplanung oder gar von einer städtebaulichen Zielvorstellung, um moderne Begriffe zu gebrauchen, überhaupt keine Rede sein konnte. Am deutlichsten zeigten sich die Folgen der Konzeptlosigkeit auf dem Gebiet des Grundstücksmarktes und der Wohnungswirtschaft, wo sich die Konjunkturbewegungen mit ihren sozialen und ökonomischen Ausschlägen für alle Einwohner spürbar auswirken mußten.[222] Staatliche Behörden, kommunale Gremien und frühkapitalistisches Unternehmertum ignorierten gleichermaßen jegliche Verpflichtung zur Wohnungsfürsorge – und das im Angesicht einer geradezu explosiven Zunahme der Stadtbevölkerung, die aus der beigegebenen Tabelle abzulesen ist.[223]

| Jahr | Einwohner | Zuzug | Geburtenüberschuß |
|------|-----------|-------|-------------------|
| 1840 | 322626 | | |
| 1845 | 380040 | | |
| 1850 | 418733 | | |
| 1855 | 434243 | | |
| 1856 | 441998 | 4172 | 3583 |
| 1857 | 449531 | 4418 | 3115 |
| 1858 | 458611 | 5195 | 3885 |
| 1859 | 474764 | 11462 | 4691 |
| 1860 | 493429 | 12436 | 6229 |
| 1861 | 547200 | 48685 | 5086 |
| 1862 | 567559 | 14612 | 5747 |
| 1863 | 596340 | 23495 | 5286 |
| 1864 | 632497 | 30825 | 5336 |
| 1865 | 657678 | 20897 | 4284 |
| 1866 | 665632 | 8587 | 397 |
| 1867 | 703173 | 30024 | 7517 |
| 1868 | 729001 | 21415 | 4413 |
| 1869 | 774798 | 27259 | 6915 |
| 1870 | 774498 | 4997 | 6326 |

Läßt man das Revolutionsjahr 1848 mit seinem Ausnahmezustand außer acht, so ergibt sich für eine erste Phase vor der Eingemeindung (1840–60) eine durchschnittliche jährliche Bevölkerungszunahme von etwa 10000 Einwohnern. Für sich betrachtet, füllte diese Menschenzahl eine kleine Stadt. Was aber geschah in Berlin zu ihrer Unterbringung? Man behalf sich einfach damit, die vorhandene Bebauung innerhalb der Stadtmauer zu verdichten, Baulücken auszufüllen und übriggebliebene Freiflächen in der Luisenstadt und äußeren Friedrichstadt, vor dem Oranienburger Tor, entlang der Schönhauser Allee und im Stralauer Revier weiter zu überbauen. Im Süden schob sich die Mietshausbebauung über den Schiffahrtskanal hinaus und erfaßte noch während der »Regentschaft« (1858–61) Schöneberger und Tempelhofer Gebiet. Der Ausbau des südwestlichen Nobelviertels im »alten Westen« zwischen Tiergarten und Kanal vollzog sich durch die Unterteilung der großen Gartenareale. Auf diese Art entstanden die Viktoria-, Hohenzollern- und Regentenstraße mit ihren Villen. Die Folge war eine spürbare Verdichtung. So kamen
1841 auf 1 Grundstück   7,85 Wohnungen und 40,30 Einwohner,
1861 auf 1 Grundstück  10,09 Wohnungen und 47,88 Einwohner.[224]
Selbstverständlich ließ sich der jährliche Wohnungsbedarf mit dieser Verdichtungsmethode auf die Dauer nicht befriedigen, zumal sich das Kapital vorerst weniger dem Wohnungsbau als vielmehr dem lukrativeren und spekulativen Eisenbahnbau zuwandte. Nach kurzer Zeit war der einmal vorhandene Wohnungsvorrat aufgebraucht. 1857 standen bei etwa 4500 Zuwanderern und 5000 Eheschließungen nur 769 Wohnungen zur Verfügung. Diese Mangelsituation führte zu Mietsteigerungen, Überbelegungen und allgemeinen Wohnungsklagen. Damit war auch in Berlin die akute Wohnungsnot nicht mehr zu vertuschen.
Doch noch bevor die Wohnungsprobleme in überregionalem Rahmen auf dem »Congress deutscher Volkswirthe« 1864 behandelt wurden (siehe Kapitel 6.3.), meldeten sich

230. Wohnverhältnisse in Berlin, 1845: Schusterwerkstatt als Wohnung. Einzelblatt von Theodor Hosemann.

in Berlin weitblickende Reformer zu Wort, um praktikable Lösungsvorschläge zu unterbreiten. Bei dem bereits fest ausgebildeten mehrgeschossigen Mietshausbau mit in der Regel acht bis zehn Wohneinheiten pro Gebäude lag es nahe, die Lösung in gut überlegten Stockwerksbauten zu suchen. Deshalb regte der preußische Baubeamte C.W. Hoffmann schon 1841 an, einen »Häuserbau-Verein« zu gründen. Es gelang ihm jedoch nicht, das dafür notwendige Kapital zu beschaffen. Seine weiteren Vorschläge zur Verbesserung der Mietwohnungen blieben vergeblich, da der Magistrat die Wohnungsfürsorge generös den Wohltätigkeitsvereinen zudachte und der Berliner Architekten-Verein an dieser ganz und gar unspektakulären Aufgabe kein architektonisches Interesse finden konnte.[225]

Wenig später, 1846, verwies V.A. Huber auf die Möglichkeiten der Assoziation, um auf diesem Wege den Hauserwerb für die Arbeiterklasse aufzuzeigen[226] (Näheres siehe Kapitel 6.3.2.). Nun sah sich Hoffmann in seinen Ansätzen bestätigt und konkretisierte seine Vorstellungen 1847 in der Schrift *Die Aufgaben einer Berliner gemeinnützigen Baugesellschaft*. Tatsächlich kam es dann auch zur Gründung einer solchen Selbsthilfeorganisation.[227] Sie trat im Sinne ihrer Bestimmung – »zur Erbauung von Wohnungen für sogenannte kleine Leute« – sofort in Aktion. Am 1. Oktober 1849 konnten bereits die ersten Wohnungen an Mitglieder vermietet werden. Die Bauten der Ritterstraße Nr. 28, 29 und 30 zeigen, wie sich die Reformer die Lösung der Wohnungsfrage in Form von viergeschossigen Stockwerkswohnungen vorgestellt haben.[228] Der Grundriß ist bei minimaler Fläche sehr einfach, doch ist der Wohnbereich wenigstens in sich abgeschlossen. Nebenbauten mit Handwerkseinrichtungen und Waschräumen ergänzen die Anlage. Auf die Dauer war dem Unternehmen jedoch kein Erfolg beschieden, was wohl auf das mangelnde soziale Verständnis der Oberschicht, auf die Abneigung des Kapitals gegen eine gemeinnützige Geldanlage mit höchstens fünfprozentiger Verzinsung und auf das Desinteresse oder auch finanzielle Unvermögen der Arbeiterschaft selbst zurückzuführen ist. Was bedeutete es schließlich für den Wohnungsbau Berlins, wenn diese Gesellschaft, auf die die Reformer so große Hoffnungen setzten, im Jahre 1891, also nach über vierzigjähriger Tätigkeit, über 35 Häuser mit 971 Bewohnern in 294 Wohnungen verfügte?[229] Es war nur der Beweis, daß der Wohnungsbau in Berlin eine ganz andere Richtung nahm und daß der Gedanke gemeinnütziger Institutionen vorerst unverstanden blieb. Dieser Tatsache muß sich der zur Freihandelspartei zählende Julius Faucher wohl bewußt gewesen sein, als er die Volkszählungen von 1861 und 1864 zum Anlaß nahm, 1865 neue Vorschläge zur Diskussion zu stellen[230] (siehe Kapitel 6.3.2.). Jetzt nämlich war die Wohnungsnot statistisch untermauert. Aus dem Vorhandensein von 9654 Kellerwohnungen, der Überbelegung der Wohnungen und Grundstücke (pro Grundstück 48,3 Einwohner und 9,56 Wohnungen), aus dem Überhandnehmen der Hinterhäuser, dem Mangel an heizbaren Räumen, den Untermietsverhältnissen (43316 »Chambregarnisten«) und dem Ansteigen der Wohnungsmieten (die durchschnittliche Jahresmiete belief sich 1841 auf

231. Gebäude Ritterstraße 28–30 der Berliner gemeinnützigen Baugesellschaft. Grundrisse von Erd- und Obergeschoß und Straßenansicht. (C.W. Hoffmann, *Die Wohnungen der Arbeiter und Armen*, Berlin 1852)

293,—Mark, 1861 dagegen auf 391,—Mark) mußten Konsequenzen gezogen werden.[231] Faucher regte an, mit der neuen Wohnbebauung in den »äußeren Gürtel« auszuweichen, wo die Bodenspekulation noch nicht eingesetzt hatte. Bei den dort erreichbaren billigen Baustellenpreisen mußte es möglich sein, wieder Familienwohnungen mit Gärten in offener Bauweise zu errichten. Diese Aufgabe sollten große, mit genügend Privatkapital ausgestattete »Häuserbaugesellschaften« übernehmen, wobei im Geiste der Freihandelsschule den Gesetzen des Marktes entsprochen und dem Spekulationstrieb der Aktionäre ein breiter Spielraum belassen werden sollte. Allerdings wies der Plan auch die unzeitgemäßen Forderungen nach einer städtebaulichen Gesamtkonzeption und nach einem Expropriationsrecht zugunsten sozialer Einrichtungen auf. Doch ohne diese Korrektive mußten Fauchers Vorschläge den Kapitalisten wie eine Aufmunterung zur Tat klingen. Unter dem Vorwand, in gemeinnütziger Weise der herrschenden Wohnungsnot entgegenzuarbeiten und zur Verbesserung der Wohnverhältnisse beizutragen, kam es in der Form von Villenkolonien zu einer Reihe von privaten Urbanisierungsprojekten, die sich insofern nach Fauchers Plänen richteten, als der in den Außenbezirken gelegene Boden relativ billig erworben und die Finanzierung auf Aktienbasis getätigt wurde. Man kann in ihnen eine erste, bewußte Vorortbildung sehen.

Ein besonderes Gespür bewies dabei der Hamburger Johann Anton Wilhelm Carstenn (1822–96), der wie Faucher schon 1854 die urbanen Verhältnisse in London studiert hatte und daraus seine Schlüsse zog. Er reüssierte mit einer Villenkolonie auf Gut Wandsbeck bei Hamburg. Den dabei erzielten Gewinn von 2,5 Millionen Mark verwendete er zu neuen Bauprojekten in Berlin. Er erwarb die Rittergüter Lichterfelde, Giesensdorf und später auch Wilmersdorf in der Umgebung Berlins, da er »als einzig richtige Ausdehnung dieser Stadt die nach Südwesten in Richtung auf Potsdam« erkannte.[232] Außerhalb des Gesamtbebauungsplans gelegen, machte die Aufstellung eines Straßen- und Parzellierungsplans

232. Plan vom zukünftigen Berlin. Nach dem Entwurf von J.A.W. Carstenn. (J.A.W. von Carstenn-Lichterfelde, *Die zukünftige Entwicklung Berlins*, Berlin 1892)

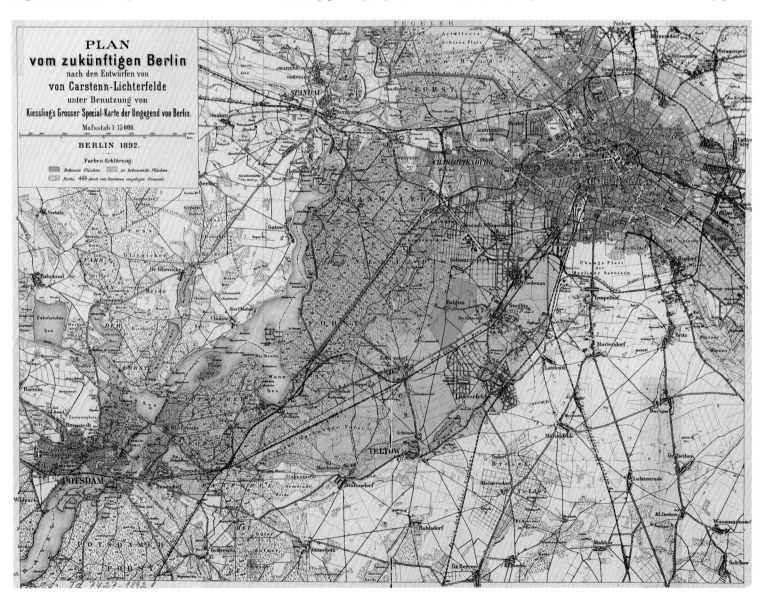

keine Schwierigkeiten. Auch war Carstenn so weitblickend, sich an die Eisenbahnlinien zu halten und sich die Einrichtung neuer Stationen zusichern zu lassen. Nicht ohne Stolz konnte er im Frühjahr 1868 bereits die ersten Bauparzellen für eine »vornehme Villenstadt« in Lichterfelde verkaufen. Damit nicht genug, sollte das Unternehmen auch noch des Beifalls der allerhöchsten Stellen teilhaftig werden. Kriegsminister von Roon und König Wilhelm I. wurden auf dem Bauareal empfangen, und Carstenn vergalt diese Auszeichnung mit der Schenkung des Bauplatzes für einen Neubau der Kadettenanstalt in Lichterfelde. Freilich wurde diese »patriotische Tat« des bald darauf geadelten Herrn von Carstenn-Lichterfelde vom preußischen Militärfiskus übel belohnt. Er wurde im Laufe der Zeit derart zur Kasse gebeten, daß die Schenkung schließlich zu seinem finanziellen Ruin führte.

Ein anderes Unternehmen, die Kolonie Westend auf Charlottenburger Markung, wurde bereits 1866 von dem Breslauer A. Werkmeister begonnen, finanziert durch die »Kommanditgesellschaft auf Actien, das Westend«. Der Parzellierungsplan von 1865 wirkt, trotz des eingeschobenen Marktplatzes, vier Grünplätze und ausgerundeten Straßenecken, schematisch und phantasielos und beweist nur, daß sich ein Einzelbebauungsplan im äußeren Gürtel nicht besser ausnahm als der Gesamtbebauungsplan. Wenn dieser Ort auch nicht direkt an einer Eisenbahnlinie lag, so stellte die soeben eröffnete Pferdebahn nach Charlottenburg doch die erforderliche Verbindung mit dem Stadtzentrum her. Durch den Übergang dieser Kolonie an die Westend-Gesellschaft H. Quistorp & Co. im Jahre 1868 begann aber die ursprüngliche Zielsetzung, nämlich preiswerte Landhäuser zu 3000 Goldmark für den Mittelstand zu erstellen, brüchig zu werden.[233] Denn mit dem Namen Quistorp war der Weg zur Bauspekulation vorgezeichnet. Andere, weniger bekannte Villenkolonien entstanden noch in Lankwitz, Steglitzer Fichtenberg, Düppel von Alsen am Wannsee (1863 von Bankier Conrad nach Hamburger Vorbild gegründet). Keine dieser Schöpfungen hat aber in nennenswertem Maße zur Linderung der Wohnungsnot beigetragen.

Zu Beginn der »Neuen Ära« ab 1861 unter König Wilhelm I. erfaßte Berlin eine allgemeine politische und wirtschaftliche Aufbruchstimmung, die sich auch auf den Wohnungsmarkt übertrug. Denn nun begannen sich die längst eingeleiteten Umwälzungen und Neuerungen stärker auszuwirken. Ein einheitliches preußisches Handelsrecht und die neu gebauten Eisenbahnen ermöglichten eine stärkere wirtschaftliche Entfaltung. Der Abschluß der Agrarreform brachte, nachdem die Lasten und Dienste aus der Feudalzeit endgültig beseitigt waren, ein freies Grundeigentum, das überhaupt erst einen Bodenmarkt ermöglichte.

Die neuen Bevölkerungszugänge in Berlin, jetzt in der Größenordnung von jährlich 20000 bis 30000 Menschen, trieben den Wohnungsbedarf weiter in die Höhe und vermittelten dem Markt das auslösende Moment zur Massenproduktion. In dieser ganz auf urbane Expansion ausgerichteten Stimmung kam dem 1862 publik gewordenen Gesamtbebauungsplan eine für die Stadt geradezu schicksalhafte Bedeutung zu, war in diesem behördlichen Planwerk doch, für Grundbesitzer und Bauinteressenten gleichermaßen deutlich, fast die ganze Umgebung von Berlin durch ein zusammenhängendes Straßenraster als Neubaugebiet ausgewiesen. Und war damit nicht einem dem Gemeinnutz abgeneigten, aber auf Kapitalvermehrung erpichten Bürgertum das unmißverständliche Signal zur Terrain- und Häuserspekulation gegeben? Wer über Kapital verfügte oder sich dieses auf Kredit beschaffen konnte und den Wohnungsmarkt zu deuten verstand, deckte sich bedenkenlos zu noch niedrigem Preis mit Baugrund in dem vom Bebauungsplan aufgezeigten riesigen Umfeld ein. Den ersten Nutzen hatten die einheimischen Bauern, Gärtner und Häusler (Kossäten), die durch Ablösungen und Separationen zu »beati possidentes« geworden waren. Der günstige Verkauf ihrer Immobilien machte sie über Nacht zu »Millionenbauern«.[234]

Es kam zu einem ersten, überstürzten spekulativen Bauboom, der sich aus der Vermehrung der Wohnungen und Gelasse zwischen 1860 und 1870 ablesen läßt.[235] Noch bevor die Straßen nach dem Bebauungsplan angelegt waren, wuchsen vier- bis sechsgeschossige Mietshausblöcke, in dichter Massierung mit Vorder- und Hinterhäusern, auf freiem Felde empor und gaben eine erste Ahnung davon, wie man sich fortan die Lösung der Wohnungsfrage in Berlin vorzustellen hatte.

Der Gedanke an die Mahl- und Schlachtsteuer ließ auch die Behörden nicht untätig bleiben. Sie verlegten die Steuergrenze weiter nach außen und betrieben, gegen den Einspruch des Kriegsministeriums, den Abbruch der alten Akzisemauer.[236] Dem dadurch geschaffenen Freiraum kam insofern eine erhöhte strukturelle Bedeutung zu, als sich

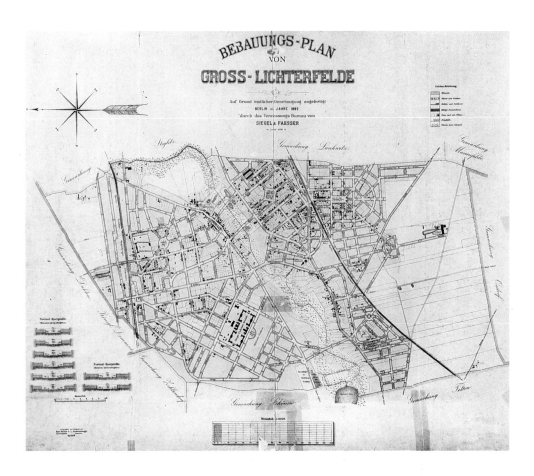

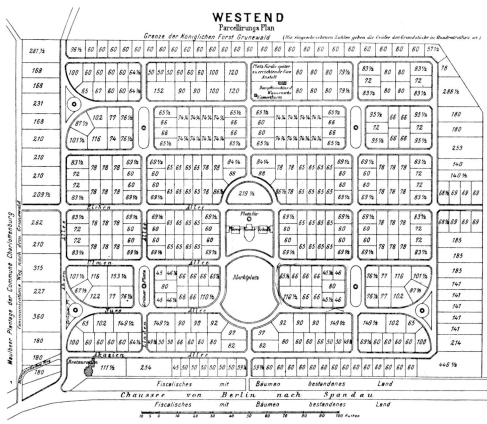

nun tatsächlich die Anlage einer inneren Gürtelstraße anbot. Durch die Königgrätzer (heute Stresemannstraße), Gitschiner und Skalitzer Straße im Süden und die Elsässer Straße, Lothringer Straße und Friedenstraße im Norden wurde sie in wichtigen Partien verwirklicht. Eine Überproduktion, zu der sich bald noch der Eindruck schwindelhafter Manipulationen gesellte, löste bereits 1864 eine Hypothekarkrise aus, durch die der Boom schnell in sich zusammenbrach. Die Kriege von 1866 und 1870/71 führten dann zu einer längeren Stagnation.

## 5.4.4. Die Bau- und Bodenspekulation nach 1871

Nach den kriegerischen Auseinandersetzungen, die zugunsten Preußens endeten und zu einem jeder rationalen Erklärung unfaßlichen Siegestaumel führten, war eine neue Situation gegeben. Die Erhöhung zur Reichshauptstadt vervielfältigte Berlins Anziehungskraft noch und steigerte den Glauben an seine urbane Expansionskraft ins Unermeßliche. Das wird aus der weiteren Bevölkerungsbewegung ersichtlich.[237]

| Jahr | Einwohner | Zuzug | Geburten |
|------|-----------|-------|----------|
| 1871 | 824484 | 53201 | − 3215 |
| 1872 | 864255 | 32293 | 7478 |
| 1873 | 900348 | 27830 | 8263 |
| 1874 | 932591 | 21153 | 11093 |
| 1875 | 964539 | 21250 | 10697 |
| 1876 | 997702 | 17777 | 15386 |
| 1877 | 1024215 | 12388 | 14125 |
| 1878 | 1054726 | 16999 | 13512 |
| 1879 | 1089082 | 19658 | 14698 |
| 1880 | 1123749 | 23357 | 11310 |
| 1881 | 1158559 | 22383 | 12427 |
| 1882 | 1196205 | 23597 | 14049 |
| 1883 | 1232716 | 27327 | 9184 |
| 1884 | 1271677 | 27263 | 11698 |
| 1885 | 1315665 | 30328 | 13659 |
| 1886 | 1363220 | 35942 | 11613 |
| 1887 | 1414969 | 34919 | 16830 |
| 1888 | 1471972 | 38248 | 18755 |
| 1889 | 1528681 | 42041 | 14618 |
| 1890 | 1578516 | 33784 | 16051 |
| 1891 | 1606617 | 9517 | 18584 |
| 1892 | 1622497 | − 2421 | 18281 |
| 1893 | 1640994 | 4775 | 13742 |
| 1894 | 1656074 | − 1902 | 16982 |
| 1895 | 1678924 | 8828 | 14022 |
| 1900 | 1888313 | 123320 | 84718 |
| 1905 | 2043313 | 73567 | 81433 |

In kurzer Zeit war der Wohnungsüberhang aus den späten sechziger Jahren abgebaut. Im April 1870 gab es noch 193 leerstehende Wohnungen. Als nach Friedensschluß etwa 55000 Menschen in der Stadt Unterkommen suchten und zudem 11000 Ehen geschlossen wurden, nahmen die Wohnungszustände rasch unhaltbare Formen an.[238] Auf den Schlächterwiesen vor dem Kottbusser Tor hausten – offensichtlich außer Kontrolle der Behörden – 163 Familien in Zelten, Lauben, Hütten und alten Eisenbahnwaggons, von der zeitgenössischen Presse als »Barackia« beschrieben. Obdachlose, die auf den Straßen kampierten, wurden zum Teil in öffentlichen Anstalten untergebracht, zum Teil kehrten sie der Stadt den Rücken. Der enorme Wohnungsbedarf setzte weitere Mechanismen in Gang. Die Hauswirte sahen ihre Stunde gekommen und erhöhten die Mieten bald von Quartal zu Quartal. Während die Miete bis 1870 etwa ein Sechstel des Arbeitereinkommens ausgemacht hatte, stieg dieser Anteil 1872/73 bis auf ein Drittel. Um diesem unerträglichen Zustand abzuhelfen, gaben die einkommensschwachen Schichten ihre Stadtwohnungen auf und suchten in den Dörfern der Umgebung eine billigere Bleibe. Der für Berlin so typische Wohnungswechsel nahm hier seinen Anfang.

Die vornehmeren Stände, die bisher sorglos zur Miete gewohnt hatten, sahen sich durch die andauernden Mieterhöhungen zum Hauskauf veranlaßt. Und auch die Unternehmer und Geschäftsleute, die über genügend Mittel oder Kredit verfügten, legten sich in exklusiven Quartieren große, anspruchsvolle Wohnungen zu, womit sie ihrerseits zu einer weiteren Verfälschung der eigentlichen Wohnungsbedürfnisse beitrugen und die alten sozialtopographischen Unterscheidungen der einzelnen Bezirke stark verwischten. Aber letztlich steigerten alle diese Reaktionen nur noch weiter den Wert der Häuser und der Baugrundstücke.

Es bedurfte also keines besonderen Signals mehr, jene Kräfte auf den Plan zu rufen, die zu allen Zeiten auf der Lauer liegen, um sich schnell und mühelos auf Kosten anderer zu bereichern. Alle Anzeichen ließen an ein unbegrenztes Wachstum, an ein Berlin der 9 Millionen Einwohner glauben.[239] Terrain- und Häuserspekulationen versprachen das große Geschäft. Und wie man schnell gewahr wurde, brachte der Handel oder, besser, der Wucher mit dem Terrain allein den höchsten Gewinn ein. Allerdings erforderte dieses Geschäft bei der weiträumigen Berliner Parzellierung einen relativ hohen Kapitalaufwand, aber mit Hilfe des Hypothekarkredits ließ sich hier ein Ausweg finden. Anfangs gingen die Terrainspekulanten noch in eigener Regie zu Werke. Sie kauften Wiesen, Äcker, Sandböden und Sümpfe im Umkreis von Charlottenburg bis Weißensee zum zehn- bis fünfzigfachen Preis des landwirtschaftlichen Wertes zusammen. Indem sie dann nach Maßgabe des genehmigten Bebauungsplans Straßen absteckten, befestigten, mit Gehwegen versahen und das Land parzellierten, wiesen sie Bauplätze aus, die sie sofort wieder zu einem wesentlich höheren Preis an Bauunternehmer abstoßen konnten. Im Notfall ebneten sie diesen noch mit hypothekierten »Baugeldern« den Weg zur Bauausführung. Spekulationsgewinne von 200 000 bis 300 000 Talern, innerhalb weniger Monate realisiert, sind für diese Zeit verbürgt.[240]

Als schon nach kurzem der Baustellenhandel zu stocken begann, schlossen sich die Spekulanten zusammen und gründeten an die 80 Aktien- und Baugesellschaften, wobei ihnen das von der Regierung gerade noch rechtzeitig eingebrachte neue Aktiengesetz vom 11. Juni 1870 den notwendigen Spielraum verschaffte. Der besondere Trick dieser Gesellschaften bestand darin, das breite Publikum durch den Verkauf von Aktien in der harmlosen Stückelung von 100 oder 200 Talern an ihrer Finanzierung zu beteiligen. Sagenhafte Dividenden von 20 bis 40 Prozent, hochmanipulierte Kurse und »Bauzinsen« sollten zum Einstieg verlocken. Es ist aufschlußreich, daß jene »Reformer«, die vor dem großen Boom vorgaben, mit ihren Villenkolonien in gemeinnützigem Sinne die Wohnungsnot zu beheben, in diesem Gründungstaumel wieder in vorderster Reihe anzutreffen sind. Carstenn hatte sich inzwischen 1021 Hektar Land gesichert, was etwa einem Sechstel des Berliner Weichbildes entsprach. Derart eingedeckt war er imstande, mit Hilfe der Land- und Baugesellschaft Lichterfelde, des Berlin-Charlottenburger Bauvereins und anderer Gesellschaften dem ganzen Berliner Südwesten die strukturprägende Aufteilung zu geben. Wie vorgesehen, schritt der Ausbau von Lichterfelde-Ost und -West weiter voran. Obwohl außerhalb des Berliner Planungsbereichs gelegen, folgte die Straßenführung ebenso abstrakten geometrischen Mustern und einem additiven Duktus wie der amtliche Gesamtbebauungsplan, nur daß hier die städtebaulichen Bezüge bereits an den Markungsgrenzen von Zehlendorf und Lankwitz, von Steglitz und Teltow endeten und auf einen urbanen Verbund des Großraums Berlin keine Rücksicht genommen war.

Mit der neuen Kolonie Friedenau, zu der 1871 ein Landerwerb- und Bauverein auf Aktien einlud, rückte Carstenn näher an den westlichen Stadtrand heran. Die von ihm mit 30 Metern Breite angelegte Kaiserallee (heute Bundesallee) stellte eine gute Verbindung von Steglitz zum Tiergarten her. Und gerade darin, daß sie jahrelang mit den als Vieh-

235. Baracken von Obdachlosen auf den Schlächterwiesen vor dem Kottbusser Tor, Berlin, Zeichnung von Georg Koch. (*Über Land und Meer, Allgemeine Illustrierte Zeitung,* Stuttgart, 1872, 14. Jg., Nr. 46)

weide verpachteten Bauplätzen unbebaut dalag, später aber zu einem signifikanten Straßenzug im Westen wurde, mag man den Scharfblick des »Napoleons der Terrainspekulanten« erkennen.[241] Der Gründungsaufruf für Friedenau verrät, daß hier nicht an den Bau vielgeschossiger Mietsblöcke mit «Proletarierwohnungen«, sondern an Wohnhäuser für die »höheren Stände« gedacht war, zu einem Preis, der die Jahresmietsumme nicht übersteigen sollte. Das notwendige Kapital von 10 000 Talern nahm sich für diesen Zweck sehr bescheiden aus, die erste Dividende von 40 Prozent dagegen fulminant hoch. Doch die Kapitalbasis wurde rasch auf 400 000 Taler erweitert und neues Land hinzugekauft. Damit geriet auch dieses Projekt, noch bevor der Ausbau über die Anfänge hinausgekommen war, in den Sog der Spekulation. 1876 gab es lediglich 60 bewohnte Häuser, die sich zum größten Teil in den Händen von Spekulanten befanden.

Den Entwicklungsprognosen Carstenns folgend faßte der Berlin-Charlottenburger Bauverein noch den Ausbau des Kurfürstendamms von einem fiskalischen Feldweg zu einer 30 Meter breiten Ausfallstraße nach dem Grunewald ins Auge. Doch dieses Projekt gedieh vorerst über eine allgemeine Anregung nicht hinaus.

Während somit Carstenn, trotz allen spekulativen Ambitionen, ein gewisses Gespür für Stadtentwicklungstendenzen nicht abzusprechen ist, läßt sich das von den anderen bekannten »Gründern« wie dem »Banquier« Heinrich Quistorp, dem »Eisenbahnkönig« Bethel Henry Strousberg,[242] dem Schöpfer der Kaisergalerie Paul Munk nicht sagen. In der Kolonie Westend warf Quistorp, als er die großen Gewinnchancen witterte, die Prinzipien der Gemeinnützigkeit schnell über Bord. Er stattete die Genossenschaft Deutscher Zentralbauverein mit einem Aktienkapital von 1,2 Millionen Talern aus, obwohl das »Experiment eines humanen Prinzips« weitergehen sollte. Prospekte, Bulletins, Besichtigungen und goldene Versprechungen warben für das Projekt. Aber die Entnahmen für unverdiente Dividenden und Tantiemen höhlten die finanzielle Ausstattung der beteiligten Gesellschaften schnell aus und ließen kein gutes Ende ahnen.

Ganz unverfänglich nahm sich das Vorgehen des Reichstagsabgeordneten Schön aus, der mit anderen Spekulanten draußen im Nordosten das Rittergut Weißensee aufkaufte, um dort in Neuweißensee Mietwohnungen für Arbeiter zu bauen. Auch er gab an, vor allem gegen die Wohnungsnot vorzugehen.[243] Und so agierten noch viele. Selbst die höchsten Kreise der preußischen Aristokratie verschmähten es nicht, »in Häusern zu machen«. Der 1873 getätigte Umsatz von 640 Millionen Mark für Baugrundstücke mag eine Ahnung von den Aktivitäten dieser Gründerzeit vermitteln.[244] Indes führten die immer höher geschraubten Grundstückspreise, die schwindelhafte Finanzierung mit substanzlosen Hypothekenkrediten, das Ansteigen der Baupreise und die Mißachtung der Marktbedürfnisse für preiswerte und billige Wohnungen zu einer gefährlichen Konstellation.

Vermehrte Subhastationen der Spekulationsobjekte deuteten die Krise an. 1873 kam es zum Krach. Von Wien her einsetzend, erfaßte er auch Berlin und entlarvte den ganzen Gründungstaumel als ein übles Betrugsmanöver zwielichtiger Existenzen.[245] Die Quistorpsche Baubank brach wie ein Kartenhaus zusammen. Die meisten Aktien- und Baugesellschaften verschwanden kurzerhand von der Bildfläche. Ihre Liegenschaften fielen entweder in die Hände der Vorbesitzer zurück oder gingen an Konsortien, die genug Mittel und Zeit hatten, auf eine günstige Verwertungsmöglichkeit zu warten. Zuweilen blieb das angefangene Unternehmen, wie in Friedenau und Westend, einfach als »Krachruine« liegen und wartete auf bessere Zeiten.

Man würde diesen Berliner Gründerkrach aber verharmlosen, wenn man seine Auswirkungen nur auf die Ernüchterung und Demaskierung der Spekulanten und auf die Verluste naiver Anleger reduzieren wollte. Es blieb nämlich auch der Eindruck zurück, daß das gemeinnützige und genossenschaftliche Prinzip im Wohnungsbau malträtiert und verfälscht worden war. Die Bauwilligen mußten, trotz Bankrotten und Pleiten, annehmen, der auf maximalen Gewinn abgestellte Terrainhandel und Häuserbau sei der nächstliegende Weg zur Befriedigung der Wohnungsnachfrage, wenn nur genügend Kapital bereitgestellt und in äußerster Verdichtung gebaut würde.

So gesehen bedeutete der Krach von 1873 keine entscheidende Wende im weiteren Baugeschehen. Gewiß stagnierte der Grundstücksumsatz sofort, aber die Wohnungsproduktion ging dem Ablaufeffekt des Marktes entsprechend ungehemmt weiter. Erst 1875 war, bei einer zehnprozentigen Vermehrung der Wohnungen, der Höhepunkt erreicht. Wenig später konnte der Bedarf als gedeckt angesehen werden, und was bis 1880 hinzukam, lief bereits auf eine Überproduktion hinaus. Die 21 000 leerstehenden Wohnungen und Gelasse, die 7,8 Prozent aller vorhandenen Wohnungen ausmachten, illustrieren diese Tatsache ausreichend.

## 5.4.5. Der Mietshausbau

Nachdem somit der zyklische Verlauf des baulichen Geschehens die eigentlichen Wirkungskräfte des Urbanisierungsprozesses deutlich genug gekennzeichnet hat, liegt es nahe, sich der Mietshausbebauung als dem substantiellen Bestandteil der Stadterweiterungen zuzuwenden. Die für Berlin typische »Mietskaserne« war, da hilft alles Räsonieren der Kritiker von Hegemann bis Leyden nichts,[246] für die Zeit um 1860 längst ein historisches Faktum. Dementsprechend hatten die Behörden, ohne sich weiter um die Reformdiskussion über Cottage- oder Kasernierungssystem zu kümmern, den Mietshausbau sowohl in der Bauordnung von 1853 wie auch im Gesamtbebauungsplan von 1862 sanktioniert.[247] Allerdings trugen zur weiteren Ausbreitung der Mietskaserne auch noch andere Faktoren bei. Gerade weil zum Bau von Mietshäusern viel Kapital benötigt wurde, war die Beleihbarkeit des Bodens ein wichtiges Instrument zur Durchsetzung des Mietskasernenbaus. Zum besseren Verständnis dieses Aspekts lohnt es sich, die Hauptstationen des Immobilienkreditwesens in Preußen kurz zu verfolgen.[248] In der Hypotheken- und Konkursordnung vom 4. Februar 1722 kam eine klare Bevorzugung der Meliorationsgläubiger zum Ausdruck. Die Liegenschaften sollten nur der zeitweilige – möglichst kurzfristige – Bürge für die Person des Schuldners sein. Das »Prinzip der Besserung« entsprach der alten deutschen Rechtsauffassung im Sachsen- und Schwabenspiegel. Im übrigen galten die Prinzipien der Publizität (Eintragung und Einsicht) und der Spezialität (Bezug auf ein bestimmtes Grundstück). Im »Projectum« des »Codicis Fridericiani Marchici« vom 3. April 1748 erhielt die römische Auffassung »superficies solo cedit« das Übergewicht. Das bedeutete, daß fortan das Gesamtobjekt allein in der Bodenfläche zur Haftung herangezogen wurde. Die Meliorationsgläubiger verloren dementsprechend ihr Pfandvorrecht; indem die reine Altersrangfolge nach dem Eintragungsdatum galt, war das Hypothekenrecht weitgehend schematisiert. Derart abgesichert, mußte die erste Hypothek als »Platz an der Sonne« gelten. Den Gläubigern dieser erstrangigen Sicherheit brauchte, solange der Zins pünktlich einging, an einer schnellen Darlehenstilgung nicht mehr gelegen zu sein. Darüber hinaus machte nun die Formalisierung des Rangvorzugs die Hypotheken verkehrsfähig; durch Zession konnte die Schuld leicht in die zweite Hand übergehen.

Mit dieser Hypothekenzirkulation waren die Voraussetzungen für eine Dauerverschuldung der Immobilien gegeben. Die Folgen stellten sich sofort ein: Die Bodenpreise stiegen, und ihr Steigen wurde wieder mit einem erhöhten Hypothekenkreditvolumen abgedeckt. Der Bodenmarkt war damit in das Auf und Ab der Konjunkturbewegungen einbezogen. Die Hypothekenordnung vom 20. Dezember 1783 führte noch das Prinzip der Legalität ein, das heißt die Verpflichtung der Behörden, die Eintragungen genau zu prüfen. Im übrigen förderte sie ebenfalls Kaufgeldverschuldung, Bodenpreissteigerungen und häufigen Besitzwechsel.[249] Um schließlich weiterhin den hochverschuldeten Immobilien den Markt offenzuhalten, eröffneten die daran interessierten Kreise nach 1850 in den Kammern und in der Öffentlichkeit eine gezielte Kampagne für die Immobiliarkreditvermehrung. Mit dem Inkrafttreten des »Gesetzes über den Eigentumserwerb und die dingliche Belastung von Grundstücken« vom 5. Mai 1872 hatten sie ihr Ziel im wesentlichen erreicht: Bei entsprechender Taxierung des Feuerkassenwerts war der Boden mit Hilfe des Hypothekenkredits über den eigentlichen Wert hinaus belastbar.[250] Ohne Skrupel zeigten sich Hypothekenaktienbanken, Versicherungsgesellschaften und später auch Großbanken zu diesem Geschäft bereit.[251] Und genau dieser Voraussetzung hatte es bedurft, um den Mietshausbau wieder in Schwung zu bringen.

Bei genauerem Zusehen bildete sich in der Praxis ein Ablauf – eine »Terrain-Technik« – heraus, bei dem die verschiedenen Kräfte der Reihe nach zum Zuge kamen.[252] Die Bodeneigentümer konnten als erste versucht sein, das große Geld zu machen. Wie sie sich entschieden, erzählen die Geschichten von den Schöneberger Millionenbauern. Für die Terrainspekulanten, die das Ackerland zu Bauland veredelten, denen aber an dessen Überbauung nichts gelegen war, kam alles darauf an, zwischen Einkaufs- und Verkaufspreis eine möglichst hohe Spanne herauszuschlagen. Bebauungsplan und Bauordnung boten dafür die erforderliche Handhabe, wobei sich die großen Baublocktiefen und Straßenbreiten als besonders folgenreich erwiesen. Die zum Teil über 100 Meter tiefen Baugrundstücke waren ganz eindeutig auf den Berliner Wohnhaustyp mit Vorder- und Seiten- bzw. Hintergebäude angelegt, der schon in Entwürfen Schinkels zu finden ist und der von der Schinkelschule für vornehme Wohnbauten angewandt worden war, trotz all den Komplikationen, die das »Berliner Zimmer« hervorbrachte.[253]

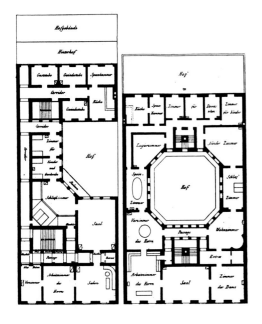

236. Städtische Wohnhäuser mit einem und zwei Seitenflügeln. Grundrißentwürfe von Friedrich Schinkel. (*Grundlagen der praktischen Baukunst*, Berlin 1834)
237. Schneider'sches Wohnhaus, Anhaltstraße 7, Berlin. Grundrisse und Hofansicht. Architekt A. Stüler. (*Berlin und seine Bauten*, Berlin 1877)

1. Durchfahrt. 2. Wohn- und Gesellschafts-Zimmer. 3. Schlafzimmer. 4. Küche. 5. Speisekammer. 6. Mädchenkammer. 7. Gartensalon. 8. Veranda. 9. Durchfahrt nach dem Garten. 10. u. 11. Pferdestall. 12. u. 13. Wagenremisen. 14. Aborte. 15. Kleine Hinterwohnung, aus zwei Stuben mit Kochofen bestehend.

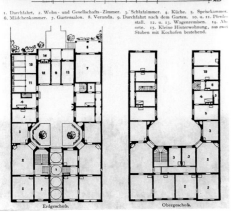

Erdgeschoß.  Obergeschoß.

So sinnvoll die U-förmige Aufteilung mit dem Vorderhaus als Herrschaftswohnung, den Seitenflügeln als Stallungen und Domestikenräumen, dem rückwärtigen Garten als privatem Freiraum auch sein mochte, so wenig konnte sich diese Disposition zur Unterbringung einer Vielzahl von Kleinwohnungen bei gleichem Grundstückszuschnitt eignen. Die Spekulation verschwendete darauf jedoch keinen Gedanken, sie wußte nur zu gut, daß unter Beachtung der Mindestabmessungen von 5,34 Metern für Innenhöfe und Hinterhausabstände bei 22 bis 38 Meter breiten Straßen ohne weiteres eine stark komprimierte, fünf- bis sechsgeschossige Überbauung zulässig war. Dem Drang, die Grundstücke auf das äußerste zu nutzen, stellte sich also nichts in den Weg, und es ist deshalb nur noch als eine letzte Konsequenz der Spekulanten anzusehen, wenn sie den großen Quartieren zur optimalen Vermarktung möglichst viele schmale Grundstücksstreifen abgewonnen haben. Je mehr Mietshausparteien nämlich unterzubringen waren, um so besser, denn der Verkaufspreis richtete sich hauptsächlich nach dem zu erwartenden kapitalisierten Mietertrag. Unter diesen Voraussetzungen und bei dem zunächst ungestillten Bedarf fiel es dann auch nicht schwer, den Baugrund am Markt gewinnreich umzusetzen.

Zur Abnahme bereit standen Leute, die sich als Bauunternehmer bezeichneten, die aber mehr als Hasardeure anzusehen waren.[254] Was sie auf dasselbe Ziel wie die Terrainspekulanten hinarbeiten ließ, war der Wunsch, das große Geschäft im Wohnungsbau zu machen. Ihr Problem war nur, wie das ohne ausreichendes Kapital und Vermögen und ohne die notwendige architektonische Schulung zu bewerkstelligen war. Mit der dem Baugrundstückspreis inzwischen zugeschlagenen Gewinnquote sahen sich die Spekulanten in die Lage versetzt, auch völlig mittellose Unternehmer agieren zu lassen. Diese erhielten »Baugelder« auf Kredit, die in knapp bemessenen Raten ausbezahlt und durch Hypothekeneintragung abgesichert wurden.[255] Wie man jetzt schon sieht, lief alles von Anfang an auf eine übermäßige Kapitalisierung des Bodens hinaus, die aber weniger auf produktiven Aufwendungen als vielmehr auf einer überzogenen Kreditierung basierte. Nach der Meinung von Rudolf Eberstadt war die Mietskaserne zu 90 bis 96 Prozent hypotheziert. So verwundert es nicht, daß die Spekulanten ihr Augenmerk besonders auf die Beleihungsbemessung ihrer Objekte richteten. Sie schreckten selbst vor Täuschungen nicht zurück, indem sie erbärmliche Kleinwohnungen ohne Licht und Luft hinter prachtvolle eklektizistische Fassaden aus ölfarbübermalten Gipsstukkaturen legten oder deren Innenräume mit Deckengemälden verzierten, alles in billigster Machart ausgeführt, nur um den Taxator der Feuersozietät zur Festlegung eines hohen Kassenwertes zu animieren.[256] Denn diese »Feuertaxe« steckte das Maß für die Beleihung ab, das man bis zur äußersten Grenze auszunutzen trachtete und das – welcher Widersinn – zur Grundlage des Kaufpreises gemacht wurde.

Wenn es dem Bauunternehmer gelungen war, ohne Insolvenz und Subhastation über die Runden zu kommen, hielt er seinerseits nun Ausschau nach einem Käufer für seinen Neubau. Es bedurfte keines großen Kapitals, um hier zum Zuge zu kommen. Hausbesitzer einer solchen völlig verschuldeten Mietskaserne konnte werden, wer in der Lage war, vier bis zehn Prozent des Grundstückspreises zu bezahlen, der Begriff des »vierprozentigen Hausbesitzers« wurde geprägt. Die Rolle, die einem so schwach bemittelten Hauswirt zugedacht war, ist klar: Er hatte lediglich als Statthalter des Hypothekengläubigers für die pünktliche Entrichtung der Hypothekenzinsen zu sorgen und zudem als »lästiger Vogt« die eng zusammengepferchten Mietparteien im Zaum zu halten. Mit vierzehntägigen Kündigungsfristen und scharfen Klauseln in den Mietkontrakten wußte er sich den nötigen Respekt zu verschaffen.[257] Für diese Dienste gewährte man ihm eine 12- bis 15prozentige Verzinsung seines eingebrachten Kleinkapitals, was allein schon deshalb nicht schwerfallen konnte, weil Hypothekenzins und Vermieterzuschlag einfach den Mietzins ergaben.

So blieb es dem letzten Glied in dieser Kette – dem Mieter – vorbehalten, die Rechnung des von der Privatspekulation und von den städtischen Haus- und Grundbesitzervereinen betreuten Wohnungsbaus zu bezahlen.[258] Wie aber hat sich diese finanziell schwächste Gruppe zu helfen versucht? In der Konjunktur nach den Kriegen streikten die Arbeiter 1869, 1871 und 1872. Sie setzten in den durch Aussperrungen verschärften Arbeitskämpfen Lohnsteigerungen durch, um wenigstens die Verteuerungen des Lebensunterhalts und der Mieten aufzufangen. In der Tat bestand bei der Berliner Arbeiterbevölkerung eine krasse Diskrepanz zwischen Einkommen und Mietausgaben. Die Statistik ist in diesem Fall der unverfänglichste Zeuge. Bei einer für 1889/90 gezählten Gesamtbevölkerung von 1436233 Einwohnern hatten 265101 Einwohner ein so geringes Einkommen, daß sie zur Mietsteuer überhaupt nicht veranlagt wurden, und 622 550 Einwohner rangierten in den Steuerstufen 1 und 2 (bei 12 Stufen), hatten also ein Jahreseinkommen bis 900 Mark. Im einzelnen gesehen konnte ein erwachsener Arbeiter bei Verrechnung des in Berlin üblichen Taglohns von 2,40 Mark bei 300 Arbeitstagen auf einen Jahresverdienst von 720 Mark kommen; ein gut verdienender Bauhandwerker vielleicht auch auf 1 200 Mark. War der Arbeiter gewillt, ein Viertel davon für die Wohnung auszugeben, so konnte er sich eine Jahresmiete von 180 bis 400 Mark erlauben. Was war dafür zu haben? Für 230 bis 270 Mark gab es eine Stube mit Küche in einem Hinterhaus;[259] der Höchstbetrag von 400 Mark reichte aber nicht aus, um eine Zweistubenwohnung mit Küche und Korridor in einem Vorderhaus zu beziehen, denn deren Miete hätte 450 Mark betragen. Selbst in den Häusern der schon erwähnten Berliner gemeinnützigen Baugesellschaft kamen zwei Stuben nebst Küche und Nebengelassen auf 300 bis 315 Mark. Der Wille, selbst unter diesen widrigen Umständen der Großstadt eine Existenz abzutrotzen, rief jene chaotischen Zustände hervor, die man weniger bei den preußischen Hofhistoriographen als vielmehr in den Berichten der Berliner Armenärzte und Krankenkassen und der Wohnungsreformer beschrieben findet.[260] Für die unterste Schicht blieben nur Kellerwohnungen übrig, die zwar aller Wohnungshygiene und Hauptstadtwürde Hohn sprachen, aber trotzdem zwischen 1861 und 1890 von 9 654 auf 28 265 anstiegen. Sie machten 1875 nicht weniger als 10,5 Prozent des gesamten Wohnungsbestandes aus, und sie stellten für etwa 100 000 Menschen in den sozialtopographisch abgewerteten Vierteln der äußeren Luisenstadt, der Stralauer Vorstadt, Weddings und Moabits die klägliche Antwort des preußischen Beamtenstaats auf die Wohnungsfrage dar. Nicht viel besser erging es jenen Familien, die mit einer einzigen »Kochstube« vorliebnehmen mußten (1885 waren es 31 571), wobei sie Korridor und Abort mit den anderen Mietsparteien teilten. Da aber die Wohnungen mit niedrigen Mieten allgemein knapp waren, sahen sich auch Arbeiter gezwungen, viel zu teure Wohnungen zu nehmen. Zur Kompensation bedurfte es der Nebenverdienste von Frauen und Kindern, oder es mußten Untermieter, Chambregarnisten und Schlafleute für den Ausgleich sorgen. Wie es bei der Belegung eines Raumes mit sechs bis zehn Menschen um die Kommodität und Häuslichkeit bestellt war, braucht nicht weiter beschrieben zu werden. Diese Untermietverhältnisse führten zu einer weiteren Erhöhung der Behausungsziffern. Die Zahl der auf einem Grundstück lebenden Menschen war 1890 auf durchschnittlich 73 gestiegen (1861 = 48,28), die punktuelle Verdichtung in den Arbeitervierteln lag aber noch weit höher: in der östlichen Luisenstadt jenseits des Kanals bei 127, in der Steinmetz- und Alvenslebenstraße bei 483 und in der Ackerstraße sogar bei 1074. Die Mißachtung der minimalsten Wohnbedürfnisse einzelner Gesellschaftsglieder wurde schließlich so weit getrieben, daß Dienstboten und Kinder zum Schlafen auf den »Hängeboden« über Speisekammern und Bädern verfrachtet wurden. In den Küchen standen Betten für Schlafburschen, die sich manchmal mehrere Personen wechselweise teilten. Fast wie unwirklich wird in der Romanliteratur, in den photographischen und zeichnerischen Reportagen eines Heinrich Zille und Hosemann von diesen glanzlosen Zuständen unter Preußens Gloria berichtet.[261] Und der Berliner Magistrat beruhigte sich in seinem Verwaltungsbericht für 1881/82 mit dem ergreifenden Eingeständnis: »Mit Schmerz ruht das Auge der Stadtbehörde auf den traurigen ethischen Wirkungen der Wohnverhältnisse.«[262] Der Ratschlag, mit den Wohnstätten in die Vororte auszuweichen, hielt die Wohnungsfrage weiterhin in der Schwebe.

Die hier geschilderten Umstände des gründerzeitlichen Wohnungsbaus lassen es geraten erscheinen, die »Berliner Mietskaserne« als Gebäudetyp und als stadtbildprägendes Element noch genauer zu betrachten.[263]

Die 1882 entstandenen Gebäude Wilhelmstraße 12 und 13 sind gut geeignet, die nach der Bauordnung von 1853 mögliche Flächennutzung mit Grundriß- und Hofaufteilung bei den üblichen »eingebauten« Häusern zu studieren.[264] Haus Nr. 12 besteht aus einem Vorder- und einem Hinter- bzw. Quergebäude, die bei einer Grundstücksbreite von etwa 15 Metern durch zwei Seitenflügel miteinander verbunden sind, getrennt durch einen ersten Innenhof mit der Mindestfläche von 28,52 Quadratmetern (5,34 auf 5,34 Meter). Die vorhandene Straßenbreite von etwa 23 Metern hätte eine achtgeschossige Überbauung erlaubt, man hat sich jedoch bei allen Gebäudeteilen an die übliche fünfgeschossige Ausführung gehalten und trotzdem auf dem 5 Ar großen Grundstück 14 Wohnungen untergebracht. Vier Wohnungen mit fünf Zimmern und Küche und fünf Wohnungen mit vier Zimmern und Küche tradieren den herrschaftlichen Wohnungstyp; sie sind aber, wenn man die Belichtung der an den Innenhöfen gelegenen Räume, die langen dunklen Flure

238. Gebäude Wilhelmstraße 12 und 13, Berlin, Baujahr 1882. Grundrisse und Querschnitt. (Umzeichnung nach Heinz Ehrlich, *Die Berliner Bauordnungen*, a.a.O.)

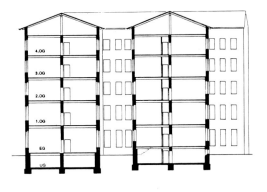

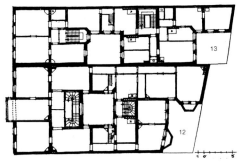

entlang den Brandmauern, die fehlende Querlüftung usw. bedenkt, nur noch eine Paro-
die der alten Herrlichkeit. Auch entsprachen sie mit ihrer hohen Zimmerzahl keineswegs
den eigentlichen Marktbedürfnissen; sie verführten im Gegenteil zu den schon erwähnten Untermietverhältnissen.

Bei Haus Nr. 13 lernt man das Einflügelhaus kennen, das sich bei einer Grundstücksbreite von 9,95 Metern nur auf der einen Seite über den Querbau hinaus bis zur rückwärtigen Grundstücksgrenze fortsetzt. Die beiden ausgesparten Hinterhöfe entsprechen genau
dem geforderten Mindestmaß. Das 3,84 Ar große Grundstück gibt hier, bei kleineren
Wohnungsformaten, sogar 16 Wohnungen her, und man konstatiert eine 85prozentige
Überbauung des Grundstücks. Im Vordergebäude befinden sich, offensichtlich für herr-
schaftliche Bewohner gedacht, vier Wohnungen mit vier Zimmern, Küche und Nebenräumen, während im Hinter- und Flügelhaus die gängigen Zweizimmerwohnungen ver-
steckt sind, ergänzt noch durch zwei Kellerwohnungen, deren Decke 1,30 Meter über
dem Hofterrain liegt. Vergegenwärtigt man sich, wieviel Licht und Frischluft in den engen, fünfgeschossigen Hinterhofschächten für die Räume des Erdgeschosses und des
Souterrains übrigbleiben, so ist das vernichtende Urteil über diese inhumane Bauweise
und über jene, die sie praktiziert und toleriert haben, bereits gesprochen. Es bedarf deshalb kaum noch des Hinweises auf das berüchtigte Beispiel von Meyers Hof in der
Ackerstraße 132/133 aus dem Jahre 1874, wo auf einem 39,8 Meter breiten und 141 Meter
tiefen Grundstück ein Vordergebäude und sechs Quergebäude untergebracht sind. Die
10 Meter tiefen Zwischenräume sind zum Teil als Höfe ausgebildet, die seitlich durch Ab-
trittsbatterien umrahmt sind, zum Teil als gärtnerische Anlagen, die wohl die Illusion eines Parks vortäuschen sollten.[265] Bei dem viergeschossigen Aufbau mochten die Belich-
tungsverhältnisse nicht einmal so schlecht wie bei den Seitenflügelhäusern sein, das Ver-
werfliche in diesem Fall lag jedoch in der unsagbar primitiven Behandlung der
Wohnungen. Über Podesttreppen und lange Innenflure erschlossen, sind die Räume einfach neben- und übereinander gepackt, wobei für Wohnräume zwei, für Kammern und
Küche je ein Fenster abfallen. Wohnungsabschlüsse fehlen, ebenso Neben- und Sa-
nitärräume im Wohnbereich. Die Aborte liegen im Hof und die Bäder im letzten Hintergebäude. Dieser Verzicht auf Häuslichkeit ermöglichte es, jedes Gebäude mit 50, das Gesamtareal mit 300 Wohnungen für etwa 2000 Menschen zu füllen. Und doch hatte »Banquier« Meyer mit dieser extremen Ausnutzung seines Grundstücks nur getan, was ihm
die Vorschriften und Gesetze und die Moral seines Standes jederzeit zu tun erlaubten.[266]
Bei so viel Tristesse in der strukturellen Anlage der Mietshäuser blieb es deren Fassaden
vorbehalten, wenigstens visuell eine bessere Welt vorzutäuschen. Allein schon die Tradition der klassizistischen Straßenarchitektur mußte in Berlin als Hinweis und Verpflichtung empfunden werden. Jetzt folgte nach der Verfälschung des U-förmigen Grundriß-
schemas durch »Kochstuben-Wohnungen« die Loslösung der Fassade von der dahinterliegenden Bausubstanz. Unabhängig vom gesellschaftlichen Status der Bewohner und
von der baulichen Nutzung geben die architektonischen Ordnungen der Renaissance
dem Äußeren der Mietshäuser ein repräsentatives, hochwertiges Aussehen. Die Folgen
dieses Ausgleichs sind nicht zu unterschätzen: Tatsächlich war so, wenn auch nach
Haus- und Stockwerkslage differenziert, eine Vermischung der Bevölkerungsschichten
möglich; die Verslumung der Hinterhofpartien blieb hinter der Fassadenattrappe weitgehend verborgen, und damit entsprach das von vornehmen Palästen geprägte Stadtbild
der Wunschvorstellung des Kaiserreiches von einer noblen und geordneten Reichshauptstadt.

Es würde hier zu weit führen, die Stilimitationen der Fassaden vom Schinkelschen Klassizismus bis zu den Auflösungserscheinungen im wilhelminischen Barock aufzuzeigen.[267] Festzuhalten bleibt aber, daß die Bauordnung von 1853 auch die Außenarchitek-
tur stark beeinflußt hat. Sie bestimmte die geschlossene hohe Bebauung mit den unun-
terbrochenen Gebäudefluchten. Da bei der Gleichartigkeit der Stockwerkswohnungen
eine Betonung der Beletage unmotiviert erscheinen mußte, ging man schon in den sechziger Jahren dazu über, die Straßenwände mit dem bekannten Repertoire der architektonischen Wandgliederung (Architrave, Gesimse, Wandpilaster usw.) zu beleben, wobei
an der klassischen Vorstellung einer Abstufung und Verfeinerung der Formen von unten
nach oben festgehalten wurde. In der späteren Zeit sind noch die Gestaltungsmotive der
Erker, Balkone und Loggien hinzugekommen, was bewirkte, daß die Fassaden, für sich
betrachtet, eines visuellen ästhetischen Reizes nicht entbehren, aber doch nicht mehr als
die Versatzstücke einer vorgegaukelten Ordnung waren, jederzeit austauschbar und auf
jeden Geschmack abrichtbar.[268]

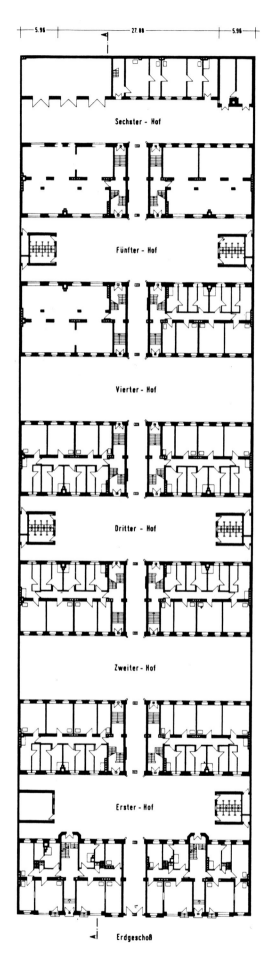

239. Meyers Hof, Ackerstraße 132/133, Berlin,
Baujahr 1873/74, Grundriß vom Erdgeschoß.
(J.F. Geist, K. Kürvers, *Das Berliner Mietshaus
1740–1862*, München 1980)

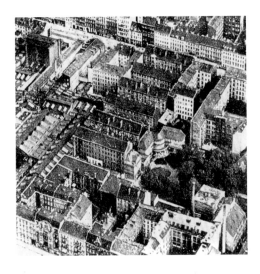

240. Meyers Hof in Berlin aus der Luft. (Märkisches Museum, Berlin)

241. Gebäude Yorkstraße 53, Berlin. Grundriß vom Erdgeschoß. (Heinz Ehrlich, *Die Berliner Bauordnungen*, a.a.O.)

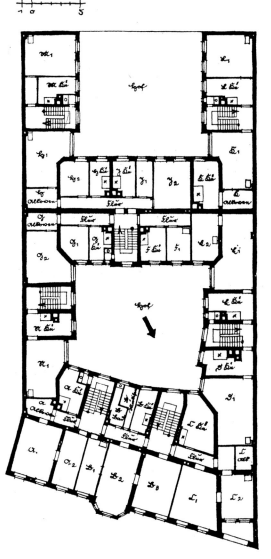

Erst verhältnismäßig spät haben die verantwortlichen Stellen die katastrophalen Folgen des Zusammenwirkens von Bauordnung und Gesamtbebauungsplan wahrgenommen. Eine erste Reaktion bestand darin, daß der Staat sich aus seiner städtebaulichen Verantwortung herauszulösen versuchte, indem er durch das »Fluchtliniengesetz« von 1875 die Festlegung der Straßenfluchtlinien, das heißt die Aufstellung der Bebauungspläne, den Gemeinden übertrug.[269] Damit war der Berliner Bebauungsplan aber keineswegs in Frage gestellt.

Auch eine Änderung der Bauvorschriften schien dem Staat nun angezeigt. Über Jahre hinweg wurden Entwürfe zu einer neuen Bauordnung zwischen Polizeibehörde und Gemeinde hin- und hergeschoben. Die Staatsgewalt tendierte zu einer Verschärfung der gesundheitspolizeilichen Vorschriften; die Kommunalinstanzen, in denen Hausbesitzer und Grundeigentümer das Wort führten, sperrten sich aus Furcht vor wirtschaftlichen Nachteilen gegen alle gravierenden Änderungen. Die Baupolizeiordnung für den Stadtkreis Berlin vom 15. Januar 1887 wurde der Stadt deshalb wieder ohne ihre Zustimmung vom Polizeipräsidium aufgenötigt.[270] Diese legte die Überbauung eines Grundstücks in einer Flächenregel fortan auf zwei Drittel oder, wenn es schon vor 1887 bebaut war, auf drei Viertel der Gesamtfläche fest. Die Innenhöfe mußten, bei einem Mindestmaß von 6 Metern für die Seitenlänge, wenigstens 60 Quadratmetern, und die Quergebäude einen Mindestabstand von 18 Metern aufweisen. Die Gebäudehöhe wurde an über 12 Meter breiten Straßen allgemein auf 22 Meter und auf maximal fünf Geschosse festgelegt. Kellerwohnungen waren nur noch für den Fall zulässig, daß ihre Fußböden höchstens 50 Zentimeter (bzw. einen Meter bei Lichtgräben) unter dem Terrain lagen. Zur Verbesserung der Wohnungshygiene mußten Aborte und Bäder direkt belichtet, fensterlose Flure über Rohre belüftet werden. So gut diese schärferen Bestimmungen von den Behörden auch gemeint waren, so wenig vermochten sie den Tatbestand der Mietskaserne als Spekulationsobjekt aus der Welt zu schaffen.[271] Um das Positive zu sehen: Der Gebäudemassierung waren endlich gewisse Grenzen gesetzt; Hinterhofwohnungen bekamen mehr Licht, und die berüchtigten Kellerwohnungen steckten weniger tief im Erdreich. Trotzdem überwog das Negative: Die neue Flächenregel reizte jetzt erst recht zur zulässigen Ausnutzung an, mit noch größeren Ausmaßen in den Grundstücksbreiten und -tiefen, um den geforderten Mindestmaßen zu entsprechen.[272] Tatsächlich verfestigte sich der Mietshaustyp mit Hinterhöfen nur noch mehr. Und zur besseren Rendite wurden die Wohnungen möglichst klein gehalten, ohne daß die Grundrißaufteilung besser, die Mieten erschwinglicher, die Grundstückspreise billiger geworden wären.

Am Beispiel des Gebäudes Yorckstraße Nr. 53[273] lassen sich die veränderten Bedingungen gut ablesen. Das 11,7 Ar große Grundstück durfte zu drei Vierteln seiner Fläche überbaut werden. Die fünfgeschossige Bauweise von Vorder- und Quergebäude und der beiden Seitenflügel ergab 57 Wohnungen, von denen 25 nur noch zwei Zimmer und Küche und 24 ein Zimmer und Küche aufweisen. Obwohl durch die neue Bauordnung zulässig, erscheinen die im Innern versteckten fensterlosen Alkoven, die nur vom Treppenpodest zugänglichen Aborte und die völlig unzureichend belichteten Räume in den »Berliner Ecken« unzumutbar.

Ein weiterer Ansatz in der nochmals revidierten Bauordnung vom 15. August 1897,[274] die Bebauungsdichte über in der Grundstückstiefe abgestaffelte Baustreifen mit verschiedenen Ausnutzungsgraden zu regulieren, brachte keine befriedigenden Resultate. Wohl verbesserte das Zusammenlegen von Höfen zu »Hofgemeinschaften«, das nun erlaubt war, wiederum die Lichtverhältnisse in den Hinterhöfen, aber in der Zwischenzeit hatte sich die Bewohnerschaft der Blöcke so weit entmischt, daß das Wohnen in den Mietskasernen auch unter verbesserten Voraussetzungen einer sozialen Deklassierung gleichkam. Denn die höheren Schichten wußten sich aus eigenem Antrieb und aus eigener Kraft die ersehnte frische Luft und Naturnähe in den wieder auflebenden Villenkolonien der Vororte zu verschaffen. Dabei ist die fortschreitende sozialtopographische Unterteilung in eine proletarische Ost- und in eine bürgerlich-gehobene Westlage nicht zu übersehen. Mit ihr ging zudem eine immer stärkere Funktionsentmischung der Innenstadt einher. Sie führte zum Abbruch der bescheidenen Alt-Berliner Häuser und zum Bau neuer Bierhallen, Banken, Waren- und Geschäftshäuser.

Die wohlhabenden Schichten gaben ihre Sommerfrischen und Villen im Osten und Norden auf und suchten sich in den westlichen Vororten ein neues Domizil. Als besonders feine Adresse galt der Grunewald.[275] Nach dem Bau des Kurfürstendamms, von dem im folgenden noch die Rede sein wird, lag es nahe, die geradlinige und direkte Verbindung in den Westen hinaus auch für den anspruchsvolleren Wohnungsbau zu nützen, zumal der Kurfürstendammgesellschaft ein Kaufanrecht für den Baugrund einer Villenkolonie am Rande des Grunewalds zugestanden war. Aber die Flaute am Grundstücksmarkt zu Beginn der achtziger Jahre hielt das Projekt lange Zeit in der Schwebe. Erst im März 1889 wagte die Gesellschaft durch die Ausgabe von 7800 Inhaberaktien zu 1000 Mark das Grundkapital von 200000 Mark auf 8 Millionen zu erhöhen, um mit dieser finanziellen Ausstattung dem Fiskus 236 Hektar Waldterrain in der Teltower Heide zum Preis von 3,27 Millionen Mark abzukaufen und für eine Überbauung zu erschließen. Der vertraglichen Abmachung gemäß mußten die moorigen Fenne durch Ausbaggern in kleine Seen umgewandelt werden. Mit dem Diana- und Königsee, dem Hubertus- und Herthasee sowie dem Halen- und Hundekehlesee entstand eine einmalige, für Großstadtverhältnisse geradezu romantische Wohnlage.[276] Die baurechtlichen Vorschriften sahen in diesem Falle eine offene Bebauung vor, bei der die freien Fassaden untereinander einen Abstand von 8 Metern aufweisen mußten und die Gebäudehöhe auf drei Stockwerke beschränkt blieb. In der Straßenaufteilung wurde der Zug des Kurfürstendamms durch die Koenigsallee aufgenommen und mit mehrfachen Abknickungen nach Süden fortgesetzt. In derselben Richtung verlaufen zwei weitere Straßen (Bismarckallee und Kunz-Buntschuh-Straße sowie Hubertusbader und Paulsborner Straße). Die Zwischenräume sind mit Diagonalwegen und Rondellplätzen aufgeteilt, was nur beweist, daß um 1890 auch in dieser Waldidylle ein Plan ohne Sternmuster nicht vorstellbar war.

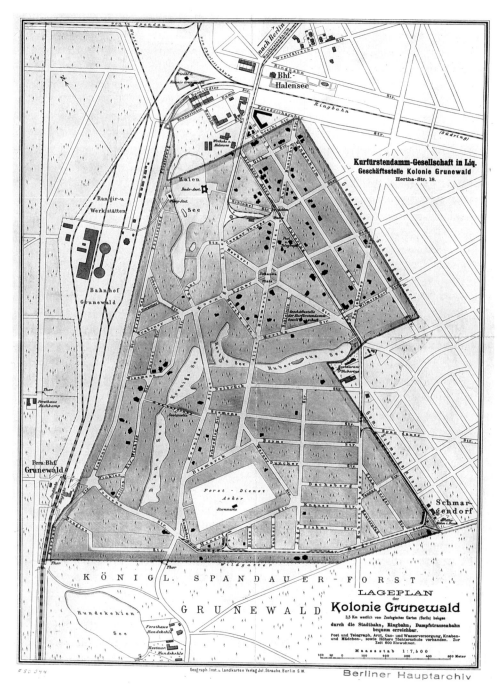

242. Villenkolonie Grunewald, Berlin. (Geheimes Staatsarchiv Preußischer Kulturbesitz, Berlin)

Doch trotz ihren offensichtlichen Reizen kam die Kolonie nur schwer voran. Zuerst versuchte man das abgelegene Gebiet durch Bauprämien schmackhaft zu machen. Nach einiger Zeit war jedoch die gewünschte Publizität erreicht und Kenner deckten sich daraufhin »zum Zwecke gewinnreicher Wiederveräußerung« mit den angebotenen Bauplätzen ein. »In der Kolonie Grunewald spekuliert jetzt beinahe alles: es gibt hier kaum eine populärere Erwerbstätigkeit«, berichtet Paul Voigt 1901.[277] Das war tatsächlich der Fall, denn ein Grundstück in der Bismarckallee, für das man im April 1890 noch 12,70 Mark pro Quadratmeter bezahlte, konnte sieben Jahre später zu 45,50 Mark pro Quadratmeter losgeschlagen werden. Wer also über genügend Kapital verfügte, dem war ein drei- bis vierfacher Gewinn im »Villengeschäft« sicher.

Dem Umfang nach blieb die Kolonie jedoch bescheiden. Sie zählte Ende 1895 erst 134 Villen, nach weiteren zwei Jahren 205 Villen, in denen 430 Haushalte mit 2141 Personen lebten. Diesen Zahlen zufolge waren die Gebäude teilweise von mehr als einem Haushalt bewohnt. Sie galten in diesem Falle als sogenannte »Mietvillen«, die die Spekulanten natürlich leichter am Immobilienmarkt umsetzen konnten als Einfamilienhäuser. Bezeichnenderweise konzentrierte sich dieser Typ um die beiden Bahnhöfe Halensee und Grunewald. Später prägten die anspruchsvollen Villen das Gesamtbild der Kolonie.[278] Sie erhoben sich, je nachdem ob sie sich stärker historischer Ziergiebel und Erker oder angelsächsischer Dielen- und Kaminarchitektur bedienten, zu regelrechten Schlößchen oder opulenten Landsitzen, und sie galten bald als Inbegriff eines für die Masse unerreichbaren Wohnideals.[279] Dieser Tendenz zur distinguierten Absonderung in einer landschaftlich reizvollen Umgebung entsprachen neben dem Grunewald-Projekt auch die anderen bekannteren Unternehmungen: die 1894 entstandene Villenkolonie Schlachtensee; die Bauten der Zehlendorf-Grunewald AG;[280] die seit 1900 bestehende Villenkolonie Nikolassee und die Wohnbauten der fiskalischen Domäne Dahlem, für die ebenfalls 57 Hektar Grunewaldgelände geopfert wurden.[281]

Aber war überhaupt dieser Ausverkauf einer als urwüchsig und einzigartig anerkannten Kulturlandschaft durch den preußischen Fiskus zugunsten einer gesellschaftlich bevorzugten kleinen Gruppe tragbar und sinnvoll? In diesem Falle war sich der Berliner Magistrat der Fragwürdigkeit des staatlichen Vorgehens bewußt. Er unterbreitete dem zuständigen Ministerium schon 1892 einen Plan, den ganzen Grunewald anzukaufen, zum Stadtpark auszubauen und ihn so der Öffentlichkeit zugänglich zu machen. Der Staat lehnte diesen vernünftigen Vorschlag rundweg ab und fuhr ungeniert fort, sich durch weitere Landverkäufe eine – vom kontrollierten Etat unabhängige – finanzielle Manövriermasse zu schaffen. Die endgültige Rettung des Waldes zog sich noch bis 1915 hin.[282]

Unter diesen Umständen konnten sich die Villenkolonien ungestört entwickeln. Denn hinter ihnen stand, über alle staatliche Protektion hinaus, eine Art neuer Wohnideologie. Sieht man ihnen einmal ihren spekulativen Entstehungsgrund nach, so motivieren sie sich, zuerst in den geschmacklosen Gründervillen, deutlicher jedoch in den später entstandenen englischen Landhäusern, auch noch als die Ausflucht vor einer innerstädtischen Misere, vor den überfüllten, lichtarmen und dumpfen Mietskasernen, die ja nicht nur der höheren, sondern ebensosehr der niederen Klasse unwürdig waren. Der allgemeine Wunsch, den städtischen Steinwüsten zu entfliehen, ist durchaus verständlich, nur war es äußerst unsozial, hier dem bemittelten Großbürgertum einen Ausweg zu eröffnen, die Arbeitermassen aber weiterhin ihrer tristen Umgebung zu überlassen. Indes kam dem bürgerlichen Verlangen nach dem Wohnen in den Vororten zugute, daß reformerische Kräfte inzwischen eine neue Ideologie des naturnahen Wohnens, des natürlichen Lebens in einer gesunden Umgebung propagierten, aus der die notwendige Überzeugung und Berechtigung leicht abzuleiten war.[283] Otto March, Alfred Messel, Bruno Möhring und vor allem Hermann Muthesius haben im wesentlichen dazu beigetragen, die Bewegung auch architektonisch zu akzentuieren. Ihre Landhäuser in Grunewald, Nikolassee und Wannsee sind zu Recht als eine Wende im bürgerlichen Wohnbau interpretiert worden. Aber sie waren letzten Endes zu sehr auf eine einzelne Gesellschaftsschicht[284] ausgerichtet, als daß sie einen durchgreifenden Effekt, eine gerechte urbane Erneuerung hätten einleiten können.

### 5.4.6. Der Kult der großen Straßen

Der sogenannte Generalszug – Ringstraßen

Als eines der wenigen strukturbildenden Kennzeichen des Gesamtbebauungsplans von 1862 müssen die bereits erwähnten Ring- und Gürtelstraßen angesehen werden. In den Augen der Planer waren sie dazu bestimmt, der Stadt Kontur und Gliederung zu geben; in der Sicht des königlichen Stadtherrn bedeuteten sie das städtebauliche Ausdrucksmittel einer zur Repräsentation verpflichteten Residenzstadt. Was ist indes bei dem von der Privatspekulation beherrschten Stadtausbau im letzten Viertel des 19. Jahrhunderts aus diesem Plangedanken geworden?

Aufschlußreich ist ein Blick auf den südlichen und südwestlichen Bereich. Die Ringstraße war hier im Plan, anders als im Norden und Osten, nahe an die alte Stadtmauer herangerückt. Durch ein Platzgelenk bei Rixdorf sollte sie einen großen Bogen schlagen von der dichtbebauten äußeren Luisenstadt bis zu der Ost-West-Transversale (Bismarckstraße) in Charlottenburg. Und um diesem Ringabschnitt nahe dem »Geheimratsviertel« und dem noblen »Alten Westen« die entsprechende Gewichtigkeit zu geben, sahen die Abteilungen II, III und IV des Planwerks einerseits boulevardmäßige Straßenquerschnitte von 55 bis 75 Metern vor, andererseits weiteten sich eine Reihe von Straßenkreuzungen zu Monumentalplätzen von verschiedenartigen Formaten aus. Diese waren anfangs noch ganz neutral mit A, B, C usw. bezeichnet, im Jahre 1865, am Gedenktag für die Befreiungskriege, belegte man sie aber mit deren Helden- und Schlachtennamen. Fortan hörte sich die Abfolge der Teilstücke sehr patriotisch und martialisch an. Sie beginnt im Süden mit der Gneisenaustraße, es folgen die Yorckstraße mit dem Wartenburgplatz, der Wahlstatt- und Blücherplatz, die Bülowstraße mit dem Dennewitzplatz, die Tauentzienstraße mit dem Wittenbergplatz, der Gutenbergplatz (ab 1891 Auguste-Viktoria-Platz, heute Breitscheidplatz) und die Hardenbergstraße. Die Apostrophierung »Generalszug« erscheint daher verständlich. Doch noch während dieser zusammenhängende Südring von den Planern aufgezeichnet wurde, machte eine andere Verkehrseinrichtung ihren Platzanspruch geltend. Denn den Abschnitt der Yorckstraße durchschnitten die Berlin–Potsdam–Magdeburg- und in kurzem Abstand davon die Anhaltische Eisenbahn, die beide weiter nördlich in nicht allzu großer Distanz im Potsdamer und Anhalter Bahnhof am westlichen Rande der Friedrichstadt endeten. Mit dieser Situation hatte sich schon Lenné in seinem Bebauungsplan für die Tempelhofer und Schöneberger Feldmark von 1855 konfrontiert gesehen, und es erscheint plausibel, daß er deshalb dem im Ringstraßenzug liegenden Oktogonplatz noch den parallel zu den Bahntrassen gelegten längsgezogenen Rechteckansatz mit Halbkreisschluß anfügte, um so dem Gebiet zwischen den Gleisen eine geordnete Aufteilung abzugewinnen. Im Gesamtplan von 1862 (Abt. III) ist dieses anspruchsvolle Lennésche Platzgebilde mit unwesentlichen Abänderungen wiederzufinden, obwohl der planenden Behörde die Ambitionen der Bahnverwaltung zur Vergröße-

243. Gleisanlagen des Anhalter und Potsdamer Bahnhofs, Berlin, Anfang der 20er Jahre. (Archiv Bernd Neddermeyer, Berlin)

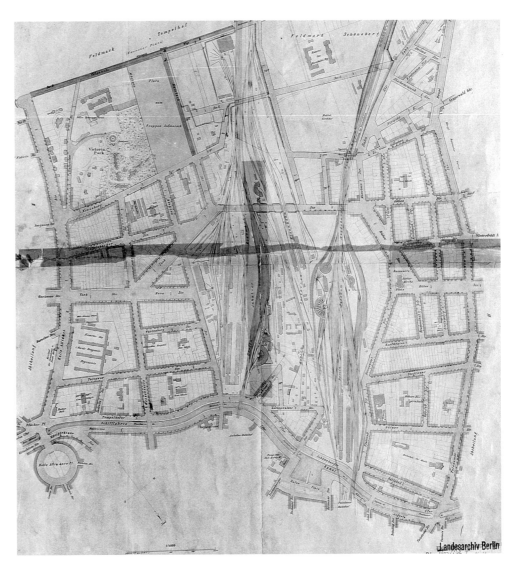

244. Bebauungs-Plan der Umgebungen Berlins, Abt. III, 1861, frühe Fassung. (Landesarchiv Berlin)
245. Bebauungs-Plan der Umgebungen Berlins, Abt. III, 1891, revidierte Fassung. (Landesarchiv Berlin)

rung ihrer Eisenbahnanlagen in diesem Bereich nicht verborgen bleiben konnten. Glaubte sie dennoch, wie Ernst Heinrich annimmt, »an die Durchführbarkeit des Planes«, indem sie sich gegen die damals noch privaten Eisenbahngesellschaften mit ihrem »Schmuckplatz« durchzusetzen hoffte?[285] Oder muß man hier Leute am Werk sehen, wie Werner Hegemann sarkastisch moniert, deren »selbstherrliche Künstlerphantasie mit dem Wahlstatt- und Blücherplatz ... dem Tode geweihte Zwillinge« hervorgebracht hat und die so vernagelt waren, den Ausdehnungsdrang der längst vorhandenen Endstationen für die noch fehlenden Rangier- und Güterbahnhöfe nicht einmal zu ahnen, geschweige denn in ihr Kalkül mit einzubeziehen?[286] Ob man in diesem Falle mehr entschuldigend oder mehr anklagend argumentiert, ist für das, was beim Ausbau 1861 bis 1868 tatsächlich geschehen ist, wenig tröstlich. Denn die ganz auf Expansion eingestellten Eisenbahngesellschaften wußten sich durch Ankäufe das ganze Gelände zwischen den Bahngleisen anzueignen. So entstanden an Stelle eines Monumentalplatzes der Blücherverehrung auf fast einen Kilometer Ringstraßenlänge die unübersehbaren Gleisharfen der Güterbahnhöfe. Wenn dieses städtebauliche Fiasko aber schon beklagt werden soll, so ist in diesem Zusammenhang daran zu erinnern, daß längst vor 1862 versucht wurde, die Gegend südlich des Landwehrkanals zu überbauen. Das Polizeipräsidium hatte es damals abgelehnt, einen rechtsgültigen Bebauungsplan festzusetzen, sei es in der Absicht, die geplante Eingemeindung abzuwarten, sei es auch nur aus Kurzsichtigkeit oder Bequemlichkeit. Letztlich hat es in der bekannten Laisser-faire-Haltung die Stadtentwicklung einfach treiben lassen und sie so dem Zufall oder der eigennützigen Zielsetzung starker Interessenvertreter ausgeliefert.

Die Lösung, die in dieser verfahrenen Lage für den »Generalszug« zustande kam, bestand in einem abgewinkelten Ausschwenken des Rings nach Süden, wo am Ende der Rangieranlagen die Yorck- und Bülowstraße unter den Gleisen hindurchgezwängt werden. Man kann das als Symbol dafür ansehen, wie dieser Zweikampf zwischen Straße und Schiene ausging und wie wenig Durchsetzungskraft letzten Endes die im Plan so herausgehobene

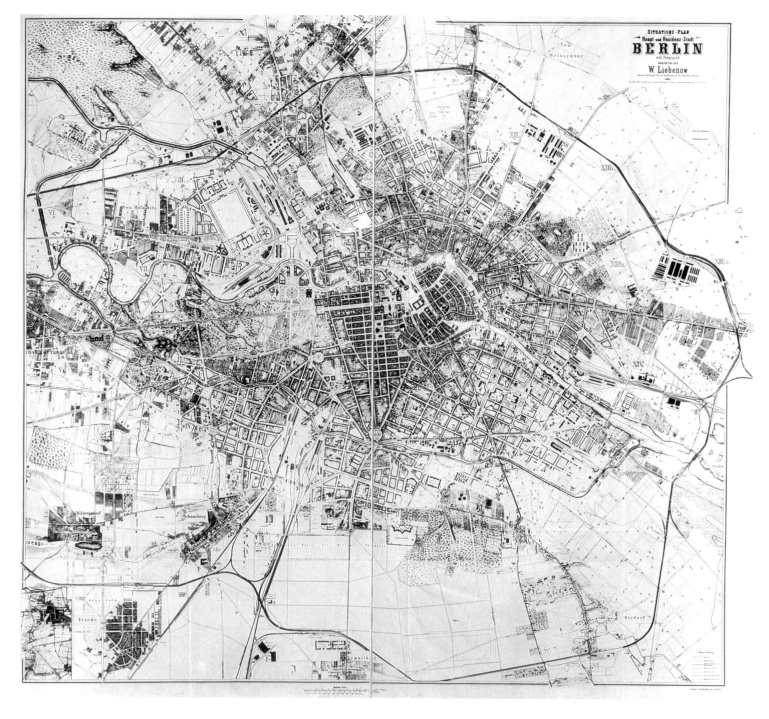

246. Berlin im Jahr 1888. Stadtplan bearbeitet von W. Liebenow. (Landesarchiv Berlin)

Ringstraßenidee hatte. Erst vom Dennewitzplatz ab, den die Bahnanlagen noch zu einem dreieckigen Ersatzgebilde deformierten, folgte die Straße wieder der Planabsicht. Aber mit den Sternformen des Nollendorf- und Gutenbergplatzes zeigten die Planverfasser noch auf andere Art ihre Ahnungslosigkeit bei der Ausformung der Plätze. Indem sie die Straßen aus jeweils sechs Richtungen in einem Punkte bündelten, schufen sie bereits alle Voraussetzungen für die zukünfitigen Verkehrsverwicklungen.

Auch im Norden und Osten schlug der Gesamtbebauungsplan von 1862 weitausgreifende Ringstraßen vor. Dem zufolge kam es zu verschiedenen Ansätzen. Da lagen hinter der alten Stadtmauer von Tor zu Tor geführt die »Communicationen«, die sich heute noch in der Linienstraße abzeichnen und den Bogen bis zur Großen Frankfurter Straße ziehen, wenn man noch die Gollnow- und Weberstraße hinzunimmt. Dahinter wiederholen die Elsässer- und Lothringerstraße und, mit einem Versatz nach Norden, auch die Friedens- straße noch einmal diese Bewegung. Aber diese Straßen sind alle nicht im Sinne eines geschlossenen Rings weitergeführt; sie enden vielmehr an der Spree oder schon vorher im Gewirr der östlichen Quartiere. Immerhin ermöglichten sie den Arbeitermassen, Tag für Tag auf dem kürzesten Weg in die Fabriken im Norden zu strömen. Weiter draußen wurde dem Plan entsprechend, auf unerschlossenem Ackerland gelegen, eine Art von »mittlerem Ring« eingerichtet, der den ganzen nordöstlichen Sektor abdeckt. Es ist der

Zug der Bernauer, Eberswalder, Danziger, Elbinger, St. Petersburger und Warschauer Straße, der sich immerhin vom Stettiner Bahnhof bis zur Oberbaumbrücke hinzieht und die Oberspree überbrückt. Südlich des Flusses blieb die Planvorlage jedoch unbeachtet. Eine geradlinige Straße sollte über eine Abknickung in Rixdorf die Verbindung zum »Generalszug« herstellen. Der eingeschobene Görlitzer Bahnhof (1865–67 von H.B. Strousberg erbaut) vereitelte diese Absicht. Wieder steht man, genauso wie bei dem Lehrter und Hamburger Bahnhof, vor dem Phänomen, daß die kommende Entwicklung nicht bedacht wurde und die Planer überhaupt eine intensive Auseinandersetzung mit den Eisenbahnen vermieden. Und so hoben gerade die tief in den Stadtkörper eingeführten Kopfbahnhöfe die Ringstraßenidee weitgehend auf.

Die größte Aussicht auf eine Realisierung hatte im Norden schließlich ein ganz außen angeordneter Ring, der die Jungfernheide, Reinickendorf und Neu-Weißensee tangierte. Was sich aber zuerst auf dem Plan als eine großzügige Bogenverbindung von Charlottenburg im Westen bis nach Lichtenberg im Osten verstand, das ist im Laufe der Zeit, nachdem die Bebauung auch in diese Region hinaus geführt worden ist, ebenfalls nur Stückwerk geblieben, da man auf eine Fortsetzung im Osten verzichtete.

Im Endeffekt kamen also die verschiedenen Ringe, ob in engerer oder weiterer Entfernung zur Innenstadt gezogen, über einen fragmentarischen Zustand nicht hinaus. Da sie aber in der Tat weder einem ausgesprochenen Verkehrsbedürfnis noch einem strukturprägenden Gliederungsdrang entsprachen, ist ihre konsequente Ausführung nie ernstlich angestrebt worden.

## Radialstraßen

Viel stärker als die Ringstraßen markierten die radialen Ausfallstraßen, die den wirklichen Verkehrsbewegungen folgen, eine Gliederungstendenz des Stadtplans. Sie führten, wie dem Sineckschen Plan von 1856 zu entnehmen ist, aus vielen Richtungen auf die Residenz zu und verrieten zumeist durch ihre Namen die Verbindung mit dem Umland. Im Westen mit der Charlottenburger Chaussee beginnend, folgen dann nördlich der Spree die Straße Alt-Moabit, die Chausseestraße nach Tegel, die Brunnenstraße nach Luisenbad, die Schönhauser Allee als »die große Communicationsader des Ostens mit dem Norden«,[287] die Prenzlauer Chaussee, die Greifswalder Straße bzw. die Königstraße mit ihren historischen Reminiszenzen sowie die Landsberger und die Frankfurter Allee. Südlich der Spree befinden sich die Köpenicker Landstraße, der Rixdorfer bzw. Kottbusser Damm, die Belle-Alliance-Straße und die Potsdamer Straße nach Schöneberg.

247. Berlin aus der Luft im Jahr 1939. Südliches Zentrum. (Landesbildstelle Berlin)

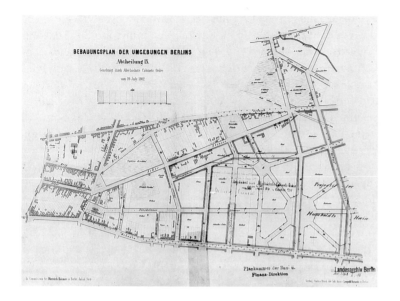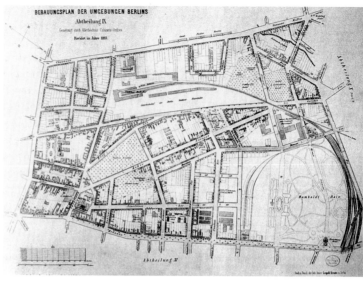

Was hat der Gesamtbebauungsplan von 1862 aus diesen vorhandenen Verkehrstrassen gemacht? Natürlich haben sich die Planer in ihrer ängstlichen Absicht, dem Fiskus möglichst wenig Ärger mit neuen Straßenerschließungen zu bereiten, an diese vorgegebenen Linien gehalten, zumal sie oft schon weit über den Stadtrand hinaus bebaut waren. Sie haben diese Straßen aber nicht, wie es nahegelegen hätte, zu eindeutigen Strukturmerkmalen gemacht und vergaben sich so die Möglichkeit, die amorphen Stadterweiterungsflächen in überschaubare Sektoren zu unterteilen. Nur im Nordosten, wo die Chausseen am stärksten hervortraten, ist eine radiale Strukturierung spürbar. Die Zwischenräume wurden jedoch wieder durch viel zu groß bemessene Quartiere und willkürlich eingestreute Plätze entwertet. An eine bewußte Auflockerung der Häusermassen – etwa durch Grünzüge oder Parkstreifen – war, sieht man einmal vom Friedrichshain als Ausnahme ab, nicht gedacht. Wie wenig in der Folgezeit Plan und tatsächlicher Stadtausbau übereinstimmten, läßt sich gut im Bereich der Brunnenstraße im Berliner Norden beobachten. In den Abteilungen IX und XI des Planwerks war für das Hochplateau auf dem Brunnenberg das im ganzen Plan auffälligste dekorative Muster vorgesehen. Beiderseits der Brunnenstraße sollten, im Gegensatz zu dem sonst angewandten Schachbrettmuster, in der Kompositionsart des Diagonalsystems acht Straßen sternförmig in Rondellplätze einmünden. Im östlichen Teil war zudem eine Folge von rechteckigen Platzgebilden vorgesehen, um die neue Bebauung mit der Ausgangsbasis an der Veteranenstraße zu verbinden. Die bereits vorhandene Berlin–Stettiner-Eisenbahn umfährt diese Bereiche im Westen und Norden im großen Bogen; sie endet im zugehörigen Bahnhof an der Invalidenstraße. Auch in diesem Falle zerstörte der Einschub neuer Eisenbahnanlagen die ursprünglichen Planansätze weitgehend. Die um 1870 gebaute Ringbahnstation Gesundbrunnen amputierte die eine Diagonalfiguration an der nördlichen, der von Strousberg zur selben Zeit in Betrieb genommene Viehhof die andere an der südlichen Kante. Nicht genug damit, schnitt der 1877 eingefügte Güterbahnhof der Nordbahn auch noch einen Streifen im Osten ab. Und so, als ob für dieses Gebiet überhaupt kein Bebauungsplan bestanden hätte, beschloß man 1869 zum Andenken an Alexander von Humboldt einen Park anzulegen, der im Gleisbogen der Viehhofzufahrt genau das eine Sternplatzareal vereinnahmte; den Rest des anderen teilte man ohne weitere künstlerische Ambitionen im Rechteckschema auf. Von der ganzen Herrlichkeit der genannten Platzschöpfungen entstanden nur der Vineta- und Arconaplatz, die zusammen mit dem Humboldthain den umgebenden Mietshausquartieren wenigstens etwas Freiraum verschafften. Der ganze Vorgang illustriert vortrefflich, daß die dem Gesamtbebauungsplan zugebilligte Möglichkeit »größerer oder geringerer Abänderungen« keine leere Floskel geblieben ist.[288]

Bei der geschilderten Modifikationsbereitschaft war es für spekulative Kräfte auch nicht schwierig, eine radiale Entwicklungsachse zu aktivieren, der im Plan keine besondere Bedeutung zugemessen war. Um nämlich den immer stärker spürbaren »Zug nach Westen«[289] zu nutzen, hatte zu Beginn der siebziger Jahre eine Interessengruppe den Kurfürstendamm ins Gespräch gebracht. Es handelte sich um einen streckenweise zu einem Knüppeldamm aufgeschütteten, fiskalischen Feld-, Reit- und Triftweg, der die Residenz mit den Schlössern im westlichen Umland (Jagdschloß am Grunewaldsee, Schlösser in Potsdam) verband und der sich seit 1850 eindeutig im Staatseigentum befand.[290]

248. Bebauungs-Plan der Umgebungen Berlins, Abt. IX, 1862, frühe Fassung. (Landesarchiv Berlin)
249. Bebauungs-Plan der Umgebungen Berlins, Abt. IX, 1893, revidierte Fassung. (Landesarchiv Berlin)

Im Gesamtbebauungsplan von 1862 ist dieser Weg auf ein kurzes Stück gerade noch am Rande angedeutet. Er erscheint aber merkwürdig vage, ohne Bebauung auf der Südseite und ohne eine zwingende Fortsetzung im Westen. Vielleicht hat gerade diese unausgesprochene Situation die Phantasie des Berlin-Charlottenburger Bauvereins beflügelt, hier mit dem Nebengedanken an eine zukünftige Villenkolonie den Ausbau einer 30 Meter breiten Ausfallstraße nach dem nahegelegenen Grunewald zu betreiben. Als sich Bismarck 1873, wohl in Sorge um seinen Reitweg, in einem Schreiben an das königliche Zivilkabinett für dieses Projekt einsetzte und zu einer noch »breiteren und schöneren Straßenentfaltung« riet, sahen sich die staatlichen Behörden zu einer Entscheidung gedrängt.[291] In der Kabinettsordre vom 2. Juni 1875 wurde die Straße festgelegt. Sie sollte auf Vorschlag des Polizeipräsidiums eine Breite von 53 Metern erhalten, unterteilt in zwei Fahrbahndämme mit je 10 Metern, einen durch Baumreihen abgegrenzten Reit- und Promenadenweg mit je 5 Metern, zwei Bürgersteige mit je 4 Metern und Vorgärten mit je

250. Verlauf des Kurfürstendamms, Berlin, 1873. Ausschnitt aus dem Bebauungs-Plan der Umgebungen Berlins, Abt. V – Charlottenburg –, revidierte Fassung. (Bezirksamt Berlin-Charlottenburg)
251. Kurfürstendamm, Berlin, 1912, in ausgebautem Zustand. Ausschnitt aus einem Übersichtsplan von Charlottenburg. (Bezirksamt Berlin-Charlottenburg)

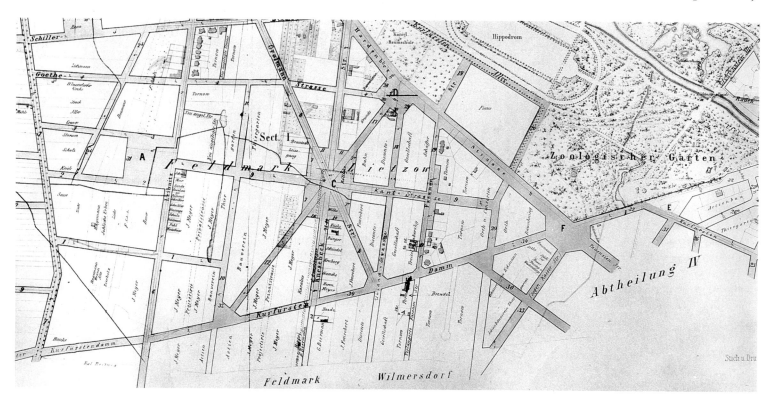

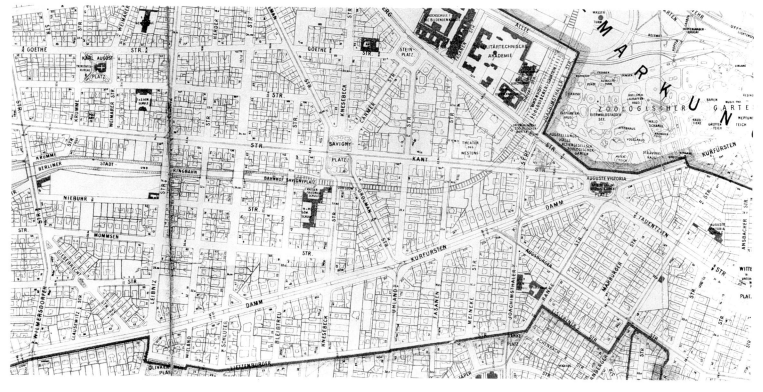

7,5 Metern. In der Längsrichtung entsprach sie dem alten Dammverlauf mit den leichten Abknickungen. Da die vielen Nord-Süd-Straßen des Planrasters aufzunehmen waren, ist der Straßenzug in kurzen Abständen durch Kreuzungen unterbrochen. Über diese Vorgaben hinaus unternahm der Fiskus jedoch keine weiteren Schritte; jedenfalls war er nicht willens, die Straße selbst zu finanzieren und zu bauen. So geschah in den siebziger Jahren nichts mehr. Erst als die Forstverwaltung im Grunewald eine Chaussee zum Wannsee anlegte und dadurch dem Kurfürstendamm eine einleuchtende Fortsetzung verschaffte, rückte das Projekt wieder stärker in den Vordergrund.[292] Englische Geschäftsleute, die sich zuerst dafür interessierten, fanden die damit verbundenen Bedingungen trotz Zureden des Kaisers und des Kanzlers zu riskant; ein deutsches Konsortium mit dem Baumschulenbesitzer John Booth als Sprecher griff indes zu und verpflichtete sich in einem Vertrag vom August 1882 zum Bau der Straße. Die Königliche Regierung in Potsdam räumte ihm als Kompensation dafür das Optionsrecht ein, im fiskalischen Grunewald eine Fläche von 234 Hektar für den Bau einer Villenkolonie entweder auf 90 Jahre zu einem mäßigen Zins zu pachten oder zum niedrigen Preis von 1,20 Mark pro Quadratmeter anzukaufen. Was daraufhin geschah, ist bezeichnend für die Gesinnungen in dieser fiskalisch-freihändlerischen Tauschoperation: Sobald Booth und seine Komplizen den Handel getätigt hatten, traten sie ihre Rechte gegen entsprechendes Entgelt an die Deutsche Bank ab. Dieser wiederum war es ein leichtes, mit dem Einsatz von 2,06 Millionen Mark den Grunderwerb von 155 000 Quadratmetern Land am Kurfürstendamm zu finanzieren. Das eigentliche Terraingeschäft wurde einer neugegründeten Kurfürstendammgesellschaft übertragen, hinter der die Bank stand. Diese baute, allerdings von mancherlei Schwierigkeiten durch Expropriationen gehemmt, von 1883 bis 1886 die Straße und bot dann die entstandenen Bauplätze zum Kauf an.[293] Eine Dampfstraßenbahn, die zur Eröffnung 1886 eingerichtet wurde, sorgte für eine gute Verbindung mit der Innenstadt.

Die Überbauung der Straße blieb, zumal diese weder einer behördlichen Absicht noch einer auf das Ganze bezogenen Entwicklungskonzeption entsprach, der Initiative der Privatspekulation überlassen. Lediglich vom Grundstücksmarkt bestimmt, schoben sich allmählich von Osten und Westen her zwei Bebauungsspitzen gegeneinander. Verständlicherweise ging der stärkere Antrieb von der Stadtseite aus, wo die Entscheidung zugunsten eines »Neuen Westens« längst gefallen war. Das Gebiet westlich der Potsdamer Straße hatte sich inzwischen gefüllt, und die nordsüdliche Grenzscheide, markiert durch Friedrich-Wilhelm-Straße und Maaßenstraße und durch Lützow-, Nollendorf- und Winterfeldplatz, war im nördlichen Teil bereits überschritten. Die Tauentzienstraße wies sich

252. Kurfürstendamm mit Auguste-Victoria-Platz und Tauentzienstraße, Berlin, 1914.

schon als gewichtige Verkehrs- und Ladenstraße aus.[294] Auch die Kantstraße und der Savignyplatz nahmen erste Formen an. Die urbane »Westwärtstendenz« war also offensichtlich. Ihr folgend bot sich nun auch der Kurfürstendamm als das Konkurrenzunternehmen an, das am weitesten nach Westen vorgestoßen war. Es bedurfte – neben dem finanziellen Rückhalt – nur der notwendigen Phantasie, um sich die Straße bei ihrem generösen Zuschnitt als eine Entwicklungsachse für den Stadtausbau mit vornehmen Mietshäusern, luxuriösen Geschäften und Unterhaltungsstätten vorzustellen. Hellsichtige Spekulanten zögerten nicht, sich mit Kurfürstendammterrain einzudecken. Und nach der schon beschriebenen Abfolge standen die Maurermeister bereit, prachtvolle Mietspaläste in allen erdenklichen Stilimitationen bezugsfertig zu liefern.

Gegen 1900 war von Osten her die Bebauung bis zur Knesebeckstraße gediehen. Der Keil, der von Westen her stadteinwärts gerichtet war und von der im Entstehen begriffenen Grunewald-Villenkolonie ausging, verfügte über weniger Kraft und kam langsamer voran. Er hatte den Halensee als Ausgangspunkt, wo am Eingang zum Grunewald ein Festplatz entstand, der zu den weiter außen liegenden Erholungsgründen überleitete. Seinen Höhepunkt erreichte der Ausbau des Kurfürstendamms erst in der Zeit zwischen 1900 und 1914. Nun schloß sich die Südseite ganz, während die Nordseite noch teilweise freiblieb.

Alles, was am Anfang das Straßenprojekt so fragwürdig erscheinen ließ, seine Ausrichtung ins Leere, sein Lauf durch Wiesen und Äcker, sein ungewöhnliches Querprofil, wich allmählich einer sicheren städtebaulichen Determination. Die zwischen 1891 und 1895 errichtete Kaiser-Wilhelm-Gedächtniskirche war als Auftakt dieser Neu-Berliner Prachtstraße zu verstehen, an der sich die Nobelmietspaläste und Luxusläden, die Cafés der feinen Welt und die Niederlassungen der Weltfirmen in architektonischem Pomp präsentierten.[295] Die Prachtstraße führte hinaus in den Grunewald, der mit seinen Ausflugszielen Pichelswerder, Pichelsberg, Schildhorn, Havelberg, Wannsee, Schlachtensee usw. zu einem Naherholungsgebiet des Westens geworden war und wohin man seit der Jahrhundertwende bequem mit der neuen elektrischen Straßenbahn gelangte. Das in der Straße pulsierende Leben erwies sich als so stark, daß es jenen »Selbstverstärkungseffekt« hervorbrachte, durch den der Konzentration der Läden und Firmenkontore immer mehr Publikum zugeführt wurde. Dies wiederum führte zur Ausweitung des Warenangebots und zu Umsatzsteigerungen. Am Ende lief aber alles auf eine Verdrängung der Wohnbevölkerung und ein Hochtreiben der Immobilienpreise hinaus. Wenn die Spekulanten anfangs mit ihren Baugrundstücken auf der freien Wiese »aushalten« mußten – lange Zeit wies nur ein Straßenschild auf die unbebaute Leibnizstraße hin –, konnten sie schließlich doch für ihren gewagten Einsatz Kasse machen. Der Ausbau des Kurfürstendamms geriet zu einem erregenden Exempel urbaner Wertschöpfung, das einer näheren Betrachtung wert ist.[296]

Das Bauterrain von etwa 70 Hektar (bei 4 100 Metern Straßenlänge und 75 Metern Grundstückstiefe) hatte 1860, landwirtschaftlich genutzt, einen Wert von rund 100 000 Mark. 1904 wurde der Bodenwert bereits auf 65 Millionen Mark taxiert. Im einzelnen vollzog sich die Steigerung der Quadratmeterpreise nach den bekannten Marktmechanismen. Die Gesellschaft hatte den Boden für 13 Mark pro Quadratmeter gekauft. Die durch Straßenlandabtretungen und Vorleistungen entstandenen Kosten erhöhten den Gestehungspreis auf 24 Mark pro Quadratmeter. Die Terraingesellschaft selbst verkaufte das erschlossene Gelände mit dem üblichen Gewinnzuschlag bis 1891 um durchschnittlich 50 Mark pro Quadratmeter. Der Nachfrage entsprechend bildeten sich bis 1900 einzelne abgestufte Preiszonen heraus, wobei bis zur Joachimstaler Straße 200 bis 300 Mark pro Quadratmeter, bis zur Mitte des Straßenzugs, also bis zur Wielandstraße, 100 bis 200 Mark pro Quadratmeter und für den Restteil im Westen 40 bis 100 Mark pro Quadratmeter gerechnet wurden. 1912 hatten die Preise sich weiter erhöht, nun bezahlte man für Grundstücke im Bereich der Tauentzienstraße bis zu 590 Mark pro Quadratmeter, und auch die Plätze westlich der Wilmersdorfer Straße waren nicht mehr unter 100 Mark pro Quadratmeter zu haben.

Wie die Zeitgenossen dieses Phänomen einer lukrativen Bodenvermarktung aufnahmen, erfährt man von dem sonst kritisch eingestellten Paul Voigt. Er sah in dieser »im großen Stile angelegten und durchgeführten Terrainspekulation ... etwas überaus Nützliches, Schönes und Eigenartiges«.[297] Doch blieb ihm keineswegs verborgen, daß dieses phantastische Geschäft nur einem erlesenen Zirkel von Kennern zugute kam, der sich aus Großbanken und Terraingesellschaften, aus Händlern und Rentiers, aus Maurermeistern und Architekten zusammensetzte.

Freilich ist der Entstehungsprozeß des Kurfürstendamms als »Weltstraße« nicht als ein beliebig wiederholbarer Vorgang der Urbanisation anzusehen. Er ist vielmehr ein zeitgebundener Ausschnitt der Berliner Gründergeschichte, in dem die geschäftliche Entfaltung einer agilen Handelsmetropole, die architektonische Selbstdarstellung eines zu Reichtümern gelangten Besitzbürgertums und der gesellschaftsatmosphärische Glanz einer auralosen Großstadt zum Ausdruck kommen. Bei diesem Hintergrund ist es sicher müßig, die »Kurfürstendammarchitektur« ihrer imitatorischen Formensprache wegen zu verdammen: Sie ist das Renommierstück einer Epoche, die noch ganz in den Vorstellungskategorien einer stilabhängigen Straßenarchitektur dachte, fixiert auf die großen Vorbilder französischer Avenuen und Boulevards. Der Kurfürstendamm, aber auch andere Projekte wie der Hohenzollerndamm[298] durch Wilmersdorf und Schmargendorf (1899) und die Heerstraße[299] durch Charlottenburg (1898, 1904–10) beweisen zudem, wie sich über den Gesamtbebauungsplan hinaus Entwicklungsachsen durchsetzen konnten, wenn sie nur einem tatsächlichen Bedürfnis entsprachen und von einflußreichen Kräften vorangetrieben wurden. Und gerade in diesem Tatbestand enthüllt sich das Dilemma der gründerzeitlichen Stadtplanung. Anstatt die Entwicklung nach übergeordneten Gesichtspunkten zu bestimmen und in die Richtung zu lenken, welche nach dem Gesamtzusammenhang für die Stadt sinnvoll gewesen wäre, überließ sie die Stoßrichtung der Besiedlung, die Ausbildung der Geschäftszentren und die Ausprägung des Straßenbildes bedenkenlos dem Spiel der verschiedenartigsten Kräfte. Wen wundert es da noch, daß sich die neuen Stadtteile wie Zufallsprodukte aneinanderreihen, die nötige Untergliederung und Abstimmung vermissen lassen und in diesem Zustand sich als eine kaum ablösbare Hypothek für die nachfolgenden Generationen erweisen?

## 6. Der paternalistische Arbeiterwohnungsbau

### 6.1. Die Entwicklung in England

#### 6.1.1. Literarische Anregungen

Wie die bisher behandelten Abschnitte der Stadtbaugeschichte des 19. Jahrhunderts gezeigt haben, brachten weder die Gedankenmodelle der Sozialutopisten noch die Sanierungen und Stadterweiterungen der Metropolen und Industrieorte eine befriedigende Lösung der Wohnungsfrage. Damit blieb eines der drängendsten Probleme des frühindustriellen Städtebaus weiterhin offen.

In Großbritannien, wo die katastrophalen Wohn- und Lebensverhältnisse in den Industrieorten eine Abhilfe unumgänglich machten, verstummten die Mahnungen, die zu einer gerechteren Behandlung der Arbeiter aufforderten, in keiner Phase der industriellen Entwicklung.[1] Neben den literarischen Beiträgen sei hier nur noch einmal auf das Weiterwirken von Robert Owen verwiesen, der nach dem Scheitern seiner sozialutopischen Siedlungsexperimente keineswegs klein beigab, sondern, allen persönlichen Enttäuschungen und Diffamierungen zum Trotz, die Arbeiter ermutigte, zur Selbsthilfe zu greifen, um in einer Innenkolonisation (»Home Colonisation«) zu menschenwürdigen Wohnungen zu kommen.[2]

Owens Grundgedanke der genossenschaftlichen Organisation wurde von gemäßigten Sozialreformern aufgegriffen. Sie haben in der folgenden Zeit den Urbanismus zwar nicht direkt zu beeinflussen vermocht, doch wären die neuaufkommenden Baugenossenschaften und die wieder stärker in den Vordergrund gerückten Bemühungen um eine Bodenreform ohne Robert Owens Anregungen und Einsatzbereitschaft nicht denkbar.[3] Die zweifellos stärkste Wirkung übten jedoch die schon erwähnten Reports aus (siehe Kapitel 2.6.). Deren Enthüllungen führten ab 1840 jedermann vor Augen, wohin mangelnde Stadthygiene, Überfüllung der Wohnungen und soziale Desintegration der Bewohner in den Städten führen mußten. Die legislativen Neuerungen, zu denen sich das britische Parlament auf Betreiben der reformerischen Kräfte bewegen ließ, nahmen sich nach den Gesetzestiteln zwar fortschrittlich aus, in Wirklichkeit fehlte aber den von der Not diktierten »acts« vorerst noch die innere Überzeugungskraft. Aus diesem Grund blieb ihr Durchsetzungsvermögen gehemmt und die Auswirkung bescheiden.

Wenn sich in dieser Situation die Zustände tatsächlich ändern sollten, so mußte es, das war allen Einsichtigen klar, über die Gesetzgebung hinaus zu einem Gesinnungswandel im frühkapitalistischen Denken kommen. Die politische Entwicklung der vierziger Jahre zeigte zudem eine Arbeiterschaft, die sich ihrer Menschenrechte immer stärker bewußt wurde und eindringlich das ihr vorenthaltene Wahlrecht forderte. Im Chartismus, schon 1839 in eindrucksvoller Weise von Thomas Carlyle (1795–1881) formuliert,[4] sind die Nöte und Erwartungen einer unterdrückten Klasse zum Ausdruck gebracht. Die vom gleichen Autor vier Jahre später verfaßte Schrift *Past and Present* forderte die englische Aristokratie mit aller Deutlichkeit auf, endlich dem Mammonismus zu entsagen und Gerechtigkeit, Mitleid und Edelmut zur Richtschnur des Handelns zu machen. »Dann«, so schreibt Carlyle, »kommt es zu einer ›chivalry of labour‹ mit einer unermeßlichen Zukunft.« Die wortmächtigen Ermahnungen dieses Liberalen blieben nicht ohne Wirkung in den herrschenden Kreisen.[5]

So zeigte sich Benjamin Disraeli (1804–81), der 1837 zum Parlamentsabgeordneten von Maidstone gewählt wurde, im Gegensatz zu den meisten Volksvertretern von Westminster für die Forderungen der Chartisten offen. Wenn er auch aus einem vielleicht wohlberechneten Opportunismus deren Nationalpetition von 1839 ablehnte, so schien ihm dennoch die seinen Zeitgenossen fast unvorstellbare Idee eines Bündnisses zwischen Aristokratie und Arbeiterschaft der einzig gangbare Weg in die Zukunft zu sein.[6]

In diesem unkonventionellen Ansatz stimmte er mit einer Gruppe von jungen religiösen und romantischen Schwärmern überein, die eine Erneuerung der altenglischen Adelsideale anstrebten. Dieser als »Junges England« bezeichnete Kreis wollte »merry old England« wiedererstehen lassen, in dem eine mächtige und edle Nobilität den Schutz der Armen und Unterprivilegierten übernehmen sollte.[7]

Die Gespräche, die Disraeli mit den Anhängern des Jungen England führte, und die Fabrikbesichtigungen, die er mit ihnen unternahm, inspirierten ihn zu jenen Romanen, durch die er seiner politischen Wirksamkeit eine sozialreformerische Note zu geben versuchte. Die erste Schrift, *Conisby or the New Generation*, erschien im Mai 1844 und erwies sich, in eine künstlerisch anspruchslose Erzählform gebracht, sogleich als ein Erfolg. Das Neuartige, das aus dem Text sprach, war auf der einen Seite die Bejahung des Industrialismus und auf der anderen Seite der feste Wille, diesen für den arbeitenden Menschen erträglicher und humaner zu machen. So wird Conisby, dem aristokratischen Vertreter der jungen Generation, vom weisen Sidonia geraten, jenen Industrieort zu besichtigen, der als der Inbegriff der Wissenschaft und des Fortschritts gilt. »Ein Dorf in Lancashire hat sich zu einer mächtigen Region von Fabriken und Warenlagern ausgebreitet und Manchester ist, recht betrachtet, ein ebenso großes Werk des menschlichen Geistes als Athen.«[8] In der Beschreibung der Millbankschen Fabrik, die Conisby dann sieht, ist jenes idyllische Bild einer Produktionsstätte gezeichnet, wie sie wünschenswert gewesen wäre, aber noch nirgendwo existierte. Dabei erscheint Oswald Millbank, der junge Fabrikherr, als die Verkörperung eines gerechten und sozial verantwortungsbewußten Unternehmers. Hier wird Disraelis besondere Gabe spürbar, in solchen phantastischen Schilderungen Zukunftsbilder zu projizieren, die die Vorstellungshorizonte der Zeitgenossen weit hinter sich ließen.

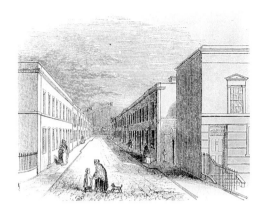

In seinem zweiten Roman *Sybil or the Two Nations* von 1845 setzt sich Disraeli direkt mit den durch die Industrialisierung hervorgerufenen sozialen Zuständen auseinander. Dabei klammert er auch die Wohnungsfrage nicht aus. Und wieder verhilft seinem Helden Charles Egremont, einem adligen Parlamentsmitglied, die Besichtigung der Traffordschen Fabrik zu tieferen Einsichten über den verantwortungsbewußten Unternehmer, von dem gesagt wird: »He knew well, that the domestic virtues are dependent on the existence of a home and one of his first efforts had been to build a village where every family might be well lodged. Though he was the principal proprietor, and proud of that character, he nevertheless encouraged his workmen to purchase the fee: there were some who had saved sufficient money to effect this; proud of their house and their little garden, and of the horticultural society, where its produce permitted them to be annual competitors. In every street there was a well: behind the factory were the public baths; the schools were under the direction of the perpetual curate of the church, which Mr. Trafford, though a Roman Catholic, had raised and endowed. In the midst of his village, surrounded by beautiful gardens, which gave an impulse to the horticulture of the community, was the house of Trafford himself ...«[9] Disraeli zeichnet hier, wenn auch in romanhafter Überhöhung, jenen Fabrikanten, der sich nicht nur zu einer fairen Entlohnung seiner Arbeiter verpflichtet sieht, sondern dem im Geiste Owens auch deren Behausung in der Form eines »village of community« am Herzen liegt. Damit war, freilich vorerst nur im unverfänglichen Gedankenspiel des Romans, das Thema des paternalistischen Wohnungsbaus angeschlagen. Bei dem Einfluß, den Disraeli als Schriftsteller wie als Politiker ausübte, lag es durchaus nahe, daß seine Gedanken auf fruchtbaren Boden fielen. Im übrigen standen die Bemühungen des Jungen England keineswegs allein. Die Bewegung der Christian Socialists verfolgte ab 1840 ähnliche, vielleicht noch weiter reichende Ziele.[10] Die ersten Anregungen in diesem Kreis gab Frederic Denison Maurice, der die Fabrikanten zur Überwindung der Selbstsucht aufforderte und für eine Unterbringung der Arbeiter in menschenwürdigen Gebäuden und für ihre christliche Erziehung plädierte. Die ersten praktischen Beiträge für einen sozialen Wohnungsbau aber kamen, wie zu sehen sein wird, weder von den romantischen Adligen noch aus dem Lager der christlichen Sozialisten.

### 6.1.2. Die ersten Baugesellschaften

Die nach den Enthüllungen der Reports spontan gebildeten gemeinnützigen Vereinigungen nahmen sich des Arbeiterwohnungsbaus schon zu Beginn der vierziger Jahre an.[11] Die größte Wirksamkeit unter ihnen entfaltete die Society for Improving the Condition of the Labouring Classes, der eine Royal Charter vom Oktober 1845 den Weg bahnte und der Lord Ashley als Chairman und der Prince Consort als Präsident eine fast offizielle Note gaben.

Ohne weitere Zeit mit theoretischen Erörterungen zu verlieren und um endlich mit Initiativen zu überzeugen, baute die Gesellschaft im Londoner Gefängnisviertel Pentonville zwischen Gray's-Inn-Road und The Lower Road in zwei parallel angeordneten, zweigeschossigen Blöcken Modellwohnungen für 23 Familien und für 30 ältere, alleinstehende Frauen.[12] Wenn diese Minimalwohnungen auch auf einem viel zu kleinen Grundstück an einem engen Hof lagen und in ihrer spiegelbildlichen Anordnung und nüchternen

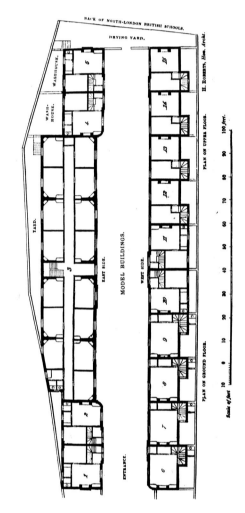

253. Modellwohnungen in London-Clerkenwell (Petonville), Baujahr 1844−46. Architekt Henry Roberts.
254. Modellwohnungen in London-Clerkenwell. Grundriß vom Erdgeschoß. (Henry Roberts, *The Dwellings of the Labouring Classes*, London 1853, 3. Aufl.)

Aufreihung wenig Phantasie verrieten, so war immerhin an eine ausreichende Wasserversorgung, an die Entwässerung und an die Belüftung gedacht. Die mit sechs Schilling berechnete Wohnungsmiete pro Woche konnte auch für eine Arbeiterfamilie als erschwinglich gelten.

Zweifellos hätte der Typ des »model lodging house«, also des Wohnheims, den größten Effekt bei der Unterbringung der Arbeiter gehabt, wie ein Neubau von 1846 in der George Street in Bloomsbury für 104 Männer und ein Bau in Hatton Garden für 57 Frauen bewiesen. Da in diesem Rahmen aber ein Familienleben undenkbar war, konzentrierte sich die Gesellschaft doch stärker auf den Bau von in sich abgeschlossenen Modellwohnungen, von denen der 1849/50 errichtete Block an der Streatham Street in Bloomsbury ein anschauliches Bild vermittelt.[13] In diesem Fall ermöglichte die Laubengangerschließung eine sparsame Grundrißlösung. Und obwohl eine solide, feste Bauweise gewählt wurde, ergab sich für die Geldgeber eine Verzinsung von 5,75 Prozent des aufgewandten Kapitals. Unter diesen Umständen konnte nach Meinung des Prince Consort der Upper class ein finanzielles Engagement im Arbeiterwohnungsbau mit Fug und Recht zugemutet werden.[14]

Um den philanthropischen Bestrebungen auch bei den Architekten zum Durchbruch zu verhelfen, forderte der Architekt Henry Roberts am 21. Januar 1850 in einem Vortrag vor dem Royal Institute of British Architects seine Kollegen auf, sich für den Bau von einfachen und preiswerten Wohnungen einzusetzen. In einer Schrift aus demselben Jahr[15] stellte er die entscheidenden Punkte heraus: Die Häuser brauchten Schutz vor der Feuchtigkeit, ausreichend Fenster zur Belichtung und Belüftung und eine Raumhöhe von etwa 2,40 Metern. Jede Familienwohnung sollte mindestens drei Schlafräume aufweisen, jeder mit einem direkten Zugang vom Flur aus. Angesichts dieser Forderungen drang er auf die Abschaffung der seit 1687 bestehenden »window duties« und »brick duties«, zu der es dann 1851 tatsächlich kam.[16]

Die große Londoner Industrieausstellung von 1851, die den Fortschritt des technischen Zeitalters demonstrieren sollte, benutzte Prinz Albert dazu,[17] dem Publikum den von Henry Roberts aufgezeigten Wohnstandard in einem Modellhaus für vier Familien vor Augen zu führen. Es war während der Ausstellung neben den Cavalry Barracks im Hyde Park zu bewundern. Später wurde es im Kennington New Park in Surrey wieder aufgebaut, ohne Zweifel mit der Absicht, ein beispielhaftes Muster für den Wohnungsbau zu geben. In der Grundrißdisposition ist diesem »Prince Albert's Exhibition Model House« eine geschickte Aufteilung nicht abzusprechen.[18] Durch das gewählte »open staircase« ließ sich nicht nur eine zweite, sondern im Bedarfsfall auch eine dritte und vierte Wohnetage erschließen. In den Wohnungen selbst waren die Räume ihrem Gebrauchswert entsprechend abgestuft: Der zum Wohnen bestimmte Hauptraum erhielt mit 3,16 auf 4,32 Metern auch die größte Fläche; für das Elternschlafzimmer genügte ein etwas kleineres Format, und bei den dem Wohnraum angeschlossenen Schlafkammern der Kinder beschränkte sich der Platz auf ein Minimum (1,75 auf 2,74 Meter). Auf einen inneren Flur konnte bei der Durchgangslage der Küche (»scullery«) ganz verzichtet werden.

In einem etwas seltsamen Gegensatz zu dieser Rationalität des Grundrisses steht der formale Anspruch der äußeren Erscheinungsform. Gesimsbänder und Eckmarkierungen in buntglasierten Backsteinen, drei Ziergiebelchen als Dachabschluß der Längsseite und die besondere Hervorhebung der Schmalseiten durch eine Schornsteinarchitektur geben dem Haus ein viel zu pathetisches und dekoratives Aussehen. Seine eigentlichen Vorzüge, die wärmegedämmte und durchlüftete Konstruktion der Wände aus Hohlziegeln und die feuerfeste und massive Ausführung der Decken aus gemauerten Backsteinbögen und Betonauffüllung, fanden daneben kaum die erwünschte Beachtung.

Aber letzten Endes vermochten weder der äußere Schein der Fassade noch die strukturellen Verbesserungen der Anlage das hartgesottene viktorianische Besitzbürgertum aus der Reserve zu locken. Prinz Alberts philanthropischer Beitrag und Roberts unermüdlicher Einsatz blieben vereinzelte Versuche, deren Anregungen nur jene aktivierten, die die Reformen längst schon bejahten. Ein Jahr später hat Roberts noch einen weiteren beachtenswerten Beitrag mit Modellhäusern geleistet. Es waren mehrere ein- und zweigeschossige Bauten für die Windsor Royal Society, bei denen der Typ des Doppelhauses und des Einfamilienreihenhauses weiter erprobt wurde. Dabei ergaben sich Lösungen, wie sie später im englischen Wohnungsbau in großem Umfang Anwendung fanden. Die Finanzierung basierte in diesem Fall nicht etwa auf mildtätigen Zuwendungen eines aristokratischen Mäzens, sondern eine eigens dafür ins Leben gerufene Aktiengesellschaft arbeitete mit einem Kapital von 6000 Pfund und garantierte ihren Anteilseignern eine

255. Prince Albert's Model house auf der Londoner Industrieausstellung 1850/51. Grundriß und Außenansicht. Architekt Henry Roberts. (Henry Roberts, *The Dwellings of the Labouring Classes*, a.a.O.)

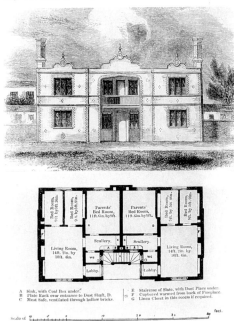

fünfprozentige Verzinsung des Kapitaleinsatzes. Unternehmen dieser Art veranlaßten Roberts deshalb, auf dem Sanitärkongreß von 1854 in Brüssel darauf hinzuweisen, daß sich der Aufwand für den Arbeiterwohnungsbau bei einer Verzinsung zwischen 4 und 7 Prozent nicht mehr und nicht weniger rentierte als andere geschäftliche Beteiligungen auch.[19] Diesem Hinweis dürfte die Absicht zugrunde gelegen haben, das anlagesuchende Kapital endlich in größerem Umfang für den einfachen Wohnungsbau der Arbeiterklasse zu gewinnen. In bescheidenem Maße ist das in den folgenden Jahren auch gelungen. Hingewiesen sei nur auf die 1854 gegründete Marylebone Association for improving the dwellings of the working classes, auf die von Sir Sydney Waterlow geschaffene Improved Industrial Dwellings Company,[20] auf die 1861 entstandene London Labourers' Dwelling Society Ltd. und, als Sonderfall, auf den Peabody Trust.[21]

Doch trotz dieser Ansätze wurde bald klar, daß dem Mangel an Arbeiterwohnungen auf diesem Weg nicht abzuhelfen war. Diese Einsicht sprach ein von der Society of Arts eingesetztes Komitee, dem fast alle bekannten Protagonisten des sozialen Arbeiterwohnungsbaus angehörten,[22] in einem Bericht von 1865 klar und offen aus. Wenn in London bisher lediglich für etwa 7000 Personen Wohnraum hatte geschaffen werden können, so war es unrealistisch, von einer allgemeinen Investitionsbereitschaft auf diesem Sektor auszugehen.

Was lag da näher, als die Fabrikanten, deren Produktionseinrichtungen die Menschen aus den ländlichen Gebieten wie Magnete anzogen, für die Wohnungsfrage in die Verantwortung zu nehmen? Und was hielt die Stadtverwaltungen selbst davon ab, sich in ihrer Eigenschaft als Gemeinschaftseinrichtungen zu ihrer sozialen Verpflichtung zu bekennen und ihre ärmeren Bewohner mit ausreichendem Wohnraum zu versorgen?


6.1.3. »Model villages«

Für die englischen Fabrikanten mit ihren stark expandierenden Mills bedurfte es sicher nicht Disraelis Hinweise in *Sybil or the Two Nations*, um an die paternalistische Wohnungsfürsorge erinnert zu werden. Denn sie sahen sich, sobald ihr Betrieb außerhalb der städtischen Bebauung lag, wie von selbst vor das Problem gestellt, die Arbeiter möglichst nahe bei der Fabrik zu domizilieren, um ihnen kurze Wege zu verschaffen und sie so eng als eben möglich an das Unternehmen zu binden. Ob ein Fabrikherr dann jedoch die Wohnungsversorgung seiner Arbeiterschaft selbst in die Hand nahm, hing letztlich nur wieder von seinem Gespür für soziale Zusammenhänge ab. Sicher sahen die Anhänger des rigorosen Manchestertums den Einsatz des Arbeiters durch den verabreichten Lohn als abgegolten an; unter welchen Bedingungen sich sein Leben nach dem zwölfstündigen Arbeitstag weiter vollzog, war für sie ohne Belang.

Einige wenige ihren Mitmenschen zugewandte Fabrikanten nahmen dagegen die kläglichen Lebensumstände ihrer Arbeiter nicht tatenlos hin. Sie zögerten nicht, mit Hilfe ihres rasch erworbenen Reichtums sich der Wohnungsfrage zu stellen.[23] Leute dieser Art fanden sich zuerst in dem von der Industrialisierung stark erfaßten West Riding mit den Städten Leeds, Halifax und Bradford. Von ihren Beiträgen zum Städtebau in Form von Mustersiedlungen – »model villages« – soll im folgenden berichtet werden.


Copley

Eine der frühesten Initiativen ging von den Gebrüdern Akroyd aus, die seit 1837 in dem 2 Kilometer von Halifax entfernten Copley eine Mill betrieben, welcher sie nach Zukauf von weiterem Gelände 1846 noch einen zweiten Betrieb hinzufügten. Nach dieser Vergrößerung genügte offenbar der für die Unterbringung der Arbeiter vorhandene ältere Wohnblock mit sieben Wohnungen nicht mehr. Um auf die Dauer einen festen Arbeiterstamm für das Unternehmen zu gewinnen, entschlossen sich die Akroyds dazu, in Copley neue Werkwohnungen zu erstellen.[24]

Neben der kurz zuvor angelegten Bahnlinie entstanden, wie von Colonel Edward Akroyd selbst zu erfahren ist,[25] zwischen 1849 und 1853 drei lange Wohnblöcke mit insgesamt 112 Wohnungen, zu denen noch vier Läden und die für eine eigenständige Wohngemeinde (»village«) erforderlichen öffentlichen Einrichtungen hinzukamen. Seltsamerweise folgt die der Fabrik angeschlossene Wohnbebauung in paralleler Ausrichtung der Eisenbahnlinie, deren Bahnkörper die Hausdächer noch überragt und dem Lärm der vorbei-

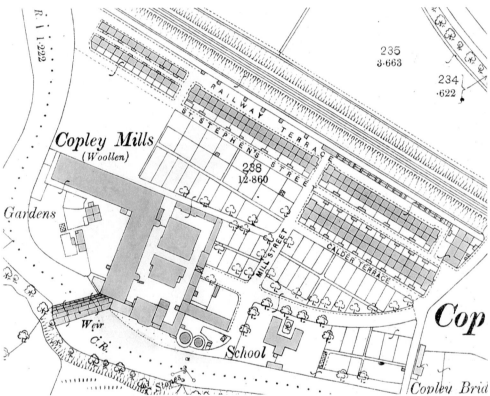

fahrenden Züge aussetzt. Fraglos wären die neuen Wohnungen auf dem jenseits der Bahntrasse gelegenen Hügel besser situiert gewesen, aber die aufwendigere Straßenführung zur Fabrik mag diese Lösung verhindert haben. Gleichermaßen unbefriedigend ist auch die Anlage der Wohnungen selbst. Edward Akroyd, der als Abgeordneter den Wahlbezirk Halifax in Westminster vertrat, kannte die baulichen Erneuerungsbestrebungen der Zeit sehr genau.[26] Als Befürworter stadthygienischer Verbesserungen hätte ihm daran gelegen sein müssen, daß in Copley Village gesunde und gut belüftete, solid gebaute und zureichend bemessene Arbeiterwohnungen entstanden. Da das alles aber einen erschwinglichen Mietzins für die einzelne Wohnung ausgeschlossen hätte, wählte er schließlich doch das in der Gegend übliche Back-to-back-Haussystem, das trotz aller scheinbaren Ökonomie an dieser Stelle in Copley Vale jeder Reformabsicht Hohn sprach. Denn es wurden, ohne daß die baulichen Umstände es erfordert hätten, auf der Vorder- und Rückseite verschiedene Wohnungen zusammengepackt, so daß es zu keiner ausreichenden Besonnung, Belichtung und Belüftung kommen konnte. Überdies setzten sich die Blöcke bei diesem Half-house-Typ aus nicht weniger als 18 bzw. 20 Wohneinheiten zusammen. Der Raum zwischen den langen Gebäuderiegeln wirkt dadurch wie ein langer Korridor, der in einer so freien Lage fernab von der städtischen Enge widersinnig erscheinen muß. Der Sparzwang und die Intervention einer Mietergruppe veranlaßten Akroyd noch zusätzlich dazu, einen Teil der Wohnungen nur mit einem im Obergeschloß gelegenen Schlafraum auszustatten. In diesem Falle benutzten die Eltern den im Erdgeschoß befindlichen Wohnraum als Schlafstatt (»shut-up bedstead«), um so die Miete für den zweiten Schlafraum zu sparen. Bei einer solchen Reduktion des Wohnwerts nimmt es sich wie eine Ironie aus, daß Akroyd ganz bewußt eine anspruchsvolle neugotische Aufmachung der Blöcke wählte, so als könnte er damit dem ganzen Unternehmen noch jenen Erneuerungszug vermitteln, der ihm zwar im Gesamtansatz zugedacht, im entscheidenden Teil der Strukturierung aber wider besseres Wissen nicht gegeben worden ist. Freilich bleibt zu berücksichtigen, daß die Architektur allgemein längst der Mode des »old English style« folgte und der Tudorstil in Copley nur diesen Trend widerspiegelt. Im Gegensatz zur sonstigen Sparsamkeit hielt man jedoch offenbar diesen dekorativen Luxus nicht für überflüssig, obwohl er die Baukosten erhöhte und von den Beteiligten bezahlt werden mußte. Immerhin stellen die Ausformungen der gotisierenden Giebelpartien und der Kaminaufsätze für je zwei Hauseinheiten wichtige Gliederungselemente für den Gesamteindruck dar, durch welche die langen Blöcke schließlich doch eine ästhetisch befriedigende Erscheinungsform erhielten. Dem Reformansatz am ehesten entsprach der soziale Rahmen, in dem sich in Copley das Leben abspielte. Die bei den einfachen Häusern aus den etwa 100 Pfund hohen Herstellungskosten abgeleitete Jahresmiete von 4 Pfund, 5 Shilling erwies sich, auf die Löhne bezogen, als zumutbar. Auch die höhere mit 5 Pfund, 15 Shilling für die geräumigeren Wohnungen konnte als angemessen gelten. Zur Verbesserung der sozialen Lage der Arbeiter in Copley trugen indes noch die von Akroyd gestifteten öffentlichen Einrichtungen bei: Sie umfassen eine Dorfschule mit Spielplatz, eine Bibliothek, eine Kantine für die Verköstigung der 600 Beschäftigten und die St. Stephen-Kirche. Selbst an Gemüse-und Blumengärten war gedacht.

So stellt sich schließlich doch bei Copley Model Village trotz mancher dem Back-to-back-System anhaftenden Mängel ein positiver Eindruck ein: In einem ersten Umriß scheint auch in städtebaulicher Sicht der Rahmen für eine neue industrielle Wohngemeinde abgesteckt. In ihr empfindet man die Fabrik nicht mehr als einen Fremdkörper, sondern in der überlegten Verbindung von Arbeitsstätte und Wohnstätte deutet sich eine neue, menschenwürdige Form des industriellen Environment an.


Saltaire


Das zweite, weitaus größere Unternehmen eines paternalistischen »model village« ging von dem durch die Industrialisierung stürmisch erfaßten Bradford aus.

An diesem Ort betrieb Titus Salt (1803–76, ab 1869 Sir Titus Salt, Baronet) wie eine Anzahl anderer Geschäftsleute seit Mitte der dreißiger Jahre die Textilverarbeitung.[27] Sein genialer Einfall bestand darin, Stoffe und Kleider aus Alpakawolle herzustellen.[28] Er hatte 1836 bei einem Geschäftsbesuch bei C.W. and F. Foozle & Company in Liverpool dieses Material unbeachtet in einer Ecke liegen gesehen, vom Besitzer geringschätzig als »frowzy, non-descript stuff« bezeichnet. Salt testete es, fand es gut und kaufte kurzentschlossen die vorhandene Menge auf. Die Verarbeitung der aus Südamerika importierten Alpakawolle legte in den folgenden Jahren den Grund für seinen geschäftlichen Erfolg und für seinen großen Reichtum.

Der Aufstieg seines Unternehmens stellte Salt gegen die Jahrhundertmitte vor die Frage der baulichen Erweiterung oder der Neuansiedlung seines Betriebs außerhalb der Stadt. Da er von seiner Tätigkeit in öffentlichen Ämtern, 1845 als Chief Constable und 1848/49 als Mayor, die baulichen Mißstände in Bradford wie kein anderer kannte,[29] entschied er sich für eine Verlegung in die Umgebung außerhalb des Borough of Bradford.

Das notwendige Gelände fand er in der Nähe des Dorfes Shipley. Es hatte, am Aire River gelegen, eine unverbaute freie Lage und wies trotzdem, mit dem Durchgang der Lancashire und Glasgow Railway und des Leeds and Liverpool Canal, günstige Verkehrsverbindungen auf.

Die Betriebsverlagerung vollzog sich nach einem wohldurchdachten mehrstufigen Plan, bei dem – von den geschäftlichen Erfordernissen diktiert – der Fabrikneubau zuerst entstand, die Versorgung mit Wohnungen folgte und die Ausstattung mit öffentlichen Einrichtungen den Abschluß bildete.

Während in dem überfüllten und rußigen Bradford noch eine Zeitlang weiterproduziert wurde, entstand zwischen 1851 und 1853 auf dem neuerworbenen, anfangs etwa 2,5 Hek-

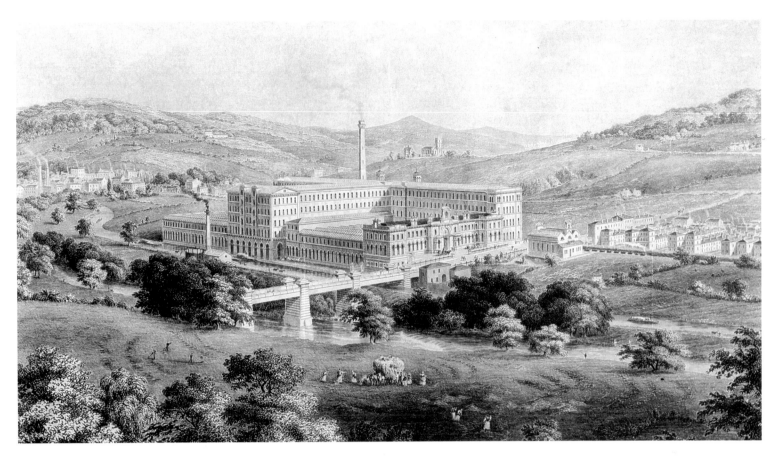

258. Saltaire, um 1855, Fabrikanlage und die im Bau befindliche Modellsiedlung von der Parkhöhe aus gesehen. (Bradford Industrial Museum)

tar großen Areal eine Fabrikanlage nach den modernsten fertigungstechnischen und baukonstruktiven Erkenntnissen. Salt beauftragte Sir William Fairbairn (1789–1874), einen der angesehensten Ingenieure der Zeit, mit der konstruktiven Bearbeitung, während er die Ortsplanung und die architektonische Gestaltung den Bradforder Architekten Lockwood und Mawson übertrug.

Da 1851 gleichzeitig der »Crystal Palace« in London als das Ergebnis einer neuartigen industriellen Bauweise zu bewundern war, setzten sich Salt und seine Planer intensiv mit Paxtons Ausstellungshalle auseinander, wobei sogar überlegt wurde, ob sich der versetzbare Eisenskelettbau als »weaving shed« für den Fabrikneubau eignete. Die Belastung durch die schweren Webmaschinen sprach aber gegen diesen Plan.

Als die neue Fabrikationsstätte nach zweijähriger Bauzeit zum 50. Geburtstag von Salt am 20. September 1853 mit einem Festbankett eröffnet wurde, kannte die Bewunderung fast keine Grenzen: Ein T-förmiger, vier Geschosse über dem Terrain aufsteigender Fabrikbau mit seitlich angeschlossenen Werkhallen bedeckte eine Fläche von nicht weniger als 2,6 Hektar, was damals, wie Abraham Holroyd 1871 anmerkte, wohl die größte zusammenhängende Fabrikfläche der Welt ergab.[30] Und in diesem Komplex standen 1200 Webmaschinen, die, so hob Fairbairn in seiner Bankettrede in Anspielung auf die Alpaka-Wollverarbeitung hervor, »would give a length of 5688 miles of cloth per annum which as the crow flies would reach over the land and the sea to Peru, the native mountains of the Alpaca«.[31]

Für die Tragkonstruktion benutzte Fairbairn ein von ihm schon bei früheren Fabrikbauten angewandtes System von Eisenstützen und Eisenträgern, auf denen die Decken aus gemauerten Backsteinkappen ruhen. Unter diesen konstruktiven Voraussetzungen waren auch relativ große Fenster möglich.[32]

Der Plan, die Textilproduktion von Bradford nach dem neuen, von Salt selbstbewußt Saltaire benannten Ort zu verlegen, schloß von Anfang an eine Ansiedlung der Arbeiterschaft in der nächsten Umgebung ein.[33] In der zwei- bis dreijährigen Übergangsphase, während der in Saltaire die Produktion aufgenommen und in Bradford die einzelnen Mills außer Betrieb gesetzt wurden, mußten die Arbeiter in Sonderzügen zwischen dem neuen Werk und ihrem Wohnort hin- und hergefahren werden. Salt war aber darauf bedacht, ihnen die erforderlichen Wohnungen so rasch wie möglich an der neuen Arbeitsstätte zu bauen. Und nicht nur das; wie er seinem Architekten Lockwood gegenüber äußerte, ging es ihm vielmehr um »health, intellectual culture and rational recreation of the operatives«.[34] In dieser Äußerung mögen sich seine religiöse Überzeugung als aktives

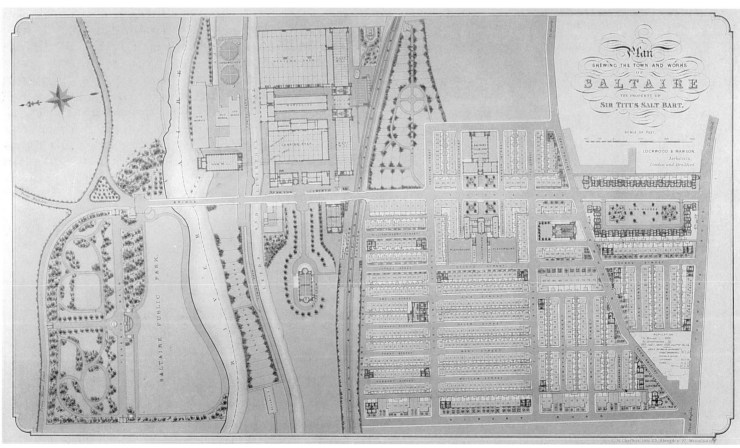

259. Saltaire bei Bradford aus der Luft. (Bradford Industrial Museum)
260. Saltaire im Jahr 1870, Lageplan der Modellsiedlung von Lockwood und Mawson. (Bradford Industrial Museum)

Mitglied der Congregational Church und sein Glaube an die soziale Verpflichtung des Fabrikherrn im Sinne Carlyles widerspiegeln.

Dementsprechend wurde diese Aufgabe nicht weniger gewissenhaft als die Planung der Fabrik angepackt. Um die Haustypen für die verschieden großen Familien, den Bedarf an Ledigen- und Altenheimen und überhaupt die Anzahl der erforderlichen Hauseinheiten in Erfahrung zu bringen, befragte Salt die Arbeiter in einer Art von »social survey«. Mit dieser für die damalige Zeit bemerkenswerten Methode wurden die Vorgaben für die Differenzierung der Wohnungsgrundrisse und für die Anlage der Gemeinschaftseinrichtungen beschafft. Allerdings bleibt von den noch vorhandenen Plänen her gesehen unklar, ob für Saltaire von Anfang an eine Gesamtdisposition festgelegt war, nach der die einzelnen Teile in der bereits erwähnten Abstufung ausgebaut wurden.

Jedenfalls muß es aber als ein geschickter und hilfreicher planerischer Einfall angesehen werden, daß westlich neben der Fabrik eine durchgehende Straße in Nord-Süd-Richtung angelegt wurde, an die sich, wie an ein Rückgrat und an eine Monumentalachse, alle drei wesentlichen Bereiche der Gesamtanlage unabhängig vom Ausführungablauf anbinden ließen: In der Mitte, zwischen Kanal und Eisenbahnlinie, die Fabrikanlage als Produktionszentrum mit einem Flächenanteil von 4 Hektar; nach Norden, abgetrennt durch den Aire River, der Saltaire Public Park mit 6 Hektar; nach Süden, jenseits der Eisenbahnlinie, die Wohnbebauung, deren Ausmaß zu Beginn der Planung im November 1850 am wenigsten zu übersehen gewesen sein dürfte, die aber am Ende des Ausbaus eine Fläche von 10 Hektar einnahm und nach der ersten 1871 veranstalteten Zählung 740 Wohnungen mit 4389 Einwohnern (2003 männliche und 2386 weibliche) aufwies. Sowohl bei der zwischen 1853 und 1863 ausgeführten wie auch bei der bis 1871 noch hinzugefügten Bebauung fällt im Planbild die schematische und starre Aufreihung der länglichen Reihenhaus-Doppelblöcke, der »terraces«, sowie deren hohe Verdichtung auf. Diese beträgt, allein auf den Wohnbereich bezogen, 340 Personen pro Hektar;[35] unter Einbeziehung des Parks und des Fabrikareals immerhin noch 220 Personen pro Hektar. In diesem Punkt scheinen die Planer und der Bauherr gleichermaßen noch in den Vorstellungen der zu dieser Zeit allerorts üblichen, stark verdichteten Reihenhaus-Bauweise verhaftet gewesen zu sein. Freilich kam dazu auch der Zwang, der ganzen Fabrikbelegschaft in möglichst kurzer Zeit die erforderlichen Wohnungen in Werksnähe zu verschaffen, angeregt haben.

Im größeren landschaftlichen Kontext gesehen, wirkt die Bebauung aber weder übermäßig starr noch allzu stark verdichtet: Zum einen erhalten die Blöcke durch die Hanglage eine leichte Abstaffelung und Differenzierung, zum anderen finden die sicher knapp bemessenen Zwischenräume der Wohnblöcke in dem großen öffentlichen Park, in den »allotment gardens« und in mehreren Plätzen einen spürbaren Ausgleich. Und zudem war die Siedlung zur damaligen Zeit noch von einer offenen, freien Landschaft umgeben.[36] Die Wohnhäuser scheinen sich auf den ersten Blick in ihrer kompakten zwei- und dreigeschossigen Backsteinbauweise kaum von den üblichen Bauten der Zeit zu unterscheiden. Aber dieser Eindruck täuscht. Denn die Mängel, die noch den Bauten von Copley anhafteten und das Bild des Wohnbaus in Bradford und Shipley weiterhin bestimmten, sind hier verschwunden. Es gibt in Saltaire weder das Back-to-back-System noch zu klein bemessene Wohnungen. Diese bestehen aus einem zur Straßenseite hin ausgerichteten Wohnraum von 3,96 auf 4,27 Metern (»parlour or living room«), einer rückwärts gelegenen Küche von 2,74 auf 4,27 Metern (»kitchen or scullery«), einer Vorratskammer (»pantry«), einem Keller und in den Obergeschossen, auf die Familiengröße abgestimmt, aus zwei, drei oder vier Schlafräumen, von denen jeder heizbar und vom Flur aus zugänglich ist.

261. Wohnhäuser an der Victoria Road, Saltaire. Grundrisse. (*Town Planning Review*, Juli 1960)

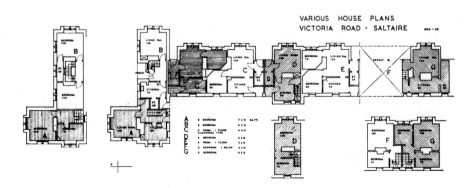

267

In den Backyards der Doppelblocks hat jede Wohnung ihren abgetrennten Hofanteil mit dem Abort (»privy«), einem Kohleplatz (»coal place«) und einem Aschenbehälter (»ashpit«), erschlossen mittels einer durchgehenden schmalen Gasse (»rear service lane«). Schließlich sind die Haus- und Hofentwässerung sowie die Straßenkanalisation Neuerungen, die für die sechziger Jahre keineswegs als selbstverständlich anzusehen waren.

Bei den am Westrand der Siedlung entlang der Albert Road erbauten Häusern für die Werkmeister und Fabrikaufseher ist der Cottagetyp stärker betont. Die Vorgärten nach Westen, eine größere Überbauungsfläche von 6,5 auf 10 Metern, die drei bis sechs Schlafräume ermöglicht, und ein großzügigeres Treppenhaus sind hier die Kennzeichen einer sozialen Differenzierung gegenüber der normalen Blockbebauung. Im Äußern applizieren die Blocks, die an den Ecken und auch in der Mitte wohl zur Rhythmisierung und Massengliederung pavillonartig erhöht sind, auf zurückhaltende Weise in den Rundbogenfenstern des Erdgeschosses und in den Gesimsen Quattrocento-Bauformen. Sie erhalten dadurch einen Anflug von architektonischer Ausdruckskraft, die sonst bei Arbeiterwohnungen dieser Zeit nicht zu finden ist.

Die Gestehungskosten dieser in Wohnwert und Aussehen bemerkenswerten Wohnungen betrugen in der Normalausführung 120 Pfund, in der Werkmeister-Ausführung 200 Pfund. Dafür waren Wochenmieten von 2 Shilling, 4 Pence bis 7 Shilling, 6 Pence aufzubringen. Das bedeutete für Salt eine 4prozentige Verzinsung des aufgewandten Kapitals und für die Arbeiter bei einem durchschnittlichen Wochenlohn von 24 Shilling eine erträgliche Mietzinsbelastung (etwa 10 bis 15 Prozent). Die Wohnungen für große Familien und die Altenwohnungen wiesen durch einen Zuschuß des Fabrikherrn ebenfalls erschwingliche Mieten auf.

Wie sehr die Arbeiter gerade diesen sozialen Beitrag des 1869 geadelten Sir Titus Salt schätzten und anerkannten und sich mit ihm als paternalistischem Fabrikherrn verbunden wußten, geht aus einem 1853 zu seinem Geburtstagsfest vorgetragenen Gedicht »The Peerage of Industry« hervor, wo es heißt:

»That while making his thousands, he never forgot
The thousands that helped him to make them.«[37]

Da Salt von Anfang an die Niederlassung am Aire-Fluß als eine stadtgemäße Einheit begriff, kamen im Lauf der Zeit die von ihm für notwendig erachteten öffentlichen Einrichtungen hinzu. Die wichtigsten davon, für deren Kosten er allein aufkam, sind entlang der schon erwähnten, als Nord-Süd-Achse besonders hervorgehobenen Victoria Road in drei aufeinanderfolgenden Platzausweitungen angeordnet. Im nördlichen Bereich stehen sich, über eine eingeschobene kurze Querachse miteinander in Beziehung gebracht, das Eingangsgebäude der Fabrik und die Congregational Church gegenüber. Die 1859 vollendete Kirche, der noch das Mausoleum für die Saltsche Familie angefügt ist, fällt durch ihre architektonisch anspruchsvolle Formgebung mit halbrundem Säulenumgang, Überkuppe-

268

264. Wohnbebauung Ecke Caroline/William Henry Street, Saltaire, mit dreigeschossigen Eckpavillons. (Bradford Industrial Museum)

lung und hochgerecktem Laternenaufsatz in eklektizistischem Renaissancestil auf.[38] Wenn sie auf der einen Seite mit ihrer stilistischen Überhöhung als ein Bekenntnis des gläubigen Paternalisten Salt zu deuten ist, so kommt auf der anderen Seite in der Werksanlage, die ebenfalls, wenn auch auf anspruchslosere Weise, in Renaissanceformen gekleidet ist, der Fabrikpalast des erfolgreichen viktorianischen Unternehmers zum Ausdruck.

Optisch ist die wie ein Solitär wirkende Kirche durch eine Baumallee an die Victoria Road angeschlossen, an der auch noch eine Feuerwache mit Stallungen und die Werkskantine liegen, durch deren Wandungen sich die räumliche Fassung des nördlichen Platzes ergibt.

Südlich der Eisenbahntrasse wird die Hauptstraße gegen die Wohnbebauung hin von Läden und gegen die Nutzgärten hin durch die Sunday School (1876) eingerahmt. Daraufhin folgt die quergeführte Caroline Street, an der sich im Westen die dreigeschossigen Eckpavillons der Wohnblocks aufreihen und an der sich auch die von Salt 1863 gebaute öffentliche Bade- und Waschanstalt befindet. Sie umfaßt im Badeteil zwei Schwimmbecken und 24 Warmbäder. Die Wäscherei war mit den neuesten Einrichtungen wie Dampfwaschmaschinen, Schleudern, Mangeln und Trockenkammern ausgestattet. Durch ihre Benutzung wollte Salt die Einwohner davon abhalten, die Wäsche zum Trocknen über die Straßen und Hinterhöfe zu hängen. In diesem Punkt sollte sich das Straßenbild Saltaires von den Zuständen in den Arbeitervierteln der Industriestädte deutlich unterscheiden.

Nach einer kurzen Zwischenbebauung öffnet sich ein zweiter Platz, der für den Wohnbereich das eigentliche Zentrum bildet. An dieser Stelle stehen sich, wiederum auf eine Querachse bezogen, zwei gewichtige öffentliche Gebäude gegenüber. Es handelt sich auf der Westseite um die Saltaire Factory School, die für 750 Jungen und Mädchen ausgelegt ist. Sie ersetzte ab 1867 das nach Produktionsbeginn benutzte Schulprovisorium. An der hervorgehobenen Position, an der guten Ausstattung und an der architektonischen Behandlung des Schulgebäudes läßt sich ablesen, welche Rolle Salt der Erziehung beimaß.[39] Freilich beschränkten sich seine Erziehungsabsichten keineswegs auf die Jugend. Denn der auf der Gegenseite 1871 erstellte Bau sollte auch den Erwachsenen ein angemessenes Betätigungsfeld bieten: Das darin untergebrachte »Institute« diente mit Laboratorien, Konzertraum, Gymnasium, Kunstschule, Bibliothek und Lesesaal der Fortbildung; der Saltaire Club mit dem Billardzimmer, den Spiel- und Konversationsräumen war einfach für die Unterhaltung gedacht, aber auch als Ersatz für Wirtshäuser, die Salt in seinem Model village nicht duldete.[40] Mit welchen Attributen Salt dieses Erziehungsforum belegte, deuten die Löwenskulpturen an, die sich in den Vorgärten paarweise gegenüberstehen und auf der Schulseite Wachsamkeit (»Vigilance«) und Entschlossenheit (»Determination«), auf der Institutsseite Krieg und Frieden symbolisieren.

265. Das »Institute« der Modellsiedlung Saltaire, 1974. (Royal Commission of the Historical Monuments of England, London)

269

266. Saltaire aus der Luft, mit Roberts Park, Fabrikanlage und alter und neuer Wohnbebauung. (Hunting Aerofilms, Boreham Wood)
267. Saltaire im Jahr 1950 mit der alten und neuen Bebauung. (*Town Planning Review*, Juli 1960)

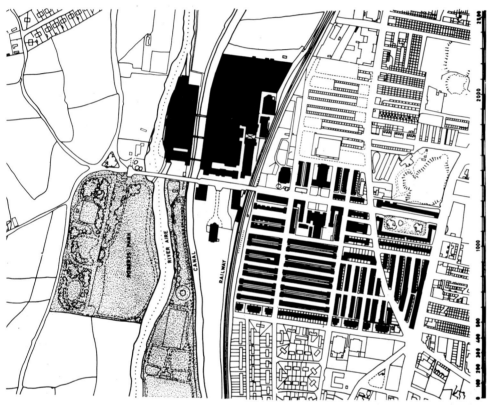

Bei dem dritten, ganz im Süden gelegenen Platz ist von einer monumentalen Ausstattung nichts mehr zu spüren. Hier bilden die 45 Altenwohnungen und das Hospital (»almhouses and infirmary«, 1868) einen queroblongen Hofraum, der bei dem nach Norden abfallenden Gelände durch die abgestaffelten und in der Fassade abgehobenen Hauseinheiten mit den Rundbogenmotiven und durch die eingepflanzten Baumgruppen einen squareähnlichen Charakter erhält. So besitzt Saltaire auch an der Stelle, wo es an die Straße nach Bradford angeschlossen ist, eine einladende räumliche Fassung. Die letzte Ergänzung fanden die öffentlichen Einrichtungen in dem 1871 nördlich des Aire River angelegten Roberts Park. Für die Arbeiterschaft schon in der ersten Plandisposition als Sportfeld und Erholungsraum vorgesehen, muß er aber, auf das Ganze bezogen, als das notwendige Gegengewicht zu der rasterförmigen und enggestellten Bebauung verstanden werden. Ihre Kompaktheit erfährt so in der Kombination mit den Plätzen, den allotment gardens und dem großzügig bemessenen Saltaire Public Park eine Relativierung, in der der Übergang zu einer offeneren Bauweise wenn nicht erreicht, so doch vorgezeichnet ist. Von diesem Ausgangspunkt aus deutet sich eine neue Strukturierung des Siedlungstyps an.

## Akroydon

Noch während Saltaire im Bau war, entstand in der Nähe von Halifax ein weiteres Model village, bei dem die sozialpolitischen und ästhetisierenden Absichten des Initiators besonders deutlich zum Ausdruck kommen.

Colonel Edward Akroyd erwarb 1855 auf dem Haley Hill im Norden von Halifax in der Nähe seiner Mills zusätzlichen Baugrund, um den Arbeitern an diesem Ort, den er Akroydon nannte, die Möglichkeit zu geben, gut ausgestattete und schön gestaltete Cottages zu erwerben.[41] Zwar konnten die Arbeiter zu diesem Zeitpunkt in Halifax auch auf anderem Wege zu Wohnungseigentum gelangen, sie bekamen nämlich von der Halifax Union Building Society drei Viertel des erforderlichen Kapitals als Baudarlehen vorgestreckt. Aber abgesehen davon, daß sie zumeist das fehlende Viertel an Kapital (etwa 40 Pfund) kaum aufbringen konnten, genügten die Bauten der Go-ahead-Society lediglich den einfachsten Bedürfnissen. Und gerade in diesem Punkt bot nun Akroyd den Arbeitern seine Hilfe an. Die neugeschaffene Akroydon Building Association stellte über eine Finanzierungsgesellschaft[42] ebenfalls drei Viertel des Baukapitals als Darlehen bereit. Sie übernahm jedoch darüber hinaus weitere, von den Arbeitern kaum zu erbringende Leistungen, indem sie günstig gelegenes Bauland besorgte und in Bauplätze aufteilte, bei einem angesehenen Architekten Entwürfe einholte, die Siedlung ganz entwässerte und die Aufsicht gegenüber den Bauunternehmern ausübte. Für diejenigen Bauwilligen, die den Restbetrag der Bausumme vorerst nicht aufzubringen in der Lage waren, garantierte Akroyd selbst die Einlage von 40 Pfund für die Dauer von drei Jahren, in welcher Zeit der Betrag dann in wöchentlichen Raten angespart werden konnte.[43] Außerdem stellte er das für die Straßen notwendige Land kostenlos zur Verfügung. Wie der Fabrikherr aber zu verstehen gab, waren diese Zugaben und die Finanzierungshilfe keineswegs karitativ gedacht, sondern sie sollten den Arbeitern nur Ansporn sein, durch Ansparen der erforderlichen Mittel zu eigenen Wohnungen zu kommen; zugleich sollten sie zu einer kooperativen Bewegung führen, in der die lokalen Baugesellschaften auf gemeinnütziger Basis den Arbeitern zur Unabhängigkeit im Wohnen verhalfen.[44]

Unter diesen günstigen Voraussetzungen fanden sich bald Teilnehmer für das beabsichtigte Siedlungsunternehmen. Man begann deshalb im März 1861 mit den ersten Blocks. Gebaut wurde anfänglich nach einem stark verdichteten, durch Doppelblocks gekennzeichneten Lageplan,[45] der 350 Wohneinheiten vorsah und im planerischen Sinne nicht über den Stand von Saltaire hinauswies. Im weiteren Ausbau wurde die Anordnung der Blocks allerdings modifiziert und die Vierecksform nur in den Randzonen nur lückenhaft verwirklicht. Auf diese Weise bleibt in der Mitte ein großer Freiraum als »green square« übrig. Obwohl diese Planänderung gegenüber der Ausgangslage eine wesentliche Verbesserung bedeutet, bringt die gewählte Lösung genausowenig wie in Saltaire die unmittelbare Verbindung der Häuser mit dem Gartenland. Noch liegen die Nutzgärten zusammengefaßt nebenan, und noch stehen die Wohngebäude in »terraces« eng beieinander.

268. Model village Akroydon/Halifax, Baumassenplan – general block plan –, erste Fassung. (*The Builder*, London 1863, Bd. 21)
269. Akroydon/Halifax, Bebauung nach der County Series Map, Yorkshire, 1894. (British Library, London)

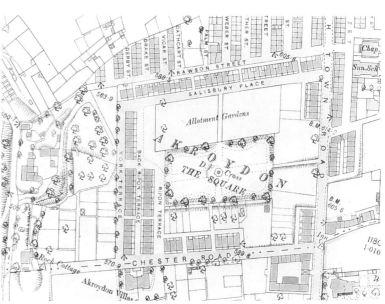

Es scheint so, als ob Akroyds Reformvorstellungen diese Grenzlinie nicht zu überschreiten vermochten, so sehr sie auch dem Einzelgebäude zugute kamen. Denn er verfolgte jene soziale und ästhetische Zielsetzung, die er im Bauprogramm von 1860 angekündigt hatte, mit großem Einsatz. Kein geringerer Architekt als der bekannte Sir George Gilbert Scott (1811–78) mußte die Pläne für die Wohnbauten anfertigen, und zwar in »domestic Gothic«, für die er als Spezialist galt[46] und die Akroyd in diesem Falle als besonders geeignet erschien, um den Arbeitern im Rückgriff auf die Erscheinungsform des alten englischen Dorfs den Gedanken des eigenen Hauses und der Heimat vertraut zu machen.[47] So sehr jedoch Akroyd den altenglischen Stil im neugotischen Gewand empfahl, der Realitätssinn der in der Akroydon Building Association zusammengeschlossenen Arbeiter ließ für die beabsichtigte ästhetische Überhöhung nicht allzuviel Spielraum. Immerhin konnte der mit der Bauleitung beauftragte Architekt W.H. Crossland, ein Schüler Scotts, manche Blocks noch so weit mit spitzwinkligen Dachgiebeln und mit gotisierenden Fenster- und Türmotiven versehen, daß ein letzter Rest von »Gothic revival« spürbar wird und das Ganze als formale Einheit wirkt. Insofern erscheint die auf die einheimische Bauweise des West Riding bezogene Architektur Akroydons plausibler als der weithergeholte Renaissanceismus in Saltaire.

Die eigentlichen Vorzüge der Siedlung sind aber weniger in der Fassadengestaltung als vielmehr in den Grundrißvarianten, der Ausstattung und der soliden Ausführung der Reihenhäuser zu finden.[48] Akroyd wollte nach den neuesten Erkenntnissen der »sanitary science« bauen. Und er hielt es auch für erforderlich, die Wohnungen nach Größe und nach Baukosten auf die finanziellen Möglichkeiten der Arbeiter abzustimmen. Denn nur bei erträglichen Zinslasten konnten sie dazu animiert werden, den Schritt zum »freeholder« zu wagen.[49]

Die billigste Ausführung zum Festpreis von 130 Pfund bot indes kaum mehr als ein Wohnungsminimum: Im Erdgeschoß findet sich außer dem Wohnraum (3,96 auf 4,57 Meter) nur noch ein kleiner Abwaschplatz und eine Schachttreppe. Das darüberliegende Geschoß beschränkt sich auf zwei Schlafzimmer, von denen das eine zu groß und das andere zu klein geraten ist.

Die bessere Ausführung zu 190 Pfund hat dagegen ein abgetrenntes Treppenhaus, von dem aus im Erdgeschoß das Wohnzimmer (3,66 auf 4,57 Meter) und die Küche (2,74 auf 4,11 Meter), im Obergeschoß die drei Schlafräume (3,05 auf 4,57 Meter; 2,74 auf 4,11 Meter; 2,44 auf 2,74 Meter) zu erreichen sind. Der Abort und der Aschenbehälter liegen im rückwärtigen Hof, die Vorratsräume im Keller. Alle Wohnungen sind mit Wasser- und Gasanschluß und mit Ausgüssen und Abwasserleitungen ausgestattet. Im weiteren Bauablauf wurden die Baukosten noch stärker abgestuft, indem auch Wohnungen zu 150, 210 und 300 Pfund entstanden. Die in dieser Preisdifferenzierung enthaltene soziale Schichtung der Bewohner blieb aber unerheblich, da die großen und kleinen Wohneinheiten in den Reihenhausblöcken abwechseln und eine Segregation nach Klassen innerhalb der Siedlung nicht stattfand.

Die ersten Ansätze zu einem sozialen Wohnungsbau, die in Akroydon zum Ausdruck kommen, wurden in der zeitgenössischen Fachpresse aufmerksam kommentiert. *The Builder* bewertet den Parlour-Typ als einen großen Fortschritt, der den Bewohnern der

270. Eckhaus an der Durchgangsstraße von Bradford nach Halifax – old turnpike road –, Akroydon, um 1865. (*The Builder*, London, 1863, Bd. 21)

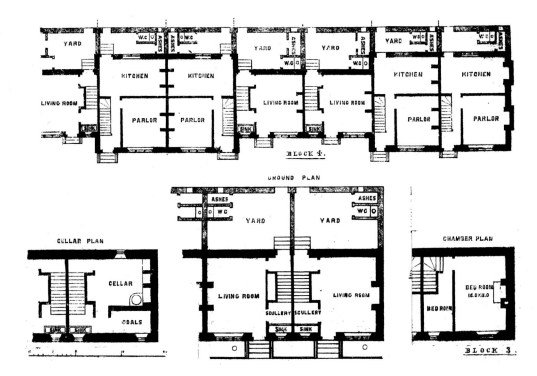

271. Grundrisse der Wohnbauten in Akroydon.
(*The Builder*, London, 1863, Bd. 21)

Arbeiterklasse zu einem bisher unvorstellbaren Wohnkomfort verhelfen könnte. Trotzdem wird aber gefragt, ob die separate Lage der Küche neben dem Wohnzimmer dem Lebenszuschnitt der Arbeiter entspreche oder ob diese Anordnung letztlich nicht dazu verführe, das »bessere Zimmer« als »Sunday best« bei wenigen feierlichen Anlässen zu benutzen. Es wird auch nicht verhehlt, daß die Mehrzahl der Arbeiter sich auf Grund ihrer niedrigen Löhne keinen derartigen Luxus leisten konnte und sich mit der Minimallösung (»living room« und »scullery« im Erdgeschoß) zufriedengeben mußte. Gerade diese hatte jedoch ihre Mängel. Die Schlafräume im Obergeschoß waren der Zahl nach unzureichend und der Größe nach unausgewogen. Eine Unterteilung in drei möblierte Räume war das mindeste, was eine Familie mit Kindern beanspruchen mußte. Bei solchen Unzulänglichkeiten mutet es aus heutiger Sicht befremdlich an, wieso dann ein nicht unerheblicher Teil der Mittel auf die kapriziöse Fassadenausschmückung verschwendet wurde, wo doch alles auf die Hebung des Wohnstandards der Arbeiter angelegt sein sollte. Doch wer so argumentiert, wird dem Zeitgeist nicht gerecht. Es ging Akroyd im Rahmen seines paternalistischen Siedlungsunternehmens um mehr als nur die Befriedigung praktischer Bedürfnisse. Indem er dem Environment seiner Model villages einen nach der damaligen Auffassung angemessenen architektonischen Ausdruck gab, glaubte er damit die Behausungen der Arbeiter in einem überschaubaren Rahmen aufzuwerten und die Bewohnerschaft auf diese Weise dem bürgerlichen Status anzugleichen.

Diesen Zweck verfolgte er sicher auch, wenn er dem Beispiel Salts folgend der Siedlung all jene öffentlichen Einrichtungen stiftete, durch die bei den Bewohnern das zivilisatorische und kulturelle Niveau gehoben und der genossenschaftliche Geist geweckt werden sollte. Deshalb verstand es sich fast von selbst, daß auf dem Haley Hill Mädchen- und Jungenschulen mit genügend Lehrkräften von Anfang an die Erziehung der Kinder ermöglichten. Es fehlten auch nicht Institutionen wie The Haley Hill Working Men's College, das für die Männer und The Haley Hill Young Women's Institute, das für die Frauen vielerlei Fortbildungsmöglichkeiten bot. Schließlich entwickelte sich in den verschiedenen Klubs und Vereinen – Literary and Scientific Society, Working Men's Club – jenes innere Leben, durch das der Ort erst seine soziale und folkloristische Qualität erhielt und durch die er letztlich erst gegenüber der übrigen, irgendwo zufällig entstandenen Wohnbebauung der Industriestädte als urbane und soziale Einheit herausgehoben wurde.

Wenn Akroydon indes noch die erwähnten Unzulänglichkeiten anhafteten, so war trotzdem in wesentlichen Punkten wie den abgestaffelten Baukosten, den in der Beihilfe zur Finanzierung implizierten Anregungen zum Bausparen und in der Hilfestellung bei der Baudurchführung so viel Entwicklungsspielraum abgesteckt, daß das hierin aufgezeichnete Modell der kooperativen Wohnraumbeschaffung bereits über den Rahmen einer paternalistischen Siedlung hinauswies und als Anregung zu einem weiter gefaßten sozialen Wohnungsbau verstanden werden konnte. Inwieweit diese Chance tatsächlich genutzt wurde, wird die weitere Entwicklung zeigen.

Die Aktivitäten des paternalistischen Siedlungsbaus blieben im industrialisierten England keineswegs auf den Bereich der bisher behandelten Bradford-Halifax School beschränkt.[50] Wenn bei Sir Titus Salt die geniale Idee der Verarbeitung von Alpakawolle die finanziellen Voraussetzungen für seinen urbanistischen Beitrag ergab, so schuf sich ein anderer tatkräftiger viktorianischer Fabrikant durch Innovationen in der Seifenfabrikation die Basis für eine nicht weniger spektakuläre Siedlungstätigkeit. Gemeint ist William Hesketh Lever, später zum Lord Leverhulm (1851–1925) geadelt.[51] Er stellte, zusammen mit seinem Bruder James Darcy, ab 1886 in einer gemieteten Fabrik in Warrington Seife nicht mehr aus Talg, sondern aus Pflanzenölen her und vermarktete dieses Produkt, sauber verpackt und bedruckt, unter der geschützten Bezeichnung »Sunlight«.

Der erfolgreiche Geschäftsgang ließ auch bei Lever den Gedanken aufkommen, außerhalb der städtischen Enge in freier, unverbauter Lage eine neue Produktionsstätte und menschenwürdige Behausungen für die Arbeiterschaft zu bauen.[52] Diese Absicht lag für ihn um so näher, als er selbst an planerischen und architektonischen Problemen lebhaften Anteil nahm. Mit seiner von John Stuart Mill und Thomas Huxley beeinflußten paternalistischen Gesinnung sah er in einem solchen Unternehmen die Möglichkeit, die von ihm vertretene Gewinnbeteiligung der Arbeiter, die er als »profit sharing« bezeichnete, in die Tat umzusetzen.[53] Darüber hinaus vertrat er die Meinung, daß die Abstumpfung und die Entpersönlichung der Maschinenarbeit, die Karl Marx als Entfremdung charakterisierte, eines Ausgleichs bedurfte, um die Lebensbedingungen der Beschäftigten wieder erträglicher zu machen. So verdichtete sich bei ihm, noch bevor er zu bauen anfing, in der Vision seines Model village der Plan, durch den Bau von Wohnungen die Sunlight-Arbeiter durch einen reduzierten Mietzins oder durch Wohnungseigentum am Ertrag des Unternehmens zu beteiligen. Und durch die Anlage von Parks und Nutz- und Ziergärten wollte er sie dazu anregen, sich außerhalb der Fabrik im Freien zu betätigen, um sie auf diesem Wege der Natur wieder näherzubringen.[54]

Dieses der individuellen Anschauung entsprechende, sozial determinierte Programm stand Lever sicher neben all den anderen Voraussetzungen für einen Industriestandort vor Augen, als er mit dem Warringtoner Architekten William Owen daranging, in unzähligen Erkundungsgängen den optimalen Platz für ein neues Werk ausfindig zu machen. Das Gelände dafür mußte, das stand fest, groß genug sein, um Fabrik und Siedlung un-

272. Port Sunlight, erste Ausbaustufe, 1889–1909. (Thomas H. Mawson, *Civic Art*, Batsford 1911)

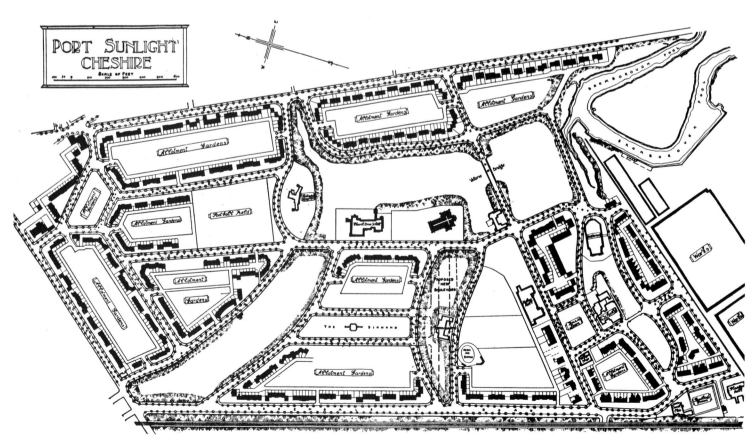

273. Park Road, Port Sunlight, um 1900, frühe Bebauung. (Information Services Port Sunlight)

terzubringen und später erweitern zu können; es bedurfte der notwendigen Verkehrsanschlüsse an Highway, Eisenbahnhauptlinie und schiffbaren Fluß, und es sollte mit Rücksicht auf die Wohnbebauung eine Topographie aufweisen, die die Natur erfaßbar und erlebbar machte, und schließlich durfte es auch nicht teuer sein, damit die Pläne sich überhaupt realisieren ließen. Ob es dem Zufall oder geduldigem Suchen zuzuschreiben ist, bleibt offen: Jedenfalls entdeckte Lever bei Bromborough Pool, im Flußgebiet des Mersey, in einer Distanz von sieben Meilen zum Zentrum von Liverpool das seinen Vorstellungen entsprechende Gelände. Es bestand, so wie er es vorfand, nur aus von Wasseradern und Gezeitenströmungen umflossenen Inseln, die mehr einem Sumpf oder Moor als einem bebaubaren Grund glichen. Ohne Rücksicht auf alle Schwierigkeiten, die bei dieser Bodenbeschaffenheit seinem Urbanisierungsprojekt entgegenstehen mußten, und wohl mehr einer inneren Stimme folgend, kaufte Lever im Juli 1887 ein Areal von 22,5 Hektar zu einem Bodenpreis von etwa 500 Pfund pro Hektar.[55]

Unverzüglich begann man durch den Bau von Dämmen und Schleusen, durch Entwässern und Trockenlegen der Wasseradern und Tümpel, Baugrund zu schaffen. Wie in Saltaire entstand auch hier zuerst die Fabrikanlage, deren erste Teile nach den Plänen von William Owen 1888/89 entlang der Wood Street ausgeführt wurden und zu denen im Lauf der Zeit noch große Erweiterungen hinzukamen, wie das Office Building (1895) von William & Segar Owen und das Bürogebäude (1913/14) von J. Lomax-Simpson.

Das für die Wohnviertel vorgesehene, nördlich der Fabrik zwischen New Chester Road und Chester and Birkenhead Railway gelegene und bis zur Bebington Road reichende Gelände nahm nach dem Auflassen der Wasserarme ein so plastisches Profil an, daß sich in den zurückbleibenden Vertiefungen (»ravines«) gewissermaßen ein großes E abzeichnete. Diese ungewöhnliche Figuration bildete dann, wenigstens für die erste Ausbaustufe bis 1909, den Grundansatz für die Bebauungsstruktur des Port Sunlight genannten Model village.[56] Während die schluchtartigen Vertiefungen unbebaut liegenblieben, um eine weiträumige Unterteilung zu bewirken, erhielten die höhergelegenen Flächen eine einrahmende, den gekurvten Umrissen angepaßte Randbebauung. Lever hat diese Anordnung, vom Geländerelief fasziniert, wohl selbst gewählt, beraten und assistiert von Owen und seinem Freund, dem Architekten Jonathan Simpson.[57]

Wie die bauliche Umsetzung dann aussah und welche Probleme dabei aufgeworfen wurden, zeigt das zuerst zwischen 1889 und 1892 bebaute Areal gleich nordwestlich der Werksanlage. Die allerersten Häuser, die Owen 1889/90 an der Bolton Road in simpler Aufreihung errichtete, sagen noch wenig über die stadtplanerischen und ästhetischen Absichten aus. Auch die Reihenhäuser gegenüber der Fabrikfront in der Wood Street sind noch geradlinig angelegt, nur durch die Einmündung der Bridge Street unterbrochen. Auf der Nordwestseite dagegen ist die Absicht erkennbar, die einzelnen Gebäude der Kurvatur der Park Road anzupassen, die ihrerseits nur wieder die Bewegung des anschließenden tiefergelegenen Parks aufnimmt. Und dieser Park, sinnigerweise als »The Dell«, versunkener Garten, bezeichnet, ist nichts anderes als eine der schon erwähnten, dem Wasser abgerungenen »ravines«. Jenseits dieser Senke wiederholt sich diese perimetrische Bebauung in genauso freier und bewegter Form, wobei allerdings die mittlere Partie durch die Schule, das Lyzeum in der Bridge Street (1894–96) von Douglas & Fordham, und einen Tennisplatz ausgefüllt ist. Am Planbild läßt sich leicht ausmachen, daß es einige Mühe bereitet hat, die Bewegung des Geländes auf die Gebäudefluchten zu übertragen. Aber die gestalterische Absicht, die Quartierumrisse der Geländemodellierung anzugleichen, ist spürbar. In der Greendale Road wird allerdings noch ein anderer Aspekt augenfällig. Es erscheint ungewöhnlich und der inzwischen gewonnenen Auffassung vom individuellen Wohnen (etwa im Bedford Park) konträr, daß die Hauszeilen fast bilderbuchartig aufgereiht zur Eisenbahnlinie hin ausgerichtet sind. Indes steckt dahinter ganz einfach die Absicht, auf diese Art den in der Eisenbahn vorbeifahrenden Reisenden Port Sunlight von seiner schönsten Seite her zu präsentieren.[58] Tatsächlich wurden gerade an dieser Stelle alle jene Motive einer abwechslungsreichen und pittoresken Wohnhausarchitektur angewandt, durch deren Charme jedermann der eklatante Unterschied zu den tristen By-law-Blocks der »coke-towns« spürbar wurde. In einer Art von Überraschungseffekt gibt eine größere Unterbrechung in der Bauflucht den Vorbeifahrenden über eine winkelrecht einmündende Senke hinweg für einen Moment sogar den Blick frei auf die Christ Church. Damit war eine Beziehungsachse angedeutet, die später noch besondere Bedeutung erhalten sollte. Im weiteren Siedlungsausbau ist die Idee des »Superblocks« als Randbebauung für die aus den Vertiefungen abgehobenen Bauflächen in größere Dimensionen mit über 50 Wohneinheiten übertragen worden.[59] Dabei ist charakteristisch, daß die Gebäude von den Randstraßen her erschlossen sind und auf der Vorder- und Rückseite einen bescheidenen Gartenteil aufweisen. Der größte Teil des Innenhofs der Blocks besteht jedoch aus Allotment gardens. Wer von den Bewohnern sich wirklich im Garten betätigen wollte, dem standen diese Mietgärten für ein geringes Entgelt offen.

Daß der Bebauung und der Straßenführung von Anfang an eine bewußte Konzeption zugrunde lag, geht aus Äußerungen Levers hervor, die er 1902 bei einem Vortrag vor der Architectural Association machte: »Die Straßen sind so geplant worden, daß man zwar die direktesten und kürzesten Strecken zu wichtigen Punkten wie dem Bahnhof, der Fähre, der Tramway-Haltestelle, den Büros und dem Werk nahm, sie aber noch, wenn immer möglich, Kurven und Krümmungen bilden ließ, die dem Verlauf der Schluchten folgen.«[60] Lever hatte auch genaue Vorstellungen zur Bebauungsdichte. Er hielt 30 Häuser pro Hektar für das Maximum, mit dem den Bewohnern noch ein gesundes und naturverbundenes Leben ermöglicht werden konnte.[61] Tatsächlich wurde in Port Sunlight nur eine Dichte von 20 Häusern pro Hektar erreicht, obwohl auch damit der Traum von den »semi-detached houses« unerfüllt bleiben mußte und durch Hauszeilen mit drei bis sieben Einheiten ersetzt wurde. Aber eine lockere und weiträumige Aufteilung war allein schon durch den Einschub der »ravines« gewährleistet. Selbst die Ausbildung der Straßen mit 11 Metern Breite und mit beidseitiger Baumbepflanzung und Plattenbelag der Gehwege deutet auf Großzügigkeit und Weitsicht hin.

274. Kenyon Old Hall Cottages an der Greendale Road, Port Sunlight. (Information Services Port Sunlight)

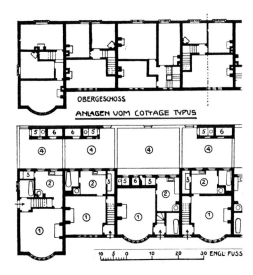

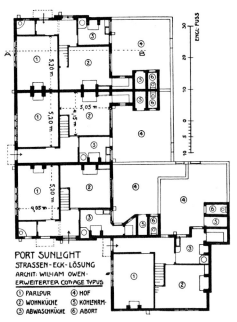

PORT SUNLIGHT
ARBEITERWOHNHÄUSER · ARCH: J·J·TALBOT

① WOHNKÜCHE    ④ OFFENER HOF
② ABWASCHKÜCHE    ⑤ ABORT
③ VORRATSRAUM    ⑥ KOHLENRAUM

IM OBERGESCHOSSE SIND ALLE RÄUME
ALS SCHLAFZIMMER GEDACHT.

OBERGESCHOSS
ANLAGEN VOM COTTAGE TYPUS

10 5 0    10    20    30 ENGL·FUSS

PORT SUNLIGHT
STRASSEN·ECK·LÖSUNG
ARCHIT: WILLIAM OWEN·
ERWEITERTER COTTAGE TYPUS
① PARLOUR    ④ HOF
② WOHNKÜCHE    ⑤ KOHLENRM·
③ ABWASCHKÜCHE    ⑥ ABORT

275. Arbeiterwohnungen, einfache Ausführung als »kitchen cottage«, Port Sunlight. Grundrisse von Erd- und Obergeschoß. (H.E. Berlepsch-Valendas, *Die Gartenstadtbewegung in England*, München 1912)
276. Arbeiterwohnungen, größere Ausführung als »parlour cottage«, Port Sunlight. Grundrisse von Erd- und Obergeschoß. (H.E. Berlepsch-Valendas, *Die Gartenstadtbewegung in England*, a.a.O.)

Die bei der Planung der Siedlung aufgewandte Sorgfalt ist auch beim Entwurf und der Ausgestaltung der einzelnen Wohnhäuser zu beobachten.[62] Um passende Lösungen zu erhalten, holte Lever um 1899 von mehreren Architekten Vorschläge für Reihenhäuser mit fünf bis sieben Wohnungen ein. Einen Eindruck davon vermitteln drei Tafeln in Maurice B. Adams' Publikation *Modern Cottages Architecture* (1904), nach denen einige Blocks gebaut wurden. Da Adams als Assistent Richard Norman Shaws (1831–1912) am Bedford Park beteiligt war, konnte es nicht ausbleiben, daß der dort in den siebziger Jahren praktizierte Eklektizismus des Wohnungsbaus sich auch auf Port Sunlight übertrug, zumal die Fin-de-siècle-Stimmung der spätviktorianischen Zeit und Levers Erwartungshaltung gegenüber der Architektur diese Richtung begünstigten.

Obwohl eine ganze Reihe von Architekten Beiträge zu den Wohnbauten beigesteuert hat, bildeten sich im wesentlichen zwei Standardtypen heraus, mit denen die damaligen Wohnbedürfnisse befriedigt werden konnten.[63] Der einfache Typ, als »kitchen cottage« bezeichnet, beschränkt sich im Erdgeschoß auf eine relativ große Wohnküche (etwa 15 Quadratmeter), an die auf der rückwärtigen Gartenseite noch ein Abwaschraum (»scullery«) mit Waschkessel und Einrichtungen für Badewanne und Vorräte angefügt sind. Im Obergeschoß, das vom abgetrennten Eingang durch eine Schachttreppe zugänglich ist, reicht es bei 5,50 Metern Wohnungsbreite immerhin zu drei Schlafräumen. Diese äußerste Platzausnutzung ist jedoch mit Nachteilen verbunden, deren auffälligster darin besteht, daß der Abort nur vom Hofraum her zugänglich ist, also außerhalb der Wohnung liegt. Der größere Typ – »parlour cottage« – weist im Erdgeschoß neben einer Küche und einem Abwaschraum mit Nebenräumen einen besonderen Wohnraum (»parlour«) mit über 20 Quadratmetern Fläche auf. Die Wohnungsbreite von etwa 7 Metern läßt hier im Obergeschoß sogar vier Schlafräume zu. Diese Lösung schließt auch einen separaten Baderaum mit ein. Indes ist bei den Wohnhäusern von Port Sunlight die Grundrißaufteilung weit weniger bemerkenswert als die äußere Gestaltung. Wie in einem malerischen Cheshire-Dorf bestimmt das Sichtfachwerk das Straßenbild. Levers Enthusiasmus für Fachwerkhäuser ging so weit, daß er Repliken von Shakespeares Geburtshaus an einer mit Poet's corner bezeichneten Stelle der Park Road (heute verschwunden) und der Kenyon Old Hall an der Greendale Road erstehen ließ. In gestalterischer Absicht wollte er Port Sunlight jenes historische Lokalkolorit geben, in dem sich die visuelle Vielfalt und Ausdruckskraft sowie die soziale Überschaubarkeit des englischen Dorfes widerspiegelten. Die dunkle Fachwerkstruktur des Eichenholzes, der weiße Rauhputz in den Gefachen, das Sichtmauerwerk mit den roten Ruabon-Backsteinen, die bruchrauhe Oberfläche der Sandsteinpartien, braunrote Hängeziegel und graue Schieferplatten, das alles sollte die in der Farbgebung und Textur erwünschten Effekte hervorbringen. Vorsprünge und Anbauten, Giebel und Walme, hochaufragende Schornsteinköpfe mit malerischen Aufsätzen oder auch nur erkerhafte Ausbuchtungen in den Außenwänden bewirken eine starke plastische Gliederung. In eklektizistischer Manier sind bedenkenlos historische Vorbilder reproduziert, manche Häuser in der Queen-Anne-Fashion,[64] viele im Tudorstil. Das formale Nebeneinander wird aber letztlich durch die sorgfältige und werkgerechte Verarbeitung der heimischen Baumaterialien in der Art des Shavian-Landhauses weitgehend aufgehoben. Zurück bleibt schließlich der Eindruck einer abwechslungsreichen, adretten Cottage-Architektur, in der das »ideal of cleanliness«, dem der Seifenfabrikant sich ganz besonders verpflichtet fühlte, verwirklicht erscheint.[65]

In der Retrospektive ist man versucht, den von Lever und seinen Architekten beschrittenen Weg, Port Sunlight aus der Historie heraus zu formen und zu visualisieren, für anfechtbar zu halten. Man sollte dabei aber nicht übersehen, daß es die damalige Zeit für durchaus legitim ansah, mit Hilfe der Aura historischer Architektur jenes gefällige Environment zu schaffen, das als die Antithese zur sonst überall vorhandenen häßlichen Industriestadt gelten konnte.

Dieser historisierende Ansatz ist auch beim weiteren Ausbau der Siedlung nach 1909 zu beobachten, nur daß unterdessen der Plan eines Model village mit anderen Augen gesehen wurde. Indem man die Siedlung nun stärker als selbständige urbane Einheit begriff, empfand man es auch als einen Mangel, daß ein erkennbares Zentrum und die nötigen öffentlichen Einrichtungen fehlten.

Immerhin hatte Lever mit dem Bau der Christ Church (1902–04) von William & Segar Owen einen Anfang gemacht. Diese Dominante war, wie schon erwähnt worden ist, für die vorbeifahrenden Eisenbahnreisenden durch eine Schneise geschickt ins Bild gerückt. So mochte man es als wünschenswert empfinden, mittels weiterer Durchblicke ähnliche stimmungsvolle Effekte hervorzubringen. Zudem mußte die Absicht, in der großräumig angelegten Siedlung neue Bauflächen zu gewinnen, die Blicke wieder stärker auf die Vertiefungen lenken, die nach der Trockenlegung übriggeblieben waren und das Gelände als Zäsuren durchzogen. Ihre Einebnung lag allein schon deshalb nahe, weil man ihre geschwungenen Formen inzwischen als störend und formal überholt empfand. Dieser Meinungswechsel war zweifellos von den neuen Stadtbauvorstellungen beeinflußt, wie sie um diese Zeit im nahegelegenen Liverpool vertreten wurden. Eine Schenkung Levers hatte es nämlich ermöglicht, an der School of Architecture der University of Liverpool ein Department of Civic Design einzurichten, um eine Verbesserung der Stadtplanung zu erreichen.[66] Bei den Schiffsverbindungen der Hafenstadt Liverpool mit den USA standen diese Institution und ihr Leiter, Sir Charles Herbert Reilly (1874–1948), stark unter dem Einfluß der amerikanischen »City-Beautiful«-Bewegung (siehe Kapitel 7.3), deren Gestaltungsprinzipien auch auf die englischen Verhältnisse übertragen werden sollten.

Die erforderliche Erweiterung von Port Sunlight bot eine gute Gelegenheit dazu. So schrieb Lever unter den Studierenden der Liverpooler Schule 1910 einen Wettbewerb zur Erlangung eines revidierten Ausbauplanes aus. Ernest Prestwich, ein Student im dritten Studienjahr, gewann den ersten Preis von 20 Pfund mit einem Entwurf, der fast alle wesentlichen Elemente der Beaux-Arts-Richtung und der City-Beautiful-Bewegung aufwies und durch seine monumentale Ausrichtung wohl am eindeutigsten den Erwartungen der Preisrichter entsprach. Die Ausführung übertrug Lever dem versierten Civic-Art-Planer Thomas Mawson, der sich auch als Landschaftsgestalter betätigte.[67]

Um welche Veränderungen es sich handelte, zeigt der modifizierte Plan von 1910. Die einst zur Ausprägung der Topographie belassenen Geländetiefen und Schluchten wurden kurzerhand aufgefüllt und eliminiert. Nur »The Dell«, der zwischen den ältesten Superblocks gelegene Park, blieb mit der Dell Bridge von 1894 erhalten. Auf dem eingeebneten Gelände westlich der Kirche entstanden in der Form eines monumentalen Achskreuzes Doppelboulevards mit Bäumen und dazwischenliegenden Grünflächen. Der kürzere Kreuzarm – The Causeway – deckt sich mit der Sichtachse zwischen Kirche und Eisenbahndamm, während die Hauptachse – The Diamond – in Nord-Süd-Richtung par-

277. Port Sunlight um 1910. (Thomas H. Mawson, *Civic Art*, a.a.O.)

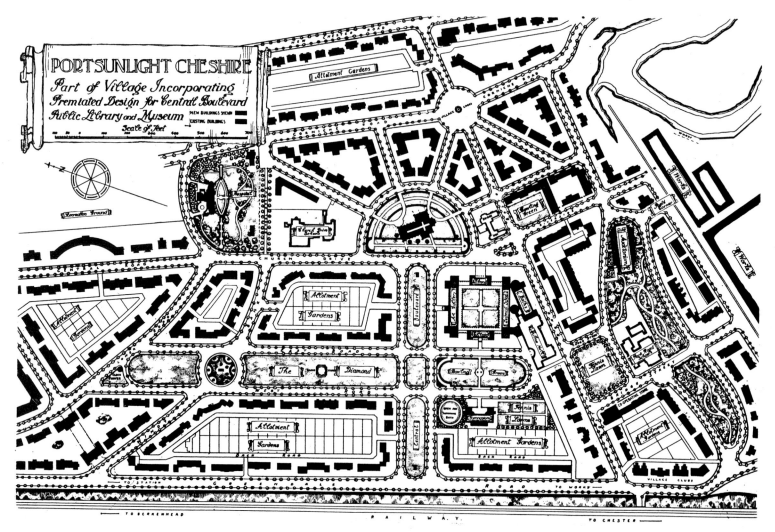

278. Blick in die Boulevard-Querachse von
The Causeway, Port Sunlight, mit der Kirche
als Point de vue. Zeichnung von R. Atkinson.
(Thomas H. Mawson, *Civic Art*, a.a.O.)
279. Port Sunlight aus der Luft, 1938. Mit dem
späteren Ausbau des Achskreuzes der Boulevards. (Information Services Port Sunlight)

allel zur Bahnlinie verläuft. Mit ihren 550 Metern Länge und 60 Metern Breite bildet sie gewissermaßen das Rückgrat der erneuerten Siedlung, ohne aber an ihren Endpunkten jene wirkungsvollen Points de vue und Überleitungen aufzuweisen, die sonst Plänen dieses Zuschnitts und Genres eigen sind. Im Bereich östlich der Kirche, wo ebenfalls durch Einebnungen und durch die Beseitigung der Victoria Bridge ein zusammenhängendes Bauareal gewonnen werden konnte, wechselt das Formenspiel der Straßengeometrie zum Patte-d'oie-Motiv über. Alternierend richten sich hier die kurzen Radialstraßen teils auf die Kirche als Dominante, teils auf den im Kreuzungspunkt der Bolton und Corniche Road gelegenen Rondellplatz Village Cross aus. In das neugeschaffene ornamentale Straßengerüst fügen sich die öffentlichen Gebäude und die Randbebauung der Wohnblocks ein. Der Größe nach am gewichtigsten erscheint ein an die alte Hulme Hall angeschlossenes vierflügliges Forum, vorgesehen zur Aufnahme einer Kunstgalerie, einer Sammlung, einer Bibliothek und eines Technikums. Es ist aber in der im Plan gezeichneten Form und an der angegebenen Stelle nie gebaut worden; Lever hat vielmehr später, als der Ausbauplan in den Hauptzügen längst Gestalt angenommen hatte, für die Lady Lever Art Gallery (1914–22) von William & Segar Owen eine weit exklusivere Plazierung gefunden, indem er diese in die nordsüdliche Hauptachse einfügte und mit ihrer Beaux-Arts-Architektur die Monumentalperspektive in The Diamond noch steigerte. Die Bebauung entlang den Radialstraßen ist ebenfalls unterblieben, wie überhaupt noch manche Veränderungen, vor allem bei der Ausformung der Wohnblocks, gegenüber dem Plan von Prestwich und Mawson vorgenommen worden sind.

Trotzdem überlagert die monumentalisierende Beaux-Arts-Komposition der zweiten Ausbaustufe die von der School of Domestic Architecture bestimmte Ausgangsform derart stark, daß sich die Frage stellt, inwieweit dieses später entstandene Port Sunlight den Belangen einer Arbeitersiedlung noch entspricht. Der Eindruck, der formale Anspruch der Planfigur dominiere über alles andere, ist nicht zu unterdrücken, jedoch erfaßt er nur die visuelle Komponente der Aufteilung. Denn in Levers Idee eines »model village« ging es nicht mehr wie in der Frühzeit der paternalistischen Siedlungsbewegung nur darum, die notwendigsten Wohnbedürfnisse der Arbeiter zu befriedigen; nach seiner Auffassung hatten Arbeiterwohnstätten auch hohen ästhetischen Ansprüchen zu genügen, weil nur damit eine Hebung der Lebensart dieser Schicht erreichbar erschien.

Nun konnte man sich nach dem Verständnis der Zeit eine Ästhetisierung der Siedlung kaum anders vorstellen als in einem geometrisch figurierten Planbild und in einer stilistisch überhöhten Architektur. Aber diese formal-visuelle Bedingtheit stellt nur einen Teilaspekt dar, nach dem die Siedlung nicht explizit zu erklären ist. Denn auch den finanziellen Modalitäten, unter denen die Wohnbauten und öffentlichen Einrichtungen entstanden sind, kommt eine gewisse Bedeutung zu. Lever finanzierte die Siedlung ohne direkte Inanspruchnahme der Arbeiterschaft aus der Ertragskraft seines Industrieunternehmens. Er machte das Wohnen an diesem Ort weder von einem bestimmten Ansparkapital noch von einem besonderen Sparwillen abhängig. Wie groß sein finanzielles Engagement war, ergibt sich aus der Tatsache, daß er bis 1907 für Baugrund und Erschließung, für Wohnungen und Gemeinschaftsbauten usw. einen Gesamtbetrag von etwa 500 000 Pfund verausgabte.[68] Bei manchen Fachwerkhäusern nahm er Kosten von 300 bis 400 Pfund in Kauf, gegenüber 120 Pfund für eine Normalausführung in Saltaire. Bei diesem Aufwand war an eine auch nur mäßige Kapitalverzinsung durch die Mieten nicht zu denken. In der Tat deckten die verlangten Wochenmieten von zuerst 3 Shilling, später von 5 Shilling gerade die Abschreibungs- und Bauunterhaltskosten. In der Rechnungslegung ergab sich ein Bonus von über 8 Pfund Zinsverzicht pro Beschäftigtem, der aber nicht allen Werksangehörigen gleichermaßen zugute kam, da nur etwa die Hälfte von ihnen in Port Sunlight wohnen konnte.

In Levers Sicht war dieser Zinsverzicht indes – und das bedeutet ein Charakteristikum dieser Siedlung – nichts anderes als der den Mitarbeitern zugedachte Teilgewinn am Geschäftsergebnis, auf welche Art ihnen bessere Wohn- und Lebensverhältnisse verschafft, nicht aber Bargeld zum beliebigen Konsum in die Hände gegeben werden sollte.[69] Dieses »prosperity sharing« macht den finanziellen Einsatz des Fabrikherrn durchaus plausibel. Es war für ihn klar, daß die mit dem indirekt eingesetzten Anlagekapital geschaffenen, nahezu idealen Wohnverhältnisse bei den Arbeitern ihre Wirkung nicht verfehlen würden: Sie trugen zur Gesundheit und Zufriedenheit, zum Zusammenhalt und zur Arbeitsmotivation bei, und daraus resultierten wiederum ein stärkerer Einsatzwille und höhere Arbeitsleistungen, die der Firma Lever Brothers Ltd. zugute kamen. Der stetige Firmenaufstieg zu Unilever bewies das zur Genüge.[70]

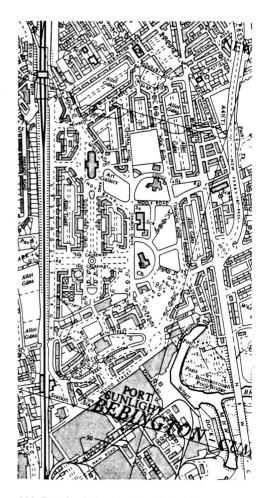

280. Port Sunlight, heutiger Zustand.

Im Blick auf die beschriebenen formalen und sozialen Eigenheiten der Siedlung läßt sich schließlich ihre Bedeutung für die Entwicklung des Urbanismus abschätzen. Unter sozialen Aspekten gesehen, setzte sich die Tendenz, der Arbeiterbevölkerung bessere Wohnmöglichkeiten zu verschaffen, in der von Copley vorgezeichneten Linie fort. Allerdings ist dieses Thema mit dem Gedanken der Gewinnbeteiligung verquickt, dessen sozialpolitische Problematik nicht zu übersehen ist. Darüber hinaus wird eine ästhetisch-visuelle Zielsetzung deutlich, wie sie in den vorhergehenden Model villages nicht zu beobachten ist. Vom landschaftlichen Environment mit seiner Reliefierung bis zum kleinsten Hausvorgarten mit seiner Blumenbepflanzung findet man alles bewußt gestaltet und der Idee eines Raumplanes unterworfen. Fast scheint es so, als ob die Errungenschaften des hochherrschaftlichen »landscape gardening« des 18. Jahrhunderts auf den vulgären Bereich der Arbeiterwohnungen übertragen werden sollten. Und damit nicht genug: Vom City-Beautiful-Ideal fasziniert, stattete man den Ort mit Straßenachsen aus, deren monumentale Wirkungen Reminiszenzen an absolutistische Stadtbauformen erwecken müssen, die, klar gesehen, dem dörflichen Habitus der Cottages widersprechen. Gleichwohl liegt in diesem offensichtlichen Mißgriff ein Neuansatz für den Urbanismus vorgezeichnet: Die strukturelle, architektonische und soziale Ausgestaltung weist Port Sunlight als eine von den Lever-Werken zwar abhängige, städtebaulich jedoch selbständige Suburb aus, deren künstlerische Konzeption beachtlich ist. Sie besteht nicht nur in den großen Gesten der Achsen und Sternplätze, sondern auch in den lebendig angelegten und vom Straßensystem abgelösten Häusergruppen, die in ihrer Umrißform und Plastizität ein neues Vorstellungsvermögen verraten. In diesem Sinne konnte der Ort Vorbild für die suburbane Entwicklung und die Gartenstadtbewegung sein, wenn er auch speziell als Manifestation von Levers sozialer Einstellung und nicht als das allgemein anwendbare urbanistische Modell für Stadterweiterungen gelten muß.

## Bournville

Bei einem anderen Siedlungsunternehmen, dessen Anfänge noch vor Port Sunlight liegen, stellten die Beteiligten ähnliche Überlegungen für ihr Vorgehen wie Lever an. Die Lösungen, die sich für die verschiedenen Ausbauabschnitte herausbildeten, führten jedoch sowohl siedlungssoziologisch wie auch planerisch zu anderen Resultaten. Um 1879 sahen die Inhaber der Cadbury Brothers' Works, George und Richard Cadbury, im Zentrum von Birmingham nicht mehr genügend Erweiterungsmöglichkeiten für ihre Kakao- und Schokoladenfabrik, und so entschlossen sie sich, etwa sieben Kilometer südwestlich der Industriestadt ein Baugelände in Bournville Lane zu erwerben. Es lag in einer Talmulde, war von einem Bach durchflossen und wies einen alten Baumbestand auf. Zweifellos war beabsichtigt, der neuen Fabrik eine optimale Lage mit Eisenbahnanschluß und mit guter Straßenverbindung zu verschaffen sowie eine saubere Umgebung für die Lebensmittelherstellung zu gewinnen.

Bessere, neue Produktionsbedingungen schlossen für George Cadbury jedoch auch eine befriedigende Lösung der Wohnungsfrage für die Arbeiterschaft ein.[71] Als Lehrer an einer »adult school« in Birmingham war ihm klar geworden, in welchem Maße die Lebensumstände der Arbeiter von der Wohnungssituation abhängig waren. Deshalb mußte mit der Fabrikverlegung auch die Wohnungsversorgung der Beschäftigten gelöst werden.

Cadbury ging jedoch in dieser Hinsicht äußerst vorsichtig und wohl ohne festen Plan ans Werk. Beim Grunderwerb begnügte er sich fürs erste damit, nur vereinzelte Parzellen aufzukaufen, um kein Aufsehen zu erregen und keinen Preisauftrieb auszulösen. Unter diesen Voraussetzungen entstanden in der ersten Ausbauphase zwischen 1879 und 1890 lediglich 24 Wohnungen für Vorarbeiter (»key workers«), auf deren Einsatz das Unternehmen besonders angewiesen war. Es handelte sich dabei um freistehende Doppelhäuser (»semi-detached houses«) in der Art der »double tunnel back houses«, wie sie für Birmingham zu jener Zeit typisch waren.[72] Eines davon, von dem Architekten George Gadd in Sichtbacksteinmauerwerk erbaut, steht heute noch als Überbleibsel dieser ersten Baustufe an der Bournville Lane.[73] Im Blick auf diesen Haustyp fällt es schwer, von einer Anhebung des Wohnniveaus zu sprechen. Bemerkenswert ist jedoch, wie großzügig bemessen die Hausgärten bei jeder Doppelhaushälfte sind. Sie liegen nicht mehr wie in Akroydon und Port Sunlight als parzellierte Sammelgärten innerhalb der Bauquartiere, sondern sie sind jetzt ein dem Wohnbereich angefügter Bestandteil, mit dem bei aller Rückständigkeit der Grundrisse ein neues Wohnen ermöglicht werden sollte.

Die reformerischen Absichten George Cadburys zeichneten sich deutlicher ab, als er 1893 noch weitere 50 Hektar Land in unmittelbarer Nähe hinzukaufte, um nun die Bebauung zu einer Mustersiedlung auszuweiten.[74] Seine dabei verfolgte Absicht war, »die Übel zu lindern, die sich aus den ungesunden und unzureichenden Unterkünften ergeben, in der eine große Zahl der Arbeiterklasse wohnt, und den in den Fabriken beschäftigten Arbeitern einige Vorteile des dörflichen Lebens im Freien zu verschaffen und ihnen die Gelegenheit zu einer naturnahen und gesunden Bodenbestellung zu geben«.[75] Wie man erkennen kann, reicht diese Zielsetzung über die bisherige Praxis, nur für Stammarbeiter in unmittelbarer Nähe der Produktionsstätte Wohnungen zu günstigen Bedingungen bereitzustellen, weit hinaus. George Cadbury ging es vielmehr darum, ein Beispiel dafür zu geben, wie die Arbeiterwohnungsfrage im lokalen Rahmen generell gelöst werden könnte. Bei diesem Anspruch war die Siedlung nicht mehr allein für Werksangehörige reserviert; sie sollte im Gegenteil für alle Interessierten offen sein und zu einer sozialen Vermischung anregen. Dem Ort war jedoch keine selbstversorgende Rolle zugedacht, ebensowenig sollte er als eine in sich abgeschlossene Siedlungseinheit angelegt sein; sein

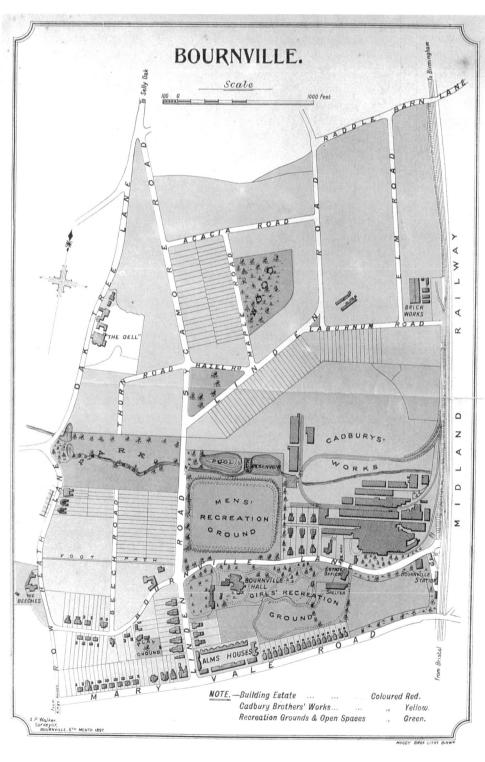

281. Bournville im Jahr 1897, früher Ausbauzustand. (Bournville Village Trust)

suburbaner Charakter ergibt sich allein schon aus der additiven Straßenbebauung und aus der anfänglich knappen Ausstattung mit öffentlichen Bauten. Dazu kommt, daß Cadbury das Siedlungsunternehmen auf eine gesunde finanzielle Basis stellen wollte. Wem in der ersten Ausbauphase an einem Bauplatz gelegen war, der erhielt ihn bei einer Größe von etwa 600 Quadratyards zu einem Grundzins von einem halben oder einem Penny pro Quadratyard. Je nachdem, ob die Bauwilligen mehr oder weniger als die Baukosten anzahlen konnten, standen ihnen zweieinhalb- oder dreiprozentige amortisierbare Darlehen zur Verfügung. Im Endeffekt sollte die Siedlung nach Abzug der Gemeinkosten und der Reparaturaufwendungen noch eine vierprozentige Verzinsung erbringen. Durch eine solche Rentabilität sollten die Lokalbehörden zu eigenen Wohnbauunternehmungen angeregt werden.

Die planerische Bearbeitung des Projekts übertrug George Cadbury 1894 dem Architekten W. Alexander Harvey, der verglichen mit den im Historismus befangenen Planern dieser Zeit eine fortschrittliche Auffassung vertrat und offen genug war, die Vorgaben des Autraggebers aufzunehmen. Harvey ging in der Planungsphase der Bebauung sinnvollerweise von den örtlichen Gegebenheiten aus und machte die baum- und heckenbestandenen Wege (»country lanes«) sowie die in Ost-West-Richtung verlaufende Mulde mit dem sich hinschlängelnden Bachlauf zu den bestimmenden Elementen der Siedlungsgestaltung. Er merkt zu dieser Konzeption an: »Es ist wohl immer besser, auf die Kontur des Geländes abzuheben, indem man einen leichten Schwung der geraden Linie vorzieht.«[76] Das schloß jedoch nicht aus, daß die wichtigen Durchgangsstraßen halbwegs geradlinig verlaufen und eine irreguläre Aufteilung soweit wie möglich vermieden ist. Für diese Straßen bevorzugte Harvey die Nord-Süd-Richtung, wie an dem jeweils durchgehenden Zug der Linden Road/Sycamore Road und der Maple Road/Willow Road/Elm Road zu sehen ist. Eine solche Anpasung an die hügelige Geländeformation, an das vorhandene Wegenetz und an die Parzellierung ließ indes wenig Spielraum für die Anlage eines Platzes, etwa gar mit monumentalen Ansprüchen. Immerhin bildete sich an der Gabelung der Linden und Sycamore Road ein Straßendreieck heraus, das unter der Bezeichnung »The Green« im weiteren Verlauf der Bebauung dadurch zum Zentrum des Model village wurde, daß hier die ersten Läden und öffentlichen Bauten entstanden. Für die erste Zeit markierten diesen Platz aber nur ein paar große, weithin sichtbare Bäume als Merkzeichen. Den großzügig bemessenen Straßen mit insgesamt 12,80 Metern Breite geben die eingepflanzten Baumreihen ihr wesentliches Gepräge. Berücksichtigt man

283. Blick in die Elm Road, Bournville, gebaut 1898–1905. Architekt W. Alexander Harvey. (Bournville Village Trust)
284. Einfacher Wohnhaustyp als Doppelhaus, Bournville. Grundrisse von Erd- und Obergeschoß und Außenansicht. (W. Alexander Harvey, *The Model Village and its Cottages: Bournville*, London 1906)
285. Aus dem Schrank herausklappbare Badewanne in der Küche des einfachen Wohnhaustyps, Bournville. (Bournville Village Trust)

noch auf jeder Straßenseite die jeweils etwa 6 Meter tiefen Vorgärten der Häuser, die mit Blumen und Ziersträuchern herausgeputzt sind, so wird spürbar, wie weiträumig und einladend die Siedlung angelegt ist.

Architektonisch gesehen bemühte sich Harvey um ein lebendiges und abwechslungsreiches Straßenbild. Zwar folgt die anfangs der zweiten Ausbaustufe zwischen 1895 und 1905 entstandene Bebauung an der Linden, Maple, Willow, Elm, Thorn, Laburn und Sycamore Road noch der alten Korridor-Auffassung, bei der die Häuser beidseits der Straße in Zweier- bis Vierergruppen aufgereiht sind und sich wie eine additive Abfolge ausnehmen. Wenn dennoch nicht der Eindruck von Monotonie entsteht, so liegt es vor allem an Harveys Geschicklichkeit, durch vorspringende »porches« und »bay windows«, durch geringfügige Fluchtversätze der Baukörper und durch stimmungsvolle Detaillierung (malerische Fachwerkeinschübe, scheckige Staffordshire-Backsteine, grünliche Schieferplatten usw.) die äußere Erscheinung der Häuser lebendig zu gestalten.

Dem Architekten war im übrigen schon bald klar geworden, daß die Übernahme des in Birmingham üblichen Reihenhaustyps mit Tunneldurchgängen und weit hinausgezogenen rückwärtigen Flügelbauten für Bournville unangebracht war. Er entwickelte deshalb einen neuen Cottage-Typ, der von der Idee des »Hauses im Garten« bestimmt ist und in der Grundform aus einem kompakten Baukörper besteht, an den lediglich kleinere Vorbauten für Aborte und Kohlenbehälter oder Fenstererker angefügt sind. Wenn auch freistehende Einfamilienhäuser aus wirtschaftlichen Gründen die Ausnahme bilden, so geht der bauliche Zusammenschluß trotzdem nicht über drei- bis vierteilige Häuserblocks (»blocks of four«) hinaus, wobei aber die Doppelhäuser (»semi-detached houses«) überwiegen. Dieser Typ, für den gewöhnlichen Arbeiter gedacht und mit einer Wochenmiete zwischen 4 Shilling, 6 Pence und 5 Shilling, 6 Pence auch erschwinglich, weist in der einfachen Ausführung im Erdgeschoß einen Wohnraum von etwa 4 auf 4 Metern und eine Küche mit etwa 10 Quadratmetern Grundfläche auf. Beide Räume sind von einem kleinen Eingangsflur direkt zu betreten. Die drei Schlafräume (zwei davon heizbar) im Ober- bzw. Dachgeschoß sind raumsparend über eine Schachttreppe vom Wohnzimmer aus erschlossen. Zu einem gesonderten Baderaum reicht es bei dieser Wohnungsgröße noch nicht. Man behilft sich mit einer aus einem Schrank herausklappbaren oder mit einer in den Fußboden versenkten und außer Benutzung abgedeckten Badewanne in der Küche. In einer Grundrißvariante ist auf die übliche Lebensweise der Arbeiter insofern mehr Rücksicht genommen worden, als die Küche mit etwa 5,00 auf 3,50 Metern etwas größer bemessen ist. Sie wird zum Wohnen benutzt und durch einen rückwärts angebauten Nebenraum zum Geschirrabspülen (»scullery«) ergänzt. Der im Erdgeschoß noch vorhandene kleinere Wohnraum gerät in diesem Fall als »parlour« zur »besseren Stube« und wird, da wohl nur selten benutzt, dem eigentlichen Wohnen entzogen. Hier scheint Harvey auf seine an andere Stellen gut erkennbaren Reformabsichten verzichtet zu haben. Klarer und überzeugender ist dagegen die Lösung beim größeren Cottage-Typ, wo Küche, Eßzimmer und Wohnraum getrennt sind und manchmal ein kleinerer Raum als »parlour« hinzukommt. Der Platz reicht hier nicht nur für die erforderlichen Nebengelasse, sondern auch für einen Baderaum aus. Diese großzügige Raumausstattung scheint schon auf einen bürgerlichen Lebenszuschnitt hinzudeuten. Aber dieser Eindruck mag

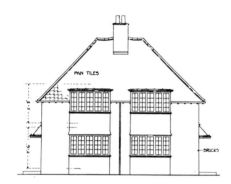

FRONT ELEVATION

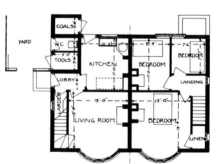

GROUND PLAN    BEDROOM PLAN

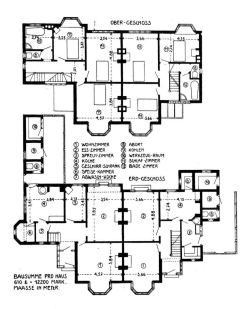

286. Größerer Wohnhaustyp, Bournville. Grundrisse von Erd- und Obergeschoß. (H.E. Berlepsch-Valendas, *Die Gartenstadtbewegung in England*, a.a.O.)

287. In den Fußboden versenkte Badewanne in der Küche des einfachen Wohnhaustyps, Bournville. (Bournville Village Trust)

täuschen. Denn es geht dem Architekten weit mehr darum, daß die einzelnen Räume ihren Sinn und Zweck haben, wobei gerade in Arbeiterwohnungen auf den »parlour« als Empfangszimmer verzichtet werden konnte. In seiner Konzeption sind die Wohnräume, soweit es sich nur irgendwie ermöglichen läßt, zur Sonnenseite hin orientiert. Sie lassen Licht und frische Luft durch große Fenster und Fenstererker (»window bays«) eindringen, und ein Kaminplatz und eingebaute Geschirr- und Bücherborde tragen zu einem stimmungsvollen Interieur bei. Genauso wohlüberlegt sind die meist in Querrichtung angeordneten Treppen: Die Längsseiten der Häuser bleiben dadurch unverstellt, und die Gärten sind aus den Wohnräumen heraus besser einseh- und erlebbar.[77] So verbinden sich hier im Rahmen des Arbeiterwohnbaus Haus und Garten zu einer Einheit. In reformerischer Sicht war George Cadbury die intensive Nutzung der Hausgärten besonders wichtig. Er verstand die Bearbeitung des Bodens – »labour on the soil« – als den dringend notwendigen Ausgleich zur stupiden Maschinenarbeit in der Fabrik. Zwar hatte der Garten, indem er einen ansehnlichen Ertrag an Gemüse und Früchten erbrachte, zuerst einmal einen wirtschaftlichen Sinn. Wenn allerdings im Einführungsprospekt für Bournville angenommen wird, der Gartenertrag könnte die Mietabgaben (»cost of rates«) decken, so mochte das zu hoch gegriffen sein. Aber allein schon die Befriedigung des Eigenbedarfs wirkte sich in der Kostenrechnung der Mieter entlastend aus. Tatsächlich reichten Cadburys Ambitionen jedoch viel weiter: Nach seiner Meinung sollte der Gemüseanbau den Gartenbesitzern den Weg zu einer vegetarischen und antialkoholischen Lebensweise eröffnen, die für ihn als Quäker (Society of Friends) zudem eine pazifistische, allgemeinverträgliche Einstellung beinhaltete. Daneben sollte nach seiner Meinung die Betätigung im Freien der Volksgesundheit zugute kommen, da dadurch die Lebensfreude gestärkt und die Anfälligkeit für Krankheiten vermindert werden konnte.

Im Jahre 1900 gab George Cadbury dem weiteren Ausbau von Bournville, das zu diesem Zeitpunkt eine Fläche von 133 Hektar und 313 Häuser umfaßte, eine neue Richtung. Nach den inzwischen gesammelten Erfahrungen schätzte er die aus dem paternalistischen Subventionierungssystem resultierenden Folgen nun vorsichtiger ein. Offenbar konnten Pächter, die ihre Hausstelle für eine Pachtzeit von 999 Jahren billig erstanden hatten, der Versuchung nicht widerstehen, diese alsbald mit Gewinn zu veräußern.[78] Aber gerade so war das paternalistische Modell zur Schaffung privaten Wohnungseigentums zugunsten der Arbeiterschaft nicht gedacht. Wenn die Urbanisierung, wie von Anfang an zu erwarten war, eine Wertsteigerung des Grund und Bodens hervorbrachte, so war es von der Motivation des Gründers her gesehen undenkbar, diese der Spekulation auszuliefern. Cadbury zog deshalb die Konsequenzen: Er selbst verzichtete auf alle finanziellen Anrechte an der Siedlung und übertrug deren Grund und Häuser auf den neugegründeten Bournville Village Trust. Dieser hatte in Zukunft in eigener Verantwortung als ein unabhängiges finanzielles Unternehmen zum Wohle aller Bewohner zu handeln. Es oblag ihm, alle Überschüsse dem weiteren Ausbau und der Verbesserung von Bournville zugute kommen zu lassen. Dabei sollten die neuesten Erkenntnisse der Stadtplanungslehre, die Cadbury besonders förderte, beachtet werden.

In der Stiftungsurkunde (»deed of gift«) brachte Cadbury seine Einstellung deutlich zum Ausdruck: »Das Objekt bezweckt die Verbesserung der Lebensbedingungen der Arbeiterklasse und der arbeitenden Bevölkerung in Birmingham und Umgebung und auch anderswo in Großbritannien durch die Beschaffung von verbesserten Wohnungen mit Gärten und Grünanlagen, an denen man sich erfreuen soll.«[79] Im einzelnen gehen die Festlegungen erstaunlich weit: nämlich einen Platz nur zu einem Viertel der Fläche zu überbauen und ein Zehntel der Gesamtfläche (ausschließlich der Straßen) für Park- und Erholungsanlagen auszuweisen.

Die Einsetzung des Trusts führte auch zu der Konsequenz, daß ein Eigentum des einzelnen an Haus und Grundstück fortan ausgeschlossen blieb. The Trust's Architects' Department erstellte die Häuser nun selbst und vermietete sie mit den zugehörigen Gärten zu Preisen von 4 Shilling, 6 Pence bis zu 12 Shilling pro Woche.

Die gesunde finanzielle Basis des Trusts ermöglichte weiterhin den notwendigen Grunderwerb zur Arrondierung der Siedlung. In der Folge kamen 1907 The Bournville Tenants Estate, ab 1914 The Weoley Hill Estate hinzu; 1919 wurde The Bournville Works Housing Society gegründet und 1922 weitete sich die Bebauung durch den Woodlands Estate aus. Nach dem Zweiten Weltkrieg wuchs Bournville ab 1950 durch Shenley Neighbourhood Development, so daß gegen 1960 eine Gesamtfläche von 405 Hektar mit 3 500 Häusern erreicht war. Wie daraus zu ersehen ist, vollzog sich die Entwicklung des Ortes in gleichmäßigen Schüben, wobei allerdings die Bebauungsstrukturen aufgelockert, die Haustypen noch weiter verbessert und die anfänglich spärlich vorhandenen Gemeinschaftsbauten vermehrt wurden. Gerade für die Herausbildung eines Gemeindelebens, das für den urbanen Charakter des Ortes bedeutungsvoll war, sind besondere Initiativen zu beobachten. Schon früh, 1897, entstanden die Bournville Almshouses an der Maryvale Road von Edward Harper, ein Karree von eingeschossigen Altenwohnungen, die Rentnern mit mehr als vierzigjähriger Betriebszugehörigkeit bei der Cadbury Brothers' Company unentgeltlich überlassen wurden. Sie sind zweifellos noch als Ausdruck der paternalistischen Wohnungsfürsorge zu verstehen. Bald darauf, 1902 bis 1904, erhielt die Siedlung mit den Bournville Baths an der Bournville Lane öffentliche Badeeinrichtungen. Das Erstaunliche an diesem Bau ist die auffällige architektonische Aufmachung, die in einem übergroßen halbrunden Fenster auf der Giebelseite und in einem mit Strebepfeilern versehenen Glockenturm zum Ausdruck kommt.

Der stetige Ausbau der Siedlung schloß von Anfang an Schulen ein. Den ersten Ansprüchen genügten The Junior Schools an der Linden Road, 1902 bis 1905 von W. Alexander Harvey gebaut. Die ebenerdige Anordnung der Unterrichtsräume um eine zentrale Halle mit Oberlichtern ist der guten Raumbelichtung wegen als eine fortschrittliche Lösung anzusehen. Zudem geben die mit einem Anflug von Art Nouveau versehenen Umrißlinien, die Details der Portalfriese und die nachträglich angebrachten Fresken dem Bau eine künstlerische Note. Später ergänzten die Infants' School (1910) und The Day Continuation Schools (1925) die pädagogischen Einrichtungen.

Die endgültige Konturierung als Siedlungsmittelpunkt erhielt The Green mit Bauten wie der Ruskin Hall – 1902 bis 1905 auf Anregung von J.H. Whitehouse,[80] einem Freund von John Ruskin, entstanden –, dem Friends' Meeting House von 1905, einem für alle Bewohner gedachten Gemeinschaftshaus, und den Geschäftsbauten an der Sycamore Road, die von dem Architekten H. Bedford Tyler zwischen 1905 und 1908 errichtet wurden. Die ganze Gruppierung zeigt jedoch, wie wenig den Planern in Bournville etwa im Vergleich zu Port Sunlight an einer monumentalen Platzlösung gelegen war: Die Anordnung der Gebäude wirkt bei den weiten Abständen untereinander locker, fast beziehungslos; die Bauten scheinen zuerst einmal für sich selbst zu stehen, und sie sind nur im größeren Kontext als Einfassung des weiten Straßendreiecks aufzunehmen.

Ebenso ungebunden und offen, wie sich The Green als Zentrum darstellt, nimmt sich auch die Bebauung der später erschlossenen Siedlungsbereiche aus – etwa im Weoley Hill District, wo die natürlichen Bewegungen und Konturen des Geländes auch in der Straßenführung und der Gebäudegruppierung aufgenommen sind. Mit diesem »feature« erweist sich das Model village als ein unprätentiöses und ansprechendes Beispiel der neueren Stadtplanung.

Entwicklungsgeschichtlich gesehen ist in Bournville die Endstufe des paternalistischen Wohnungsbaus in Großbritannien erreicht. So sehr Cadbury am Anfang den Rahmen des Siedlungsunternehmens absteckte und die notwendigen Mittel einbrachte, um die Bebauung in Gang zu setzen, so wenig geriet der Estate zu einem Annex der Cadbury Brothers' Works. Er entwickelte sich vielmehr als ein offener suburbaner Stadtteil von Birmingham, und das in einer Planungsstruktur, die zwar jederzeit unter ästhetischer und sozialer Kontrolle stand, aber nicht mehr die Kompaktheit und Kohärenz der zuvor entstandenen Model villages aufweist.

Was allerdings in Bournville weiter tradiert wurde, war der durch die topographische Situation hervorgerufene romantische Charme der »old English village scenery«, der sich in der lebhaften Silhouettierung der Baukörper und in der Reliefierung der Landschaft durch Gebüsche und Baumgruppen gleichermaßen ausdrückt. Mit diesem Ambiente konnte der Ort als eine überzeugende Alternative zu der trostlosen By-law-street-Bebauung der Industriestadt gelten. Und obwohl Bournville keine munizipale Selbständigkeit besaß, fehlte es den Bewohnern trotzdem nicht an jenem öffentlichen Bewußtsein, durch das ein Ort erst seine urbane Qualität erhält. Darauf weist auch das frei gewählte Mieterkomitee hin, das sich nicht nur um den Betrieb der Bournville Baths kümmerte, sondern auch die jährliche Blumenschau organisierte. Cadbury selbst konnte für diesen »enlightened public spirit« als Vorbild angesehen werden.[81] Er und seine Familie stifteten auch nach der Einsetzung des Village Trust weitere Gebäude: Die Elementarschule von 1906 und die 1919 gegründete Bournville Works Housing Society sind Zeichen dafür.

Bei dieser Konstellation ist es schließlich nicht verwunderlich, daß zu dem Zeitpunkt, als die Gartenstadtidee bei Ebenezer Howard und seinen Förderern festere Konturen anzunehmen begann, Bournville eine Schlüsselrolle für die Gartenstadtentwicklung zukam.[82] Hätte man sich bei der lockeren Bebauungsstruktur, die der Ort aufwies, bei der sozialen

288. Fachwerkhaus mit Läden im Bereich »The Green«, Bournville. (Bournville Village Trust)
289. Ladenbau im Bereich »The Green«, Bournville. Architekt W. Alexander Harvey. (Bournville Village Trust)

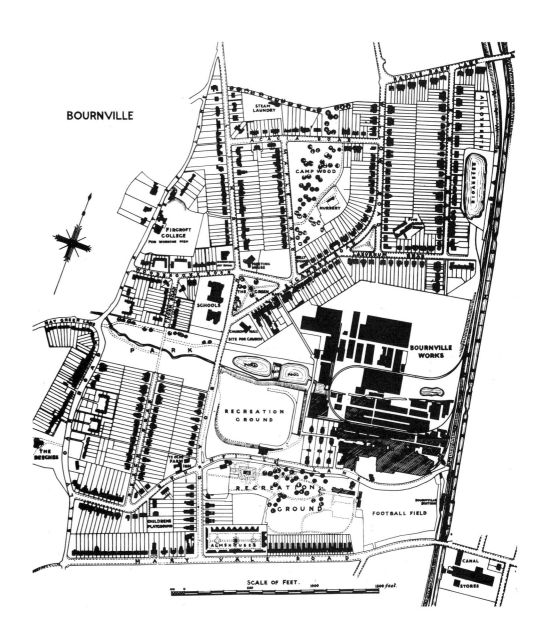

Auffassung, die bei den Bewohnern anzutreffen war, bei der Bedeutung, die man dem Garten und der Gartenarbeit zumaß, und bei der ästhetischen Ausformung, der Häuser und Landschaft gleichwohl unterlagen, ein besseres Vorbild für die auf Erneuerung ausgerichtete Stadtplanung denken können? Daß die neuen Stadttypen der »garden city« und der »garden suburb« wesentliche Impulse von Bournville erhielten, kam der weiteren Entwicklung des Städtebaus im gesamten zugute.

## 6.2. Die Entwicklung in Frankreich

### 6.2.1. Die Wohnungszustände in der ersten Hälfte des 19. Jahrhunderts

Nach den Napoleonischen Kriegswirren stabilisierten sich in Frankreich die politischen und wirtschaftlichen Verhältnisse mit dem Abschluß des Zweiten Pariser Friedens von 1815 rasch. Die Rückkehr der Emigranten und die Vorliebe der Rentiers für Grundstücksspekulationen regten schon bald zu einer verstärkten baulichen Tätigkeit an. Die Entwicklung steigerte sich in der Restaurationszeit zwischen 1820 und 1824 sogar zu einer ausgesprochenen Baukonjunktur, die sich in der Juli-Monarchie zwischen 1834 und 1845 noch einmal wiederholte.

Vor allem in Paris entstanden, vom einsatzbereiten Kapital finanziert und von versierten Architekten entworfen, zahlreiche neue Mietwohnungen.[83] Sie waren teilweise geradezu opulent ausgelegt und luxuriös ausgestattet. Auf diese Weise sollten sie den Mietern mit der Fiktion schmeicheln, gewissermaßen wie Herrschaften in Palais zu wohnen.

Während im Erdgeschoß Läden, Magazine, Hofpassagen, Remisen, Ställe, Treppeneingänge und, nicht zu vergessen, die Portiersloge des Concierge etabliert waren, fanden sich in den Obergeschossen große, anspruchsvolle Wohnappartements. Offensichtlich dienten die Vielzahl der Zimmer – »vestibule«, »salon«, »bibliothèque«, »salle à manger«, »boudoir«, »chambres à coucher« –, der Einbau schwungvoller Treppenhäuser und zusätzlicher Dienstbotentreppen (»escaliers de service«), das Halten eines Portiers und die dekorative Behandlung der Straßenfassade den Eigentümern dazu, die Mietpreise so hoch wie möglich hinaufzuschrauben. Ein Schweizer Künstler schildert diese Situation seiner Frau mit den Worten: »Tu n'as nulle idée à quel prix sont les appartements dans certains hôtels. Les 6, 8, 10 000 Francs sonst très ordinaires et dans les quartiers les plus modestes un logement de trois pièces nous coûterait 6 à 800 Francs. La vie est chère.«[84] Allerdings konnten sich Leute, die von ihrer Hände Arbeit leben mußten oder die nur über eine bescheidene Rente verfügten, derartige Appartements nicht leisten; sie blieben einer auserlesenen Creme von zahlungskräftigen Geschäftemachern, Spekulanten (»agioteurs«) und ausgehaltenen Kokotten vorbehalten. Das Gros der Arbeiter sah sich nicht nur in Paris, sondern auch in anderen größeren Orten gezwungen, außerhalb der Stadt in den »faubourgs« und in den umliegenden Dörfern zu wohnen, wo die Mieten noch halbwegs erschwinglich waren. Wenn sie trotzdem in den Innenstädten verbleiben wollten, mußten sie oft mit einem Unterschlupf an einem Hinterhof oder in einem Souterraingeschoß vorliebnehmen.

Schon in den dreißiger Jahren machten Honoré Daumiers Karikaturen auf die »habitants de ces caves« aufmerksam, die, wie er spöttisch hervorhob, in ihren feuchten Behausungen Champignons züchten konnten und sich der besonderen Aussicht aus der Froschperspektive erfreuten. Daumier hatte überdies in der Figur des »Monsieur Pipelet« den Portier als kümmerlich entlohnten, aber allmächtigen Statthalter des Hauseigentümers karikiert.[85] Und die Architekten haben den überheblichen und grenzenlos neugierigen Haus-Zerberus dadurch gestraft, daß sie für die Portierslogen zumeist nur eine halbdunkle Nische im Erdgeschoß erübrigten. Die Wohnungsversorgung regulierte sich unter diesen Umständen weitgehend über die vorhandenen Besitzverhältnisse: Für die Begüterten ließen sich, wenn die geforderten hohen Kauf- und Mietpreise entrichtet werden konnten, Wohnungen in ausreichender Zahl finden; für die Mittellosen – und dazu gehörten die Lohnarbeiter – waren billige Wohnungen im Laufe der Zeit immer schwieriger aufzutreiben. Prekär mußte die Situation von dem Zeitpunkt ab werden, als immer mehr Leute in die Städte drängten, um dort Verdienst und Unterkommen zu suchen.

Tatsächlich trat dieser Fall bald ein. Denn die aus der Juli-Revolution von 1830 hervorgegangene »monarchie censitaire« des Bürgerkönigs Louis Philippe d'Orléans (1830–48) stellte auch in Frankreich die Weichen für eine verstärkte Industrialisierung und für ein kräftiges wirtschaftliches Wachstum. So sehr das bekannte »enrichissez-vous« zum Schlagwort für die Einstellung dieser Zeit geworden ist und die soziale Diskrepanz zwischen der ihr Vermögen bedenkenlos vermehrenden »Bourgeoisie« und dem mit allen Mitteln der Repression auf ein Lebensminimum niedergehaltenen »Proletariat« ins Auge springt, so kann doch nicht übersehen werden, daß die Dynamik des damaligen Wirtschaftslebens Frankreich in ein neues, industrielles Zeitalter führte.[86] Das drückte sich unter anderem in einem bisher unbekannten Anstieg der Bevölkerung aus, die von 32,6 Millionen im Jahr 1831 auf 35,4 Millionen 1846 wuchs.[87] Der Anteil der in der Industrie Beschäftigten belief sich nach einer ersten Zählung 1851 auf etwa 4,4 Millionen, so

292. Pariser Mietwohnung um 1840: Haus Imbert des Mottelettes in der Rue d'Amsterdam. Grundriß vom Erdgeschoß mit Läden und Stallungen. Architekt Mortier.

293. Haus Imbert des Mottelettes. Grundriß vom Obergeschoß mit Wohnungen.

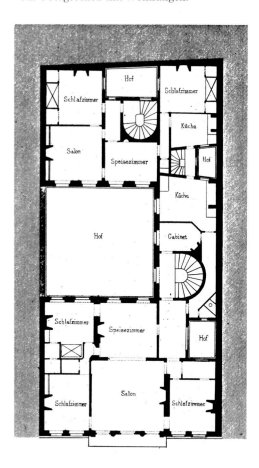

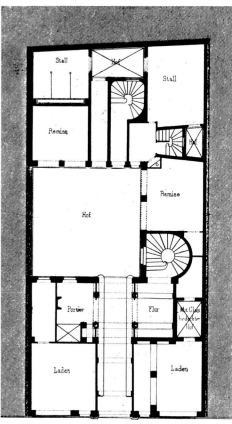

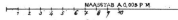

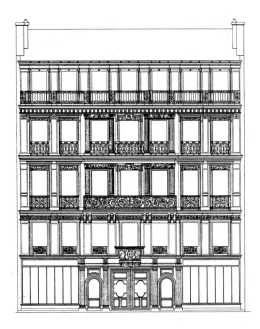

294. Haus Imbert des Mottelettes. Straßenansicht. (V. Calliat, *Parallèle des maisons de Paris*, Paris 1850)

daß das Fabrikproletariat, auch wenn es sich im Zahlenverhältnis zur Gesamtbevölkerung noch gering ausnahm, vor allem in Städten wie Paris und Lyon ein ernst zu nehmendes politisches Unruhepotential darstellte, zumal es nicht gelang und auch außerhalb der Interessensphäre des Regimes lag, diese neuentstandene Klasse vor dem Pauperismus zu bewahren.[88]

Im volkswirtschaftlichen Rahmen gesehen, wohnte diesem Industrialisierungsprozeß ein in vielen Richtungen wirkender Selbstverstärkungseffekt inne. Zuerst einmal schuf das »Loi Thiers« von 1836 die Voraussetzungen für ein überregionales Straßennetz, durch das ein stärkerer Güteraustausch ermöglicht wurde. Die zwischen 1830 und 1850 entstandenen Schiffahrtskanäle mit etwa 850 Kilometern Länge wirkten in demselben Sinne. Die ersten Eisenbahnlinien trugen ihrerseits wieder zur Steigerung des Kohleabbaus, der Erzverhüttung und der Eisenverarbeitung im ganzen Lande bei. An den Orten und in den Regionen, wo die Natur die erforderlichen Rohstoffe lieferte oder wo sich bereits im Zuge der vorausgegangenen Industrialisierung gewerbliche Schwerpunkte gebildet hatten, kam es nun zum weiteren Ausbau in Form von größeren und moderneren Fabrikanlagen. Zu verweisen ist auf die Baumwollindustrie im Oberelsaß mit Mülhausen als Schwerpunkt, auf die Kohlezechen im Bassin du Nord zwischen Douai und Mons, auf die Baumwoll- und Wollindustrie im Dreieck Lille/Roubaix, Amiens und Saint-Quentin, auf die mechanischen Spinnereien, Webereien und Wollfärbereien in der Region von Rouen, auf die Eisenverarbeitung im Pariser Becken, etwa bei Cail in Grenelle und bei Gouin in Batignolles. Im Südosten galt Lyon schon seit der Zeit des Ancien régime als ein Mittelpunkt der Seidenverarbeitung. Auch an diesem Ort führte die industrielle Produktion in den Seidenspinnereien zu einer weiteren Konzentration der Arbeitsstätten und Arbeitskräfte nicht nur im Altstadtkern, sondern auch in den »faubourgs« von La Croix-Rousse, Les Brotteaux und La Guillotière. In derselben Region bildeten sich außerdem in Saint-Etienne und Le Creusot Schwerpunkte des Bergbaus, der Eisenverarbeitung und der Rüstung heraus.

An all diesen Orten sah man sich, sobald der Industrialisierungs- und Konzentrationsprozeß weiter fortgeschritten war und immer mehr Arbeitskräfte erforderlich machte, vor das Problem eines eigenständigen Arbeiterwohnungsbaus gestellt.

### 6.2.2. Erste Ansätze zum Arbeiterwohnungsbau

#### Nouveau Quartier de Mulhouse

Ein früher Versuch, den Wohnungsmarkt einer Industriestadt durch den Bau neuer Wohnquartiere zu entlasten, ist in Mülhausen im Elsaß zu beobachten. Die Industrialisierung der Stadt hatte ab 1746 mit der Aufnahme der Indiennes-Produktion durch die Fabrikanten Jakob Schmalzer, Samuel Koechlin und Johann Heinrich Dollfus begonnen. Da die Herstellung dieser bedruckten Baumwollstoffe laufend neue Arbeitskräfte aus Frankreich, Deutschland und der Schweiz anzog, stieg die Bevölkerung rasch an: von 6000 Einwohnern im Jahre 1798 (dem Jahr der Reunion mit der Französischen Republik) auf 58 773 Einwohner im Jahr 1866.[89] Diese Verzehnfachung der Bevölkerungszahl hatte auch für die Wohnungssituation ihre sichtbaren Folgen. Es scheint, daß die Zugezogenen, denen ein Munizipalbeschluß von 1754 die Niederlassung in der Stadt erleichterte, eine Zeitlang noch in dem vorhandenen Wohnungsbestand der Altstadt unterkommen konnten. Durch immer weitere Zuzüge waren diese Reserven aber bald erschöpft. Daraufhin entstanden, ohne planerische Einbindung und ordentliche Erschließung, am Stadtrand neue Mietshausblocks. Sie gehörten Bauspekulanten, die den dringenden Wohnungsbedarf schnell erkannt hatten und die verzweifelte Lage der Wohnungssuchenden geschäftlich zu nutzen wußten.

Um die Stadtentwicklung in geregelte Bahnen zu lenken und neuen Wohnraum zu schaffen, ergriff Nikolaus Koechlin 1825 die Initiative. Er erwarb ein größeres, zusammenhängendes Areal zwischen dem Basler Tor und dem in Bau befindlichen Rhein-Rhône-Verbindungskanal im Südosten der Stadt, das eine 1827 eigens für die Stadterweiterung gegründete Kommanditgesellschaft zur Bebauung übernahm.[90] Nach ihrer Satzung sollte die beabsichtigte Urbanisierung zum Nutzen der Allgemeinheit erfolgen, das heißt, die Mitgesellschafter hatten keine besonderen Vorteile zu erhoffen. Koechlin konnte die Satzung sogar mit der Klausel versehen, daß von einem erzielten Gewinn zuerst einmal 100 000 Francs für die Frischwasserversorgung abgezweigt werden mußten.

Die Stadterweiterungspläne arbeiteten die Straßburger Architekten Felix Fries und J. Gottfried Stotz aus. Unter ihrer Bauleitung wurde das Projekt auch in den folgenden Jahren wenigstens auf dem Gelände, das der Gesellschaft gehörte, verwirklicht.[91] Die gewählte Planform ist insofern aufschlußreich, als das Straßengerüst noch ganz dem in Frankreich üblichen Diagonalsystem folgt und überdies an mehreren Stellen das vom absolutistischen Städtebau her bekannte Patte-d'oie-Motiv aufweist. Dabei könnten die strukturellen Kontraste zwischen dem Altstadtkern mit seinen gewundenen, engen Gassen und dem Nouveau Quartier mit seiner strengen, abstrakten Figuration nicht krasser sein. Die Verbindung der beiden Teile über den Stadtgraben hinweg ist einem aus der Altstadt herausführenden Straßendurchbruch, der Rue du Sauvage, zugedacht, der in der nordwestlichen Verlängerung zugleich die axiale Fixierung der neuen Bebauung bildet. Diese Eingangsstraße läuft jedoch nicht durch; sie mündet schon kurz hinter dem Stadtgraben in die halbrunde Place de la République ein, von dem ein ganzes Bündel von Straßen strahlenförmig abgeht und das Nouveau Quartier erschließt, wobei in den äußeren Tangenten die Durchgangsstraße Altkirch–Basel aufgenommen ist. Bei der fächerartigen Aufteilung des Quartiers bleibt der mittlere Zwischenraum von der Überbauung ausgespart. Dabei ergibt sich als stark divergierender Dreiecksplatz der Square de la Bourse. Erdgeschoßarkaden in den Platzwandungen, gärtnerische Anlagen, die starke Betonung der Achse durch einen Triumphbogen am Eingang und ein architektonisch hervorgehobenes Quergebäude im Hintergrund tragen zu seiner anspruchsvollen Ausformung bei. Indes entsprechen die gewählte Straßenführung und die Platzgestaltung mit ihren fast monumentalen Ansprüchen eher einer absolutistischen Bauidee als dem Planmuster einer Wohnbebauung. Wenn man jedoch berücksichtigt, daß in dem dominierenden Gebäude des Dreiecksplatzes die Geschäftsräume der Société industrielle de Mulhouse und der Börsensaal (»La Bourse«) Aufnahme fanden, dann tritt der Zweck des ganzen Unternehmens deutlicher hervor: Es ging hier nicht um die Schaffung billiger Arbeiterwohnungen, sondern um eine Stadterweiterung im allgemeinen Sinne, bei der die erstrangige Lage des Quartiers in unmittelbarer Nähe der Altstadt den Gebäuden der Société vorbehalten blieb. Die übrigen Partien konnten mit Wohnungen überbaut werden, jedoch lassen die Grundrisse vermuten, daß nur an zahlungskräftige Bauherren und Mieter gedacht war.

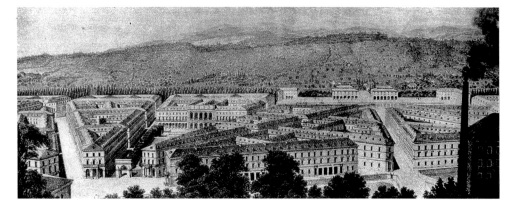

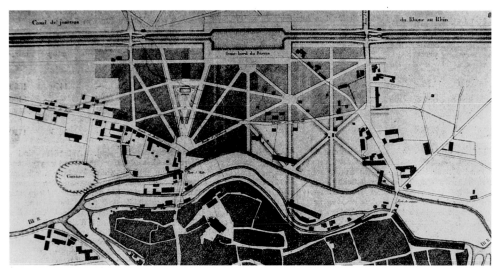

295. Nouveau Quartier, Mülhausen i.E., 1827. Schaubild. Entwurf der Architekten Fries und Stotz.
296. Nouveau Quartier, Mülhausen i.E. (*Zentralblatt der Bauverwaltung*, 1916)

297. Der Square de la Bourse im Nouveau Quartier, Mülhausen i. E., mit Blick in die Rue de Sauvage. (Photo: Walter Kieß)

Wie dem Lageplan zu entnehmen ist, sollte die Stadterweiterung keineswegs auf das Areal mit dem Dreieckplatz beschränkt bleiben. Über Diagonalverbindungen war eine weitere Ausdehnung nach Südwesten bis auf die Linie der Ausfallstraße am Spiegeltor vorgesehen. Letztlich zielte der Plan auch darauf ab, den Hafen am Zwischenkanal zu erschließen und diesen über den projektierten Halbrundplatz mit den Fächerstraßen an die Altstadt anzubinden. Da die Gesellschaft es aber versäumte, das Gelände in diesem Bereich frühzeitig genug zu erwerben, kamen die hier auf der Lauer liegenden Spekulanten zum Zug. Als Grundstückseigentümer widersetzten sie sich der einheitlichen Plankonzeption, und so blieb die weitere Überbauung hier dem Zufall und der Formlosigkeit ausgeliefert.

Immerhin ist heute noch das städtebauliche Ergebnis der Koechlinschen Bemühungen um eine erste geordnete Stadterweiterung Mülhausens in fast unveränderter Form an Ort und Stelle zu sehen. Unabhängig davon, wie man in der Retrospektive den Nutzen und die Angemessenheit dieser Wohnbebauung für die damalige Zeit der einsetzenden Industrialisierung einschätzen will, fällt doch auf, mit welchem urbanistischen Traditionsbewußtsein der Square de la Bourse gestaltet ist. Man sieht in seiner Dreieckform mit den divergierenden Platzwänden, in den Arkadengängen der Erdgeschoßzone, in der Torsituation zur Stadt den Formenkanon der klassisch-französischen Stadtbaukunst tradiert. Wie von fern her stellt sich der Vergleich mit der Place Dauphine in Paris ein. Daran wird deutlich, wie die überzeitliche Kunst der Platzgestaltung sich hier in einem unverwechselbaren Topos äußert.

## Grand-Hornu

Die Lösung der Arbeiterwohnungsfrage mußte an den Orten, wo die Unternehmen in der Frühzeit der Industrialisierung gezwungen waren, ihre Betriebe direkt bei dem Rohstoffvorkommen einzurichten – wie im Kohlenbergbau und in der Eisenverhüttung –, anders aussehen als in Mülhausen. Deren Standort konnte oft außerhalb der vorhandenen Dörfer und Städte liegen. Unter diesen Umständen bestand von Anfang an das Problem, die erforderlichen Arbeitskräfte zu finden und an den neuen Ort zu holen. Denn den Unternehmen mußte allein schon vom Produktionsablauf her daran liegen, sachkundige und fleißige Leute an den Betrieb zu binden, ohne ihnen lange und zeitraubende Wege zwischen Wohnung und Arbeitsplatz zuzumuten. So lag es nahe, daß sie selbst die Arbeiter in der Nähe des Werks ansiedelten. Diese Konstellation war im Borinage, einem Kohlenrevier des nordfranzösisch-belgischen Hainaut, gegeben, wo in Grand-Hornu ein Siedlungsvorgang dieser Art zu einem besonders frühen Zeitpunkt nachzuverfolgen ist.[92]

In dem Dorf Hornu, das einst zur Herrschaft der Abtei Saint-Ghislain gehörte, gab es den oberirdischen Kohleabbau schon seit dem Mittelalter. Zu Anfang des 19. Jahrhunderts besaßen Charles Godonnesche und andere Teilhaber im Ostteil des Dorfes, in Grand-Hornu, Minenfelder über eine Fläche von 963 Hektar. Sie förderten die Kohle mit Hilfe einer Dampfmaschine für die Entwässerung, mit einer von Pferden angetriebenen Aufzugsvorrichtung und mit 230 Bergleuten. Obwohl der Ort, an der Route Mons–Valenciennes und in der Nähe des Kanals Mons–Condé gelegen, günstige Verkehrsverbindungen besaß, war dem Unternehmer Godonnesche, der keine ergiebigen Kohlevorkommen aufzuspüren verstand, wenig Erfolg beschieden. So trug nach seinem Tod 1810 seine Witwe die Geschäftsleitung dem unternehmerischen Brennstoffhändler (»garde magasin des chauffages«) Henri-Joseph De Gorge-Legrand (1774–1832) an.[93] Dieser war durch Heirat mit der wohlhabenden Eugénie Legrand aus Lille zu einigem Vermögen gekommen. Das gestattete ihm, im Februar 1811 die 25 Anteile der Kohlenfelder für eine Summe von 204000 Francs zu erwerben. Zweifellos war der neue Eigentümer mit diesem Kauf ein beträchtliches Risiko eingegangen. Denn es erwies sich schnell, daß er mit den zwei Gruben, die er wie Godonnesche im nördlichen Bereich neu anlegte, ebenfalls kein Glück hatte. Erst als er auf Anraten erfahrener und ortskundiger Bergleute einen dritten und vierten Schacht weiter südlich abteufte, stieß er auf ergiebige Kohleadern. Damit hatte er den Durchbruch zum geschäftlichen Erfolg geschafft. 1814 konnte er den ersten Gewinn ausweisen, 1817 war das aufgewendete Kapital hereingeholt. Um diese Zeit mag bei De Gorge-Legrand auch der Gedanke aufgekommen sein, die Bergbaueinrichtungen in eigenen Maschinenbauwerkstätten (»ateliers«) herzustellen, um damit zuerst einmal den Eigenbedarf zu decken und dann auch andere Betriebe im Kohlenrevier – es gab in Hornu noch die Minen von Gendebien und Hardempont – gewinnbringend zu beliefern. Das alles ist als der Ausgangspunkt der großangelegten Erweiterung der Betriebsanlagen anzusehen, die De Gorge-Legrand zwischen 1816 und 1819 in Gang setzte. Wie aus einigen

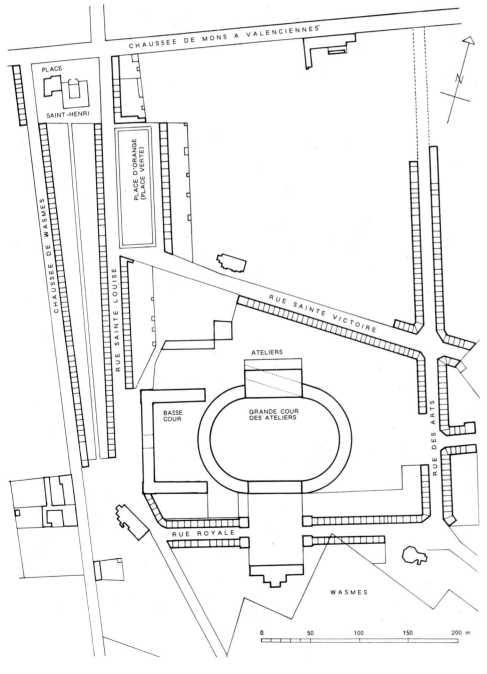

298. Grand-Hornu im Jahr 1852. Werkstätten (ateliers) und Wohnbebauung (cité). (Administration du Cadastre, Direction du Hainaut)

Briefstellen und aus Stilvergleichen hervorgeht,[94] aber durch keine Zeichnungen belegt ist, ließ er sich die Pläne dafür von dem Architekten Bruno Renard (1781–1861) aus Tournai anfertigen. Dieser war vermutlich bei Percier in Paris ausgebildet worden und wirkte ab 1808 in Tournai als »architecte de la ville« und als »professeur du cours d'architecture à l'Académie de dessin«.[95] Er war durch die Fassadengestaltung der Teppichmanufaktur Piat-Lefèvre (1812) und die Ausführung anderer Bauten zu beruflichem Ansehen gekommen und empfahl sich deshalb De Gorge-Legrand als Planer. Freilich lief dessen Bauvorhaben auf ein für die damalige Zeit ganz ungewöhnliches Programm hinaus, das Renard als einen Vertreter der Empire-Architektur vor eine bisher unbekannte Aufgabe stellte. Es verlangte so neuartige Räumlichkeiten wie eine große Maschinenbauhalle, zu der auch die Installation einer Dampfmaschine gehörte, eine Kesselschmiede, Eisen- und Kupfergießereien und Materiallager, ein Konstruktionsbüro und Verwaltungsräume, Remisen und Stallungen, den Wohnsitz des Fabrikherrn und nicht zu vergessen Wohnungen für die Arbeiter. Denn es dürfte De Gorge-Legrand von Anfang an klar gewesen sein, daß eine Steigerung der Kohlenförderung und die Aufnahme der Maschinenproduktion sich mit den einheimischen Arbeitskräften nicht mehr bewältigen ließen.

Um nun Grand-Hornu auch im weiteren Umkreis zu einem Anziehungspunkt für die Arbeiter zu machen, besann sich De Gorge-Legrand, der mit seiner Risikobereitschaft und seiner geschäftlichen Dynamik den Unternehmertyp der neuen Zeit verkörperte, auf seine paternalistische Rolle. Er wollte die Arbeiter nicht nur angemessen entlohnen, sondern sich auch um ihr Wohlbefinden kümmern. Sie sollten sich, wie er 1829 erklärend äußerte, »par l'appât d'un bien-être inouï« angezogen fühlen.[96] Was das bedeutete, wird im einzelnen die Verwirklichung des Bauprogramms zeigen.

Bruno Renard sah sich indes als Planer mit einer Entwurfsaufgabe konfrontiert, bei der er sich kaum an Vorbildern und Beispielen orientieren konnte. Als Kenner der französischen Architekturszene mochten ihm allerdings die Beiträge von Claude-Nicolas Ledoux (1736–1806) zur Grundlegung einer neuen gewerblichen Baukunst gegenwärtig sein, nämlich die 1775 begonnene und teilweise verwirklichte Salinenstadt Chaux in Arc-et-Senans (Franche-Comté) und das mehr theoretische Ringen um eine neue, sozial determinierte Bauauffassung in dessen 1804 erschienener Publikation *L'Architecture considérée sous le rapport des Mœurs, de l'Art, de la Législation.*[97] Ledoux' zweites, der Ausführung zugrunde gelegtes Entwurfsprojekt mit seiner ovalen Lageplanform und mit der starken Achsbetonung in Längs- und Querrichtung ist für Renard vielleicht ein Hinweis gewesen, wie eine solche Aufgabe angepackt werden konnte. Jedenfalls übernahm er diese Aufteilungsform insofern, als er die Werkstattbauten um einen großen Hof – »grande cour« – von 140 auf 80 Metern herum anordnete, dessen Schmalseiten halbkreisförmig abgeschlossen sind. Dabei nehmen die Maschinenbauhalle als großformatiger, kompakter Baublock (28 auf 70 auf 16 Meter) die nördliche und das Büro- und Verwaltungsgebäude (10 auf 58 Meter) die südliche Längsseite ein. Beide Bauten sind auf die kürzere Nord-Süd-Achse bezogen; die Halle ist im Innern in kuppelüberwölbte Travéen aufgeteilt

300. Der große Hof – grande cour – der Werkstätten von Grand-Hornu, um 1850. Lithographie. (*La Belgique industrielle*, Brüssel 1850)

und nach außen durch sieben monumentale Rundbogenarkaden von 7,5 Metern Höhe gegliedert; das Büro dagegen enthält mit dem mittleren, laternenbekrönten Portikus und den mit jeweils acht Fenstern geöffneten Seitenteilen eine wesentlich feinere Strukturierung. Zu diesen geschlossenen Bauformen kontrastieren dann die halbrunden Seitenabschlüsse, die aus offenen, mit Dächern überdeckten Doppelarkaden bestehen und als Magazine für Eisenmaterial, Kohle, Modelle oder als Remisen dienten.

Dieser strengen, geometrisch figurierten Baugruppe lagert sich in der Längsachse nach Westen ein dreiflügliger Eingangsbau vor, der im Zusammenhang mit der konvexen Außenseite der Arkaden einen ebenfalls zum Werkstattbereich gehörigen Vorhof – »basse cour« – umschließt. Bei der Westseite dieses Bauteils läßt die anspruchsvolle Gliederung erkennen, daß es sich hier um die Haupteingangsseite, um die Schauseite des Werkstattbereichs handelt. Dreigeschossige Eckpavillons mit Zeltdach und Laternenabschluß und ein mittlerer Portikus mit Dreieckgiebel gliedern die 100 Meter lange Eingangsfront nach altbewährter Art. Nur die geschlossenen, mit Blindbogen reliefierten Zwischenbauten deuten auf eine sachliche, von Wohnzwecken abgelöste Gebäudebestimmung hin. Man spürt aber, wie stark der Architekt noch der tradierten Formvorstellung der Triklinienanlage verhaftet war und wie schwer es ihm fiel, für die hier geforderte Industriearchitektur eine adäquate Ausdrucksform zu finden.

Obwohl diese »ateliers« mit ihrer abstrakten Konfiguration offensichtlich den Hauptbestandteil von Grand-Hornu bilden, erreicht man sie von allen Seiten her nur durch die Wohnbebauung. Zweifellos maß der Paternalist Henri De Gorge-Legrand diesem Punkt seines Programms nicht weniger Bedeutung zu als den Arbeitsstätten, denen erst die Tätigkeit und der Einsatz der Arbeiter zur Produktion verhalf. Wie aber hat Bruno Renard diesen zweiten Teil seiner Aufgabenstellung gelöst? Er umrahmte die Werkstätten einfach mit der »cité«, die zwischen 1819 und 1836 die heute noch vorhandene Gestalt annahm und sich in drei verschiedene Quartiere gliedert. Wie dem Lageplan abzulesen ist, scheinen dabei die Kommunalgrenzen von Wasmes im Süden und Wasmuël im Osten die Ausdehnung beeinflußt zu haben. Die ersten Wohnhäuser entstanden, so ist anzunehmen, ab 1819 im Westquartier auf der Gemarkung Hornu. Als Anknüpfungspunkt bot sich die Abzweigung der Chaussée de Wasmes von der Durchgangsstraße Mons–Valenciennes an. Wie zur Einladung öffnet sich an dieser Stelle die Bebauung in der nahezu quadratischen Place Saint-Henri (60 auf 75 Meter) nach Norden hin, während die Platzwände im Westen und Osten mit kürzeren Hauszeilen und die Platzfläche selbst mit Bäumen ausgefüllt sind. In südlicher Richtung setzt sich die Bebauung entlang der Chaussée de Wasmes und der Rue Sainte-Louise in zwei langen, gegeneinander divergierenden Hausreihen fort, zwischen denen die Nutzgärten der Bewohner liegen. Diese wiederum erschließt von innen her ein 3,5 Meter breites Gäßchen (»venelle«). Im östlichen Bereich folgt im Anschluß an die Place Saint-Henri gleich die baumbestandene Place d'Orange, nach späterer Benennung Place Verte, deren Raumbildung durch einen Versatz in der Bebauung bewirkt wird. Dem Format (45 auf 125 Meter) und der Ausstattung nach handelt es sich hier um den Hauptplatz der »cité«, an dem die anspruchsvolleren Häuser der Steiger (»porions«) stehen. Ursprünglich haben sogar allegorische Statuen die Eckpunkte geziert, und in einem Pavillon, der heute verschwunden ist, hat einst die Werkskapelle in der warmen Jahreszeit zweimal wöchentlich zum Konzert aufgespielt. Am südlichen Ende der divergierenden Hauszeilen münden die beiden Straßen und das Gäßchen wiederum in eine platzartige Ausweitung ein, von der aus sich die Wege nun in verschiedenen Richtungen aufteilen. Eine scharfe Wendung nach Osten führt zu dem schon beschriebenen Eingangsbau der Werkstätten, durch dessen dreibogigen Durchgang die »basse cour« und die »grande cour« zu erreichen sind. Bei einer halben Wendung nach Südosten gerät man zum nächsten Wohnbereich des Südquartiers, dessen beidseitige Reihenhausbebauung sich an einer Straße entlangzieht, die 1832 anläßlich eines Besuchs König Leopolds I. bei Henri De Gorge-Legrand die Bezeichnung Rue Royale erhielt. Durch die mittige Unterbrechung der Hausreihen und die Anlage eines weiteren baumbepflanzten Platzes hat es der Planer verstanden, den mit der fast endlosen Aufreihung der Häuser verbundenen Eindruck der Monotonie zu vermeiden. Die Ausrichtung dieses Platzes auf die Querachse der »grande cour« mit dem Bürogebäude als nördlicher Platzwand und die Akzentuierung des südlichen Platzabschlusses durch den 1830 errichteten schloßartigen Wohnsitz des Fabrikherrn (»château«) geben dem Südquartier so viel räumliche Ausweitung und architektonische Spannung, daß das Arbeiterviertel hier auf ein anderes Niveau angehoben zu sein scheint.

Nach den vorhandenen Katasterplänen (1830, 1836) erfolgte der Ausbau der »cité« zu De Gorge-Legrands Lebzeiten nur bis zu diesem Südquartier. Sein plötzlicher Tod durch die Cholera im August 1832 ließ vor allem die seit 1819 kontinuierlich fortgeführte Wohnbebauung mitten im Ausbau zurück. Immerhin waren zu diesem Zeitpunkt nach den wöchentlichen Erhebungslisten der Mieten 364 Häuser in Benutzung. De Gorge-Legrands Witwe und seine Neffen, die die Geschäftsleitung übernahmen, zögerten nicht, das inzwischen so weit gediehene Werk fortzusetzen, und fügten die Wohnbebauung des Ost- bzw. Nordostquartiers mit fünf weiteren Straßen hinzu. In winkelrechtem Anschluß an die Rue Royale entstanden nun in einer durchgehenden Flucht die Rue des Arts und die Rue Grand-Hornu, deren weitere Fortführung wohl wieder als Anschluß an die Durchgangsstraße Mons–Valenciennes gedacht war. Die Rue des Arts ist mittig, in der Längsachse der »grande cour«, unterbrochen und mit dem Ansatz einer ostwärts gerichteten Straße versehen. Sie geht dann nach einer architektonisch hervorgehobenen Kreuzung in gleichbleibender Flucht in die Rue Grand-Hornu über, deren Bebauung aber nach etwa 200 Metern abbricht. An der Kreuzung schließt die schräggerichtete Rue Sainte-Victoire an, durch die das Ostquartier direkt mit der Place Verte verbunden wird. Bei diesem Straßenzug fällt auf, daß er nur einseitig auf der Südseite bebaut ist und daß seine östliche Fortsetzung als Rue de l'Allée Verte schon nach wenigen Metern vor der Gemeindegrenze von Wasmuël einfach aufhört. Daraus ist wohl die Absicht der neuen Geschäftsleitung abzulesen, sich doch nicht mehr in dem Maß wie De Gorge-Legrand mit Ausgaben für den Arbeiterwohnungsbau zu belasten. Die Tatsache, daß 1836 der Ausbau der »cité« für lange Zeit zum Abschluß kam, spricht für diese Annahme. Der Katasterplan aus diesem Jahr führt 420 Wohnhäuser auf, in denen etwa 2500 Menschen lebten.

Indem Henri De Gorge-Legrand mit dem Ausdruck des »bien-être inouï« selbst den Maßstab für seine »cité« gesetzt hat, mag es angebracht sein, noch etwas genauer auf die Wohn- und Lebensumstände der Arbeiter an diesem Ort einzugehen. Das Wohnungskonzept ist insofern übersichtlich und eindeutig, als in allen Quartieren das Prinzip des zweigeschossigen Einfamilienreihenhauses angewandt ist. Die Mehrzahl der Häuser besteht aus einer 8 Meter langen Wohneinheit, bei der sich die Küche, ein Aufenthaltsraum (»salle de séjour«) und ein Schlafzimmer im Erdgeschoß, drei weitere Schlafräume im Obergeschoß und ein überwölbter Keller im Souterrain befinden. Im Äußeren drückt sich diese Aufteilung durch die Eingangstür und ein größeres Fenster im unteren und zwei kleinere Fenster im oberen Fassadenbereich aus. Im übrigen gehört zu jeder Wohnung ein Gartenanteil von ein bis zwei Ar, in dem der Abtritt und je nach Bedarf ein Schuppenbau plaziert sind. Für jeweils zehn Wohnungen stand zur Wasserversorgung ein Brunnen und zum Backen des Brotes ein Backofen zur Verfügung. Berücksichtigt man die damals allgemein üblichen primitiven sanitären Verhältnisse, so muß man den etwa 55 Quadratmeter großen Wohnungen zugute halten, daß sie für die durchschnittliche Belegung mit einer sechsköpfigen Familie ausreichend bemessen sind. Die drei bis vier Schlafräume erlaubten ohne weiteres, die Kinder nach Geschlechtern getrennt unterzubringen. In bestimmten Fällen mochte sogar die Aufnahme eines »logeur« akzeptabel sein. Die vorhandenen Fenster ergeben zudem einen angemessenen Licht- und Sonneneinfall und ermöglichen eine Querlüftung. Für anspruchsvollere Bewohner aus dem Kreis der Steiger gibt es auch größere Wohnungen mit 10 Metern Länge. Sie sind in der Außenansicht an der mittigen, zwischen zwei Fenstern angeordneten Türe und an deren Rundbogenabschlüssen zu erkennen.

301. Westansicht des Eingangsbaus der Werkstätten, Grand-Hornu, um 1850. Lithographie. (*La Belgique industrielle*, a.a.O.)
302. Grand-Hornu aus der Luft, Werkstätten und Wohnbauten an der Rue Royale. (INBEL Brüssel)

Aufschlußreich ist, daß sich das wohltätige Wirken De Gorge-Legrands auf die Vermietung dieser Wohnungen an Werksangehörige beschränkte; ein käuflicher Erwerb durch die Arbeiter kam nicht in Frage. Auch entzog der Fabrikherr ausgeschiedenen Arbeitern die Wohnung. Jedoch war der wöchentliche Mietzins von 1,10 Francs für eine normale Wohnung nicht hoch bemessen; er ergab aber immerhin eine fünf- bis sechsprozentige Verzinsung für das eingesetzte Kapital (1000 Francs pro Haus).

Voll zur Geltung kam De Gorge-Legrands Paternalismus bei den Gemeinschaftseinrichtungen, die er der »cité« gab. Einer Feststellung Vandermaelens zufolge eröffnete er schon 1825 eine große Schule. In ihr wurden über 200 Arbeiterkinder unentgeltlich im Lesen, Schreiben, Rechnen, Zeichnen und in Geometrie unterrichtet. Später haben dann auch religiöse Institutionen (Sœurs de Notre-Dame, Frères de la Doctrine Chrétienne) zur pädagogischen Betreuung beigetragen. Für die Erwachsenen war ein Versammlungsraum eingerichtet, der nicht nur dem geselligen Beisammensein diente, sondern auch die Lektüre von Zeitungen und Büchern ermöglichte, um das Blickfeld der Arbeiter zu erweitern. Der Mangel an Bade- und Wascheinrichtungen in den Wohnhäusern war dadurch abgemildert, daß es in der »cité« an einer heute unbekannten Stelle ein »établissement des bains« gab, für das eine Dampfmaschine das erforderliche Warmwasser lieferte. Die Kranken wurden von einer eigenen Gesellschaft betreut; sie unterhielt auch ein Hospital. Schließlich setzte sich der Fabrikherr bei der Lebensmittelversorgung ein, indem er eine eigene Bäckerei, Metzgerei und einen Gemischtwarenladen unterhielt, in denen »zu einem geringen Preis beste Qualität« geboten wurde. Alle diese Einrichtungen weisen in unmißverständlicher Weise darauf hin, daß sich in Grand-Hornu dank der Initiative und des Weitblicks des Unternehmers im Verbund mit den Werkstätten und den Bergwerken eine neue, eigenständige Siedlungseinheit herausgebildet hat, die schon zu diesem frühen Zeitpunkt den Namen einer »cité ouvrière« verdiente, auch wenn dieser noch nicht üblich war. Vor diesem Hintergrund wird dann die Absicht De Gorge-Legrands verständlich, seine »cité« verwaltungsrechtlich von der Gemeinde Hornu unabhängig zu machen und ihr den Namen »De Gorge-Ville« zu geben. Ob eine solche Aufwertung möglich gewesen wäre, sei dahingestellt; der frühe Tod des Fabrikherrn hat die endgültige Verwirklichung seiner Pläne in manchen Punkten offengelassen. Trotzdem liefern all jene Bauten, die in der fünfzehnjährigen Ausbauzeit zwischen 1820 und 1835 errichtet worden sind und die die Grundstruktur der »cité« ausmachen, genügend Anhaltspunkte, diese Schöpfung stadtbaugeschichtlich einzuordnen. Die Idee, die Wohnhäuser der Arbeiter unmittelbar um die Arbeitsstätten herum anzulegen, um ihnen kurze Wege zu verschaffen und sie in einer Gemeinde mit urbanen Einrichtungen zu vereinigen, aber auch, um sie dem Betrieb am besten dienstbar zu machen, ist sicher schon in der Utopie der Idealstadt Chaux von Claude-Nicolas Ledoux vorgezeichnet.

Während aber in Arc-et-Senans die Verwirklichung eines solchen Plans nicht über einen torsohaften Zustand hinausgediehen ist, vermag Grand-Hornu zum ersten Mal in der Frühphase der Industrialisierung einen Begriff von dieser Idee in der städtebaulichen Wirklichkeit zu geben. Hier ist in einer im einzelnen nicht übersehbaren Zusammenarbeit zwischen dem willensstarken und sozial motivierten Unternehmer und einem begabten und mit sicheren Formvorstellungen versehenen Architekten ein neuer Typ des industriellen Urbanismus geprägt worden, der für die weitere Entwicklung maßgebend wurde. Erstaunlicherweise vollzog sich dieser Ausformungsprozeß bereits zu einem Zeitpunkt, als in Großbritannien, dem Ursprungsland der industriellen Revolution, noch keine Rede von »model villages« sein konnte. Sicher experimentierte Robert Owen, wie zu sehen war, seit dem New-Lanark-Engagement mit diesem Denkmodell. Aber seine Visionen eines »village of unity and cooperation« waren mit zuviel sozialtheoretischem Ballast befrachtet, als daß sie einer Realisierung standgehalten hätten. De Gorge-Legrands Beitrag dagegen konnte von den Zeitgenossen als eine Tat des »paternalisme éclairé«, als ein Akt des sozialen Ausgleichs zwischen den Klassen verstanden werden.

Bei allem Einsatz des Unternehmers sollte aber nicht übersehen werden, welcher wichtige Part in diesem Fall dem Architekten Bruno Renard zukommt. Als Planer war er mit den Gestaltungselementen des Urbanismus genügend vertraut, um aus Grand-Hornu mehr als eine banale Ansammlung von Werkstätten und Wohnhäusern zu machen. Man braucht nur den Übereck-Zusammenschluß der Place Saint-Henri und Place Verte, die Anordnung der Rue Royale zu einem Platz mit Eckpavillons, Schloß und Bürogebäude oder die axiale Verklammerung der Werkstätten mit den übrigen Teilen ins Auge zu fassen, um zu erkennen, wie hier die Kunstgriffe und Erfahrungen der klassischen Stadtbaukunst auf den neuen Typ der Arbeiterstadt übertragen werden. Renard begnügte sich

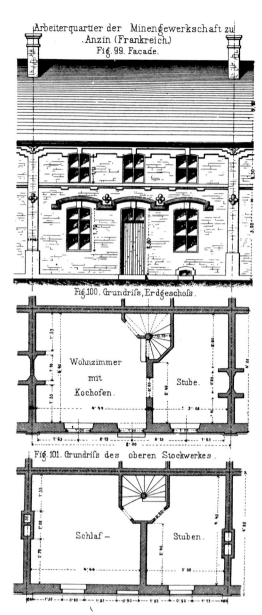

303. Zweigeschossiger Haustyp für Bergarbeiterwohnungen, Anzin. Grundrisse und Straßenansicht. (R. Manega, *Die Anlage von Arbeiterwohnungen*, Weimar 1883)

ganz offensichtlich nicht damit, die Gebäude nach dem Allerweltsrezept des Schachbrettsystems zu verteilen. In seiner traditionellen Bindung verstand er es, Räume zu bilden, Achsbeziehungen aufzubauen und Perspektiven zu inszenieren, deren Wirkungen er sicher war. Dabei ist es schließlich verständlich, daß er als Architekt einer Zeit, die dem Empire-Stil huldigte, seine Aufgabe weit mehr ästhetisch-formal als sachlich-funktionell löste, obwohl er seine akademische Formensprache durchaus zu modulieren verstand. Trotz den geschilderten städtebaulichen Qualitäten darf man aber den entwicklungsgeschichtlichen Effekt von Grand-Hornu nicht überschätzen. Der Einfluß und die Ausstrahlung dieser »cité« blieben auf die Umgebung, auf das seit 1830 herausgebildete Belgien beschränkt. Die Cité de Bosquetville in Houdeng-Aimeries, die zwischen 1838 und 1853 mit 166 Häusern entstand, und die »cités ouvrières« de Mariemont, die von 1842 bis 1860 in mehreren Abschnitten mit 20, 30 und 40 Gebäuden angelegt wurden, sollen als von Grand-Hornu beeinflußte Siedlungen im belgischen Bereich genannt sein.

Anzin

In dem nach Südwesten anschließenden französischen Steinkohlerevier entschied sich die 1757 gegründete Compagnie d'Anzin ebenfalls schon frühzeitig für die Lösung, die Arbeitskräfte in unmittelbarer Nähe der Gruben unterzubringen. Diese Bergwerksgesellschaft erstellte ab 1828 ihre ersten Arbeiterhäuser; im Laufe der Zeit wuchs die Zahl kontinuierlich an und erreichte 1849 an die 1000, 1871 sogar 2000 Wohneinheiten.[98]
Die Anordnung erfolgte in einem Raster von parallel geführten Straßen, in dessen Rahmen sich die von einem kleinen Garten umgebenen Häuser einfach nebeneinander aufreihen. Da in dieser Siedlung, im Gegensatz zu Grand-Hornu, stadtgestalterische Gesichtspunkte keine Rolle spielten, kommt die Bebauung über einen belanglosen Schematismus nicht hinaus und braucht hier nicht weiter verfolgt zu werden. Auch genügte der in Doppelreihen gebaute zweigeschossige Haustyp nur einem stark beschnittenen Wohnbedürfnis, wie es damals den Lohnarbeitern gerade noch von Bauträgern ohne besonderes soziales Engagement zugestanden wurde. Die Wohnung besteht bei diesem Typ eigentlich nur aus jeweils zwei nebeneinanderliegenden Stuben, die in zweigeschossiger Bauweise übereinandergestellt und durch eine schmal bemessene Wendeltreppe zu einer Einheit verbunden sind. Dabei wird der knappe Platz im Erdgeschoß für einen Mehrzweckraum (Eingang, Wohnzimmer, Küche, Treppenzugang) und eine Stube, im Obergeschoß für zwei Schlafstuben genutzt. Immerhin reichen die vier Räume dazu aus, abgetrennte Kinderzimmer einzurichten. Aber darüber hinaus fehlt es an den notwendigen Nebengelassen, an einem abgeteilten Waschplatz und an einem windgeschützten Eingang. Mißlich ist auch die Lage der Aborte außerhalb der Wohnungen. Dazu kommen noch die Mängel des angewandten Back-to-back-Systems: Die Wohnungen sind nur einseitig orientiert und können in Querrichtung nicht belüftet werden. Trotz aller dieser Unzulänglichkeiten muß es der Compagnie d'Anzin aber doch als Verdienst angerechnet werden, den Arbeitern in einem sehr frühen Stadium wenigstens zu Miet- und Eigentumswohnungen dieser Art verholfen zu haben.
In anderen Bergbaugebieten sind ähnliche oder gleiche Bestrebungen zu beobachten. So baute etwa die Steinkohlegesellschaft von Blanzy (Saône-et-Loire) ab 1834 für ihre Bergleute in mehreren Siedlungen an die 1000 Wohnungen. Die Haustypen, die zur Anwendung kamen, orientierten sich weitgehend an den überlieferten Behausungen der Landbewohner. Es sind eingeschossige Doppelhäuser mit jeweils zwei verschieden großen Räumen, die entweder neben- oder hintereinander liegen und durch einen in den Baukörper einbezogenen Abort ergänzt werden. In der Hauptpartie sorgt ein Kniestock dafür, daß auch der Dachraum mit Schlafkammern versehen werden kann. Die niedrigen Herstellungskosten von 2200 Francs für ein Haus ergaben bei einer dreiprozentigen Verzinsung des Anlagekapitals (1,4 Millionen Francs) eine Monatsmiete von 4,5 Francs. Die Gesellschaft hatte sich aber keineswegs nur auf die Vermietung festgelegt, sie unterstützte die Arbeiter auch durch Zuschüsse beim Bau ihrer eigenen Häuser.
Alle diese Unternehmen – Nouveau Quartier de Mulhouse, Grand-Hornu, Anzin, Blanzy und andere – sind als eine erste Stufe zu einem eigenständigen Arbeiterwohnungsbau zu verstehen, durch den die Beschäftigten ein preiswertes Unterkommen in der Nähe ihrer Arbeitsstelle fanden. Um die Wohnungsfrage aber in einem für die ganze Arbeiterschaft passenden Rahmen zu lösen, bedurfte es sowohl bei den Unternehmern wie bei den Arbeitern weiterer Einsichten und Anstrengungen.[99]

304. Doppelhaustypen für Bergarbeiterwohnungen, Blanzy. Grundriß und Straßenansicht. (*Allgemeine Bauzeitung*, Wien, 1868)

*Fig. 1. Vorderansicht.*

*Fig. 2. Grundriß.*

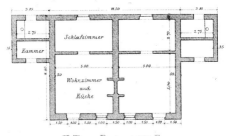

II. Type, Preis: 4400 Frc.

*Fig. 3. Vorderansicht.*

*Fig. 4. Grundriß.*

## 6.2.3. Arbeiterwohnungen in Industriezentren

Mit der fortschreitenden Industrialisierung an den schon genannten Schwerpunkten während der »monarchie censitaire« (1830–48) rückten auch die Wohnungsverhältnisse der Lohnarbeiter stärker in den Blickpunkt einer aufkommenden Sozialkritik. Dem Vorgehen in Großbritannien vergleichbar, kam es Anfang der vierziger Jahre in Frankreich ebenfalls zu ernsthaften Recherchen über die Lebensbedingungen der Arbeiterschaft.[100] Den Anstoß dazu gaben jedoch weniger die englischen Reports, als vielmehr der im Gesetz zur Gründung des Institut de France von 1795 formulierte Auftrag.[101] Die diesem inkorporierte Académie des sciences morales et politiques sah es demnach als ihre Aufgabe an, »de constater, aussi exactement qu'il est possible, l'état physique et moral des classes ouvrières«, und setzte dafür 1835/36 ihre Mitglieder Dr. Louis-René Villermé für die Textilindustrie und Louis-François Beniston de Châteauneuf für die anderen Produktionsbereiche ein.

### Mülhausen im Elsaß

Wenn im folgenden auf die Orte mit den unzulänglichsten Wohnverhältnissen eingegangen wird, so liefert dazu Villermé wichtige Einblicke. Seine Erhebungen beginnen mit der Fabrique de Mulhouse, von der schon im Zusammenhang mit der Société industrielle die Rede war. Wie er feststellt, wohnten viele der schlecht bezahlten Arbeiter, die mit ihren Familien aus der Schweiz, Baden und Lothringen zugezogen waren, in den Dörfern der Umgebung. Nicht wenige hatten sich aber auch, um bei der fünfzehnstündigen Arbeitszeit den langen Weg zur Arbeitsstätte zu sparen, einen kleinen Raum in deren Nähe gemietet, wo dann oft zwei Familien, jede in einer Raumhälfte, in trostlosen Verhältnissen kampierten. Ein kleiner Ofen mußte zugleich als Heizung und Kochherd dienen, und zum Schlafen der Familienmitglieder diente ein großes Bett mit einer Art von Federmatratze. Ein paar Stühle, ein Tisch, eine Kiste an Stelle eines Schrankes und etwas Geschirr machten das ganze Mobiliar aus. Für die armselige Bleibe waren monatlich sechs bis acht Francs zu entrichten, ein unglaublich hoher Preis, der Bauspekulanten immer wieder aufs neue veranlaßte, Mietshäuser mit diesen Einzelräumen zu bauen, um aus ihnen diese überhöhten Mieten herauszuschlagen.

Daß die Mülhausener Fabrikanten sich die Lösung der Wohnungsfrage nicht auf diese Weise dachten, beweist ein Unternehmen des Bürgermeisters André Koechlin. Er erstellte für 36 Arbeiterhaushalte seines Betriebs Wohnungen, die immerhin aus zwei Zimmern, einer kleinen Küche und den erforderlichen Nebengelassen bestanden und nicht mehr als zwölf bis dreizehn Francs monatlich kosteten, obwohl darin auch noch eine Gartennutzung mitinbegriffen war. Zweifellos wollte Koechlin damit den anderen Manufakturisten eine Lösung aufzeigen, wie die Arbeiter zu menschenwürdigen Wohnungen kommen konnten. Aber trotz wiederholten Subskriptionen für Wohnungsbaufonds 1835 und 1836 blieb es in Mülhausen vorerst bei diesem Versuch.

### Lille

In der alten Festungsstadt Lille, dem nordfranzösischen Zentrum der Baumwoll- und Textilindustrie, waren die Wohnverhältnisse der etwa 100000 Arbeiter eher noch schlechter als in Mülhausen. In diesem Ort hatte Vicomte Alban de Villeneuve-Bargemont bereits 1828 nicht weniger als 3687 Kellerbehausungen festgestellt.[102] Villermé fiel bei seinen Observationen 1835 und 1837 die Gegend um die Rue des Etaques als besonders unerträglich auf.[103] Es gab ein Konglomerat von Häusern, durch das sich enge und düstere Passagen zogen, die in kleinen Höfen, courettes, endeten. An ihnen lagen, in primitivster Ausführung, die Abtritte, so daß sie mit ihrem Gestank und ihren Fäkalien mehr einer Kloake und einem Kehrichtplatz als einem Hofraum glichen. Um diese »courettes« herum vegetierten auf einer Fläche von etwa 120 auf 200 Metern und bei einer zwei- bis dreigeschossigen Überbauung – die in das Erdreich versenkten Keller mit eingerechnet – ungefähr 3000 Menschen sowohl in Kellern wie in Dachspeichern (»caves et greniers«). Auf den einzelnen entfielen gerade 8 Quadratmeter Fläche, um sich zu bewegen und zu leben, ein Minimum, das nicht einmal in den dichtbevölkerten Quartiers des Marches und des Arcis in Paris den Menschen zugemutet wurde. Zu den Kellern gelang-

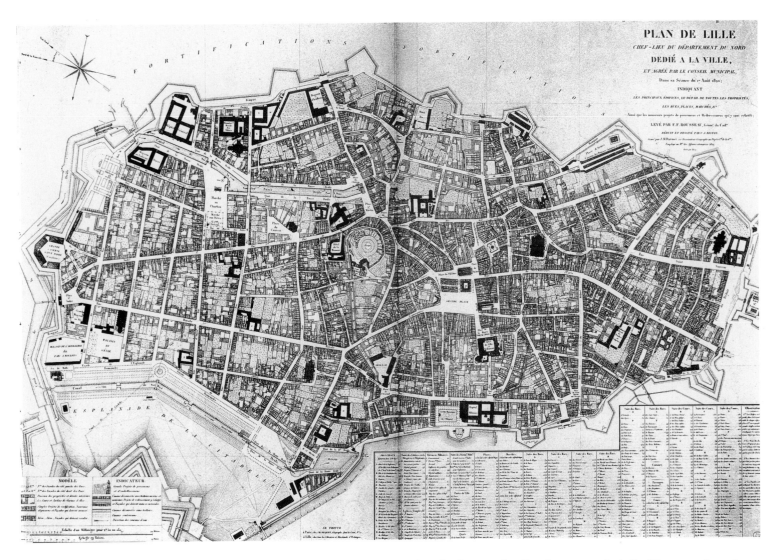

PLAN DE LILLE
CHEF-LIEU DU DÉPARTEMENT DU NORD.
DÉDIÉ A LA VILLE,
ET AGRÉÉ PAR LE CONSEIL MUNICIPAL,
Dans sa Séance du 1ᵉ Août 1820;
INDIQUANT

305. Lille im Jahr 1820. (Musée de l'Hospice Comtesse, Ville de Lille)

te man über Treppenstufen direkt von der Straße aus, wobei die Eingangstüre oft zugleich den einzigen Lichtdurchlaß bildete. Für Menschen, die auf diese Art unter der Erde zu leben verdammt waren, begann, so merkt Villermé an, »der Tag eine Stunde später und die Nacht kam eine Stunde früher als für die anderen«.[104] Die Keller waren mit Steinen eingewölbt und erreichten im Gewölbescheitel etwa 1,75 Meter Höhe. Da sie alle mit einem Kamin versehen waren, muß von Anfang an eine Belegung mit Menschen beabsichtigt gewesen sein. Über die Ausstattung dieser mehr Höhlen als Wohnungen gleichenden Gelasse erfährt man, daß einige Bretter als Vorratsbehälter, ein paar ärmliche Möbelstücke, ein strohbelegtes Bett, ein Ofen und ein Rechaud aus gebranntem Ton das ganze Mobiliar ausmachten und daß in manchem der Betten Menschen beiderlei Geschlechts, zum Teil ohne Hemden und voll Schmutz zusammenlagen.

Um das Bild aber nicht schwärzer zu zeichnen als es war: Die größere Zahl der Arbeiter in Lille lebte in denselben Vierteln Saint-Sauveur und Saint-André bei gleichen Einkommensvoraussetzungen unter halbwegs erträglichen Umständen. Die Aufstellungen bei Villermé besagen, daß eine Familie, bei der drei Personen im Taglohn arbeiteten, etwa 915 Francs im Jahr verdiente. Stellt man die Jahresausgaben für Wohnung (40 bis 80 Francs) und für Nahrung bei mehreren Kindern (738 Francs) mit 798 Francs dagegen, so bleiben 117 Francs übrig, um die sonstigen Lebensbedürfnisse wie Kleidung, Wäsche, Heizung, Licht usw. zu befriedigen. Natürlich war das viel zu wenig, und es lag unter diesen Umständen immer nahe, an der Wohnung zu sparen; zu einem eigenen Haus zu kommen, mußte Arbeitern als hoffnungslos erscheinen. Sowie man Lille verließ und in die Umgebung ging, etwa nach Roubaix, wo etwa 30000 Arbeiter gezählt wurden, waren die Kellerunterkünfte verschwunden, wenn auch die dortigen Wohnungen als »les forts de Roubaix« zur damaligen Zeit als eine Absonderlichkeit galten. Nach Villermés Beobachtungen waren aber die Wohnungen genügend groß, sauber gehalten und ausreichend belichtet. Jules Simon dagegen sah kaum einen Unterschied zu den schlechten Verhältnissen in Lille.

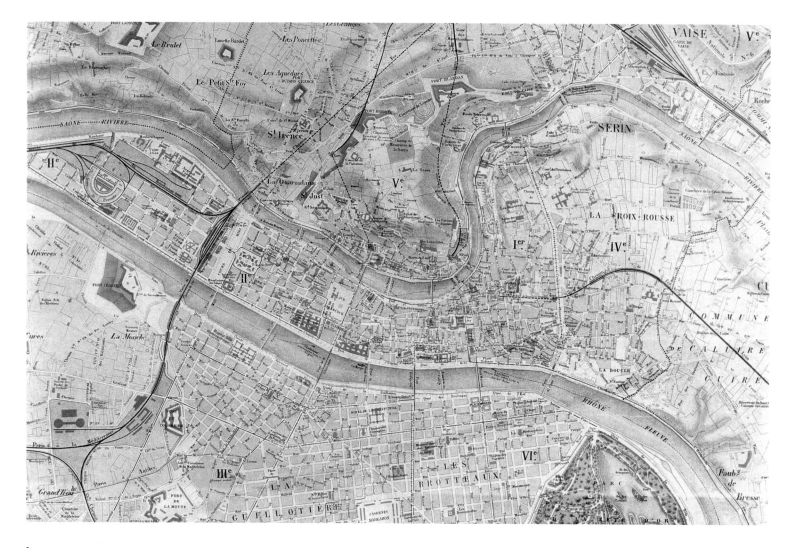

Lyon

306. Lyon im Jahr 1890 mit den Faubourgs La Croix-Rousse, Les Brotteaux und La Guillotière. Ausschnitt aus dem Stadtplan. (Musée Historique de Lyon, Hôtel Gadagne)

Schließlich bleibt noch von einem Schwerpunkt der Industrialisierung im Südosten Frankreichs, von Lyon, zu berichten, wo in den Arbeitervierteln nicht weniger bedrückende Wohnungszustände herrschten als im Norden. Um sie zu verstehen, muß man sich die damalige Arbeitsorganisation in diesem Zentrum der Seidenindustrie vergegenwärtigen. Genaugenommen bestimmten die wenigen, aber kapitalkräftigen und einflußreichen »marchand-fabricants«, die Händler-Fabrikanten ohne Fabrik (auch als »patronage« bezeichnet), die Textilproduktion. Sie kauften das Seidenmaterial ein, ließen es verarbeiten und nahmen die fertigen Stoffe en gros gegen Bezahlung wieder zurück, selbstverständlich unter Berücksichtigung der am Markt erzielbaren Preise.

Die Verarbeitung geschah in einzelnen kleinen Werkstätten, deren Inhaber als »chefs d'atelier«, im allgemeineren Sinne als »canuts« bezeichnet wurden. Ein solcher selbständiger Weber hielt sich, da seine und seiner Familie Arbeitskraft nicht genug ausrichteten, noch zwei bis acht Mitarbeiter, die er mit Kost und Logis bei sich aufnahm und entlohnte.[105] Diese meist unverheirateten und ungebundenen »compagnons«, deren Beschäftigung sich nach der jeweiligen Auftragslage richtete, nahmen die unterste Stufe im Sozialgefüge der Stadt ein; ohne Beziehungen zum »patronage« und zum Marktgeschehen und ohne zur Lyoner Bürgerschaft zu zählen, bildeten sie das gärende und umstürzlerische Element in der Arbeiterschaft.[106]

Die Lyon eigene Produktion »par familles isolées« hatte auch ihre urbanistischen Begleitumstände. Die für 1835 registrierten 8000 Kleinbetriebe mit 30000 »compagnons« und die noch zusätzlich vorhandenen 27000 bis 30000 Arbeiter für ergänzende Tätigkeiten fanden ihr Unterkommen in einer Mischbebauung, in der sowohl produziert als auch gewohnt wurde. Ein Teil davon befand sich in den Quartiers Saint-Georges und Saint-Jean auf dem rechten Saône-Ufer. Topographisch gesehen widerstrebten die sich den Fourvière-Hang hinaufwindenden engen Gassen dieser Viertel der zugedachten Nutzung, zumal es hier zahlreiche Sackgassen, »courettes« und Winkel gab, die nur über Treppen zugänglich waren und den Unkundigen mehr oder weniger in die Irre führten. Auch wiesen die aus dem Mittelalter und den nachfolgenden Jahrhunderten stammenden Häuser nur die damals üblichen niedrigen Stockwerkshöhen auf. Aber so unpassend auch die baulichen Gegebenheiten waren, hier hatten die im 15. Jahrhundert aus Avignon eingewanderten Seidenweber ihre erste Bleibe gefunden, und hier in diesen längst heruntergekommenen Vierteln von Vieux-Lyon erlaubten es die niedrigen Mieten auch den Ärmsten von ihnen, weiterhin zu bleiben.

Man könnte nun annehmen, daß im Faubourg La Croix-Rousse,[107] einer Vorstadt nördlich der Rhône-Saône-Halbinsel, die um 1800 eigens zur An- und Umsiedlung der Seidenweber angelegt worden ist, bessere Existenzmöglichkeiten gegeben waren. Jedenfalls stand dort mehr Platz zur Verfügung, und das Straßennetz und die Überbauungshöhe konnten frei bestimmt werden. Berücksichtigt werden mußte nur das stark nach Norden ansteigende Terrain. Was hier jedoch als Seidenweberstadt im Laufe des 19. Jahrhunderts entstanden ist, spottet vom urbanistischen Standpunkt aus jeder Beschreibung und muß als Beispiel eines menschenverachtenden und gewissenlosen Stadtausbaus gelten. In eng aneinander geschobenen Blöcken mit sechs bis acht Geschossen, die in ihrer Massivität und Kargheit wie Festungen in den Himmel ragen, sind die Werk- und Wohnstätten der »canuts«, einer Ware gleich, aufgestapelt. Als hätte es gegolten, den letzten Quadratmeter Boden zu nutzen, verbleiben zwischen diesen Blöcken im besten Falle enge Straßen, die quer zum Hang verlaufen (wie die Rue des Capucines, Rue René Leynau, Rue Burdeau), im schlimmsten Falle jedoch ein Labyrinth von Passagen, Innenhöfen und Treppenläufen, deren Lage und Verlauf unergründlich ist. Als »traboules« stellen sie eine Lyoner Spezialität dar[108] und erwecken, heute mehr denn je, beim Betreten der dunklen Zugänge, beim Aufblicken aus den schachtartigen Lichthöfen, beim Hochsteigen über die nahezu endlosen Treppenstufen fast kafkaeske Beklemmnisse. Keine Frage, daß bei dieser unbegreiflichen Konzentration der Baumassen der Hausanteil eines Webers nicht üppig ausfallen konnte. Bei etwas Wohlstand verfügte er über zwei Räume und einen vorgeschobenen Flurteil. Der kleinere, mit einem Fenster versehene Raum wurde von der Familie zum Schlafen genutzt, der größere diente dagegen für alle übrigen Zwecke: mit den aufgestellten Webstühlen als Werkstatt, daneben als Küche, Eßplatz und Wohnzimmer – und damit nicht genug. Meist befand sich über dem Eßtisch noch – da die Raumhöhe bis zu 3,5 Meter erreichte und dies ermöglichte – ein Hängeboden (»soupente«), auf dem, wenn nicht das Bett des »maître de la maison«, so doch das der »compagnons« stand, die es im übrigen dem Hausherrn teuer bezahlen mußten. Es würde das Bild aber verfälschen, diese Zustände von La Croix-Rousse, die von Blanqui noch 1849 als »détestable coutume«[109] beklagt wurden, allgemein auf die übrigen Vorstädte von Lyon zu übertragen.

Östlich der Rhône, in Les Brotteaux, La Guillotière und Les Charpennes, wo seit dem späten 18. Jahrhundert nach dem Bau des Pont Morand die Besiedlung eingesetzt hatte und wo 1829 schon 18000, nach der Jahrhundertmitte sogar 50000 Einwohner gezählt wurden, hielt sich die Bebauung im damals üblichen Rahmen. In La Guillotière ergänzten zudem Färbereien, chemische Werke, Glaswaren- und Schuhfabriken sowie Metallbetriebe die industriellen Etablissements der Stadt, in denen ebenfalls Tausende von Beschäftigten Arbeit und Verdienst fanden.

307. Lyon, Blick von dem Pont Morand über die Rhône-Quais auf La Croix-Rousse. (Photo: Walter Kieß)

Aber auch in Les Brotteaux mußten sich die Arbeiter mit ärmlichen Behausungen zufriedengeben, selbst wenn an einzelnen Stellen die Mittelklasse anspruchsvoller wohnte und das Bebauungsraster im ebenen Gelände mehr Weite und Übersicht verschaffte. Wie Menschen reagierten – und das kann als Resümee dieser kurzen Sozialtopographie französischer Industriestädte in der Zeit vor 1850 verstanden werden –, wenn sie so wie die »canuts« und »compagnons« in La Croix-Rousse arbeiten und leben mußten und dabei schutzlos dem Auf und Ab der Wirtschaftszyklen ausgeliefert waren, zeigten die Insurrektionen vom November 1831 und April 1834 in Lyon.[110] Die Arbeiter waren unter der Devise »du pain en travaillant, la mort en combattant«[111] (durch Arbeit leben, im Kampf sterben) zum Äußersten entschlossen und stellten im Aufruhr ihre berechtigten Forderungen. Die Machthaber des Bürgerkönigtums wußten darauf keine andere Antwort, als das Militär einzusetzen und beim zweiten Aufstand die Menge mit Gewehrsalven auseinanderzutreiben. Wie zur Denunziation haftete von da ab den 80 000 Seidenarbeitern von Lyon der Ruf an, sittenlos, unbotmäßig und revolutionär zu sein.

Nach der Februar-Revolution von 1848 wäre endlich eine Abhilfe der untragbaren Zustände fällig gewesen. Der Beitrag des Second Empire bestand dann in der Transformation von Lyon durch den Präfekten Vaïsse, einem Parallelunternehmen zu Paris. Für ein soziales Wohnungsbauprogramm zugunsten der Arbeiterschaft reichte die Zuwendung der Bonapartisten aber nicht aus.

### 6.2.4. Neue Ansätze zum Arbeiterwohnungsbau um 1850

Wenn man die Februar-Revolution 1848 als den Auftakt zu tiefgreifenden sozialen Umbrüchen und als einen ersten Selbstbehauptungsakt der Arbeiterklasse versteht, so kann man davon ausgehen, daß in der revolutionären Zielsetzung auch die Lösung der Wohnungsfrage mit einbezogen war. Denn der Kampf um die Verbesserung der Lebensumstände schloß konsequenterweise erschwingliche und gesunde Wohnungen mit ein. Jedenfalls ließen die geschilderten Zustände den Arbeitern gar keine andere Wahl, selbst wenn am Anfang gewichtigere politische Forderungen im Blickpunkt standen.

Gleich in den ersten Wirren des Umsturzes, als der Bürgerkönig zwar abgedankt hatte, die provisorische Regierung aber noch nicht gefestigt im Pariser Hôtel de Ville tagte,

bahnte sich durch die Proklamation des Rechts auf Arbeit (»le droit au travail«) ein wichtiges Ereignis an. Auf dieses Prärogativ hatten Leute wie Saint-Simon, Fourier, Considérant, Leroux und andere im Zusammenhang mit ihren Lehren längst aufmerksam gemacht. Da für die Arbeiter die Absicherung ihrer Existenz allein von der Arbeit abhing, verstanden sie dieses Recht als einen Kernpunkt ihrer Forderungen. Gewissermaßen als Überraschungscoup kam unter der Regie von Louis Blanc jenes folgenschwere Dekret vom 25. Februar zustande, durch das sich die provisorische Regierung verpflichtete, allen »concitoyens« den Lebensunterhalt durch Arbeit zu garantieren. Zugleich gestand sie ihnen auch das Recht zu, »sich assoziieren zu müssen, um den Ertrag ihrer Arbeit zu genießen«. Was selbstverständlich das Recht auf Arbeit mit einschloß, war, daß jedermann auch Arbeit finden konnte. Dieser Konsequenz mußte sich die provisorische Regierung stellen; sie dekretierte deshalb bereits einen Tag später die Einrichtung von Nationalwerkstätten (»ateliers nationaux«).[112]

Damit ließen sich die Aufständischen jedoch noch nicht zufriedenstellen. Am 28. Februar forderte die auf der Place de Grève zusammengeströmte Menge ein Ministère du progrès, um sich durch diese revolutionäre Institution ihren Anteil an der Staatsgewalt und damit an der Macht zu sichern. So sehr sich Lamartine und die Mitglieder des »gouvernement provisoire« aufbäumten und diesem Ansinnen widerstrebten, der Aufruhr vor den Türen des Sitzungssaals ließ schließlich nur noch den Ausweg offen, an Stelle des »Fortschrittsministeriums« eine permanente Kommission einzusetzen, die über die Lage der Arbeiterschaft berichten und Änderungsvorschläge unterbreiten sollte. Louis Blanc, der sich des Zurückweichens vor der eigentlichen Forderung bewußt war, jedoch vor der sozialen Diktatur, die so greifbar nahe lag, zurückschreckte, übernahm die Leitung der am 28. Februar gebildeten Kommission der Arbeiter. Sie tagte fortan im Palais du Luxembourg und versuchte als »parlement du travail« in den weiteren Gang der Ereignisse einzugreifen. Indes verlor sich diese Luxembourg-Kommission, wie von den Gegnern erwartet, in theoretischen Erörterungen über Lohnerhöhungen, Arbeitsorganisation, Arbeiterassoziationen und soziale Utopien. Unter vielen anderen Themen rückte sie auch das des Wohnungsbaus in den Vordergrund, und zwar durch ein Programm, das aufschlußreich genug ist, um hier genannt zu werden.

Es sah in jedem Pariser Viertel den Bau eines Gemeinschaftshauses, eines »familistère« vor. Dieses sollte so groß angelegt sein, daß darin etwa 400 Arbeiterfamilien in getrennten Appartements leben konnten, denen das Verbrauchssystem im großen Maßstab, etwa bei Nahrung, Feuerung, Heizung und Beleuchtung, die Vorteile der Wirtschaftlichkeit als ein Resultat der Assoziation verschaffen würde. Natürlich sollte jedes »familistère« auch über die notwendigen Gemeinschaftsräume verfügen: über einen Lesesaal, einen Kinderhort, eine Schule, Bäder und einen Garten.[113] Die Kosten wurden auf eine Million Francs geschätzt; mit einer Anleihe sollte die Finanzierung bewerkstelligt werden.[114]

Aus all dem ist nichts geworden, da das Parlement du travail schon nach kurzer Zeit zur Bedeutungslosigkeit herabsank und die Wahl zur Assemblée nationale am 24. April 1848 die tatsächlichen Machtverhältnisse zum Vorschein brachte. Indem das Bürgertum als besitzende Klasse in der neuen Volksvertretung die Majorität der Stimmen besaß und in der Commission exécutive den Ausschlag gab, sahen sich die Arbeiter fast ganz um Herrschaft und Einfluß gebracht. Nur ein Verzweiflungsschritt der in den politischen Klubs organisierten Kräfte, nämlich der offene Aufruhr, der Bürgerkrieg, konnte ihr Anliegen des sozialen Ausgleichs noch zur Geltung bringen.

Die »massacres de Rouen« waren ein erstes Zeichen dafür; der mißlungene Coup vom 15. Mai zur Auflösung der Nationalversammlung in Paris ein weiteres. Jetzt half es nichts mehr, die Ärmsten mit einer Commission pour aviser à l'améliorisation du sort des travailleurs zu besänftigen. Die Aufspaltung der neuen, industriellen Gesellschaft in die zwei konträren Lager der Besitzenden und Besitzlosen, der Bürger und Proletarier, der Kapitalisten und Lohnempfänger war ein unübersehbares Faktum. Als Ende Mai die einst durch Dekrete garantierten Nationalwerkstätten immer mehr in Frage gestellt und mit Absicht in die Desorganisation getrieben wurden und damit das ebenso garantierte Recht auf Arbeit von vielen Arbeitswilligen als Farce empfunden werden mußte, spitzte sich die Situation in Paris immer mehr zu. Am 11. Juni brachte die Zeitung *Le National* die explosive Stimmung auf die Formel: »L'idée des changements a gagné tous les esprits.« Die Errichtung der ersten Barrikaden am 23. Juni gab das Signal zum Aufstand. Schnell füllten sich die öffentlichen Plätze und die Straßen mit den Unzufriedenen. Das Ende ist bekannt: Im Namen der Nationalversammlung schlugen Truppen unter dem Befehl des Generals Cavaignac den Aufruhr in einem Blutbad nieder, bei dem über 15 000

Menschen den Tod fanden. Mit äußersten Repressionen in Form von Verhaftungen, Erschießungen, Massendeportationen und Pressezensur wurde die öffentliche Ordnung wiederhergestellt. Die Gefahr des Bürgerkrieges war damit gebannt, der Antagonismus der gesellschaftlichen Klassen, der auch die Wohnungsprobleme mit einschloß, harrte weiterhin wenn nicht der Lösung, so doch des Ausgleichs.

## 6.2.5. Der Arbeiterwohnungsbau in der Zweiten Republik

»Idées Napoléoniennes«

Die Wahl des Staatspräsidenten, die nach der neuen Verfassung vom 4. November 1848 am 10. Dezember 1848 stattfand, klärte die politische Lage in Frankreich nach der Februar-Revolution weiter ab. In dem Plebiszit wurde der schon in den vorhergehenden Teilwahlen zur Assemblée nationale in den Vordergrund gerückte Louis Napoléon mit überwältigender Mehrheit gewählt.[115]

Von der Bonaparte-Familie als Nachfolger des großen Korsen angesehen und selbst von dieser Bestimmung zutiefst überzeugt, hatte er die Übernahme der Staatsgewalt in einem langen Anlauf durch die Formulierung und Propaganda zeitgemäßer Doktrinen unter dem Begriff der »Idées Napoléoniennes« vorbereitet.

Zu dieser Vorgehensweise war er veranlaßt worden, als sich seine Versuche, durch Verschwörungen zur Herrschaft zu gelangen, als erfolglos erwiesen hatten. Der Fehlschlag des Straßburger Putsches von 1836 brachte ihm die Abschiebung nach den USA ein, wo er sich von März bis Juni 1837 aufhielt.[116] In der Neuen Welt beeindruckten ihn die rasch expandierenden Städte, die in der Entstehung begriffene Industrie und die damit verbundene soziale Problematik. Weitere urbanistische Anregungen und Einsichten verschaffte ihm sein von 1838 bis 1840 währender Aufenthalt in England.[117] Er bereiste die Industriebezirke, besichtigte Fabriken und lernte auf diese Weise die Lebensbedingungen der Arbeiter kennen. Er hielt sich außerdem im British Museum ein Studierzimmer, um sich durch Lektüre mit den gängigen ökonomischen und sozialpolitischen Theorien auseinanderzusetzen. So war er nach einigen unbedeutenden literarischen Versuchen 1839 in der Lage, in der Schrift *Des idées napoléoniennes*[118] die Grundgedanken einer bonapartistischen Sozialpolitik zu formulieren. Als Ausgangspunkt und Legitimation diente ihm das Werk seines Onkels Napoleon I. Der Kaiser, so stellte er es im Sinne einer napoleonischen Legende dar,[119] habe immer die Absicht gehabt, dem französischen Volk und den Völkern Europas die Freiheit zu verschaffen. Er habe auch ein besonderes Verständnis für die Nöte des Volkes und der unteren Klassen gezeigt. Nur durch den Zwang zur Ordnung sei er veranlaßt worden, sich autoritärer Methoden zu bedienen. Durch den Gang der Ereignisse sei sein Werk unterbrochen worden. Deshalb sei es notwendig, diesen Ansatz in einer neuen bonapartistischen Dimension fortzuführen. Dieser Bonapartismus bedeute aber nicht mehr die Doktrin von Krieg und Ruhm, sondern eine soziale, industrielle, kommerzielle und humanitäre Idee; sie habe das Ziel, Freiheit und Ordnung, Volksrechte und Autoritätsprinzip miteinander in Einklang zu bringen. »Die Regierungen«, so schreibt Louis Napoléon, »sind eingerichtet worden, um der Gesellschaft dabei zu helfen, aufkommende Hindernisse zu überwinden. Eine Regierung ist doch nicht, wie ein angesehener Ökonom gesagt hat, ein notwendiges Geschwür, sondern sie ist vielmehr der wohltätige Antrieb des ganzen sozialen Organismus.«[120] Dementsprechend will eine bonapartistische Regierung den Wohlstand des einzelnen durch wirtschaftliche Reformen sichern.

Doch kaum waren diese Verheißungen als eingängiges Sozialprogramm unter das Volk gebracht, da kam in Louis Napoléon wieder die verschwörerische Natur zum Durchbruch. Der Putschversuch von Boulogne sollte ihn 1840 im Handstreich an die Macht bringen. Er schlug, dilettantisch vorbereitet, fehl, und der Putschist sah sich zu lebenslanger Haft auf der Festung Ham verurteilt. Noch einmal nutzte der Gescheiterte die Gelegenheit, sich mit den sozialpolitischen Theorien der Zeit auseinanderzusetzen und sich trotz Einkerkerung als zukünftiger Staatsmann zu präsentieren. Er hatte inzwischen erkannt, daß eine Wiedererrichtung des Empire – und nicht weniger stand ihm vor Augen – nur mit Hilfe des Volkes, das heißt der Bauern und Arbeiter zu erreichen war. Er studierte deshalb die Arbeiterzeitung *L'Atelier*, vertiefte sich in die Schriften von Saint-Simon, Fourier, Say, Adam Smith, Buret und Flora Tristan und trat in Zeitungsartikeln und Pamphleten für die Arbeiterklasse ein. Mit Louis Blanc, dem Vertreter der Linken, konferierte er drei Tage lang im Gefängnis von Ham, und es hatte den Anschein, als ob beide in der politischen und sozialen Zielsetzung übereinstimmten.

Wie sehr Bonapartismus Sozialreform bedeuten sollte, ging aus seiner im Mai 1844 erschienenen Schrift *L'Extinction du paupérisme* hervor. Darin wurde vorgeschlagen, mit Hilfe von staatlichen Anleihen landwirtschaftliche Kolonien auf assoziativer Basis für die Arbeitslosen und Armen einzurichten, um die mehr als sechs Millionen Hektar brachliegendes Land zu bewirtschaften.[121] Es fehlte auch nicht an Angriffen auf das Fabriksystem, das die Arbeiter zwang, in überfüllten und ungesunden Quartieren zu wohnen. Obwohl diese Gedanken weder originell noch präzis genug formuliert waren,[122] verschaffte sich Louis Napoléon mit ihrer Erörterung den Anschein von Kompetenz. Wenn man ihm Glauben schenkte, mußte er als Demokrat und Sozialist, als Freund der Arbeiterschaft gelten. Vor dem Hintergrund seiner Versprechungen, dem Volk Ordnung und Arbeit, Fortschritt und Ruhm zu verschaffen, ist dann seine Wahl zum Staatspräsidenten der Zweiten Republik durchaus verständlich.


»Loi de Melun«

Von dem Zeitpunkt ab, als Louis Napoléon das höchste Staatsamt innehatte, mußte es sich schnell erweisen, wie ernst es ihm war, die sozialen Pläne in die Wirklichkeit umzusetzen. Tatsächlich begann die neue Regierung mit einer Flut von Dekreten; das Werk der Transformation von Paris nahm seinen Anfang. Obwohl der »Prince-Président« mit dem Parlament in einem gespannten Verhältnis stand, versuchte er – oft gegen den Willen der Rechten und der Sozialisten –, einzelne Reformen in der Gesetzgebung durchzubringen.

In urbanistischer Hinsicht erwähnenswert ist der in fünf Artikel gefaßte Gesetzesvorschlag der Brüder Comte Anatole de Melun und Vicomte Armand de Melun vom 17. Juli 1848, der auf die Sanierung bestehender, aber schlecht unterhaltener Wohnhäuser abzielte.[123] Wenn die Melunschen Formulierungen auch nicht direkt übernommen wurden, so führten sie dennoch in der vom Berichterstatter Riancey und von der Parlamentskommission abgeänderten Form zum Gesetz zur Sanierung der ungesunden Wohnungen vom 13. April 1850 (»loi relative à l'assainissement des logements insalubres«), dem sogenannten »Loi de Melun«.[124]

Es scheint so, als ob dieses Gesetz weniger von den pamphletistischen Äußerungen Louis Napoléons inspiriert war, als vielmehr von den Beobachtungen und Erfahrungen in den Arbeiterstädten, insbesondere durch die Société de Saint-Vincent de Paul in der Industrieregion von Lille. Dem Beratungsgremium (»commission de l'assistance publique«) des Gesetzes standen auch die bereits erwähnten Untersuchungen von Villermé und Blanqui vor Augen, außerdem wußte es von den Initiativen Chadwicks und Shaftesburys in England. Schließlich zwangen die Cholera-Epidemien von 1848 und 1849 in Paris die Legislative zum Handeln.

In der Absicht, die schlimmsten Wohnungszustände zu beseitigen und zukünftig zu verhindern, begnügte man sich bei dem neuen Gesetz keineswegs nur mit hygienischen und baulichen Auflagen, sondern man tastete sogar das Prinzip der Eigentumsgarantie ab. Das Gesetz gab nämlich den Gemeinden fakultativ das Recht, bei Mietsgebäuden, die durch das Verschulden der Eigentümer oder Mieter ungesunde Wohnungen aufwiesen, einzuschreiten. Besondere Kommissionen sollten diese Objekte eruieren, die zu ihrer hygienischen Verbesserung notwendigen Maßnahmen aufzeigen und unter Festsetzung einer Frist zur Beseitigung der Mängel auffordern. Erfolgte die Sanierung nicht fristgemäß oder wurde trotz Verbot weiter vermietet, so waren Geldstrafen fällig. Waren die Gebäude aber überhaupt nur durch größere zusammenhängende städtebauliche Maßnahmen zu sanieren, so konnte die Gemeinde »selon ses forces« die heruntergekommenen Bauten mitsamt den Grundstücken erwerben und eine Neubebauung vornehmen. In diesem Fall bestand die Chance zur radikalen Flächensanierung. Wenn es die eigentliche Absicht der Gesetzesinitiatoren gewesen war, die Eigentümer der Mietswohnungen in Arbeitervierteln zum Bauunterhalt und zur Bausanierung zu veranlassen, so war ihnen in dieser Hinsicht kein großer Erfolg beschieden.[125]

Auf das ganze Land bezogen zeigten die Gemeinden wenig Interesse, die im Gesetz vorgeschriebenen Prozeduren vorzunehmen. 1853 waren in den 36000 Gemeinden lediglich 228 Commissions des logements insalubres gebildet, und nur in Lille, Roubaix, Le Havre, Nancy und Paris arbeiteten die Kommissionen wenigstens für einige Jahre.[126]

Eine ganz andere, ursprünglich wohl unbeabsichtigte Wirkung hatte das Gesetz, als man im Second Empire im Rahmen der Transformationen in Paris, Lyon und anderen Orten allein auf seine Expropriationsmöglichkeiten abhob. Für den »urbanisme démolisseur« bot sich damit eine wunderbare Handhabe, ganze Straßenzüge unter dem Vorwand des Sanierungszwangs den öffentlichen Instanzen auszuliefern, die das Problem der »insalubrité« dann durch Abbruch und Neubau in ihrem Sinne lösten, ohne auf die Historizität der Straßen und Bauten noch Rücksicht nehmen zu müssen. Am Beispiel der Transformation von Paris ist ausgeführt worden, welche »Schläge«, wie Lavedan sich ausdrückt, Präfekt Haussmann mit dem Gesetz zu führen verstand. Aber mit der Zielsetzung, den Arbeitern gesunde Wohnungen zu verschaffen, hatte das alles wenig zu tun. Trotzdem bleibt es ein erstaunliches Faktum, daß unter den noch demokratischen Verhältnissen der Zweiten Republik ein städtebauliches Gesetz beschlossen worden ist, in dem der öffentliche Nutzen und die persönliche Verfügbarkeit über das Eigentum an Immobilien gegeneinander abgewogen wurden und das städtebauliches Handeln ermöglichte.

6.2.6. Die französischen »cités ouvrières«

Einen anderen Ansatz zur Lösung der Arbeiterwohnungsfrage boten die speziell auf die Belange der Arbeiterschaft abgestimmten Wohnungsbauunternehmen. Für sie kam um 1848 in Frankreich der Begriff der «cité ouvrière« auf. Diese Bezeichnung war zwar schon früher von Fourier benützt worden, ohne aber eine Resonanz zu hinterlassen.[127] Jetzt wiesen die Bauzeitschriften auf Projekte hin, die von Architekten unter diesem Namen ausgearbeitet worden waren. So wurde von einer 1847 in Le Havre ausgeführten »cité« berichtet, die für 1500 Bewohner angelegt und mit verschiedenen Gemeinschaftseinrichtungen versehen war.[128] Der Planer Louis-Fortune Brunet-Debaines empfahl sein »projet d'architecture sociétaire« als »Modell für den Nachbau in Paris und in anderen großen Städten, um die Lebensumstände und die Wohnungen der Arbeiterklasse zu verbessern«. Allerdings waren die Vorstellungen über die »cités ouvrières« am Anfang vage und uneinheitlich, die Planer wußten nicht so recht, ob sie sich für das Cottage-System nach englischem Vorbild, für die Kasernierung in Blöcken nach der längst praktizierten Art oder für Vierflügelanlagen nach dem Vorbild utopischer Siedlungs- oder Kolonialprojekte entscheiden sollten. Auch war nicht klar, in welchem Maße sich der Staat, das Patronat, karitative Institutionen und die Arbeiter selbst bei dieser Aufgabe engagieren sollten.

Zum Staatspräsidenten gewählt, schätzte Louis Napoléon die Rolle der Regierung weitaus bescheidener ein als zuvor in seinen Pamphleten. Die größte Gefahr, so führte er 1849 aus, bestehe für die neue Zeit vielleicht in der falschen Annahme, eine Regierung könne alles leisten, allen Anforderungen gerecht werden und alle Übel der Zeit beseitigen. Indem er so die Rolle der öffentlichen Hand einschränkte, wollte er die Privatinitiative aktivieren, wobei er offenließ, ob der karitativen oder kapitalistischen Betätigung der Vorzug zu geben sei.

Cité Napoléon, Paris

Die immer wieder vorgebrachten Anregungen, im Wohnungsbau tätig zu werden, und der dauernde Mangel an preiswerten Arbeiterwohnungen führten in Paris im Februar 1849 zur Gründung einer Wohnbau AG, der Société Chabert. Louis Napoléon, der in einem solchen Schritt seine Absichten bestätigt sah, übernahm die Schirmherrschaft und beteiligte sich an dem Projekt, das den Namen Cité Napoléon erhielt,[129] mit einer Einlage von 50000 Francs. Ein nicht geringer Teil der 16800 Aktien (zu je 25 Francs) soll von Arbeitern gezeichnet worden sein. Jedenfalls kam eine Anfangssumme von 130000 Francs zusammen, mit der ein Bauplatz an der Rue Rochechouart erworben und dort eine Baustelle eingerichtet werden konnte.

Bei der Grundsteinlegung des ersten Wohngebäudes, die unter starker Beteiligung der Arbeiterschaft stattfand, wurden noch große Hoffnungen geweckt. Doch bald darauf brachte das Komplott des Conservatoire des Arts et Métiers vom 18. Juni 1849 das Unternehmen zum Stillstand. In der Folge blieben auch die Zahlungen für die gezeichneten Anteile aus. Schon drohte der Zusammenbruch der Gesellschaft. Er wurde schließlich im letzten Augenblick durch die Bemühungen eines Monsieur Aublet verhindert. Ihm ge-

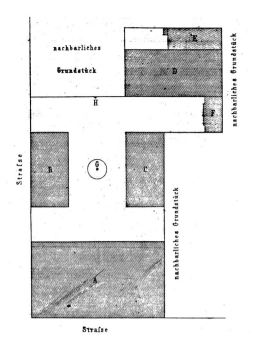

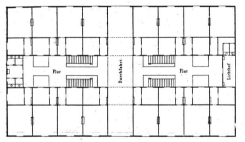

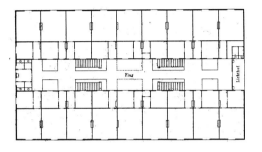

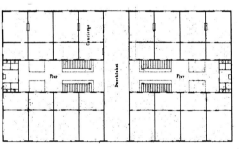

310. Gebäudegruppen der Cité Napoléon an der Rue Rochechouart, Paris. (*Zeitschrift für Bauwesen*, 1853, 3. Jg.)

311. Die Wohnungen im Hauptbau (A) an der Rue Rochechouart, Paris. Grundrisse. (*Zeitschrift für Bauwesen*, 1853, 3. Jg.)

lang es, vom Gouverneur von Paris die erforderlichen Mittel zu erlangen, um wenigstens den Bau des ersten Gebäudes zu Ende zu bringen. Von Viktor Aimé Huber ist zu erfahren, daß im Frühjahr 1851 etwa 80 Wohnungen fertiggestellt und bewohnt waren.[130]

Die finanzielle Seite der Société Chabert erwies sich jedoch als unzureichend. Die Gesellschaft wurde deshalb im Juli 1851 von der Versammlung der Anteilseigner aufgelöst und in eine neue Aktiengesellschaft überführt. Die Arbeiter waren daran kaum mehr beteiligt, und auch der Einsatz der Aktionäre blieb bescheiden. Eine neue Situation ergab sich nach dem Coup d'Etat vom 2. Dezember 1851. Der Staatspräsident, der in der neu eingerichteten plebiszitären Diktatur über nahezu unbegrenzte Macht verfügte, verschaffte sich, von seinem »Halbbruder« Morny und dem alten Kampfgefährten Fialin Persigny überredet, durch die Konfiskation und den Verkauf der Orléansschen Güter zusätzliche Mittel. Nach dem Dekret vom 22. Januar 1852 stellte er daraus 10 Millionen Francs zur Verfügung.[131] Er wollte damit zeigen, daß ihm das Los der Arbeiter nicht gleichgültig war und er die einst gemachten Versprechungen nicht vergessen hatte. Unter diesen Voraussetzungen war der Weg für den Bau von »cités ouvrières« frei. Auch die Cité Napoléon, 58 rue Rochechouart, erhielt dadurch neuen Auftrieb. Das Kapital in Höhe von 740000 Francs, mit dem der weitere Ausbau in den folgenden Jahren betrieben wurde, bestand zum größten Teil aus einer mit vier Prozent verzinsten Regierungsanleihe. Diese ermöglichte es, die Anlage 1854 fertigzustellen. Als sie in vollem Betrieb war, deckten die Mieteinnahmen mit 30000 Francs die Zinsaufwendungen ab.

Wie aber sah die bauliche Lösung der Cité Napoléon aus? Bei dem kleinen Bauareal, das zur Verfügung stand, war dem Architekten Veugny gar nichts anderes übriggeblieben, als die Arbeiterwohnungen entgegen seiner eigenen Auffassung aufs äußerste komprimiert in Baublöcken zusammenzufassen.[132]

Der Lageplan weist einen Hauptbau an der Straße, zwei flankierende Pavillons im Hof und ein Rückgebäude im hinteren Teil des Grundstücks auf. Das an der Straße gelegene Hauptgebäude erhielt eine dreibündige Aufteilung. Im Erdgeschoß nehmen Läden die ganze Straßenfront ein, nur in der Mitte durch die Hofeinfahrt unterbrochen; in der Mittelpartie befinden sich die Treppenaufgänge zu den oberen Geschossen, sowie an jedem Flurende eine Aborteinrichtung mit Ausguß; die Hofpartie ist von kleinen Handwerker-Ateliers besetzt. Das erste Obergeschoß ist wiederum in der Mitte von der hohen Durchfahrt unterbrochen. In seinen beiden Teilen beginnen, ebenfalls dreibündig angelegt, die Wohnungen. Sie nehmen die Außenseiten ein, während die Flurpartie mit den Treppen und den Aborten in der Mitte liegt. Dieses Aufteilungssystem setzt sich noch über drei weitere Geschosse fort, wobei ab dem zweiten Obergeschoß an Stelle der Durchfahrt Wohnungen vorhanden sind. Ungewöhnlich ist die Belichtung des Mittelflurs mit den vier Treppen durch ein Glasdach über eisernen Trägern: Mittels Flur- und Treppenöffnungen in den Obergeschoßdecken wird das Licht bis in das Erdgeschoß hinabgeführt. Durch diesen Trick erübrigen sich besondere Lichthöfe. Die Wohnungen selbst sind überaus bescheiden bemessen; die Bewohner müssen sich mit einem schmalen Eingangsflur mit Kochplatz, einer vom inneren Hauptflur her belichteten Schlafkammer und einem entweder zum Hof oder zur Straße hin gelegenen Wohnraum begnügen.

Bei der geradezu greifbaren Zusammenballung dieser Appartements in den vier Geschossen ist es nicht verwunderlich, daß sich der Eindruck einer primitiven Kasernierung wie von selbst einstellte, zumal bei dem einzigen Torzugang auch noch eine Überwachung durch den Hausmeister vorgenommen werden konnte. Ganz anders nehmen sich dagegen die beiden den Hof seitlich begrenzenden Flachbauten aus. In ihnen befinden sich großzügig bemessene Einzelwohnungen, links die des Cité-Arztes Dr. Paul Taillefer (Gebäude B), rechts die des Inspektors, des schon genannten Aublet (Gebäude C). Im Hintergebäude, das einen Rücksprung des Grundstücks ausfüllt, sind Wohnungen und Gemeinschaftseinrichtungen miteinander kombiniert. Über den Hauptflur, etwa in der Mitte des Gebäudes gelegen, gelangt man sowohl über eine Treppe zu den Wohnungen in den Obergeschossen als auch zu der seitlich anschließenden Kleinkinder-Tagesstätte, der noch eine kleine Wohnung für die Kinderbetreuerin angeschlossen ist. Weitere Eingänge, die in die Gebäudeecken abgerückt sind, geben Zutritt zu den Frauen- und Männerbädern und zu einer Waschanstalt. Diese Einrichtungen waren so groß bemessen und gegen ein so geringes Entgelt zu benutzen, daß auch andere Bewohner des Stadtviertels sich ihrer bedienen konnten. Die darüberliegenden Wohnungen sind auf allen vier Geschossen um einen inneren Flur gruppiert, den hier zwar keine Treppen, aber wiederum Deckenöffnungen unterbrechen, damit das durch das Glasdach einfallende Licht bis zum Erdgeschoß durchdringen kann. Die Wohnungsgrundrisse unterscheiden sich kaum von denen des vorderen Blocks, doch sind immerhin einige Appartements von größerem Zuschnitt.

Wie nicht anders zu erwarten war, hat die bonapartistische Propaganda dieses mühsam genug über die Runden gebrachte Wohnbauobjekt, das in etwa 170 Appartements für an die 500 Menschen eine Behausung bot, als eine Initiative und einen Erfolg des Regimes herausgestellt. Taten dieser Art machten den Inhalt der »Kaiserlichen Botschaft« aus, mit der dem Volk suggeriert wurde, der Kaiser und seine Regierung seien ohne Unterlaß um die Verbesserung des Loses der Arbeiter bemüht. Auf einem Plakat zur Grundsteinlegung des Asile Impérial de Vincennes konnte man 1855 lesen: »Seit seinem Regierungsantritt war Seine Majestät, Napoleon III. bestrebt, den arbeitenden Klassen zu helfen. In welchem Ausmaß sind Arbeitersiedlungen, kostenlos oder zu ermäßigtem Tarif benutzbare Mustereinrichtungen von öffentlichen Bädern und Waschanstalten, Kinderheime und Unterstützungsvereine sowohl in Paris als auch an anderen Orten genehmigt und geschaffen worden!«[133] Offenbar sollte der Eindruck erweckt werden, als ob sich mit der privaten Wohltätigkeit – voran des kaiserlichen Paares – und mit staatlichen Subventionen und Subsidien die drängenden sozialen Probleme lösen ließen. Und wenn zudem die Cité Napoléon als eine Aktion der »friedlichen Decimirung der Emeute« hingestellt wurde,[134] so trat damit das Regime auch den demagogischen und utopischen Ideen der Sozialisten entgegen, die es als seine wahren Feinde betrachtete. Selbst ein so aufmerksamer Beobachter wie V. A. Huber, der die Cité 1854 in Begleitung des Concierge Gérard besichtigte, ließ sich zu der Feststellung verleiten: »Im ganzen gesehen scheinen jedenfalls die Bewohner dieser Napoleonstadt mit ihrer Lage ganz zufrieden zu sein ...«[135] Wahrscheinlich beeindruckten ihn die relativ günstigen Mietpreise von 100 bis 200 Francs je Appartement und die persönlichen Impressionen an Ort und Stelle.

Die Arbeiter in Paris sahen die Dinge jedoch anders. Sie wollten weder die besondere Protektion des Kaisers noch die staatlichen Zuschüsse. Sie forderten vielmehr Gleichheit und Freiheit. Sie wiesen deshalb die Kasernierung ihrer Wohnungen in bestimmten Blöcken und Quartieren als unzumutbare Reglementierung und gesellschaftliche Segregation zurück.[136] Mit dieser Ablehnung deckt sich dann auch die Beobachtung, daß die Arbeiter wenig Neigung zeigten, die ihnen zugedachten Wohnungen zu beziehen.[137] In ihren Augen war mit punktuellen Wohnbau-Unternehmungen in den »faubourgs« wie der Cité Napoléon, Rue Rochechouart, dem Wohnheim der Gebrüder Pereire an der Rue Boursault oder dem vom Staat erbauten Hôtel garni am Boulevard Mazas für die Arbeiterschaft so gut wie nichts gewonnen.


»Cité ouvrières«, Mülhausen

Die neuartigen Lösungsversuche des Arbeiterwohnungsbaus blieben indes nicht auf die französische Metropole beschränkt, denn die Wohnverhältnisse der Arbeiter waren in den schon erwähnten industriellen Schwerpunkten draußen in den Provinzen eher noch schlechter als in Paris.

Bei Mülhausen ist bereits auf die frühen Bemühungen von Nikolaus und André Koechlin hingewiesen worden. So gut gemeint sie auch waren, an den schlechten Wohnungszuständen änderten sie nichts, wie aus den Recherchen des Dr. Villermé von 1835 hervorgeht. Als dieser allerdings 1847 in Begleitung von Dr. Achille Penot[138] die Lage wieder überprüfte, stellte sie sich anders als vor zwölf Jahren dar: Aus spekulativem Antrieb waren inzwischen zahlreiche Mietshäuser gebaut worden, die den Wohnungsmarkt entlasteten. Unbefriedigend war nur, daß diese Spekulationsbauten so gut wie keine Rücksicht auf die besonderen sozialen Belange der Arbeiter nahmen.

Der in der revolutionären Aufbruchstimmung im Mai 1848 von der Nationalversammlung gefaßte Beschluß, eine allgemeine Untersuchung über die Lage der arbeitenden Klassen in Frankreich anzustellen, führte auch in Mülhausen zu einer Art Bestandsaufnahme.[139] Als Verfasser betätigten sich die Fabrikanten Friedrich Engel-Dollfus und J. A. Schlumberger. Sie hatten aus naheliegenden Gründen an den Arbeitsbedingungen in den Fabriken und an dem gebräuchlichen Entlohnungssystem nichts auszusetzen. Sorgen bereiteten ihnen dagegen die schlimmen Wohnverhältnisse der Arbeiter. Sie schlugen deshalb der Gemeinde vor, speziell für die Arbeiterklasse kleine Häuser zu bauen, die dann durch monatliche Abzahlungen als Eigentum erworben werden konnten.

Diesem Vorschlag der Enquete folgten weitere Anregungen. Zum einen war es der Hinweis auf das Gesetz von 1850, »Loi de Melun«, das die notwendigen Sanierungen ermöglichte. Zum anderen machten die Mülhausener Textilfabrikanten auf das Vierfamilien-Musterhaus des Prince Consort Albert aufmerksam, das sie auf der Londoner Industrieausstellung 1851 gesehen hatten und das ihren eigenen Vorschlag der kleinen Arbeiterhäuser auf englische Art illustrierte.[140] Alles zusammengenommen gab es also genügend Fingerzeige, wie man auf diesem Gebiet endlich tätig werden konnte. Auf der Sitzung der Société industrielle de Mulhouse am 24. September 1851 ergriff Jean Zuber fils die Initiative.[141] Er verwies auf die englischen Beiträge und regte an, die Bemühungen um billige und gesunde Arbeiterwohnungen in England und Frankreich genauer zu studieren. Das Comité d'utilité publique der Société übernahm diese Aufgabe und verschaffte sich durch Befragungen einen Überblick über die bisher erstellten Bauten. Wie sich zeigte, entsprachen sie teils dem Kasernierungssystem, teils auch der Einzelbauweise. Aus prinzipiellen Erwägungen gab das Comité der Einzelhauslösung in Flachbauweise den Vorzug.

Man begnügte sich jedoch nicht mit diesen Studien, sondern nahm auch praktische Erprobungen vor. Jean Zuber fils baute zusammen mit Amédée Rieder 1852 einige kleine Modellhäuser für die Arbeiter seiner Papierfabrik im Bereich der Ile Napoléon. Sie waren mit 6 auf 6 Metern zwar von bescheidenem Ausmaß, wiesen aber mit drei Räumen im Erdgeschoß, zwei Kammern im ausgebauten Dachgeschoß und einem kleinen Garten nach der damaligen Auffassung genügend Platz für eine Arbeiterfamilie auf. Außerdem schien der Herstellungspreis mit 2200 Francs für Arbeiter zumutbar zu sein. Bei seiner Berichterstattung im Juni 1852 trat der Sprecher des Comité, Dr. Penot, mit dem Vorbehalt einiger Modifikationen für diese Lösung ein. Er gab damit aber Anlaß zu einer zweiten Erprobung, zu der sich der Fabrikant Jean Dollfus entschloß. Dieser ließ am Ortsrand von Dornach vier weitere Modellhäuser nach den Plänen des Architekten Emile Muller bauen, die nach der Fertigstellung auch von Arbeitern geprüft und beurteilt werden konnten.

Nach diesen Vorbereitungen war es nur folgerichtig, am 10. Juni 1853 die Société mulhousienne des cités ouvrières zu gründen.[142] Als Zweck dieser Gesellschaft gaben die Statuten an:

»1. Die Errichtung von Arbeiterhäusern in Mülhausen und Umgebung. Jedes Haus wird nur für eine Familie gebaut, getrennt von den anderen sein und besteht außer dem Wohnraum noch aus Hof und Garten.

2. Der Erwerb des erforderlichen Grundes sowohl zum Baue der Häuser und ihrer Zugehöre, als auch zur Anlage geräumiger Straßen und überdies, wenn nöthig, von Kanälen, Waschhäusern und anderen als nützlich erkannten Anstalten.

3. Die Vermiethung der genannten Häuser zu mäßigem Zinse, welcher 8% des Gestehungspreises nicht übersteigen darf; ein Betrag, der nothwendig sein dürfte, um die Interessen des gesellschaftlichen Vermögens so wie die anderen allgemeinen Kosten zu decken.

4. Den allmäligen Verkauf dieser Immobilien an die Arbeiter um den einfachen Kostenpreis.«[143]

Das Grundkapital in Höhe von 300000 Francs beschaffte sich die Gesellschaft durch die Ausgabe von 60 Aktien zu je 5000 Francs an zwölf Aktionäre. Wenig später konnten sogar 71 Aktien untergebracht werden, womit sich das Kapital auf 355000 Francs erhöhte. Dem Aspekt der Wohltätigkeit trug man insofern Rechnung, als man die Dividende auf 4 Prozent beschränkte (§ 13 der Satzung). Wenn man bedenkt, daß allein der Großindustrielle Jean Dollfus père mit dem Erwerb von 36 Aktien mehr als die Hälfte des Gesellschaftskapitals zur Verfügung stellte, so wird klar, welche Rolle das ortsansässige Patronat bei der Entstehung der »cités ouvrières de Mulhouse« gespielt hat.

Indem das Projekt auch ganz den Intentionen des Kaisers entsprach und als »institution d'utilité publique« anerkannt werden konnte, stand einem Staatszuschuß nichts im Wege: Auf Grund des Dekrets vom 22. Januar 1852 erhielt die Société eine »subvention gratuite« von 300000 Francs zugewiesen, allerdings mit den Auflagen, diese Mittel nur für Baumaßnahmen mit öffentlichem Nutzen (Straßen, Gehwege, Baumpflanzung, Entwässerung, Bäder, Waschanstalt) zu verwenden, die Häuser zum Selbstkostenpreis an die Arbeiter abzugeben und mindestens 300 Hauseinheiten zu erstellen. Nach Beginn der Bauarbeiten war es der Gesellschaft schließlich noch möglich, beim Crédit foncier ein hypothekarisch abgesichertes Darlehen in Höhe von 350000 Francs aufzunehmen, das mit 5 Prozent zu verzinsen und langfristig zurückzuzahlen war. Alles in allem stand somit eine Million Francs zur Verfügung, so daß der Ausbau der Cité finanziell gesichert war. Wie aber konnte der einzelne Arbeiter zu einem Haus in dieser »cité ouvrière« kommen?

Klar war, daß der Typ des freistehenden kleinen Hauses, für das sich das Comité d'économie sociale mit seinem Sprecher Dr. Penot einsetzte,[144] auf die bescheidenen Wohnbedürfnisse einer Arbeiterfamilie abgestimmt sein mußte und daß die Baukosten die finanziellen Möglichkeiten eines normalen Arbeiters nicht übersteigen durften.

In der Absicht, dieser Zielsetzung gerecht zu werden, entschied man sich für die Entwürfe des Architekten E. Muller, nach denen die Hauseinheiten in der »cité ouvrière« in gegeneinandergestellten Reihenhäusern (»maisons dos à dos«), in einfachen Reihenhäusern (»maisons entre cour et jardin«) und in viergeteilten Einzelgebäuden (»maisons par
groupe de quatre«) in äußerst komprimierter Form zusammengefaßt sein sollten.

Einem Arbeiter, der eine Wohneinheit nach diesen Auswahlmöglichkeiten erwerben
wollte, wurde als erstes je nach Haustyp eine Anzahlung von 250 bis 300 Francs abverlangt. Den Kaufpreis von 2600 bis 3200 Francs konnte er durch monatliche Abzahlungen
von 18 bis 25 Francs, die einem etwas erhöhten Mietzins vergleichbar waren, ablösen.[145]
Nach etwa 13 bis 16 Jahren sollte er dann endgültig Eigentümer seiner längst in Besitz
genommenen Wohnung sein. Um einen spekulativen und mißbräuchlichen Erwerb zu
unterbinden, durfte die Hauseinheit nach den Zulassungsbedingungen erst zehn Jahre
nach Vertragsabschluß veräußert werden; ebenso waren in diesem Zeitraum bauliche
Veränderungen an den Häusern untersagt.[146] Untervermietungen bedurften der aus-
drücklichen Genehmigung des Conseil d'administration.

Natürlich konnten die Arbeiter in der »cité ouvrière« auch nur zur Miete wohnen. In diesem Falle hatten sie dann einen monatlichen Zins von 14 bis 17 Francs (8 Prozent des
Gestehungspreises) zu bezahlen. Vermochte aber ein Arbeiter mit einem normalen Verdienst diese Zahlungen für den Hauserwerb überhaupt aufzubringen? Bei einem durchschnittlichen Monatsverdienst von 50 Francs[147] hätte die Wohnungsabzahlung, selbst
wenn sie nur mit 20 Francs zu Buche schlug, 40 Prozent des Monatsbudgets verschlungen; der Rest hätte vielleicht gerade noch für das Existenzminimum ausgereicht. Sicher
aber bestand unter diesen Umständen kein Spielraum, den genannten Anzahlungsbetrag
anzusparen. Dieser wurde oft nur dadurch aufgebracht, daß die nach Mülhausen Zuziehenden ihren Grundbesitz auf dem Land veräußerten und so zu einem einmaligen größeren Geldbetrag kamen.[148] Nach alledem war der Hauserwerb in der Cité vornehmlich
Arbeitern mit gutem Verdienst und etwas Geldmitteln möglich. Und selbst bei ihnen
mußte, wie noch aufzuzeigen sein wird, die Versuchung groß sein, sich in irgendeiner
Weise Luft zu verschaffen, sei es nun durch Untervermietung, sei es durch Hypotheken-
aufnahme oder durch Eigentumsabtretung.

Freilich haben solche Einschränkungen das Projekt der »cité ouvrière« nicht weiter aufgehalten. Jean Dollfuss, der hinter der Finanzierung stand, besaß im Nordwesten Mülhausens in großem Ausmaß Grund und Boden. Er trat der Gesellschaft davon zum Bau
der »première cité« acht Hektar zu dem mäßigen Preis von 1 Franc pro Quadratmeter ab,
nicht ohne jedoch nebenbei den Wert der angrenzenden, ihm verbliebenen Liegenschaften durch den in Gang gesetzten Urbanisierungsvorgang zu steigern.

Schon am 20. Juni 1853 begannen die Bauarbeiten für die ersten hundert Wohneinheiten.
Einmal in Gang gekommen, setzten sie sich in den nachfolgenden Jahren kontinuierlich
fort. Aus der beigegebenen Aufstellung läßt sich der Ausbauprozeß ersehen:[149]

| Jahr | gebaute Häuser | verkaufte Häuser |
| --- | --- | --- |
| 1854 | 100 | 49 |
| 1857 | 304 | 127 |
| 1860 | 428 | 364 |
| 1864 | 616 | 552 |
| 1867 | 800 | 714 |
| 1870 | 892 | 859 |
| 1875 | 892 | 886 |
| 1878 | 980 | 965 |
| 1881 | 996 | 996 |

Wie schon angedeutet, gehen die Gesamtgruppierung der Häuser und die Entwürfe der
einzelnen Haustypen auf den Architekten Emile Muller zurück.[150] Für die »première cité«
stand ihm draußen im Fabrikgebiet nordwestlich der Altstadt zwischen Colmarer Straße
(Avenue de Colmar) und Entlastungskanal bzw. Belforter Straße (heute Boulevard du
Président Roosevelt) ein relativ langes, aber schmales Bauareal zur Verfügung. Der Pla-

312. »Première cité ouvrière«, Mülhausen i.E.
Zeitgenössisches Schaubild, teilweise nicht der
Ausführung entsprechend. (Société industrielle
de Mulhouse, Bulletin, 1948, Nr. 2/3)

313. Cités ouvrières, Mülhausen i.E. Entwurf
von Emile Muller. (*Allgemeine Bauzeitung,
Wien*, 1868/69, Bd. 33/34)

ner teilte es so auf, daß er in Längsrichtung drei Straßen anordnete, als nördliche Begrenzung die Rue Koechlin, als südliche die Rue Dollfus und in der Mitte, gewissermaßen als Bezugslinie, die breiter angelegte Rue de Strasbourg. Die Querrichtung ist
durch einige schmale Straßen weniger stark markiert.
Wenn man diese Cité von ihrem Eingang her an der Straße nach Colmar betritt und der
Rue de Strasbourg folgt, dann trifft das Auge auf eine durchaus abwechslungsreiche Be-

SITUATIONSPLAN DER ARBEITER-STADT IN MÜHLHAUSEN.

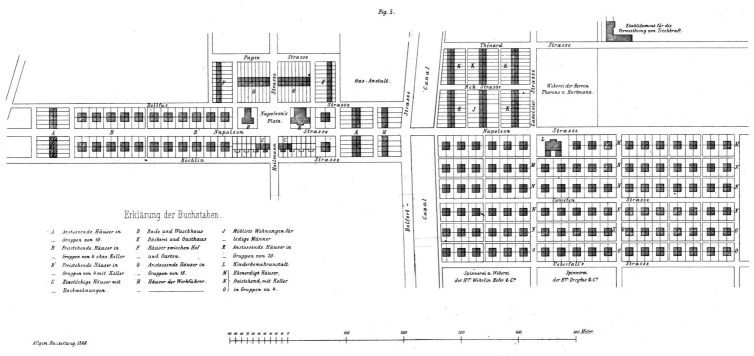

Fig. 5.

Erklärung der Buchstaben.

| | | |
|---|---|---|
| A Anstossende Häuser in Gruppen von 10. | D Bade und Waschhaus E Bäckerei und Gasthaus | J Möblirte Wohnungen für ledige Männer |
| B Freistehende Häuser in Gruppen von 4 ohne Keller | F Häuser zwischen Hof und Garten. | K Anstossende Häuser in Gruppen von 20. |
| B' Freistehende Häuser in Gruppen von 4 mit Keller | G Anstossende Häuser in Gruppen von 18. | L Kinderbewahranstalt M Ebenerdige Häuser, |
| C Einstöckige Häuser mit Dachwohnungen. | H Häuser der Werkführer. | N freistehend, mit Keller O in Gruppen zu 4. |

Allgem. Bauzeitung, 1868.

311

bauungsanordnung. Den Auftakt im Osten bilden zwei quergestellte Reihenhausblöcke mit je zehn Wohneinheiten (Typ A). Es folgen, von der mittleren Straße durch Vorgärten abgerückt und in gleichmäßigen Abständen aufgereiht, beidseits je elf viergeteilte Einzelhäuser (Typ B). Danach weitet sich die Rue de Strasbourg an der Stelle, wo sie sich mit der einzigen stärker betonten Querstraße, der Rue Josué Heilmann, kreuzt, zu einem Platz aus, der heutigen Place Adolphe May. Diesen räumlichen Mittelpunkt rahmten in der ursprünglichen Fassung auf der Westseite die Bäckerei und das Restaurant und auf der Ostseite die Bade- und Waschanstalt ein. Diese Bauten sind inzwischen verschwunden; an ihrer Stelle ist heute ein Kinderspielplatz. Doch entspricht die mehrgeschossige Bebauung der Rue de Strasbourg als nördlicher Platzabschluß ebenso wie die weiter abgerückte südliche Platzbebauung mit Reihenhäusern (im Lageplan G und H) noch dem alten Zustand. Wenn hier die Sparsamkeit der Ausführung und die Fixierung auf billigste Haustypen auch nicht den Luxus eines Architekturplatzes gestattet haben, so ließ sich der Planer doch nicht davon abhalten, der »première cité« eine räumliche Fassung zu geben, die sowohl in diesem weit nach Süden ausgreifenden Platz wie auch in dem durchgehenden Straßenraum der Rue de Strasbourg zum Ausdruck kommt. Nach Westen hin schließt dieser Bebauungsteil mit vier quergestellten Reihenhausriegeln (im Lageplan A und H) ab.

Nach diesem abwechslungsreichen städtebaulichen Layout, bei dem es sich keineswegs nur um eine bloße Aufreihung oder schematische Aufteilung handelt und das auch heute noch nach vielerlei Veränderungen und Abnutzungen aufzunehmen ist, mag es aufschlußreich sein, die einzelnen Gebäude noch etwas genauer ins Auge zu fassen. Wohl durch die Modellhäuser der Vorstufe beeinflußt, versuchte der Planer, in vier Haustypen die den Arbeitern angemessene Wohnhausform zu finden.

Den Typ der gegeneinandergestellten Reihenhäuser »maisons dos à dos« bzw. »maisons contiguës adossées«, bei dem zehn (im Lageplan K) Wohneinheiten mit 5,25 auf 6,00 Metern Grundfläche jeweils zu einem Block zusammengepackt sind, dürfte vermutlich die Absicht zur äußersten Sparsamkeit hervorgebracht haben. Dieses Arrangement entspricht der vielgeschmähten englischen Back-to-back-Lösung, mit der sich, wie bereits zu sehen war, auch ein »model village« wie Copley um 1850 behelfen mußte. Dafür konnte dieser Typ, je nachdem ob es sich um eine Mittel- oder Ecklage handelte, zum Minimalpreis von 1850 bis 2150 Francs hergestellt werden. Er wies jedoch so gravierende Mängel auf, daß er einem Modellbauvorhaben dieser Art schlecht anstand. Einmal fehlte es an der bei so kleinen Wohnungen besonders wichtigen Querlüftung, zum anderen blieben bei einer einseitigen Ausrichtung nach Norden (siehe Block G) alle Wohnungen dieser Seite ohne Sonne – für Wohnräume eine unzumutbare Situation. Die Ausführung dieses Typs erscheint deshalb trotz aller Einsparzwänge für die Reformansätze einer »cité ouvrière« baulich abwegig und sozial verantwortungslos.

Sicher kann man dem anderen Reihenhaustyp »maisons entre cour et jardin« (im Lageplan F und H), bei dem die Wohneinheiten einfach aufgereiht sind, diese Mängel nicht anlasten. In der gewählten Anordnung als Nord-Süd-Zeile erhält jeder Raum ausreichend Licht, Luft und Sonne, und bei der Ausstattung mit drei Schlafzimmern konnte auch eine größere Arbeiterfamilie bequem und ungestört wohnen. Kritisch vermerkt werden müssen nur die allzu knappen Ausmaße der Räume. Denn eine Küche mit einer

314. Das Zentrum der Cité ouvrière von Mülhausen i.E., heute Place Adolphe May. (Photo: Walter Kieß)

315. Reihenhäuser – maisons dos à dos – an der Rue Papin in der Cité ouvrière, Mülhausen i.E. (Photo: Walter Kieß)

316. Einfach angeordneter Reihenhaustyp – maisons entre cour et jardin – in der Cité ouvrière, Mülhausen i.E. Grundrisse von Erd- und Obergeschoß und Straßenansicht. (*Allgemeine Bauzeitung*, Wien, 1868/69, Bd. 33/34)

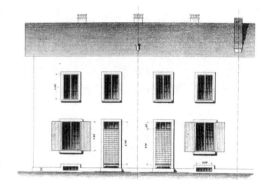

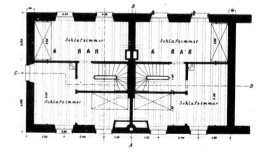

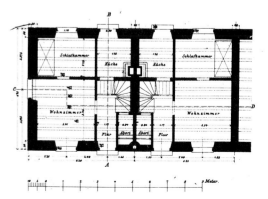

Grundfläche von 1,95 auf 2,23 Metern paßt nur schlecht zur sonstigen Wohnungsgröße, und auch der Zuschnitt der Schlafzimmer im Obergeschoß läßt, da die notwendige Raumtiefe fehlt, keine vernünftige Möblierung zu. An diesem Punkt, bei der Wohnungsgröße, stößt man jedoch überhaupt an die Grenze der Lösungsmöglichkeiten in dieser »cité ouvrière«: mit Baukosten von 3000 bis 3100 Francs erwies sich dieser Typ für einen normalen Arbeiterverdienst als zu teuer. Er kam deshalb auch nur für Werkmeister und gutgestellte Arbeiter in Frage und wurde lediglich in zwei Blöcken zu je zehn und in zwei Blöcken zu je vier Wohnungen gebaut. Daß es sich aber um eine wünschenswerte Lösung handelte, zeigt die Wertsteigerung auf 5000 bis 6000 Francs pro Wohneinheit innerhalb von zehn Jahren.

Für den größeren Teil der Bebauung war es demnach notwendig, in dem für die Arbeiter als erschwinglich angesehenen Kostenrahmen von 2500 bis 2700 Francs zu bleiben. Dieser Voraussetzung sollte die dritte Lösung entsprechen, die als »Mülhausener System« eine fragwürdige Berühmtheit erlangt hat.[151] Bei diesem Haustyp – »maisons à étage par groupe de quatre« – (im Lageplan B und B') verfiel der Planer auf den kuriosen Gedanken, eine Gruppe von vier Wohneinheiten kreuzförmig zu einem zweigeschossigen Einzelgebäude zusammenzustellen und mit entsprechenden Gartenanteilen zu versehen. Er gab mit dieser Anordnung durch die Einsparung von Wänden zweifellos ein Beispiel äußerster Ökonomie. Auch ist bei diesem Typ eine Durchlüftung der Räume über Eck halbwegs möglich, und die Belichtung von zwei Seiten her kann als ausreichend angesehen werden. Doch was gibt eine Grundfläche innerhalb der Mauern von je 5,00 auf 5,70 Metern auf zwei Stockwerken an Räumen her? Im Erdgeschoß reicht es gerade zu einem passablen Wohnzimmer und einem schwach belichteten Vorraum, dem, da kein

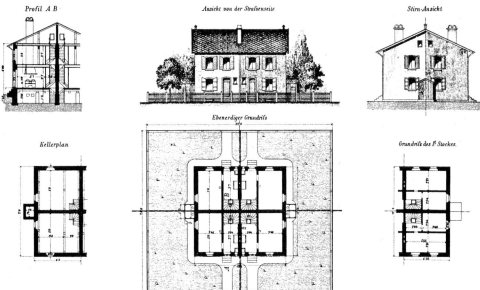

317. Zweigeschossiges vierteiliges Haus an der Rue de Strasbourg, Mülhausen i.E. (Photo: Walter Kieß)
318. Zweigeschossiger vierteiliger Wohnhaustyp – maisons à étage par groupe de quatre – in der Cité ouvrière , Mülhausen i.E. Grundrisse, Schnitt und Ansichten. Entwurf von Emile Muller. (*Allgemeine Bauzeitung*, Wien, 1889, Bd. 54)

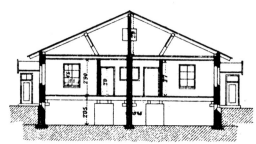

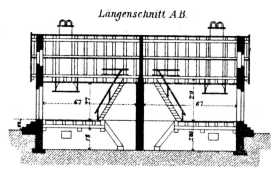

weiterer Platz verfügbar ist, gleich mehrere Funktionen zugedacht sind: Er ist Eingangs- und Durchgangsflur; mit Kochherd und Ausguß ausgestattet, soll er auch Küche sein; schließlich enthält er im rückwärtigen Teil die steile, gewendelte Stockwerkstreppe, über die der Zugang zum Keller und zum Obergeschoß erfolgt, wo sich ein Schlafzimmer und eine Kammer befinden. Der Abort ist zwar nicht vergessen worden, aber es ist ihm nicht mehr als ein Bretterverschlag außerhalb der Wohnung zugestanden. Da ist es plausibel, daß es keine weiteren Sanitäreinrichtungen gibt, zumal das Frischwasser ursprünglich von den Straßenbrunnen in die Häuser geholt werden mußte. Daneben gibt es noch den vierten Typ – »maisons à rez-de-chaussée par groupe de quatre« –, bei dem die Gruppe der vier zusammengestellten Wohnungen auf eine ebenerdige Ausführung reduziert ist (im Lageplan M, N, O). In diesem Fall war es notwendig, die Abmessungen etwas größer zu wählen (Innenmaß 5,5 auf 6,5 Meter), um auf dem einzigen Geschoß, das es aufzu- teilen gibt, außer Flurküche und Treppenteil wenigstens ein Wohn- und ein Schlafzim- mer herauszubringen. Zur Not war unter dem Dach noch etwas Platz für Schlafkam- mern. Diese Sparlösung senkte zwar den Herstellungspreis auf 2425 bis 2575 Francs, sie trug aber von Anfang an den Keim zu Aufstockungen und Anbauten in sich, wie sich schon nach kurzer Zeit herausstellen sollte.

Als die Bauträgergesellschaft gegen 1857 die ihr im staatlichen Subventionsvertrag auf- erlegte Zahl von dreihundert Hauseinheiten erstellt hatte, sprach nichts dagegen, den Ausbau fortzusetzen. Denn die Arbeiter zeigten weiterhin ein großes Interesse an den Wohnungen, auch kamen sie ihren Abzahlungsverpflichtungen in der Regel nach.[152]

So entstand in den folgenden Jahren auf einem wesentlich größeren Gelände westlich des Entlastungskanals die »nouvelle cité«. Die Verbindung zwischen den beiden Stadttei- len stellt die durchgehende Lindenallee der Rue de Strasbourg her, für deren westliche Verlängerung eigens eine Brücke über den Kanal gebaut wurde. Während im südlichen Bereich des Erweiterungsareals noch einmal zwischen der Rue de Strasbourg und der Rue Thénard sechs Zeilen mit dem zweifelhaften Typ der gegeneinandergestellten Rei- henhäuser (im Lageplan K) zu finden sind, ist dagegen der größere Teil des Geländes im Norden mit dem Typ der vierteiligen Einzelgebäude in ebenerdiger Ausführung überbaut (im Lageplan M, N, O). Offensichtlich bevorzugten die Hauskäufer aus finanziellen Er- wägungen diese relativ billige, aber überaus fragwürdige Lösung. Was dann mit diesen Einzelbauten im Bebauungsplan als neue Cité zustande kam, reicht nicht über eine bloße Addition hinaus. An einem Straßenraster, das mit der Rue de la Comète und der Rue Sainte-Thérèse parallel und mit der Rue Lavoisier, Rue Jean Jaurès und Rue des Oiseaux senkrecht zur Rue de Strasbourg verläuft, sind unzählige Häuser aufgereiht, die im In- nern der Viertel nur noch von schmalen Durchgängen (z.B. Passage de la Salle d'asile) erschlossen werden. Es scheint so, als ob der Planer bei dieser Erweiterung jede Anteil- nahme an einer räumlichen oder künstlerischen Durchgestaltung verloren hätte. Jeden- falls kam weder eine Platzbildung noch eine nennenswerte Differenzierung der Baukör- per zustande. Man empfindet deshalb die Bebauung vom Planbild her gesehen als stereotyp und spannungslos. Dieser Eindruck täuscht aber insofern, als die einzelnen Häuser von Gärten umgeben sind, durch deren Bepflanzungen das Bild belebt und die Starrheit der Hausreihen merklich abgemildert wird.

319. Wohnbauten der »nouvelle cité« am Quai du Forst, Mülhausen i.E. (Photo: Walter Kieß) 320. Eingeschossiger vierteiliger Wohnhaustyp – maisons à rez-de-chaussée par groupe de quatre – in der Cité ouvrière, Mülhausen i.E. Grundrisse, Schnitt und Giebelansicht. (*Allge- meine Bauzeitung*, Wien, 1889, Bd. 54)

314

Eine neue Situation für die »cités« ergab sich von dem Zeitpunkt an, als bei den ersten Wohnungen die zehnjährige Verbotsfrist für den Verkauf und für bauliche Veränderungen abgelaufen war. Um den normalen Arbeitern überhaupt den Erwerb einer Hauseinheit zu ermöglichen, hatte man gleich von Anfang an in vielen Fällen toleriert, daß sie sich durch Untervermietung eines Teils ihrer Wohnung zusätzliche Mittel für die Abzahlungen verschafften. Damit war bereits der Weg zum Mietshaus, zum »Zinshaus« vorgezeichnet. Wenn aber in einer solchen Wohneinheit statt einer bis zu drei Familien hausten,[153] so mußte die erstbeste Gelegenheit genutzt werden, um neuen Platz zu schaffen. Deshalb fanden jetzt alle erdenklichen Veränderungen statt: Anbauten in den Garten hinein, Dachausbauten durch Gauben, Aufstockungen durch Hochdrücken des Daches. Nur an einzelnen Teilen des Vierer-Wohnhauses vorgenommen, führten diese Umbauten zu so grotesken Erscheinungsformen, wie sie heute teilweise noch zu sehen sind. Manche Hauseigentümer schreckten nicht einmal davor zurück, den Freiraum zwischen den bestehenden Häusern zu überbauen, um ihren Grundstücksanteil auf diese Art zu nutzen. Heinrich Herkner beobachtete um 1885, daß von den 698 Wohneinheiten, die nordwestlich der Rue de Strasbourg standen und zumeist als Mietshäuser dienten, nicht weniger als 270 mit Verunstaltungen dieser Art versehen waren.[154] Natürlich konnten auch manche der nach so langer Abzahlungsfrist zu Hauseigentümern gewordenen Arbeiter der Versuchung nicht widerstehen, ihr Hausviertel mit einem ansehnlichen Gewinn an Außenstehende zu veräußern. Es ist klar, daß durch das eine wie das andere die angestrebte formale und soziale Homogenität der Cité gestört wurde.

Als diese Praktiken in den späten achtziger Jahren immer mehr überhandnahmen und die ursprüngliche Bestimmung der »cités ouvrières« durch Grundstücksspekulationen und hohe Zinsbelastungen immer stärker in Frage gestellt war, wurde der weitere Ausbau eingestellt. Am Schluß konnte sich die Société mulhousienne des cités ouvrières immerhin zugute halten, in der Zeit von 1853 bis 1888 insgesamt 1124 Wohneinheiten gebaut und in Mülhausen für 6000 bis 7000 Einwohner Wohnraum geschaffen zu haben.

Aus naheliegenden Gründen ist das Mülhausener Unternehmen bereits während des Ausbaus sowohl von den Industriellen am Ort wie auch vom bonapartistischen Regime in Paris als ein Erfolg dargestellt worden. Auch in der Literatur ist immer wieder voll Bewunderung und in positivem Sinne darüber berichtet worden.[155] Von dieser Seite her schien der Weg gefunden zu sein, wie man mit einem einfachen System der privaten Kapitalbeschaffung, einer staatlichen Subvention und einer tragbaren finanziellen Beteiligung der Hauserwerber aus besitzlosen, lohnabhängigen Proletariern glückliche Eigentümer von Grund und Boden und von Häusern machen konnte. War der Arbeiter aber einmal in diesen Zustand erhoben und waren ihm auf dem Weg dorthin solche Tu-

321. Cité ouvrière, Mülhausen i.E., um 1890. Nach dem Ausbau. (*Allgemeine Bauzeitung*, Wien, 1889, Bd. 54)

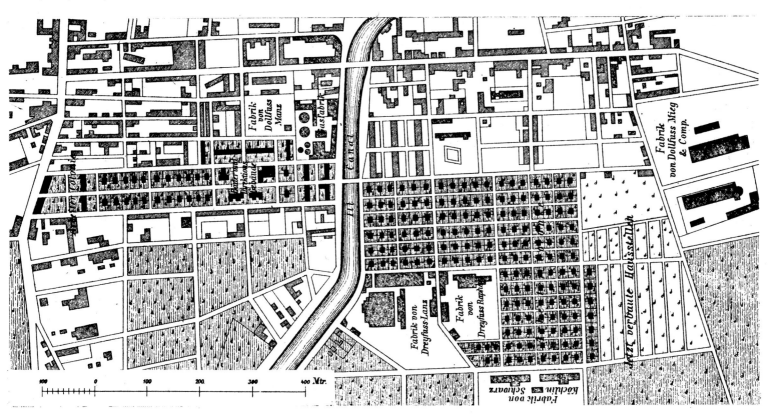

genden wie Sparsamkeit, Ordnungsgefühl, Sauberkeit, Familiensinn, Seßhaftigkeit, Liebe zur Scholle und was sonst noch die Berichterstatter herausstellten, zu eigen geworden, so konnte auch die Wohnungsfrage, wenn nicht gar die soziale Frage, als gelöst gelten.[156] Tatsächlich ist der Werbeeffekt des Mülhausener Unternehmens zur damaligen Zeit nicht zu unterschätzen. Das Beispiel wurde in anderen elsässischen und französischen Orten nachgeahmt und regte zum Bau weiterer »cités ouvrières« an.[157] Im Ruhrgebiet hielt man den vierteiligen »Mülhausener Grundriß« für besonders geeignet und wandte ihn deshalb bei den Wohnhäusern einer Reihe von Arbeiterkolonien an (z.B. Bochum – Kolonie Stahlhausen, 1857–1866; Ludwigshafen – Kolonie Hemshof der BASF, 1868; Gelsenkirchen – Klapheckenhof, 1873–1885).[158]

Von einem kritischen Standpunkt aus gesehen, besagen diese Auswirkungen aber nicht viel. Die Realität sah in Mülhausen anders aus. Die Problematik des Projektes begann schon damit, daß die Initiatoren aus der Société industrielle de Mulhouse sich der Selbsttäuschung hingaben, Arbeiter mit durchschnittlichem Verdienst könnten mit ihrer Kapitalbeihilfe durch monatliche Abzahlungen zu zufriedenen Hauseigentümern gemacht werden. Weil jedoch diese Arbeiter nicht nahezu die Hälfte ihres Monatslohnes für die Wohnungsabzahlung ausgeben konnten – sie wollten schließlich auch noch leben –, verfielen sie auf den Gedanken der Untervermietung. Wenn das Patronat außerdem gemeint hatte, und damit setzt sich die Problematik fort, der Verzicht auf die Wohnkaserne und die Wahl der Einfamilien-Wohneinheit im Viererhaus hätten einer Weitervermietung entgegenstehen müssen, so unterlag es einer zweiten Täuschung. Recherchen, die 1884 in den Cités vorgenommen worden sind, brachten unvorstellbare Zustände ans Tageslicht. Wie Herkner berichtet, »fand man in einem einzigen Hause (gemeint ist eine Wohneinheit des Viererhauses) sechs Familien und einen einzelnen Arbeiter, der die Mansarde bewohnte, im Ganzen 42 Personen ...«[159] Zweifellos war der Grundriß des Viererhauses nicht auf Vermietbarkeit hin angelegt. Aber als die Vermietung sich als ein unumstößliches Faktum herausstellte, kamen die Mängel der Grundrißanordnung um so krasser zum Vorschein. Was als Flurküche gedacht, in Wirklichkeit aber nur ein schmaler, dunkler Eingangs- und Verteilungsflur war, benutzten die Bewohner tatsächlich nur als Durchgang. Und die Zimmer und Kammern dienten dann allen anderen Bedürfnissen: dem Wohnen, Schlafen und Kochen gleichermaßen. Selbst die Möglichkeit des Dachausbaus für eine Schlafkammer führte zu der abwegigen Konsequenz, in dieser Mansarde eine ganze Familie zu beherbergen.

Einer weiteren Fehleinschätzung unterlagen die Fabrikanten, indem sie dem Gedanken des Wohnungseigentums bei den Arbeitern ein Gewicht zumaßen, das er nicht hatte und das er bei ihrer kümmerlichen Entlohnung auch nicht haben konnte. Zu diesem Punkt ist alles gesagt, wenn man erfährt, daß um 1890 kaum noch Arbeiter in der ersten Cité als Wohnungseigentümer zu finden waren. Die meisten hatten ihre Hauseinheit inzwischen gewinnbringend verkauft und wohnten an anderer Stelle in Mülhausen wieder auf die primitivste und billigste Art. Sie wegen dieses Vorgehens als Spekulanten zu bezeichnen, wäre der Société mulhousienne des cités ouvrières im übrigen schlecht angestanden. Denn sie selbst verschmähte es nicht, anfänglich billig erworbenen Boden für die Cité, der nicht mehr gebraucht wurde, zum Höchstpreis zu veräußern, um mit diesem Spekulationsgewinn die Finanzen des Unternehmens zu verbessern.

Wer sich allerdings zu keiner Selbsttäuschung verleiten ließ, waren die Arbeiter. Sie blieben sich trotz der sittlichen Disziplinierungsversuche des Patronats und trotz der Subventionsgesten des Staates ihres finanziellen Unvermögens bewußt. Im industriellen Schwerpunkt Mülhausen ist es, so muß abschließend resümiert werden, ganz offensichtlich nicht gelungen, mit dem Palliativ der »cité ouvrière« dem Mangel an Arbeiterwohnungen abzuhelfen. Und es ist auch nicht geglückt, durch die Anwendung eines ausgefallenen Haustyps den Arbeitern zu einer eigenen Wohnkultur zu verhelfen.

Heute, mehr als 130 Jahre nach ihrer Erbauung, sind die Cités ouvrières de Mulhouse an Ort und Stelle nur noch rudimentär erkennbar. Geblieben sind das rechtwinklige Straßengerüst und die einzelnen Quartiere. Die Gebäude selbst haben, wenn sie nicht abgerissen und durch Neubauten ersetzt worden sind, Veränderungsprozesse bis zur Unkenntlichkeit durchgemacht. Nur noch ab und zu zeichnet sich die alte Hausform im Umriß ab, tritt noch ein Eckpilaster oder ein verziertes Ortgangbrett als Detail in Erscheinung. Doch wie zur Versöhnung des baulichen Mißgeschicks kaschieren lebendige Gärten mit dichtem Baum- und Strauchbewuchs die Überbleibsel eines gutgemeinten urbanistischen Versuchs. Fast wie verwischt existieren die Cités weiter, ohne Denkmalschutz, ohne Stadterneuerungsprogramm – ein Memento des 19. Jahrhunderts.

Zweifellos ist mit dem Mülhausener Beispiel das Wesentliche über die französischen »cités ouvrières« gesagt. Es ist aber doch noch aufschlußreich zu beobachten, wie die Anregungen von Mülhausen in Frankreich aufgegriffen und verarbeitet wurden.[160] Im nahe gelegenen Guebwiller ging die Firma MM. Bourcart schon 1854 daran, ebenfalls Arbeiterwohnungen zu bauen. Sie übernahm, wohl der sparsamen Lösung zuliebe, ohne kritische Wertung den Mullerschen Typ des gegeneinandergestellten Reihenhauses und erstellte nach diesem Muster am Ortsrand mehrere zweigeschossige Blöcke. Doch waren damit, wie sich nach einiger Zeit herausstellte, weder die Wohnungszustände der Arbeiter zu verbessern noch die Erwartungen auf gute Wohnungen zu erfüllen.

Es kam deshalb 1860 zur Gründung der Société des cités ouvrières de Guebwiller.[161] Ihr Kapital betrug 342 000 Francs, aufgebracht durch die Zeichnung von 342 Aktien zu 1 000 Francs. Eine Kapitalaufstockung durch eine staatliche Subvention gelang nicht, da die Förderungsmittel des Innenministeriums in Paris bereits erschöpft waren. Das war dann auch einer der Gründe, weshalb die Baukosten in Guebwiller höher als in Mülhausen ausfielen. Zusätzliche Kosten verursachten zudem die Änderungen, die auf Vorschlag des Inspektors der Cités ouvrières de Mulhouse, Bernard, vorgenommen wurden. Die den Arbeitern zum Kauf angebotene zweigeschossige Wohneinheit kostete in der Eckausführung 4 200 bis 4 500 Francs, in der Mittellage 3 600 bis 3 800 Francs. Diese konnte zu ähnlichen Bedingungen wie in Mülhausen erworben werden: Der Käufer mußte beim Einzug ein Zehntel der Gebäudekosten und die Beurkundungsgebühren bezahlen, also etwa 400 Francs aufbringen; mit monatlichen Zahlungen von 20 bis 30 Francs war er dann nach 15 Jahren Eigentümer. Außerdem trugen ihm die Statuten auf, für den Bauunterhalt zu sorgen, die Wasserleitungen und Abflußkanäle zu überwachen, den Garten sauberzuhalten und das Gebäude weder durch Anbauten noch durch Aufstockungen zu verunstalten. Anscheinend sollten dadurch die Mißstände von Mülhausen verhindert werden.

Dem Umfang nach ist jedoch die Cité ouvrière de Guebwiller mit ihrem Vorbild nicht vergleichbar. Bei ihr reihen sich die Baukörper einfach parallel zur durchgehenden Vizinalstraße auf, ohne daß es zu einer Platzbildung oder räumlichen Fassung kommt. Eine kleine Differenzierung erhält die Abfolge der Reihenhäuser lediglich durch den Einschub eines Schulhauses (im Lageplan D), eines Lebensmittelgeschäftes (im Lageplan E) und eines Doppelhauses für Meister (im Lageplan F), sowie durch die verschiedenartige Länge der Baukörper entsprechend dem verwendeten Haustyp.

Den Anfang der Bebauung markieren die kleinen Blöcke mit acht Wohneinheiten (im Lageplan A) der Firma MM. Bourcart. Darauf folgen die längeren Reihenhäuser der Gesellschaft, wobei ein Block noch die ältere Grundrißlösung aufweist, die beiden anderen aber nach einer verbesserten Version (im Lageplan B) angelegt sind. Mit diesem weiterentwickelten Typ hat die Gesellschaft auf einem anderen Areal noch vier weitere Blöcke als »deuxième cité« gebaut, in diesem Fall in Zeilenbauweise winkelrecht zur Straße gestellt.

Im Jahr 1867 umfaßte die gesamte Anlage immerhin 139 Wohneinheiten, wovon 49 auf die Firma MM. Bourcart und 90 auf die Société entfielen. Bei 49 Häusern waren die Arbeiter Eigentümer geworden. Man kann bei diesem bescheidenen Anteil vermuten, daß

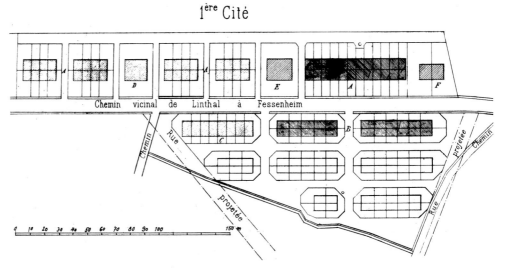

322. Cité ouvrière, Guebwiller. (A. Penot, *Les Cités Ouvrières de Mulhouse et du Département du Haut-Rhin*, Paris 1867)

der Hauserwerb den Arbeitern in Guebwiller ebenso schwerfiel wie in Mülhausen. Es war deshalb konsequent, wenn die Firma MM. Bourcart die eingeschossigen Wohnungen in einfacher Reihenhausform (im Lageplan C) überhaupt nicht zum Verkauf vorsah, sondern diese nur vermietete. Obwohl bei dieser Konstellation die Ausformung des Typs nicht unbedingt von den Baukosten abhing, fiel die Grundfläche dennoch zu klein aus. Als seine Vorzüge sind aber die beidseitige Belichtung und Besonnung sowie die Querlüftung anzusehen. Damit war endlich eine dem Einfamilien-Reihenhaus adäquate Grundrißaufteilung gefunden. Denn jetzt sind vom Treppenhaus aus Wohnzimmer, Küche und der im Hausinnern gelegene Abort zugänglich. Rechnet man noch die Nebenräume im Keller und im Dach hinzu und geht man von der Belegung durch eine Familie aus, so hat man es mit einer brauchbaren Wohnung zu tun. Nicht optimal gelöst erscheinen nur noch die zu schmale Küche, das gefangene Schlafzimmer und die unbelichtete Dachkammer in der Mittellage.

Der zweigeschossige Reihenhaustyp hat a priori die Nachteile der Dos-à-dos-Anordnung. Ohne Zweifel ist der Grundriß gegenüber der Mullerschen Fassung von Mülhausen in manchen Punkten verbessert: An Stelle der unbrauchbaren Flurküche gibt es ein nach vorne gerücktes, abgeschlossenes Treppenhaus, das sich im Erdgeschoß zwischen eine kleine, aber eigenständige Küche und eine größere Wohnstube schiebt. Diese Aufteilung wiederholt sich bei den beiden Schlafräumen im Obergeschoß, deren Raumtiefe von vier Metern die Aufstellung von zwei Betten hintereinander zuläßt. Das Treppenhaus nimmt an der Vorderseite noch den Abort auf, und zwar in der Art eines eingestellten Kastens. Dieser ist so niedrig gehalten, daß darüber noch etwas Licht eindringen kann. Die Treppe setzt sich nach oben bis zum Dachboden fort, wo die Kniestockkonstruktion auf eine Nutzung als Schlafkammer hindeutet, obwohl die für die Belichtung und Belüftung notwendigen Vorrichtungen fehlen. Offensichtlich fand die Société diese von dem Ingenieur J.J. Ziegler aus Guebwiller geplante Anordnung so optimal, daß sie fast alle ihre Blöcke nach diesem Muster baute. Die Arbeiter gaben sich damit jedoch nicht zufrieden, sie wollten die Wohnungen größer haben, möglichst mit einer weiteren Kammer auf jeder Etage. Diese Ausweitung hätte es einer Arbeiterfamilie ermöglicht, mit den drei Räumen eines Stockwerks vorliebzunehmen und das andere Stockwerk zu vermieten, um mit den Einnahmen daraus die hohen monatlichen Abzahlungen zu bestreiten. Dieses Ansinnen an die Baugesellschaft weist letzten Endes nur wieder auf die von Mülhausen her bekannte Problematik hin: Eigentlich reichte auch hier dem Arbeiter mit Durchschnittsverdienst das Geld nicht aus, um in der »cité ouvrière« einen Hausanteil zu erwerben. Und da die Unternehmer dieses Faktum nicht wahrhaben wollten, sahen die Arbeiter nur den Ausweg, ihre eigenen Räume zu vermieten. Unter diesen Umständen wäre es ehrlicher gewesen, von der Illusion des Wohnungseigentums abzulassen und die Arbeiter mit Mietwohnungen zu einem mäßigen Zins zu versorgen. Dann wäre ihnen wenigstens die Ausnutzung untereinander erspart geblieben und die »cité ouvrière« hätte sich auf ein Hausbauunternehmen des Patronats als die durchschaubare Form der Wohnungsfürsorge reduziert.

## »Cités ouvrières«, Le Creusot

Außerhalb des elsässischen Bereichs ist noch ein anderes paternalistisches Wohnungsbauunternehmen dem Umfang und der Programmatik nach aufschlußreich. Le Creusot, im Kohlebecken von Montcenis (Saône-et-Loire) gelegen, war seit der Übernahme der alten Schmiedewerkstätten durch die MM. Schneider Frères et Cie im Jahre 1836 ein wichtiger Industriestandort Frankreichs.[162] Diese Firma stellte Spezialstähle her und verarbeitete Eisen in vielfältiger Weise. Die Produktion umfaßte Eisenbahnmaterial, Lokomotiven, Dampfschiffe, Waffen, auch ganze Hafen- und Fabrikeinrichtungen.

Mit dem industriellen Aufschwung ab 1850 war gleichzeitig auch ein großer Bedarf an Arbeitskräften verbunden. Das drückt sich im Anstieg der Bevölkerung Le Creusots von 1300 Einwohnern im Jahr 1826 auf 13000 Einwohner im Jahre 1855 aus. Schon früh zogen die Schneider-Werke eine große Zahl von Menschen aus nah und fern an. Der Ort selbst, anfänglich nur ein kleiner Marktflecken (»bourgade«), war kaum in der Lage, die Zuziehenden aufzunehmen. Aus diesem Grunde sah sich das Patronat von Anfang an veranlaßt, selbst für die Unterbringung der Arbeiter zu sorgen. Eine Wohnungsfürsorge lag aber auch deshalb nahe, weil der Fabrikherr Joseph-Eugène Schneider (1805–75) eine rege politische Tätigkeit im Second Empire entfaltete.[163] Er kannte also die Zielset-

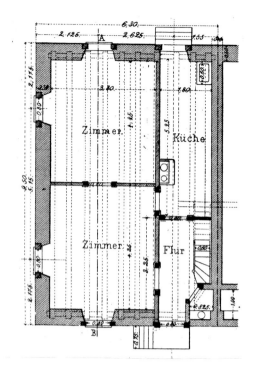

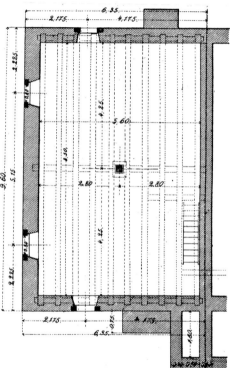

323. Eingeschossiger Reihenhaustyp der Cité ouvrière, Guebwiller. Grundrisse von Unter- und Erdgeschoß. (A. Penot, *Les Cités Ouvrières*, a.a.O.)

zung des paternalistischen Arbeiterwohnungsbaus im Sinne Louis Napoléons genau, und als Bonapartist mußte er bestrebt sein, danach zu handeln. Daß er dabei auch die Absicht verfolgte, die schwer beanspruchten und kärglich entlohnten Arbeiter auf diese Weise zufriedenzustellen, kann vorausgesetzt werden.

Wie an anderen Orten praktiziert, versuchte man auch in Le Creusot anfänglich, das Wohnungsproblem mit großen Mietskasernen zu lösen. Das ist aus der Caserne des Mécaniciens mit 128 Wohnungen und der Caserne des Mineurs mit 80 Wohnungen zu ersehen. Dafür gab es am Ort bereits aus der Frühzeit der Fonderie Royale in den Casernes des Alouettes (96 Wohnungen) eine Vorgabe. Die Unzulänglichkeit dieser Unterbringungsart, die sich im besten Fall für kleine Familien und Unverheiratete eignete, stellte sich jedoch rasch heraus. So verwundert es nicht, daß die Behausung der Bergarbeiter schon 1862 und die der Mechaniker gegen 1870 abgerissen wurden.

Etwa ab 1850 schlug die Geschäftsleitung andere Wege der Wohnungsversorgung ein. Sie entschied sich, den Reformvorstellungen der Zeit folgend, generell für den Kleinhausbau, für den ihr im Umland von Le Creusot genügend billiges Bauland zur Verfügung stand und für den mit der Cité de la Combe des Mineurs (oder »Combe aux Anglais«) bereits ein Beispiel gegeben war.

In diesem Falle ist die Cité-Bezeichnung sicher zu hoch gegriffen, denn es geht dabei nur um eine abgestaffelte vierteilige Reihenhauszeile, die allerdings bei der vorhandenen Hangsituation eine erstaunliche Nutzung aufweist. Das steil abfallende Gelände erlaubt es nämlich, bei zweigeschossiger Anordnung über versetzte Eingänge sowohl im oberen wie im unteren Bereich ebenerdig in ein Wohngeschoß zu treten, ohne daß Treppen notwendig sind. Auf diese Art ergeben sich nicht weniger als 30 Einzimmer- und 12 Zweizimmerwohnungen, wobei das untere Geschoß, da es auf der Rückseite in den Hang hineinstößt, in der Belichtung und Belüftung stark benachteiligt ist und eines Entwässerungsgangs (»galerie d'assainissement«) bedarf, um zum Wohnen tauglich zu sein. Die oberen Wohnungen mit den beiden Außenseiten erlauben dagegen differenziertere Grundrisse, doch bleiben sie, auch wenn zur Küche zwei Räume hinzukommen, mit 25 bis 40 Quadratmetern Fläche einfach zu klein. Einen gewissen Raumausgleich könnte man allerdings in den jenseits des Wegs gelegenen Nebengelassen (Aborten, Kohlenlager, Keller) sehen. Diese Hausgruppe geht auf eine Zeit zurück, als die zwei Engländer Aaron Manby und David Wilson zwischen 1826 und 1833 die Schmiedewerkstätte in Le Creusot betrieben und offenbar einen in Wales gebräuchlichen Arbeiterhaustyp auf die französischen Verhältnisse der Charbonnière übertrugen.[164]

Wie das Patronat nach der neuen Auffassung im Wohnhausbau tatsächlich vorging, läßt sich beim Bau der sogenannten Cité des Pompiers von 1860 beobachten. Sie diente zur Unterbringung der Angehörigen der Werksfeuerwehr. Damals noch weit außerhalb des Orts gelegen, besteht sie lediglich aus zehn Häusern des gleichen Typs (»maison creusotienne à quatre logements«), die der Reihe nach an der alten Straße nach Montcenis (heute Rue Lavoisier) in leichter Abknickung aufgereiht sind. Ausgeführt wurden zweigeschossige Doppelhäuser, die jeweils vier Wohnungen mit zwei Räumen, »chambre« und »cuisine«, enthalten. Sie sind im Obergeschoß durch seitlich angebrachte Außentreppen (»escaliers en pignon«) erschlossen, unter denen, geschickt eingefügt, Aborte, Kohleablage und Kellerzugang liegen.[165] Im Gegensatz zur älteren Mietskaserne ist das eine neue Bauweise, die sich selbst in ihrer einfachen Strukturierung vorteilhaft aus der Streubebauung von Le Creusot abhebt.

Insgesamt darf man sich aber keine falschen Vorstellungen von der Rolle der Schneider-Werke bei der Wohnraumbeschaffung machen. Der Anteil der Firma am Wohnungsbestand von Le Creusot blieb fast immer unter zehn Prozent. Sie mußte, wie sie selbst feststellte, »keine ausgedehnteren Cités bei ihren Fabriken bauen, indem sie es dabei bewenden ließ, daß ein sehr großer Teil ihrer Arbeiter und Angestellten Eigentümer ihres Hauses geworden sind«.[166] Tatsächlich sind im Jahre 1867 nach Cheyssons Angaben 14,3 Prozent der Arbeiter Hausbesitzer gewesen.[167] Und es steht auch fest, daß sich in Le Creusot um diese Zeit ein besitzendes Kleinbürgertum aus Handwerkern, Kaufleuten, Particuliers und bessergestellten Arbeitern herausgebildet hatte, das im Ort Häuser besaß und das in dessen sozialem Spannungsfeld als ein wichtiger Stabilisierungsfaktor wirkte. Zweifellos hat das Patronat maßgebend zu dieser Entwicklung beigetragen. Es begann nämlich ab 1850 damit, Kredite zu vergeben, um zum Bauen zu animieren. Diese deckten die Baukosten entweder ganz oder teilweise ab; sie wiesen aber nur kurze Laufzeiten auf und mußten schon nach fünf Jahren zurückgezahlt und mit fünf Prozent verzinst werden. Wer also aus der Arbeiterschaft bauen wollte, wurde vom Werk auf diese Art un-

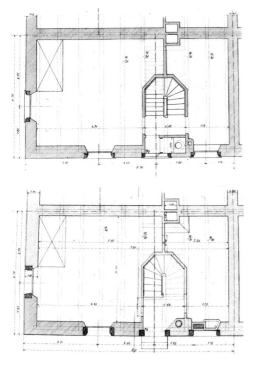

324. Zweigeschossiger Reihenhaustyp der Cité ouvrière von Guebwiller. Grundrisse von Erd- und Obergeschoß. (A. Penot, *Les Cités Ouvrières*, a.a.O.)

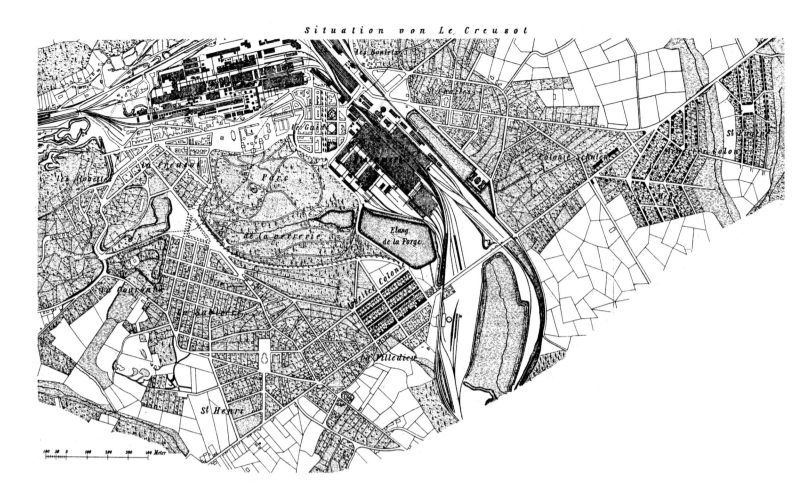

325. Le Creusot um 1885 mit dem alten Orts-
kern, den Schneider-Werken und den Ortserweiterungen. (*Allgemeine Bauzeitung*, Wien,
1889, Bd. 54)

terstützt. Die Frage ist nur, ob ein einfacher Arbeiter mit einem Tageslohn von
3,30 Francs, wie er um 1867 bezahlt wurde, mit diesem Kreditangebot viel anfangen
konnte. Eine Verallgemeinerung ist hier sicher nicht möglich, denn schließlich mochte
wohl alles von den persönlichen Verhältnissen des einzelnen Arbeiters abhängen.

Eine neue Stufe erreichte der Arbeiterwohnungsbau in Le Creusot, als sich Eugène
Schneider entschloß, dem Vorbild der Mülhausener Textilfabrikanten zu folgen und
ebenfalls eine größere werkseigene Arbeitersiedlung zu bauen. So entstand 1865, zwei
Jahre vor der Weltausstellung, die Cité de la Villedieu. Sie wurde von den Techni-
kern des Baubüros der Schneider-Werke entworfen, umfaßte 105 Gebäude und wies die
Form eines städtebaulich einheitlichen Quartiers auf. Le Creusot erhielt damit seine erste
und mit Absicht und Überlegung geplante »cité ouvrière«.[168] Diese konnte auf der Weltausstellung von 1867 in der Gruppe X durch eine Broschüre und Schautafeln einem
großen Publikum vorgestellt werden und gereichte Eugène Schneider, dem Präsidenten
des Corps législatif, zu großer Ehre.

Man wird davon ausgehen können, daß das Mülhausener Beispiel in Le Creusot bis in
die Einzelheiten bekannt war. Dennoch ging das Patronat hier mit einer eigenen Konzeption ans Werk. Mit einer gewissen Voraussicht war der Grunderwerb schon zwischen
1858 und 1863 getätigt worden. Die kleinen Hausstellen wurden von der Firma nach ra-
tionellen Gesichtspunkten selbst gebaut und mit einer einfachen Grundausstattung an
die Werksangehörigen vermietet. Den Bewohnern war dann gestattet, auf eigene Kosten
Vergrößerungen durch Anbauten vorzunehmen. Die Beschränkung auf ebenerdige Häuschen für jeweils eine Familie belastete die Firma nur mit Kosten von 1 620 Francs pro
Hausstelle, womit bei ihr die Kapitalbindung im Gesamtrahmen, also einschließlich der
Baukredite, nicht stark zu Buche schlug. Sie betrug 1865 ausnahmsweise 440 000 Francs,
in den übrigen Jahren jedoch nur 180 000 Francs, und das bei einer Personalkostensum-
me von 3 000 000 Francs.

Den Hausbewohnern wurde bei diesem niedrigen Herstellungspreis nur eine Monatsmiete von 6 Francs in Rechnung gestellt, was nicht einmal einem Zehntel des Arbeiter-
Monatslohns entsprach. Mit dieser im Vergleich zu Mülhausener Verhältnissen geringen
Mietbelastung waren die Arbeiter ihrerseits imstande, mit den eigenen Ersparnissen das
bewohnte Häuschen für ihre Bedürfnisse herzurichten, wenigstens in dem Rahmen, der
durch die Grunddisposition gegeben war.

In städtebaulicher Hinsicht folgt die Cité ouvrière de la Villedieu einem einfachen und wirtschaftlichen Aufteilungssystem mit Längs- und Querstraßen. Die Längsrichtung ist durch die schnurgerade durch die Landschaft geführte Durchgangsstraße von La Montée Noire nach Montcenis (heute Rue du Maréchal Foch/Rue du Président Wilson) bestimmt. Sie wird von der Rue Solferino und der Rue de Sébastopol als schmalen Zwischenstraßen und von der Rue de Puebla als abschließender Randstraße aufgenommen. Die Bebauung mit den Einzelhäusern ist in der Randzone einseitig, in den inneren Bereichen beidseitig, wobei die Straßenabstände Gärten von 22 Metern Tiefe gestatten. Von der Durchgangsstraße her wird das rechteckige Areal von etwa 190 auf 340 Metern, das nach Südwesten leicht abfällt, durch drei rechtwinklig angeordnete Querstraßen erschlossen, von denen die östliche in der Verlängerung nach Norden am Etang de la Forge vorbei zu den Fabrikhallen und zum Ortszentrum von Le Creusot führt. Ihrer Strukturierung nach gelangt diese »cité ouvrière« aber nicht über die durch das Straßenraster zusammengehaltene schematische Addition von gleichförmigen Einzelbauten hinaus, zumal kein Ansatz zu einer Platzbildung zu entdecken ist. Nur dadurch, daß die Häuschen in ihrer Baumasse bescheiden und in ihrem Aussehen gleichartig sind und die Gärten als belebende Einschübe empfunden werden, erhält diese Cité trotz ihres rationalen und geometrischen Rasters ansprechende Züge.

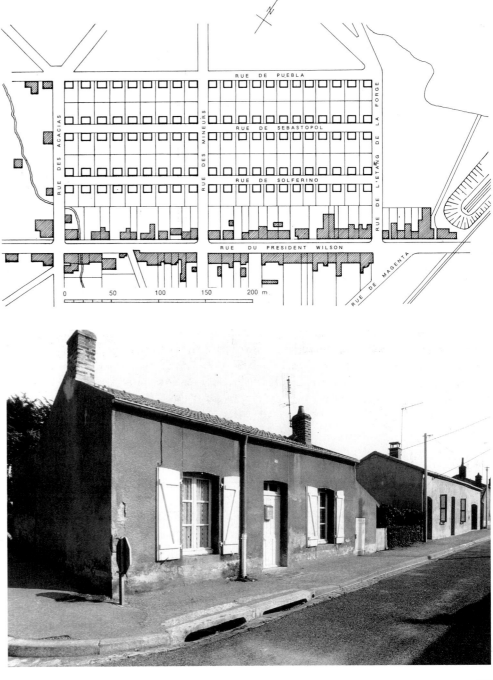

326. Cité de la Villedieu, Le Creusot. Lageplanskizze.
327. Wohnbauten der Rue de Sébastopol, Cité de la Villedieu. (Photo: Walter Kieß)

321

Die Weltausstellung von 1878 war vermutlich wiederum der Anlaß, daß die Schneider-Werke um 1875 zwei weitere »cités ouvrières« bauten, obwohl zu diesem Zeitpunkt der bonapartistische Paternalismus nicht mehr als ideologischer Hintergrund in Frage kam. Aber unabhängig davon fanden Arbeiterwohnungen mit billigen Mieten immer einen Abnehmer, so daß die Firma hier nur weiterhin im Sinne ihres sozialen Wohnbauprogramms handelte.

Ein Blick auf den Gesamtlageplan zeigt die Situierung der neuen Cité de la Croix Menée und der Cité Saint-Eugène. Sie wurden, ebenso wie die ältere Cité de la Villedieu, an die gerade Durchgangsstraße angeschlossen. Nur sind sie vom Stadtzentrum und den Fabrikhallen weiter abgerückt und auf der Südostseite gelegen. An der Cité de la Croix Menée ist indes auch eine ganz andere Straßen- und Grundstücksaufteilung zu beobachten. Von einer Erschließungsstraße oder Straßenachse (Rue de L'Abbé Perrot), die in schrägem Anschnitt in die Durchgangsroute einmündet, gehen in abgewinkelter Rippenform beidseits vier Wohnstraßen ab. An diesen stehen die kleinen Arbeiterhäuschen locker und ohne die betonte Regelmäßigkeit von Villedieu aufgereiht. Jeweils an den Schnittstellen der Straßenrippen mit der Erschließungsstraße weiten sich, im Ausmaß variiert, die Straßenkreuzungen dreieckförmig aus. Es entstehen dabei zwar keine ausgesprochenen Plätze, aber diese Ausformung ergibt doch eine räumliche Differenzierung; außerdem wirken die Kreuzungen überschaubarer und die Rippenansätze beton-

328. Cité de la Croix Menée, Le Creusot. Lageplanskizze.
329. Blick in die Straßenkreuzung Rue de l'Abbé Perrot und Rue d'Allevard der Cité de la Croix Menée, Le Creusot. (Photo: Walter Kieß)

330. Cité Saint-Eugène, Le Creusot. Lageplanskizze.
331. Place du Tonkin der Cité Saint-Eugène,
Le Creusot. (Photo: Walter Kieß)

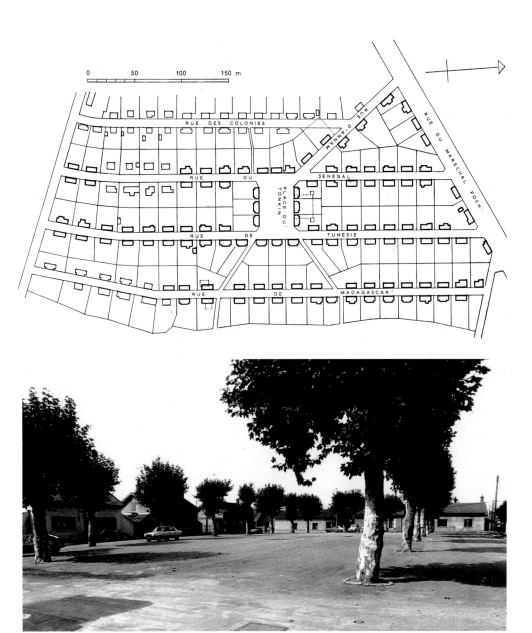

330. Cité Saint-Eugène, Le Creusot. Lageplanskizze.
331. Place du Tonkin der Cité Saint-Eugène,
Le Creusot. (Photo: Walter Kieß)

ter. Offensichtlich führte dieses Aufteilungssystem auch zu einer Abstufung der Bauplatz-
qualitäten: Für die Grundstücke an der Erschließungsstraße waren höhere Preise als an
den Rippenenden zu bezahlen.

Die noch weiter nach Norden hinausgeschobene Cité Saint-Eugène weist wieder eine
parallele Straßenaufteilung mit Nord-Süd-Ausrichtung auf. Dabei sind die Längsstraßen
(Rue du Sénégal, Rue de Tunisie, Rue de Madagascar) zwischen die schräg anschneiden-
de Durchgangsstraße im Norden und die zur Cité de la Croix Menée geführte Rue de
Brassac im Süden eingespannt. Über die beiden anderen Cités hinausgehend, findet sich
hier mit der Place du Tonkin ein räumlicher Mittelpunkt, der zusätzlich über Diagonalverbindungen im Straßengerüst verankert ist. Die Platzausformung selbst ist auf die einfachste Art bewerkstelligt: Die üblichen Häuschen markieren die Platzwände, womit der
Maßstab auch an dieser hervorgehobenen Stelle gewahrt bleibt. Und die eingepflanzten
Baumreihen unterstreichen nur noch zusätzlich den wohnlichen Charakter dieses Platzes.

Das gleichartige Füllelement dieser creusotinischen »cités ouvrières« ist der Typ des kleinen, ebenerdigen Hauses. Es überrascht, auf welches Minimum an räumlichem Aufwand die Werksleitung hier die Grundform reduziert hat, indem sie allem Anschein nach
den in der Gegend üblichen ländlichen Haustyp (»maison de type paysan«) zugrunde
legte.

Bei der Standardlösung, die in der Cité de la Villedieu und Saint-Eugène gleichermaßen
zu finden ist, weist der Grundriß lediglich zwei nebeneinandergelegte ungleiche Räume,
»salle commune« und »chambre«, auf, die den mit einem Satteldach überdeckten Baukörper von 8,80 auf 5,80 Metern bilden. Die Küche ist als Annex entweder auf der Rückseite
unter dem abgeschleppten Dach angehängt oder, mit größerem Zuschnitt, seitlich ange-

baut und mit einem tiefer gelegenen Pultdach überdeckt. Sie ist aber in beiden Fällen seltsamerweise nicht vom Wohnraum, sondern nur vom Garten her zugänglich. Ob in diesen drei Räumen der Grundausstattung bei Wohnflächen von 47 bzw. 63 Quadratmetern erträglich zu wohnen war, mag dahingestellt bleiben, vor allem wenn man bedenkt, daß das Wasser von den zwischen den Häusern angelegten Brunnen geholt werden mußte. Jedenfalls hatte die Werksleitung unter diesen Voraussetzungen allen Grund, den Bewohnern zu gestatten, weitere Verbesserungen auf ihre Kosten vorzunehmen. Es entspricht deshalb der Regel, daß an der Rückseite noch ein Vorratsraum (»cave«) und ein Stall mit Abort hinzukamen und daß auch die Giebelseiten Anhängsel mit Pultdachabdeckungen für die Kohlenablage und anderes erhielten. Da kommt es dann – wie heute noch zu sehen ist – zu merkwürdigen Detailausbildungen: Um von außen giebelseitig mit der Leiter zum Dachboden (»grenier«) hochsteigen zu können, ist der Giebelanbau für den Leitereinschub unterbrochen. Nach dieser Einrichtung zu schließen, könnte es sich hier um den Zugang zu einer dringend erforderlichen Schlafkammer handeln. Obwohl alle diese Erweiterungen die Primitivität des Grundrisses nicht aufheben, sondern eher noch fortsetzen, folgen sie doch dem Prinzip des wachsenden Hauses. Und was man in diesem Falle auch gegen die Prozedur des Anstückelns vorbringen kann, sie ist allem Anschein nach eine wesentliche Voraussetzung dafür gewesen, mit anfänglich wenig Aufwand möglichst vielen Arbeitern das Wohnen im Einzelhaus zu ermöglichen. Jedenfalls spricht die Zahl von 290 Häusern für diese Interpretation. Allerdings sind nicht alle Häuser in den drei »cités ouvrières« nach der beschriebenen Grundrißlösung ausgeführt worden. Gegen 1870 kam ein neuer Haustyp auf, der nicht mehr, von der Straße her gesehen, die Aufreihung und Konturierung betont, sondern der zuweilen mit Rücksprüngen aus der Straßenflucht das Einzelhaus stärker herausstellt und damit die Gärten noch mehr als bisher zur Wirkung bringt. In dieser Auflösungstendenz des geometrischen Musters scheint sich bereits eine neue Auffassung von Straßenraum, Hauskörper und Garten anzudeuten, die in späteren Siedlungen dann tatsächlich zur Anwendung kommt. Im äußeren Erscheinungsbild sind die Folgen der Anbaupraxis nicht so schwerwiegend, wie man annehmen könnte. Die in der Kontur aufgelöste Rückseite ist dem Garten zugewandt; sie entzieht sich, von Laubwerk und Bäumen verdeckt, weitgehend den Blicken. Die Straßenseite dagegen behält fast immer den eingeschossigen, durch einen Kniestock leicht überhöhten Baukörper mit durchgehender Traufe bei. In der Regel rahmen ihn die zwei seitlichen Anbauten mit Pultdach ein, die das Auge, auch als Abfolge im Straßenbild, nicht unbedingt als störend empfindet.

Sind die »cités ouvrières« von Le Creusot nach diesen Eindrücken als ein Erfolg des paternalistischen Arbeiterwohnungsbaus in Frankreich zu werten? Man wird bei der Antwort zu differenzieren haben. Ein Vergleich mit Mülhausen kann verdeutlichen, daß die Wohnbauunternehmungen der Schneider-Werke ohne die dort aufgetretenen Störfaktoren abgelaufen sind. Zum einen waren die finanziellen Belastungen bei den verschiedenen Arten des Wohnens, sei es zur Miete, sei es in dem durch Ratenzahlungen erworbe-

332. Arbeiterwohnhaus mit altem Brunnen an der Rue Solferino der Cité de la Villedieu, Le Creusot. (Photo: Walter Kieß)

*Querschnitt.*

*Ansicht von der Strafse.*

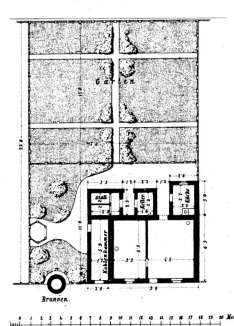

*Brunnen.*

0 1 2 3 4 5 6 7 8 9 10 11 12 13 14 15 16 17 18 19 20 Meter

333. Eingeschossiger Wohnhaustyp der Cités ouvrières, Le Creusot. Grundriß, Querschnitt und Straßenansicht, (*Allgemeine Bauzeitung*, Wien, 1889, Bd. 54)

nen Haus, für den Arbeiter auf ein erträgliches Maß begrenzt. Er konnte sich also ohne existentielle Bedrängnis für die ihm zusagende Alternative entscheiden. Zum anderen verleitete der in Le Creusot gebaute Typ des kleinen Einfamilienhauses mit seiner spartanischen Raumausstattung kaum zur Aufnahme von Schlafgängern oder größeren Mietparteien. Deshalb spielte die Untervermietung hier keine Rolle. Auch ist nicht die Rede davon, daß die Arbeiter die Häuser wieder aufgaben, weil sie diese nicht halten konnten oder weil sie vorzogen, durch deren Verkauf einen kleinen Gewinn zu realisieren. In Le Creusot hielten sich zudem die äußeren Veränderungen der Häuser in Grenzen. Sobald sie ihre Anbauten auf den Giebelseiten erhalten hatten, entsprachen sie alle wieder einer Erscheinungsform, deren Gleichförmigkeit den Eindruck der Unordnung nicht aufkommen läßt. Und gegenüber dem vierteiligen Typ der Mülhausener Bauart waren die Veränderungsmöglichkeiten in Le Creusot weitgehend begrenzt.

Für den örtlichen Wohnungsmarkt bedeuteten die Arbeiterwohnungen der Cités ein wirksames Regulativ. In diesem Punkt haben diese Anlagen anders als in Paris oder Mülhausen die ihnen zugedachte Bestimmung erfüllt, möglichst viele Arbeiterfamilien zu erschwinglichen Preisen mit Wohnungen zu versorgen. Es muß aber noch einmal darauf hingewiesen werden, unter welchen Begleitumständen das geschah: Die Arbeiter mußten sich mit primitiven Haustypen begnügen; sie konnten weder Ansprüche an Wohnkomfort noch an gesellige Einrichtungen stellen; in städtebaulicher Hinsicht reichte die Anordnung der Gebäude kaum über eine schematische Aufreihung hinaus; eine squareähnliche Platzbildung ist nur einmal anzutreffen.

Zweifellos sah man an einem Industrieort wie Le Creusot die räumliche Absonderung der Arbeiterviertel als nicht so bedenklich an wie in Paris. Aber es stellt sich letztlich doch auch hier die Frage, ob die soziale Lage der Arbeiterschaft überhaupt mit einem vom örtlichen Patronat geförderten Wohnungsbau zu stabilisieren und zu verbessern war. Wie die Arbeiter selber darüber dachten, läßt sich aus den schweren Streikunruhen ableiten, die 1870 in Le Creusot infolge der schlechten Lebensbedingungen ausbrachen.[169] Als radikale Antwort könnte man die Proklamation der Commune am 26. März 1871 interpretieren. Aber das transzendiert dann die Thematik des Arbeiterwohnungsbaus von der urbanistischen in eine politische Dimension.

### 6.2.7. Die Pariser Weltausstellung von 1867 und der Arbeiterwohnungsbau

Bevor die politischen Ereignisse in Frankreich ab 1870 den Arbeiterwohnungsbau in den Hintergrund treten ließen, stellte das bonapartistische Regime dieses Thema im Rahmen der Exposition universelle 1867 noch einmal vor seinem Sturz zur eigenen Darstellung groß heraus.[170] Dabei wirkten mehrere, keineswegs gleichgerichtete Komponenten zusammen. Die Arbeiter waren sich mit dem ihnen im Empire libéral zugestandenen allgemeinen Wahlrecht (»suffrage universel«) ihrer politischen Macht bewußt geworden und bestanden deshalb darauf, daß ihre Belange stärker beachtet wurden. So hatten sie bereits zur Industrieausstellung 1862 in London eine Besuchsdelegation aus ihren Reihen mit 1000 Teilnehmern durchgesetzt. Man kann darin, auch wenn der ganze Vorgang nur als »voyage industriel« apostrophiert wurde, eine erste offiziell geduldete Arbeiterorganisation sehen. Und nachdem sie einmal diesen Stand erreicht hatten, schoben sie gleich noch die Forderungen nach einer Sozialenquete und einem Reformplan nach.[171] Bei den Vorbereitungen zur Weltausstellung 1867 in Paris gingen sie wieder in derselben Weise vor, da die politische Lage für sie inzwischen noch günstiger geworden war. Napoleon III., der nach dem »Coup d'état« jede Tendenz zur Arbeiterkoalition als Aufruhr angesehen hatte, gestand jetzt im November 1866 die Bildung einer Arbeiterkommission zur Weltausstellung unter dem Vorsitz des Deputierten Devinck zu. 105 Berufsständen war es erlaubt, 315 Delegierte zu wählen. Und Devinck konnte in einem Bericht an den Kaiser auf die Sorgen und Nöte der Arbeiterschaft aufmerksam zu machen.

Napoleon III. seinerseits sah in dieser Weltausstellung eine günstige Gelegenheit, sein Verständnis für die Arbeiterprobleme zu bezeugen und das bisher von Staat und Patronat Geleistete vor Frankreich und der Welt auszubreiten. Zudem sollte mit der Berufung von Frédéric Le Play (1806–82) zum Generalkommissar der Weltausstellung die Arbeiterbewegung auf die Idee der paternalistischen Sozialreform festgelegt werden.[172]

In den Blickkreis des Kaisers war dieser »Sozialingenieur« bereits als Organisator der Weltausstellung von 1855 geraten. Von ihm erschien in demselben Jahr die Publikation *Les Ouvriers européens*.[173] Sie enthält seine auf vielen Reisen seit 1829 erhobenen und auf

Tatsachenbeobachtungen (»observations des faits«) basierenden Sozialenqueten über die Lebensbedingungen von Fabrikarbeitern und ländlicher Bevölkerung. In 36 Monographien unterteilt, werden zu verschiedenen Familientypen Fakten angegeben, die bis zum detaillierten Familienbudget reichen. In den Kommentaren und Anmerkungen dazu deutet sich bereits der Umriß einer sozialökonomischen Doktrin an, als deren Basis die Familie, die Religion und das Patronat zu gelten haben. Um seinen Bestrebungen einer sozialen Erneuerung die praktische Anwendung zu ermöglichen, gründete Le Play 1856 die Société Internationale des Etudes Pratiques d'Economie Sociale. Er hatte auch sofort eine Anhängerschaft, die sich in der Ecole de la Paix sociale sammelte, um im Sinne einer christlich-sozialen Erneuerung zu wirken. Dabei traf es sich besonders gut, daß gerade zu dieser Zeit Le Plays Anliegen und die religiöse Reaktion des Second Empire koinzidierten. Napoleon III. wußte diese Konstellation zu nützen, indem er Le Play zu seinem persönlichen Berater in sozialen Fragen machte. Er regte ihn auch an, seine Sozialreformtheorie in einer stärker dogmatisch ausgerichteten Schrift zu veröffentlichen. Das geschah 1864 unter dem Titel *La réforme sociale en France déduite de l'observation comparée des peuples européens*. Darin kamen nun die notwendigen Prämissen zur Wiederherstellung des sozialen Friedens klar zum Ausdruck. Da der Verfasser bei seinen Recherchen in der alten, bodenständigen Alleinerben-Familie (»famille souche«) die stabilsten sozialen Verhältnisse und einen sonst kaum bekannten Glückszustand festgestellt hat, sah er für die Überwindung der gesellschaftlichen Antagonismen und der moralischen Dekadenz die Festigung der Familie als eine wesentliche Voraussetzung an. Ihr sollte, für alle Stufen der Gesellschaft, die patriarchalische Ordnung zugrunde liegen. Und so wie in der vorindustriellen Zeit der Pater familias für das Wohlergehen seiner Familienmitglieder zu sorgen hatte, so müssen nun in der industriellen Ära die reichen Familien – »les classes dirigeantes« –, die über die Produktionsmittel verfügen, ihre Mitarbeiter um sich scharen und unter der Idee des Paternalismus auf ihr materielles und moralisches Wohl bedacht sein. In dieser besonderen Beziehung, die auf gegenseitigen Rechten und Pflichten beruht, schulden sie ihnen mehr als den Lohn; sie müssen auch über die konjunkturellen Schwankungen hinweg auf die Beständigkeit der Arbeitsverhältnisse hinwirken und in einem »régime d'engagements volontaires permanents« ihnen eine menschenwürdige Existenz sichern.

Für das Patronat hieß das auch, den Arbeitern den Erwerb eines eigenen Wohnhauses zu ermöglichen und sie zu einem Familienleben auf der Grundlage der Zehn Gebote anzuleiten. Von den Assoziationen dagegen, die seit 1862 einen wichtigen Bestandteil der Arbeiterforderungen ausmachten, erhoffte Le Play wenig, so wie er auch die Interventionen der Regierung für unangebracht und die phantastischen Pläne der Saint-Simonisten für überzogen hielt. Bei diesem Hintergrund überrascht es nicht, daß Le Play und seine Mitarbeiter die Weltausstellung von 1867 dazu benutzten, die bisherigen Leistungen des Paternalismus wirkungsvoll herauszustellen. Das geschah im Rahmen der Sondergruppe X, die für Ausstellungsobjekte bestimmt war »zur Verbesserung der physischen und moralischen Lebensbedingungen der Bevölkerung«.[174]

Es lag nahe, in diesem Zusammenhang neben den anderen paternalistischen Einrichtungen die Arbeiterwohnungsfürsorge besonders hervorzuheben. Tatsächlich nahm sich Frankreichs Beitrag der 91. und 93. Klasse der X. Gruppe am umfangreichsten aus, illustriert durch viele Zeichnungen, Modelle und sieben Musterhäuser, die im Ausstellungspark in natürlicher Größe aufgebaut waren. Napoleon III. hatte noch ein übriges getan, sein besonderes Augenmerk für den Arbeiterwohnungsbau zu demonstrieren. Zum einen ließ er als eine Ergänzung zur Ausstellung 1867 durch den englischen Unternehmer Newton 42 Wohnhäuser an der Avenue Daumesnil erbauen. Das Beste an ihnen war zweifellos die Betonbauweise, die in konstruktivem Sinne neue Wege hätte weisen können; ihr Grundrißzuschnitt verriet dagegen wenig Geschick und kaum Verständnis für die Wohnbelange der Arbeiter. Zum anderen verstand er es, den alten Präsidenten der Arbeiterkommission von 1862, Chabaud, für ein Projekt zu gewinnen, das im Ausstellungspark als »Haus der Pariser Arbeiter« zu besichtigen war und das er mit 20 000 Francs finanziert hatte. Durch Chabaud erfuhren die Arbeiter von dem Angebot des Kaisers, 41 Häuser dieser Art für sie zu bauen.[175] Mit dieser Geste sollte noch einmal mehr die Verbundenheit des Kaiserhauses mit der Arbeiterschaft bekundet werden.

England, das im Arbeiterwohnungsbau Gleichwertiges zu bieten hatte, begnügte sich mit der Präsentation von Planmaterial. Von den übrigen Ausstellern zogen nur noch Belgien mit Wohnhäusern aus Verviers[176] und Württemberg mit der Arbeitersiedlung der Firma A. Staub & Co. aus Kuchen bei Geislingen[177] die Aufmerksamkeit auf sich.

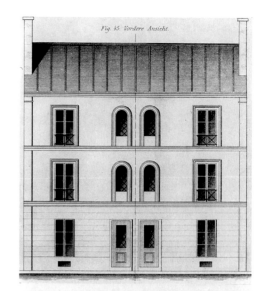

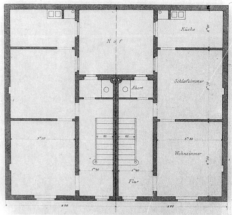

334. Musterhaus für Arbeiter an der Avenue Daumesnil, Paris. Gebaut auf Kosten von Napoleon III. anläßlich der Weltausstellung 1867. (*Allgemeine Bauzeitung*, Wien, 1868/69, Bd. 33/34)

Die französische Sektion stützte sich auf die bereits bekannten Objekte. Mülhausen deckte den Haustyp mit vier Wohnungen ab, Le Creusot und Beaucourt den mit einer Wohnung. So positiv manche ausländischen Berichterstatter diese Lösungen auch aufnahmen und hinstellten,[178] so verhalten klangen die französischen Kommentare. Die Architekturkritik vermißte an den Beiträgen Originalität und Charakter; sie sah keinen wirklich brauchbaren und sicheren Weg beschritten, kein rigoroses Prinzip angewandt, um die Aufgabe praktisch zu lösen.[179] Sie billigte dem »Mülhausener Typ« nur einen gewissen Fortschritt in hygienischer Hinsicht zu.

Die Sozialökonomen aus dem Umreis von Le Play äußerten sich trotz aller Parteinahme für das Patronat ebenfalls mit kritischen Untertönen. Sie waren sich bewußt, daß die Reformansätze nur auf einen kleinen Kreis einsichtiger Fabrikanten begrenzt blieben. Sie erkannten, daß die Unternehmungen an keinem Ort bis zu einem überzeugenden Endpunkt fortgeführt waren. Sie gaben sich auch keiner Täuschung über die tatsächliche Stimmung unter den Arbeitern hin. Denn deren politisch engagierten und weitsichtigen Delegierten lehnten die vermeintlichen Wohltaten des Patronats kategorisch ab. Die Arbeiter kränkte der Gedanke an Almosen, denn sie wollten unabhängig, frei und ihrem Einsatz entsprechend gerecht entlohnt sein. Stolz setzten sie dem paternalistischen Modell der dauernden Verpflichtung des Unternehmers die Idee der Arbeiterassoziation entgegen, deren Erprobung ihnen bisher verweigert worden war.

Das dezidierte Urteil über die »cités ouvrières« ist einem Rapport der Delegation der Mechaniker zu entnehmen: »Das, was niemals unsere Zustimmung finden wird, ist diese Existenz außerhalb des gemeinen Rechtes, diese Kasernierung in einem besonderen Quartier, welche aus uns eine abgesonderte Klasse der Gesellschaft machen würde. Wir befinden uns in einem Lande, wo die Gleichheit zu stark verwurzelt ist, als daß wir jemals darin einwilligten, ein Geschenk unter den genannten Bedingungen anzunehmen, um so weniger, als wir es selbst zu bezahlen hätten.«[180] In dieser harten Kritik aus dem Lager der Betroffenen wird die ganze Problematik der »cités ouvrières« noch offenkundiger als in den bisherigen Darstellungen aufgedeckt. Das, was vom Patronat und vom Bonapartismus als hochherzige Wohnungsfürsorge ausgegeben wurde, im Hintergrund aber durchaus geschäftsmäßigen Erwägungen entsprach, nahm sich in den Augen der damit Beglückten als ein von ihnen selbst erbrachter Beitrag aus, für den sie nicht noch mit Abstrichen an der Lebenshaltung, mit Disziplinierung zur Sparsamkeit und Ordnung, mit gesellschaftlicher Separation im Arbeiterviertel und mit Wohlverhalten der Fabrikherrschaft gegenüber bezahlen wollten.

In der Tat war der Ansatz zur Lösung der Arbeiterwohnungsfrage in diesem Rahmen weder aufrichtig gemeint noch konsequent zu Ende gedacht. Selbst wenn der Gedanke des paternalistischen Arbeiterwohnungsbaus im Sinne von Le Play von einem größeren Kreis von Fabrikanten aufgegriffen worden wäre, hätte auf diesem Weg nur der bessergestellte Teil der Arbeiterschaft zu einer Cité-Wohnung kommen können. Die einfache Überlegung, den Arbeitern genügend Lohn zu geben, um einen normalen Lebens- und Wohnstandard zu ermöglichen und einen Wohnungsmarkt mit den Angebots- und Nachfragemechanismen in Gang zu setzen, unterblieb bezeichnenderweise. Einen sozialen Ausgleich dieser Art konnte sich das französische Patronat schlechthin nicht vorstellen: Da mußte der Hinweis auf den Konkurrenzdruck der Weltmärkte als plausibler Entschuldigungsgrund herhalten.

Schließlich bleibt noch die Frage offen, welchen Beitrag Louis Napoléon als »empereur des ouvriers« für den Arbeiterwohnungsbau geleistet hat. Daß er sich im Verlauf seiner zahlreichen Départements-Touren immer wieder demonstrativ den Arbeitern zuwandte und sich, wie in Roubaix, vom Architekten ausführlich Modelle und Pläne für ein Arbeiterwohnungsprojekt erläutern ließ,[181] daß er aus dem anstößigen Verkauf der Orléansschen Güter beträchtliche Subventionsmittel zum Arbeiterwohnungsbau abgezweigt hat, das alles verrät, selbst bei den Nebenabsichten, die damit verbunden waren, ein soziales Gespür, wenn nicht sogar eine soziale Konzeption seiner Regierung.[182]

Aber alle seine Einsätze können nicht darüber hinwegtäuschen, daß er auf keiner Stufe seiner Herrschaft über die Kraft und Macht verfügte, die wohlhabenden »particuliers« und die Mehrheit des Patronats für den Arbeiterwohnungsbau zu motivieren. Auch hat er sich bei seiner übertriebenen Furcht vor Arbeiterassoziationen nie dazu bereit gefunden, den Arbeitern den Wohnungsbau auf genossenschaftlicher Basis zu gestatten, womit ein Lösungsansatz gefunden worden wäre, in Verbindung mit den »cités ouvrières« zum Ziel zu kommen. Um jedoch einer solchen Denkweise zum Durchbruch zu verhelfen, bedurfte es in Frankreich der Proklamation der Dritten Republik.

## 6.3. Die Entwicklung in Deutschland

### 6.3.1. Die Wohnungszustände der Arbeiter zu Beginn der Industrialisierung

Der Eindruck der Elendsreportagen

Der Aufstand der Weber am 4. und 5. Juni 1844 in den schlesischen Orten Peterswaldau und Bielau führte Deutschland schlagartig vor Augen, in welchem sozialen Zustand es sich mit seinem monarchistischen Herrschaftssystem von Gottes Gnaden befand. Wenn man bisher in Preußen als dem größten deutschen Bundesland so getan hatte, als brauche man das soziale Elend und die menschliche Not der unteren Schichten, des bäuerlichen und städtischen Proletariats, nicht zur Kenntnis zu nehmen, so war man jetzt eines Besseren belehrt worden. Denn mit diesem von Verzweiflung und Hunger diktierten Aufruhr war offensichtlich die Wahrung der öffentlichen Ordnung im Staate in Frage gestellt. Die von der aufkommenden Industrie bedrängten Handweber, denen die ortsansässigen Fabrik- und Handelsherren den Kaufpreis für die gefertigte Leinwand immer weiter herunterdrückten, hatten keinen anderen Ausweg mehr gesehen, als deren Geschäftssitze und Warenlager zu zerstören. Dadurch, daß sie diese Menschen ebenfalls in Not brachten, wollten sie auf ihre erbärmliche Lage hinweisen. Wie konnte ein Weber, der mit Frau und Kindern 14 bis 16 Stunden am Tag arbeitete und dem dafür nach Abzug der Steuern und Abgaben noch jährlich etwa 40 Taler Verdienst blieben, überhaupt existieren? Mit diesem Hungerlohn war an eine Verbesserung der Spinn- und Webeeinrichtungen nicht zu denken, um der Konkurrenz der Maschinenproduktion standzuhalten. Bei der Verköstigung reichte es gerade noch zur Kartoffelsuppe. Als Wohnung und Werkstatt dienten Hütten, die kaum als menschliche Behausungen angesprochen werden konnten und für deren Unterhaltung und Ausbau das Geld fehlte. Im grellen Kontrast dazu standen die schloßähnlichen Anwesen der Handelsherren, aufgekauft, ausgebaut und erweitert von dem den Webern vorenthaltenen Gewinn.[183]

Auch in der Hauptstadt dieser Provinz, in Breslau, nahmen sich die Lebens- und Wohnbedingungen der Arbeiter nicht besser aus. Sie waren durch Wilhelm Wolffs Bericht vom November 1843 publik geworden. Die Kasematten, die er in Anspielung auf Eugène Sue als »Mystères de Breslau« beschrieb, stellten, jenseits der Sand- und Oderbrücke gelegen, den extremsten Fall von Wohnungselend dar.[184] In diesen aufgelassenen Militärbauten waren die Ärmsten untergekommen. In feuchten Stuben mit papierverklebten Fenstern und schadhaften Öfen auf Steinfußböden kampierten, zermürbt von Rauch, Kälte, Feuchtigkeit und Hunger, fünf bis sieben Erwachsene mit neun bis dreizehn Kindern.

Aber auch in der Stadt selbst waren die Zustände nicht viel besser als in den Vorstädten. Von Alexander Schneer erfährt man, daß manche Stuben »eher einem Schweinestalle als einer Wohnung für Menschen« glichen.[185] Es handelte sich zumeist um enge, niedrige, schlecht unterhaltene Hofwohnungen, an deren Wänden das Wasser herunterlief und die in diesem Zustand 20 bis 24 Taler Miete kosteten.

Mit der steigenden Bevölkerungszahl nach 1870 bemächtigte sich die Bauspekulation des Breslauer Wohnungsmarktes. Dabei entstanden in den Vorstädten auf dem linken Oderufer zumeist viergeschossige »Zinscasernen«, die gegenüber den verwinkelten und finsteren Altstadtwohnungen als ein Fortschritt erscheinen mochten. Sie verbesserten die tristen Lebensverhältnisse der Arbeiter aber kaum, da von ihnen 10000 auf Kellerwohnungen und über 30000 auf Unterkünfte im vierten Stock oder auf dem Dachboden mit einem heizbaren Raum angewiesen waren.[186]

Daß die Wohnungszustände in den anderen schlesischen Industriegebieten eher noch schlechter als in Breslau waren, kann man einer Beschreibung des Kreises Beuthen (Oberschlesien) entnehmen. Danach sollen polnische Arbeiter, die sich keine Wohnung beschaffen konnten, in höhlenartigen Erdhütten gehaust haben, die bei Regenwetter im Schlamm fast versanken. Es soll auch Obdachlose gegeben haben, die im Sommer in Bohrlöchern, verlassenen Schächten und Ziegeleien ihr Unterkommen suchten oder auf freiem Feld nächtigten. Im Winter suchten sie ihr Nachtlager auf rauchenden Schlackenhalden und bei Kalköfen.[187]

Allerdings brauchten die Berliner Regierungsstellen ihre Blicke nicht auf das weit entfernte Oberschlesien zu richten, um sich des sozialen Notstandes der Unterschicht bewußt zu werden. Die preußische Haupt- und Residenzstadt Berlin bot seit zwei Jahrzehnten ebenfalls genügend Anhaltspunkte.[188] Schon 1827 hatte der Armenarzt Dr. Thümmel auf das skrupellose Spekulationsunternehmen der fünf von Wülcknitzschen »Familienhäuser« an der Gartenstraße (Nr. 92, 92a, 92b, 93, 94) vor dem Hamburger Tor mit fast unvorstellbaren Wohnungszuständen hingewiesen.[189] Obwohl die mit billigsten Materialien erbauten und durch Hypothekenbeleihung finanzierten Häuser in den folgenden Jahren den Eigentümer mehrfach wechselten, blieben die Lebensbedingungen für die Bewohner darin immer dieselben. In einer Stube waren zum Teil mehrere Familien, die vor Armut anderswo kein Unterkommen hatten finden können, zusammengepfercht. Sie diente mit einer Fläche von etwa 25 Quadratmetern (bzw. 19 Quadratmetern im Dach) zugleich als Wohnung, Schlafstelle, Küche und Werkstatt.

Wenn die Bewohner, soweit sie gesund waren, als Weber oder Gelegenheitsarbeiter etwas verdienen konnten oder von der Armendirektion im Krankheitsfalle oder bei unversorgten Kindern ein Almosen zugesprochen bekamen, so reichten die erhaltenen zwei bis drei Taler gerade aus, um dem Hausverwalter den monatlichen Mietzins zu bezahlen. Im besten Fall blieben ihnen für das Essen noch ein paar Silbergroschen übrig. Oft waren sie aber auch mit ihrer Miete um mehrere Taler im Rückstand und mußten fürchten, selbst noch aus diesem Unterschlupf hinausgeworfen zu werden, um schließlich im Armen- oder Arbeitshaus zu landen. Unter diesen Umständen vegetierten sogar, wie eine Zählung vom 24. April 1827 ergab, 496 Familien mit 2 197 Angehörigen in hoffnungsloser Weise in Kellergelassen und auf Dachböden dahin.

Bettina von Arnim (1785–1859) hat diese einer königlichen Residenzstadt unwürdigen Zustände in den Familienhäusern 1843 in ihrem Werk *Dies Buch gehört dem König* als »Erfahrungen eines jungen Schweizers im Voigtlande« über den Bereich der preußischen Amtsstuben hinaus publik gemacht.[190] Sie hatte durch den gerade in Berlin studierenden Schweizer Heinrich Grunholzer die Lebens- und Wohnbedingungen in den Familienhäusern eruieren lassen. Als die Wirkung darauf, wie nicht anders erwartet werden konnte, verhalten und lau war, faßte sie sogar den Plan, ein Armenbuch zu publizieren, und sammelte bereits entsprechendes Material dazu. Der Weberaufstand in Schlesien machte ihr jedoch klar, daß ein derartiges Unternehmen »Aufruhr predigen« gleichgekommen wäre. Aber nach dem Erscheinen ihres »Königsbuchs« konnte in Berlin niemand mehr vorgeben, von der Wohnungsnot der ärmsten Klasse nichts zu wissen.[191]

Außerdem erschien 1845 bei Otto Wigand in Leipzig Friedrich Engels' Publikation *Die Lage der arbeitenden Klasse in England*. Auszüge davon wurden auch in dem von Moses Heß redigierten *Gesellschaftsspiegel*, dem Organ zur Vertretung der besitzlosen Klassen, aufgenommen und fanden so eine weite Verbreitung. Auch in Engels' Werk spielten die Wohnungsverhältnisse in dem Kapitel »Die großen Städte« eine wichtige Rolle.[192] Die Arbeiterviertel in London (Rookery, St. Giles, Charles, King and Parker Street, Whitechapel, Bethnal Green), Dublin, Edinburgh, Liverpool, Birmingham, Glasgow, Leeds, Bradford und Manchester, mit denen er besonders vertraut war, ließen ihn erkennen, wie »überall barbarische Gleichgültigkeit, egoistische Härte auf der einen und namenloses Elend auf der anderen Seite, überall sozialer Krieg« herrschten. Selbst wenn die auf eigenen Eindrücken und Recherchen basierenden und durch offizielle Medizinalberichte belegten Beobachtungen sich teilweise auf den Überlebenskampf der irischen Einwanderer bezogen und nicht ohne weiteres generalisiert werden konnten, so hinterließen sie in Deutschland trotzdem einen nachhaltigen Eindruck und führten zu lebhaften Diskussionen sowohl im bürgerlichen wie im proletarischen Lager.[193]

Was Engels' Ausführungen von den anderen Darstellungen abhob, waren die Folgerungen, die er aus den Zuständen zog: Er ließ sich nicht wie andere auf sozialfürsorgerische Verbesserungsvorschläge im Detail ein, sondern er stellte die Wohnungsfrage in den übergeordneten politischen Zusammenhang der Klassengegensätze. Die Lösungsmöglichkeit sah er nur in einer radikalen Veränderung der Herrschaftsstrukturen. Die Gefährlichkeit dieser Ansicht veranlaßte sogar die preußische Regierung, dieses Buch in der *Allgemeinen Preußischen Zeitung* im Oktober und November 1845 zu besprechen und es als unzutreffend abzutun.[194] Die beklemmenden Wohnungsreportagen und ihre Verharmlosung durch die Verantwortlichen blieben in der Folgezeit nicht ohne Auswirkungen. Diese bestanden allerdings nicht darin, daß der preußische Staat oder die einzelnen Kommunen, die durch die Städteordnung von 1808 einen gewissen sozialpolitischen Handlungsspielraum erhalten hatten, sich nun über die Armenpflege und die Polizeibefugnis hinaus ihrer sozialen und humanitären Verpflichtung bewußt geworden wären. Diese Seite schürte im Gegenteil durch Anspielungen auf einen Umsturz bei den wohlhabenden Bürgern die Furcht vor der besitzlosen Masse und vertiefte auf diese Weise die immer klarer zutage tretenden Klassengegensätze. Der anderen Seite verschaffte der Weberaufstand und die kritische Darstellung ihrer trostlosen Lage in Presse und Literatur eine erste Ahnung davon, was ein Zusammengehen selbst der Ärmsten bewirken konnte, wenn sie nur eine klare Vorstellung ihrer Ziele hatten.

In dieser spannungsreichen Situation lag es nahe, daß sich im konservativen Lager, sei es aus sozialem Verantwortungsbewußtsein oder christlicher Nächstenliebe, sei es aus Furcht vor politischen Umwälzungen, Kräfte regten, die eine Abhilfe der auf die Dauer unhaltbaren Wohnverhältnisse durch Reformvorschläge zu bewirken hofften. Ehe von diesen in der Folge die Rede ist, muß zuvor aber noch, abgelöst von den erwähnten Elendsreportagen, die allgemeine Wohnungssituation der Arbeiterschaft im Zuge der Industrialisierung skizziert werden.


Die Fakten der allgemeinen Situation

Bei aller wirtschaftlichen Rückständigkeit Deutschlands hatten die »befohlenen Reformen« (Kapitel 1.2) der ersten Jahrzehnte des 19. Jahrhunderts durch ihre Veränderungen im ländlichen Bereich und auf dem gewerblichen Sektor in Preußen eine neue Situation geschaffen. Die Beseitigung der feudalen Bindungen (Leibeigenschaft, Erbuntertänigkeit), die Umstellungen in der Agrarproduktion (mechanisierte Guts- und Großbauernbetriebe) und der Niedergang der ländlichen Hausgewerbe (Spinnerei, Wollverarbeitung, Leinenweberei, Strumpfwirkerei), alle diese Vorgänge setzten in den dreißiger und vierziger Jahren eine Überschußbevölkerung frei. Die landlosen Taglöhner und Dorfhandwerker fanden eine Zeitlang eine Beschäftigung als Wanderarbeiter beim Chausseen- und Eisenbahnbau. Doch schon bald drängten sie, ohne eine engere Bindung an Eigentum und Heimat, in einer Nah- oder Binnenwanderung in die städtischen Gewerbezentren, wo die Abschaffung der alten Zunftordnung und die Handhabung des Freihandels die Voraussetzungen für eine industrielle Entwicklung geschaffen hatten. Nach der neuen Gewerbegesetzgebung konnte jeder Handwerker mit dem Erwerb eines Gewerbescheins eine Werkstatt einrichten.[195] Für die fortschrittlichen und unternehmerischen Kräfte war damit, unabhängig von den Einschränkungen der »Allgemeinen Gewerbeordnung«, der Übergang zu Fabrikbetrieben möglich.[196] Private Unternehmer bestimmten fortan trotz der agrarfeudalen Standesherrschaft des Adels und des Grundbesitzes den wirtschaftlichen und gewerblichen Ablauf. Die liberale Handelspolitik der preußischen Regierung und der Abbau der Zollschranken unter den deutschen Bundesländern, der zur Einrichtung des Deutschen Zollvereins ab 1. Januar 1834 führte, bewirkten ein übriges, um den Güterverkehr und den Warenaustausch auch mit dem Ausland in Gang zu bringen.

Unter diesen Voraussetzungen konnte sich in den städtischen Gewerbezentren die kapitalistische Produktionsweise voll entfalten. In einer Wechselwirkung zogen die industriellen Fabrikationsstätten einerseits immer aufs neue arbeitslose Landarbeiter, Kleinbauern und verarmte Handwerker, die Verdienst und Auskommen suchten, unwiderstehlich an, und die Masse dieser auf einen Standort konzentrierten Lohnarbeiter veranlaßte andererseits wiederum die Kapitalgeber, die sich durch die Ausweitung der Produktion höhere Erträge versprachen, zu neuen Investitionen. Wenn dieser Industrialisierungsprozeß anfänglich auch nur bestimmte Gewerberegionen wie Ruhrgebiet, Bergisches Land, Eifel, Sauerland, Aachener Becken, Saarland, Sachsen, Schlesien sowie Teile von Bayern und Württemberg und die Großstädte Berlin und Hamburg erfaßte, so führten die zyklischen Aufschwungphasen von 1851 bis 1857 und von 1866 bis 1873 mit der hohen Mobilität der Arbeitskräfte und der breitgestreuten Diversifikation der erzeugten Produkte zu einer erstaunlichen Wirtschaftsentwicklung und zu einer Urbanisierung in bisher unbekanntem Ausmaß.[197] Zahlreicher als in Großbritannien und Frankreich gab es in Deutschland die vom Spätmittelalter geprägten Handels- und Gewerbestädte (Köln, Frankfurt am Main, Leipzig, Breslau, Nürnberg, Augsburg) und die im Absolutismus und Merkantilismus ausgebauten Residenzstädte (Düsseldorf, Hannover, Braunschweig, Kassel, Darmstadt, Mannheim, Stuttgart, München), die sich durch ihre regionale Zentralität ebenso für die Industrialisierung anboten wie die ländlichen Bereiche für Textilbetriebe, Bergwerke und Hüttenanlagen. Da in diesen Städten früh genug schematische Erweiterungspläne Bauflächen auswiesen, war für das anlagesuchende Kapital ein weites Betätigungsfeld gegeben. Allerdings versuchten die einströmenden Arbeiter bei der Unsicherheit der Arbeitsverhältnisse und bei den noch unzureichenden Verkehrsverhältnissen möglichst nahe bei den Fabrikationsstätten unterzukommen. Für einen kurzen Zeitraum konnten die Städte sich damit behelfen, durch Ausfüllen der vorhandenen Lücken und freien Grundstücke an den bereits erschlossenen Straßen den gesuchten Wohnraum zu schaffen. Auch erzwang die Pauperisierung des städtischen Kleinbürgertums eine verstärkte Unterteilung und Vermietung der vorhandenen Stadthäuser.

Aber alle diese Maßnahmen verschafften nur einen kurzen Aufschub und führten bald zu einer starken Verdichtung und bei mangelndem Bauunterhalt zu einer Verslumung der innerstädtischen Bezirke, ohne daß damit für die große Masse der Zuziehenden der Wohnungsbedarf hätte befriedigt werden können. In dieser Situation zeigte der vom Staat geförderte ökonomische Liberalismus auch auf dem Wohnungssektor seine ganze Wirksamkeit. So wie der Freihandel den Warenverkehr bestimmte, so wurde nun, nachdem die konservative Vorstellung des »ganzen Hauses«[198] aufgegeben worden war, der Arbeiterwohnungsbau in der zweiten Hälfte des 19. Jahrhunderts dem Marktmechanismus des freien Spiels der Kräfte überlassen. Dabei befriedigte das Kapital, unbeeindruckt vom Gedanken sozialer Fürsorge und höherer sittlicher Verpflichtung und ohne überhaupt die wirklichen Bedürfnisse der Arbeiter zu bedenken, die Nachfrage auf die ihm gemäße Art mit dem Zinshaus, für das sich bald der abfällige Ausdruck »Mietskaserne« fand.[199]

Zweifellos stellte die große Zahl der Wohnungsuchenden einen augenfälligen Markt dar, der immer dann zum Kapitaleinsatz anregte, wenn die Profiterwartungen halbwegs erfüllt wurden. Das war aber nur unter bestimmten Voraussetzungen der Fall. In den Hochzinsphasen, in denen der Einsatz im Eisenbahnbau oder bei industriellen Unternehmen lockte, erschien die Wohnungsproduktion wenig profitabel. Nun strömten aber gerade in den Zeiten der Hochkonjunktur die Menschen, von den Arbeits- und Verdienstmöglichkeiten in der Industrie angezogen, massenweise in die städtischen Zentren.[200] Als Ungelernte zeigten sie zudem eine auffällige Mobilität im Hinblick auf den Arbeitsplatz und den Wohnort. Nur der Marktreaktion folgend, konnte die Wohnungsproduktion diesem äußeren Ansturm und diesem häufigen innerurbanen Standortwechsel aber nicht nachkommen.[201] Das Ergebnis war zuerst einmal eine Unterversorgung an Wohnraum, die sich jedoch auf die Arbeiterschaft bezogen als Wohnungsnot auswirkte. Stellte sich schließlich die konjunkturelle Flaute ein, so erhielt der Wohnungsbau durch die damit verbundene Senkung des Zinsniveaus erst jene Attraktivität einer mittleren Gewinnerwartung, die in der weiteren Folge die Geldgeber zu einer verstärkten Produktion veranlaßte. So kam es dann diesem Ablauf gemäß im wirtschaftlichen Abschwung zu einer Überversorgung an Wohnungen, die sich in der »Leerwohnungsziffer«[202] der unvermietet gebliebenen Wohnungen ausdrückte. An Stelle des für eine ausreichende Bedarfsdeckung nach der Hasseschen Regel als angemessen betrachteten Anteils von 3 Prozent belief sich dieser in Berlin 1880 auf 7,78 Prozent, in Hamburg in demselben Jahr auf 7 Prozent und 1894 sogar auf 9,6 Prozent des Gesamtwohnungsbestands. Obwohl die Wohnungsreformer und sonstigen Kritiker es nicht sehen oder wahrhaben wollten, folgte die derart dem Markt ausgelieferte Wohnungsversorgung nicht so sehr der unterstellten Verweigerungshaltung der höheren Klassen als vielmehr den zyklischen Schwankungen des konjunkturellen Wirtschaftsprozesses, und zwar in besonderer Abhängigkeit von den Zinsbewegungen im Hypothekenbankgeschäft. Mit einer gewissen Berechtigung werden deshalb in neueren Untersuchungen die Hypothekenbanken als die Städtebauer der Neuzeit bezeichnet.[203]

Natürlich war bei dieser ungesteuerten Wohnungswirtschaft an eine vorausschauende Versorgung mit genügend Wohnungen für die Arbeiterschaft nicht zu denken. Zudem verfügten die meisten Arbeiter bei ihrer kümmerlichen Entlohnung gar nicht über die Mittel, eine passende, aber durch die Terrainspekulationen und beständige Nachfrage verteuerte Wohnung zu mieten.

Die in einer Art von Zweckbündnis vereinigte feudale Aristokratie und die Unternehmerschaft sahen nämlich in den Bauern und Arbeitern lediglich billige Arbeitskräfte, denen weder ein angemessener Lohn und eine soziale Absicherung, noch eine menschenwürdige Unterbringung und schon gar nicht eine Teilnahme am politischen Leben zugestanden werden mußte. Zu dieser inhumanen Einschätzung paßt, daß der Lohn eines ungelernten Arbeiters oder Taglöhners nicht ausreichte, um eine Familie durchzubringen.[204] Demzufolge waren Frauen und Kinder gezwungen mitzuverdienen. Wenn auf diese Weise die Grundbedürfnisse für Nahrung und Kleidung mühevoll genug gedeckt werden konnten, so blieb für die Behausung in der Regel nur noch wenig übrig.[205] Die Wohnungen der »ärmeren Klasse« mußten deshalb billig und klein sein. Aber die privaten Bauunternehmer, die oft mit geborgtem Kapital auf eigenes Risiko Mietshäuser errichteten und dann auf Gewinn beim Verkauf spekulierten, ließen sich nur schwer dazu bewegen, für diesen Kreis tätig zu werden. Sie wiesen auf alle möglichen Risiken bei dieser Bewohnerschaft hin: auf häufigen Mieterwechsel, Leerstehen der Wohnungen und Ausfall der Mieteinnahmen, Zahlungsunfähigkeit und die damit verbundene »Exmittierung«. Trotz allem Auf und Ab der konjunkturellen Schwankungen lebten die Unterschichten deshalb permanent in Wohnungsnot.

In den sechziger und siebziger Jahren des 19. Jahrhunderts konzentrierte sich die Unterbringung der Arbeiter auf Unterkünfte, die aus einem heizbaren Zimmer teils mit und teils ohne Küche bestanden und einen unglaublich primitiven Ausstattungsstandard im Koch- und Sanitärbereich aufwiesen. Der Anteil dieser »Kleinstwohnungen« betrug 1867 in Hamburg 51,8 Prozent,[206] in Königsberg 1864 sogar 62,9 Prozent, und in Berlin, wo die Wohnungsverhältnisse eher noch schlechter waren, mußten sich zur selben Zeit ebenfalls knapp 50 Prozent der Bevölkerung mit Einzimmerwohnungen begnügen, die oft mit fünf und mehr Personen belegt waren. Hier umfaßte der Anteil aller Kleinwohnungen, also der Wohnungen bis zur Größe von zwei heizbaren Zimmern, sogar 75 Prozent. Und da auch die Wohnungslage einen Kostenfaktor darstellte, fand sie sich in der Regel in Seitenflügeln und Hinterhofgebäuden, denn der Platz in den repräsentativen Vordergebäuden blieb den solventeren Mietern vorbehalten.[207]

In der Diskussion um Wohnungsreformen spielte dann auch, außer der Überbelegung und Verdichtung, die Mietbelastung bei der Unterschicht eine wichtige Rolle.[208] Gemäß der von Kuczynski ausgesprochenen Formel »je kleiner die Wohnung, desto teurer die Miete« wurden die niedrigsten Einkommensklassen am stärksten belastet, denn die anteilmäßigen Aufwendungen für die Einzimmer-Unterkünfte waren in der Tat höher als bei den Zwei- bis Vierzimmerwohnungen. Der Mietanteil am Familienbudget belief sich deshalb beim ungelernten Arbeiter auf 25 bis 30 Prozent und beim Facharbeiter auf 20 bis 25 Prozent, wobei aber die Mietpreise und Löhne je nach Stadt und Region variierten und somit das Realeinkommen letzten Endes bestimmten. Aber zumeist blieb für die Mehrzahl der Taglöhner und Ungelernten nur ein Leben am Rande des Existenzminimums übrig.

Wurden trotzdem, obwohl die Mittel dazu offensichtlich fehlten, größere Wohnungen bezogen, so geschah das mit der Absicht, Schlafleute (»Chambregarnisten«, »Bettgeher«) oder Kostgänger darin einzuquartieren, um mit deren Zahlungen die höhere Miete zu bestreiten.[209] Nicht selten kam es dabei zur schichtweisen und mehrfachen Belegung der Betten. Zeitgenössische Milieuschilderungen wissen davon zu berichten, welche sittlichen und hygienischen Zustände bei diesem Zusammengepferchtsein der Vermieterfamilie und der Untermieter herrschten.

Neben dem Schlafstellenwesen brachten die Kellerwohnungen auf eine andere Art die Misere der Wohnungsverhältnisse zum Ausdruck.[210] Sie fanden sich an den Brennpunkten der Wohnungsnot und machten dort einen erstaunlich hohen Anteil am Gesamtwohnungsbestand aus. In Berlin, das als außergewöhnlicher Fall zu betrachten ist, verbrachten 1861 nicht weniger als 48326 Einwohner ihr Leben in 9654 Kellerwohnungen. Daß das folgende Jahrzehnt keine Besserung ergab, ist aus den Angaben für 1871 ersichtlich: Zu diesem Zeitpunkt kamen auf 19240 Kellerwohnungen 85840 Bewohner, was einem Anteil von 10,8 Prozent an der Gesamtbevölkerung von 824484 Einwohnern entspricht. Erst in den neunziger Jahren, als die Reallöhne deutlich anstiegen und die Verhältnisse sich im Reproduktionsbereich stabilisierten, war ein Rückgang zu beobachten. Im Gegensatz zu Berlin, Hamburg, Königsberg, Posen und Breslau gab es aber auch Städte wie zum Beispiel Frankfurt am Main und Stuttgart, wo kaum Menschen in Kellerwohnungen zu hausen gezwungen waren.

Geradezu ein Mißbrauch der Notsituation der Wohnungsuchenden war es, wenn diese zum »Trockenwohnen« benutzt wurden. Um so schnell wie möglich zu einer Rendite zu kommen, überließen ihnen manche Bauunternehmer die vom Bauvorgang noch feuchten Wohnungen den Winter über zu einem reduzierten Mietzins. Im Frühjahr wurden diese jedoch in ausgetrocknetem Zustand regulär vermietet, und die »Trockenwohner« standen dann wieder auf der Straße.

Daß diese erbärmliche Wohnungssituation von den Betroffenen, sieht man einmal von einzelnen Ausbrüchen wie der Berliner Mieterrevolution zum Juni-Quartalswechsel 1863 und den Wiener Mieterunruhen ab, mit stoischer Ergebenheit als ein unabänderliches Los hingenommen wurde, mag als Ausdruck der Leidensfähigkeit der Arbeiterklasse gedeutet werden. Allzusehr stand der Kampf ums Überleben, der Zwang, überhaupt Arbeit und Verdienst zu finden, im Vordergrund. Das Wohnungsbedürfnis dagegen erwies sich als elastisch genug, sich jeder, auch der unwürdigsten Situation anzupassen.[211]

### 6.3.2. Literarische Beiträge zum Arbeiterwohnungsbau

Überblick

Dem bürgerlichen Lager blieb es vorbehalten, noch vor der Jahrhundertmitte die Arbeiterwohnungsfrage publizistisch herauszustellen und zu einem Anliegen der nicht selbst davon betroffenen Intellektuellen und Philanthropen zu machen. Das geschah, wie schon teilweise aufgezeigt worden ist, durch eine Reihe von literarischen Beiträgen sowie im Rahmen der frühen Pauperismus-Diskussion und schließlich auch durch die Rezeption der englischen, französischen und belgischen Literatur zu diesem Thema.[212] Die Motive dieser Seite zur Behandlung der Wohnungsfrage waren vielfältig; sie reichten vom menschlichen Mitleid und Fürsorgegefühl einer Bettina von Arnim über die politisch-agitatorische Zielsetzung eines Wilhelm Wolff und Friedrich Engels bis zur Furcht vor einer Revolution durch die Arbeiterklasse bei Viktor Aimé Huber und Friedrich Harkort. Den Vertretern der bürgerlichen Ordnung, des ökonomischen Liberalismus und des Freihandels erschien es wie ein Ausweg aus dem sozialpolitischen Dilemma, die existentielle Not der Arbeiterschaft auf das Wohnungsproblem herunterzuspielen. Mit dieser Ausgangsstellung hofften sie, durch Wohnungsreformvorschläge den gebotenen sozialen Ausgleich zu bewirken.

Einen frühen Anlaß, sich intensiv mit der Wohnungsfrage auseinanderzusetzen, gab der »Große Brand« von 1842 in Hamburg.[213] Auf Anregung des Bürgermeisters Karl Sieveking verfaßte Johann Hinrich Wichern (1808–81), der Gründer des Rauhen Hauses in Hamburg-Horn und der evangelischen Inneren Mission, am 16. Februar 1844 einen Bericht, in dem er den Bau von »Bürgerhöfen« vorschlug.[214] Es handelte sich um viereckige, um einen Innenhof herum gruppierte Baublöcke mit 150 bis 200 Wohnungen für Kleinhandwerker. Nach Wichern, dem es darum ging, »neue Gliederungen der bürgerlichen Geselligkeit hervorzubringen« und den Familiensinn zu stärken, sollten Familienwohnungen, Einzelzimmer und Gemeinschaftsräume in klarer Abtrennung und doch in unmittelbarer Nähe beieinander liegen, mit einer Schule als dem geistigen Zentrum der Anlage.[215] Der weitgefaßte Plan der Bürgerhöfe schloß Kindererziehung, Betreuung der Lehrlinge, Gesellen und Dienstboten, Versorgung der Kranken und geistige Anregungen für alle Bewohner mit ein. Das Projekt, das bald modifiziert und in seiner geistigen Zielsetzung diminuiert wurde, scheiterte jedoch an Kapitalmangel und am sozialen Desinteresse der bürgerlichen Kreise.

Im selben Jahr versuchte der Eisenbahnpionier Friedrich Harkort im Zusammenhang mit einer besseren, praxisorientierten Volksschulbildung ein umfassendes Reformprogramm für die unteren Klassen aufzuzeigen.[216] Er plädierte für eine Gewinnbeteiligung der Arbeiter, für Konsum- und Unterstützungsvereine, Sparkassen, öffentliche Krankenhäuser und, um den Auswandererstrom einzudämmen, für Arbeiterkolonien in der ländlichen Umgebung der Städte. Er dachte sich diese durch Pferde- oder Eisenbahnen erschlossen. Mit diesen Siedlungen könnten, so meinte Harkort, die Industriestädte entlastet, die Arbeiter in einer gesunden Umgebung untergebracht und die soziale Lage entschärft werden.

Auf bürgerliche Initiative ging auch 1844 die Gründung des »Centralvereins in Preußen für das Wohl der arbeitenden Classen« zurück.[217] Zu dessen Programm gehörte neben Spar- und Unterstützungskassen und Bildungseinrichtungen auch der Bau von Arbeiterwohnungen. Die baulichen Aktivitäten konzentrierten sich dann in den folgenden Jahren auf die Gründung der Berliner gemeinnützigen Baugesellschaft.

Im Jahre 1845 wurde in einer Bauzeitschrift wohl zum ersten Mal das Thema des Arbeiter-Kleinwohnungsbaus aufgegriffen und ernsthaft zur Diskussion gestellt.[218] Der Architekt J.A. Romberg vertrat in seinem Beitrag »Über den Mangel an kleinen Wohnungen in unseren Städten« allerdings einen betont nüchternen, realistischen Standpunkt. Es war für ihn klar, daß der Fürsorgegedanke nicht viel auszurichten vermochte; er reflektierte deshalb auch nicht auf jene von den Wohnungsreformern erdachten reichen Leute, die selbstlos ihr Kapital für wohltätige Zwecke einsetzten. Und da auch Kleinwohnungen bei den hohen Grundstückspreisen in den Städten nicht billig herzustellen und zu vermieten waren, konnte außerdem weder von der regulierenden Funktion des Marktes noch von dem Selbsteinsatz der Betroffenen Hilfe erwartet werden. Wo aber alle anderen Mittel versagen, ist es Sache des Staates, so argumentierte er, sich um den Bau von Kleinwohnungen für unbemittelte Arbeiter zu kümmern. Als Baufachmann hatte Romberg eine klare Vorstellung von der Beschaffenheit einer brauchbaren Arbeiterwohnung. Sie sollte mindestens eine Küche, eine große Stube, zwei kleinere Zimmer, eine Kammer und einen Abort aufweisen. In einem Gebäude wollte er höchstens sechs Wohnungen zusammengefaßt wissen, möglichst noch mit einem Gartenanteil für jede Wohnung.

Der Vorschlag, den Staat für den Arbeiterwohnungsbau in die Pflicht zu nehmen und ihm eine aktive Rolle bei der Behebung der Wohnungsnot zuzuweisen, hätte die Aufmerksamkeit sowohl der Arbeiterschaft als auch der öffentlichen Verwaltung verdient. Aber wie sich bei der März-Revolution 1848 herausstellte, fehlte es den Lohnarbeitern um die Jahrhundertmitte noch am erforderlichen Zusammengehörigkeitsgefühl und Klassenbewußtsein. So ließen sie in dieser Umbruchphase die Chance, Forderungen zur Wohnungsversorgung anzumelden, fast ungenutzt.[219] Nur auf dem im August und September 1848 in Berlin abgehaltenen Arbeiterkongreß, der zur »Allgemeinen Arbeiterverbrüderung« führte, kam der Gedanke nach billigen Wohnungen in verhaltener Form zum Vorschein. Er war aber in den größeren Rahmen einer »Organisation der Arbeit« einbezogen und nicht als besonders dringliches Anliegen markiert.[220] Zu Beginn der fünfziger Jahre erhielt die Reformdiskussion in Deutschland neue Anregungen durch die Londoner Industrieausstellung von 1851, nachdem das Arbeiter-Musterhaus des Prince Consort Albert in einer Beschreibung publik gemacht worden war.[221] Durch den internationalen Wohltätigkeitskongreß von 1856 in Brüssel bekamen die deutschen Teilnehmer – Viktor Aimé Huber, G. Varrentrapp, E. Engel – weitere ausländische Erfahrungen vermittelt. Sie trafen mit so bekannten Fachleuten wie Edwin Chadwick und Henry Roberts aus England, Jean Dollfus, Emile Muller und Achille Penot aus Frankreich und Edouard Ducpétiaux aus Belgien zusammen. Dabei konnten sie erfahren, wie weit die »health of towns«-Bewegung in Großbritannien bereits gediehen war und welche Bedeutung der städtischen Kanalisation im Rahmen der Stadthygiene zugemessen wurde. Außerdem erhielten sie den Eindruck vermittelt, mit gemeinnützigen Baugesellschaften könnte das Arbeiterwohnungsproblem gelöst werden.[222]

Unterdessen waren aber auch in Deutschland um diese Zeit die ersten stadthygienischen Beiträge zu verzeichnen. Einen Anlaß dazu hatte die Cholera-Epidemie in Bayern 1854 gegeben. Der Münchener Arzt Max von Pettenkofer (1818–1901) entwickelte seine Bodentheorie und seine Grundwassertheorie und trat im Münchener Raum unermüdlich für die Belange der Wohnungs- und Stadthygiene ein. Im selben Sinne wirkten später Rudolf Virchow in Berlin und Georg Varrentrapp in Frankfurt am Main.[223]

Bei den ab Ende der fünfziger Jahre veranstalteten Kongressen in Deutschland rückte die wirtschaftliche Seite der Wohnungsfrage wieder stärker in den Vordergrund. Die Freihandelsschule schuf sich ihr Forum im Congress deutscher Volkswirthe, der am 20. September 1858 in Gotha zum ersten Mal stattfand. Das Thema »Häuserbau-Genossenschaften« stand auf dem siebten Congress deutscher Volkswirthe 1864 in Hannover auf der Tagesordnung.[224] Wie die Aussprachen ergaben, hielt man gemeinnützige Baugesellschaften und Selbsthilfe-Genossenschaften für die geeigneten Organisationsformen des Arbeiterwohnungsbaus. Eine Kommission, der J. Faucher, K. Brämer, W. A. Lette und später noch Viktor Aimé Huber angehörten, sollte Materialien über die bestehenden Einrichtungen sammeln und aufzeigen, ob deren Wirksamkeit durch staatliche Eingriffe behindert wurde. Außerdem beschloß der Kongreß, mit dem Centralverein in Preußen für das Wohl der arbeitenden Classen enger zusammenzuarbeiten. So kamen in dessen Publikationsorgan *Der Arbeiterfreund* in einer Reihe von Einzelbeiträgen die wesentlichen Meinungen zur Wohnungsreform zum Ausdruck.[225]

Auf dem achten Congress deutscher Volkswirthe 1865 in Nürnberg verschaffte sich der Wirtschaftsliberalismus der Freihändler bereits stärker Geltung. Den Wohnungsvereinen und Baugesellschaften wurde nun empfohlen, sich auf die geschäftliche Abwicklung des Hausbaus zu beschränken und den Wohltätigkeitsgedanken beiseite zu lassen. Alle Hindernisse, die dem Bau billiger Wohnungen entgegenstanden, sollten durch eine vollständige Beteiligung des Baugewerbes beseitigt werden. Vor diesem Hintergrund ist dann die auf dem neunten Congress deutscher Volkswirthe 1867 in Hamburg verabschiedete Resolution verständlich, nämlich die Herstellung der Wohngebäude, auch der kleinen und billigen Wohnungen, der »Privat-Spekulation« zu überlassen.[226] Da halfen alle Einwände Hubers nichts; im Votum der Freihändler artikulierte sich die allgemein anerkannte Meinung der Behörden, der Haus- und Grundbesitzer und der von diesen beherrschten Stadtverordnetenversammlungen.

In der Tat hatten die Terrain- und Hausspekulationen um diese Zeit zu einem bisher unbekannten Boom der Bauwirtschaft geführt, dem erst der Gründerkrach von 1873 ein Ende bereitete. Aber an Stelle eines ausgeglichenen Marktes blieb nur eine eklatante

Wohnungsnot zurück, die nun in vielen größeren Städten sichtbar wurde. Doch selbst in dieser überhitzten Spekulationsphase war der Ruf nach Wohnungsreformen nicht verstummt; es läßt sich im Gegenteil sogar eine Anhäufung der literarischen Beiträge erkennen.[227] Immerhin erwies sich das Wohnungsproblem als ein Teilaspekt der sozialen Frage auch in marxistischer Sicht als so bedeutsam, daß Friedrich Engels sich genötigt sah, in der sozialdemokratischen Zeitung *Der Volksstaat* dazu Stellung zu nehmen.[228] Als Anknüpfungspunkte dienten ihm die in diesem Blatt vorausgegangene Artikelserie eines »kleinbürgerlichen Proudhonisten« und die Schrift von Emil Sax. Da Engels die Wohnungsnot im größeren Zusammenhang des industriellen und ökonomischen Umbruchs sah, mußten alle wohnungsreformerischen Überlegungen zur Befriedung des Proletariats seinen Unwillen und Spott erregen. Für ihn lief der Versuch, die Arbeiter durch den Erwerb eines eigenen Häuschens zu Mitgliedern der besitzenden Klasse zu machen, darauf hinaus, ihren revolutionären Elan für die Eroberung der politischen Macht zu schwächen. Denn auch im Wohnungswesen konnte nach marxistischer Überzeugung nur die Abschaffung der kapitalistischen Produktionsweise und die Aneignung aller Lebens- und Arbeitsmittel durch die Arbeiterklasse den Weg zu einer endgültigen Lösung weisen. Auf der einen Seite sah Engels in den großen Städten hinreichend Wohnraum vorhanden, es galt nur, ihn durch Belegung und Expropriation an die bisher unbehausten Arbeitermassen angemessen zu verteilen. Auf der anderen Seite war für ihn klar, daß die Revolution auch die Aufhebung des Gegensatzes von Stadt und Land mit einschloß, also die Wohnungsfrage von den großen Städten abgelöst wurde und sich damit gewissermaßen von selbst erledigte. So eloquent Engels seine extreme Position jedoch auch darzustellen wußte und die bürgerlichen Lösungsversuche durch Selbsthilfe, latente Assoziationen, Werkskolonien oder durch die Haussmann-Methode der Boulevarddurchbrüche als indiskutables Flickwerk hinstellte, den Arbeitern war damit im täglichen Existenzkampf wenig geholfen. Schließlich konnte die Wohnungsfrage nicht bis zum unbekannten Zeitpunkt des Umsturzes vertagt werden; sie war für die Betroffenen Tag für Tag gegenwärtig und bestimmte ihr Befinden in erheblichem Maße.

Auf die Revolutionsdrohung der Sozialisten und den Geschäftsgeist des Manchester-Liberalismus reagierten verantwortungsbewußte Vertreter der wissenschaftlichen Nationalökonomie mit einer neuen Initiative für die Arbeiterschaft. In einem Aufruf lud Gustav Schmoller (1838–1917), der 1864 zum Professor an der Universität Halle berufen worden war und für eine gerechte Sozialordnung durch »Hebung der unteren Klassen« eintrat, im Oktober 1872 all diejenigen, die der sozialen Frage »ethisches Pathos« entgegenzubringen gewillt waren, zu einer Versammlung nach Eisenach ein. Der Verein für Socialpolitik, der bei dieser Gelegenheit gegründet wurde und dem die Volkswirtschaftler Friedrich Albert Langen, Lujo Brentano, Adolf Wagner, Johannes Conrad und andere angehörten, erwies sich fortan als ein vielbeachtetes Diskussionsforum für sozialpolitische Reformvorschläge.[229]

Schon in Eisenach stand die Wohnungsfrage neben Themen der Fabrikgesetzgebung und der Gewerbevereine auf der Tagesordnung.[230] Der Statistiker Ernst Engel aus Berlin, der über die Wohnungsnot referierte, enthielt sich der sonst üblichen Reformeuphorie und nannte die gravierenden Übel beim Namen. In seinen Augen stellte die Wohnung keine, wie die Freihändler vorgaben, normale Ware dar, sondern ihr kam bei dem mangelnden Angebot geradezu eine Monopolstellung zu. Der Referent ging deshalb soweit, von »Wohnungsfeudalismus« zu sprechen, der mit Begleiterscheinungen wie Mietsteigerungen, Wohnungswechsel, Untervermietung und Schlafstellenwesen verbunden war. Was er jedoch als »Abhülfe« vorzubringen hatte, verhieß genauso wenig Wirkungskraft wie die bisher bekannten Vorschläge.[231] Denn wo sollten die Arbeiter bei ihren kläglichen Einkommensverhältnissen die Einzahlungsbeiträge für die empfohlenen Mieter-Aktiengesellschaften zum gemeinsamen Hauserwerb hernehmen? Da schien die vereinzelt und vorerst noch zaghaft vorgebrachte Forderung nach staatlicher Unterstützung des Arbeiterwohnungsbaus weitaus folgerichtiger. Aber dafür war die Zeit in dieser Aufschwungphase nach dem siegreichen Krieg offensichtlich noch nicht reif.

Eine grundlegend andere Situation ergab sich nach der Gründerkrise von 1873. So wie viele fragwürdige Aktiengesellschaften schlagartig von der Bildfläche verschwanden, so überstanden auch die meisten gemeinnützigen Wohnungsbauunternehmen die wirtschaftlichen Schwierigkeiten nicht. Nun schätzte man das Prinzip der Selbsthilfe wesentlich kritischer als bisher ein. Auch setzte sich immer mehr die Erkenntnis durch, daß das von den Reformern favorisierte Arbeiter-Einfamilienhaus in Stadtnähe nicht zu verwirklichen war. Durch die unsoliden Unternehmen gewissermaßen bestätigt, erwartete die sozialdemokratische Partei weiterhin die Lösung der Wohnungsfrage – Engels' Ratschlag entsprechend – in der Beseitigung der kapitalistischen Produktionsverhältnisse. Um die Arbeiter in diesem Sinne zu motivieren, prophezeite August Bebel immer wieder den nahe bevorstehenden »Kladderadatsch«.

In Wirklichkeit folgte für den Arbeiterwohnungsbau ein Jahrzehnt der Stagnation. Stärker denn je erfaßte die Wohnungsnot die großen Städte. Es ist das Verdienst des Vereins für Socialpolitik, auf diesen Zustand durch die breit angelegten Enqueten von 1886 aufmerksam gemacht zu haben.[232] Wenn es J. Miquel, dem Oberbürgermeister von Frankfurt am Main, als treibender Kraft in erster Linie darum ging, die Wohnungsnot in den Großstädten durch abgesicherte statistische Daten zu belegen, so war darüber hinaus mit den Berichten über die Wohnverhältnisse der Arbeiter in Hamburg, Frankfurt am Main, Straßburg, Chemnitz, Leipzig, Breslau, in den Ruhrorten und in Berlin und mit den Wohnungsstatistiken deutscher Großstädte der Anfang einer empirischen Sozialforschung gemacht.

Gustav Schmoller tat noch ein übriges, um über die statistischen Fakten hinaus die sittliche Dimension des Themas zu verdeutlichen. In »Ein Mahnruf in der Wohnungsfrage« stellte er fast beschwörend an die Adresse des Besitzbürgertums fest: »Die besitzenden Klassen müssen aus ihrem Schlummer aufgerüttelt werden; sie müssen endlich einsehen, daß selbst, wenn sie große Opfer bringen, dies nur ... eine mäßige, bescheidene Versicherungssumme ist, mit der sie sich schützen gegen die Epidemien und die sozialen Revolutionen, die kommen müssen, wenn wir nicht aufhören, die unteren Klassen in unseren Großstädten durch die Wohnungsverhältnisse zu Barbaren, zu thierischem Dasein herabzudrücken.«[233]

Später sind noch weitere Untersuchungen erfolgt, wobei die Beiträge von Rudolf Eberstadt (1856–1922) besonders hervorzuheben sind.[234] Doch soviel Daten auch zusammenkamen und empirisch abgesicherte Empfehlungen ausgesprochen wurden oder soviel über die Vor- und Nachteile von Kleinhaus und Mietskaserne theoretisiert wurde, die praktischen Auswirkungen und die reformerischen Umsetzungen blieben trotz allem ethischen Impetus bescheiden. Zu diesem Tatbestand stellte Carl Johannes Fuchs 1901 fest: »In Deutschland ist seit 1886 die Wohnungsfrage hundertmal gelöst worden auf dem Papier und auf dem Katheder.«[235] Wen wundert es da, daß Schmoller und seine Anhänger als »Kathedersozialisten« bezeichnet und der professoralen Ferne geziehen wurden. Trotz dieser Einschätzung wird man dieser Richtung aber nicht absprechen können, zur rechten Zeit der Manchester-Doktrin entgegengewirkt und Staat und Kommunen auf eine Beteiligung am Wohnungsbau eingestimmt zu haben.

Gegen Ende des 19. Jahrhunderts erhofften sich die reformerischen Kräfte schließlich eine Verbesserung der Wohnungszustände durch eine reichseinheitliche Baugesetzgebung. Der 1898 gegründete Verein Reichs-Wohnungsgesetz faßte diese Bestrebungen zusammen und veranstaltete 1904 den Ersten Allgemeinen Deutschen Wohnungskongreß in Frankfurt am Main. Aber alle Bemühungen auf diesem Gebiet blieben vorerst erfolglos. Denn inzwischen hatte die Erhöhung der Reallöhne die Brisanz der Wohnungsfrage so weit entschärft, daß die Reichsregierung sich keinem Handlungszwang mehr ausgesetzt sah. Eine Wohnungsreform durch Reichsgesetzgebung ist vor dem Ersten Weltkrieg nicht zustande gekommen. Doch kann auch nicht übersehen werden, daß die Zustände sich hygienisch, bautechnisch und baurechtlich verbesserten und die Wohnungsnot allmählich zurückging.


Viktor Aimé Huber: Die Genossenschaftssiedlung in der Innenkolonisation

Wie aus dem Überblick deutlich geworden ist, reichte das Fürsorgewesen der Gemeinden und das Wohltätigkeitsdenken bürgerlicher und christlicher Kreise nicht aus, um die sozialen Probleme der Arbeiter in der Frühzeit der Industrialisierung zu lösen. Aus den zahlreichen, zum Teil bereits erwähnten Vorschlägen, die zur »Abhülfe der Noth« vorgebracht wurden, soll aber doch noch auf jene, die ausgeprägtere städtebauliche Modelle beinhalten, etwas genauer eingegangen werden.

Als einer der ersten formulierte der an der Berliner Universität wirkende Viktor Aimé Huber (1800–69) seine von sozialem Verantwortungsbewußtsein und christlicher Karitas durchdrungenen Reformvorschläge.[236]

Auf die sozialen Probleme der unteren Schichten ist er schon in seiner Jugend in der Erziehungsanstalt von Philipp Emanuel von Fellenberg in Hofwil hingewiesen worden.

Reisen durch Frankreich (1821, 1826), Spanien (1821), England und Schottland (1823) schärften seinen Blick weiter für die sozialen Mißstände. Gegen 1828 war ihm klar, daß die legitimen Ansprüche der Arbeiter auf ein menschenwürdiges Leben nur noch durch tiefgreifende Sozialreformen erfüllt werden konnten. Die durch die Industrialisierung in Gang gesetzten sozialen Veränderungen deutete er wohl im Blick auf das Volksleben als sittlichen Zerfall und Auflösungsvorgang. Um die Gegenkräfte wenigstens in erzieherischer Form zu wecken, äußerte sich Huber in *Janus, Jahrbücher deutscher Gesinnung, Bildung und That,* einer von der preußischen Regierung von 1845 bis 1848 subventionierten Zeitschrift. Diese literarischen Beiträge blieben jedoch ohne Resonanz. 1844 bereiste Huber wiederum Frankreich und England. Dieses Mal hinterließ das in der Industrialisierung schon weit fortgeschrittene England einen tiefen Eindruck bei ihm.[237] Im Gegensatz zu Carlyle und Engels sah Huber die Ursachen des weitverbreiteten Elends nicht im Fabriksystem selbst, sondern im unwürdigen und unüberlegten Verhalten der Fabrikherren und der Lohnarbeiter, die, jede Seite in ihrer Weise, »Knechte der Sünde und Torheit sind und der Liebe und der Wahrheit ermangeln«.[238] Bei dieser Einsicht war klar, daß der Ansatzpunkt zu einer Reform nicht mehr in äußerlichen Veränderungen bestehen konnte; strenggenommen half hier nur noch eine Selbstbesinnung aller Beteiligten weiter. Für Huber wurde diese Forderung zum Ausgangspunkt aller weiteren Reformpläne.

Die Erfahrungen dieser England-Reise schärften Hubers Blick nun auch für die sozialen Verhältnisse in Deutschland. In einem Artikel »Über innere Kolonisation« in *Janus* nahm sein Reformplan die ersten Konturen an. Im Revolutionsjahr 1848 ging er noch einen Schritt weiter und publizierte ihn in weiterentwickelter Fassung anonym unter dem Titel *Die Selbsthülfe der arbeitenden Klassen durch Wirtschaftsvereine und innere Ansiedlung.*[239] Natürlich verrieten ihn Vergleiche mit den *Janus*-Artikeln schnell als Autor. Auch auf Deutschland bezogen sah er die »Verbesserung des Zustandes der arbeitenden Klasse« als die große Aufgabe an. Wie aber konnte diese gelöst werden? Huber forderte Beiträge dazu sowohl vom Staat als auch von den Industriellen und den Arbeitern. Der Staat kann, so argumentierte er, durch entsprechende Gesetze und Verträge, durch Ausbau des Straßen- und Schienennetzes, durch die Förderung der Absatzmärkte und durch andere Maßnahmen das Erwerbsleben der Arbeiter günstig beeinflussen. Das Verhältnis von Unternehmer und Lohnarbeiter könnte durch mancherlei Reformen verbessert werden. Eine Gewinnbeteiligung der Arbeiter durch Prämien wäre zum Beispiel ein denkbares Mittel. Die größte Bedeutung kam seiner Meinung nach jedoch der Selbsthilfe der Arbeiter zu. Da der einzelne mit seiner Tätigkeit allein ökonomisch so gut wie nichts bewirken kann, blieb den Arbeitern nur der Weg der wirtschaftlichen Vereinigung, der »ökonomischen Assoziation«. Kaum war dieser Begriff aber erwähnt, da distanzierte ihn Huber auch schon von den Plänen und Träumereien eines Owen, Fourier und Cabet, um nur nicht in den Verdacht einer sozialutopischen oder kommunistischen Konzeption zu geraten.

Hubers Assoziationsansatz umfaßte auch die Arbeiterwohnungen und die dazugehörigen Wirtschaftsgebäude. Ihre Lage dachte er sich allerdings in einer »neuen Umgebung«, von der er eine sittliche Wirkung erwartete. Und diesen ganzen Erneuerungsvorgang begriff er als eine »innere Kolonisation« oder »innere Ansiedlung«, die sich in drei Verfahrensstufen, oder, wie er sagte, nach drei Klassen vollziehen könnte.

Zum einen sei eine Ansiedlung von 100 bis 500 Familien (erste Klasse) in möglichst geringer Entfernung von den bisherigen Arbeitsstätten möglich, aber auch – mit Rücksicht auf die hohen Grundstückskosten in den Innenstadtbereichen – in Vorstädten oder auf dem Lande, etwa in unmittelbarer Nähe zu Fabriken oder Bergwerken. Ganz offensichtlich käme der Assoziationsgedanke bei dieser großen Anzahl der Haushalte am besten zur Wirkung. Zum anderen könne es sich um kleinere Assoziationen mit 20 bis 100 Familien (zweite Klasse) handeln, und zwar in den Fällen, wo größere Ansiedlungen nicht nötig oder von den Kosten her nicht möglich seien. Diese Situation kann sich sowohl in großen Städten als auch auf dem Lande ergeben. Selbst wenn bei der Begrenzung des Zusammenschlusses nicht alle Vorteile der Assoziation wahrgenommen werden können, so bleibt doch die unverzichtbare Forderung, daß jede Familie eine bequeme, gesunde, abgeschlossene Wohnung mit eigenem Eingang und einem kleinen Garten erhält. Um jeden Gedanken an die Mietskaserne auszuschließen, sollten nicht mehr als vier Wohnungen unter einem Dach sein.

Des weiteren sei noch die Vereinigung von 10 bis 50 Familien oder 50 bis 200 Alleinstehenden (dritte Klasse) in einem größeren Gebäude denkbar. Zu selbständigen Wohneinheiten reiche es unter diesen Umständen nicht mehr, aber bei einer zweckmäßigen Einrichtung würden die Bewohner diese Unterbringung immer noch besser finden als die leidige Untermiete.

In den Augen Hubers durfte sich eine Genossenschaftssiedlung in der beschriebenen Art nicht im Bau der Wohnungen allein erschöpfen; ein größeres Gemeinschaftsgebäude, in dem die Vorteile der wirtschaftlichen Vereinigung für jeden Genossen nutzbar waren, mußte noch hinzukommen. Es enthält die Speicher für die gemeinsamen Vorräte, die Räume für Verwaltung, Beratung, Unterricht, Erholung und Krankenpflege; an technischen Einrichtungen die Apparaturen für die Aufbereitung von Wasser, Wärme, Gas, Licht und auch die Installation von Back-, Wasch- und Baderäumen. Schließlich vervollständigen Zier-, Obst- und Gemüsegärten sowie ein Turnplatz in der Nähe des Zentralgebäudes die für alle nutzbaren Gemeinschaftseinrichtungen.

War für die damalige Zeit ein derartiger Siedlungsplan realisierbar? Huber selbst sah keine unüberwindbaren Schwierigkeiten. Er glaubte, daß sich genügend Privatanleger, Aktienvereine oder Korporationen finden würden, die bei einer fünfprozentigen Verzinsung die Kapitalausstattung für das Siedlungsunternehmen ermöglichten. Etwa noch fehlende Mittel konnte der Staat seiner Meinung nach vorschießen.

Es sollte sich jedoch bald zeigen, daß Huber in seinem Reformeifer die Finanzierungsprobleme stark unterschätzte. Denn es blieb völlig offen, ob die Anleger gewillt waren, ihr Kapital auf genossenschaftlicher Basis einzusetzen und mit der genannten Verzinsung vorliebzunehmen.

Genaugenommen bediente sich Huber für sein Siedlungsprojekt zweier kaum zu vereinbarender Prinzipien. Auf der einen Seite sollte es ein geschäftliches Unternehmen wie jedes andere sein; es sollte bei einem normalen Zinsgewinn Kapitalgeber animieren, ihr Geld auf diese Art anzulegen und dadurch zugleich noch zu einem sozialen Ausgleich beizutragen. Auf der anderen Seite wurde immer wieder der gemeinnützige Charakter und die genossenschaftliche Wirkungsweise des Unternehmens betont und ohne weiteres vorausgesetzt, daß die Genossen nach 25 Jahren zu Eigentümern werden würden. So gesehen mutete Huber jeder Seite ein solches Maß an Einsicht und »gegenseitigem Vertrauen« zu, wie es kaum vorausgesetzt werden konnte. Überhaupt scheint der Sozialreformer Huber die tieferen politischen Emotionen der Zeit nicht genügend bedacht zu haben. 1848 stand im Zeichen rvolutionärer Umbrüche. Es war das Erscheinungsjahr des *Kommunistischen Manifestes*, das in seiner aufrührerischen Formulierung von der Lösung der Arbeiterwohnungsfrage so gut wie nichts, von der Vergesellschaftung der Produktionsmittel und des Grund und Bodens aber alles erwartete. Hubers Plan bot nicht die zu dieser Zeit hoch im Kurse stehenden sozialpolitischen Versprechungen. Er forderte im Gegenteil von den Arbeitern Selbstbeschränkung, Sparsamkeit, Fleiß und widerspruchslose Einordnung in das frühkapitalistische Produktionssystem. Aber selbst wenn die Arbeiter diese Anforderungen erfüllt hätten, wieviel mehr wäre dem Besitzbürgertum zugemutet worden! Es hätte sich seiner sozialen Verantwortung bewußt sein und nicht aus karitativer, sondern aus sittlicher Überzeugung zum sozialen Ausgleich beitragen müssen. Weder die eine noch die andere Einsicht war vorhanden, und so blieb eine Resonanz auf den Assoziationsplan aus.

Zweifellos ist es ein Verdienst Hubers, den Arbeiterwohnungsbau als einen besonderen Komplex mit einer aus der sozialpolitischen Konstellation entwickelten baulichen Lösung herausgestellt zu haben. Schließlich zählten in diesem Bereich nicht die großen revolutionären Ideen, sondern die anwendungsfähigen Vorschläge. Beachtung und Zustimmung fand Hubers Plan wenistens bis zu einem gewissen Grade bei der Berliner gemeinnützigen Baugesellschaft. Es war ihm sogar möglich, eine Zeitlang in dieser Gesellschaft zu wirken und durch den Bau der von ihm finanzierten »cottages« auf der Bremerhöhe (Schönhauser Allee) in Berlin den innerstädtischen Miethäusern der Gesellschaft – wie sie zwischen 1849 und 1851 an der Michaelkirch- (28 Wohneinheiten), Wollank- (14 Wohneinheiten) und Ritterstraße (18 Wohneinheiten) gebaut wurden – eine Alternative entgegenzusetzen. Doch endete für ihn dieser Versuch enttäuschend, da das Projekt aus mangelndem Interesse eingestellt werden mußte. Als Schriftführer der Gesellschaft konnte er in deren Auftrag für etwa ein halbes Jahr die Zeitschrift *Concordia* herausgeben.[240] Wiederum zu einem Publikationsorgan gelangt, interpretierte Huber seinen Siedlungsplan aufs neue. Er ging nun von 400 besitzlosen Familien in einer größeren Stadt, etwa Berlin, aus. Für ihre Unterbringung dachte er sich 100 Häuser im »englischen Cottage-Stil«, jedes mit vier abgeschlossenen Wohnungen. Als Gemeinschaftseinrichtung sollte wiederum das schon beschriebene Zentralgebäude hinzukommen. Vom Staat erwartete er die Anlage der freien Plätze, »jene Lungen und Ventilatoren großer Städte«, und die Ausstattung mit den erforderlichen öffentlichen Bauten. Die Architektur und die bildende Kunst sollten selbst bei den bescheidenen Wohnungen der Arbeiter zur Anwendung kommen.

In der Weiterentwicklung seiner Gedanken wollte es Huber jedoch nicht mehr bei einer Baugenossenschaft bewenden lassen; die Wohnungen bildeten jetzt nur den Ausgangspunkt zu einer umfassenden ökonomischen Assoziation. In einem größer gefaßten Rahmen sollten Lebensmittel aller Art, Beleuchtung und Heizmaterial, Kleidungsstücke, Rohstoffe, Handwerkszeug und vieles andere zu günstigem Preis angeschafft und zum Einkaufspreis an die Genossen weitergegeben werden, entsprechend den Bedürfnissen der Familien. Ob sich schließlich alles zur Produktionsgenossenschaft ausweiten sollte, blieb offen.

Aber welche Gesellschaftsgruppe Huber auch auf ihre soziale Verantwortung hin ansprach, keine zeigte eine Neigung, seine Pläne in die Tat umzusetzen. Und da seine Tätigkeit als Universitätslehrer für ihn ebenfalls unbefriedigend blieb, zog er sich 1852 als Privatgelehrter nach Wernigerode zurück. Weitere Reisen nach England (1854, 1858, 1860) regten ihn zu neuen Vergleichen mit den deutschen Verhältnissen an. Er äußerte sich deshalb noch einmal ausführlich in einer von ihm 1861 herausgegebenen neuen Zeitschrift *Concordia* zur Wohnungsfrage.[241] Aufschlußreich ist, daß er nun, gewissermaßen gezwungen durch die Umstände des Grundstücksmarktes, von seiner Ideallösung immer weiter abrückte und resigniert feststellte: »... so wäre eine unbedingte Ausschließung des verrufenen sogenannten Kasernensystems in keiner Weise zu rechtfertigen«.[242] Als immerhin noch akzeptable Lösung erschien ihm die Zusammenlegung von vier Wohnungen in einem Gebäude, möglichst mit Gartenanteilen in deren Nähe.

Für diese Anordnung, die schon in früheren Plänen erwähnt ist, konnte er sich nun auch auf die inzwischen im Bau befindliche »cité ouvrière« von Mülhausen im Elsaß berufen. Er hatte diese durch eine Besichtigung kennengelernt, ihre Mängel und Problematik aber nicht zu durchschauen vermocht. Nur so ist sein Eintreten für das äußerst fragwürdige »Mülhausener System« verständlich. Daß Huber sich am Schluß wider Willen genötigt sah, dem Cottage-Ideal zu entsagen und für das Kasernierungssystem einzutreten, ist die eigentlich ironische Pointe in seinem Reformansatz. Die Erfolglosigkeit seiner Bemühungen besagt aber nicht, daß sein Wirken in ideeller Hinsicht bedeutungslos gewesen ist. Wenn er die unzureichenden und ungesunden Wohnungen der Arbeiter als den Hauptgrund der »sozialen Krankheit« betrachtete, so ging er hierin mit anderen Stadtbaukritikern konform. Aber während diese, wie zum Beispiel Friedrich Engels, oft über die Negation nicht hinaus kamen, stellte Huber den Bau von gesunden Arbeiterwohnungen schon um die Mitte des 19. Jahrhunderts als einen wichtigen sozialen Lösungsvorschlag heraus.

Wie Owen in England und den USA und Fourier in Frankreich, so hat er in Deutschland, allerdings unter ganz anderen Voraussetzungen, die Möglichkeiten der Assoziationsidee im Bereich des Bauens aufgezeigt. Sein sozialer Siedlungsplan hätte durchaus den Ansatzpunkt zu einem eigenständigen industriellen Arbeiterwohnungsbau ergeben können, so wie auch die von ihm vorgeschlagene Innenkolonisation als ein praktikables Mittel für die Raumordnung und Raumwirtschaft hätte gehandhabt werden können.

In der Gesamttendenz hat Huber, so konservativ er auch in seiner politischen Gesinnung blieb,[243] die Industrialisierung bejaht. Den romantischen Standpunkt, Landwirtschaft und Handwerk seien sittlich höher zu stellen, sah er als überholt an. Seine Vorschläge zielten auf eine menschenwürdige Einrichtung des Industriesystems ab, verbunden mit dem moralischen Appell an die agierenden Kräfte dieses Systems. Aber gerade diese Kräfte hat Huber falsch eingeschätzt: Dem Frühkapitalismus war mit sittlichen Mahnrufen nicht beizukommen. Konzessionen konnten ihm nur von einer organisierten, kampfbereiten Arbeiterbewegung abgetrotzt werden.

Der Masse der Arbeiter aber versprach die Aufforderung zur Selbsthilfe nur neue Anstrengungen und Entbehrungen. Dagegen wiesen andere Propheten einen einfacheren Weg zur sozialen Befriedung. Aus dieser Fehleinschätzung des sozialpolitischen Umfelds resultiert letzten Endes die Erfolglosigkeit des Huberschen Siedlungsprogramms. Denn in seinen auf der Selbsthilfe und der Genossenschaftsidee basierenden Plänen überschritt er die für seine Zeit zulässigen Grenzen der Sozialreform. Seine Vorschläge der Genossenschaftssiedlungen sind deshalb von konservativen Kreisen kurzerhand als utopisch und kommunistisch abgetan worden.[244] Diese Einstufung des Werks eines so monarchistischen und konservativen, vor jeder Revolution zurückschreckenden Reformers wie Huber beweist nur, wie nahe bei Lösungsvorschlägen, die nicht allein auf Äußerlichkeiten, sondern auf die Umgestaltung des ganzen Sozialbereiches ausgerichtet waren, Sozialreform und Sozialutopie beieinanderlagen.

Die spätere Verwirklichung der Baugenossenschaftsidee in den Wohnsiedlungen der zwanziger Jahre unseres Jahrhunderts läßt Hubers Pläne heute aber in einem anderen Licht erscheinen als damals: Es hat sich erwiesen, wie weit sie ihrer Zeit voraus waren.


Julius Faucher: Wohnungsreform durch Häuserbau-Gesellschaften

Die von den meisten Wohnungsreformern vertretenen Pläne der genossenschaftlichen Selbsthilfe im Wohnungsbau erschienen dem volkswirtschaftlichen Schriftsteller Julius Faucher (1820–78), der zur Berliner Freihandelsschule um John Prince-Smith gehörte, wenig überzeugend und kaum praktikabel. Er entwickelte deshalb 1865, als auf dem »Congress deutscher Volkswirthe« in Nürnberg noch kontrovers über die verschiedenen Wohnbausysteme – Cottage-System, gemischtes Wohnsystem, Kasernensystem – diskutiert wurde, in dem Artikel »Die Bewegung der Wohnungsreform« neue und andersgeartete Vorstellungen.[245]

Faucher ging von der Voraussetzung aus, beim Wohnen handle es sich um »das entschieden wichtigste Kulturbedürfnis des Menschen«. Das war für ihn Grund genug, diese Thematik mit den Mitteln der noch jungen Sozialwissenschaft anzugehen und nach den nationalökonomischen Gesetzmäßigkeiten des Wohnens zu fragen. Warum steigen Wohnungsmieten schneller als das Einkommen der Bewohner, und warum bleiben die Bauplatzpreise für die Bauwilligen meist zu hoch? Dabei stellt man fest, daß in großen Städten, vornehmlich in Berlin, die Wohnungen in Blöcken bis zu sieben Geschossen zusammengepackt werden.

Faucher versucht, aus Analysen der Wohnungsverhältnisse in London und Berlin Antworten zu finden. In der britischen Metropole beobachtet er gewisse Übergangsperioden für das Bewohnen der Häuser, Straßen und Stadtviertel. Diese können einige Zeit lang von einer angesehenen Gesellschaftsschicht belegt sein. Sobald die Wohnbedingungen sich verschlechtern, zieht diese in die Randzonen ab und gesellschaftlich tiefer stehende Schichten rücken nach, wodurch der Wert der Häuser sinkt. Damit hat der Verfall des ganzen Stadtviertels schon begonnen. Als Beispiel nennt Faucher die »rookeries« (Dohlennester) der Iren. Aber im großstädtischen Rahmen Londons, in dem keine Mietskasernen vorkommen, handelt es sich dabei und auch bei anderen nicht minder trostlosen Erscheinungen um Ausnahmen. Denn wenn in dieser Großstadt mit 3,5 Millionen Einwohnern etwa 450000 Häuser vorhanden sind, und wenn der Anteil der Alleinstehenden berücksichtigt wird, kann man zu dem Schluß kommen, daß die Wohnungsversorgung »im wesentlichen erreicht ist«. In London ist auch zu sehen, wie sich die Bebauung entlang den Ausfallstraßen ins Land hinaus erstreckt, so daß gleichsam Gartenvorstädte entstehen. Die Bewohner in diesen Außenbereichen leben immer noch mit der Natur verbunden, also unter lebenswerten Bedingungen. Dasselbe läßt sich für Paris, Berlin und Wien nicht sagen. Faucher meint, daß sich die Andersartigkeit vor allem in den Bauplatzpreisen ausdrückt. Sie nehmen, wie in Wien besonders klar zum Ausdruck kommt, vom Zentrum zur Peripherie hin ab.[246] In diesem Faktum kommt für Faucher das Spiel der volkswirtschaftlichen Gesetze zur Geltung.

In weiteren Überlegungen versucht er, die drei wichtigsten nationalökonomischen Gesetzmäßigkeiten herauszustellen. Zuerst einmal trägt jede Urbanisierung, also die Erschaffung von Stadtraum durch die Kommune, zur »Kulturgrundlage des Grundeigentums« bei. So ergibt sich der Bodenwert, der fast unbezahlt an die Grundeigentümer abgegeben wird. Denn das kommunale Steuersystem, das die geschaffenen Werte über Grundsteuer, Verbrauchssteuer, Gebäudesteuer, Tür- und Fenstersteuer und Straßenfrontabgaben[247] hereinholen will, bleibt unvollkommen und unangemessen und wird in Paris, Wien und Berlin gleichermaßen am Schluß auf die Grundstückskäufer und Mieter abgewälzt. Auf diese Art werden die Bauplatzpreise hochgetrieben, und ihre Höhe verleitet in der Folge dazu, die Wohnungen auf engstem Raum zu massieren, um nur wieder den finanziellen Einsatz hereinzuholen. Das Ergebnis sind schlechte Wohnverhältnisse mit Stockwerksanhäufungen, Hinterhauswohnungen und vollbelegten Dach- und Kellergelassen.

Als zweite volkswirtschaftliche Gesetzmäßigkeit sieht Faucher den Zusammenhang zwischen normaler Lebensform, das heißt dem Wohnungsstandard und dem Nationalwohlstand. Ist indes der innere Kern von Städten mit Geschäften, die große Werte darstellen, hoch und eng bebaut, so ergibt sich die Tendenz, auch wieder in den den Kern umschließenden Gürtelzonen genauso komprimiert zu bauen. Bei dieser Konstellation hilft es den Mietern nichts, sich in ihren Wohnbedürfnissen einzuschränken; bei wachsender Bevölkerung steigen die Bauplatzpreise weiter an und der Wohnungsmarkt reagiert mit höheren Mieten.[248] Wie aber ist diesem Wirkungskreis zu entkommen? Um die Grundstückspreise zu dämpfen und zu senken, muß man, so formuliert Faucher die dritte volkswirtschaftliche Gesetzmäßigkeit, mit den städtischen Neubauten viel früher in die weitere Umgebung (er spricht von entlegenerem Gürtel) ausweichen, als es die Auffüllung der näher am Kern gelegenen Bebauung erforderlich macht. Denn nur so ist es möglich, Grund und Boden in größerem Umfang anzubieten und der Nachfrage gegenüberzustellen. Auf dem billigen Bauland wird dann auch eine andere Art von Wohnen im Flachbau möglich sein, und der Bau von mehrgeschossigen »Mietskästen« kann der Vergangenheit angehören.

In einem zweiten Teil seiner Untersuchungen geht Faucher noch etwas genauer auf die psychologischen und soziologischen Probleme des Wohnens ein und kommt am Schluß zu einer einigermaßen überraschenden Quintessenz. In Berlin, so beobachtet er, bilden Häuser mit 6 bis 20 Haushaltungen die normale Wohnungsform. Offensichtlich führt die Entwicklung vom Einfamilienhaus weg zum Massenmietshaus mit Untermietverhältnissen und sonstigen Ungereimtheiten. Wie aber kann hier eine Umkehr bewirkt und die Wohnung im ungeteilten Haus wiedergewonnen werden? Da dieses neuartige Bauen im außenliegenden städtischen Bereich geschäftlichen Wagemut und Unternehmungsgeist erfordert, kann nur mit kapitalkräftigen »Häuserbau-Gesellschaften« vorgegangen werden. Allein in ihnen ist das wirksamste Mittel der Wohnungsreform zu sehen. Nachdem Fauchers Überlegungen einmal so weit gediehen waren, mußte er in einem weiteren Artikel, dem er die Überschrift »Über Häuserbau-Unternehmen im Geiste der Zeit« gab,[249] die Organisationsform und die Wirkungsweise dieser Einrichtungen näher erläutern. Klar war ihm, daß diese Baugesellschaften zuerst einmal über Grund und Boden verfügen mußten, bevor sie überhaupt eine Bautätigkeit aufnehmen konnten. In einer gewagten Andeutung gibt Faucher eine Ahnung davon, wie dies geschehen könnte: »Eine Expropriation für den Zweck städtischer Bauunternehmung ließe sich aus demselben Grund verteidigen wie für den Wegebau, nämlich um der Erleichterung der Arbeitstheilung willen«.[250] Aber dabei muß er es bewenden lassen. Und folgerichtig leitet er daraufhin zu städtebaulichen Erörterungen über. Er erkennt, daß einzelne kleine Bauunternehmungen zu keinem befriedigenden Resultat führen. Denn bei einer Bebauung müssen die ganze Nachbarschaft und die Fortsetzung der Straßen überlegt sein. So gelangt Faucher auf der Grundlage einer volkswirtschaftlichen Argumentation – nämlich um einen »ordentlichen Bauplatzpreis« zu erreichen – zur Forderung nach einer auf das Ganze gerichteten Stadtplanung, eine Forderung, die man sicher auch von städtebaulichen oder stadtsoziologischen Überlegungen her hätte ableiten können. Schließlich beschreibt Faucher noch in einem Vorschlag die Wirkungsweise eines »Häuserbau-Unternehmens«. Er denkt sich eine große Aktiengesellschaft, die Land in der Nähe expandierender Städte aufkauft, dieses in Bauplätze umlegt, die Erschließung übernimmt und mit der Bebauung den Anfang macht. In einem Beispiel, das er Hubersfeld nennt und das er als Vorort einer Stadt mit 60 000 Einwohnern, etwa von Halle, annimmt, sieht er schon die fertigen, den verschiedenen Bedürfnissen angepaßten Wohnhäuser nach einem überlegten Gesamtplan an den Straßen stehen, mit Wasser und Gas versorgt und auch mit den nötigen Verkaufsläden ausgestattet. Fürs erste befindet sich noch alles im Eigentum der Baugesellschaft, aber die Bauinteressenten können durch monatliche Abzahlungen, die kaum den Mietaufwand übersteigen, die Häuser käuflich erwerben. Im Hinblick auf die Finanzierung bezweifelt Faucher nicht, daß sich genügend Leute zur Zeichnung der Häuserbau-Aktien finden, zumal eine gute hypothekarische Absicherung vorhanden wäre und eine ansehnliche Dividende erwirtschaftet werden könnte.

Das ist, in den wesentlichen Zügen, Fauchers Plan für eine Wohnungsreform. Es fällt daran sofort auf, daß von sozialen Erwägungen kaum die Rede ist und utopische Tendenzen völlig fehlen. Faucher will die Lösung der Wohnungsfrage durch die Beachtung der von ihm in diesem Zusammenhang formulierten volkswirtschaftlichen Gesetze finden. Städte sind für ihn Orte der Arbeitsteilung und, über das Ökonomische hinaus, Stätten des Kulturbewußtseins der Menschen. Ihr Werden und ihre Entwicklung darf nicht dem Zufall überlassen sein und ihre Form darf nicht in vereinzelten und isolierten Teilen zum Ausdruck kommen. In diesem Punkt redet der Volkswirtschaftler dem planvoll betriebenen Städtebau, auch wenn er nur Häuserbau sagt, das Wort.

Neben Hubers Plan der assoziativen Selbsthilfe, der in einem bestimmten Maße die Unterstützung der »industriellen Ritterschaft« und des Staates nicht entbehren konnte, eröffnete Fauchers Konzeption einen Weg, der viel eher der wirtschaftlichen Zielsetzung des Frühkapitalismus entsprach. Von einem Appell an das soziale Gewissen der Industriellen und des Staates hielt Faucher als »Freihändler« nichts. Er vertraute auf das Stimulans der wirtschaftlichen Kräfte, auf das Gewinnstreben der Kapitalisten. Nur sollten diese Kräfte im Rahmen eines geordneten Städtebaus wirksam werden und nicht wie bisher im Chaos unzusammenhängender Einzelunternehmungen verpuffen.

Faucher beschreibt nicht näher, wie die eigenständige Vorstadt im äußeren Ring verkehrsmäßig erschlossen ist, wie weit überhaupt der Verselbständigungsprozeß getrieben werden soll. Aber diese Vorstadt war eindeutig als Alternative zur trostlosen und menschenunwürdigen Mietskasernenstadt gedacht. Mit der Abschaffung des vielgeschossigen Stockwerkbaus und der Hinterhofbebauung erstrebte sie eine Auflockerung in der Bewohnerdichte und erträgliche sanitäre Wohnverhältnisse. Mit der Enteignung zugunsten des städtischen Wohnungsbaus wären auch die Möglichkeiten zur Befriedigung sozialer Bedürfnisse gegeben gewesen, ohne daß Faucher aber näher darauf eingeht. War dieser dem freien Spiel der wirtschaftlichen Kräfte anvertraute Plan für die Zeit um 1870 akzeptabel? In wirtschaftlicher Hinsicht hatte es, wie Faucher selbst angibt, an Versuchen mit Baugesellschaften auf Aktienbasis nicht gefehlt. Auf diesem Weg war aber – die Berliner gemeinnützige Baugesellschaft hatte dafür schon zwanzig Jahre früher den Beweis geliefert – nicht jener hohe Zinsertrag zu erwirtschaften, den Faucher in Aussicht stellte. Es war also gar nicht so einfach, Käufer für die Aktien der Baugesellschaften zu finden. Die Gründerzeit der siebziger Jahre bot den Spekulanten lukrativere Einsätze. Aber selbst wenn die Aktien ihre Käufer fanden, war die städtebauliche Funktion dieser Baugesellschaften im Sinne von Faucher noch nicht gewährleistet. In fast allen Fällen hielten sich die Gesellschaften zu Gesamtplanungen nicht verpflichtet, und sie erfüllten deshalb die ihnen von Faucher zugedachte Rolle nicht. Tatsächlich mutete ihnen sein Plan auch zuviel zu. Die städtebauliche Planungshoheit lag bei der Gemeinde und beim Staat, und die Baugesellschaften konnten nur die durch Zufall erworbenen Flächen bebauen, die in dem heruntergelinierten Stadterweiterungsplan der Gemeinde als Baugebiet ausgewiesen waren. Wohl würdigt Faucher die urbane Wertschaffung der Kommunen. Es entgeht ihm aber, in welch ausgedehntem Maße der planvolle Städtebau das Zusammenwirken von Stadtplanern, Bauträgern, Bauherrschaft und Gemeindevertretern voraussetzt. Den Planungs- und Bauauftrag einer neuen Stadt oder eines neuen Stadtteils nur dem Bauträger zuzuweisen, konnte zu keinem guten Resultat führen.

Bei seiner ökonomischen Einstellung vernachlässigt Faucher die gemeinnützigen Leistungen des Städtebaus. Einer auf Gewinn ausgerichteten Aktiengesellschaft kann man nicht den Bau unrentabler Institutionen wie Kindergärten, Schulen und Asyle zumuten. Dem Faucherschen Plan soll damit aber nicht jeglicher Wert abgesprochen werden. Für die Zeit um 1870 bedeutete es schon sehr viel, die Notwendigkeit einer auf ökonomische Überlegungen ausgerichteten Stadtplanung nachzuweisen. Auch die Anregung, mit neuen Bebauungen in den äußeren Ring auszuweichen, um damit eine Entzerrung der Bauplatzpreise zu erreichen, darf nicht gering eingeschätzt werden. Mit Recht gilt deshalb Faucher schon lange als ein wichtiger Exponent der Wohnungsreformbewegung.[251]


Adelheid Gräfin Poninska: Der grüne Stadtgürtel und die Reform des Wohnungsbaus

Aus dem Umfeld der Inneren Mission ging noch ein weiterer Plan für eine umfassende Sozialreform hervor, der gegenüber der kapitalistischen Häuserbau-Gesellschaft Fauchers wiederum eine andere Position vertrat, indem er vor allem die sozialpolitischen und urbanistischen Probleme in einen direkten Zusammenhang brachte. Adelhaid Gräfin Poninska,[252] deren Beitrag damit gemeint ist, hatte die ersten Gedanken dazu schon zwischen 1845 und 1848 konzipiert. Vielleicht mußte es gerade eine Aristokratin in ihrer gesicherten und durch Geburt angesehenen Stellung sein, um in der Öffentlichkeit die höheren Stände auf die desolate Lage der Arbeiter in den Fabrikstädten hinzuweisen.

In ihrer ersten Publikation von 1854 empfahl sie jedenfalls, die ganze Aufmerksamkeit auf »die herzzerreißende und furchtbare Erscheinung des Pöbels unserer Großstädte« zu richten.[253] Der menschliche Pflichtteil, so argumentierte sie, muß in einem Gemeinwesen auch der untersten Schicht zugestanden werden. So wie jeder der Nahrung, Kleidung, Arbeit, Ruhe und Erholung, der Erziehung und des geselligen Umgangs bedarf, so hat jedes Mitglied der bürgerlichen Gesellschaft auch Anspruch auf eine menschliche Wohnung, auf einen bescheidenen Komfort.

Die »Regeneration der unteren Volksklassen« sah Gräfin Poninska keineswegs auf den Wohnbereich beschränkt; ihr Organisationsplan umfaßte zudem die von der Inneren Mission her bekannten korporativen Einrichtungen der Kinderkrippen, Kinderschulen, privaten Volksschulen und Gymnasien, der Gesellen- und Mägdeherbergen, Arbeitersiedlungen und Krankenasyle.

Die Idee der Organisation von Arbeiterwohnungen konkretisierte sie am Beispiel von Breslau. Als einzelne Aufgaben wurden herausgestellt: Untersuchung des Gesamtbedürfnisses an zweckmäßigen Arbeiterwohnungen mit allen damit zusammenhängenden Erhebungen; Erwerb von Baugelände innerhalb und außerhalb der Stadtgrenzen; Planung der Wohnungen unter Berücksichtigung der Gartenbedürfnisse; Initiative zu eigenen Bauunternehmungen mit Werbung unter den Bauherren und Bauträgern; Feststellung der Bedürfnisse an Ledigenheimen und Ausarbeitung der entsprechenden Vorschläge; praktische Fürsorge für Arbeiterfamilien in schlechten Wohnverhältnissen. Sicher war damit kein revolutionäres Programm umrissen, aber man kann darin doch einen ersten Versuch sehen, angewandte Soziologie und Bauplanung miteinander zu verbinden, um zu ganz realen Lösungsvorschlägen zu kommen.

Gräfin Poninska hat sich mit diesem Aufruf zu einer Regenerierung nicht zufriedengegeben, zumal sie erkennen mußte, wie wenig Verständnis bei den führenden Schichten Deutschlands für eine Sozialreform vorhanden war.

Der Ausbau Wiens in den sechziger Jahren veranlaßte sie zur Abfassung einer neuen Schrift mit dem Titel *Die Großstädte in ihrer Wohnungsnoth und die Grundlage einer durchgreifenden Abhilfe.* Sie ist allerdings, mit einem Vorwort des in Königsberg wirkenden Sozialreformers Theodor Freiherr von der Goltz versehen, unter dem Pseudonym Arminius 1874 in Leipzig erschienen.[254] Es ist anzunehmen, daß eine Frau es damals nicht wagen konnte, öffentlich zu Problemen des Städtebaus Stellung zu nehmen. Die gewählte Anonymität gestattete der Verfasserin dann, ihre Meinung frei zu äußern, ohne daß sie von den Fachleuten als Dilettantin abgetan werden konnte.

Ihre Schrift hebt sich von den vielen anderen der damaligen Zeit durch den in der Einleitung entwickelten übergeordneten Standpunkt ab. Es handelt sich bei ihrem neuen Plan um eine von sittlicher Erkenntnis getragene Sozialerneuerung, die sich auch im Bau der Städte vollziehen sollte. Denn, so führt sie aus, die Architektur einer Stadt muß, ebenso wie die eines einzelnen Bauwerks, in allen Teilen ihrem Zweck harmonisch entsprechen. Und dieser Zweck besteht vor allem darin, an allen Stellen der Stadt ein »menschliches Wohnen« zu ermöglichen. Dieses erste und wichtigste Bedürfnis kann nicht durch die Behausungen allein befriedigt werden, sondern ihm muß auch durch Erholungsstätten im Freien und Grünen im städtischen Umfeld Rechnung getragen werden. Sicher kommen noch andere Bedürfnisse hinzu, denen durch die öffentlichen Bauten für Administration, Unterricht, Künste, Wissenschaft und Kult, durch Handels- und Gewerbebauten, Unterhaltungslokale und durch andere gemeinnützige Einrichtungen entsprochen werden kann. Um zu verdeutlichen, wie wenig der Städtebau bisher dieser primären Aufgabe des menschlichen Wohnens gerecht geworden ist, verweist Gräfin Poninska auf den Ringstraßenbau von Wien. Allein schon in den Wettbewerbsplänen sind die Wohnbelange weitgehend vernachlässigt worden. Die Gesichtspunkte des Augenblicks und die Interessen einzelner Klassen bestimmten das Vorgehen. Bei einem Stadtausbau wäre es aber, ganz allgemein gesehen, Sache der Regierung und der Stadtverwaltung, darüber zu wachen, daß die Wohnviertel in großen Gemeinden in den »richtigen Proportionen« angelegt werden. In Wirklichkeit sind die Städte aus ihrer »organischen Fassung« gekommen. Was nützt es, wenn die Haupt- und Residenzstädte mit architektonischen Meisterwerken bereichert sind, die bescheidensten Bedürfnisse des menschlichen Wohnens daneben aber unerfüllt bleiben? Beim Entwurf eines Stadtbauplans hat jeder Bevölkerungsteil ein Anrecht darauf, gebührend berücksichtigt zu werden.

Sind die Städte unterdessen, wie das bei London, Paris und Berlin der Fall ist, so groß und unübersichtlich geworden, daß die sozialen Belange nicht mehr erfüllt werden können, so ist fortan auf eine Erweiterung zu verzichten und der bauliche Bestand zu korrigieren. Allein um der richtigen Proportionen willen könnte es sogar naheliegend sein, den Zuzug zu den Großstädten zu begrenzen und Abzüge aus den überfüllten Quartieren einzuleiten, um die Wohnungsverhältnisse der untersten Schichten zu verbessern. Es ist eine traurige Tatsache, daß in den europäischen Hauptstädten der überwiegende Teil der Bevölkerung in Quartieren haust, die der Willkür überlassen sind. Die Neubauten, zumeist in den Händen von Spekulanten, sind nach dem Prinzip der Einträglichkeit erstellt und vermietet. Die Arbeiter aber sind bei ihrem niedrigen Einkommen genötigt, unter bedrückenden Platzverhältnissen die billigsten Gelasse zu nehmen. An diesem Faktum können auch polizeiliche Bauordnungen und sanitäre Auflagen, die in letzter Zeit für manche Orte erlassen worden sind, wenig ändern.

Indem Gräfin Poninska immer wieder den Begriff der »richtigen Proportionen« variiert, entfaltet ihr Plan seine ganze Spannweite. Ihrer Überzeugung nach sind die auf die verschiedenen Schichten abgestimmten Familienwohnungen der feste bauliche Kern eines Stadtkörpers; alle anderen Teile reihen sich daran an. Sind diese Wertigkeiten einmal erkannt, so können die richtigen Verhältnisse nach Lage und Größe hergestellt werden. In die Gesamtdisposition mit einzubeziehen sind auch die öffentlichen Institutionen, Kirchen, Schulen, Handels- und Industriebauten, Bahnhöfe, ebenso die Verbindungswege vom Stadtkern zu den Erholungsstätten in der freien Natur, die zur Regeneration und Stärkung der Arbeiterschaft so lebensnotwendig sind wie die Wohnungen selbst.

Für den Fall, daß Stadterweiterungen vorgenommen werden müssen, können diese nicht das »willkürliche Verbauen freier Plätze und Feldgrundstücke« ausmachen, ebensowenig wie Spekulationsbauten ihre Entwicklung bestimmen dürfen. Hier müssen Staat und Kommunen mit Baukonzessionen regulierend einwirken und allen Beteiligten klarmachen, daß beim Bau von Städten das Wohl des Ganzen über dem Wohl des einzelnen steht.

Auf die Ansprüche, die an Familienwohnungen für Arbeiter zu stellen sind, wird in der Schrift genauer eingegangen. Eine Stube, eine Küche, ein oder zwei Kammern und ausreichend Nebenräume sind als Minimum der räumlichen Ausstattung anzusehen. Die weiteren Überlegungen, wie diese Räume gelegen und gruppiert sein sollten, machen Gräfin Poninska aber wieder die desolate und verworrene Situation des zeitgenössischen Städtebaus bewußt. Es lassen sich, so stellt sie fest, keine Prinzipien des Wohnungsbaus erkennen und nirgends ist dem wahren Bedürfnis entsprochen. Was die Stadterweiterungspläne jedoch genügend zum Ausdruck bringen, sind die breiten und geradlinigen Straßen, die geometrisch figurierten Plätze, die großen Verkehrslinien und die architektonischen Monumente mit ihren dekorativen Figurengruppen.

Hier müssen, wenn eine Erneuerung gelingen soll, neuartige Einsichten entwickelt werden. Ihrer Meinung nach kann die angemessene Lösung nur darin bestehen, die Neubauten mit den Arbeiterwohnungen weit draußen im Umland der Städte zu erstellen, wo ein niedriger Mietzins zu erreichen ist und jeder Haushalt ein Gartengrundstück erhalten kann. Eine wichtige Voraussetzung dabei ist allerdings, daß nach einem einheitlichen Plan und unter einer übergeordneten Leitung vorgegangen wird. Die Behörden sollten, von freien Vereinen unterstützt, zuerst den erforderlichen Bedarf an Arbeiterwohnungen feststellen. Von ihnen berufene Kommissionen haben dann die bebaubaren Flächen, die dem Zugriff der Terrainspekulation entzogen werden, zu ermitteln. Sobald das städtebauliche Programm feststeht, kann der Planentwurf durch einen öffentlich ausgeschriebenen Wettbewerb gefunden werden.

Als Bauträger für diese Siedlungen kämen in Frage: Industrielle, die auf ihrem Fabrikareal Wohnungen für ihre Arbeiter bauen; Staat, Gemeinden und gemeinnützige Genossenschaften, die den Arbeitern ermöglichen wollen, ihre Wohnungen im Laufe der Zeit durch Selbsthilfe als Eigentum zu erwerben, die aber auch bereit sind, durch verlorene Zuschüsse im Sinne einer »organischen Nachhülfe« der einkommensschwächsten Schicht bessere Wohnungen zu einem erträglichen Mietzins zu verschaffen. Daß in diesem Rahmen gemeinnützigen vor spekulativen Bauunternehmungen der Vorzug zu geben ist, muß als recht und billig angesehen werden, da der Reformansatz allen Bauspekulationen widerspricht.

Erfordern es Gesichtspunkte des Gemeinwohls, so sind auch Expropriationen zugunsten dieser Arbeiterkolonien und der ihnen zugehörigen Erholungsfreiflächen denkbar. Und gerade diesem Erholungsraum mißt Gräfin Poninska besondere Bedeutung zu. Sie will, daß die noch vorhandenen unbebauten Freiräume innerhalb der Großstadt und auch die Zwischenräume zu den Vorstädten von der Bebauung frei gehalten werden und als »innerer grüner Stadtgürtel« eine unantastbare Erholungszone bilden.

Immer wieder aufs neue wird dieser offene Grüngürtel der Stadt herausgestellt, wobei seine urbanen und sozialen Vorzüge wie in Schaubildern beschrieben werden. Da finden sich für die Arbeiter, die inmitten der Stadt ohne Gartenanteile zur Miete wohnen müssen, die Familienlauben in den Nutzgartenkolonien.[255] Da verfügt jeder Stadtbezirk oder Vorort über eine Feierabendstätte, wo die Arbeiter ihre freien Abende und Sonntage an lauschigen Plätzen gesellig miteinander verbringen können. Es fehlt auch nicht an Kindergärten, Spielplätzen, Rasenflächen und Spazierwegen. Parkanlagen, Promenaden, Restaurationsgärten und andere Attraktionen werden selbst die höheren Stände zur Erholung in die Anlagen locken. So könnte der grüne Ring allen Bevölkerungsschichten zum Vorteil gereichen, abgesehen davon, daß er auch die Zufuhr frischer Luft bewirkt und die klimatologischen Lebensbedingungen in der steinernen Häusermasse verbessert.

Diesen Rahmen steckt der Poninskasche Reformplan zur Abhilfe der Wohnungsnot in den Großstädten ab. Man ist erstaunt, von welch übergeordnetem Standpunkt aus die urbanistischen Probleme der Zeit behandelt werden und mit welcher Weitsichtigkeit hier Planungsprinzipien wie Bedürfnisprüfung, Typenuntersuchungen, Zonenunterteilung und Entwurfsoptimierung durch Wettbewerbe vertreten werden. Sie muten uns heute zwar selbstverständlich an, für das letzte Viertel des 19. Jahrhunderts mußten sie aber als ungewöhnlich und progressiv gelten.

Für die Disposition der Stadt selbst wurde die Gliederung durch den grünen Ring, das heißt die Auflockerung des Stadtraums durch umfassende Grünzonen, angeregt. Dieser Gedanke mag aus der Situation von Städten mit aufgelassenen Festungsringen (Bremen, Frankfurt am Main, Wien) abgeleitet sein. Wichtig ist aber, daß dieser Vorschlag zu einem Zeitpunkt vorgebracht wurde, als er noch hätte berücksichtigt werden können, da bei vielen Städten der erste Industrialisierungsschub noch nicht eingesetzt hatte. Damit hätten die Stadtplaner über ein wirkungsvolles Mittel der Flächengliederung verfügt, das als Ordnungsfaktor gegen das formlose Auswuchern des Stadtkörpers an den Rändern gewirkt hätte.

Die Anordnung der einzelnen Arbeitersiedlungen »vor den Linien«, d.h. im weiteren Umfeld der Stadt, deutet schon auf das Satellitensystem hin, das bei guten Verkehrsverbindungen, etwa mit Pferdeeisenbahnen, dem Plan angemessen erschien.

Alle Anregungen zusammengenommen, ergaben sich hier in der Tat wichtige Einsichten für eine »Architektur der Großstadt und ihrer Umgebung«. Den Architekten hätten vor allem aus dem sozialen Bereich Anregungen vermittelt werden können, die sie offenbar von ihrer Ausbildung und Berufstätigkeit her ohne fremde Hilfe nicht gewinnen konnten. Gerade weil Gräfin Poninska nicht wie die Architekten ihrer Zeit vom geometrischen Planbild ausging, sondern ihre Vorstellungen aus sozialtheoretischen Prämissen und Überlegungen entwickelte, konnte sie die Idee der städtischen Erholungsflächen so ungebunden vorbringen. Denn für sie bedeutete die Erfüllung dieses Anspruchs durch die Gemeinden und den Staat nichts anderes als den gerechten sozialen Ausgleich, den es endlich zu vollziehen galt.

In diesem Punkt wird klar, welche Forderungen der neue Plan an das bürgerliche Lager stellte. Es war nicht mehr damit getan, einfach die Planungstechniken zu ändern, es ging vielmehr um die moralische Einsicht, daß alle Bevölkerungsschichten gleichermaßen Anteil an der baulichen Gestalt der Stadt haben müssen. Indem der Plan auf diesem Weg der Arbeiterklasse menschenwürdige Wohnungen verschaffen wollte, überschritt er jedoch bei weitem die gängigen Vorstellungshorizonte des Städtebaus der damaligen Zeit.[256] In einer Resolution des Verbandes Deutscher Architekten- und Ingenieur-Vereine von 1874 erschöpfte sich die offizielle Auffassung von Städtebau in der Feststellung der Grundzüge aller Verkehrsmittel, in der Festlegung des Straßennetzes, in der Wahrung notwendiger Interessen wie Gesundheit und Feuersicherheit und in der Forderung nach Umlegungsgesetzen.[257] Gegen diese realen, aus der Praxis abgeleiteten Programmpunkte nahm sich der soziale und humanitäre Städtebau der Gräfin Poninska wie ein utopischer Vorschlag aus, dem aus vielerlei Gründen kein momentaner Erfolg beschieden sein konnte. Daß solche Ideen aber dennoch als Perspektiven für den zukünftigen Urbanismus gewirkt haben, beweist die spätere Entwicklung.

### 6.3.3. Frühe paternalistische Arbeiterkolonien

In vorindustrieller Zeit, als die Kohle noch im Stollenbau gewonnen und das Eisenerz als Raseneisenstein im Handbetrieb von der Oberfläche her abgebaut und in einfachen Öfen verhüttet wurde, sahen sich die damit beschäftigten Bauern und Heuerlinge (Kötter) noch mit keiner Wohnungsfrage konfrontiert. Sie lebten über das Land verstreut in ihren eigenen Katen und Bauernhäusern und bedurften weder besonderer Mietwohnungen noch Siedlungen. Wer weiter entfernt wohnte und zu Arbeit und Verdienst kommen wollte, nahm eben täglich die größeren Anmarschwege zur Arbeitsstelle in Kauf.

Auch die ersten, von der Hausverarbeitung abgelösten und in den bestehenden Orten (wie Mönchengladbach, Rheydt, Krefeld, Köln, Düsseldorf, Duisburg, Mülheim) eingerichteten Textilbetriebe brauchten sich nicht weiter um die Unterkünfte ihrer Arbeiter zu kümmern. Diese rekrutierten sich zum größten Teil aus der ortsansässigen Bevölkerung und hatten ihre Behausungen.

Diese einfachen und übersehbaren Zustände änderten sich jedoch ab Mitte des 19. Jahrhunderts. Indem das Besitzbürgertum nach der Märzrevolution von 1848 die ökonomische und technologische Entwicklung immer stärker bestimmte und dabei von den Regierungen durch eine liberale Wirtschaftspolitik noch unterstützt wurde, kam es schon ab 1850 zu einem Boom, der den Kohle- und Eisenerzgebieten einen ersten Industrialisierungsschub brachte und zur Entfaltung des kapitalistischen Systems in Deutschland beitrug.[258] Damit verbunden war die Gründung zahlreicher Industrieunternehmen und Banken. Um diesen neuen Einrichtungen das erforderliche Kapital zu beschaffen, bediente man sich der Aktienfinanzierung, bei der man allerdings auch auf umfangreiche ausländische Beteiligungen angewiesen war. Der Ausbau der Transportwege, die Erschließung neuer Märkte, der Übergang zur Serienproduktion, das alles schuf die Voraussetzungen für den Ausbau der Industrieregionen an Ruhr und Saar, in Sachsen, Oberschlesien und Südwestdeutschland.

Besonders auffällig erscheinen die Veränderungen im Ruhrgebiet und am Niederrhein. Mit dem Übergang zum Tiefschachtbau um 1840 und dem Vordringen des Kohleabbaus auf die Linie Duisburg, Mülheim, Essen, Bochum, Dortmund war in diesem Bereich eine neue Stufe der wirtschaftlichen Expansion erreicht. Der Montanverbund, der bei den neuen Transportmöglichkeiten auf Kanälen und Eisenbahnen die Kohlegewinnung und die Eisenverhüttung vereinte, machte die Großbetriebe erforderlich. Sie entstanden, zumeist an die Kohlevorkommen gebunden, in vielen Fällen außerhalb der bestehenden Ortschaften, manchmal sogar auf freiem Feld. Ihr Arbeitskräftebedarf war, vor allem in den Aufschwungphasen, so groß, daß er nicht mehr aus der näheren und weiteren Umgebung befriedigt werden konnte; das Personal mußte deshalb von auswärts herbeigeholt werden.[259]

Natürlich blieb der Zuzug der fremden Menschen nicht ohne Auswirkungen auf die Wohnungsverhältnisse. Er führte vielmehr fast schlagartig zu einer Wohnungsnachfrage, die aber, da kein funktionierender Markt vorhanden war, auf kein nennenswertes Angebot stieß. Ob es in dieser Situation die Aufgabe der Gemeinden oder der Betriebe gewesen wäre, für die Unterkunft der zugezogenen Arbeiter zu sorgen, blieb für lange Zeit unklar.[260] Die Gemeinden reagierten, von den Bevölkerungsbewegungen der Nah- und Fernwanderungen gewissermaßen überrollt und überfordert, meist ablehnend. Sie scheuten ganz offensichtlich den Verwaltungsaufwand und die Kosten, sowohl für die Ortserweiterungen als auch für den Bau der öffentlichen Folgeeinrichtungen. Selbst das preußische »Gesetz vom 25. August 1876 betr. die Verteilung der öffentlichen Lasten bei Grundstücksteilungen und die Gründung neuer Ansiedlungen«, das sogenannte Ansiedlungsgesetz, stimmte die Gemeinden nicht um.[261] Obwohl es die Gemeinde-, Kirchen- und Schulverhältnisse regeln und zu Ansiedlungen beitragen sollte, hemmte es die Entwicklung eher. Denn die Gemeinden konnten sich von der Aufnahme der Arbeiter, die als Steuerzahler kaum zu Buche schlugen, keine Vorteile erhoffen. Dagegen hatten sie höhere Belastungen im Erziehungswesen und bei der Kranken- und Armenbetreuung zu erwarten. Überdies bereitete den Einheimischen das Zusammenleben mit Fremden und Ausländern Unbehagen. Das Schimpfwort »Polack«, das nach den großen Zuzügen aus Polen und Ostpreußen ab 1890 aufkam, mag als Beweis dafür gelten.[262] Aus diesen Gründen konnte es vorkommen, daß die Gemeindeverordneten bauliche Erweiterungen einfach ablehnten, oder – wenn sie diesen schließlich doch zustimmten – sich alle Lasten vom Halse hielten.

Aber auch die Unternehmen, die die Arbeiter angezogen oder gerufen hatten, versuchten, soweit es möglich war, die Wohnungsversorgung zuerst einmal den auf diesem Gebiet tätigen Realkreditbanken, Privatiers und Bauspekulanten zu überlassen. Aus betriebswirtschaftlichen Überlegungen war ihnen an einer langfristig gebundenen und niedrig verzinsten Anlage ihres Kapitals im Wohnungsbau wenig gelegen; sie sahen ihre Mittel in neuen Produktionseinrichtungen und Fabrikerweiterungen sinnvoller eingesetzt. Zumeist zwang jedoch der fehlende Wohnungsmarkt die Betriebe, sich trotzdem der Wohnungsfrage anzunehmen. Bevor sie sich aber dazu anschickten, eigene Wohnbauten zu erstellen, lag es für sie nahe, die Arbeiter selbst durch Wohnungsprämien und unverzinsliche Vorschüsse zum Bauen zu veranlassen. Man kann dieses Vorgehen als »werksgeförderten Wohnungsbau« bezeichnen. Dieses System wählte der preußische Fiskus vor allem für die Wohnungsversorgung seiner Bergleute in Oberschlesien und an der Saar. Da die Betriebe im oberschlesischen Bereich aber keine großen Belegschaften aufwiesen und über das Land verteilt lagen, reichte es aus, in den bestehenden Ortschaften die Baulücken mit neuen Wohnbauten zu füllen oder dem Baubestand einzelne Häuser anzufügen. Es konnte dann den mit Zuschüssen ausgestatteten Arbeitern überlassen werden, sich selbst die Wohnungen zu beschaffen, um so mehr, als die Bodenpreise niedrig und die Wohnungen in den Mehrfamilienhäusern erschwinglich waren.[263] Erst gegen 1890, als die Verhältnisse sich geändert hatten, kam es zu zusammenhängenden Bebauungen in Siedlungsform.

Im Saarbergbau benutzte man bereits seit 1841 ein Bauprämiensystem, dessen Modalitäten der Direktor des Saarbrückener Bergamtes Leopold Sello ausgearbeitet hatte. Danach erhielten bauwillige Bergleute, die ein unbelastetes Grundstück vorweisen konnten, ein Baudarlehen.[264] Dieses wurde ihnen, wenn sie das Haus mit ihrer Familie zehn Jahre lang bewohnt hatten und ihren sonstigen Verpflichtungen nachgekommen waren, als Prämie teilweise erlassen. Nach diesem System konnten die Bergleute bis 1914 etwa 8 000 Wohnungen schaffen, wobei 7,8 Millionen Mark unverzinsliche Darlehen und 5,7 Millionen Mark Prämien gewährt wurden.

Ab 1855 kam es auch vor, daß die Gruben selbst Baugelände in zusammenhängender Fläche erwarben und dieses in aufgeteiltem Zustand an die Bergleute abgaben. Bis 1869 entstanden durch dieses Vorgehen 2242 Häuser.

Diese finanzielle Bauförderung blieb keineswegs auf die staatlich geführten Gruben und Betriebe beschränkt. Die Beschäftigten des Stumm-Konzerns erhielten nach bestimmten Ansparleistungen ebenfalls Vorschüsse zum Bau eigener Häuser.

Schließlich sind im Ruhrgebiet dieselben Maßnahmen zu beobachten. Schon 1850 gab der Dortmund-Hoerder Verein Baudarlehen von je 300 Talern an seine Werksangehörigen. Auch von der Harpener Bergbau AG ist bekannt, daß sie diesen Weg wählte. Sobald jedoch die Darlehen zu den gerade üblichen Konditionen zu verzinsen waren, verloren sie für die Arbeiter jeglichen Anreiz und waren nicht mehr gefragt. Immerhin sind an der Ruhr 775 Häuser mit Werksdarlehen gebaut worden, eine Zahl, der allerdings für die Wohnungsversorgung in dieser industriellen Agglomeration keine große Bedeutung zukommt.

Bei Betrieben mit einem Standort außerhalb der Ortschaften mußten indes andere Lösungen gewählt werden. Doch mutet es wie eine weitere Ausflucht an, daß man in allen wichtigen Bergbaugebieten (Ruhr, Saar, Oberschlesien) auf den Gedanken verfiel, für die Arbeiter zuerst einmal Schlafhäuser und Menagen zu bauen. Ihrer Anlage nach waren sie eigentlich nur für Ledige und Alleinstehende geeignet. Sie wurden die Woche über jedoch auch von verheirateten Arbeitern benutzt, nachdem diese durch günstige Fahrgelegenheiten und Fahrpreisermäßigungen der Eisenbahn die Möglichkeit erhielten, am Wochenende nach Hause zu fahren.[265] Doch so billig die Bewohner darin für zwei bis drei Mark im Monat logieren konnten, sie empfanden ihre Unterbringung in diesen Massenquartieren als einen Notbehelf. Die Ledigen bezogen lieber als Untermieter eine Schlafstelle in den Familienwohnungen der Kollegen, und die Verheirateten wechselten eben dorthin, wo sie mit der Familie zusammenleben konnten. Um aber überhaupt an abgelegenen Stellen den Betrieb aufnehmen zu können, blieb den Unternehmen oft nichts anderes übrig, als selbst geeignete Arbeiterfamilienwohnungen zu bauen. So entstand vornehmlich aus praktischen Überlegungen und betriebstechnischen Erfordernissen heraus der Werkswohnungsbau in Form der Arbeiterkolonien.[266] Die Fabrikherren waren dabei klug genug, ihr unvermeidliches finanzielles Engagement nach außen hin als paternalistische Wohnungsfürsorge hochzustilisieren. Sie erkannten überdies schnell, welche Vorteile damit für das Werk verbunden waren und auf welch gewinnbringende Weise sich hier das eingesetzte Kapital in einem anderen Sinne verzinste. Indem sie die Werkswohnungen gewissermaßen als Auszeichnung und Gunst nur an diejenigen vergaben, die sich durch Leistung und Fleiß als würdig erwiesen, vermochten sie sich ein seßhaftes und einsatzbereites Stammpersonal zu schaffen.[267] Als Gegenleistung konnten sie diesem niedrige Löhne, Streikverzicht und Wohlverhalten und Treue der Firma gegenüber abverlangen. Daß für die Arbeiter lange und zeitraubende Wege zwischen Fabrik und Wohnung entfielen und dieser Zeitgewinn einer Leistungssteigerung zugute kam, war ebenfalls im Sinne der Betriebe.

Aber trotz aller Abhängigkeitsverhältnisse und Fixierungen sollte nicht übersehen werden, welche Lebensverbesserungen und emanzipatorischen Anstöße der Werkswohnungsbau für die Arbeiter brachte. Abgesehen davon, daß sie überhaupt ein Unterkommen in Werksnähe gefunden hatten, konnten sie mit einem um 20 bis 50 Prozent niedrigeren Mietzins als bei normalen Marktobjekten rechnen, für die zuweilen Wucherpreise verlangt wurden. Und da die paternalistische Bauherrschaft sich oft wohnungsreformerischen Gedanken aufgeschlossen zeigte, erwiesen sich die Werkswohnungen in der Regel im Grundriß günstiger zugeschnitten, größer und mit sanitären Einrichtungen besser ausgestattet als die üblichen Mietwohnungen.[268] Oft waren ihnen, vor allem bei eingeschossiger Ausführung, noch Kleintierställe und Nutzgärten angefügt, die der Lebensart der aus ländlichen Verhältnissen kommenden Arbeiter entsprachen und zudem ihre Lebenshaltungskosten senken halfen. Zweifellos trugen gerade die Haustierhaltung und die Gartenbetätigung zur Zufriedenheit der Bewohnerschaft bei. Und aus den gleichartigen Lebensbedingungen und den nachbarschaftlichen Kontakten entwickelte sich allmählich ein Zusammengehörigkeitsgefühl, das bis zum Einsatz für die gemeinsamen Arbeiterinteressen, bis zur politischen Parteinahme für die Arbeiterorganisationen reichte. In dieser Hinsicht ging die Rechnung der paternalistischen Fabrikherren, die durch die abgeschlossenen Wohnungen ihrer Kolonien die Familien im Sinne der bürgerlichen Norm nicht nur sittlich zu festigen, sondern auch zu vereinzeln und zu isolieren trachteten, sicherlich nicht auf.

Im äußeren Erscheinungsbild erhielten die Arbeiterkolonien, zumal sie als Prestigeobjekte gedacht waren, meist eine einheitliche Behandlung und eine solide Ausführung. Dieser Eindruck blieb durch den vom Werk ausgeführten Bauunterhalt auch über die Zeiten hinweg gewahrt.

Es ist klar, daß die verschiedenartigen Entstehungsbedingungen und die vielfältigen städtebaulichen Formen der im Laufe der Zeit gebauten Arbeiterkolonien mit diesen Charakterisierungen nur generell gekennzeichnet sind. Um in dieser Hinsicht jedoch einen fundierten Eindruck zu vermitteln, sollen im folgenden einige aussagekräftige Beispiele aus verschiedenen Zeitabschnitten noch etwas detaillierter dargestellt werden.

## Cromford

Das früheste heute bekannte Beispiel des paternalistischen Wohnungsbaus in Deutschland reicht in eine Zeit zurück, in der von einer Industrialisierung noch keine Rede sein konnte und eine Fabrikgründung einen ungewöhnlichen Vorgang darstellte.

1784 hatte nämlich der agile Elberfelder Handelsmann Johann Gottfried Brügelmann (1750–1802) in einem neuerbauten viereinhalbgeschossigen Fabrikgebäude am Angerbach bei Ratingen (zwei Wegstunden nördlich von Düsseldorf) mit Hilfe eines englischen Mechanikers die erste mechanische Baumwollspinnerei auf deutschem Boden in Betrieb genommen.[269] 1790 gab er dem Ort in Anspielung auf die Wirkungsstätte des Engländers Richard Arkwright den Namen »Cromford«. Der mit neuesten Spinnmaschi-

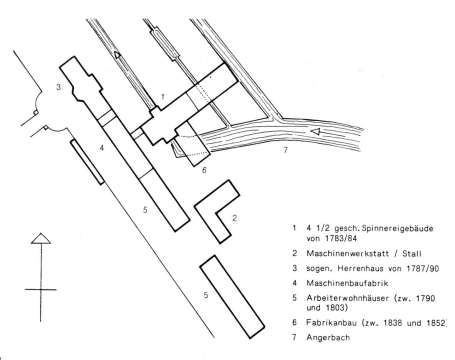

1   4 1/2 gesch. Spinnereigebäude von 1783/84

2   Maschinenwerkstatt / Stall

3   sogen. Herrenhaus von 1787/90

4   Maschinenbaufabrik

5   Arbeiterwohnhäuser (zw. 1790 und 1803)

6   Fabrikanbau (zw. 1838 und 1852)

7   Angerbach

335. Baumwollspinnerei Cromford bei Ratingen, um 1830. (*Rheinische Denkmalpflege*, 1983, 20. Jg. N.F., H. 2)

nen englischer Art ausgerüstete Betrieb florierte und beschäftigte schon in den Anfängen 70 bis 80 Menschen.[270] Mit dem erwirtschafteten Gewinn konnte der Unternehmer bald Grundstücke hinzukaufen, das Werk ausbauen und Zweigbetriebe gründen. Nach barockem Gebaren legte er sich sogar im Zusammenhang mit der Fabrikanlage 1787 bis 1790 den Herrensitz »Haus Cromford« zu, ein dreigeschossiges, schloßartiges Gebäude, das von Nicolas de Pigage (1723–96), dem Architekten des Schlosses Benrath bei Düsseldorf, geplant worden sein soll. Er fügte diesem Wohnsitz einen englischen Landschaftsgarten bei, dessen Planung dem Düsseldorfer Hofgartendirektor Maximilian Friedrich Weyhe zugeschrieben wird.

Zusätzliches Kapital von 150000 Talern, das Brügelmann aus der Auflösung der Geschäftspartnerschaft mit seinem Bruder zufloß, ermöglichte zwischen 1790 und 1803 einen Kontor- und Fabrikanbau in der Flucht des Herrenhauses. Zur selben Zeit sind wohl auch die nach Südosten anschließenden sechs Arbeiterwohnhäuser erstellt worden. Das ist aus dem 1803 erschienenen Nachruf auf den früh verstorbenen Unternehmer zu schließen, in dem sein Lebenswerk mit den Worten umschrieben wird: »In wenigen Jahren sah er sich im Stande, seine Anlagen weit über seine Erwartungen auszudehnen. Zu Cromford beschäftigte er jetzt und bis an das Ende seines Lebens mehr als sechshundert Menschen. Die öde Gegend wurde zum Lustgarten umgeschaffen; er baute hier drey ungemein große Fabrikhäuser, Farbmühlen, Farbhäuser, Privatwohnungen für Fabrikarbeiter jeder Art. Kurz, Cromford stehet nun als eine ansehnliche Colonie und als die schönste Landpartie des ganzen Herzogthums da.«[271]

Wenn auch von einer »Arbeiter-Colonie« in dem bei den nachfolgenden Beispielen gebrauchten Sinn nicht gut die Rede sein kann, so ist nach den neuesten Untersuchungen doch klar,[272] daß hier noch im »Alten Reich« damit begonnen worden ist, Arbeiter in werkseigenen Wohnungen auf dem Fabrikareal unterzubringen. Sicher ist dieses Vorgehen bei den Manufakturen der absolutistischen Herrscher nicht unbekannt gewesen, daß aber ein Textilfabrikant diesen Gedanken aufgriff und aus eigenem Antrieb verwirklichte, war neuartig. Ob dabei andere als praktische Erwägungen mitgespielt haben, muß bezweifelt werden. Die Spinnerei lag, auf die Wasserkraft der Anger angewiesen, außerhalb des besiedelten Gebietes. Da der Unternehmer Arbeitskräfte für seinen Betrieb brauchte, lag es nahe, sie in Wohnungen in der Nähe des Werkes unterzubringen.

Von den sechs Arbeiterwohnhäusern – berichtet wird 1832 von sieben Wohnhäusern an der Cromforder Allee –[273] ist heute so gut wie nichts mehr zu sehen, nachdem nach 1970 unter Mißachtung aller denkmalpflegerischen Prinzipien die letzten vier Überbleibsel des frühindustriellen Ensembles beseitigt worden sind, um einem Spekulationsvorhaben von Eigentumswohnungen unter der sinnigen Überschrift »Wohnpark Schloß Cromford« Platz zu machen. An Stelle der heute vorhandenen Lücke hat man sich Stockwerksbauten vorzustellen, in denen die sicher einfachen Wohnungen nach dem Kasernierungsprinzip zusammengefaßt waren, eine Lösung, die in der Frühphase der Industrialisierung auch an anderen Orten zu beobachten ist. Immerhin waren im Sinne des »ganzen Hauses« Fabrikant und Arbeiter noch am gleichen Ort vereint, wenn auch der Herrensitz durch seine architektonisch anspruchsvollere Behandlung die übergeordnete Position des Unternehmers augenfällig zum Ausdruck brachte.

Marienstift, Büdelsdorf

Die von der Rendsburger Carlshütte 1840 bis 1842 für ihre Arbeiter in Büdelsdorf (Schleswig-Holstein) erbauten 24 eingeschossigen Doppelhäuser kamen den Vorstellungen einer Arbeiterkolonie schon wesentlich näher als das Cromford-Ensemble.[274] Auch in diesem Fall wird für das Unternehmen ganz einfach der Gedanke maßgebend gewesen sein, die Arbeiter aus praktischen Gründen so nahe wie möglich bei den Werksanlagen anzusiedeln.

Was den Bewohnern geboten wurde, war bescheiden genug. Die Doppelhaushälfte, die 5,45 auf 5,55 Meter mißt, weist lediglich drei Räume auf. Sie ist unterteilt in eine relativ große Stube, einen kleinen Eingangs- und Küchenraum und eine winzige Kammer. Die primitive Grundrißaufteilung läßt ahnen, daß der reichlich dimensionierten Stube die Funktion eines Allzweckraums zugedacht war. Denn wo anders hätte die Familie sonst noch wohnen und vor allem schlafen können? Daneben erscheint die Küche, die zudem noch Durchgang ist, selbst zum Kochen viel zu klein, nicht zu reden von dem seitlich anschließenden Kämmerchen, das gerade noch die Aufstellung einer Bettlade zuläßt.

Wie hier, auf diesem engen Raum zusammengedrängt, eine Familie mit Kindern hausen konnte, bleibt aus heutiger Sicht unvorstellbar. Da in der ländlichen Umgebung und bei der einfachen Bauweise eine größere Ausführung durchaus zu realisieren gewesen wäre, gibt es keine andere Erklärung als die, daß diese Kleinwohnungen eben den damaligen Vorstellungen für die ländliche Unterkunft einer mehrköpfigen Familie entsprochen haben. Demnach konnten die Arbeiter für ihre Unterbringung auch nichts anderes erwar-

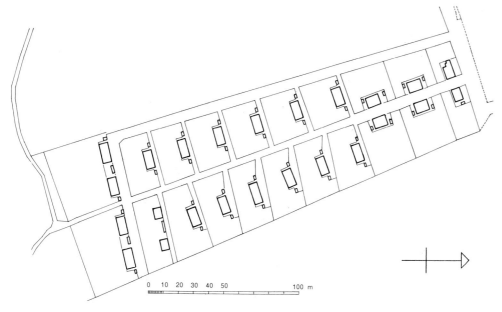

0  10  20  30  40  50        100 m

337. Rendsburg aus der Luft, 1953. Mit der Carlshütte und ihren Arbeiterkolonien. Die Arbeiterkolonie Marienstift in Büdelsdorf ist hier noch mit allen 24 Gebäuden erhalten. (Landesvermessungamt Schleswig-Holstein, Kiel)
338. Die Arbeiterkolonie Marienstift, Büdelsdorf bei Rendsburg, 1872. (Katasteramt Rendsburg)

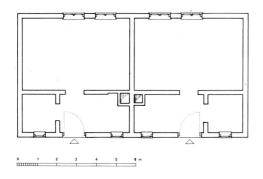

339. Straßenansicht der südlichen Hausreihe der Arbeiterkolonie Marienstift, Büdelsdorf, 1975. (Landesamt für Denkmalpflege Schleswig-Holstein, Kiel)
340. Wohnhäuser von 1842 der Arbeiterkolonie Marienstift, Büdelsdorf, 1968. Gartenansicht. (Landesamt für Denkmalpflege Schleswig-Holstein, Kiel)
341. Doppelhaustyp für die Arbeiterwohnungen der Arbeiterkolonie Marienstift, Büdelsdorf. Grundriß vom Erdgeschoß. (nach einer Bauaufnahme der Technischen Universität Braunschweig)

ten. Immerhin trugen die den Häusern zugeordneten Gärten zu einem gewissen Ausgleich bei, indem sie den Bewohnern wenigstens außerhalb der Wohnung noch etwas zusätzlichen Freiraum verschafften. Im äußeren Erscheinungsbild bindet die einheimische Bauweise mit gelbem Backsteinsichtmauerwerk und abgewalmtem Reetdach die so dürftig ausgelegten Arbeiterhäuser wie selbstverständlich in die ländliche Umgebung ein. Denn nichts lag näher, als in dieser frühindustriellen Phase den Typ des Arbeiterwohnhauses an den Katen der Gutstagelöhner zu orientieren. Städtische Stockwerksbauten waren an dieser Stelle nicht gut vorstellbar und hätten deplaziert gewirkt.

In späterer Zeit setzte die Carlshütte die in den vierziger Jahren begonnene Siedlungstätigkeit fort. Zwischen 1878 und 1900 kamen als weitere Teile »Park I« und »Park II« hinzu. Bei diesen Kolonien sind die eingeschossigen Arbeiterhäuser freistehend um rechteckige Grünanlagen – Parks – angeordnet. Den Abschluß der Bebauung bildete die zwischen 1901 und 1911 gebaute Kolonie »Brunnenkoppel«.

Vom ältesten Teil, dem Marienstift, sind heute nur noch vier 1977 rekonstruierte Häuser erhalten. Die Gesamtanlage, die bis um 1970 mit zwanzig Gebäuden noch fast komplett stand, konnte trotz aller Anstrengungen der Denkmalschutzbehörden als »frühes Industriedenkmal« nicht mehr gerettet werden.


Eisenheim

Einen ebenfalls frühen und bemerkenswerten Beitrag zum paternalistischen Werkswohnungsbau hat die Eisenindustrie im Ruhrgebiet bei Oberhausen erbracht.[275] Allerdings ging dieser Koloniegründung ein längerer, vorindustrieller Entwicklungsprozeß voraus. Die Eisenerzgewinnung in der Lipperheide begann schon 1758 mit der Gründung der St.-Antony-Hütte in Osterfeld durch den Domherrn Ferdinand Franz von Wenge aus Münster in Westfalen. Aus ihr entstand 1808 durch den Zusammenschluß mit der Eisenhütte Neu-Essen bei Schloß Oberhausen und der Hütte Gute Hoffnung in Sterkrade die Hüttengewerkschaft und Handlung Jacobi, Haniel & Huyssen, die spätere Gutehoffnungshütte, Aktienverein für Bergbau und Hüttenbetrieb.[276] Der Abbau des Raseneisensteins und dessen Verarbeitung geschah anfänglich in diesen Hütten auf handwerkliche Weise durch die einheimischen Bauern und Heuerlinge (Kötter), die über die Heide verstreut in ihren Kotten wohnten. Der Betrieb zählte 1813, als das Gebiet preußisch wurde, lediglich 162 Beschäftigte. Er nahm aber durch den Handel mit den Niederlanden, den Abbau der Zollschranken im Deutschen Bund, den Ausbau der Verkehrswege und den Einsatz neuer Maschinen und Techniken innerhalb der nächsten Jahrzehnte einen so rapiden Aufschwung, daß immer wieder Betriebserweiterungen notwendig wurden. Sie wiederum führten zu einem vermehrten Arbeitskräftebedarf, der schon bald nicht mehr durch die einheimische Bevölkerung gedeckt werden konnte. Das Werk sah sich deshalb gezwungen, auswärtige Arbeiter aus dem weiteren Umkreis herbeizuholen. Durch diesen Ausbauprozeß stieg die Belegschaft weiter an und erreichte 1843 bereits 2000 Beschäftigte. Die Hüttengewerkschaft galt damit um diese Zeit als das größte Unternehmen im Ruhrgebiet.

Aber für die Neuzugezogenen war es mit der Aufnahme der Arbeit in den Hütten nicht getan, sie brauchten auch passende und preiswerte Unterkünfte. Da das Werk um 1840 lediglich über 26 Wohnungen verfügte, waren die Arbeiter genötigt, in den bestehenden Ortschaften (Sterkrade, Osterfeld, Oberhausen) und auf Höfen ein mehr oder weniger notdürftiges Unterkommen zu finden. Doch reichte auch der vorhandene Wohnungsbestand schon bald nicht mehr aus. Die Folge waren unvorstellbare Überfüllungen der Wohnungen: In einem zweigeschossigen Haus wurden nicht weniger als 117 Bewohner gezählt.[277]

Um die Arbeiter überhaupt zum Bleiben zu veranlassen, mußte das Werk sich selbst stärker um deren Unterbringung kümmern. So erbaute es 1818, wohl als eine der ersten »Wohlfahrtseinrichtungen«, eine Speiseanstalt. 1836 erfährt man von der Absicht, »in diesem Jahr vielleicht noch Wohngebäude für 15 Familien in Bau nehmen zu lassen, weil es hier an Wohnungen sehr mangelt«.[278] Aber trotz der Mißstände und der Wucherpreise für die nur spärlich vorhandenen Mietwohnungen auf den Dörfern und Höfen zögerte das Werk noch jahrelang, seinen eigenen kleinen Wohnungsbestand durch den Neubau von Werkswohnungen zu vergrößern. Erst zehn Jahre später, als die Eisenbahnkonjunktur einen ersten Höhepunkt erreichte, wurden die längst gehegten Bauabsichten auf Betreiben des Hüttendirektors Hermann Wilhelm Lueg (1792–1864) endlich verwirklicht.

351

Von dem einheimischen Bauern Theodor Rübekamp wurde auf den Gemarkungen Wesselkamp und Ravelkamp 1844 ein 32 Morgen großes Grundstück Acker- und Heideland erworben. Hier entstanden zwischen April und Juni 1846 an der Provinzialstraße (heute Sterkrader Straße), etwa eine halbe Wegstunde vom Dorf Osterfeld entfernt, gegen den Willen der Dorfbewohner und ohne die erforderliche Baugenehmigung der Bezirksregierung in Münster die ersten zehn Gebäude. Sie waren an drei verschiedenen Stellen verteilt und verrieten, da sie nur teilweise der ersten Bebauungsskizze folgten, noch keinen zusammenhängenden Plan. Welche Absichten die Firma damit tatsächlich hatte und wie pragmatisch sie vorging, ergibt sich aus der Belegung: Sowohl die sieben eineinhalbgeschossigen Häuser an der damaligen Provinzialstraße (1964 abgebrochen) als auch die beiden zweigeschossigen Doppelhäuser am Communalweg (heute Wesselkampstraße 27/29 und 31/33) waren für Meister und Beamte bestimmt. Dazu kam noch an der Kasernenstraße (heute Fuldastraße 5/7) ein Haus für Facharbeiter, die auf der »Alten Walz« beschäftigt waren. Wie man daraus ersieht, war der Werksleitung zuerst einmal an der Unterbringung des Aufsichtspersonals gelegen, während den Belangen der Arbeiter, die doch das Gros der Beschäftigten ausmachten, ein als »Kaserne« bezeichnetes Achtfamilienhaus genügen mußte.[279]

Obwohl diesen ersten zehn Häusern weder nach Disposition noch nach Erscheinungsbild die Konzeption einer Arbeiterkolonie abzulesen war, faßte das Werk sie in diesem Sinne auf und gab ihnen die Bezeichnung »Eisenheim«. Dieser Ortsname wurde von der Regierung am 6. Januar 1847 auch genehmigt, ohne daß damit aber irgendwelche Gemeinderechte verbunden gewesen wären. Man kann daraus allerdings schließen, daß die Anlage einer geschlossenen Kolonie von Anfang an beabsichtigt war, jedoch mit Rücksicht auf den Kapitaleinsatz nur sukzessiv erfolgen sollte. Tatsächlich wurde der Ausbau Eisenheims 1865/66 in einer zweiten Bauphase durch neun weitere Gebäude fortgeführt. Die Kolonie erhielt dadurch nun eine erste Kontur.

Die 1865 erbauten sieben eineinhalbgeschossigen Doppelhäuser an der Berliner Straße mit je vier Wohnungen wurden von Walzarbeitern und Stahlkochern bezogen. Diese neuen Arbeiterwohnungen sind in Back-to-back-Art beidseitig zusammengestellt. Daran ist leicht die Absicht zu erkennen, mit möglichst geringem Aufwand möglichst viele Wohnungen zu gewinnen. Und nur durch die Freistellung der einzelnen vierfach be-

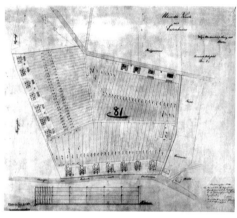

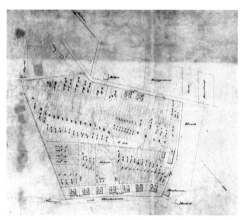

342. Erste Bebauungsskizze für Arbeiterwohnhäuser der Hüttengewerkschaft an der Provinzialstraße bei Osterfeld, 1846.
343. Eisenheim, Gemeinde Osterfeld, im Jahr 1855, Stand der Bebauung durch die Gutehoffnungshütte.
344. Eisenheim, Gemeinde Osterfeld, im Jahr 1866. (Haniel-Archiv Duisburg 13 – Historisches Archiv der Gutehoffnungshütte)

345. Eineinhalbgeschossige Meisterhäuser von 1844 an der Provinzialstraße – heute Sterkrader Straße –, Eisenheim, abgerissen 1964. Straßenansicht. (Haniel-Archiv Duisburg 13)
346. Haus für Facharbeiter – Kaserne - von 1844 an der Kasernenstraße – heute Fuldastraße –, Eisenheim. Straßenansicht. (Rheinisches Amt für Denkmalpflege, Abtei Brauweiler)

347. Eineinhalbgeschossiges Doppelhaus, Berliner Straße 16, Eisenheim, erbaut 1865/66, im Jahr 1971. Straßenansicht. (Rheinisches Amt für Denkmalpflege, Abtei Brauweiler)
348. Bebauung Ecke Fuldastraße und Wesselkampstraße, Eisenheim, im Jahr 1971. (Rheinisches Amt für Denkmalpflege, Abtei Brauweiler)

349. Grundrißtypen der Arbeiterwohnhäuser in der Arbeiterkolonie Eisenheim: Eineinhalbgeschossiges Doppelhaus, Berliner Straße 8, erbaut 1865.
350. Eineinhalbgeschossiges Doppelhaus, Wesselkampstraße 19/21, erbaut 1865.
351. Eineinhalbgeschossiges vierteiliges Haus, Wesselkampstraße 35, erbaut 1872. (Rheinisches Amt für Denkmalpflege, Abtei Brauweiler)

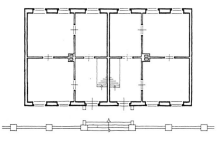

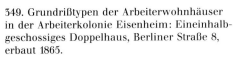

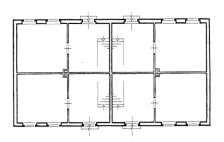

wohnten Doppelhäuser wurden englische Verhältnisse vermieden. In der äußeren Erscheinung entstand sogar durch die regelmäßige Aufreihung und die gleichförmige, leicht spätklassizistische Gestaltung der Eindruck von Ordnung und Solidität, der von der Unzulänglichkeit der Grundrißlösung nichts ahnen läßt.

Besser und großzügiger bemessen waren dagegen die beiden eineinhalbgeschossigen Bauten Wesselkampstraße 19/21 und 23/25, die 1866 hinzukamen und in denen je zwei Beamtenfamilien unterkamen. Nach dem Zuschnitt dieser Wohnungen zu schließen, schätzte die Werksleitung das Wohnbedürfnis des Aufsichtspersonals ungleich höher ein als das der normalen Arbeiter.

In der Zeit der Hochkonjunktur entstand 1872 lediglich noch das eineinhalbgeschossige Gebäude Wesselkampstraße 35 neben den beiden Meisterhäusern von 1846. Obwohl dieser Zubau kaum verdient, als dritte Bauphase bezeichnet zu werden, ist er insofern aufschlußreich, als er eine für die Kolonie neuartige, an anderen Orten aber längst bekannte Grundrißlösung brachte. Man adaptierte jetzt nämlich, angeregt wohl durch die inzwischen vom Bochumer Verein erbaute Arbeiterkolonie Stahlhausen, den Vierer-Wohnhaustyp nach dem Muster der »cité ouvrière« von Mülhausen. Allerdings unterteilte man die vier Wohnungen nicht durch eine kreuzförmige Innenwand, sondern sie wurden giebelseitig und mittig angeordnet und ergaben deshalb anstatt einer quadratischen eine rechteckige Grundrißfiguration. Daß dabei die mittig zusammengestellten Wohneinheiten in der Durchlüftung und Besonnung problematisch sind, schien nicht zu stören. Nach zeitgenössischen Äußerungen wählte man diese Anordnung, um abgeschlossene Wohnungen mit einem gesonderten Eingang und Innenflur zu bekommen. Doch gerieten deren Grundrisse mit dem mittig gelegenen Treppenhaus und den beidseitig angefügten Räumen nicht über ein additives Schema hinaus, in dem für Abort und Waschraum kein Platz übrigblieb. Den Abort findet man in einem freigestellten Stallhäuschen auf der Rückseite. Die ab 1873 einsetzende wirtschaftliche Flaute und die Probleme, die das Ansiedlungsgesetz von 1871 hervorrief, brachten den weiteren Ausbau Eisenheims für zweieinhalb Jahrzehnte zum Erliegen und verhinderten zunächst einmal die weitere Reproduktion dieses fragwürdigen Haustyps.

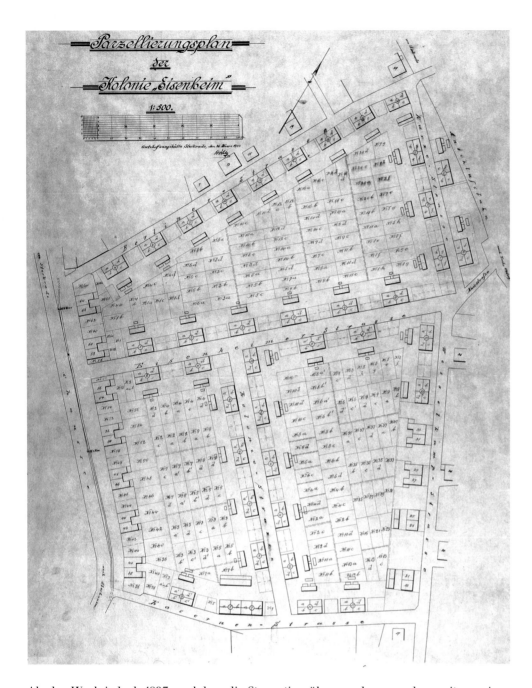

352. Arbeiterkolonie Eisenheim im Jahr 1903.
Voll ausgebauter Zustand. Parzellierungsplan.
(Haniel-Archiv Duisburg 13)

Als das Werk jedoch 1897, nachdem die Stagnation überwunden war, den weiteren Ausbau der Kolonie in einer nunmehr vierten Bauphase mit vierzehn eineinhalbgeschossigen Häusern an der Fuldastraße, Berliner Straße, Wesselkampstraße und 1898 an der Werrastraße fortsetzte, kamen die Vierer-Wohnungen wieder zur Anwendung, so als ob die Grundrißentwicklung im Arbeiterwohnungsbau auf diesem Niveau stehengeblieben wäre. Und wie zur Bestätigung dieses Eindrucks folgten auch die letzten sechzehn Häuser, die die Kolonie 1901/03 zur Arrondierung und Unterteilung an der Eisenheimer Straße und Werrastraße erhielt, noch einmal diesem Schema. Wenn man bei diesem Beitrag überhaupt von einer Verbesserung reden kann, dann bestand sie in der gegenseitigen Versetzung der Baukörper an der Werra- und Eisenheimer Straße, wo der Eindruck der starren Aufreihung vermieden ist.

Genaugenommen hat es über ein halbes Jahrhundert (1846–1903) gedauert, bis die Bebauung von Eisenheim die geschlossene Form einer Arbeitersiedlung erhielt. Und im Gegensatz zu anderen Beispielen ist der neugeschaffene Ort nie durch öffentliche Bauten und Gemeinschaftseinrichtungen zu einer halbwegs selbständigen urbanen Einheit aufgewertet worden. Wie ist demnach Eisenheim einzuschätzen? Keinem Zweifel unterliegt, daß es das früheste Beispiel einer Arbeiterkolonie im Ruhrgebiet darstellt, so gering anfänglich seine Gebäudezahl auch gewesen ist. Tatsächlich belegt die Feststellung der Hüttengewerkschaft von 1844 an den Amtmann Tourneau in Bottrop, Eisenheim solle »ein neues kleines Dorf« bilden, von Anfang an die Idee einer Kolonie mit ortsbaulicher Konzeption. Freilich bedurfte es mehrerer Additionen, bis die endgültige Struktur sich abzeichnete. Als sie endlich gegen 1900 erfaßbar war, unterschied sich die den Straßen entlang gelegte Bebauung nicht mehr von jeder beliebigen Ortserweiterung. In dieser Hinsicht ist Eisenheim ohne besondere Aussagekraft.

Immerhin kann die Kolonie wenigstens im Ausbau bis 1872 als ein Experimentierfeld für verschiedenartige Grundrißlösungen angesehen werden. Hier erfährt man, welche Minimalwohnungen den Hüttenarbeitern zugemutet wurden und wie die Firma auch im Wohnangebot zwischen Meister und Arbeiter zu unterscheiden wußte. Warum am Schluß mehr als die Hälfte der Häuser im Vierer-Wohnhaustyp erstellt worden war, bleibt unverständlich, da man in den letzten Jahrzehnten des 19. Jahrhunderts in Großbritannien viel bessere Lösungen anwandte.

Daneben muß aber auch klar herausgestellt werden: Die in Eisenheim gebauten Werkswohnungen brachten, wenn man sie im Verhältnis zur Zahl der Beschäftigten sieht, nie einen spürbaren Entlastungseffekt für den Wohnungsmarkt. Das gilt nach einer Aufstellung von A.F. Heinrich für alle Ausbaustadien der Kolonie.[280]

Bedenkt man noch, daß die Kolonie zu einem guten Teil durch Meister und Beamte, d.h. Angestellte bewohnt war, dann wird ihre Rolle im Sinne einer Betriebsvorsorge vollends klar: Sie war hauptsächlich für jenen kleinen Kreis des Stammpersonals gedacht, der für den Betriebsablauf verantwortlich war. Mit einer Wohnungsfürsorge für den größten Teil der Arbeiter hatte das aber nichts zu tun.

### Arbeiterkolonie im Nedderfeld, Hannover-Linden

Am Beispiel der Cromforder Spinnerei ist zu sehen, daß die Textilfabriken genauso früh wie die Berg- und Hüttenwerke mit dem Arbeiterwohnungsbau begonnen haben. Etwa drei Jahrzehnte nach dem Bau der Arbeiterhäuser in Cromford und in Elberfeld ist in der neuentstandenen Fabrikzone von Hannover ein weiterer bemerkenswerter, früher Beitrag zu beobachten.

Im nördlichen Bereich des Hannover nach Süden vorgelagerten Dorfes Linden hatten sich nämlich der Ihme entlang im Laufe der Zeit eine Anzahl von Fabriken niedergelassen: 1837 eine mechanische Baumwollweberei, 1845 eine Tapetenfabrik, 1848 und 1850 zwei Stärkefabriken, 1852 eine Seifenfabrik und ab 1853 die Hannoversche Baumwollspinnerei und Weberei.[281]

Dieses von den Bankiers Adolph Meyer (1807–66) und Alexander Abraham Cohen gegründete Unternehmen, das mit einem Kapital von einer Million Talern ausgestattet war, übertraf an Größe alle anderen industriellen Einrichtungen des Orts, selbst die im Süden der Gemarkung liegende Egestorffsche Maschinenfabrik und Eisengießerei. Das neue Werk war für 400 mechanische Webstühle und 668 automatische Spinnmaschinen mit 52160 Feinspindeln angelegt, die von James C. Kay in Bury bei Manchester bezogen wurden. Auch die Fabrikgebäude waren nach der in England üblichen Bauweise des schottischen Ingenieurs William Fairbairn ausgeführt. Sie entsprachen, was Standfestigkeit, Feuersicherheit und maschinelle Ausrüstung anbetraf, dem neuesten Stand der Spinnereitechnik.

In dieser am 15. September 1855 in Betrieb genommenen Fabrik sollten nicht weniger als 1100 Menschen beschäftigt werden, während sich die Zahl der Arbeiter bei der älteren Lokomotiven- und Maschinenfabrik von Georg Egestorff 1857 nur auf 780 belief.

Für Adolph Meyer gab es von Anfang an keinen Zweifel, daß dieser große Arbeitskräftebedarf weder in Hannover noch in Linden und seiner Umgebung gedeckt werden konnte.[282] Von auswärts herbeigeholte Arbeiter – und dazu zählten auch die englischen Fachkräfte, die für die Wartung der Maschinen gebraucht wurden – verursachten aber einen zusätzlichen Wohnungsbedarf, der ohne Neubauten nicht mehr zu befriedigen war.

Meyer veröffentlichte deshalb, noch während die Fabrikgebäude emporwuchsen, am 19. Mai 1854 in der *Zeitung für Norddeutschland* einen Aufruf zur Bildung einer gemeinnützigen Baugesellschaft, um in Linden nach englischem Vorbild eine Arbeiterkolonie zu bauen. Durch die Zeichnung von Aktien zu 50, 100, 500 und 1000 Talern, zu der auch die wohnungsuchenden Arbeiter aufgefordert waren, sollte ein Kapital von 100000 Talern geschaffen werden. Die Gemeinnützigkeit des Unternehmens, das »zum Besten des Staates und zum Wohle der Arbeiter« gedacht war, kam in der Beschränkung auf eine vierprozentige Verzinsung der Einlagen zum Ausdruck.[283] Obwohl die Zeitung diesen Plan beifällig kommentierte und die Staatsbehörden ein Engagement privater Geldgeber im Wohnungsbau nicht ungern sahen, erschien Meyers Absicht zu offensicht-

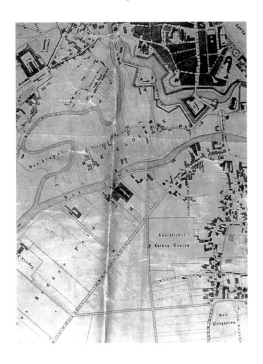

353. Das Nedderfeld in Hannover-Linden, Ausschnitt aus dem Plan der kgl. Residenzstadt Hannover von 1854. (Niedersächsisches Hauptstaatsarchiv Hannover)

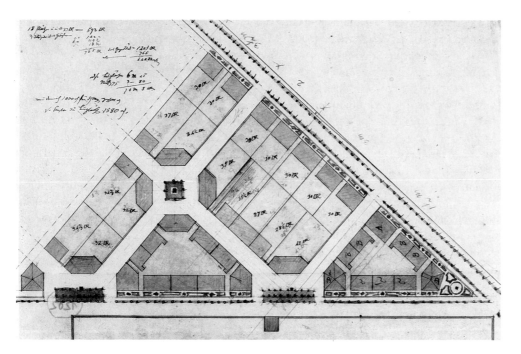

354. Bebauungsplan für die Arbeiterkolonie im Nedderfeld, Linden-Nord, von G.L.F. Laves, 1854. (Stadtarchiv Hannover, Hauptreg. Hannover XIV)

lich, um nicht durchschaut zu werden. Es war klar, daß er auf diesem Weg fremdes Kapital einspannen wollte, um zu Wohnungen für seine Spinnereiarbeiter zu kommen. Vermutlich ließ ihm aber der schnelle Baufortschritt der Fabrik nicht mehr die Zeit, das Zustandekommen der gemeinnützigen Baugesellschaft abzuwarten. Denn er beantragte bereits im Juli 1854 bei der zuständigen Baukommission die Genehmigung der Arbeiterkolonie. Er hatte dafür neben der Spinnerei ein großes Areal im Nedderfeld gekauft und für die Überbauung dieses in der Gabelung zwischen königlichem Küchengarten und Wunstorfer Allee (heute Limmerstraße) gelegenen Geländes Pläne ausarbeiten lassen. Seltsamerweise waren, wohl in einer Art Konkurrenzsituation, zwei ganz verschiedenartige Projekte entstanden. Das eine stammte von dem Hannoverschen Oberhofbaudirektor Georg Ludwig Friedrich Laves (1788–1864), der als Mitglied der staatlichen Bau- und Wegecommission für die Planungen in Linden zuständig war. Er hatte unter Berücksichtigung der höfischen Belange für Linden-Nord einen Straßenplan entworfen, ohne damit aber bei den dörflichen Grundeigentümern auf Verständnis zu stoßen. Laves, der seiner Ausbildung und Stellung nach noch barocken und klassizistischen Stadtbauvorstellungen anhing, benutzte dafür geometrische Figurationen, Achsbeziehungen (zum Schloß Herrenhausen) und einen zentralen Sternplatz. Dagegen waren die vorhandenen Koppelwege nur insoweit berücksichtigt, wie sie, so beim Köthnerholzweg, zufällig in das symmetrische Wegesystem paßten. Auf der Grundlage dieses generellen Aufteilungsplans bearbeitete Laves auch sein Projekt für die Arbeiterkolonie. Ob ihn Meyer dazu beauftragte oder ob er sich ungefragt als Vertreter der Baukommission äußerte, ist nicht mehr feststellbar. Für das dreieckige Areal sah er als Lösung mehrere randbebaute Quartiere vor. Von den Straßen verlaufen zwei winkelrecht und eine parallel zur Chaussee nach Wunstorf. Die formale, dem repräsentativen Städtebau verhaftete Auffassung des Planers zeigt sich schon darin, daß er die dabei entstehende Straßenkreuzung und ebenso die beiden Übergänge zum königlichen Küchengarten durch Abschrägung der Bauten und durch Baumpflanzungen zu kleinen Architekturplätzen aufwertete. Auch griff er den Gedanken der von Meyer favorisierten Logierhäuser auf, für die er Typenpläne entwarf.[284] Sie gerieten ihm jedoch eher zu stattlichen Bürgerhäusern als zu Arbeiterbehausungen. Aus Disposition und Haustypen läßt sich ablesen, wie schwer sich der königliche Oberhofbaudirektor mit dem ihm fremden Thema der Arbeiterkolonie tat.

Es ist deshalb nicht verwunderlich, daß sich Bankier Meyer an das andere, von Ludwig Debo (1818–1905) ausgearbeitete Projekt hielt und dieses dem Bauantrag zugrunde legte. Debo arbeitete als Architekt für die Eisenbahndirektion und lehrte Baukunst an der Polytechnischen Schule in Hannover.[285] Da er aus seiner Lehrtätigkeit und Praxis die Anforderungen der Zeit an die Architektur weitaus besser kannte als der Baubeamte Laves, wählte er für die Kolonie ein ganz anderes Aufteilungssystem. Er ging, wohl von englischen Beispielen beeinflußt, vom Reihenhaustyp aus und teilte das dreieckige Areal mit Hauszeilen auf, die winkelrecht zur Chaussee gestellt und parallel angeordnet sind. Die einzelnen Zeilenriegel setzen sich im mittleren Teil aus schmalen, äußerst einfachen

355. Straßenplan für Linden-Nord, mit Eintrag der Arbeiterkolonie im Nedderfeld, von G.L.F. Laves nach dem Entwurf von L. Debo. (Stadtarchiv Hannover, Hauptreg. Hannover XIV)

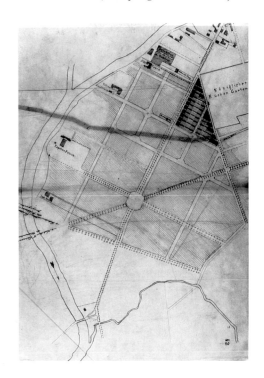

356. Bebauung an der Fannystraße, Linden-Nord, nach dem Debo-Plan. Planausschnitt. (Historisches Museum am hohen Ufer, Hannover)

Reihenhauseinheiten zusammen; an den Enden gehen sie in die verlangten Logierhäuser über. Und um den Vorstellungen der Behörden nach stattlichen Häusern an den Straßen »städtischen Charakters« zu genügen, waren die Eckplätze für größere Bauten des Kleingewerbes vorgesehen.

Der Bauantrag für diese Arbeiterkolonie wurde bereits im August 1854 genehmigt. Noch im selben Jahr entstand die erste Hauszeile an der Fannystraße. Sie umfaßt, von der Pavillonstraße unterbrochen, zwei Teile mit insgesamt neunzehn Einheiten des Reihenhaustyps, acht des Logierhaustyps und als östlichen Abschluß ein dreigeschossiges Sechsfamilienhaus. Dieser Beitrag war gewissermaßen Meyers Vorleistung, womit er sich aber zugleich auch die dringend erforderlichen Wohnungen für die Arbeiter seiner eigenen Betriebe verschaffte.

Als er bald darauf erkennen mußte, daß die gemeinnützige Baugesellschaft wegen mangelnder Beteiligung nicht zustande kommen konnte, kühlte sich sein Interesse für die Arbeiterkolonie merklich ab. Die folgende Wirtschaftskrise lieferte dann Gründe genug, den Plan einer einheitlichen Siedlung vollends aufzugeben.

So blieb vorerst der Versuch, in Linden-Nord durch eine Kolonie bessere Wohnverhältnisse zu schaffen und den örtlichen Wohnungsmarkt zu entlasten, im Ansatz stecken. Wie man am Beitrag des Architekten Ludwig Debo sieht, hat es jedoch in planerischer Hinsicht keineswegs an einer zukunftsweisenden Konzeption gefehlt. Der gewählte Zeilenbau mit den Reihenhäusern hätte den Arbeitern schon zu einem frühen Zeitpunkt die Möglichkeit geboten, nach Debos Formulierung »der Lehre vom Sonnenbau gemäß« zu wohnen. Denn die Situierung der Zeilen und die »Communicationswege im Innern« sorgten für eine gute Besonnung, Durchlüftung und Zugänglichkeit. In diesem Punkt war mit dem britischen Entwicklungsstand mindestens gleichgezogen, wie ein Vergleich mit Copley (1849–53), Saltaire (1853–63) und Akroydon (1855) zeigt. Und selbst wenn die Reihenhäuser auch nur ein Minimum an Raum und Sanitärausstattung aufwiesen und die Logierhäuser als kleine Mietskasernen den Arbeiterbedürfnissen widersprachen, für den Arbeiterwohnungsbau war damit eine eigenständige Form gefunden, die es nur noch fortzuentwickeln und in größerem Maßstab anzuwenden galt.

An was es hier aber im Vergleich mit Großbritannien fehlte, war der persönliche finanzielle und soziale Einsatz des Fabrikherrn. Die viktorianischen Fabrikanten vom Schlage eines Sir Titus Salt zeigten sich bereit, ihre Model villages ohne fremde Hilfe aus ihrem Betriebskapital und ihrem Gewinn zu finanzieren. Ja, sie rechneten es sich sogar als Ehre an, diesen Wohnstätten noch durch Gemeinschaftseinrichtungen einen urbanen Rahmen zu geben. Der Bankier und Unternehmer Adolph Meyer versuchte dagegen durch den Winkelzug einer gemeinnützigen Gesellschaft, die Finanzierung seiner Arbeiterkolonie auf ahnungslose Aktienzeichner abzuwälzen. Als sie sich dem Projekt verweigerten, gab er sich mit dem Bau einer Häuserzeile zufrieden. Damit konnte er den dringendsten Bedarf seiner Betriebe decken. Für ein weiterreichendes Engagement im gemeinnützigen Sinne oder für stadtplanerische Erfordernisse fehlte ihm jedoch das Verständnis. Mit den britischen Vorbildern verglichen, nimmt sich sein Verhalten nicht sonderlich beeindruckend aus. Dem Planer Ludwig Debo blieb nur noch die Aufgabe, nachdem aus dem Bau der Arbeiterkolonie im Nedderfeld nichts geworden war, im Auftrag der Hannoverschen Regierung zu untersuchen, ob »in der Stadt Hannover und in Linden ein Mangel an gesunden und angemessenen billigen Wohnungen für die arbeitende Classe vorhanden« sei. Das Resultat seiner Untersuchung war, daß es nach wie vor an »Wohnungen für die Arbeiter, kleinen Handwerker, kurz für sogenannte ›kleine Leute‹ fehlte«.[286]

Damit gab sich die Regierung zufrieden. Und da von den Unternehmern zu dieser Zeit kaum Hilfe zu erwarten war, wurde der Wohnungsbau der privaten Bauspekulation überlassen, die Lindens zufälligen und ungeordneten Ausbau weiterhin bestimmte.[287]

Arbeiterkolonie »Klein-Rumänien«, Hannover-Linden

Nach dem Fehlschlag, Hannover-Linden 1854 durch eine gemeinnützige Baugesellschaft zu einer Arbeiterkolonie zu verhelfen, kam der Ort fünfzehn Jahre später, inzwischen auf etwa 12 000 Einwohner angestiegen, doch noch zu einer solchen Einrichtung, in diesem Falle sogar mit unbestreitbarem paternalistischem Hintergrund.[288]

Den Anlaß dazu gab 1868 das Ableben des Fabrikanten Georg Egestorff. Als seine Erben einen Käufer für die weithin bekannte Maschinen- und Lokomotivenfabrik suchten,

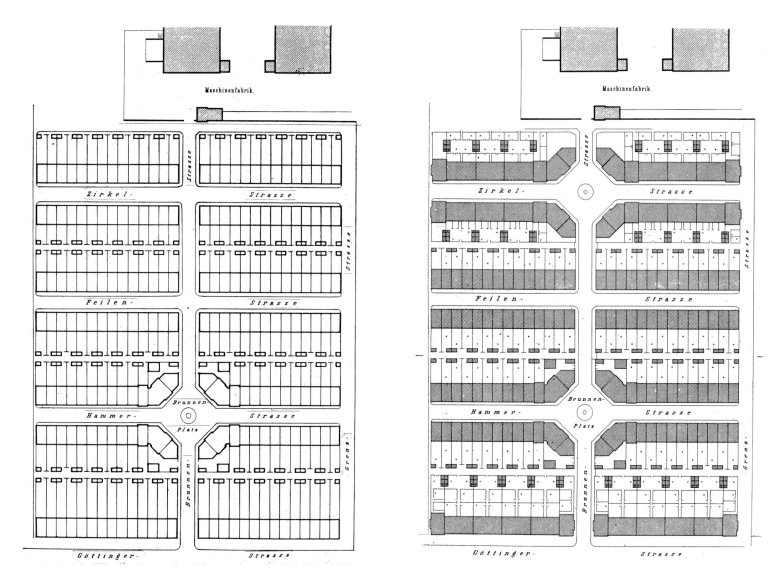

griff der als »Eisenbahnkönig« bekannte Großindustrielle Bethel Henry Strousberg (1823–84),[289] charakterisiert als »Mann, der alles kauft«, sofort zu, indem er im November 1868 die gesamte Anlage um 700 000 Taler erwarb. Als Generalunternehmer für den Bau von Eisenbahnen lag ihm besonders viel an der Egestorffschen Lokomotivenfabrik, nachdem er kurz zuvor von der rumänischen Regierung den Auftrag für die Erstellung eines 900 Kilometer langen Eisenbahnnetzes erhalten hatte.

Strousberg, der keine Zeit zu verlieren hatte, ging unverzüglich daran, das gekaufte Werk zu reorganisieren und zu vergrößern. Die dafür erforderlichen geschulten Maschinenschlosser ließ er von auswärts anwerben. Er selbst gibt in seinen Memoiren an,[290] innerhalb von zwei Jahren an die 2 500 Arbeiter aus allen Teilen Preußens nach Linden geholt zu haben.

Wo aber kamen sie unter? Aus dem Debo-Bericht von 1861 ist zu ersehen, daß es am Ort längst an preiswerten Arbeiterwohnungen fehlte. Da Strousberg jedoch für die Werkserweiterungen zugleich noch umfangreiches Gelände erworben hatte, fiel es ihm nicht schwer, unmittelbar neben der Fabrik die notwendigen Unterkünfte zu schaffen. Wenn man seinen Äußerungen Glauben schenken will, lag ihm nichts mehr am Herzen, als endlich seine Lieblingsidee einer Arbeiterkolonie zu verwirklichen. Zweifellos kannte er von seinem langen Englandaufenthalt (1835–56) die dortige Wohnungsreformbewegung und die Mustersiedlungen der viktorianischen Paternalisten. Ihrem Beispiel nachzueifern und auf diese Art den Arbeitern die Illusion eines sozialen Ausgleichs zu verschaffen, konnte ihm durchaus effektvoll erscheinen. Doch selbst wenn auch nur praktische Erwägungen dahinter standen, Strousberg zögerte nicht, sich im Wohnungsbau zu engagieren.[291] Schon am 4. März 1869 stellte er den Bauantrag zu einer Arbeiterkolonie.

Der Plan sah auf einem regelmäßigen rechteckigen Gelände von etwa 2 Hektar Größe zwischen der Göttinger Straße und dem Fabrikareal sieben parallel hintereinandergestellte Hauszeilen vor, die eine mittlere Straße unterteilt. Die 184 Hauseinheiten sollten sich in gleichmäßiger Form an der Göttinger Straße einseitig und an den dahintergele-

357. Baubauungsplan für die Arbeiterkolonie »Klein-Rumänien«, Hannover-Linden, 1869, ursprüngliche Fassung (Rekonstruktion).
358. Bebauungsplan für die Arbeiterkolonie »Klein-Rumänien«, Hannover-Linden, abgeänderte Fassung. (*Die Einrichtungen für die Wohlfahrt der Arbeiter . . .*, Berlin 1875/76)

genen drei Querstraßen beidseitig aufreihen. Für die Erschließung der Gärten waren lediglich schmale Passagen (»back streets«) vorgesehen. Als einzige formale Akzentuierung sollte die erste Straßenkreuzung durch Eckabschrägungen zu einem Platz ausgeweitet und mit einem artesischen Brunnen ausgestattet werden. Der Lageplanaufteilung nach handelte es sich um eine sparsame, sachliche Lösung, die wohl auf Strousbergs Anregungen hin weitgehend englischen Vorbildern folgte, aber auch dem Siedlungsplan Debos für das Nedderfeld von 1854 ähnlich war.

Dem Lindener Gemeindevorstand erschien dieser einfache und unprätentiöse Bebauungsvorschlag vor allem für die stark befahrene und im örtlichen Wegenetz hervorgehobene Göttinger Straße unangemessen. Als »Straße städtischen Charakters« verlangte sie nach der gültigen Bauordnung eine zweigeschossige Bebauung. Den Planern Wallbrecht und Hagemann[292] blieb nichts anderes übrig, als auf diese Forderung einzugehen. Sie behielten das Grundgerüst des rechtwinkligen Straßensystems zwar bei, doch gaben sie nun den Reihenhaustyp in der ersten und in den beiden letzten Zeilen auf. Die Bebauung der Göttinger Straße setzte sich aus zwei Blöcken mit Zwei- und Vierfamilienhäusern zusammen, die an den Enden durch risalitartige Vorsprünge mit oberem Giebelabschluß gegliedert werden. Durch einen geringfügig höher geführten Kniestock, den ein durchgehender Fries, Fenster und Nischen markieren, und durch eingeschobene Giebelgauben sollte die verlangte Zweigeschossigkeit hervorgerufen werden. Und ohne daß eine formale Notwendigkeit dafür bestanden hätte, wurde diese Einteilung auch auf die beiden letzten an das Fabrikgelände angrenzenden Zeilen übertragen, wobei dann hier die Straßenkreuzung ebenfalls eine Platzausweitung erhielt. Dem ursprünglichen Plan entsprach nur noch die Überbauung der beiden inneren Querstraßen mit dem Reihenhaustyp. Zweifellos erhielt die Kolonie auf diese Weise eine abwechslungsreichere und gewichtigere Fassung, die nun, trotz dem kümmerlichen Kniestockaufbau, halbwegs den Vorstellungen einer städtischen Straßenarchitektur entsprach. Nachdem der Gemeindevorstand mit dieser Modifikation zufriedengestellt war, stand der Ausführung nichts mehr im Weg. Der Ausbau der Kolonie, die 100 Reihenhauseinheiten, je 20 Zwei- und Vierfamilienhäuser und 4 Geschäftsbauten umfaßte, war im Juni 1869 bereits so weit gediehen, daß die ersten Mieter einziehen konnten. Um ihnen ihre Maschinenbautätigkeit bewußt zu machen oder, wie es hieß, »um die Arbeit zu ehren«, wurden die Querstraßen nach den Handwerkszeugen Hammer-, Feilen- und Zirkelstraße benannt, und die von der Göttinger Straße zur Fabrik führende Längsverbindung erhielt, in Anspielung auf den Brunnen in der ersten Kreuzung, die Bezeichnung Brunnenstraße. Die ganze Kolonie bekam noch während der Ausführung den Beinamen »Klein-Rumänien«. Den Anlaß dazu gaben Strousbergs große Eisenbahnaufträge für Rumänien.

Die Wohnungen, die die Arbeiter antrafen und an deren Aufteilung Strousberg vermutlich mitgewirkt hat, sind nicht weniger aufschlußreich als die Gesamtdisposition der Kolonie.

Da ist zuerst einmal das Reihenhaus, das ursprünglich die ganze Anlage bestimmen sollte. Obwohl es dem Typ nach gerade einer Familie angemessen gewesen wäre, war mit ihm eine weiterreichende Nutzung beabsichtigt. Die Familienwohnung des Hauptmieters, die eine Stube (17,4 Quadratmeter), eine Kammer (13,2 Quadratmeter) und eine kleine Küche (8 Quadratmeter) umfaßt und über einen engen Treppenvorplatz zu betreten ist, bleibt auf das Erdgeschoß beschränkt. Die direkt vom Eingang über eine Schachttreppe erschlossenen drei Kammern des Obergeschosses waren dagegen für Kostgänger bestimmt, von denen mindestens zwei aufgenommen werden mußten und deren Höchstzahl bis sieben reichen durfte. Eine solche Belegung widersprach zwar allen Bemühungen der Wohnungsreformer, sie versetzte Strousberg aber in die Lage, nicht nur Arbeiter mit Familie, sondern auch eine große Zahl von Ledigen ohne zusätzlichen Aufwand unterzubringen.

Tatsächlich wohnten 1870 von den 2000 Arbeitern des Werkes 700 bis 800 in den 228 Wohnungen der Kolonie. Aber auf welche Art? Die Hauptmieter lebten im Erdgeschoß viel zu beengt und keineswegs für sich allein. Sobald die Untermieter den im hintersten Teil des Gartens gelegenen Abort benutzen wollten, waren sie gezwungen, die untere Stube und Küche zu durchqueren. Das erwies sich als ein unhaltbarer Zustand, zu dem noch der konstruktive Mangel hinzukam, daß die Unterteilungswände des Obergeschosses unzureichend unterstützt waren.

Man sah sich deshalb veranlaßt, für die später ausgeführten Bauten den Grundriß zu ändern. Dabei wurde die Treppe nach rückwärts in die Küche verlegt, die Stube am Straßeneingang erhielt einen Windfang, und die Innenwände wurden wenigstens teilwei-

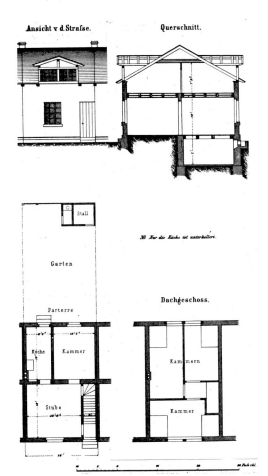

359. Reihenhaustyp der Arbeiterkolonie »Klein-Rumänien«, erste Ausführung. Grundrisse, Querschnitt und Straßenansicht. (*Die Einrichtungen für die Wohlfahrt der Arbeiter*, a.a.O.)

360. Arbeiterkolonie »Klein-Rumänien«, Hannover-Linden. (Historisches Museum am hohen Ufer, Hannover)

se übereinander gestellt. Trotzdem trat kaum eine Verbesserung ein. Die Untermieter erreichten ihre Kammern weiterhin nur durch die Stube, wenn sie von der Straße her kamen. Und indem die Küche auch die Treppe aufzunehmen hatte, wurde sie noch stärker als Durchgang benutzt und entsprach noch weniger ihrer eigentlichen Bestimmung. Denn für die Untermieter lag nichts näher, als bei dieser Anordnung das Haus nun durch den hinteren Eingang vom Garten her zu betreten und dessen Erschließung gewissermaßen umzudrehen. Es grenzt fast an Blindheit, wie hier die Möglichkeiten des Reihenhaustyps mißachtet und zum Schlechten gewendet sind.

Die Mehrfamilienhäuser, die nicht nur anfangs an der Göttinger Straße, sondern im zweiten Bauabschnitt bis 1870 in größerer Zahl an der Zirkelstraße entstanden, richteten sich stärker nach dem in Linden üblichen Haustyp. Auffällig ist, wie sparsam bei ihnen der Fluranteil bemessen ist. Für die Vierfamilienhäuser, die den mittleren Teil der Zeilen bilden, genügt im Erdgeschoß ein schmaler, in der Haustiefe durchgehender Flur als Zugang sowohl zur Stockwerkstreppe wie auch zu den Wohnräumen. Bei ihnen bedarf es mit den zwei hinteren gefangenen Räumen keines zusätzlichen inneren Flures mehr. Nur kommen auf diese Art keine abgeschlossenen Wohnungen zustande. Wenn man noch die viel zu kleine Küche (3,6 und 4,7 Quadratmeter) und den weitab im Garten gelegenen Abort hinzunimmt, wird ersichtlich, wie primitiv hier die Arbeiter zu wohnen gezwungen waren, obwohl sie, wie aus einer Umzugswelle zu schließen ist, diese Stockwerkswohnungen den ungemütlichen Reihenhäusern immer noch vorzogen.

Nur die an den Kopfenden der Zeilen gelegenen Zweifamilienhäuser weisen einen größeren Zuschnitt auf; trotzdem fehlen aber auch bei ihnen die Wohnungsabschlüsse, und die Küchen erscheinen ebenfalls zu klein. Diese Wohnungen blieben indes Aufsehern und Kontoristen überlassen, die damit den anderen Beschäftigten gegenüber, der Betriebshierarchie zufolge, bevorzugt behandelt werden sollten. Am besten in der Wohnungsversorgung schnitten natürlich die Direktoren ab, denen Strousberg 1870 am Deisterplatz in Linden eine Doppelvilla erstellte, damit sie als seine Statthalter im repräsentativen Stil residieren konnten. Verglichen mit anderen Arbeiterkolonien kann Strousbergs »Klein-Rumänien«, bei allen Mängeln, die den Wohnungen anhaften, ein sachlicher Zug in der Anlage und in der Typenbildung nicht abgesprochen werden. Die Aufreihung gleicher Wohneinheiten in der Form der Hauszeilen ergab im Gegensatz zu der sonst üblichen kleinteiligen Streubebauung ein geschlossenes und einheitliches Siedlungsbild. Auch war die formal knappe und anspruchslose architektonische Gestaltung der Aufgabe angemessen. Und die Anlage der Brunnenstraße mit den beiden Plätzen gab der Kolonie jene Mitte, die sie von einer bloßen Ansammlung von Gebäuden unterschied und die durchaus als Ansatz zu einer urbanen Fassung der Bebauung hätte dienen können. Aber diese höheren Ansprüche, die durch den Bau von Gemeinschaftseinrichtungen hätten eingelöst werden müssen, vermochte Strousberg nicht zu erfüllen. Er projektierte zwar ein Wasch- und Badehaus, und er gab auch vor, Schulen einzurichten, aber diese

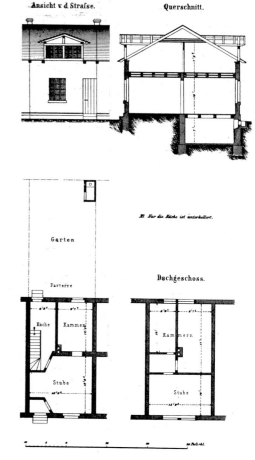

361. Reihenhaustyp der Arbeiterkolonie »Klein-Rumänien«, abgeänderte Ausführung. Grundrisse, Querschnitt und Straßenansicht. (*Die Einrichtungen für die Wohlfahrt der Arbeiter*, a.a.O.)

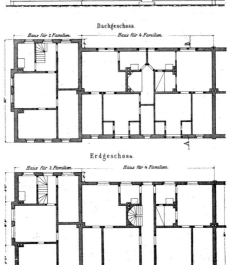

362. Mehrfamilienhäuser an der Göttinger Straße und an der Zirkelstraße, Arbeiterkolonie »Klein-Rumänien«. Grundrisse und Straßenansicht, (*Die Einrichtung für die Wohlfahrt der Arbeiter*, a.a.O.)

Pläne blieben unausgeführt.[293] Am Schluß mußte sich die Kolonie mit den eingemieteten Ladengeschäften und dem Wirtshaus am Brunnenplatz begnügen, womit wenigstens die Versorgung der Bewohnerschaft gewährleistet war.[294]

Behält man dieses magere Ergebnis und die äußerst einfache und sparsame Behandlung der Wohnhäuser im Auge, so bleibt von der glänzenden paternalistischen Rolle, die sich Strousberg in seinen Publikationen selbst zumißt[295] und die er sich hier 221 000 Taler kosten ließ, nicht mehr viel übrig. Genaugenommen hat er auch in Linden nur im Rahmen seiner weitausgreifenden Spekulationen den ökonomischen Zwängen gehorcht und die Arbeiter so weit mit Wohnungen versorgt, wie es der Produktionsplan seiner Maschinenfabrik erforderlich erscheinen ließ und wie es die soziale Befriedung der Arbeiter gebot. Indem er ein Reihenhaus zum Preis von 2952 Mark baute und es zu einem Jahreszins von 180 Mark vermietete, kam er mit einer sechsprozentigen Verzinsung nicht schlecht weg. Und die Arbeiter, die zehn bis zwölf Prozent ihres Lohnes für den Mietzins der Wohnungen aufbringen mußten, waren ebenfalls gut bedient, auch wenn sie mit ihrer Kritik an den kleinen Kammern und winzigen Küchen nicht zurückhielten und um ihre Abhängigkeit vom Fabrikherrn wußten.

Aber auch zeitlich gesehen war Strousbergs auf Arbeiterwohlfahrt bedachtes Wirken nur von kurzer Dauer. Als es in seinem Industrie-Imperium zu knistern begann[296] und der Konkurs sich anzubahnen schien, sah er sich schon im März 1871 gezwungen, die Maschinenfabrik in Linden mit allem Zubehör an ein Konsortium Hannoverscher Banken abzutreten.

Dem neuen Unternehmen, das daraus mit einer neuen Kapitalausstattung gebildet wurde und das als Hannoversche Maschinenbau AG – ab 1904 Hanomag – firmierte,[297] gehörte fortan auch die Arbeiterkolonie an. Sie blieb, solange die Eisenbahnkonjunktur anhielt, von den Arbeitern begehrt und voll belegt. 1874 sollen in ihr sogar 3000 Menschen gewohnt haben.[298] Diese Überfüllung ließ bei der neuen Werksleitung den Gedanken aufkommen, die Kolonie durch eine Verlängerung der Querstraßen nach Süden um 63 Häuser mit 252 Wohnungen zu erweitern.

Der Kurssturz der Eisenbahnaktien bereitete diesem Plan ein jähes Ende. Die Aufträge der Hanomag gingen stark zurück und die Arbeiter mußten Lohneinbußen, Kurzarbeit und Entlassungen hinnehmen. In der Depression reduzierte sich die Belegschaft von 2410 (1871/72) auf 460 (Dezember 1880). Mit dem Wegzug der jungen Arbeiter stand die Kolonie teilweise leer. Damit war ihre Entwicklung zu Ende. Schlecht unterhalten existierte sie noch bis zum Abbruch im Jahre 1937 weiter.

Für Hannover-Linden bleibt noch anzumerken, daß der Wirtschaftsboom nach 1871 vier weitere Arbeiterkolonien hervorgebracht hat, die allerdings weniger spektakulär waren. Sie sind mit »Klein-Rumänien« aber weder der Größe noch der urbanen Fassung nach gleichwertig.

## Arbeiterkolonie Fabrikstraße, Heilbronn

Obwohl die Industrialisierung in Württemberg mit einem deutlichen Abstand zum Niederrhein und Ruhrgebiet einsetzte, sind ihre Anfänge trotzdem in einigen größeren Städten schon früh bemerkbar.[299] Zu ihnen gehörte, neben Ulm und Reutlingen, die ehemalige Reichsstadt Heilbronn, die mit ihrer Lage am Neckar günstige Verkehrsbedingungen aufwies und in der seit langem unternehmerische Handelsleute und Handwerker tätig waren.

Die Stadt wurde schon 1843 in den Eisenbahndebatten der württembergischen Ständekammern als das »schwäbische Liverpool« bezeichnet. Wenn dieser Ausdruck im Vergleich mit der Hafenstadt am Mersey River und mit den Ruhrorten auch als Übertreibung anzusehen ist, so deutet er doch den raschen Aufstieg Heilbronns zu einem der wichtigsten Industriezentren Württembergs an.[300]

Die seit 1800 existierende Bruckmannsche Silberwarenfabrik, die zwischen 1820 und 1830 in Betrieb genommenen Papierfabriken der Gebrüder Rauch und Gustav Schaeuffelen und die Handelshäuser der Familien Goppelt, Ort und Rund standen am Anfang; später kamen die Zuckerfabrik, die Maschinenbaugesellschaft und andere Betriebe hinzu.

Wie in anderen Orten war auch in Heilbronn dieser Industrialisierungsvorgang mit einem starken Anstieg der Bevölkerung verbunden.[301] 1855 wies die Stadt bereits 14000 Einwohner auf, für die es aber lediglich etwa 1400 Wohnhäuser gab. Aus der hohen Be-

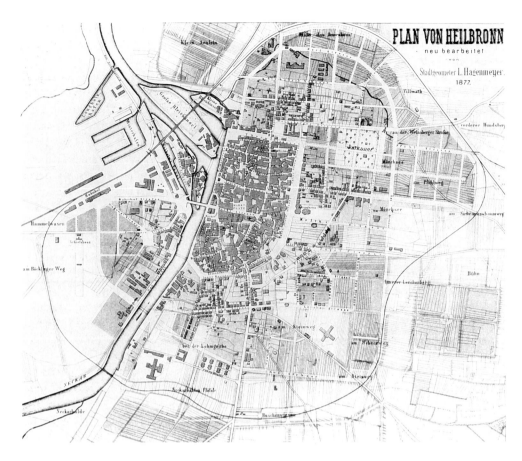

363. Heilbronn im Jahr 1877. (Stadtarchiv Heilbronn)

legungsdichte von 10 Einwohnern pro Haus ersieht man, wie unzureichend der Stadtausbau auf das Bevölkerungswachstum abgestimmt war, obwohl man die Befestigungsanlagen ab 1808 beseitigt und 1840 den schematischen Erweiterungsplan des Stadtbaumeisters De Millas in Kraft gesetzt hatte.[302] In der Stadt fehlten, darüber konnte aller Gewerbefleiß und Unternehmungsgeist der zahlreichen Fabrikanten nicht hinwegtäuschen, die notwendigen Unterkünfte für die Arbeiter. Wie bei Karl Victor Riecke, der damals als Buchhalter beim Kameralamt arbeitete, zu erfahren ist, waren manche Familien sogar gezwungen, sich mit einem Zimmer oder einer Kammer zu begnügen und den Eingangsflur mit anderen Parteien zusammen als Küche zu teilen. Und dafür hatten sie eine Jahresmiete zwischen 30 und 60 Gulden aufzubringen.[303] Daß es nicht zu einer ausgesprochenen Wohnungsnot wie in anderen Industriezentren kam, lag nur an der großen Zahl von Pendlern, die tagsüber in die Stadt kamen, aber in den benachbarten Dörfern wohnten. Sie nahmen, um überhaupt zu Arbeit zu kommen, tägliche Wegstrecken von ein bis zwei Stunden auf sich. Vermutlich hofften sie darauf, irgendwann einmal zu einer Mietwohnung in der Stadt zu kommen. Sich dort selbst ein Haus zu bauen, blieb ihnen bei ihrer kärglichen Entlohnung in der Regel versagt. Bei dieser Konstellation und bei der Geringschätzung, mit der die Arbeiter vom städtischen Besitzbürgertum behandelt wurden, konnten soziale Spannungen zwischen beiden Gruppen nicht ausbleiben.

An diesem Punkt setzten die Überlegungen des Papierfabrikanten Adolph von Rauch ein.[304] Er kannte von seinen Geschäftsreisen her die Verhältnisse in den britischen und französischen Industriestädten. Aus den Beobachtungen, die er dabei gemacht hatte, wußte er um die Risiken, die mit extremen gesellschaftlichen Gegensätzen verbunden waren. Er sah deshalb auch in Heilbronn den Zeitpunkt für gekommen, wenigstens im Wohnungsbau zu einem sozialen Ausgleich beizutragen. Da vom Umfang seines Betriebes her gesehen – er beschäftigte 1848 nicht mehr als 165 Arbeiter – für ihn selbst der Bau einer eigenen Werkssiedlung nicht in Frage kam, verfiel er auf den Gedanken, ein solches Projekt in Gemeinschaft mit anderen Fabrikanten zu verwirklichen.

Auf Rauchs Initiative hin gründete eine Gruppe von Heilbronner »Capitalisten« 1856 die Gesellschaft zum Bau von Arbeiterwohnungen.[305] Als Anfangskapital brachten die Gesellschafter 20000 Gulden auf. Für den Fall eines Gewinns begrenzten sie die Verzinsung ihrer Anteile auf vier Prozent, den Überschuß wollten sie im Interesse des Unternehmens verwendet wissen.

Mit dieser nicht gerade üppigen Finanzausstattung erwarb die Gesellschaft vom Staat für 6400 Gulden sehr preiswert ein 250 Ar großes zusammenhängendes Areal bei den städ-

364. Entwurf für die Arbeiterkolonie an der Fabrikstraße, Heilbronn. (K.V. Riecke, *Die Arbeiterwohnungen in Heilbronn*, Stuttgart 1856)

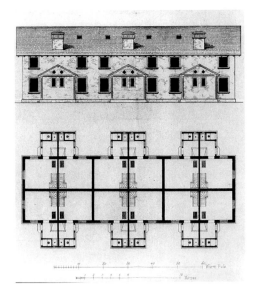

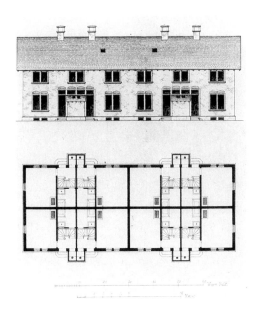

365. Haustyp der Arbeiterwohnungen, kleine Ausführung – »Häuser 2er Classe« – an der Fabrikstraße, Heilbronn. Grundrisse und Ansicht.

366. Haustyp der Arbeiterwohnungen, große Ausführung – »Häuser 1er Classe«. Grundrisse und Ansicht. (K.V. Riecke, *Die Arbeiterwohnungen in Heilbronn*, a.a.O.)

tischen Lehmgruben an der südlichen Peripherie der Stadt. Es lag allerdings außerhalb des Stadterweiterungsplans, doch in günstiger Beziehung zu den Fabrikanlagen am Neckar. Erschlossen war es durch einen neuangelegten, zur Zuckerfabrik führenden Weg (heute Fabrikstraße), der von der Staatsstraße Heilbronn–Sontheim abzweigte. Wie den ersten Planungen zu entnehmen ist, dachte sich die Gesellschaft die Überbauung dieses Geländes als eine kleine Arbeiterkolonie in drei winkelrecht zur Fabrikstraße gestellten Zeilen mit je drei Gebäuden. Auf der Grundlage dieser Konzeption beantragte Adolph von Rauch im Namen der Gesellschaft am 29. April 1856 den Bau von zwei Gebäuden. Obwohl der Platz nicht zur Bebauung ausgewiesen war, wurde das Gesuch schon drei Tage später genehmigt. Danach entstanden in nur siebenmonatiger Bauzeit nach den Plänen und unter der Aufsicht des Stadtbaumeisters De Millas die beiden zweigeschossigen Gebäude Fabrikstraße 17 mit zwölf und Fabrikstraße 19 mit acht Wohneinheiten. 1859 kamen zwei weitere Gebäude derselben Art, Fabrikstraße 17a und 19a, hinzu.

Es ist aufschlußreich, welche Grundrißtypen der Planer diesen Mietshäusern zugrunde legte. Die Absicht, äußerst sparsam und möglichst viele Einheiten zu bauen und dennoch jede Wohnung mit einem Abschluß und einem eigenen Eingang zu versehen, führte zum kreuzförmig konzipierten Grundriß. Allem Anschein nach kannte De Millas die Mülhausener Lösung genau. Er wußte sie aber so zu variieren, daß er dem System des Kreuzgrundrisses noch neue Aspekte abzugewinnen verstand. So entwarf er, um unterschiedlichen Bedürfnissen zu genügen, zwei verschieden große Wohnungstypen.

Die kleine Ausführung (»Häuser 2er Classe«) umfaßt nur zwei Räume, eine Stube im Erdgeschoß und einen Schlafraum im Obergeschoß, beide durch eine interne Treppe miteinander verbunden. Der Zugang zu dieser Minimalwohnung erfolgt über einen Vorraum, der trotz seiner Enge noch als Küche herhalten muß und mit dem Abort zusammen in einen eingeschossigen Anbau gelegt ist. Anders als in Mülhausen ist hier der Vierer-Wohnhaustyp nicht freigestellt, sondern in dreifacher Anordnung zu einem Block mit zwölf Wohneinheiten vereint. Die große Ausführung (»Häuser 1er Classe«) enthält wenigstens ein Treppenhaus, das direkt von außen zugänglich ist und Zutritt zu allen Räumen gibt: zum Abort, der gleich in einem Hausvorsprung neben dem Eingang liegt; zur winzigen, hinter der Wendeltreppe angeordneten, nur indirekt belichteten Küche; zu den nebeneinanderliegenden Zimmern, die im Erd- und Obergeschoß die gleiche Größe und mit 15 Quadratmetern Grundfläche ein passables Format haben; schließlich zum Keller, der bei dieser Lösung noch hinzukommt. Der Block besteht in diesem Falle nur aus acht Wohneinheiten.

Allem Anschein nach waren mit dem Bau der vier Blöcke die Mittel der Gesellschaft zunächst einmal erschöpft. 1862 wurde deshalb ein neues Unternehmen mit der Bezeichnung Heilbronner Wohnungsverein AG gegründet. Durch die Ausgabe von 170 Aktien zu je 525 Gulden konnte das Kapital auf 89250 Gulden erhöht werden. Mit dieser Ausstattung war es dann 1871 möglich, noch weitere vier Häuser, nämlich Fabrikstraße 13 und 15 sowie 13a und 15a, mit den großen Wohnungen zu erstellen.

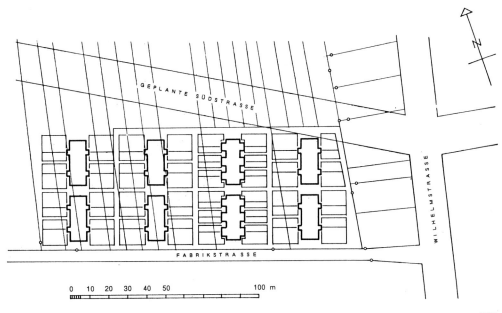

367. Arbeiterkolonie Fabrikstraße, Heilbronn, mit den ausgeführten Bauten 1856–71.

Sie waren aber nicht mehr nach dem ursprünglich geplanten Lageplanschema situiert, da ein von Reinhard Baumeister entworfener Stadtbauplan im nördlichen Teil des Areals eine Ringstraße (heute Südstraße) vorsah, auf die es Rücksicht zu nehmen galt. Die vier Bauten von 1871 wurden deshalb einfach nach Westen hin angefügt. Als Gesamtbebauung ergaben sich nunmehr vier Zeilen mit jeweils zwei Gebäuden. Mit diesem Beitrag endete jedoch bereits der Arbeiterwohnungsbau in der Fabrikstraße. Die stärker aufkommende Bautätigkeit in der Stadt und Finanzierungsschwierigkeiten, die aus der langen Bauzeit von 15 Jahren für die acht Gebäude abzulesen sind, müssen als Ursache dafür angesehen werden. Obwohl die erbauten 72 Wohnungen kaum eine Entlastung für den Heilbronner Wohnungsmarkt bedeutet haben,[306] kommt der Initiative des Papierfabrikanten Rauch eine gewisse Signalwirkung zu. Hier war, so bescheiden das Unternehmen sein mochte, durch die Tat bewiesen worden, daß auch mittelständische Fabrikanten gewillt waren, ihren Arbeitern auf gemeinnütziger Basis zu Wohnungen zu verhelfen. Und es wurde ein übriges getan: Rauch, der auf der Industrieausstellung von 1851 in London das Musterhaus des Prince Consort Albert im Hyde Park gesehen hatte, ließ von dem Fachmann De Millas eigenständige Wohnungstypen entwickeln, wie sie nach dem Verständnis der damaligen Zeit für die Bedürfnisse der Arbeiter in Frage kamen.

Damit war im Südwesten Deutschlands der Anfang für den Arbeiterwohnungsbau gemacht; gemeinnützige Wohnungsvereine in Pforzheim (1859) und in Stuttgart (1860) folgten bald darauf.

Allerdings brachte der Gedanke, aus Sparsamkeitsgründen das Mülhausener System aufzugreifen und abzuwandeln, alles andere als überzeugende Lösungen hervor. Indem in Heilbronn auf die Freistellung des Vierer-Wohnhaustyps verzichtet wurde, blieben auch dessen Vorteile für die Ventilation, die Belichtung und die Besonnung auf der Strecke. Die acht bzw. vier innenliegenden Wohnungen unterschieden sich in nichts von der englischen Back-to-back-Lösung. Aber auch die Bemessung und Nutzung der Räume muß für die damaligen Verhältnisse als unzureichend angesehen werden. Eine Küche mit drei bis vier Quadratmetern Grundfläche, die im einen Fall als Durchgangsflur mit Abortzugang, im anderen als indirekt belichteter Schlupf hinter der Wendeltreppe ausgewiesen ist, hätte selbst einer Arbeiterfamilie, zu der meist einige Kinder gehörten, nicht zugemutet werden dürfen. Ihr konnten im übrigen auch die zwei Räume der kleinen Wohneinheit nicht genügen, in denen die Treppen noch wertvollen Platz wegnehmen. An diesem Manko ändert auch die Tatsache nichts, daß die Wohnungen immer belegt waren, in manchen Fällen sogar an die nachfolgende Generation übergingen.

Am Schluß lief alles – die niedrigen Herstellungskosten von 1081 Gulden bzw. 610 Gulden belegen es – auf eine Billigst-Lösung hinaus, von der die Bewohner nur den Vorteil hatten, daß ihnen erträgliche Jahresmieten von 62 Gulden bzw. 42 Gulden abverlangt wurden. Für eine Arbeiterwohnkultur, zu der ein Beitrag so dringend erforderlich gewesen wäre, war damit nicht viel gewonnen. Trotzdem hatten die Bewohner den Vorteil, in einer neuen und unkonventionellen Umgebung zu leben. Bei allem Schematismus in der Aufreihung lag ihren zweigeschossigen Häusern eine offene Zeilenbauweise zugrunde, deren Weiträumigkeit es erlaubte, jeder Wohnung einen Nutzgarten zuzuordnen. Deutlicher hätte der Kontrast zur engen und verwinkelten Überbauung der Altstadt und zur gedankenlosen Randbebauung der Neubauviertel nicht zum Ausdruck kommen können. Im städtebaulichen Sinne handelte es sich bei diesem Zeilenbau um eine Neuerung, die bereits andeutungsweise die spätere Entwicklung des Wohnungsbaus im nächsten Jahrhundert vorwegnahm. Freilich war er nur in jener peripheren Lage zur Stadt denkbar, auf die der Grundstücksmarkt des billigen Bodenpreises wegen verwiesen hatte und mit der aus der Sicht der städtischen Sozialtopographie eine gewisse Deklassierung und Desintegration verbunden war. Das kam in der Bezeichnung »Inselsiedlung« zum Ausdruck. Vermutlich hätte sich jedoch ein günstigeres Bild ergeben, wenn tatsächlich jene Kolonie nach dem ursprünglichen Plan mit 80 bis 90 Wohnungen und mit Gemeinschaftseinrichtungen zustande gekommen wäre, von der der schon genannte Berichterstatter Riecke schwärmte. Aber dazu hat der finanzielle Einsatz und der gesellschaftliche Ausgleichswille der Heilbronner »Capitalisten« nicht ausgereicht, auch wenn ihre Bauten schon bei der Entstehung von Riecke emphatisch als »Thaten der rettenden Nächstenliebe« gepriesen wurden. Diese verbale Überhöhung schließt aber nicht aus, daß der Arbeiterwohnungsbau hier in der unvollendeten, teils als Werkssiedlung, teils als gemeinnütziges Wohnungsbauunternehmen gehandhabten Form einen wichtigen Anstoß erhalten hat, der bald zum Bau weiterer Kolonien im Land führte.[307]

Stahlhausen

Der 1854 gegründete Bochumer Verein für Bergbau und Gußstahlfabrikation AG liefert für den paternalistischen Werkswohnungsbau im Ruhrgebiet ein weiteres charakteristisches Beispiel.[308] Obwohl die Werksanlagen des Vereins noch am westlichen Rande des Stadtgebietes von Bochum lagen, reichten die städtischen Wohnungen zur Unterbringung der Arbeiter und ihrer Familien nicht aus. Deshalb entstanden bereits 1857 bei 482 Beschäftigten die ersten zehn Werkswohnungen. Bei dieser Zahl blieb es dann das folgende Jahrzehnt.

Als die Belegschaft in den sechziger Jahren jedoch durch den Zuzug von Eisengießern und Formern aus dem Eifelgebiet und dem Hunsrück immer weiter anstieg und 1869 die Zahl von 2003 Beschäftigten erreichte, sah sich das Werk erneut zum Bau von Arbeiterwohnungen veranlaßt. Dabei entwickelte es nun die planerische Konzeption einer Arbeiterkolonie, die je nach Bedarf und Konjukturlage in mehreren Bauphasen verwirklicht werden sollte. Hinter diesem Plan stand wohl der sozial engagierte Direktor des Werkes, Kommerzienrat Louis Baare, der, so ist anzunehmen, von den damaligen Reformbestrebungen im Arbeiterwohnungsbau wußte.

Der Baumeister des Bochumer Vereins sah seine Aufgabe darin, den bisher üblichen Kasernierungsgedanken zu überwinden und bei äußerster Raumökonomie und niedrigen Anlagekosten eine Verselbständigung der einzelnen Wohnungen zu erreichen, um den Familien ein ungestörtes und gesundes Wohnen zu ermöglichen. Dieser Ansatz brachte ihn auf den Gedanken, das Grundrißsystem der »cités ouvrières« von Mülhausen aufzugreifen, in dem er seine Zielvorstellungen am besten verwirklicht sah.

Nach diesem Vorbild entstanden dann ab 1867 zuerst 32 Wohnungen in der bekannten Vierfach-Anordnung. Daß dieser Beitrag bei nunmehr 1760 Beschäftigten kaum eine Entlastung für den Bochumer Wohnungsmarkt brachte, ist klar. Und um wenigstens die Alleinstehenden und Ledigen unterzubringen, baute der Verein 1872 bis 1874 in räumlichem Zusammenhang mit der Arbeiterkolonie ein großes, viergeschossiges »Kost- und

368. Bochum im Jahr 1884/85. Nach der Katastervermessung von 1876. (Vermessungs- und Katasteramt der Stadt Bochum)

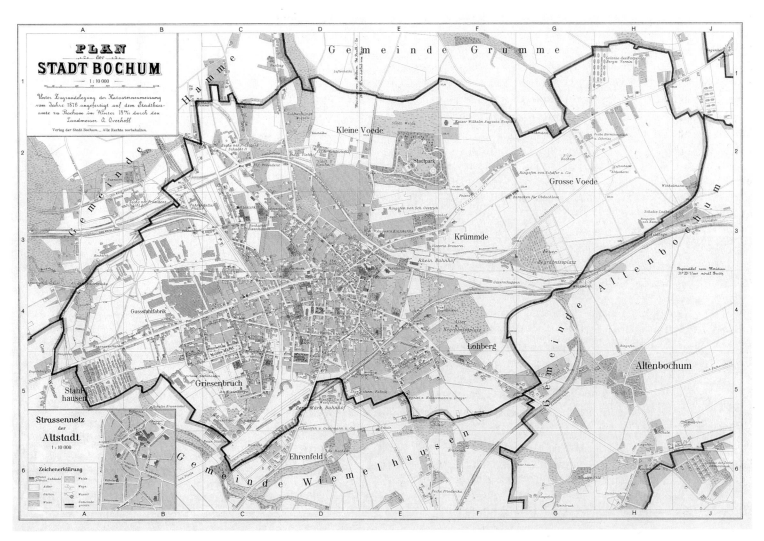

Logirhaus«, dessen 150 Räume an die 1500 Bewohner aufnehmen konnten und in dessen Menage auch für die Verköstigung gesorgt wurde. Obwohl es sich hier genau gesehen bei den vielen »Stuben« mit zwei, vier, acht, zehn und zwölf Betten um nichts anderes als eine großangelegte Wohnkaserne handelte, überspielte die Bauform diesen Sachverhalt weitgehend: Der Baumeister wählte die Dreiflügelform der Schloßanlagen und gab dadurch dem Bau eine unübersehbare Gewichtigkeit. Ironischerweise könnte man in diesem Fall geradezu von einem »Arbeiterschloß« sprechen.

Eine ausgeprägte städtebauliche Form nahm der Ort, der den Namen Stahlhausen erhielt, aber erst in der nächsten Bauphase an. Sie wurde eingeleitet durch die am 9. September 1873 erfolgte Gründung der Gemeinnützigen Aktiengesellschaft Stahlhausen, deren Ziel es sein sollte, einerseits den erforderlichen Wohnraum für die Angehörigen des Bochumer Vereins zu beschaffen und andererseits auch anderweitig Beschäftigten den Kauf einer Wohnung zu ermöglichen. Die finanzielle Ausstattung war auf 500000 Taler festgelegt, wobei 2000 Namensaktien zu je 100 Talern zur Zeichnung durch die Belegschaft vorgesehen waren. So wohlgemeint und offen diese Konstruktion einer gemeinnützigen Baugesellschaft vom Werk aus gedacht sein mochte, den Möglichkeiten der mittellosen Arbeiter entsprach sie in keiner Weise. Jedenfalls blieb die erhoffte Beteiligung von dieser Seite fast ganz aus. Das Werk war, da noch sonstige Schwierigkeiten hinzukamen, bereits nach zwei Jahren gezwungen, die Gesellschaft zu liquidieren und den Werkswohnungsbau wieder in eigener Regie zu betreiben. Immerhin hat deren kurzes Bestehen ausgereicht, um weitere 40 Vierfach-Häuser mit 120 Wohnungen zu erstellen.

Einige Jahre später war der Ausbau Stahlhausens, wie einer zeitgenössischen Darstellung zu entnehmen ist,[309] so weit fortgeschritten, daß sich die Bebauungsstruktur deutlicher abzuzeichnen begann und die verschiedenen Haustypen dem Ortsbild seinen besonderen Ausdruck gaben. Wie zu sehen ist, stehen die Häuser in nebeneinandergestellten Reihen winkelrecht zur Alleestraße (Chaussee von Essen nach Bochum). Dabei sind im nordwestlichen Teil die auf drei Reihen verteilten Bauten aus der Anfangsphase mit nahezu quadratischem Grundriß ausgeführt und in den Zwischenräumen mit Ställen versehen. Ohne die späteren Zubauten wirkt diese Partie besonders schematisch und in der Lageplanfiguration sehr starr.

Die übrigen fünf Hausreihen, die aus den nachfolgenden Bauphasen stammen, sind etwas weiter auseinandergerückt und vom lebhaften Umriß der weiterentwickelten Haustypen bestimmt. Zwar geben auch hier die gleichmäßigen Abstände in der Trauf- und Giebelrichtung der Bebauung eine gewisse Monotonie, doch stellen sie die einzelnen

369. Bebauung der Arbeiterkolonie Stahlhausen, 1880.

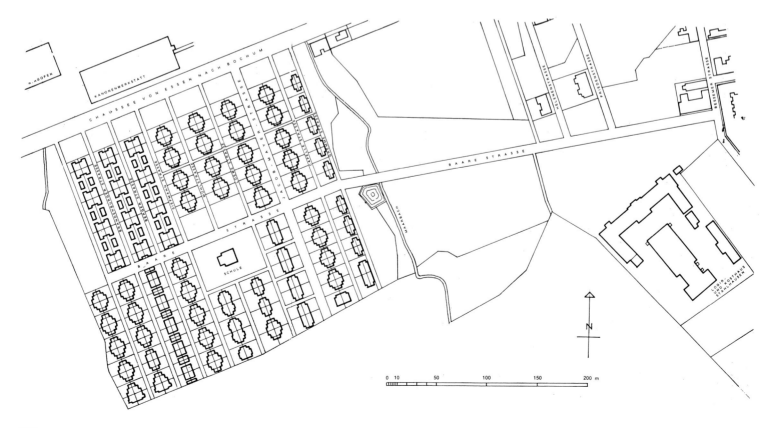

370. Bebauung der Arbeiterkolonie Stahlhausen in der erweiterten Ausführung bis zu den Zerstörungen im Zweiten Weltkrieg.
371. Typ des kleinen vierteiligen Arbeiterwohnhauses – 4 Wohnungen mit je 2 Räumen –, Stahlhausen. Grundrisse. (*Zeitschrift für Baukunde*, 1879, Bd. 2, H. 4)
372. Typ des großen vierteiligen Arbeiterwohnhauses – 4 Wohnungen mit je 4 Räumen –, Stahlhausen. Grundrisse. (*Neuordnung Griesenbruch, Beispiel einer Wohnflächensanierung*, Bauverwaltung der Stadt Bochum, 1969)

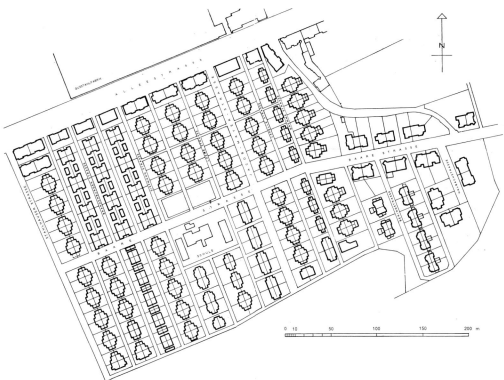

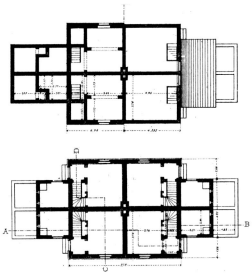

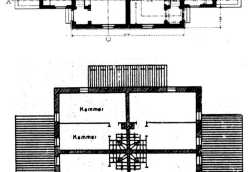

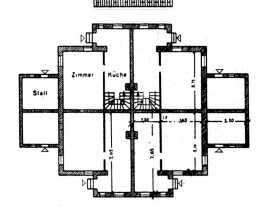

Baukörper auch frei und lassen so die Gärten gut zur Wirkung kommen. Zudem heben sich die sechs von Süden her eingeschobenen dreigeschossigen Zwölffamilienhäuser kontrastreich von den übrigen Flachbauten ab und variieren so die Bebauung in der Höhe. Erschlossen ist die Kolonie durch ein abgestuftes, sich rechtwinklig kreuzendes Wegenetz, in dem ein zentraler Platz mit dem freigestellten Schulgebäude und ein breiter angelegtes Straßenkreuz (Baarestraße/Mayerstraße) besonders hervortreten. Ein leicht abgeknickter Straßenzug im Osten, der die Fortsetzung der Mittelachse bildet, führt am »Kost- und Logirhaus« vorbei direkt nach Bochum.

Die Kolonie ist freilich, wie ein Blick auf einen späteren Lageplan erkennen läßt, nicht in diesem Zustand von 1880 verblieben. Der südwestliche Teil hat später größtenteils weitere Vierfach-Häuser erhalten. Entlang der Alleestraße wurde in engem Abstand eine Reihe von Baublöcken eingeschoben. Die projektierte Erweiterungsfläche im Osten erhielt ebenfalls eine massiert angeordnete blockhafte Randbebauung. Und indem Bauten auch an der abgeknickten Straße zur Stadt hin entstanden, war das rechtwinklige Raster der Siedlung verlassen und die Einheit der Anlage an dieser Seite aufgebrochen. In dieser abgewandelten Form überstand Stahlhausen die Zeit bis zu den Zerstörungen im Zweiten Weltkrieg. Beim Wiederaufbau wurden schließlich die verbliebenen Reste mit Neubauten kombiniert. Auf diese Art ist wenigstens noch eine Erinnerung an die alte Kolonie präsent. In städtebaulicher Hinsicht ist Stahlhausen insofern aufschlußreich, als die Gebäude nicht einfach in der bei Stadterweiterungen sonst üblichen Art als Randbebauung an die Straßen gestellt sind. Die Kolonie ist vielmehr in einer flächendeckenden Aufreihung ausgelegt. Diese mag, vom Lageplan her beurteilt, zwar additiv anmuten, sie weist jedoch durch die Verschiedenartigkeit der Haustypen, die variierenden Gebäudehöhen und den freigehaltenen Raum im Zentrum eine gewisse Abwechslung auf.

Entwicklungsgeschichtlich liegt Stahlhausens Beitrag jedoch weniger in seiner strukturellen Ausformung als vielmehr in der Wahl der Grundrißlösungen und ihren Auswirkungen. Bewußt ist hier das System des Vierfach-Hauses der »cités ouvrières« von Mülhausen auf das Ruhrgebiet übertragen worden. Durch seitliche Stallanbauten nur unwesentlich abgewandelt, hat man es in dieser Form und noch in einer Sparlösung mit nur zwei Räumen an diesem Ort kritiklos reproduziert. Doch dabei blieb es nicht. Andere Betriebe wählten diesen Typ, wie in Eisenheim zu beobachten ist, ebenfalls für ihre Kolonien. Nur dadurch, daß diese Vierfach-Häuser von den Firmen lediglich vermietet und nicht verkauft wurden, blieben ihnen die in Mülhausen vorgenommenen Verunstaltungen erspart. Diese Praxis kann jedoch nicht darüber hinwegtäuschen, daß die Unternehmer des Ruhrgebiets genauso bedenkenlos wie das elsässische Patronat ihren Arbeitern einen Wohnungsstandard zugemutet haben, der nach den Reformvorstellungen der Zeit als längst überholt gelten mußte.

In Württemberg, wo die industrielle Entwicklung aus Mangel an Bodenschätzen hauptsächlich in Richtung der Verarbeitungsbranchen ging, spielten die Textilunternehmen gerade in der Frühzeit eine wichtige Rolle.[310] Als Schrittmacher der Industrialisierung suchten sie ihre Standorte zumeist an Flußläufen aus, um die Wasserkraft für den Antrieb der Maschinen zu nutzen. Die Arbeitskräfte fanden sie in dem noch ganz auf Agrarwirtschaft ausgerichteten Land unter der bäuerlichen Bevölkerung, die um die Jahrhundertmitte wegen der im Südwesten praktizierten Realteilung der landwirtschaftlichen Anwesen nach zusätzlichen Arbeits- und Verdienstmöglichkeiten suchte. Unter diesen Umständen kam die aus der Schweiz zugezogene Unternehmerfamilie Staub in das obere Filstal, um dort einen Textilbetrieb einzurichten. In Altenstadt, einem Vorort von Geislingen/Steige, fand Johann Heinrich Staub den passenden Platz und gründete 1853 eine Spinnerei. Als er ein Jahr darauf bereits verstarb, führten seine Söhne Emil und Arnold Staub den Betrieb weiter.

Schon wenige Jahre später kam die Absicht auf, noch eine Weberei als Zweigniederlassung in der Umgebung zu bauen. Die Standortwahl für dieses Projekt, das Arnold Staub betrieb, fiel auf das nahegelegene Kuchen, für das mehrere Gründe sprachen.[311] Zum einen konnte das starke Flußgefälle der Fils am Ortsrand zum Antrieb der Webstühle genutzt werden. Zum anderen bot Kuchen als Ort an der neugebauten Bahnstrecke Bad Cannstatt–Ulm mit dem Anschluß an das überregionale Schienennetz günstige Verkehrsverbindungen. Außerdem schien mit den Handwebern, die in der Gegend von Kuchen ansässig waren, ein Arbeitskräftereservoir vorhanden zu sein, mit dem der neue Betrieb rechnen konnte. Schließlich zeigten sich im Hinblick auf neue Arbeitsplätze auch Rat und Bürgermeister der Gemeinde Kuchen zur Kooperation bereit. Von der richtigen Wahl überzeugt, kaufte Arnold Staub 1857 im nordwestlichen Randbereich der Gemarkung Kuchen am sogenannten Buigengraben mehrere Parzellen auf. Planung und Ausführung der Fabrikgebäude übertrug er dem damals in dieser Gegend tätigen Eisenbahningenieur Georg Morlok (1815–96), der vier Jahre zuvor die Staubsche Spinnerei in Altenstadt errichtet hatte und über Erfahrungen im Industriebau verfügte.

Wie sich jedoch bald herausstellte, ließen sich die erforderlichen Arbeitskräfte für die Weberei nicht so einfach finden wie angenommen worden war. Die einheimischen Leineweber zeigten nämlich vorerst wenig Neigung, ihre handwerkliche Selbständigkeit aufzugeben und in die Fabrik zu gehen. Und für die Kuchener selbst boten sich in der einige Jahre zuvor eröffneten Württembergischen Metallwarenfabrik in Geislingen bessere Verdienstmöglichkeiten als in der Textilbranche. Staub war deshalb gezwungen, auswärtige Kräfte anzuwerben, für die aber weder in Kuchen noch in den umliegenden Dörfern ausreichend Wohnraum vorhanden war. Damit sah sich der Fabrikant noch zusätzlich vor das Problem gestellt, für die Unterkunft der herbeigeholten Arbeiter und deren Familien zu sorgen.[312]

Das geschah am Anfang allerdings in überaus bescheidener Weise. Morlok bekam 1858 den Auftrag, im Zusammenhang mit der Fabrikhalle auf dem erworbenen Gelände gleich noch drei Gebäude mit Arbeitermietwohnungen zu planen. Er wies ihnen seitlich vor der Halle, »zu Füssen der Fabrik«, ihren Platz zu. Tatsächlich ausgeführt wurde 1858 aber nur der vordere Block. In ihm fanden dann die aus England und der Schweiz angeworbenen Handweber Aufnahme, die die örtlichen Kräfte anlernen sollten. Hinzu kamen noch, unmittelbar vor der Fabrik gelegen, ein Portiershäuschen und das Kutscherhaus mit jeweils einer Mietwohnung. Allem Anschein nach war sich Arnold Staub aber zu diesem Zeitpunkt über die weitere Entwicklung der Baumwollweberei in Kuchen noch nicht im klaren. Erst nach dem fehlgeschlagenen Versuch einer Betriebsverlagerung konzentrierte er sich auf diesen Standort und fügte 1861 der bestehenden Halle im Nordwesten eine Baumwollspinnerei an.

Mit dieser Betriebserweiterung war natürlich wiederum eine Vermehrung der Belegschaft verbunden. Als Reaktion auf den Zuzug neuer Arbeitskräfte erfolgte 1862 der Bau von zwei weiteren Wohngebäuden, die am Zugangsweg von der Landstraße zur Fabrik (heute Weberallee) angelegt wurden. Das eine war anfänglich als Kostwohnhaus bestimmt, es wurde aber schon bald in die Gastwirtschaft »Staubbach« (Weberallee 1) umgewandelt. Das andere enthielt außer fünf über das Erd- und das erste Obergeschoß verteilten Mietwohnungen einen großen Speisesaal mit Aufwärmapparaten im zweiten Obergeschoß und Ledigenzimmer im Dachgeschoß darüber. Erschlossen sind diese Räume über ein abgesondertes, an der Giebelseite angebautes Treppenhaus.

373. Lage der Staub'schen Baumwollweberei und des ersten Arbeiterwohnhauses von 1858, Kuchen, 1859. (Kreisarchiv Göppingen)
374. Das erste Arbeiterwohnhaus von 1858 auf dem Anwesen der Baumwollweberei Staub & Co., Kuchen. (Kreisarchiv Göppingen)

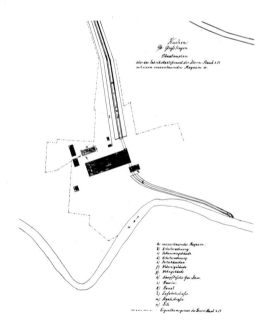

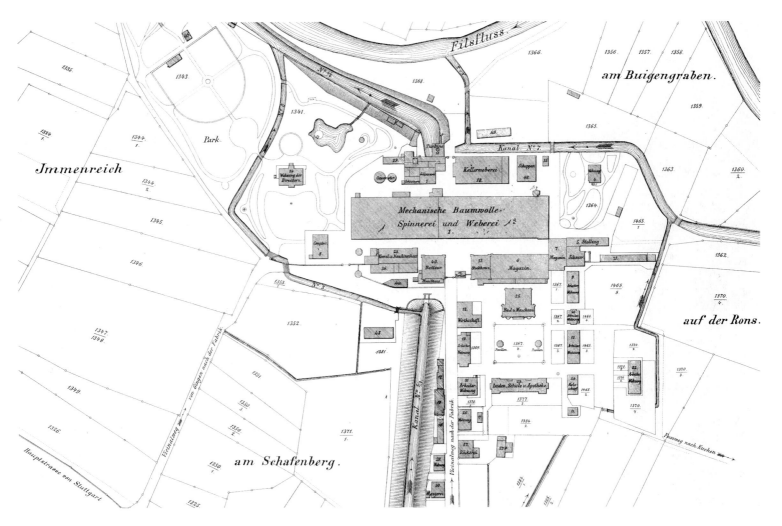

375. Kuchen, die Staub'sche Fabrikanlage und das voll ausgebaute Arbeiterquartier. (»*Der glorreiche Lebenslauf unserer Fabrik*«, *Zur Geschichte von Dorf und Baumwollspinnerei Kuchen*, Weißenhorn 1991)

Obwohl mit diesen Zubauten einiges für die Wohnversorgung der Arbeiter getan war, deutet zu dieser Zeit nichts auf Staubs Absicht hin, sich in größerem Umfang oder nach einem vorgefaßten Plan im Arbeiterwohnungsbau zu engagieren. Dazu war der Platz auch, vom Zuschnitt seines Fabrikgrundstücks her gesehen, viel zu beengt. Erst als es ihm 1863 gelang, die Entwässerungsrechte am Buigengraben abzulösen und von den Kuchener Landwirten weiteren Wiesengrund zur Arrondierung seines Werksgeländes zu erwerben, war an den Bau einer ausgesprochenen Arbeiterkolonie zu denken.

Für die bei Staub zwischen 1863 und 1864 eingetretene Wende in der Einstellung zum Werkswohnungsbau dürften aber noch andere Gründe als die liegenschaftlichen Voraussetzungen maßgebend gewesen sein. Zunächst wiesen immer wieder neue Zuzüge von Arbeitern auf die Dringlichkeit der Wohnungsversorgung hin. Den entscheidenden Anstoß gab aber wohl der Streik im November 1863, dem der Kuchener Betrieb voll ausgesetzt war und der Staub schlagartig klarmachte, daß ein Unternehmer sich auf die Dauer nicht allein mit strengen Fabrikreglements und mit hochgesteckten Leistungsanforderungen behaupten konnte, ohne sich um die sozialen Bedürfnisse der Lohnarbeiter zu kümmern. Vor diesem Hintergrund mag als eine Art Gegenreaktion der Gedanke gereift sein, die Arbeiter mit einem ganzen Programm von Sozial-, Kultur- und Erziehungseinrichtungen in eine Fabrikgemeinschaft einzubinden, um sie damit für die Einwirkungen des Fabrikherrn empfänglich zu machen. Denn Staub läßt in seinen schriftlichen Äußerungen über das Arbeiterquartier keinen Zweifel darüber aufkommen – und in diesem Sinne muß er als Paternalist par excellence gelten –, daß er mit seinen Einrichtungen »die sittliche und geistige Hebung und Ausbildung des Arbeiterstandes« erreichen wollte, um ein »sparsames, fleißiges und intelligentes, möglichst leistungsfähiges Arbeiterpersonal« zu erhalten.[313] Jedenfalls zeigen die baulichen Aktivitäten Staubs zwischen 1863 und 1867 deutlich, daß er nun einen vorbestimmten und überlegten Gesamtplan verfolgte, bei dem die Erfordernisse der Wohnungsversorgung und der sozialen und pädagogischen Betreuung gleichermaßen berücksichtigt sind. Um ihn in den wichtigsten Punkten zu realisieren, scheute er nicht davor zurück, in einer für die Textilindustrie kritischen Phase nach dem amerikanischen Sezessionskrieg Kredite aufzunehmen und sich zu verschulden. Was dann in Kuchen auf einem knapp einen Hektar großen Gelände als »Ar-

376. Das sogenannte Schweizerhaus von 1864, Arbeiterquartier Kuchen. Ansicht vom Festplatz. Architekt A. Feurer. (Kreisarchiv Göppingen; Photo: Traute Uhland-Clauss)

beiterquartier« entstand, ist als ein Lehrstück des paternalistischen Arbeiterwohnungsbaus anzusehen, das in Deutschland einmalig ist. Vor allem anderen war Staub natürlich darauf bedacht, die Mietwohnungen auf das für seinen Betrieb erforderliche Maß zu erhöhen. Den Ausgangspunkt für die räumliche Ausformung des Quartiers bildete das alte Mietwohngebäude von 1858 (Neckarstraße 66), in dessen südlicher Flucht die Bebauung zu einer Dreiergruppe erweitert wurde, mit dem Mädchenheim (Neckarstraße 71) als gleichwertigem Abschluß nach Westen und, einer Interpunktion gleich, mit dem sogenannten Schweizerhaus (Neckarstraße 64) in der Mitte. Auf der Gegenseite im Norden standen bereits die Gastwirtschaft und das Mietshaus mit Speisesaal. Um dem Raum dazwischen einen square-artigen Abschluß zu geben, ließ Staub 1864 als östliche Begrenzung das Bad- und Waschhaus (Neckarstraße 68) und als westliche Einfassung das Mehrzweckgebäude (Bleicherstraße 19) hinzubauen. Auf diese Weise entstand ein großer, freier Platz, um den herum sich alle wichtigen Bauten des Arbeiterquartiers gruppieren. Der Freiraum selbst untergliedert sich noch einmal nach dem Gartenland vor den Wohnhäusern, dem umlaufenden Straßenzug und dem mit Kastanienbäumen bepflanzten zentralen Festplatz.

Vom baulichen Eindruck her wirkt das Bad- und Waschhaus als die architektonische Dominante des Ensembles, mit der auf der Gegenseite die rhythmisierte Laubengang- und Giebelarchitektur des Mehrzweckgebäudes (im Volksmund »Texasranch« genannt) korrespondiert. Die seitlichen Wohnhausbauten bilden dann nur noch die weiteren platzrahmenden Elemente, wobei das sogenannte Schweizerhaus mit seiner Giebelständigkeit einen besonderen Akzent setzt.

Wie aber stand es bei diesem beachtlichen architektonischen Aufwand der Gemeinschaftsbauten um die Qualität der Wohnungen? Das sogenannte Schweizerhaus nimmt das Motiv des Vierer-Wohnhauses nach dem Mülhausener System in so eigenständiger Form auf, daß von diesem Vorbild nicht viel mehr als die Idee der kreuzförmigen Aufteilung übrigbleibt. Die Grundrißaufteilung selbst könnte man sich nicht unkonventioneller denken. Die Erdgeschoßpartie einer Wohnung besteht nur aus einem Mehrzweckraum, der direkt von außen zugänglich ist. Mit einem Kochofen ausgestattet, ist er eine Art Wohnküche, der in einem seitlichen Anbau eine Spülnische mit Schüttstein und mit Einbauschrank angeschlossen ist. Der Raum weist im Eckbereich der Außenwand auch die Stockwerkstreppe auf, unter welcher der freie Platz zusätzlich als Alkoven ausgebaut ist. Der Treppenaustritt im Obergeschoß gibt auf der einen Seite Zugang zum Schlafraum, auf der anderen Seite zum Klosett. Sieht man einmal davon ab, daß die Verquickung von so vielerlei Funktionen in einem Raum der Arbeiterwohnkultur nicht gerade förderlich sein konnte, so fasziniert dennoch die wohlüberlegte und sparsame Einrichtung dieser Kleinwohnung, die mit ihren Einbauschränken und der geschickten Kamin- und Wandanordnung als ein Muster der Raumökonomie bezeichnet werden kann. Solange diese vier Zweiraumwohnungen, wie von Staub ausdrücklich bestimmt, »jungverheiratheten Leuten« überlassen wurden, waren sie als ein Experiment neuer Wohnmöglichkeiten durchaus angebracht. Allerdings begnügte sich der Fabrikherr mit diesem einen Versuch.

377. Das sogenannte Schweizerhaus als Vierer-Wohnhaus. Grundrisse von Erd- und Obergeschoß. (*Description de la cité ouvrière de MM. Staub et Cie à Kuchen*, Stuttgart 1867)

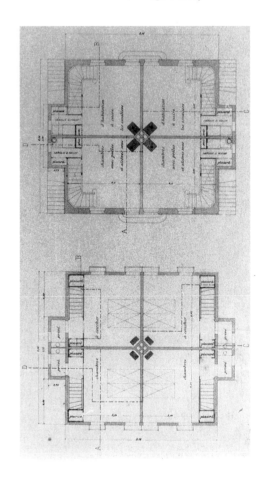

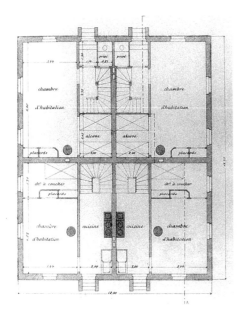

378. Vierfamilienhaus an der südwestlichen Ecke des Festplatzes, Arbeiterquartier Kuchen. Grundriß vom Erdgeschoß. Architekt A. Feurer. (*Decription de la cité ouvrière*, a.a.O.)

379. Bad- und Waschhaus, Arbeiterquartier Kuchen. Architekt A. Feurer. (Kreisarchiv Göppingen; Photo: Traute Uhland-Clauss)
380. Mehrzweckgebäude, Arbeiterquartier Kuchen. Architekt A. Feurer. (Kreisarchiv Göppingen; Photo: Traute Uhland-Clauss)

Anscheinend hielt man aber das Mülhausener System auch in Kuchen für so vorbildlich, daß es ohne eine direkte Nachahmung nicht abging. Ein als westlicher Eckpunkt des Platzes 1866/67 errichtetes Vierfamilienhaus (Weberstraße 5, 7) folgt in der einen Hälfte weitgehend dem bekannten Grundrißschema; in der anderen Hälfte ermöglichte der ungleiche Terrainanschnitt, die Küche ins Untergeschoß zu verlegen, wodurch im Erdgeschoß außer Windfang, Treppe und Abort ein großes Wohnzimmer mit Alkoven und im Obergeschoß zwei Schlafzimmer zur Verfügung stehen. Im Gegensatz zur Mülhausener Ausführung sind die Aborte aber in die Wohnungen integriert und die Einbauschränke kommen als zusätzliche Verbesserung hinzu. Diese relativ großen Wohnungen veräußerte Staub an Arbeiter, die sich um die Firma verdient gemacht hatten.

Die Mehrzahl der Wohnungen folgt indes dem Prinzip des zweigeschossigen Reihenhauses, das den Zusammenschluß von mehreren Wohneinheiten nebeneinander zuläßt und längsgerichtete Baukörper ergibt, wie beim ersten Wohnhaus von 1858, beim Mädchenheim und beim Speisesaalgebäude zu sehen ist. In der Regel umfaßt das Erdgeschoß den Wohnraum und die Küche, zu der aber auch noch der Wohnungszugang, die Stockwerkstreppe und, als Einbaukasten vor die Treppe gesetzt, der Abort gehören. Die schachtförmig hochgeführte Treppe ermöglicht im Obergeschoß bei den Schlafzimmern eine nahezu flurlose Aufteilung. Zusammen mit den Einbauschränken kommt es so zu einer erstaunlichen Raumausnutzung. An den Giebelseiten ist teilweise die anspruchsvollere Lösung gewählt, daß neben der Küche ein Treppenhaus ausgebildet wird. Entsprechend großzügig fällt dann auch das Obergeschoß aus, wobei die Treppe in diesem Fall bis zu den Dachkammern im Giebelbereich hochgeführt werden kann.

Die Gemeinschaftseinrichtungen sind im wesentlichen auf die zwei schon erwähnten Hauptbauten des Platzes konzentriert. Das Bad- und Waschhaus könnte auf den ersten Blick mit einem württembergischen Amtsgebäude verwechselt werden. In Wirklichkeit liegt hinter dem dreibogigen, offenen Vestibül nur der Zugang zu den Bade- und Waschlokalitäten, die jedoch in so ausgeklügelter und großzügiger Manier angelegt sind, daß sie auswärtigen Besuchern als das »Prunkstück« der ganzen Anlage erschienen. Wenn man es so sehen will, hat sich hier Arnold Staub das Denkmal seines sozialen Engagements gesetzt.

Das Mehrzweckgebäude auf der gegenüberliegenden Seite faßt in Verbindung mit weiteren Mietwohnungen (u.a. für den Lehrer und drei Aufseher) alle anderen Institutionen unter einem Dach zusammen. Da Staub der Unterrichtung in allen Lebensstufen besondere Bedeutung zumaß, sind im mittleren Gebäudeteil Schulen verschiedener Art untergebracht. Die Skala reicht von einer Bewahranstalt für Kleinkinder über eine vierklassige Volksschule bis zur Einrichtung von Supplementarkursen für Fortgeschrittene und Erwachsene, in denen außer Fächern wie Natur- und Weltgeschichte auch die für die gewerbliche Arbeit nützlichen Disziplinen des Zeichnens, der Mechanik, Physik und Mathematik gelehrt wurden. Der Bau enthält auch noch ein Lesezimmer, einen Versammlungssaal für unverheiratete Arbeiterinnen, eine Apotheke und eine Krankenabteilung sowie einen kleinen Kaufladen.

381. Fabrikanlage und Arbeiterquartier Kuchen im Jahr 1867. Holzschnitt. (*Über Land und Meer, Allgem. Illustrierte Zeitung*, 1868, Nr. 35)

In weiteren Bauten, die sich am Zugangsweg entlang des Fabrikkanals aufreihen, kamen 1865/66 eine Bäckerei (Weberallee 12) und 1867 eine Metzgerei (Weberallee 14) hinzu. Das Doppelhaus für den Schlosser Brey und den Zimmermann Blessing (Weberallee 9 und 11) vervollständigt in diesem Bereich die Bebauung. Damit verfügte das Quartier über eine Versorgungsbasis, wie sie die Dörfer der Umgebung nicht kannten. Auch Kuchen geriet in dieser Beziehung ins Hintertreffen und sah neidvoll auf das neugeschaffene Arbeiterquartier. Animositäten zwischen Staub und der Gemeinde blieben nicht aus. Als er gar einen Teilgemeindestatus und die Benennung »Staubbach« für sein Quartier anstrebte, stieß er bei den lokalen und staatlichen Behörden nur auf Ablehnung. Während sich so im regionalen Rahmen die Grenzen der Bewunderung schnell zeigten, fand der Fabrikherr auf einer ganz anderen Ebene die verdiente Anerkennung und Auszeichnung. Staub, der sich der sozialpolitischen und urbanistischen Bedeutung seines Arbeiterquartiers sicher war und Vergleichsmöglichkeiten mit anderen Einrichtungen dieser Art hatte,[314] präsentierte auf Anregung der königlichen Zentralstelle für Handel und Gewerbe in Stuttgart seine Arbeiterwohnungen in einer aufwendigen, französisch verfaßten Beschreibung und Dokumentation auf der Weltausstellung 1867 in Paris. Und da diese den französischen und englischen Beispielen nicht nur adäquat, sondern sogar überlegen waren, wurde sein Beitrag mit der Goldmedaille ausgezeichnet. Staub erhielt den mit 10000 Goldfrancs ausgestatteten Großen Preis, und Napoleon III. verlieh ihm als Ausdruck seiner persönlichen Bewunderung das Ritterkreuz der Ehrenlegion, das er ihm bei einer Durchfahrt, von Bad Ischl kommend, auf dem Bahnhof in Geislingen/Steige überreichte. Die harmlose Absicht des französischen Kaisers, als Kenner der Materie das Arbeiterquartier in Kuchen selbst in Augenschein zu nehmen, wußte die preußische Geheimdiplomatie zu verhindern. In ihren militaristischen Wahnvorstellungen witterte sie im Medium des Arbeiterwohnungsbaus so etwas wie eine Verschwörung zwischen Frankreich und Württemberg gegen Preußen.

Ohne nationale Vorurteile anerkannte die Ausstellungsjury in Paris mit sicherem Blick die Besonderheiten des Staubschen Unternehmens und ließ dem einzigartigen finanziellen, planerischen und sozialen Einsatz des Kuchener Fabrikherrn volle Anerkennung zuteil werden.

In seiner Abhängigkeit von der geschäftlichen Entwicklung des Betriebs stagnierte der Werkswohnungsbau in Kuchen aber schon bald nach der spektakulären Ehrung von 1867. Die Ursache dafür lag in der Verschlechterung der wirtschaftlichen Lage der Textilindustrie. Schließlich haben mehrere Hochwasserschäden, die Gründerkrise nach 1873 und der Brand vom 12. Februar 1876 das Ende der Staubschen Spinnerei besiegelt. Nachdem Arnold Staub auch seinen Altenstadter Betrieb nicht mehr halten konnte, schied er 1882 freiwillig aus dem Leben.

Zur baulichen Erweiterung des Arbeiterquartiers kam es erst im konjukturellen Aufschwung der hochindustriellen Phase nach 1905. Die neuen Teile, die sich nach Osten anschließen und für deren Planung die neugegründete Süddeutsche Baumwoll-Industrie AG Kuchen verantwortlich zeichnete,[315] haben nichts mehr mit der überlegten architektonischen Ausrichtung auf einen zentralen Platz und nichts mehr mit paternalistischen Erziehungsabsichten zu tun. Sie stellen nur noch das triste Abbild der damals üblichen Quartierbebauung dar.

Doch unabhängig von dieser späteren Entwicklung verdient Arnold Staubs Beitrag zum Werkswohnungsbau in Kuchen allein schon deshalb besondere Aufmerksamkeit, weil bei seinem Arbeiterquartier der Anteil der Gemeinschaftseinrichtungen auf die Anzahl der Wohnungen bezogen in einem geradezu umgekehrten Verhältnis steht wie bei den anderen Arbeiterkolonien: Für 45 Wohnungen, die etwa 250 Menschen ein Zuhause boten, waren alle möglichen Versorgungs-, Fürsorge- und Kultureinrichtungen aufgeboten, »um das Wohlergehen der Arbeiter zu sichern«. Auch die Anlage der Wohnungen zeigt nach Grundrißzuschnitt, Ausstattung und architektonischer Gestaltung einen erstaunlich hohen Standard für die damalige Zeit und liegt über dem Niveau vieler Berg- und Stahlarbeitersiedlungen. Von dieser Leistung her gesehen, verdient Staub, auf eine Stufe mit den englischen Fabrikherren vom Format eines Salt, Lever und Cadbury gestellt zu werden. Und vielleicht läßt sich von ihrer Denkweise her auch die Motivation zu seiner Handlungsweise erklären. Staub sah sich, nachdem ihn der Streik von 1863 zu neuen Einsichten gebracht hatte, als paternalistischer Fabrikherr dazu berufen, den Arbeitern im Geiste christlicher Nächstenliebe Tugenden wie Ordnungssinn, Fleiß, Ausdauer, Pünktlichkeit, Sauberkeit und geistige Bildung zu vermitteln. Dabei sei, so argumentierte er, »eine gesunde, bis zu einem Grade bequeme Wohnung das Nötigste«.

Aus heutiger Sicht mag es naheliegen, dieses Vorgehen als einen unstatthaften Disziplinierungsakt des dominierenden Arbeitgebers abzustempeln. Natürlich konnte die Handlungsweise eines Fabrikanten von Eigeninteressen nicht frei sein. Aber es gab unzählige andere Unternehmer, die sich weder um die Wohnungen ihrer Arbeiter noch um deren soziale Belange kümmerten. Ihnen ein Beispiel gegeben, sie – wie Alfred Krupp – zur Nachahmung angeregt und dabei die Entwicklung des Urbanismus mit dieser Musterkolonie in Deutschland vorangebracht zu haben, ist letzten Endes das Verdienst des Industriellen Arnold Staub.


## 6.3.4. Die Kruppschen Arbeiterkolonien in Essen/Ruhr

### Der Werkswohnungsbau unter Alfred Krupp

Der paternalistische Werkswohnungsbau erreichte im Ruhrgebiet, wo mit Eisenheim und Stahlhausen erste und wichtige Ansätze zu beobachten sind, in den Kruppschen Arbeiterkolonien seine deutlichste Ausformung.

Allerdings konnte Alfred Krupp (1812–87),[316] der nach dem Tode seines Vaters 1826 als Vierzehnjähriger die Gußstahlfabrik in Essen an der Ruhr übernahm, jahrzehntelang nicht an den Bau von Arbeiterwohnungen denken.

Der Ausbau der Firma vollzog sich lange Zeit nur mühsam und ohne durchschlagenden Erfolg. Alfred Krupp begann seine Geschäfte in bescheidenem Umfang mit der Herstellung von Münzstempeln, Gerbergerät und Stahlgußwalzen. Als der Deutsche Zollverein ab 1834 neue Absatzmärkte für die Wirtschaft eröffnete, wußte der junge Unternehmer seine Chancen zu nutzen. Durch eine Reise nach Sachsen und Süddeutschland sorgte er für den Absatz seiner Produkte. Die erzielten Einnahmen erlaubten ihm dann, eine neue Werkhalle zu bauen und eine Dampfmaschine zum Antrieb seiner Hämmer aufzustellen. Eine weitere lange Reise führte ihn zuerst nach Frankreich, wo er von Juni bis Oktober 1838 in Paris weilte, um bei den dortigen Goldschmieden seine Stahlwalzen an den Mann zu bringen. Von dort aus begab er sich nach Großbritannien, wo er bis Ende Mai 1839 unter dem Decknamen »Crup« an den bekannten Industrieorten das Geheimnis einer optimalen Stahlerzeugung zu ergründen versuchte. 1843 unternahm er die ersten Versuche, mit Rüstungsartikeln Geschäfte zu machen; er bot in Berlin die Lieferung gußeiserner Kürasse und Gewehrläufe an, stieß aber zunächst auf kühle Ablehnung.

Die wirtschaftlichen Flautezeiten der vierziger Jahre nutzte Krupp für technische Verbesserungen. Er erprobte Mehrfachgüsse aus bis zu zwanzig Tiegeln. Mit dieser Technik vertraut, ging er auf eigene Faust daran, gußeiserne Geschützrohre herzustellen. Nach anfänglichem Desinteresse des preußischen Kriegsdepartements gelang ihm 1859 endlich der Durchbruch zur Rüstungsfabrikation. Er durfte 300 Gußstahlrohre für die preußische

Feldartillerie liefern und konnte sich der Hoffnung hingeben, vom Prinzregenten Wilhelm von Preußen, dem »Kartätschen-Prinzen«, mit weiteren Aufträgen bedacht zu werden.[317] Krupp war jedoch mißtrauisch genug, nicht alles auf diese Karte zu setzen. Mit der Produktion von gußstählernen Wagenachsen und von nahtlosen Eisenbahnrädern, sogenannten Bandagen, wurde seine Firma zu einem der wichtigsten Lieferanten des Eisenbahnbaus; mit Gußstahlwellen und Schaufelradachsen trug sie auch ganz wesentlich zur Schiffsausrüstung bei.[318]

Die Industrieausstellung 1851 in London und die Weltausstellung 1855 in Paris machten seine Produkte – Kanone und Tiegelstahlblock – weltbekannt. Die Folge waren neue Geschäftsabschlüsse, die Werksvergrößerungen und Neueinstellungen von Arbeitskräften erforderlich machten. Während die Gußstahlfabrik 1852 noch mit 340 Arbeitern ausgekommen war, stieg die Zahl der Arbeitskräfte 1861 auf 2082 an. Zu diesem Zeitpunkt war aber die auf Landwirtschaft und Handwerk ausgerichtete Stadt Essen kaum mehr in der Lage, die zuziehenden Arbeiter mit Wohnungen zu versorgen. Sie war in demselben Zeitraum von 10552 auf 20811 Einwohner angewachsen und litt, da sich die Zahl der Häuser nicht ebenfalls erhöhte hatte, unter Überfüllung, Wohnungsnot und Mietpreiswucher. In manchen Arbeiterquartieren, etwa im Stadtbezirk Zum heiligen Geist, betrug 1864 die durchschnittliche Belegung eines eingeschossigen Hauses 18 bis 24 Personen gegenüber etwa 10 Bewohnern pro Haus im Jahre 1852. Unter diesen Umständen blieb Krupp, nachdem er sich eine Zeitlang mit angemieteten und angekauften Häusern in der Stadt beholfen hatte, keine andere Wahl, als selbst Arbeiterwohnungen zu bauen.

Er sah sein Engagement im Werkswohnungsbau jedoch von Anfang an unter dem Blickwinkel seines im wahrsten Sinne des Wortes paternalistischen Verhältnisses zu den Arbeitern.[319] Seiner Meinung nach hatten sie für ihn als Fabrikherrn mit Fleiß und Ausdauer zu arbeiten, sich einem strengen Fabrikreglement, in dem sogar Geldstrafen vorgesehen waren, zu unterwerfen und treu und dankbar zu ihm zu stehen. Dafür wollte er sie als einen neuen, gehobenen Arbeiterstand, als »Arbeiter eigener Race«, materiell zufriedenstellen. Sie sollten bei ihm besser als anderswo bezahlt und bei Krisen nicht einfach entlassen werden. Und sie sollten »ordentlich wohnen«. Warum sich Krupp erst ab Anfang der sechziger Jahre diese paternalistische Großmut leisten konnte, läßt sich aus der zu dieser Zeit erreichten Geschäftslage der Gußstahlfabrik erklären

Die Firma war nämlich inzwischen nach einer zehnjährigen Erprobungsphase mit Gewehrläufen und Kanonenrohren zum Lieferanten der preußischen Militärverwaltung avanciert. Und Krupp selbst verkehrte jetzt als gleichwertiger Partner mit Exzellenzen, Generälen und fürstlichen Hoheiten. 1861 stattete ihm der preußische König bereits seinen zweiten Besuch ab. Er erfreute sich, wie es damals hieß, allerhöchsten Ansehens. Verständlicherweise hatte das seine Auswirkungen. Im Mai 1863 brachte ein großer Kanonenauftrag des russischen Zaren der Firma, deren Alleininhaber Alfred Krupp seit 1848 war, so viel Geld ein, wie sie bisher noch nie gehabt hatte. Was lag da für den Fabrikherrn näher, als damit seine Werksanlagen mit einem neuen Dampfhammer und mit neuen Tiegelstahleinrichtungen zu vergrößern, sich selbst mit weiträumigen und pompösen Wohnanlagen – Gartenhaus auf dem Werksgelände (1860–64), Landhaus auf dem Hügel (1864–70), Villa Hügel über dem Ufer der Ruhr in Bredeney (1865–73)[320] – auszustatten und schließlich für die »treusten Kruppianer«, wie sich die herausgehobenen Arbeiter seiner Firma nun nannten, einfache und anspruchslose Wohnungen zu errichten.

Wer sich später von der Diskrepanz zwischen seinem Imponierpalast Villa Hügel und den Einfachst-Wohnungen seiner Arbeiter irritiert zeigte, den verwies Krupp auf sein unscheinbares »Stammhaus«, dessen Wiederherstellung auf dem Werksgelände er 1872 betrieb und das er als Büro benutzte. Es sollte als Vorbild für die Arbeiterhäuser dienen und jedermann vor Augen führen, wie man durch Fleiß und Zähigkeit aus den einfachsten Verhältnissen zu Reichtum und Ansehen aufsteigen konnte.[321]

Vor diesem Hintergrund nahm Krupp in der ihm eigenen vorsichtigen und überlegten Art den Arbeiterwohnungsbau in kleinstem Umfang auf. Er begann 1861/62 mit dem Bau von zwei Häusern mit vier und sechs M e i s t e r w o h n u n g e n  a n  d e r  B e r g s t r a ß e i n  E s s e n . Das Werk befand sich zu dieser Zeit in einer zweiten Periode der Erweiterungen – der 50-Tonnen-Dampfhammer »Fritz« war am 9. September 1861 in Betrieb genommen worden, das Bessemer-Werk, neue Walzwerke und Kanonenwerkstätten waren im Entstehen. Die Gußstahlfabrik beschäftigte 1863 bereits 4229 Arbeiter. Ganz offensichtlich mußte Aufsichtspersonal, das für den Betriebsablauf unerläßlich war, untergebracht werden.

Für die notwendigen Wohnungen wählte man den Reihenhaustyp, der ein einfaches Aufteilungsschema zuließ und durch die Einsparung an Außenwänden eine wirtschaftliche Ausführung ermöglichte. Der Grundrißzuschnitt der 6,82 auf 8,52 Meter großen Wohneinheit verrät sogar eine gewisse Großzügigkeit, denn es finden sich im Erdgeschoß immerhin ein Treppenhaus, an das Küche und Wohnzimmer angeschlossen sind. Dazu kommt noch ein gefangenes Schlafzimmer. Die Treppe führt zu zwei Kammern im Dach, das durch Kniestock und Dachgauben bewohnbar gemacht ist. Der Abort dagegen liegt außerhalb des Hauses im Garten und ist mit dem Stall kombiniert. Die fünfräumigen Wohnungen entsprachen aber schon den höheren Ansprüchen der Meisterschicht; an die normalen Arbeiter oder Taglöhner, die für das Werk leicht ersetzbar waren und die Krupp als »Zugvögel« einstufte, war bei dieser ersten Baumaßnahme nicht gedacht.

1863 sah sich Krupp genötigt, nun doch Wohnungen für den allgemeinen Bedarf der Arbeiterschaft zu bauen.[322] Zur Bewältigung dieser Aufgabe richtete er ein firmeneigenes Baubüro ein, dem ein Fachmann, Regierungsbaumeister Krämer, vorstand.

384. Das Krupp'sche Werkgelände, Essen, im Jahr 1865 mit den Meisterwohnungen von 1861/62 an der Bergstraße, Essen. Im Hintergrund die Arbeiterkolonie Altwestend. (Historisches Archiv Fried. Krupp GmbH, Essen)

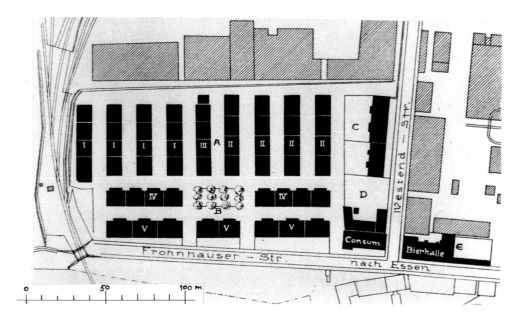

385. Arbeiterkolonie Altwestend und Neuwestend, Essen. (*Wohlfahrtseinrichtungen der Gußstahlfabrik von Fried. Krupp zu Essen a.d. Ruhr*, Essen 1902, Bd. 2)

Nach den Plänen und unter der Regie dieses Baubüros entstanden auf einem Winkelgrundstück zwischen Westendstraße und der nach Essen führenden Frohnhauser Straße, noch auf dem Werksgelände gelegen, in paralleler Aufreihung neun zweigeschossige Hauszeilen. Die Anlage der Wohnungen war bei acht Häusern äußerst einfach gehalten. Wohnungsabschlüsse fehlten, und teilweise beschränkte sich der Umfang auf eine 15 Quadratmeter große Wohnküche, ein Schlafzimmer und einen Abort. Nur ein Haus, das dem zweigeschossigen Reihenhausprinzip folgt und fünfräumige Wohnungen aufweist, ermöglichte eine angemessene Unterbringung der Familien. Den Häusern ist jedoch schon vom Äußeren her die Absicht anzumerken, mit möglichst wenig Aufwand auszukommen, so durch das aufgesetzte Fachwerkgeschoß. Auf diese Weise konnten immerhin 136 bzw. 144 Wohnungen gewonnen werden. In diesem Zustand der bloßen Aufreihung und ohne jede ergänzende Gemeinschaftseinrichtung besaß aber Altwestend, wie die Bebauung genannt wurde, weder eine räumliche Fassung noch einen kolonieartigen Charakter, es stellte lediglich eine Ansammlung von Arbeiterwohnungen in fabriknaher Lage dar.

In der Zeit zwischen 1865 und 1870 brachte die mißliche Geschäftslage der Gußstahlfabrik den so zögernd begonnenen Werkswohnungsbau fast wieder zum Erliegen.[323] Die anfänglich noch steigende Zahl der Werksangehörigen führte lediglich zum Ausbau der sogenannten Menage, des Speise- und Unterkunftshauses für Unverheiratete, am Rande des Fabrikareals. Unterdessen muß Krupp aber bewußt geworden sein, welch wichtiges Instrument der Wohnungsbau zur betrieblichen Integration und Domestizierung der Arbeiterschaft darstellte. In einem Schreiben vom März 1865 an die Prokura der Gußstahlfabrik (zu dieser Zeit die Herren Pieper und Wiegand) hielt er es für angebracht, »Entwürfe machen zu lassen für Familienwohnungen auf eigenem bestgelegenem Boden des Etablissements, da wo die Wohnungen bequem sind und niemals die Erweiterung der Anlagen genieren können.« Und er fügte ahnungsvoll hinzu: »Ich glaube, daß ein großes Opfer gebracht werden muß, sonst fehlt uns das Notwendigste – die Menschen. Niemand macht sich noch die Vorstellung von der Not, die eintreten wird und von den Vorteilen, die wir haben werden anderen gegenüber, wenn wir unseren Leuten ein sicheres Obdach geben.«[324]

Wenn sich hier auch schon der ideelle Ansatz der späteren Arbeiterkolonien abzeichnete, so erlaubten die schwierigen Jahre vor dem Deutsch-Französischen Krieg Krupp nicht, über einige vorsorgende Maßnahmen hinauszugehen. Wie in einer Vorahnung der zukünftigen Entwicklung ließ er in seinen eigenen Ziegeleien Backsteine auf Vorrat produzieren und beauftragte sein Baubüro, Pläne für Wohnungsprovisorien zu entwerfen, die bei Bedarf rasch verwirklicht werden konnten. Auch faßte er, wie aus einem anderen Schreiben an die Prokura hervorgeht, eine Lösung ins Auge, die ihn finanziell kaum belastet hätte. Es war der Plan, den Hof von Böminghaus nicht in eigener Regie zu bebauen, sondern dort nur durch den Bau einiger Häuser die Entstehung einer neuen Ortschaft zu veranlassen. Dadurch sollte fremdes Kapital animiert werden, ebenfalls Wohnungen für die Arbeiter zu erstellen. Obwohl Krupp sich in diesem Fall ein planmäßiges Vorgehen nach dem Entwurf eines befähigten Stadtbaumeisters dachte, war damit doch nur die allgemein übliche, von der Terrainspekulation bestimmte Anlage eines Arbeitervorortes umschrieben, die den Bewohnern keinerlei Vorteile gebracht hätte. Diese Vorstellung war aber bald wieder überholt. Danach tauchte in einem Schreiben vom März 1870 der Plan des »Arbeiterhofes« auf, dem viele Bäume, Rasenpartien, Freisitze und Springbrunnen eine einladende Note geben sollten. Die Aufenthalte in England um diese Zeit können Krupp auf die dortigen »model villages« aufmerksam gemacht haben. Vor allem Saltaire mit seiner Mischung von kompakter Bebauung und öffentlichen Plätzen und Parks entsprach seinen Vorstellungen weitgehend.

Nach einem sachlichen Abwägen der Vor- und Nachteile war Krupp schließlich auch im Werkswohnungsbau zu einem stärkeren finanziellen Einsatz sogar in Millionenhöhe bereit. Indem sich das aufgewandte Kapital wenigstens mit fünf Prozent verzinste und ei-

386. Die Krupp'schen Arbeiterkolonien im Essener Bereich. Übersichtskarte. (*Wohlfahrtseinrichtungen*, a.a.O., Beilage)

Ueberzichtskarte
der
Gussstahlfabrik
und
der zugehörigen Colonien etc.
von
FRIED. KRUPP
ESSEN.

nem indirekten Nutzen diente, sollte die Fabrik dabei weder gewinnen noch verlieren. Er schreibt dazu: »Wenn wir aber so bauen, wie es die Spekulation tut, welche ihre Revenuen von 12–15 Prozent aus den Wohnungen macht, so haben die Leute was sie brauchen bei uns zum halben Preise und wir können auch bestehen.«[325]

Darüber hinausgehend wollte er die Versorgung seiner Arbeiter nicht nur auf den Wohnbereich beschränkt sehen. Seine Bäckereien, Schlachtereien, Konsumanstalten, Kleiderläden und Bierhallen sollten den Arbeitern ermöglichen, ihre täglichen Bedürfnisse gut und billig zu befriedigen, und sie sollten sie zusätzlich vor Übervorteilungen und Kreditabhängigkeit schützen.

Daneben wollte er mit Einrichtungen des Unterrichtswesens und der Altersfürsorge der Kritik der Arbeitervereine entgegenwirken und seinen Herr-im-Haus-Standpunkt absichern.

Der Boom nach dem Krieg von 1870/71 versetzte Krupp bald in die Lage, seine Konzeption einer umfassenden paternalistischen Arbeiterversorgung in die Tat umzusetzen.

Nachdem sich die Güte und Überlegenheit seiner Gußstahlprodukte endgültig erwiesen hatte, fehlte es in den Gründerjahren nicht mehr an Aufträgen. Unter diesen Umständen stieg die Zahl der Beschäftigten zwischen 1870 und 1873 von 8000 auf 12000 Arbeiter und Beamte an. Die Expansion des Werks war nun ohne den Bau von Arbeiterwohnungen nicht mehr möglich. Doch es gab für Krupp noch andere Gründe, sich auf diesem Sektor zu engagieren. Schon vor dem Krieg hatte sich unter den Essener Bergleuten die Unzufriedenheit über ihre soziale Lage immer stärker bemerkbar gemacht. Die kommunistischen Doktrinen von Marx und Engels und das Wirken Ferdinand Lassalles und des Allgemeinen Deutschen Arbeitervereins (gegründet 1863) ließen den Arbeitern bewußt werden, daß sie den Fabrikherren gegenüber nicht machtlos waren, wenn sie sich vereinigten, ihre Lohnforderungen gemeinsam vorbrachten und diese im Notfall mit Streiks durchzusetzen versuchten.

Zu dieser Bewährungsprobe kam es in Essen am 16. Juni 1872, als die Bergarbeiterbelegschaften von 40 Zechen wegen einer Lohnerhöhung und der Einführung einer achtstündigen Tagesarbeit volle sechs Wochen streikten. Krupp wußte zwar den Ausfall der für die Gußstahlerzeugung erforderlichen Kohlelieferungen zu überbrücken, er mußte aber mit einer erheblichen Unruhe unter seiner großen Belegschaft rechnen. In einem Aufruf wandte er sich deshalb gegen alle »Verdächtigungen« und »Aufhetzungen«. Er stellte seine paternalistische Gesinnung und seinen Opferwillen heraus und wies unter anderem darauf hin, jedem »braven, ordentlichen Arbeiter« sei bei ihm die Gelegenheit geboten, »nach einer mäßigen Arbeitsfrist im eigenen Hause seine Pension zu verzehren«.[326] Obwohl diese Feststellung offensichtlich zu hoch gegriffen war, zeigt sie, daß Krupp von diesem Zeitpunkt ab den Arbeiterwohnungsbau bewußt als ein Mittel der sozialen Befriedigung einzusetzen beabsichtigte.

Auf die prekäre Wohnungssituation nach dem Kriegsende 1871 reagierte die Werksleitung rasch, wenn auch teilweise mit fragwürdigen Improvisationen. Zur Fortsetzung des einst so vorsichtig aufgenommenen Werkswohnungsbaus bot sich zunächst die lediglich aus neun Hauszeilen bestehende Bebauung von Westend an.[327] Hier war bereits ein Anfang gemacht und auch noch Platz vorhanden; die Arrondierung zu einer ganzen Kolonie lag deshalb nahe. Die gleich im Herbst 1871 als Neuwestend begonnenen und im Winter bezogenen fünf in Doppelreihe entlang der Frohnhauser Straße gebauten zweieinhalbgeschossigen Blöcke mit zusammen 96 neuen Wohnungen brachten das gewünschte Resultat. Durch die Unterbrechung der zweiten Hausreihe bildete sich sogar ein kleiner Platz heraus, durch den die Hausgruppe einen Mittelpunkt erhielt. Dadurch, daß in der Westendstraße noch Beamtenwohnhäuser (im Lageplan C) hinzukamen und eine Konsumanstalt (im Lageplan D) und eine Bierhalle (im Lageplan E) der Frohnhauser Straße die Versorgung der Bewohnerschaft sicherten, war die erste eigenständige Kruppsche Arbeiterkolonie geschaffen.

Allerdings kamen bei der Absicht, auf schnelle und billige Art Wohnraum bereitzustellen, nur Einfachst-Wohnungen in Geschoßbauweise zustande. Die kleine Ausführung enthielt lediglich eine Wohnküche (14,9 Quadratmeter) und ein Schlafzimmer; bei der großen sind immerhin Küche und Wohnzimmer getrennt, wenn auch zu klein dimensioniert. Der Abort liegt bei beiden Lösungen außerhalb der Wohnung und ist von einer gewendelten Treppenstufe aus zugänglich.

In der Gesamtgruppierung bestimmten die enge Aufreihung und die Massierung der Bauten das Siedlungsbild. Das mag als ein erstes Herantasten an die geschlossene Form der Kolonie zu verstehen sein.

387. Einfachst-Wohnungen, Neuwestend, erbaut 1871. Grundrisse von Erd- und Obergeschoß. (*Wohlfahrtseinrichtungen*, a.a.O.)

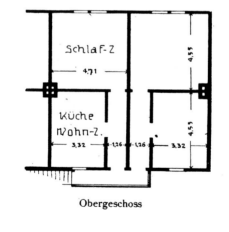

Obergeschoss

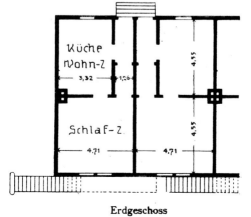

Erdgeschoss

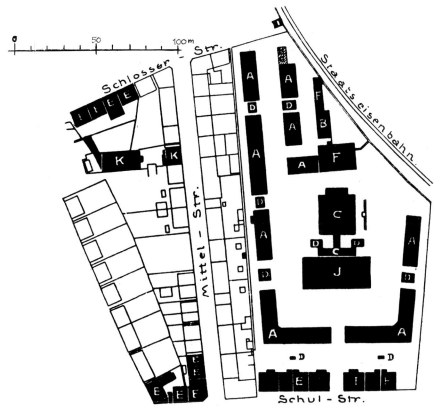

Im Gegensatz zu Neuwestend sieht man der im nördlichen Bereich des Fabrikareals zwischen Frühjahr und Herbst 1871 erbauten Kolonie Nordhof das eilige Vorgehen und die Billigbauweise schon äußerlich an. Hier sind auf einem 1,5 Hektar großen Baugelände, das im Norden an die Köln-Mindener Eisenbahn angrenzt, die zweigeschossigen Wohnhäuser in Sichtfachwerk-Bauweise L-förmig als Randbebauung angeordnet. Die etwa 5 Meter breite, in verschieden langen und abgewinkelten Blöcken (im Lageplan A) aufaddierte Wohneinheit beschränkt sich jeweils auf zwei Räume und einen Eingangsflur auf einem Geschoß. Die Erschließung der Obergeschoßwohnungen erfolgt über Außentreppen, die zu den Erdgeschoßeingängen versetzt auf der anderen Längsseite liegen. Bei diesem laubengangähnlichen System bleibt nicht einmal Platz für einen Abort im Hausinnern übrig. Die Bewohner mußten sich mit Abtritthäuschen (im Lageplan D) zwischen den Gebäuden begnügen. Sie mußten aber auch auf Sanitäreinrichtungen, Abstellkammern und Kinderzimmer verzichten. Die dünnen Wände des Fachwerks, die Verschattung der Zimmer unter den Treppenaufgängen, die wahllose Orientierung der Räume und die Rauchbelästigung aus den nahen Fabrikschornsteinen drückten den Wert der Wohnungen noch weiter herunter.

In einem auffälligen Kontrast zu diesen unzulänglichen Wohnbauten stehen die Gemeinschaftseinrichtungen im Hofbereich. Sie umfassen eine Konsumanstalt (im Lageplan F), eine Industrieschule (im Lageplan J) und andere Bauten und machen diese »Baracken« erst zu einem kolonieartigen Ort.

Konform mit den Reihenhäusern des Nordhofs baute die Firma für »solche, welche billigst logiren wollen«, ebenfalls in Fachwerkbauweise ein Gebäude auf einem Platz im Stadtbereich von Essen. Es bot Alleinstehenden und Familien wenigstens eine Unterkunft mit Strohsack und Decken zum Schlafen und eine Versorgung mit Speisen und Getränken. Das alles sollte nur dazu dienen, »um so der ersten Noth zu steuern«.[328]

Noch während in Nordhof die Bauarbeiten in aller Eile vorangetrieben wurden, um dort die ersten Wohnungen für den Herbst bezugsfertig zu machen, schmiedete Krupp schon neue Pläne für 1872, aus denen hervorgeht, daß ihm für die Zukunft nicht nur Barackensiedlungen vorschwebten. In diesem Sinne schrieb er am 15. Juni 1871 an die Prokura: »Das nächste Jahr müssen wir wieder ebenso viel bauen, als wir dies Jahr möglich machen und erst dann werden wir vielleicht langsamer für die Zukunft vorgehen mit besseren Wohnungen, mit kleinen Kolonien, die einzeln wieder an Arbeiter übertragen werden können, mit Bade-Anstalten an verschiedenen Orten und einer großen Waschanstalt für Alle.«[329]

Das »ebenso viel bauen« sollte für 1872 zutreffen, dagegen geriet die Verbesserung der Wohnungen zu einem mühsamen Unterfangen. Den Beweis dafür liefert die südlich des

379

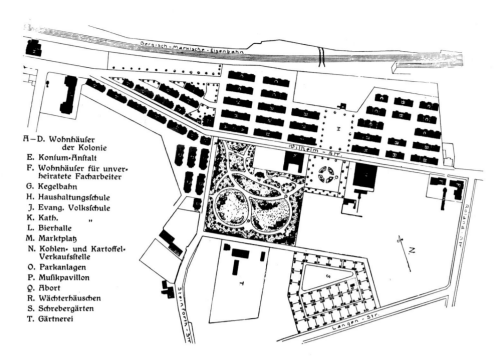

389. Arbeiterkolonie Schederhof, Gemarkung Altendorf bei Essen. (R. Klapheck, *Siedlungswerk Krupp*, Berlin 1930)

Fabrikgeländes an der Bergisch-Märkischen Eisenbahn bereits in Altendorf gelegene Kolonie Schederhof, die im Sommer 1872 begonnen und 1873 mit insgesamt 772 (492 und 280) Wohnungen auf einem 9 Hektar großen Gelände fertiggestellt worden ist.

Den Hauptbestandteil der Kolonie bilden 27 parallel zur durchgehenden Wilhelmstraße aufgereihte und in die Tiefe gestaffelte Baublöcke (im Lageplan A und B), die nur durch einen von Bäumen eingefaßten Marktplatz (im Lageplan H) unterbrochen sind. Die dreigeschossige Ausführung, die engen Hausabstände und die Kasernierung von 18 Wohnungen je Block belegen deutlich den Übergang zum städtischen Stockwerksbau.

Die an die Podesttreppen angeschlossenen Wohnungen stellen aber im Rahmen der Kruppschen Anlagen insofern einen Fortschritt dar, als sie sich zum größten Teil aus drei Räumen zusammensetzen und Abschlüsse aufweisen, innerhalb derer sogar die Aborte liegen. Diese Lösung bedeutete gleichzeitig aber auch eine Absage an das idyllische, von Gartenland umgebene Arbeiterhäuschen, das Krupp meinte, wenn er auf sein »Stammhaus« als Vorbild hinwies. Wohl um die Gebäudemassierung im Nordbereich auszugleichen, ist das südlich der Wilhelmstraße gelegene Gelände nur mit wenigen Gemeinschaftseinrichtungen überbaut: im Osten mit zwei Logierhäusern für unverheiratete Facharbeiter (im Lageplan F), beidseits der mittigen Platzanlage mit einer Großbäckerei (im Lageplan U) und der katholischen Volksschule (im Lageplan K). Den südwestlichen Bereich nimmt ein 275 Ar großer Park (im Lageplan O) ein. Mit seinem reichen Baumbestand, seinen verschlungenen Spazierwegen, dem Musikpavillon (im Lageplan P), dem Wächterhäuschen (im Lageplan R) und der benachbarten Gärtnerei (im Lageplan T) stellt er ein Novum in der Kruppschen Arbeiterkolonie dar, in dem die Adaption bürgerlicher Elemente für die neue Siedlungsform zum Ausdruck kommt. Als Ersatz für die fehlenden Hausgärten sind, von den Wohnblöcken abgerückt, im Südosten außerdem noch Schrebergärten (im Lageplan S) angelegt.

Obwohl die Bebauung in diesem Umfang als eine ausgewogene städtebauliche Lösung gelten kann, fügt sich ihr, fast wie ein unpassender Annex, entlang der leicht abgewinkelten Wilhelmstraße im Nordwesten und an der Westseite des Parks ein weiterer Teil an, der aus den sogenannten Baracken besteht. Es sind zweigeschossige Fachwerkbauten mit Notwohnungen (im Lageplan D), die 1872 als Provisorien gedacht waren, 1930 aber immer noch standen. Ihre vermeintlich kurzfristige Nutzung verleitete dazu, die Grundrisse noch primitiver anzulegen als in der Kolonie Nordhof. Es finden sich ebenfalls die dünnen Fachwerkwände und die Außentreppen-Zugänge zum Obergeschoß. Aber hier ist auch noch auf den inneren Flur verzichtet. Damit verbleiben den Bewohnern nur zwei nebeneinander liegende Räume, die, nimmt man noch die abseitige Lage der Abortbatterien an den Giebelaußenseiten hinzu, kaum die Bezeichnung Notwohnung verdienen. Trotz diesem Notbehelf der Wohnungsprovisorien ist in Schederhof gegenüber Westend und Nordhof zweifellos ein neuer Entwicklungsstand erreicht: Der Ort wurde von Anfang an als eine eigenständige Arbeiterkolonie verstanden und erhielt in einem Ausmaß Gemeinschaftsbauten, wie es sie bisher noch nicht gab. Sie umfassen zwei Kon-

390. Bebauung an der Wilhelmstraße und am Marktplatz, Schederhof. Strichzeichnung. (*Wohlfahrtseinrichtungen*, a.a.O.)

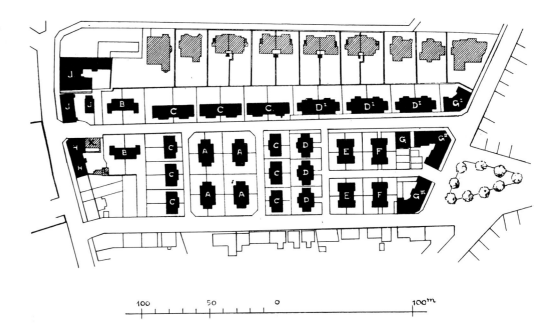

391. Arbeiterkolonie Baumhof (Dreilinden), Essen. (*Wohlfahrtseinrichtungen*, a.a.O.)

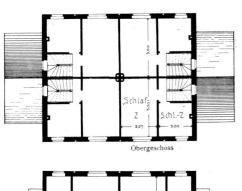

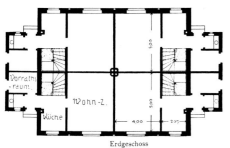

392. Typ des Vierer-Wohnhauses in Baumhof, Essen. Grundrisse von Erd- und Obergeschoß. (*Wohlfahrtseinrichtungen*, a.a.O.)

fessionsschulen (im Lageplan J und K), eine Haushaltsschule (im Lageplan H), eine Bierhalle mit Kegelbahn (im Lageplan L und G), eine Konsumanstalt (im Lageplan E), eine Verkaufsstelle für Kartoffeln und Kohle (im Lageplan N) und die schon genannten Einrichtungen.

Damit konstituiert sich die Kruppsche Arbeiterkolonie am Beispiel von Schederhof zum ersten Mal als eine kleine urbane Einheit, die sich im Blick auf ihre homogene Strukturierung und Gestaltung sowie ihre gute infrastrukturelle Ausstattung von den üblichen Arbeiterquartieren in den Vorstadtgebieten in positiver Weise abhebt.

Während Krupp die bisher genannten Kolonien immer auf dem Werksgelände oder in dessen Randbereich angelegt hat, entschied er sich bei der ebenfalls noch 1872 im ersten Bauabschnitt ausgeführten Kolonie Baumhof (Dreilinden) für einen weiter abgerückten Standort. Das außerhalb der Stadt an der Kettwiger Chaussee gelegene Gelände mit einer Fläche von 2,43 Hektar erlaubte es, den 72 Wohnungen nun auch einen kleinen Garten zuzuteilen. Doch trotz der ländlichen Umgebung wurde von der bisher angewandten engen und komprimierten Bauweise nicht abgewichen. So reihen sich an der von der Chaussee rechtwinklig abgehenden Erschließungsstraße hinter den einrahmenden Eingangsbauten (im Lageplan J, H und B) drei zweigeschossige Achtfamilienhäuser (im Lageplan C) auf, an die wiederum im rechten Winkel vier Hausreihen mit je drei Bauten außen und je zwei Bauten nach innen anschließen. Bemerkenswert ist, daß hier bei diesen innenliegenden Bauten (im Lageplan A bzw. E und F) ohne tieferen Sinn ein Rückgriff auf das Mülhauser System erfolgte. Das bedeutet die bekannte Aufteilung der Wohnungen auf die vier Ecken des Gebäudes. Dabei liegen Eingang, Abort, Küche mit Treppe und Wohnzimmer im Erdgeschoß und die zwei Schlafzimmer im Obergeschoß. Die Kolonie wurde 1890 in einem zweiten Bauabschnitt etwa in demselben Umfang und mit derselben Struktur nach Osten hin erweitert, wodurch die Zahl der Wohnungen auf 154 stieg. Auffälligerweise fehlen auch im Endausbau die Gemeinschaftseinrichtungen weitgehend; die Bewohner mußten sich mit den Konsumläden (im Lageplan J) an der Kettwiger Chaussee begnügen. Der anfänglich geringe Umfang der Kolonie mag eine Erklärung dafür sein.

Wenn im Baumhof somit die günstige Stadtrandlage auch nicht zu einer Überwindung der schematischen Gruppierung und, im Hinblick auf den Vierer-Wohnhaustyp, zu einer Verbesserung der Grundrißaufteilung geführt hat, so waren jetzt doch den einzelnen Wohnungen Nutzgärten zugeordnet und Kleintierställe bzw. Vorratsräume angebaut, die den Arbeitern eine teilweise Selbstversorgung und eine ausgleichende Freizeitbetätigung im Grünen ermöglichten. Mit diesem Hintergrund erfüllte die Kruppsche Arbeiterkolonie nun auch eine der wesentlichen Forderungen der Wohnungsreformer. Zudem war die architektonische Gestaltung mit dem Einbau von Loggien, Lauben und Balkonen anspruchsvoller und malerischer ausgefallen als bisher. Sie erregte in dieser Form aber die Mißbilligung des gestrengen Fabrikherrn, der weder Lauben noch Ziegenställe an seinen Arbeiterhäusern dulden wollte.[330]

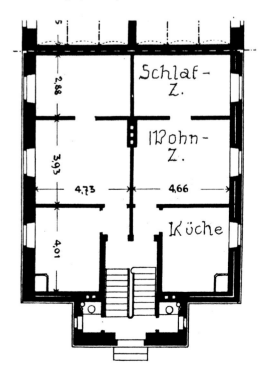

Legend (left of map):

A – H. Wohnhäuser
    der Colonie
J. Div. Wohnhäuser
K. Cons.-Anstalt
L. Post
M Bierhalle m. Saal
N Schulen
O. Markt
P. Musikpavillon
Q. Parkanlage
R. Wächterbude
S. Magazin
T. Kläranlagen

393. Arbeiterkolonie Cronenberg, Gemarkung Altendorf bei Essen. (R. Klapheck, *Siedlungswerk Krupp*, a. a. O.)

394. Typ des Zwölffamilienhauses (G), Cronenberg. Grundriß vom Erdgeschoß. (*Wohlfahrtseinrichtungen*, a. a. O.)

Die zum größten Teil zwischen 1872 und 1874 erbaute Kolonie Cronenberg übertrifft die bisher genannten Wohnbauunternehmen Alfred Krupps an Ausdehnung und Umfang der städtischen Infrastruktur bei weitem. Für ihren Standort wurde ein etwa 19 Hektar großes Gelände westlich des Fabrikareals auf der Altendorfer Gemarkung ausgewählt. Diese Lage schloß auch einen direkten Eisenbahnanschluß an der Bergisch-Märkischen Linie mit der Station Altendorf-Essen/Süd mit ein.

Die Bebauungsstruktur der Kolonie erscheint übersichtlich und klar, ein Beleg für die inzwischen erreichte urbanistische Fertigkeit und Erfahrung des Kruppschen Baubüros. Wie der Lageplan zeigt, sind die dreieinhalbgeschossigen Wohnbauten nach einem rechtwinkligen Straßenraster gleichmäßig über das Gelände verteilt, wobei in nordsüdlicher Richtung zwei Reihen von langgezogenen Blöcken den östlichen und eine Reihe kurzer Blöcke den westlichen Rand markieren. Die so umgrenzte Fläche wird noch durch eine mittlere, im Zentrum unterbrochene Blockreihe unterteilt. Die durch diese Längsstrukturierung entstandenen Zwischenbereiche sind in Querrichtung durch eine gleichmäßige Abfolge von zwei und drei aufgereihten Zwölffamilienhäusern und im südöstlichen Bereich von zusammengebauten Sechsfamilienhauszeilen ausgefüllt (im Lageplan F VIII bis F XII und F XIX).

Als Ortszentrum ist ein 100 auf 200 Meter großer Freiraum ausgespart, dessen östlicher Teil zu einem Park mit Spazierwegen, Ruhebänken, Baumgruppen und Wächterbude ausgestaltet ist. Den westlichen Teil davon nimmt ein 32 Ar großer Marktplatz ein, der die eigentliche Ortsmitte bildet und dem die notwendigen Versorgungseinrichtungen und

395. Große Wohnhausblöcke mit versetzten Podesttreppenhäusern (F), Cronenberg, Straßenansicht. Strichzeichnung. (*Wohlfahrtseinrichtungen*, a.a.O.)

Gemeinschaftsbauten zugeordnet sind. Hier fand an drei Tagen in der Woche ein Gemüse- und Warenmarkt statt. Täglich konnten sich die Bewohner in den Konsumverkaufsstellen zu einem niedrigen Preis mit Grundnahrungsmitteln, Kolonial- und Manufakturwaren versorgen, wobei sie sogar noch zum Jahresschluß am Gewinn des Konsumvereins in Form eines Rabatts (etwa fünf bis sechs Prozent) beteiligt wurden. Am Marktplatz steht auch ein Gasthaus (Bierhalle, im Lageplan M) mit Kegelbahn und einem Versammlungssaal für 1200 bis 1500 Personen, in dem die Vereine ihre Treffen oder Turnübungen abhalten konnten und in dem im Winterhalbjahr in vierzehntägiger Folge Theater gespielt wurde. Ein Magazinbau, eine Poststelle und ein Musikpavillon vervollständigen die Marktplatzbebauung. Über die Siedlung verteilt kommen noch mehrere Schulgebäude mit Lehrerwohnungen (im Lageplan N),[331] eine Apotheke, ein Pfarrgebäude und weitere Konsumverkaufsstellen hinzu. Auch gehört eine Kirche zum Ort, die etwas abseits im Süden jenseits der Bahnlinie liegt.

Die Wohnungen sind, wenn man von den großen Blöcken mit den versetzten Podesttreppenhäusern (im Lageplan F) ausgeht, wiederum äußerst knapp bemessen. Mit Ausnahme der Eckwohnungen enthalten sie nur zwei Räume, der eine als Wohnküche, der andere zum Schlafen wohl für die ganze Familie gedacht. Die Aborte befinden sich außerhalb der Abschlüsse auf den Treppenhauspodesten. Mit der dreieinhalbgeschossigen Ausführung der Bauten ließ sich bei derart heruntergeschraubten Wohnansprüchen zwar eine große Zahl von Wohneinheiten aus dem Boden stampfen, doch relativiert sich in diesem Punkt die Alfred Krupp zugute gehaltene Wohnungsfürsorge sehr, denn eigentlich ließen sich diese primitiven Zweiraumkombinationen kaum als Familienwohnungen bezeichnen.

Bei den kürzeren quergestellten Zwölffamilienhäusern (im Lageplan G) bestehen die Wohnungen wenigstens durchweg aus drei Räumen; der größte Teil davon ist aber durch die Nordlage abgewertet. Trotz diesen qualitativen Einschränkungen ist jedoch offensichtlich, daß die anfänglich 1398, später (ab 1901) 1572 Wohnungen umfassende Kolonie in der beschriebenen Anlage als ein selbständiger Ort mit städtischem Charakter zu verstehen ist. Von den Versorgungseinrichtungen, den Freizeitanlagen und den mehrgeschossigen Wohnbauten her gesehen war der urbane Rahmen für eine Arbeiterstadt mit etwa 8000 Einwohnern abgesteckt.[332] Bei allen Unzulänglichkeiten der Wohnungen, bei dem viel zu großen Anteil kleiner Wohneinheiten (über 800), konnte sich in Cronenberg aber immerhin ein Gemeindeleben in dem Umfang entfalten, den Alfred Krupp in seiner menschlich und politisch verengten Sicht für angemessen hielt.

Tatsächlich bot keine andere deutsche Arbeiterkolonie um 1875 denselben städtebaulichen Standard. Die Bebauung erweckt zwar auf dem Plan durch die Fixierung auf das rechtwinklige Straßenraster den Eindruck einer schematischen Aufteilung und Anordnung, in der Realität ergeben aber der Richtungswechsel der Blöcke, die Baumeinfassung der Straßen, die eingeschobenen Hausgärten und Wäschetrockenplätze und die räumliche Ausweitung des Zentrums zusammen mit den in sichtbarem Bruchstein- und Backsteinmauerwerk ausgeführten und durch Vorbauten gegliederten Wohnblöcken ein abwechslungsreiches und doch einheitliches Siedlungsbild.

396. Wohnstraße, Cronenberg, um 1903. (Historisches Archiv Fried. Krupp GmbH, Essen)

Allein schon der äußere Anblick besagt, welche Anstrengungen Alfred Krupp in dieser Kolonie gemacht hat, um dem Wohnungsproblem der Belegschaft seiner Gußstahlfabrik beizukommen. Die Motivation zu diesem ungewöhnlichen Einsatz greift aber tiefer, als unter dem Begriff der paternalistischen Fürsorge impliziert wird. Da spielte auf der einen Seite auch die Absicht mit, die Arbeiter auf diese Art zu befrieden und dem Unternehmen geneigt zu machen, auf der anderen Seite zudem der Gedanke, in den florierenden Gründerjahren die für die Ausweitung der Kanonenproduktion erforderlichen Arbeitskräfte anzuziehen. Das jedenfalls sind die Aspekte, die Krupp selbst intern der Prokura gegenüber auf deren Vorhaltungen zu den weitgespannten Plänen ins Feld führte: »Über alle diese Vorschläge braucht niemand bestürzt und confus zu werden, daß mit den vorhandenen Kräften alles geschafft werde, wäre eine Unmöglichkeit; darin liegt aber allein die Lösung. Die Kräfte müssen beschafft werden, ohne daß in der Zahl derselben eine Grenze zu setzen ist, eine andere als die vollkommener nützlicher Beschäftigung und vollkommener Controlle. Das Erreichen hängt blos vom Willen ab ... Dies alles mag unbequem und lästig befunden, auch selbst verhöhnt werden. Das geniert mich aber gar nicht. Ich bin fest überzeugt, daß alles, was ich empfohlen habe, notwendig ist, und daß die Folge es reichlich lohnen wird. Wir haben noch viel nachzuholen. Wer weiß, ob dann über Jahr und Tag, wenn eine allgemeine Revolte durch das Land gehen wird, ein Auflehnen aller Klassen von Arbeitern gegen ihre Arbeitgeber, ob wir nicht die einzigen Verschonten sein werden, wenn wir noch zeitig alles in Gang bringen.«[333]

Finanziell hat sich der Unternehmer Krupp mit dem Arbeiterwohnungsbau[334] und den Werkserweiterungen in einem Ausmaß belastet, daß er durch die schon 1873 einsetzende Rezession in schwere Bedrängnis, ja sogar in die Nähe des Bankrotts geriet. Das wiederholte Vorsprechen bei Kaiser Wilhelm I. und bei Reichskanzler Bismarck um einen Staatskredit von 10 Millionen Mark belegt das deutlich. Schließlich war er gezwungen, bei den ihm verhaßten Banken einen 40-Millionen-Kredit aufzunehmen und diesen seine Anlagen zu verpfänden.

Dieser finanzielle Engpaß und der Rückgang der Belegschaft zwischen 1873 und 1879 von 11 916 auf 8 253 Arbeiter mögen die Gründe dafür gewesen sein, daß der Ausbau der Kolonie Cronenberg 1874 ohne erkennbare Arrondierung abgebrochen worden ist. Erst als sich die Verhältnisse stabilisiert und die Finanzen gebessert hatten,[335] kamen in den Jahren 1887, 1889, 1891/92 und 1899 weitere Bauten hinzu, bis die Kolonie dann 1901 mit zwei großen Wohnblöcken im Nordosten ihren baulichen Abschluß fand. Einen langen Bestand hatte sie allerdings nicht. Denn sie fiel zum größten Teil Werkserweiterungen nach 1933 zum Opfer. Die Waffenproduktion, die die Kruppsche Gußstahlfabrik bekannt und berühmt gemacht hatte, erhielt den Vorrang gegenüber den austauschbaren Arbeiterwohnungen.


### Der Werkswohnungsbau unter Friedrich Alfred Krupp

Als nach einer langen Rezessionsphase der Ausbau der Kolonie Cronenberg 1887 fortgesetzt wurde, äußerte sich Alfred Krupp kurz vor seinem Tod (14. Juli 1887) noch einmal zum Arbeiterwohnungsbau. Er kam wieder auf sein »Stammhaus« zu sprechen und beschrieb – wohl angeregt durch Eindrücke in Baumhof und Cronenberg – eine Siedlungskonzeption, die nicht mehr auf die mehrgeschossige Mietskaserne, sondern auf »kleine Familienhäuschen« abhob. Diese sollten abgerückt von der Hauptstraße 25 bis 30 Meter auseinander stehen, inmitten von Gärten und Bäumen liegen und ein von Nachbarn unabhängiges Wohnen erlauben.[336] Das war gewissermaßen das bauliche Vermächtnis, das der alte Fabrikherr seinem Sohn und der Prokura bei seinem Ableben hinterließ.

Nach der Übernahme der Gußstahlfabrik stellte Friedrich Alfred Krupp (1854–1902), der einzige Sohn Alfred Krupps, seine paternalistische Fürsorgepflicht zuerst einmal durch zwei Stiftungen unter Beweis. Die Kruppsche Arbeiterstiftung mit einem Kapital von einer Million Mark war zur Unterstützung von Arbeitern gedacht, die bei ihrem Ausscheiden wegen Krankheit oder Arbeitsunfähigkeit keine Versorgungsansprüche hatten und unverschuldet in Not gerieten. Die Stiftung von einer halben Million Mark an die Stadt Essen im Andenken an Alfred Krupp sollte gemeinnützigen Zwecken im kommunalen Bereich dienen, bestimmt zur »materiellen und sittlichen Hebung der unteren Klassen der Bevölkerung«.

Wider Erwarten erwies sich Friedrich Alfred Krupp schon bald nach der Geschäftsübernahme, trotz der Kränklichkeit, die ihm seit seiner Jugend anhaftete, und trotz aller Bonhomie, mit der er auftrat, als ein gewiefter Geschäftsmann und als ein Fabrikherr, der seinen autoritären Standpunkt genauso entschieden vertreten konnte wie sein unduldsamer Vater.

Indes zeigt die weitere Bereitstellung von einer halben Million Mark im Jahre 1889 für Hauserwerbsdarlehen, daß er die Mietshausmentalität seines Vaters zu überwinden vermochte. Was bei diesem nur als ein immer wieder vorgebrachtes Wunschbild erschien, wurde von ihm nun möglich gemacht: Arbeiter und Angestellte, die ein eigenes Wohnhaus erbauen oder erwerben wollten, erhielten von der Firma unter bestimmten Voraussetzungen Baudarlehen, die mit drei Prozent zu verzinsen und innerhalb von 25 Jahren zu tilgen waren.[337] Diesen Weg hatten, wie schon erwähnt worden ist, die staatlichen und privaten Zechen längst beschritten, und sie hatten damit vor allem im Saarland viel früher als Krupp einen beachtlichen Beitrag zum Arbeiterwohnungsbau geleistet.

Mit der zusätzlichen Stiftung für die Invalidenkolonie A l t e n h o f, die Friedrich Alfred Krupp 1892 als Dank für die Errichtung eines Denkmals seines Vaters durch die Werksangehörigen machte, begann eine neue Phase des Kruppschen Werkswohnungsbaus.

In der Ankündigung dieser Kolonie ist deren Bestimmung und Ausrichtung mit den Worten umrissen: »Es soll alten, invaliden Arbeitern ein freundlicher Lebensabend geschaffen werden, indem kleine Familienwohnungen mit Gärtchen in schöner, gesunder Lage errichtet und zu freier, lebenslänglicher Nutznießung abgegeben werden«.[338] Hinzuge-

397. Invaliden- und Altenkolonie Altenhof, Essen. Lageplan mit den verschiedenen Bauabschnitten. (H. Hecker, *Der Krupp'sche Kleinwohnungsbau*, Wiesbaden 1917)

fügt werden muß aber, daß die Vergabe der Wohnungen nach dem Grad der Würdigkeit und Bedürftigkeit erfolgte und nur einem kleinen Kreis von Pensionären zugute kam.

Neuartig war auch das Vorgehen der Geschäftsleitung, durch einen Wettbewerb zu Entwürfen für die Ausführung zu gelangen.[339] Da das Preisgericht jedoch keinen Vorschlag für akzeptabel hielt, fertigte der 1891 neu eingestellte Leiter des Kruppschen Baubüros, Baurat Robert Schmohl, die Pläne für die Kolonie Altenhof selbst an. Für den ersten Bauabschnitt, der zwischen 1893 und 1896 verwirklicht wurde, stand ein zwischen der Rheinischen Anschlußbahn (Anschlußgleis von der Zeche Langenbrahm nach Rüttenscheidt) und der Agathastraße (heute Karl-Bernsau-Straße) eingespanntes, nach Süden spitzwinklig zulaufendes Gelände von 4,6 Hektar zur Verfügung. Die Bebauung ist ohne erkennbare Strukturierung und Ausrichtung in einer Art Streubauweise über die ganze Fläche verteilt, erschlossen durch ein Wegenetz, das im Randbereich der Umrißform des Baugeländes folgt, indem es im Norden zu einem großen Bogen ausholt und im Süden V-förmig zusammenläuft. Im Innenbereich münden fünf kurze Stichstraßen in einen quadratisch angelegten Freiraum ein, der mit der Konsumanstalt (im Lageplan H) zusammen den Mittelpunkt der Invalidensiedlung bildet.

Die kleinen Wohnbauten selbst sind ein Sammelsurium verschiedenartiger Typen, bei denen immerhin die Einfamilienhaus-Lösung mit drei Räumen gegenüber den Doppelhäusern überwiegt. Die Lage fernab der Stadt und unmittelbar neben dem Wald des Freiherrn von Vittinghof-Schell sowie die Bestimmung als Ruhesitz für Invalide und Alte brachte eine für den Kruppschen Koloniebau neuartige Formensprache hervor. Obwohl die Baukörper minimale Abmessungen haben, wurden sie, der architektonischen Manier der Zeit entsprechend und nicht mehr der bisherigen Einsparungsmanie unterworfen, geradezu malerisch aufgeputzt. Es ist nicht ganz klar, ob es Friedrich Alfred Krupp hier bei seiner ersten Werkssiedlung mehr darum ging, mit diesen »Miniaturvillen« den Zeitgenossen seine Arbeiterfürsorge visuell vor Augen zu führen, oder ob er tatsächlich beabsichtigte, den »kleinen Leuten« durch die neue Bauweise zu einem behaglichen Wohnumfeld zu verhelfen. Sicher hatte er als Reichstagsabgeordneter allen Grund, seine soziale Einstellung unter Beweis zu stellen, und das um so mehr, als er sich gegen jeden Versuch einer Arbeitermitbestimmung stemmte, gegen Streiks hart vorzugehen gewillt war und den Herr-im-Haus-Standpunkt genauso unnachgiebig vertrat wie sein verstorbener Vater.

Wie weit schließlich auch Anregungen aus England, etwa aus Port Sunlight bei Liverpool (Baubeginn 1888), hinzukamen, muß offen bleiben. Tatsächlich ist der größte Teil der malerischen Cottage-Architektur dieses Model village erst zwischen 1900 und 1909 entstanden und kam demnach als direktes Vorbild nicht in Frage.

Nach einer dreijährigen Unterbrechung setzte sich der Ausbau der Altensiedlung um die Jahrhundertwende auf einem westlich der Rheinischen Anschlußbahn gelegenen 3,3 Hektar großen Areal weiter fort. Das rechteckig zugeschnittene Gelände erhielt wieder die gleiche Streubebauung mit über zehn verschiedenen Haustypen und eine Erschließung mit teilweise gekrümmter Straßenführung. Zur besonderen Hervorhebung ist die nördliche Anschlußstelle der beiden Siedlungsteile zu einem Eingangsplatz ausgeweitet, dem eine evangelische Kapelle, eine Korbflechterei und ein Feuerwehrdepot die Kontur geben. Zu gleicher Zeit kamen noch im nordöstlichen Bereich als Ergänzung des bereits 1896 gebauten Erholungsheims und Parks eine katholische Kapelle und zwei Pfründnerhäuser für zwölf Witwer und sechs Witwen hinzu. Und selbst damit war die Entwicklung der Kolonie noch nicht beendet. Um den Anschluß an die weiter westlich verlaufende Essen–Werdener Landstraße herzustellen, entstand nach 1900 in einem dritten Bauabschnitt die platzartige Baugruppe an der Josephinenstraße als »Gußmannplatz«. Dieser Teil kontrastiert zwar in seiner geschlossenen Bauweise und in seiner abgestaffelten Höhenentwicklung mit der lockeren Anordnung des Altbestands, doch leitet er zusammen mit dem schräggestellten Wohnblock an der Katharinenstraße in einer Art Portalsituation zur dreigeschossigen Bebauung der Landstraße (heute Rüttenscheidter Straße) über. In umgekehrter Richtung gesehen macht die evangelische Kapelle mit ihrem Turm als Point de vue auf den neuentstandenen Ort aufmerksam.

Die Erweiterung der Erholungshäuser und des Kruppschen Waldparks, der Bau der geschlossenen Witwen- und Witwerhöfe und schließlich die Anlage eines neuen Siedlungsteils jenseits des Tals auf der Altenhofer Heide vollzogen sich im neuen Jahrhundert und sollen hier nicht weiter verfolgt werden.

Ein nochmaliger Rückblick auf die Kleinhausidylle und die Fachwerkromantik der älteren Teile von Altenhof wirft aber doch die Frage auf, ob bei dieser Kolonie eine städte-

398. Einfamilienhaus der Invaliden- und Altenkolonie Altenhof, um 1903. (Historisches Archiv Fried. Krupp GmbH, Essen)
399. Einfamilienhaus in Altenhof. Grundrisse von Erd- und Dachgeschoß und Querschnitt. (*Wohlfahrtseinrichtungen*, a.a.O.)

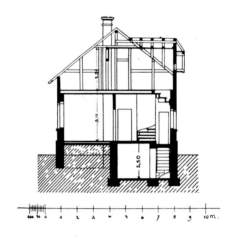

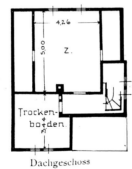

Dachgeschoss

Erdgeschoss

400. Entwurf für die Arbeiterkolonie Holsterhausen bei Essen, 1892. (*Schriften der Centralstelle für Arbeiter-Wohlfahrtseinrichtungen*, Berlin 1892, Bd. 1)

401. Arbeiterkolonie Alfredshof, Essen-Holsterhausen, Ausbaustadium 1896–1907. (*Wohlfahrtseinrichtungen*, a.a.O.)

bauliche Neuorientierung im Werkswohnungsbau unter Friedrich Alfred Krupp versucht worden ist. War die Geschäftsleitung nunmehr vom Mietskasernensystem der unter Alfred Krupp in den siebziger Jahren entstandenen Kolonien abgerückt und auf das Vorbild der inzwischen in Mode gekommenen Villenkolonien eingeschwenkt? Oder sind hier schon die Auswirkungen der neuen künstlerischen Städtebauauffassung Camillo Sittes oder englischen »town planning movement« zu spüren? Oder wollte das Unternehmen einfach, wie die neuere Kritik mutmaßt, im romantisch verklärten, altdeutschen Stil den armen Bewohnern eine heile Welt suggerieren? Bei der Zielsetzung dieser Kolonie, Alten und Invaliden eine Heimstatt zu schaffen, ist mit Rückschlüssen dieser Art Vorsicht geboten. In diesem speziellen Fall der Altenkolonie kann die Bauherrschaft die neuartige Bauweise durchaus als angemessen empfunden haben, ohne an weitere urbanistische oder architektonische Konsequenzen zu denken.[340] Welche Richtung sie dem Kruppschen Werkswohnungsbau im Normalfall der Arbeiterkolonie zu geben gewillt war, mußte sich erst noch bei einem neuen Siedlungsunternehmen herausstellen.

Unter dem Aspekt, daß die Stiftung Altenhof nur einem ausgewählten Kreis von Invaliden, Alten und Verwitweten zu einem sorgenfreien Wohnen verhalf, war für die allgemeine Wohnungsversorgung der Kruppschen Arbeiter nichts gewonnen. Da sich aber gerade in den neunziger Jahren die wirtschaftliche Lage zusehends konsolidierte, stieg die Belegschaft der Gußstahlfabrik weiter an, und zwar zwischen 1887 und 1902 von 13044 auf 24109 Beschäftigte. Zu ihrer Wohnungsversorgung blieb auch Friedrich Alfred Krupp keine andere Wahl, als den von seinem Vater begonnenen Werkswohnungsbau fortzusetzen.

Als Finanzrat Gußmann, ein Mitglied der Geschäftsleitung, auf der Konferenz der Centralstelle für Arbeiter-Wohlfahrtseinrichtungen am 25. April 1892 in Berlin über die Kruppschen Arbeiterwohnungen berichtete, legte er bereits auch die Pläne für die projektierte Kolonie Holsterhausen vor. Als Standort war ein im Süden der Stadt Essen gelegenes, unerschlossenes Gelände vorgesehen, das nach den Entwurfsvorstellungen des Kruppschen Baubüros auf der Grundlage eines orthogonalen Straßenrasters mit Einfamilienhäusern und kreuzweise angeordneten Vierfamilienhäusern überbaut werden sollte. Ein Geviert im Zentrum sollte für den Marktplatz, ein weiteres in der Randzone für einen kleinen Park freigehalten werden. Als es an die Verwirklichung ging, fand dieser unprätentiöse Siedlungsplan bei der Genehmigungsbehörde jedoch keine Zustimmung. In den mühsamen Verhandlungen mit dem zuständigen Bürgermeisteramt Altendorf kam schließlich eine ganz andere Aufteilung zustande. Der Marktplatz wurde um das Doppelte vergrößert und in seinen Eckpunkten durch breite Diagonalstraßen in das angrenzende orthogonale Straßensystem eingebunden. Mit der Plazierung der Konsumanstalt auf der Südostecke des Marktplatzes wurde sogar eine Point-de-vue-Beziehung aufbaut. Zu begreifen ist diese Planänderung nur als die fixe Idee einer Behörde, die Vorstellungen des monumentalen Städtebaus in Form des Diagonalsystems auf eine Vorstadterweiterung mit Arbeiterhäusern zu übertragen. Die Unsinnigkeit des Plans mit seinen breiten Straßen und dem überdimensionierten Marktplatz und der damit verbundene erhöhte Erschließungsaufwand ließen Krupp beinahe das ganze Projekt aufgeben. Erst als sich der Essener Landrat vermittelnd einschaltete, kam der Plan mit seinen unangemessenen Achsen, seinen Verlegenheitszwickeln und seinen schräg zugeschnittenen Quartieren nach einiger Verzögerung ab 1896 in der südlichen Hälfte unter der Bezeichnung A l f r e d s h o f zur Ausführung.

Die schon im ersten Entwurf gewählten kleinformatigen Wohnhaustypen blieben auch in der Monumentalfassung erhalten. In den Quartieren wechseln sich freistehende Einfamilienhäuser, Doppelhäuser und Vierfamilienhäuser ohne erkennbaren Grund ab, ergänzt noch durch zwei Reihenhauszeilen im westlichen Bereich. Indem allein 24 Häuser mit nur einer Wohnung zu fünf Räumen und 39 Häuser mit zwei Wohnungen zu drei und vier Räumen ausgeführt sind, folgte dieser erste Teil von Alfredshof in der Wohnhauskonzeption doch weitgehend dem von Alfred Krupp fixierten und zuvor in Altenhof realisierten Vorbild. Der Vierer-Wohnhaustyp erscheint in diesem Zusammenhang allerdings nur verständlich, wenn man ihn als äußerste Sparlösung des Einfamilienhausprinzips gelten läßt. Aus seiner konsequenten Orientierung in Nord-Süd-Richtung, bei der die Wohnungen auf die West- oder Ostseite gelegt sind und eine Besonnung im Laufe des Tages eintritt, läßt sich ablesen, daß der Typ nicht ganz unreflektiert angewandt worden ist. Wenn somit die kleinen selbständigen Wohneinheiten, die Wasserversorgung, die Hausentwässerung und die Gasbeleuchtung in den Straßen dieser Kruppschen Arbeiterkolonie eine fast fortschrittliche Note geben, so läßt sich dasselbe von ihrem Bebauungsplan nicht sagen. Das von der Gemeindebehörde aufgezwungene Diagonalsystem entsprach genau jenem starren und öden Bebauungsmuster, das Camillo Sitte in seiner Publikation von 1889 (siehe Kapitel 7.1.) angeprangert hatte und das um 1895 durch die neuen Lösungsvorschläge der Sitteschule in diesem Zusammenhang als überholt gelten mußte. Gerade am großformatigen Marktplatz, der nach Norden in eine Geländemulde übergeht, erweist es sich, daß der Plan in seiner abstrakten Figuration keine Rücksichtnahme auf die bewegte Geländebeschaffenheit kennt. Solange jedoch die ganze Nordpartie noch unausgeführt blieb, konnte die bauliche Ausgestaltung hier immerhin als offen gelten. Als dann 1907/08 die Kolonie weiter ausgebaut wurde, war der Umdenkprozeß so weit fortgeschritten, daß man von anderen Voraussetzungen ausging. Denn inzwischen war die Stadt Essen für die Baugenehmigung zuständig geworden und eine neue, durch Sitte und Unwin sensibilisierte Städtebauauffassung hatte sich sogar bis in die Amtsstuben der Stadtverwaltung durchgesprochen. Obwohl diese Planungs- und Ausführungsphase der Kolonie Alfredshof einem neuen Abschnitt des Urbanismus zuzurechnen ist, der den Rahmen dieser Betrachtungen überschreitet, soll wenigstens noch auf die gravierendsten Veränderungen von 1907/08 und 1910 hingewiesen werden.

In der neuen Version wurden nur noch Reststücke der Diagonalstraßen als Siedlungseingänge belassen. Der Marktplatz erhielt durch Einbauten eine überschaubare Größe. Die unmittelbar im Norden anschließende Bebauung ist zwar auf eine Symmetrieachse bezogen, doch bleibt die dahinterliegende Geländemulde unter Einbeziehung des früheren Klimburghofes als Parkanlage frei.

Am meisten weichen sicherlich die langgezogenen dreigeschossigen Wohnblöcke der Randzone von der alten Konzeption ab. Trotz ihrer geschickten Massengliederung und der gärtnerischen Ausgestaltung ihrer Innenhöfe leiten sie zu einer neuen Strukturform über. Ob man damit einen plausiblen Übergang zu den angrenzenden Quartieren anstrebte, zusätzliche Wohnungen gewinnen wollte oder sich mehr von der städtebaulichen Tendenz zur Verdichtung leiten ließ, kann dahingestellt bleiben. Jedenfalls war damit der Ansatz der Kleinhausbebauung als Siedlungskonzeption aufgegeben und aufs Ganze gesehen Alfred Krupps Ideal in das Gegenteil verkehrt.

402. Arbeiterkolonie Alfredshof, Essen-Holsterhausen, mit der Wohnblockbebauung der späteren Ausbauabschnitte. (R. Klapheck, *Siedlungswerk Krupp*, a.a.O.)

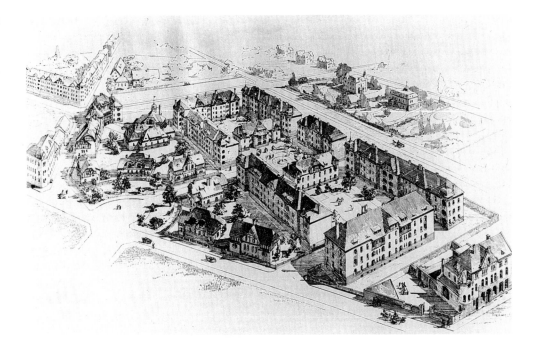

403. Arbeiterkolonie Friedrichshof, Essen, erste
Bebauung 1899–1901. Strichzeichnung des
Krupp'schen Baubüros. (*Wohlfahrtseinrichtungen*, a.a.O.)
404. Arbeiterkolonie Friedrichshof, Essen, Bau-
abschnitte 1899–1901 und 1904–06. (R. Klapheck, *Siedlungswerk Krupp*, a.a.O.)

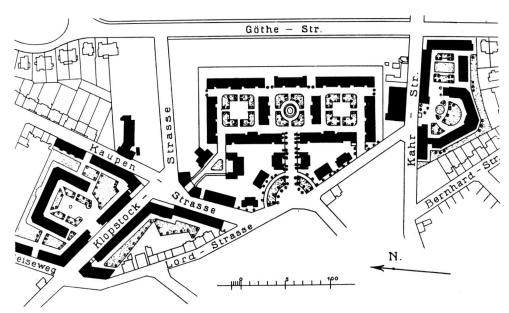

Für die Entwicklung der Kruppschen Arbeiterkolonien bedeutet Alfredshof demgemäß
keineswegs einen Fortschritt. In ihm zeigt sich eher die Verunsicherung einer Über-
gangsperiode, in der sich schließlich die Form der großstädtischen Blockbebauung gegenüber der Kleinhausidylle durchgesetzt hat.
Der in der Kolonie Alfredshof ab 1907 sichtbar gewordene Übergang zum Mietsblockbau
läßt sich an anderer Stelle schon einige Jahre früher beobachten.
Bei der Kolonie Friedrichshof, deren Ausbau sich 1899 bis 1901 und 1904 bis 1906 vollzog, gab die stadtnahe Lage im Süden mit 25 Minuten Gehentfernung zum Zentrum von
Anfang an den Vorwand für eine kompakte und mehrgeschossige Bebauung ab. Auf dem
relativ kleinen Bauareal mit 2,64 Hektar Fläche sind dreigeschossige Baublöcke derart zu
einem Karree zusammengestellt, daß sich in dessen Innern drei von quergelegten Zwi-
schenblöcken unterteilte Innenhöfe mit Spielplätzen und Grünanlagen bilden. Es handelt
sich dabei jedoch keineswegs um die damals übliche Straßen-Randbebauung, sondern
um eine straff zusammengefaßte, orthogonal ausgerichtete Baugruppe, die frei in das unregelmäßig zugeschnittene Quartier eingestellt ist und die in dieser Anordnung einen hohen Nutzungsgrad und eine gute Übersichtlichkeit gewährleistete. Sie hatte zudem den
Vorteil, daß die Wohnungen nicht mehr direkt an den Verkehrsstraßen lagen und von
den ruhigen Innenhöfen her erschlossen werden konnten. Die Konzentration auf das
Karree und das Abrücken von den Randstraßen ließ nach Westen hin noch genügend
Platz für eine niedrig gehaltene Eingangszone übrig. In ihr befindet sich, auf eine Symmetrieachse bezogen und durch einen halbkreisförmigen Grünstreifen betont, die Haupt-

erschließung des Gebäudeblocks von der Lordstraße aus. In einer starken Kontrastwirkung zu der dahinter aufragenden Baumasse füllt in diesem Vorbereich eine Anzahl von eineinhalbgeschossigen, in Gärten eingebetteten, malerisch gestalteten Wohnbauten den Raum entlang der Wege aus. Unter ihnen hebt sich als besonderer Akzent das Torgebäude des nördlichen Nebeneingangs hervor.

An Gemeinschaftseinrichtungen umfaßt die Kolonie einen Konsumladen an der Kahrgasse, eine Badeanstalt mit Lesehalle an dem genannten Nebeneingang und eine Bierhalle mit Gartenwirtschaft an der Kaupenstraße. Wie man sieht, ist hier im Wechselspiel zwischen der geschlossenen Form der Höfe und dem offenen Raum des Eingangsbereichs den Anforderungen der Kolonie durchaus Genüge getan.

Die um die Jahrhundertwende erstellten Stockwerkswohnungen erscheinen insofern zeitgemäß, als sie zumeist nach dem Zweispännerprinzip an das Treppenhaus angebunden sind, drei bis vier Räume umfassen, zumeist eine Loggia, Küchenbalkon und Speisekammer aufweisen und in jedem Fall den Abort innerhalb des Wohnungsabschlusses haben. Aber anstatt die Sanitärausstattung zu vervollkommnen und genügend Badegelegenheiten zu schaffen, haben die Planer es vorgezogen, im Äußern durch den Einbau von Erkern, Dachhauben und Fachwerkapplikationen dem malerischen Zeitgeschmack den nötigen Tribut zu zollen, wohl auch in der Absicht, den Baukörpern ein gefälliges und anheimelndes Aussehen zu geben.

Immerhin lassen sich bei den Doppelhäusern des Eingangsbereichs auch Wohnungen mit fünf Räumen finden, groß genug, um einer Familie mit mehreren Kindern den nötigen Platz zu gewähren. Im zweiten Bauabschnitt von 1904 bis 1906 wurde der Ausbau angrenzender Quartiere fortgesetzt, wobei die langgezogenen Wohnblöcke nun in geschlossener Bauweise den Rand einfassen und zum Teil die Höfe U-förmig ausfüllen.

Durch diesen Übergang zur normalen städtischen Quartierbebauung war aber der Ort jetzt weitgehend um seine spezifische Atmosphäre als Arbeiterkolonie gebracht; er war Teil eines städtischen Arbeiterviertels geworden.

So gelangt Friedrichshof als die letzte noch im 19. Jahrhundert begonnene Kruppsche Arbeiterkolonie nicht über den längst erreichten Entwicklungsstand der älteren Anlagen hinaus. Tatsächlich erweisen sich Altenhof und der erste Bauabschnitt von Alfredshof mit ihren ebenerdigen Kleinbauten nur als ein kurzes Zwischenspiel. Die teuren Bauplatzpreise und der fortdauernde hohe Wohnungsbedarf machten auch noch zu Ende des 19. Jahrhunderts die Verifizierung der von Alfred Krupp erträumten »Familienhäuschen« illusorisch. Das belegt die Kolonie Friedrichshof zur Genüge.

Erst der Zeit nach der Jahrhundertwende blieb es vorbehalten, durch das Aufgreifen des englischen Gartenstadtgedankens die Flachbauweise ohne Einschränkungen und Vermischungen auf die Arbeitersiedlungen zu übertragen. Dafür können im Kruppschen Bereich die Siedlungen Margarethenhof bei Rheinhausen (1903–27), Dahlhauser Heide bei Bochum-Hordel (1907–15), Emscher-Lippe bei Datteln (1909–11) und besonders die Wohnstiftung Margarethenhöhe in Rüttenscheidt/Frohnhausen (ab 1906) als Beispiele gelten.

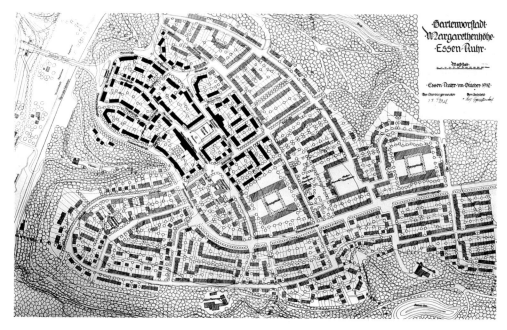

405. Wohnstiftung Margarethenhöhe, Essen-Rüttenscheid/Frohnhausen, 1912. Geplant und ausgeführt von Georg Metzendorf. (*Die Margarethen=Höhe bei Essen*, Darmstadt 1913)

Zusammenfassung

Die Beschreibung der Kruppschen Arbeiterkolonien mag deutlich gemacht haben, daß es sich bei ihnen um einen wichtigen Beitrag im Rahmen der urbanen Entwicklung in Deutschland handelt. Zwar stehen andere Kolonien, wie dargestellt wurde, am Anfang des Werkswohnungsbaus. Aber kein anderes Fabrikunternehmen als das von Krupp hat sich in den letzten vier Jahrzehnten des 19. Jahrhunderts in demselben Umfang und mit dem gleichen planerischen Einsatz auf diesem Gebiet betätigt. Das gilt auch für das letzte Jahrzehnt, als der wirtschaftliche Aufschwung, die Reformpolitik des »Neuen Kurses« unter Hans Hermann Freiherr von Berlepsch und die städtebauliche Erneuerungsbewegung zu einer unübersehbaren Zahl von Arbeiterkolonien bei Zechen, Textilbetrieben und Chemiewerken führten, auf deren Behandlung hier verzichtet werden muß, da sich kaum noch weiter reichende Erkenntnisse und Aspekte ergeben würden. So können die Betrachtungen zu diesem Themenkreis mit einem Blick auf die Rezeption des Kruppschen Siedlungsbaus abgeschlossen werden.

Schon Alfred Krupp hat in Ansprachen und Briefen die Arbeiterkolonien als ein Signum nobler paternalistischer Gesinnung und Handlungsweise dargestellt. In seiner Diktion sind sie ausschließlich in der Sorge um das Wohl der Arbeiter entstanden. Von Nebenabsichten ist bei ihm verständlicherweise keine Rede.

Unter seinem Sohn Friedrich Alfred Krupp bildeten die Kolonien als »Wohlfahrtseinrichtungen« bereits einen festen Bestandteil der betrieblichen Selbstdarstellung, gedeutet als Ausdruck eines besonderen sozialen Engagements.[341] Diese Version ist von willfährigen Apologeten übernommen und bis in die Zeit des Zweiten Weltkriegs weiterkolportiert worden. Für Richard Klapheck ist Alfred Krupp sogar der »Vater des neuen Siedlungswesens in Deutschland«.[342] Erst in neuerer Zeit hat die Kruppsche Siedlungstätigkeit eine kritische Betrachtung erfahren. Im Rahmen der Diskussion des »kapitalistischen Städtebaus« gerieten die Kruppschen Kolonien nun zu »Bollwerken gegen den Sozialismus«, wo die »politische Disziplinierung der Angesiedelten« stattfand und wo »Architektur und Siedlungsform als ideologische Hilfsmittel« fungierten.[343] Alfred Krupps törichte politische Indoktrinationen, seine unzumutbaren Reglementierungen und Schnüffeleien in den Siedlungen lieferten dafür genügend Gründe.[344]

Um indes in der Beurteilung des Phänomens »Arbeiterkolonie« so sachlich wie möglich zu bleiben, ist es angebracht, die ihrem Bau zugrunde liegende Motivation zuerst einmal aus dem Denkmuster des Paternalisten zu erklären.

Da es über den paternalistischen Standpunkt der Krupps – Vater und Sohn – keinen Zweifel geben kann, läßt sich diese Aufdeckung der Beweggründe an ihrem Beispiel gut verdeutlichen, insbesondere auch deshalb, weil sie als Alleininhaber der Gußstahlfabrik im Gegensatz zu den Vorständen der Aktiengesellschaften keinerlei Einschränkungen bei ihrem Vorgehen unterworfen waren.

Alfred Krupp war in der Art eines Pater familias willens, treue Dienste und aufopfernden Einsatz eines Arbeiters über das normale Maß hinaus zu vergüten. Das schloß außer gutem Lohne, Prämien, Konsumbeihilfen, Krankenbetreuung und Altersversicherung auch die Wohnungsversorgung ein. Es unterliegt somit keinem Zweifel, daß er bei den ihm ergebenen Arbeitern und Beamten (das heißt Angestellten) die Bedürfnisse des täglichen Lebens umfassend zufriedenstellen wollte, freilich auch mit dem Effekt, im Falle einer Arbeiterrevolution gegenüber anderen Unternehmen besser davonzukommen.

Aber bei den zugedachten »Wohltaten« wußte er zu differenzieren. Es gab für ihn Arbeiter, die sich einer Wohnung würdig erwiesen, und es gab vom »sozialdemokratischen Bazillus« infizierte, für die zu sorgen es sich nicht lohnte, da sie es an der erwarteten Botmäßigkeit und Dankbarkeit fehlen ließen. Indem seinem Denken somit ein durchgreifendes soziales Moment fehlte, blieb die Wohnungsfürsorge nur auf einen bestimmten Kreis beschränkt, der bei ihm allerdings immer noch eine große Zahl der Beschäftigten erfaßte.[345] In diesem relativierten Sinn mag es tatsächlich das Motiv der »Wohnungsfürsorge« gegeben haben. Und daß Krupp bei dem steten Wohnungsmangel dafür auch auf Dankbarkeit unter der Arbeiterschaft gestoßen ist, beweist die Anhänglichkeit ganzer Kruppianer-Generationen an das Werk.

Unlösbar mit dem Gedanken der fürsorglichen Wohltat war aber auch das geschäftliche Kalkül und der Wille zur Vereinnahmung verwoben. Karitas, Geschäftemacherei (mit Kanonen) und die Bevormundung Abhängiger lagen eng beieinander. Das springt bei Krupp besonders ins Auge. Um die großen gewinnbringenden Aufträge erledigen zu können, benötigte er in ausreichender Zahl Arbeitskräfte. Mehr noch, es bedurfte eines einsatzbereiten Stammpersonals, das es auch in widrigen Zeiten zu halten galt. Ein probates Mittel, dieses für immer an den Betrieb zu binden, war, wie Krupp schon bald erkannte, das Wohnungsangebot. In diesem Punkt darf man sich nichts vormachen: Hier ging es nicht mehr um karitative Überlegungen, sondern der finanzielle Aufwand für die Arbeiterwohnungen rangierte in der Sicht des Unternehmers ebenfalls als ein Rechnungsposten, der sich im höchsten Grad rentierte, selbst wenn er auch nur in indirektem Sinne wirkte. Geht man zudem noch davon aus, daß Krupp seine enormen Kriegsgewinne außer in neuen Werksanlagen auch in den Liegenschaften der Kolonien investierte, dann gerät sein Werkswohnungsbau eher zu einer Vorsorge- als zu einer Fürsorgeaktion des Fabrikherrn. Was schließlich über das Geschäftliche hinaus als ein Opfer hingestellt wurde, klingt bei den gemachten Gewinnen nicht überzeugend. Jedenfalls können Friedrich Alfred Krupps Stiftungen in der Größenordnung von einer oder einer halben Million Mark kaum als substantielles Opfer, eher als Beiträge zur Beruhigung des schlechten Gewissens angesehen werden. Wo indes tatsächlich die Grenzen zwischen altruistischer Fürsorge und eigennütziger Vorsorge lagen, bleibt letzten Endes schwer auszuloten.

Über allem muß aber doch gesehen werden, daß die Paternalisten, wie stark man ihre verschiedenen Motive auch in den Vordergrund zu stellen gewillt ist, überhaupt ein Beispiel für den Arbeiterwohnungsbau gaben, wohlverstanden zu einem Zeitpunkt, als Staat und Kommunen sich um diese Aufgabe drückten, als die Arbeitervereine und -parteien abwarteten und alles Heil vom großen Umsturz erhofften, und als Terrainspekulanten und Hasardeure sich des Wohnungsmarkts bemächtigten, um von den Arbeitern für Elendswohnungen überhöhte Mieten zu ergaunern. Und dieses Beispiel verhalf nicht nur einem Teil der Arbeiter zu Wohnungen gegen einen mäßigen Mietzins, es führte auch jedermann vor Augen, daß ein rentabler sozialer Wohnungsbau möglich war, wenn man ihn nur, aus welchen Gründen auch immer, ernsthaft wollte. Gerade in dieser Hinsicht sollte die Vorbildwirkung für Kommunen, Parteien und Genossenschaften nicht unterschätzt werden. Es sollte zudem nicht übersehen werden, um welchen geschickten Gegenzug zur Verelendungstheorie des Marxismus es sich handelte.

Daneben ist der städtebauliche Beitrag der Arbeiterkolonien ins Auge zu fassen. Sie heben sich in der Regel durch eine Planidee und eine einheitliche Ausführung deutlich von der stereotypen, zufälligen und heterogenen Quartierbebauung der Stadterweiterungsgebiete ab. Das kommt in ihrer überlegten Strukturierung und in ihrer städtebaulichen Ausstattung mit Plätzen, Ladengeschäften, Gemeinschaftsbauten und Parkanlagen zum Ausdruck. Die Arbeiterkolonien trugen damit zu einem Zeitpunkt, als es noch keine geordnete Siedlungstätigkeit der Städte gab, im Rahmen einer urbanen Dezentralisation zur Verbesserung der Lebensqualität und des persönlichen Lebenszuschnitts der Arbeiter bei. Sie vermittelten den Bewohnern jene Identifikation mit dem Ort, die sie die Öde und Trostlosigkeit der normalen Arbeiterviertel vergessen ließ. Viel mehr aber konnte man von einer Einrichtung dieser Art nicht erwarten.

Eine veränderte Situation ergab sich für den Werkswohnungsbau zu Beginn der neunziger Jahre, als neue gesetzliche Festlegungen die Voraussetzungen für das Bauen der Arbeiterklasse verbesserten. Zum einen ermöglichte das Gesetz vom 22. Juni 1889, das die Invaliditäts- und Altersversicherung betraf, den Landesversicherungsanstalten, an Arbeiter niedrigverzinsliche erste Hypotheken für den Bau von Wohnungen zu vergeben, und zwar in Höhe bis zu einem Viertel ihrer verfügbaren Mittel. Damit waren Arbeiter, die sich als Versicherte diese Gelder beschafften, nicht mehr auf die Wohnungsversorgung durch die Fabrikherren oder die Angebote der Bauspekulanten angewiesen, sie konnten, sofern sie die erforderliche Zielstrebigkeit und Sparsamkeit aufbrachten, ihr Wohnungsproblem selbst lösen. Zum anderen führte das zweite Genossenschaftsgesetz vom 1. Mai 1889 (»Gesetz betr. die Erwerbs- und Wirtschaftsgenossenschaften«) die Rechtsform der Genossenschaft mit beschränkter Haftung und die jährliche Revisionspflicht ein. Diese Erweiterungen gegenüber dem ersten Gesetz vom 4. Juli 1868 gaben sowohl den Genossen als auch den Gläubigern der Genossenschaften eine größere Sicherheit als bisher. Die Folge war ein starker Aufschwung der Baugenossenschaftsbewegung, die fortan wirksam in die Wohnbautätigkeit eingriff und zusammen mit gemeinnützigen Baugesellschaften in erheblichem Maße zur Wohnungsversorgung der Arbeiterschaft beitrug.

Diese Konstellation ließ den paternalistischen Werkswohnungsbau, der von seinem sozialpolitischen Hintergrund her inzwischen als überholt gelten mußte, allmählich in den Hintergrund treten. Nach Kriegsende begann dann unter ganz anderen Aspekten eine neue Phase des Urbanismus.

# 7. Die ästhetischen Erneuerungsversuche gegen Ende des 19. Jahrhunderts

## 7.1. Camillo Sitte und der künstlerische Städtebau

### 7.1.1. Die Kritik an der zeitgenössischen Stadtbaupraxis

Im Mai 1889 erschien von dem bis dahin kaum bekannten Wiener Architekten Camillo Sitte (1843–1903) ein Buch mit dem in der Städtebauliteratur jener Zeit ungewöhnlichen Titel *Der Städte-Bau nach seinen künstlerischen Grundsätzen.*[1] Die Reaktion auf diese Publikation war so günstig, daß noch im selben Jahr eine zweite Auflage notwendig wurde. Joseph Stübben, ein damals angesehener deutscher Stadtbautheoretiker, rezensierte die Schrift umgehend und stellte ihre außerordentliche Bedeutung fest.[2] Er wandte zwar ein, Sitte habe seine Überlegungen fast ausschließlich an Platzgestaltungen demonstriert, doch billigte er ganz und gar dessen harte Kritik an den zeitgenössischen Stadtbaumethoden. In einer weiteren Rezension des Buches im Jahr 1890 konnte dann festgestellt werden, daß einzelne Stadtplaner sich bereits Sittes Prinzipien zu eigen gemacht hatten und bei den neuesten Wettbewerben und Planungen anwandten.[3] Eine derartige Wirkung ist wohl nur vor dem Hintergrund einer weitverbreiteten Unzufriedenheit mit der seit der Mitte des 19. Jahrhunderts üblichen Stadtbaupraxis zu verstehen. Sitte hatte auf Studienreisen durch Deutschland, Italien, Griechenland, Kleinasien und Ägypten seinen Blick für städtebauliche Phänomene geschärft und sah sich zu Vergleichen herausgefordert. Aus seiner Sicht hatte der zeitgenössische Städtebau den impressiven Raumschöpfungen der Vergangenheit nur die »schnurgerade Häuserflucht« und den »würfelförmigen Baublock« als Kompositionselemente entgegenzusetzen.[4] Es erschien ihm für die Motivarmut und Nüchternheit der modernen Stadtanlagen bezeichnend, daß alle belebenden Ausdrucksformen des alten Städtebaus wie Kolonnaden, Tor- und Triumphbögen, aber auch der gestaltete Raum zwischen den Baublöcken fehlen. Kirchen und Monumente stehen beziehungslos in der Mitte von oft allzu großen Plätzen. Und diese wiederum bilden, da sie meist zu viele Straßeneinmündungen haben, weder geschlossene noch monumental ausgestaltete Wandungen. Die meist geradlinig geführten und rechtwinklig sich kreuzenden Straßenzüge tragen ein übriges zur Langeweile bei. Denn die schnurgerade Allee, so wird von Sitte argumentiert, »widerstreitet dem Naturgefühl, der Anpassung an das gekrümmte Terrain und bleibt eintönig im Effekt«, das heißt sie wirkt seelisch ermüdend.[5] Im übrigen diene ein Straßennetz nur der Verbindung, nicht aber der Kunst, da es vom Betrachter weder im Ganzen übersehen noch erlebt werden kann. Für das Erlebnis einer Stadt werde deshalb immer die einzelne Straße und der einzelne Platz ausschlaggebend sein. Aber gerade in dieser Hinsicht versage der moderne Städtebau völlig. Sitte charakterisiert ihn als das Streben nach einem Maximum an Straßenfluchten und Bauparzellen. Das Ergebnis dieser aufteilenden Lineatur kommt im zerschnittenen Baublock und im offenen Straßenraum zum Ausdruck. Diesem »System der Verkehrtheit« setzt er ein neues städtebauliches Ideal entgegen, das er aus dem Studium der alten Städte und aus der Analyse ihrer Platzanlagen gewonnen zu haben glaubt.[6]

### 7.1.2. Die künstlerischen Grundsätze des Städtebaus

#### Die theoretischen Grundlagen

Die technischen und hygienischen Fortschritte des neueren Städtebaus standen für Sitte außer Frage. Eine weitere Diskussion über diese Themen fand er deshalb überflüssig. Was ihm aber sträflich vernachlässigt erschien, war die künstlerische Behandlung der Städte, sowohl bei Neuanlagen als auch bei Erweiterungen und Umgestaltungen. Seine grundlegende These lautete darum: »Der Städtebau ... müßte im eigentlichsten und höchsten Sinne eine Kunstfrage sein.«[7] Für diese Annahme lieferte ihm die urbane Entwicklung im Altertum, im Mittelalter und in der Renaissance den Beweis. Den Menschen des Industriezeitalters müsse die Einsicht zur künstlerischen Stadtgestaltung jedoch erst wieder vermittelt werden. Sitte versucht deshalb, durch eine kunsttechnische Analyse der alten und neuen Städte die Elemente ihrer Komposition freizulegen. Indem er an einzelnen Beispielen – vornehmlich aus Italien – die Beziehungen zwischen Bauten, Monumenten und Plätzen aufzeigt, kommt er zu dem Ergebnis, daß die Stadtplätze nur dann einen tieferen Sinn haben, wenn sie dem öffentlichen Leben dienen, also für Versamm-

406. Marktplatz von Rothenburg o.d.T. im Jahr 1726. Stich von I.F. Schmidt. (Stadtarchiv Rothenburg ob der Tauber)
407. Das »Freihalten der Mitte« beim Marktplatz von Rothenburg o.d.T. Lageplanskizze von Camillo Sitte. (Camillo Sitte, *Der Städtebau nach seinen künstlerischen Grundsätzen*, Wien 1901, 3. Aufl.)
408. Rothenburg o.d.T. im Jahr 1908. (A.E. Brinckmann, *Deutsche Stadtbaukunst*, Frankfurt a.M. 1921, 2. Aufl.)

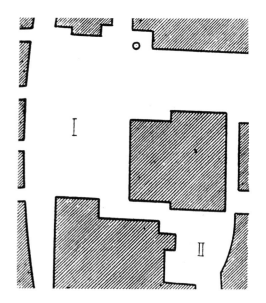

lungen, Diskussionen, Spiele und Märkte benutzt werden. In baulicher Hinsicht dürfen sie nicht die freigelassenen Teile eines monotonen Rastersystems sein, sondern sie müssen künstlerisch gestaltete Höhepunkte im Stadtkörper darstellen. Für die Ausformung der Plätze glaubte Sitte nach der Analyse der Marktplätze in Nürnberg und Rothenburg ob der Tauber, der Piazza della Signoria in Florenz und anderer Plätze allgemeingültige Regeln als Ausdruck des »natürlichen, unbewußten Kunstgefühls« gefunden zu haben. So empfiehlt er das »Freihalten der Mitte«, um die eigentlichen Verbindungslinien weder durch Denkmale noch durch Brunnen zu unterbrechen. Daneben ist die »Geschlossenheit der Plätze« eine wesentliche Voraussetzung für die harmonische räumliche Gesamtwirkung. Zudem müssen »Größe und Form der Plätze« sowohl in der Relation von Länge zu Breite wie auch in der Höhenentwicklung der Bauten auf die besonderen Verhältnisse der jeweiligen Stadt abgestimmt sein. Allzu große Plätze sind oft weit weniger wirkungsvoll, als man von den Dimensionen her gesehen anzunehmen geneigt ist. Dagegen steigern »Unregelmäßigkeiten«, wie bei vielen Beispielen zu erkennen ist, die Natürlichkeit und Lebendigkeit des visuellen Eindrucks. Sie verstärken, in der Sprache Sittes ausgedrückt, das »Malerische des Bildes«. Eine noch weitergehende Steigerung vermag schließlich der Zusammenschluß einzelner Räume zu Platzgruppen hervorzubringen, denn dies ist für Sitte die »Methode der höchsten Ausnutzung der Monumentalbauten«.[8]

So verführerisch es nun sein könnte, alle diese entdeckten künstlerischen Motive einer guten Wirkung wegen auch im neuen Städtebau anzuwenden, so dürfen doch gewisse Einschränkungen, die bei modernen Anlagen erforderlich sind, nicht übersehen werden. Niemand wird außer acht lassen, daß die öffentlichen Plätze nicht mehr wie in der Antike und im Mittelalter genutzt werden. Längst haben die Brunnen ihre Funktion als Wasserversorgungsstätten der Bevölkerung verloren. Die Skulpturen, die einst als künstlerischer Hintergrund des urbanen Lebens verstanden wurden, stehen jetzt in Museen und privaten Sammlungen. Allem Anschein nach sprengen die Dimensionen der Großstädte den Rahmen der alten Kunstform. Durch die bauliche Verdichtung und Bevölkerungskonzentration hat der Grund und Boden eine Wertsteigerung erfahren, die sich auch auf die Parzellierung auswirken mußte. Trotzdem sollte die Gruppierung der Bauten und der Zuschnitt der Grundstücke noch ein Mindestmaß an malerischer Schönheit wahren, sei es durch kräftige Massengliederung, häufige Fluchtstörungen, gebrochene und gewundene Straßenzüge, ungleiche Straßenbreiten, verschiedene Haushöhen, sei es auch nur durch die Anwendung von Freitreppen, Loggien, Erkern und Giebeln – also der »wesentlichsten Ingredienzien des Reizes antiker und mittelalterlicher Anlagen«.[9]

Indem Sitte die notwendigen Einschränkungen mit diesen Angaben berücksichtigt zu haben glaubt, entwickelt er als eigentliches Ergebnis seiner Überlegungen das »verbesserte moderne System«.[10] Es ergibt sich dann, wenn der Stadtplan nicht nur alle notwendigen technischen Bedingungen erfüllt, sondern darüber hinaus auch künstlerisch wirkungsvoll ist. Freilich muß hier die weitverbreitete Ansicht, die Städte seien oft nur durch Zufälligkeiten zu jenen Kunstwerken geworden, als die man sie heute bewundert, entschieden zurückgewiesen werden. Sie entstanden vielmehr aus der »im ganzen Volke leben-den Kunsttradition«.[11] Gegenüber früher mag die Situation insofern schwieriger sein, als heute in der Allgemeinheit kaum mehr eine künstlerische Tradition lebendig ist und des-halb die ästhetischen Anforderungen an die moderne Stadt neu formuliert werden müs-sen. Um dabei zu Resultaten zu kommen, so meint Sitte, »müssen unbedingt die Werke der Vergangenheit studiert und an Stelle der verlorenen Kunstüberlieferung die theore-tische Erkenntnis der Gründe gesetzt werden, weshalb die Anlagen der Alten so vortreff-lich wirken. Diese Ursachen der guten Wirkung müssen als positive Forderungen, als Regeln des Städtebaus hingestellt werden, nur das kann thatsächlich vorwärts helfen, wenn es überhaupt noch möglich sein sollte.«[12] Die Kunstregeln, die aus dieser histori-sierenden Anschauung resultieren, sind bereits erwähnt worden. Sitte war immerhin realistisch genug veranlagt, für die Stadtplanung auch ein wirkliches Programm zu for-dern, das Erhebungen über die Bevölkerungsentwicklung, Bedarfsermittlungen für öf-fentliche Gebäude, Schulen und Kirchen sowie Angaben über das Terrain und die kli-matischen Verhältnisse beinhaltet. Die Aufgabe des Entwurfs, der nur vom einzelnen möglichst im öffentlichen Wettbewerb erbracht werden soll, muß es dann sein, die Kunstregeln wirkungsvoll zur Geltung zu bringen, wobei die beste Situierung und Grup-pierung gewählt, die nötigen Verbindungen hergestellt, öffentliche Parks und Bauten richtig verteilt und wenigstens ein größerer Platz angeordnet werden sollen. Die ge-wünschten Unregelmäßigkeiten zur Verlebendigung des Ganzen können sich aus den Besonderheiten der Geländeform und aus den vorhandenen Wegen und Wasserläufen ergeben, so daß weder die Hauptstraßen noch die dazwischenliegenden Bauflächen allzu starr und schematisch wirken. Da die ökonomischen Gesichtspunkte nicht außer acht ge-lassen werden dürfen, mag es ausreichen, all jene künstlerischen Arrangements, die die gewünschte räumliche Atmosphäre hervorzubringen vermögen, auf Hauptplätze und -straßen zu beschränken und die Partien dazwischen baulich maximal zu nutzen. Sitte stand noch so stark unter dem Eindruck des Wiener Ringstraßen-Ausbaus, daß er am Schluß seines Buchs jene künstlerischen Prinzipien auch auf dieses Beispiel anzuwenden versucht. Indes waren aber, wie er selbst eingestand, die großen, monumentalen Bauten längst errichtet. Und da die damit zusammenhängende Platz- und Raumaufteilung nicht mehr rückgängig zu machen war, blieben seine Ratschläge wohl mehr die Kritik an ver-säumten Gelegenheiten als die Anregung zu wirklichen Verbesserungen.[13]

Die geradezu begeisterte Aufnahme des hier kurz skizzierten Werkes hatte für den Ver-fasser weitreichende Folgen. Er galt fortan auf dem Gebiet der Stadtplanung als eine an-erkannte Autorität. In Tageszeitungen und Fachzeitschriften äußerte er sich immer wie-der zu den Problemen des Städtebaus.[14] Den gewählten Themen nach zu urteilen, bemühte er sich weiterhin um neue Erkenntnisse. So stellte er um 1900 in einem Artikel »Großstadt-Grün« die wichtige stadthygienische und soziale Funktion der innerstädti-schen Garten- und Parkanlagen noch einmal heraus.[15] Bis zu seinem Tode im November 1903 war er mit weitausgreifenden Plänen beschäftigt. Er hatte inzwischen weiteres Ma-terial zusammengetragen, um das einmal aufgenommene Thema, das eine so starke Re-sonanz gefunden hatte, unter neuen Aspekten darzustellen.[16] 1903 hatte er auch noch, zu-sammen mit Theodor Goecke, in Berlin die Monatszeitschrift *Der Städtebau* gegründet, die aber erst ab 1904 erschien und im ersten Jahrzehnt unseres Jahrhunderts nicht nur in Deutschland, sondern auch in England die Stadtplanung wesentlich beeinflußte.[17] Die Definition, mit der die Herausgeber ihr erstes Heft einleiteten, beweist, wie sich inner-halb eines Jahrzehnts die Begriffsfassung der neu eingeführten Disziplin ausgeweitet hat. In weitreichender Sicht wurde Städtebau jetzt definiert als komplexe urbane Umweltge-staltung, die man mit wissenschaftlicher Methodik, technischer Vervollkommnung, ästhetischer Durchdringung und in sozialem Verantwortungsbewußtsein angehen woll-te.[18] Wie jedoch nicht anders zu erwarten war, blieb diese anspruchsvolle Formel nur eine hochgesteckte Zielmarke, die vorerst noch weit außer Reichweite lag.


Die Anwendung in den Planungen


Sitte selbst, dem sein Bucherfolg eine Reihe von Planungsaufträgen in Österreich und Deutschland eingebracht hatte, ging es in erster Linie noch um die Anwendung seiner ästhetischen Prinzipien an praktischen Beispielen. An seinem Bebauungsplan für Ma-rienberg in Schlesien läßt sich wie in einem Lehrstück diese Absicht besonders gut ver-folgen.[19] Den Ausgangspunkt bestimmt ein alter Kern mit einer lockeren, unregelmäßi-

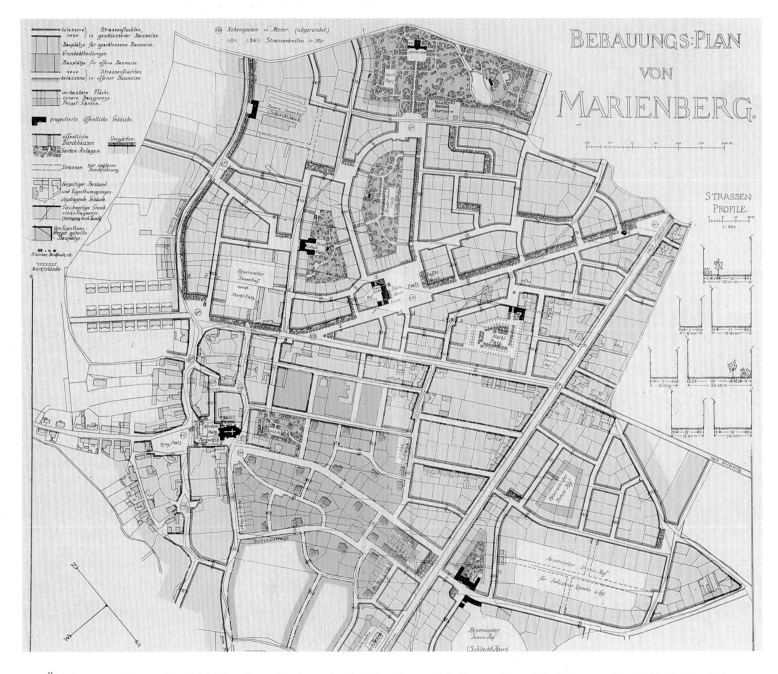

409. Bebauungsplan für Marienberg bei
Mährisch-Ostrau, von Camillo Sitte, 1903. (*Der
Städtebau*, Berlin 1904)

gen Überbauung. Wegen der Größe des Baugeländes entschied der Planer sich für zwei
größere Plätze. Dem einen, dem im Altstadtbereich gelegenen Ringplatz, wird die Kirche
zugeordnet. Ein vorhandener Geländeabbruch bietet sich zur räumlichen Differenzierung an. Aus der Senke heraus staffeln sich die Platzflächen terrassenförmig nach oben.
Am höchsten Punkt steht die Kirche in exponierter Lage. Ihre Massengliederung und ihr
Umriß, aber auch ihre Einbindung in die nordwestliche Straßenflucht weisen sie, unabhängig von der zeitgebundenen und fragwürdigen historisierenden Detailbehandlung,
als Dominante aus. Die niedrig gehaltenen, aber geschlossenen Platzwände und ihr tra-
pezförmiger Zuschnitt tragen ein weiteres zu jener lebendigen Wirkung bei, die Sitte als
Kriterium einer künstlerischen Raumschöpfung ansah. Im neuen Stadtteil ergibt das Rathaus den Ansatzpunkt zu dem zweiten größeren Platz. Er ist regelmäßiger, von oblonger
Form. Die Straßen münden in den Ecken nach der sogenannten Turbinenregel ein. Nur
die Hauptstraße tangiert im Süden mit einem leichten Versatz, wodurch der außermittig
gestellte, vorspringende Rathausturm stärker in ihre Flucht gerät. Außer diesen Haupt-
plätzen sind noch etwa ein Dutzend kleinere Platzgebilde zu beobachten. Sie liegen zumeist an Straßeneinmündungen und ergeben entweder räumliche Ausweitungen oder
Fluchtversätze. Bei allem Effekt und Reiz der einzelnen Kompositionselemente besitzt
der Plan im gesamten jedoch keine ablesbare Struktur. Als Hauptlinien heben sich lediglich zwei spitzwinklig von Osten ausgehende gerade Hauptstraßen ab, die von einer
ebenfalls gerade geführten Querstraße in der Stadtmitte zu einem Dreieck verbunden
werden. Offenbar sind in dieser Anordnung die wichtigsten, von außen ankommenden

Verkehrsrichtungen aufgenommen. Die Flächen dazwischen und daneben teilen gekurvte und hakenförmig versetzte Nebenstraßen auf. Ihr Verlauf scheint lediglich von der Absicht einer malerischen Wirkung bestimmt zu sein. Besonders auffällig ist noch die weiträumige Bauweise der Einzelhäuser und der große Zuschnitt der Baublöcke, in deren Innenhöfen teils Parks, teils aber auch gewerbliche Anlagen vorgesehen sind.

Man muß Sitte zugestehen, daß es ihm hier wie auch bei anderen Projekten tatsächlich gelungen ist, seine Prinzipien über das bloße Theoretisieren hinaus an einem Beispiel sichtbar zu machen.[20] Für die kritische Wertung seines Werkes mag dies, zumal er kaum Planungen realisieren konnte, eine nicht unwesentliche Ergänzung bedeuten.

Die Städtebaukonzeption Sittes in kritischer Sicht

Selbst wenn man das apodiktisch postulierte Primat des künstlerischen Städtebaus anzuerkennen gewillt ist, so bleiben in den Ausführungen von Sitte eine gewisse Problematik und Einseitigkeit nicht verborgen. Bei schärferem Hinsehen werden nämlich einige für die Endphase des 19. Jahrhunderts charakteristische Grundtendenzen sichtbar. Sitte will, wie er selbst sagt, bei den Alten in die Schule gehen. Er wendet sich zwar gegen ein gedankenloses Kopieren, glaubt aber trotzdem, »die herrlichen Musterleistungen der alten Meister« auf die neuen Verhältnisse anwenden zu können. In dieser Absicht enthüllt sich nolens volens die historisierende Grundeinstellung einer ganzen Epoche. Auf ihr basiert die Fiktion, von der auch Klassizismus und Eklektizismus ausgegangen sind – daß die Modelle einer historisch determinierten Situation unabhängig von allen politischen und kultursoziologischen Voraussetzungen auf eine andere Zeit und auf andere Verhältnisse übertragbar seien. Damit hängt wieder eine andere Annahme zusammen, die sich als nicht weniger fiktiv erweist: nämlich aus willkürlich zusammengestellten Beispielen der Stadtbaukunst vergangener Epochen allgemeingültige Regeln abzuleiten und auf diesen ein verbessertes modernes Städtebausystem aufzubauen. Ganz abgesehen davon, daß sich für die Regeln sowohl treffende wie auch unzutreffende Beispiele finden lassen, sie also nur einseitige Ausdeutungen darstellen, hätte die Absicht, die künstlerische Gestaltung des Städtebaus in Regeln fassen zu wollen, überhaupt schon stutzig machen müssen. Überdies hätte bei einer so leidenschaftlich historischen Orientierung die italienische Architektur des 16. und 17. Jahrhunderts einen warnenden Hinweis für die Erstarrung und Verödung der Kunst durch Manierismen geben können.

Als ein ebenfalls fragwürdiges Leitmotiv nimmt sich der aus der mittelalterlichen Stadt abgeleitete Begriff der »malerischen Bildwirkung« aus. Da das Malerische vornehmlich aus der Unregelmäßigkeit der Plätze und den Besonderheiten der Topographie herzurühren scheint, läuft in Sittes Städtebau nun alles darauf hinaus – wie auch aus dem Anwendungsbeispiel Marienberg abzulesen ist –, mit Hilfe von Krümmungen, Vorsätzen, Divergenzen oder Vorsprüngen, Erkern, Türmen und Loggien den Eindruck des Natürlichen und Lebendigen hervorzubringen. Zweifellos konnte damit den in Schematismus und abstrakt-geometrischen Vorstellungen verhafteten Planungsbeamten der Städte eine Lektion erteilt werden. Dem Städtebau eröffneten sich, wenn diese Gestaltungsmittel richtig angewandt und dosiert wurden, neue Nuancen und Dimensionen. Das ist ein unbestreitbares Verdienst Sittes. Doch waren auch hier bestimmte Grenzen zu beachten. Sobald das Terrain, etwa in der Ebene, dergleichen Extravaganzen nicht mehr motiviert, verwandelt sich der künstlerische Städtebau dieser Art zur romantisierenden Attrappe – eine Gefahr, deren sich Sitte bewußt sein mochte, der seine Nachahmer aber zum großen Teil erlagen. Erstaunlich ist, welche tiefreichenden Wirkungen von einem Stadtbauplan dieses Genres erwartet wurden. Nach Sittes Überzeugung mußte sich der »künstlerische Anlagewert« ohne weiteres in Heimatgefühl und Lokalpatriotismus umsetzen lassen. Das aber waren genau jene Gesinnungen, mit denen man dem Auseinanderbrechen der Städte in der neuen Zeit begegnen wollte. Der Hinweis auf den Gewinn dieser Gemütswerte macht vollends verständlich, warum Sittes ästhetisierender Städtebau so viele Befürworter und Bewunderer fand.

Was Sitte als höchstes Ziel vorschwebte – und mit dieser Vision kam er der Bewußtseinslage seiner Zeit besonders entgegen –, war ein Städtebau, der als künstlerisches Nationaldenkmal praktiziert wurde. Gedankenströmungen dieser Art mögen damals, wenn man etwa an Richard Wagners Ambitionen denkt, in der Luft gelegen haben.[21] Die urbane Problematik war damit aber kaum zu erfassen, zumal stadtsoziologische Überlegungen geflissentlich umgangen und nur die bequemere Ausflucht in den ästhetischen

410. Schaubild des Kirchplatzes, Marienberg. Entwurf von Camillo Sitte. (*Der Städtebau*, a.a.O.)
411. Kirchplatz, Marienberg. (*Der Städtebau*, a.a.O.)

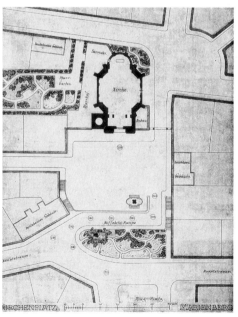

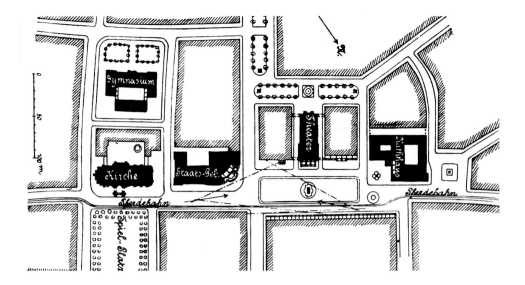

412. Platzanlage für ein Bezirkszentrum, München. Nach einem Wettbewerbsentwurf von Karl Henrici zur Stadterweiterung von München, 1893. (K. Henrici, *Beiträge zur praktischen Ästhetik im Städtebau*, München 1904)

Leerraum gewählt wurde. Wenn Sittes Anhänger später immer wieder erklärt haben, dessen Werk sei »als eine Tat anzusehen, die einen Wendepunkt in der Geschichte des modernen Städtebaus bezeichnet«, so haben sie durchaus recht.[22] Nur führt sie eben nicht, wie suggeriert werden soll, in die neuen Bereiche der Zukunft, sondern in die Welt der Vergangenheit. Eine kurze Übersicht der neuen Schule belegt diese Entwicklung.

Die »Sitteschule« – Wirkung und Folgen

Die Methode Sittes, vermutete Gesetzmäßigkeiten des Städtebaus in Regeln zu fassen und als Gestaltungsgrundsätze zu deklarieren, trug natürlich von Anfang an den Keim zu einer Schulebildung in sich. Glaubte doch nun jeder, der die Reglements gewissenhaft befolgte, im Sinne des großen Vorbildes zu handeln. Deshalb bildete sich schon bald nach dem Erscheinen des aufsehenerregenden Buches die sogenannte »Sitteschule«, der in Deutschland fast alle namhaften Stadtplaner der Jahrhundertwende zuzurechnen sind. Der schon erwähnte Theodor Goecke, der durch die gemeinsame Gründung der Zeitschrift *Der Städtebau* Sitte am nächsten stand, benutzte diese dazu, einem breiteren Publikum die neue Städtebaukonzeption näherzubringen. Über Sittes Forderung nach einer individuellen Gestaltung des Straßen- und Platzraumes hinaus forderte er jedoch, in eigenständigen Publikationen vorgetragen, eine Individualisierung der Baublockformen und der Parzellen.[23] Durch eine Höhenabstufung der Bebauung vom Rand zur Mitte hin und durch die Einführung von schmalen inneren Wohnstraßen wollte er der großstädtischen Mietskaserne eine menschlichere Note abgewinnen. Man mag derartige Vorschläge, mit einer unmenschlichen Wohnbauform fertig zu werden, heute leicht als untaugliche Versuche abtun. Trotzdem wird gerade aus der Tatsache, daß ein solcher der Monumentalität barer Gegenstand in den Kreis der Betrachtungen einbezogen wurde, das allmählich erwachende soziale Verantwortungsbewußtsein der Planer spürbar.[24] Insofern war das Plädoyer von 1904 für ein neues Städtebauverständnis ernsthaft gemeint. Dem ästhetischen Vermächtnis Sittes weitaus stärker verpflichtet fühlte sich Karl Henrici (1842–1927), der wohl als dessen getreuester Nachahmer gelten darf. Er konnte als Städtebaulehrer in Aachen über Jahrzehnte hin Sittes Lehren verbreiten und in Schülern wie Friedrich Pützer (1871–1922) wieder neue Anhänger heranbilden. Eine Ahnung, wie streng und buchstabengetreu er die Regeln der malerischen Bildwirkung anzuwenden imstande war, vermittelt sein Wettbewerbsbeitrag für die Münchener Stadterweiterung von 1893.[25] Freilich wirken hier die malerisch ausstaffierten Plätze durch ihren eklektizistischen Zierat schon fast willkürlich und gekünstelt. Trotz aller Reverenz, die Sitte im Erläuterungsbericht gezollt wird, war dieser Beitrag kaum geeignet, den Prozeß der künstlerischen Stadtgestaltung zu fördern, ebensowenig wie die Beiträge für Hannover (1893), Flensburg (1903) und später noch für Aachen (1919). Ganz im Gegenteil wurde nur immer wieder bewiesen, wohin unmotiviert angewandte Formmuster und übertriebene Ästhetisierung führen mußten. Im Hinblick auf die künstlerische Behandlung der Straßen und Plätze gab Henrici einer Sammlung seiner Vorträge und Aufsätze den Titel *Beiträge zur praktischen Ästhetik im Städtebau* (München 1904).[26] Er trug durch sein Wirken als Lehrer und Planer nicht unwesentlich dazu bei, der Sitteschen Lehre jenen

413. Platzanlage für ein Bezirkszentrum, München. Blick in nordwestliche Richtung auf das Rathaus.
414. Platzanlage für ein Bezirkszentrum, München. Blick in südöstliche Richtung auf das Staatsgebäude.

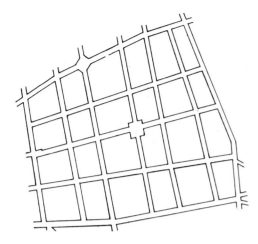

415. Schematischer Bebauungsplan der Stadtverwaltung für einen Vorort von Darmstadt. 416. Bebauungsplan für dasselbe Gebiet von Darmstadt von dem Sitte-Anhänger Friedrich Pützer. (George R. Collins, Christiane Crasemann Collins, *Camillo Sitte and the Birth of Modern City Planning*, London 1965)

Grad von Veräußerlichung zu geben, durch den sie schon nach kurzer Zeit in Mißkredit kam, nicht nur bei einheimischen Kritikern wie A.E. Brinckmann, B. Taut und L. Hilberseimer, sondern auch bei ausländischen wie Raymond Unwin, Patrick Geddes und Le Corbusier. Auch die besonders von Brinckmann besonnen und sachlich vorgebrachten Bedenken verhinderten nicht die weitere Ausbreitung der neuen Lehre.[27] Es schien, als ob irrationale Kräfte angesprochen worden wären, wenn die Stadtplaner nun von dem einen Extrem des schachbrettartigen Straßenrasters in das andere der bewegten und geschwungenen Straßenführung und der pittoresken Platzgestaltung verfielen.

Eine wichtige Rolle in dieser Bewegung spielte der Architekt Theodor Fischer (1862 bis 1938). Er wirkte von 1893 bis 1901 als Vorstand des Stadterweiterungsamtes München und hatte an dieser Stelle und danach als Architekturlehrer in Stuttgart und München die Möglichkeit, dem Städtebau neue Impulse zu vermitteln.[28] Zweifellos war er in seinem Bestreben, durch Straßenführung und Baulinienfestlegung architektonisch wirksame Räume zu schaffen und auch die Plätze durch abgestufte Baumassengliederung und malerische Silhouettierung zu lebendigen Gebilden auszuformen, von Sitte unmittelbar beeinflußt. Das belegen die Pläne für die Stadterweiterungen in München und Stuttgart und vor allem sein Beitrag zur Stuttgarter Altstadtsanierung zwischen 1906 und 1909. Trotz seiner Skepsis gegen alle ästhetischen Gesetze des Städtebaus konnte auch er sich nicht ganz der der Sitteschen Lehre innewohnenden deterministischen Auffassung entziehen. Bei dem Stuttgarter Beispiel lassen die engen Gassen und die Häuser mit ihren teilweise historischen Detailformen vermuten, wie stark der Planer noch der Vorstellungswelt heimischer Bauweisen, herkömmlicher Konstruktionen und lokaler Abgeschlossenheit verhaftet war. Seine *Sechs Vorträge über Stadtbaukunst* brachten mit dem Ansatz, die Probleme des Städtebaus nach den Bedürfnissen des Verkehrs, des Wohnens und der Naturanpassung anzugehen, für die Zeit nach dem Ersten Weltkrieg keine neuen Erkenntnisse.[29] Die historische Stilmaskerade, gegen die Fischer anging, war durch den geschichtlichen Umbruch viel zu fragwürdig geworden, um noch eine besondere Ablehnung nötig zu haben. Der Wunsch jedoch, mit dem der letzte Vortrag ausklingt, Ortsgebilde erstehen zu sehen, »die ganz die Ruhe der inneren Gesundheit und wenn auch noch schüchtern die Einheit gleicher Gesinnung aufweisen«, konnte eine Richtung bedeuten, bei der die für den Verfasser noch integre heimatliche Stadtbaukunst unversehens zu einer Ideologie des bodenständigen Städtebaus umschlug. Theodor Fischer lag diese Konsequenz fern, wie sein ganzes Lebenswerk beweist. Und so besteht sein Beitrag zu einer Erneuerung des Städtebaus im positiven Sinne darin, den Kampf gegen eine erstarrte Reißbrettplanung aufgenommen und Straßen und Plätzen wieder räumliche Werte gegeben zu haben. Unter seinen Schülern war jedoch der Punkt schnell erreicht, wo aus der »grundstürzenden Tat« Camillo Sittes die »für die Praxis brauchbaren Folgerungen« gezogen wurden. Wiederum kreisten, wie bei Sitte, die Überlegungen um die Frage, wo der Schlüssel zum Geheimnis der stimmungsvollen alten Plätze liege. Die Antwort fiel dieses Mal wesentlich differenzierter aus. Platzgestaltung ist »kein Spiel mit sogenannten malerischen Motiven«. Sie ist vielmehr Ausdruck einer bildhaften Ordnung, für die die Erfüllung des Zweckes als selbstverständlich vorausgesetzt werden muß. Was bei Sitte jedoch als Heimatgefühl und Lokalpatriotismus umschrieben wurde, transzendierte nun zum Mythos und zur Ideologie von »Blut und Boden«.[30]

All das, was zwischen dem von Sitte selbst gegebenen Anstoß und der Aus- und Umdeutung seiner Lehre durch all jene liegt, die sich später ausdrücklich auf ihn berufen haben, mag deutlich machen, welche Interpretationsmöglichkeiten die Idee des künstlerischen Städtebaus besaß. Man wird sich hüten, Sitte selber die Depravation seiner Theorie anzulasten. Von ihm ist tatsächlich aus dem Teilaspekt der Stadtgestaltung heraus der Impetus zu einer allmählichen Erneuerung des Städtebaus ausgegangen. Denn er hat sich als einer der ersten Planer gegen den Schematismus des rechtwinkligen Blockrasters aufgelehnt; er hat dem städtischen Bauen wieder die räumliche Dimension zurückgegeben; und er hat mit seinen Mitteln versucht, in den Schwerpunkten der Plätze und Straßen das urbane Gefäß wieder mit stadtbürgerlichem Geist zu füllen. Was sein gutgemeinter Aufruf im deutschen Bereich jedoch nicht vermochte, verrät ein Blick auf die Entwicklung in England: die Stadt in soziologischem Sinne als Stätte eines gemeinschaftlichen Interaktionsprozesses zu begreifen und ihre Bewohner wenigstens im engeren Bereich der Nachbarschaften zu einem urbanen Selbstverständnis zu führen. Das blieb der Stadtplanung auf dem Kontinent vorerst weiter versagt. In dieser Hinsicht wurde sie, wie dem nachfolgenden Kapitel zu entnehmen ist, von der britischen Erneuerungsbewegung bald weit überholt.

## 7.2. »Town planning« um 1900 in Großbritannien

Verglichen mit der städtebaulichen Situation im deutschen Bereich, wie sie von Sitte und seiner Schule geschaffen worden ist, lassen sich in Großbritannien in den frühen neunziger Jahren Erneuerungsbemühungen in demselben Umfang kaum feststellen. Wohl gab es die paternalistischen Siedlungsprojekte von Saltaire, Bournville und Port Sunlight (siehe Kapitel 6.1), den Outlook Tower von Patrick Geddes in Edinburgh und von der Jahrhundertwende an die Gartenstadtbewegung, aber alle diese Bestrebungen blieben vorerst nur problematische Einzelaktionen ohne größere Resonanz. Das Gesamtgeschehen bestimmte die an London bereits exemplifizierte suburbane Entwicklung, bei der planerische Methodik und städtebauliche Kontrolle gleichermaßen fehlten.

Unterdessen konnte es nicht ausbleiben, daß die deutschen Bestrebungen in jenen Kreisen Großbritanniens, die sich mit der Stadtplanung und der Wohnungsfrage beschäftigten, publik wurden und zu Vergleichen herausforderten.[31] Besonders bekannt geworden sind die Erörterungen von Thomas C. Horsfall (1841–1931), der nach Studienreisen durch Deutschland seine Landsleute ab 1897 geradezu auf »the example of Germany« hinwies und die Erneuerungsbestrebungen im einzelnen schilderte.[32] Ein Jahrzehnt später widmete Patrick Geddes nach einer 1909 vorgenommenen Deutschlandreise in *Cities in Evolution* dem deutschen Städtebau zwei besondere Kapitel.[33] Trotz der Bewunderung für das deutsche Organisationstalent blieb er aber dem formalen Städtebau gegenüber kritisch eingestellt. Er charakterisierte Joseph Stübben, den bekannten Stadtplaner der Zeit, nicht zu Unrecht als »Haussmann redivivus«. Der Einfluß Camillo Sittes blieb dem aufmerksamen schottischen Beobachter ebenfalls nicht verborgen; dessen Vorschläge für die maßstäblich richtige Einbindung der monumentalen Bauten in die städtische Bebauung fanden seine volle Zustimmung. Auch wurde der Versuch, Stadtplanung zur Stadtgestaltung auszuweiten, als ein wertvoller Ansatz zu einer neuen Städtebaukonzeption begrüßt. Aber an den Beispielen von Nürnberg und Rothenburg ob der Tauber, die neben Köln und Frankfurt am Main herangezogen wurden, legte Geddes klar, daß Stadtplanung eben wesentlich mehr implizieren mußte als nur die Anwendung allgemeiner Planungsregeln, die sich von dem einen auf den anderen Platz übertragen ließen. Seinen Forderungen nach »civics« konnte der deutsche Beitrag nicht gerecht werden, und so wurde er lediglich als aufschlußreiche Lektion, nicht aber als Vorbild aufgenommen.

### 7.2.1. Raymond Unwins erste Beiträge: »Cottages Near a Town« und New Earswick

Durchaus im Sinne der Sitteschen Erneuerungsbestrebungen wirkte in Großbritannien nach der Jahrhundertwende der Planer Raymond Unwin (1863–1940), ohne daß sich dieser aber von Anfang an dessen bewußt war.[34] Eine Ingenieurausbildung am Magdalen College in Oxford in den frühen achtziger Jahren gab ihm die Ausgangsbasis für seine spätere planerische Tätigkeit. Wie Walter L. Creese aufgezeigt hat, wurde er sich schon in jungen Jahren unter dem Einfluß von Edward Carpenter (1844–1929) und William Morris (1834–1896) der sozialen Problemstellung des Wohnungsbaus klar bewußt.[35] Der Umgang mit Carpenter in Millthorpe lehrte ihn den persönlichen Einsatz in kleinem Kreis. Von Morris übernahm er die Erkenntnis, daß die chaotischen sozialen Verhältnisse der modernen Zivilisation vor allem dem Mangel an Schönheit in den Gebrauchsgegenständen und in der baulichen Umgebung zuzuschreiben sind. Beide Vorbilder wollten die Menschen wieder in unmittelbare Verbindung mit der Natur und dem ländlichen Lebensraum bringen. Indem der junge Unwin einer damals wirksamen Gedankenströmung folgte, zu der Walt Whitman ebenso wie Emerson, Ruskin und William Morris beitrugen, stand für ihn fest, daß das Dorf mit seinem sozialen Zuschnitt und seinen überschaubaren Baulichkeiten noch am ehesten den Rahmen für ein menschliches Wohnen abgab. Diese Einstellung macht ohne weiteres verständlich, warum Unwin die Idee der Garden City, sobald sie von Ebenezer Howard formuliert worden war (siehe Kapitel 8.1), positiv aufnahm und warum er sich zur Planung von Letchworth ohne Zögern bereitfand. Aber seine theoretischen Erörterungen und seine städtebauliche Praxis zeigen doch deutlich, daß er die Disziplin der Stadtplanung viel weitsichtiger und traditionsverbundener begriff als die orthodoxen Anhänger der Garden City. Auch hielt er sich, selbst wenn er als Prediger der frühen Labour Churches und als Redner der Fabian Socialists auftrat, von ideologischen Übertreibungen frei. Ihm ging es in erster Linie darum, durch persönlichen Einsatz die für den sozialen Ausgleich als wirksam erkannte Theorie in die

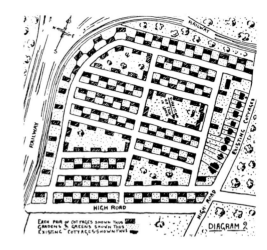

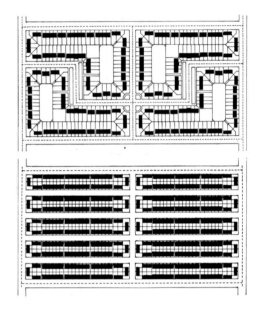

417. Bebauungsplan für die Ausstellung »Cottages Near a Town« der Northern Art Workers Guild, Manchester, von Parker und Unwin, 1903. (*Catalog of the Northern Art Workers Guild*)

418. Bebauungsschema üblicher Art für ein Areal von 20 acres (25 Häuser pro acre bei insgesamt 500 Hauseinheiten) – und nach einem Vorschlag von Unwin (12,4 Häuser pro acre bei insgesamt 248 Hauseinheiten). (R. Unwin, *Grundlagen des Städtebaus*, Berlin 1922, 2. Aufl.)

Tat umzusetzen und dann auch so lange zu ihr zu stehen, bis sich Resultate abzeichneten. Diesen bewundernswerten Einsatz beweisen seine Planungen immer wieder auf überzeugende Art.

Die erste Schaffensperiode Unwins ist geprägt durch die Partnerschaft mit Barry Parker (1867–1947), seinem Schwager und entfernten Vetter. Beide betrieben gemeinsam ab 1896 ein Architekturbüro in Buxton. Als Stadtplaner wurden sie 1903 durch die Ausstellung »Cottages Near a Town« der Northern Art Workers Guild in Manchester zum erstenmal über die engere Umgebung hinaus bekannt.[36] Nach ihrem Vorschlag sollte das wertvolle Baugelände am Stadtrand zwar eng bebaut werden, Straßenführung und Platzaufteilung sollten aber dennoch eine gute Besonnung und eine lebendige Gruppierung berücksichtigen. Die gewählte Lösung stellt ein Versatzmuster (»checkerboard pattern«) dar, bei dem das Vor- und Zurückspringen der Häuser ein abwechslungsreiches Spiel von Licht und Schatten, von Gärten und Mauern ergibt. Jedenfalls war damit eine Alternative zur Überwindung der monotonen Reihenhaus- und der zusammenhanglosen Streubebauung aufgezeigt. Die Konsequenzen für Erschließung und Struktur sind später in allgemein gehaltenen Diagrammen klar erfaßt worden.[37]

Zur selben Zeit bot sich Parker und Unwin die Gelegenheit, die Siedlungspraxis von Port Sunlight und Bournville fortzuführen. Sie hatten für den Schokoladefabrikanten Joseph Rowntree, der mit Cadbury in enger Verbindung stand, nördlich von York in der Nähe seines neuerworbenen Fabrikgeländes ein 48,5 Hektar großes Gut in New Earswick als Model village zu bebauen.[38] Der altruistisch handelnde Quäker Rowntree stellte das notwendige Anfangskapital als Stiftung zur Verfügung. Damit konnte das Gelände erschlossen und der erste Bauabschnitt mit 28 Gebäuden zwischen 1902 und 1903 ausgeführt werden. Die Siedlung war keineswegs nur den Rowntreeschen Fabrikarbeitern vorbehalten, sondern nach dem Grundsatz »first come, first served« stand der Ort allen Siedlungs-

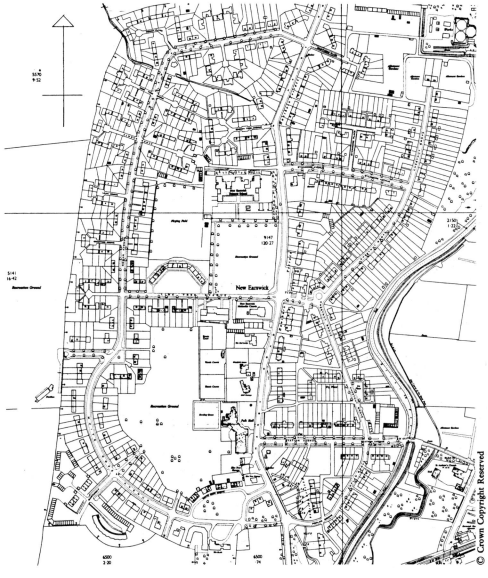

419. Rowntree'sche Modellsiedlung, New Earswick bei York, mit der frühen und späteren Bebauung.

willigen offen. Allerdings konnte der Bauherr sich nicht dazu entschließen, die Gebäude an die Bewohner zu veräußern, da er einen spekulativen Mißbrauch wie in Bournville verhindern wollte. Der sozialen Zielsetzung des Bauträgers – The Joseph Rowntree Village Trust – tat dies aber keinen Abbruch, denn die überschüssigen Einnahmen kamen nur der Verbesserung und Vergrößerung der Siedlung zugute. Dadurch konnte der Trust den Bewohnern ein Cottage zu dem jetzt drei Schlafräume und ein Garten von etwa 3 Ar gehörten, zu einem Preis von 4 Schilling 6 Pence pro Woche überlassen.[39]

In der Anordnung der Bauten versuchten Parker und Unwin eine abwechslungsreichere Wirkung als in Port Sunlight und Bournville zu erreichen. Der frühe Plan von New Earswick verrät, wie stark das Vorbild des englischen Dorfes hier nicht nur im soziologischen Sinne als stabilisierender Faktor, sondern auch in formaler Hinsicht mitspricht. Das Kernstück der Siedlung zwischen Foss River und Haxby Road, der Erschließungsstraße von York her, ist von einem Straßenring umschlossen, dem nach innen und außen Gebäude mit zwei bis sieben Wohneinheiten zugeordnet sind. Neu ist, daß einzelne Baublöcke nur noch an schmale Fußwege angebunden sind. Für wie unscheinbar man dieses Beispiel auch halten mag, die Planer riskierten hier in eigener Verantwortung eine folgenreiche Umdeutung der Wohnhauserschließung. Sie erteilten damit den Bauspekulanten für die Zukunft eine wichtige Lektion. Unwin und Parker lehnten allein vom sozialen Standpunkt aus die breite und starre »bye-law street« und mehr noch die Back-to-back-Lösung ab. Allen üblichen Gewohnheiten zuwider gaben sie die in den Suburbs fast ausschließlich angewandte einseitige Straßenorientierung der Wohnbauten auf. Sowohl ein Wohnraum in ganzer Haustiefe als auch die internen Fußpfade zwischen den Grundstücken sorgten dafür, daß die Hinterhöfe ihre bisherige trostlose Note verloren und der ganze Garten in den Lebenskreis der Bewohner einbezogen wurde. Bei dieser neuartigen Grundkonzeption sind Einwände, die man gegen die Ausführung im einzelnen vorbringen könnte, nicht allzu schwerwiegend. Zweifellos wirkt die Plazierung der Gebäude noch unsicher und haltlos. Sie verliert sich in den weiten Gartenflächen und ruft eher den Eindruck eines romantischen altenglischen Dorfes als einer Werkssiedlung hervor.[40] Zudem zogen die Planer noch längst nicht die aus der Umorientierung der Hausseiten resultierenden Konsequenzen für die Grundrißdisposition. Im Laufe der Jahre wurde diese jedoch verbessert und die Bebauung erhielt durch verbindende Mauern und Bepflanzungen einen stärkeren visuellen Zusammenhalt.

Im Ersten Weltkrieg stagnierte der weitere Ausbau. In der Nachkriegszeit war New Earswick dann genauso wie die anderen Orte, die ihre Entstehung der selbstlosen Philanthropie einzelner verdankten, auf die finanzielle Unterstützung der Regierung angewiesen. Noch während Parker und Unwin mit der Verwirklichung des Rowntreeschen Projektes beschäftigt waren, eröffnete sich ihnen ab 1904 in Letchworth, der ersten wirklichen Gartenstadt, eine neue große Planungsaufgabe. Da dieses Unternehmen im Zusammenhang mit der Gartenstadt näher besprochen wird, genügt es hier, darauf hinzuweisen, daß alle Ansätze, die bisher von Unwin und seinem Partner entwickelt worden waren, in Letchworth weiterverfolgt wurden. Es schien so, als ob die Gestaltungsprinzipien der ländlichen Bauweise, der Baulanderschließung durch ein differenziertes Wegesystem, der architektonischen Behandlung der Straßenabzweige und der Square-Bildung sich mit der Idee der Garden City besonders gut verbinden ließen.[41] Indes verschaffte ein anderes Projekt in Hampstead, am nordwestlichen Rande von London, Parker und Unwin die Möglichkeit, ihre städtebaulichen Vorstellungen unabhängig vom Zwang der durch Howard vorgeprägten Richtung zu entwickeln.

420. Wohnbauten, New Earswick, frühe Ausbauphase nach 1903. (H.E. Berlepsch-Valendas, *Die Gartenstadtbewegung in England*, a.a.O.)

## 7.2.2. Hampstead Garden Suburb

Die Initiative zu diesem Siedlungsunternehmen, das später als »a masterpiece and an artistic triumph« apostrophiert wurde, ging von Henrietta Barnett aus.[42] Sie und ihr Mann, Canon Samuel A. Barnett, leisteten seit 1873 in den Slums des Londoner East End Sozialarbeit im Sinne christlicher Nächstenliebe.[43] Als Mitbegründerin des National Trust trat sie für die Einrichtung und Erweiterung von Gemeindeplätzen (»commons«) in London und Umgebung ein. Und wie ihrem Vorbild, der Wohnungsreformerin Octavia Hill – »the heroine of my life«, wie sie sagte –, lag auch ihr eine bessere Wohnungsversorgung der Arbeiterklasse am Herzen. Als sie deshalb noch in den neunziger Jahren von der Erschließung des Hampstead Heath durch den Bau einer »tube« nach Wyldes erfuhr (siehe Kapitel 5.3), kämpfte sie fortan um eine Erweiterung dieses idyllisch gelegenen Heideparks als einem Erholungsraum für die Londoner Bevölkerung. Schließlich bot sich sogar die Gelegenheit, den daran angrenzenden, fast 100 Hektar großen Estate des Eton College als Baugelände in die Hand zu bekommen. Im Februar 1905 schlug Henrietta Barnett in der *Contemporary Review* vor, in diesem durch frische Luft, gute Quellen und alten Baumbestand bekannten Landstrich eine Garden Suburb für alle Bevölkerungsschichten zu bauen. Was die engagierte Sozialreformerin damit erreichen wollte, sprach sie in ihrem Artikel deutlich genug aus: Den Arbeitern der überfüllten städtischen Quartiere sollte hier eine neue wohnliche Heimat geboten werden. Sie sollten einerseits zum billigen Fahrpreis der »tube« (2 Pence) zur Arbeit in die Stadt gelangen und andererseits sich in ihrer Freizeit der landschaftlichen und architektonischen Schönheit ihrer Umgebung erfreuen.[44] Da die Barnetts nahe The Spaniard's Inn bereits ein Cottage besaßen, kannten sie den Wert eines solchen ländlichen Refugiums sehr wohl. Daneben verfolgten beide aber auch das in der Toynbee Hall in Whitechapel/London verfolgte Ziel, die reichen und armen Bevölkerungsschichten in einen unmittelbaren Kontakt miteinander zu bringen. Am neuen Ort sollte durch ein stetes Zusammenwohnen die beabsichtigte »social reintegration« in die Wege geleitet werden.[45]

Die Planung für Hampstead Garden Suburb – wie der noch 1905 gebildete Trust das Unternehmen wohl in Anspielung auf die bereits virulente Gartenstadtidee nannte – übertrug man Unwin. Er war Canon Barnett durch seinen Londoner Sozialdienst bekannt und bot sich zudem auch durch seine bisherigen Veröffentlichungen und seine von sozialem Einsatz in New Earswick und Letchworth bestimmten Leistungen als geeignetster Planer an.[46] Von seinem Auftrag fasziniert, ließ Unwin sich in Hampstead-Wyldes nieder. Er entwarf die erste Fassung des Bebauungsplans vom 22. Februar 1905 in direkter Konfrontation mit der Örtlichkeit. Indes ergaben sich für das Layout Schwierigkeiten in mancherlei Hinsicht. Im südlichen Bereich ließ die Hampstead Heath Extension nach Westen und Osten nur noch schmale Randstreifen übrig, die sich für eine Überbauung kaum eigneten. Um wenigstens den westlichen davon zu nutzen, schlug Unwin die Erschließung durch Stichstraßen (»culs-de-sac«) vor. In seinem nicht ausgeführten Entwurf erscheint an einer Sackgasse sogar das Versatzmuster von 1903 wieder, wobei die Gebäudegruppierung vornehmlich vom Ausblick auf die Heath Extension bestimmt ist. Mit dieser Anordnung befand er sich jedoch im Widerspruch zum örtlichen Baurecht. 1906 gelang es ihm, diese Klippen durch den »Hampstead Garden Suburb Act« zu überwinden, ein speziell für seine Planung erlassenes Gesetz, das er mit Hilfe von John Burns durch das Parlament brachte.[47] Es erlaubte schmale Stichstraßen und Wohnhöfe, soweit eine Länge von 150 Metern nicht überschritten wurde. Das parlamentarische Entgegenkommen mag sich zu einem nicht geringen Teil aus der niedrigen Bebauungsdichte von nur 19 Gebäu-

421. Erster Bebauungsplan für Hampstead Garden Suburb im Nordwesten von London, von Parker und Unwin, 1905. (Hampstead Garden Suburb Archives Trust, London)

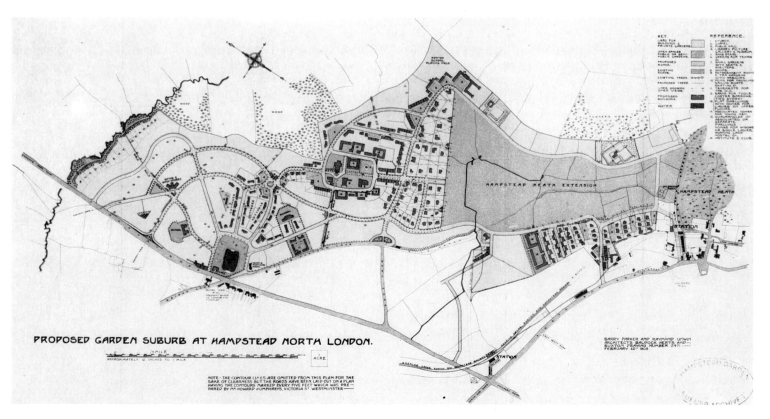

den pro Hektar erklären. Auch die Bebauung der übrigen Geländeabschnitte erwies sich bei der topographischen Bewegtheit des Geländes und der Einbindung der vorhandenen Gehölze von Big Wood, Little Wood und Turners Wood als nicht gerade leicht. Von der Situation her bot sich der etwa mittig im Gesamtareal aufsteigende Hügel für eine bauliche Akzentuierung an. In Übereinstimmung mit Henrietta Barnett wählte Unwin diese Stelle für den Central Square.[48] In der frühen Planfassung gleicht er mit den Kirchen, der Versammlungshalle, dem Musikstand, dem Institut und dem Club fast einem durch einen Straßenring umrandeten dörflichen Anger. Auf dem im Süden folgenden, leicht abfallenden Hang schließt sich in fast unsicherer und zufälliger Anordnung, aber mit einem offenen Ausblick auf die Heath Extension, eine lockere, weiträumige Bebauung an. Zur optischen Zäsur zwischen überbautem Grund und freier Landschaft, zur Erweckung des »Gefühls einer lokalen Gebietsgemeinschaft« sieht Unwin, dem Beispiel der umwehrten mittelalterlichen Städte folgend, »the great wall« vor.[49] Auch das im Nordwesten gelegene Nebenzentrum an der Finchley Road mit seinem Wasserbecken erhält eine ringförmige Anlage, von der in radialer Auffächerung nach Osten Wege mit Cottages abgehen.

Diese ursprüngliche Planfassung machte im Laufe der Zeit manche Änderungen durch. Die erste weitreichende Umdeutung traf den Central Square. Der durch seine Landhäuser bekannt gewordene Architekt Edwin Lutyens (1869–1944), den man 1908 um Vorentwürfe für die Bauten des Zentrums bat, folgte Unwins freiem und unprätentiösem Gruppierungsvorschlag nicht.[50] Seine Konzeption verrät deutlich, daß es ihm, dem modischen, nur in formalen Kategorien planenden Baukünstler, im wesentlichen um die monumentale Fassung eines Architekturplatzes ging, für den die flankierenden Kirchenbauten St. Jude im Süden und die Free Church im Norden sowie das Institute im Osten die entsprechende Fassung zu liefern hatten. Aber obwohl sich Lutyens mit dem Komitee des Hampstead Garden Suburb Trust darüber einig war, daß die Kirchen als Symbol einer übergeordneten Idee die umgebenden Wohnbauten überragen sollten, wurde er durch Henrietta Barnett gezwungen, dem Zentrum jenen menschlichen Village-Maßstab zu geben, den sie für ihre sozialen Interaktionspläne für angemessen hielt. Sie ließ sich nicht davon abbringen, die naturgemäßen Lebensansprüche der Bewohner zu vertreten. Lutyens mußte auf ihr Drängen hin die Gesimshöhen der Kirchen senken und die eklektizistischen Monumente stärker der Wohnbebauung anpassen. Von den Sozialreformern erzwungen, entstand so die typisch englische Version des Civic Center. Es stellt eine Zusammenfassung wohnlicher, sakraler und bürgerlich-öffentlicher Bauelemente dar und ist nicht wie die Beispiele der City Beautiful in den USA darauf angelegt, die Bewohner durch Monumentalität zu beeindrucken, sondern lädt unpathetisch zu einem Zusammenfinden und Zusammengehen im kommunalen Bereich ein. Im Unterschied zu Lutyens

422. »The great wall«, Hampstead Garden Suburb: die optische Zäsur zwischen Bebauung und Heide. (R. Unwin, *Grundlagen des Städtebaus*, a.a.O.)

423. Entwurf für Hampstead Garden Suburb mit dem Central Square. Nach dem Entwurf von Parker und Unwin in Zusammenarbeit mit Edwin L. Lutyens, 1908. (Hampstead Garden Suburb Archives Trust, London

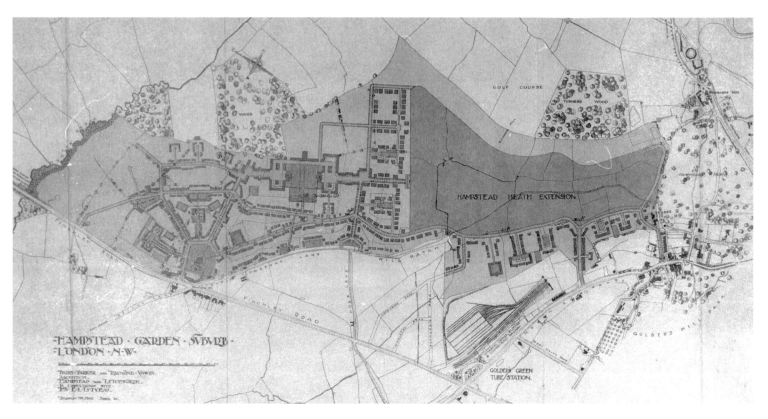

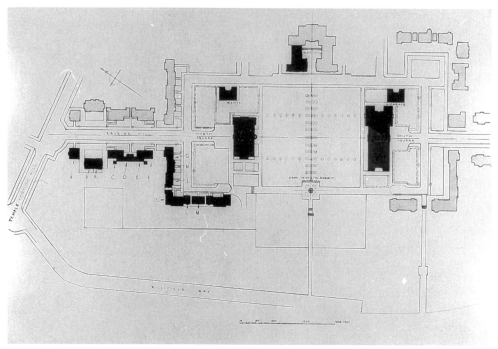

424. Central Square in Hampstead Garden Suburb aus der Luft.
425. Bebauung des Central Square, Hampstead Garden Suburb, nach dem Entwurf von Edwin L. Lutyens.
426. Central Square, Hampstead Garden Suburb. (Hampstead Garden Suburb Archives Trust, London)

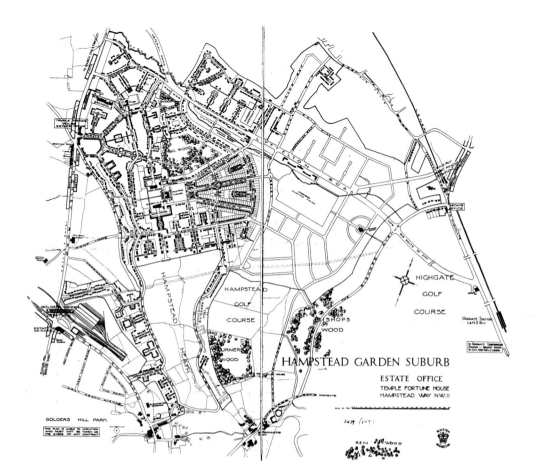

427. Hampstead Garden Suburb, um 1925. (The British Library, London)

428. Entwurf einer Wohnanlage für The Garden Suburb Development Company Hampstead. Architekt Geoffry Lucas. (H.E. Berlepsch-Valendas, *Die Gartenstadtbewegung in England*, a.a.O.)
429. Entwurf einer Vierhäusergruppe für Hampstead Garden Suburb, 1908. Architekt M. Bunney. (H.E. Berlepsch-Valendas, *Die Gartenstadtbewegung in England*, a.a.O.)

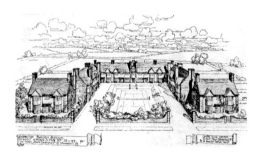

wußte Unwin sich in der sozialen Bindung der Architektur mit Henrietta Barnett durchaus einig. Deshalb reflektiert der Gesamtplan, so wie er zwischen 1908 und 1914 von Unwin in modifizierter Form entworfen und von einer Reihe der besten englischen Wohnhausplaner verwirklicht worden ist, die Absicht, die wesentlichen sozialen und ökonomischen Kräfte zum Ausdruck zu bringen. Das läßt sich aus den Gebäudekosten, die von 425 bis 3500 Pfund variierten, und aus dem Anteil der einzelnen Klassen deutlich ablesen. Sie zeigt sich aber auch darin, daß nicht nur ein »Institute« als Erziehungszentrum, sondern auf Betreiben Henrietta Barnetts auch Heime wie The Orchard (1909) und Waterlow Court (1911) für alte Menschen, berufstätige Frauen und Blinde gebaut wurden. Wenn der Kostenausgleich, den man vom Bau opulenter Villen der begüterten Klasse um die Heath Extension im Süden zugunsten der Arbeiter-Cottages im nördlichen Teil erwartete, sich auch als eine Fiktion erwies, so wurde die Suburb trotzdem später für alle Einwohner gleichermaßen zu einem ruhigen, naturverbundenen Wohnort.

Um diesen Effekt zu erreichen, bediente sich Unwin jener Kompositions- und Bauformen, die er bei seinen Absichten für besonders angemessen hielt. Auffällig ist seine Vorliebe für den abgeschlossenen viereckigen Wohnhof, um den herum die Wohneinheiten der Familien angelegt sind. Was in New Earswick noch dörfliche Nachbildung war, ist hier zu einer urbanen Nachbarschaftskonzeption weiterentwickelt. Diesen Einzelwohnbereichen ordnet sich das ganze Straßensystem als ein notwendiges Übel unter. In seiner Abstufung bis zum Fußpfad ist es ganz auf die Funktion der Verbindung und Erschließung abgestimmt und nicht auf Durchgangsverkehr. Unwin hat später zu diesem Gesichtspunkt angemerkt: »To be obsessed with the idea of planning for traffic, is a mistake.«[51] Sicher wußten die Planer von der Bedeutung des aufkommenden Automobilverkehrs, aber sie setzten in dieser »dormitory suburb« mit den culs-de-sac wohl bewußt ein Beispiel gegen die Unrast und den Lärm des neuen Großstadtverkehrs. Die offene Flachbauweise mit großen Gärten, die natürliche Markierung der Grundstücksgrenzen durch Ligusterhecken, die steilen Giebel und hohen Kamine, das einheitliche und natürliche Dachdeckungs- und Baumaterial, die berechneten Perspektiven der Straßenräume und die bauliche Behandlung der Plätze, das alles sind weitere Mittel, das soziale und ästhetische Ziel des Planungsansatzes zu erreichen. Was die englische Tradition der maßstäblich guten und malerischen Wohnhausarchitektur geben konnte, ist hier von Unwin mit zum Teil künstlerischer Imagination dafür eingesetzt worden, im Vorfeld der Großstadt lebenswerte Wohnbedingungen zu schaffen.[52] Die vom Eklektizismus nicht freie archi-

430. Hampstead Garden Suburb aus der Luft, in ausgebautem Zustand. (Hunting Aerofilms. Boreham Wood)
431. Hampstead Garden Suburb im Jahr 1937. (Hampstead Garden Suburb Archives Trust, London)

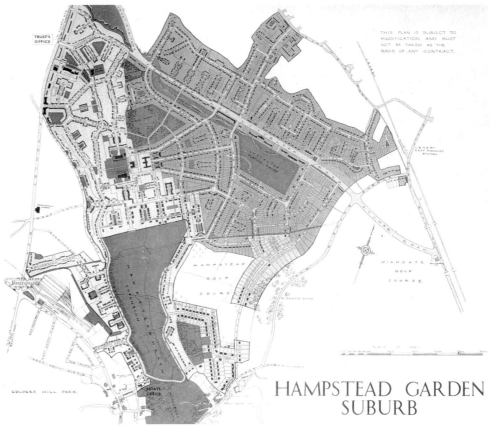

tektonische Konzeption mag heute, allein unter dem Blickwinkel des enormen Platzanspruchs und der Vorliebe für altertümliche Bauformen, fragwürdig erscheinen. Über alle Kritik erhaben ist jedoch der soziale Geist, mit dem hier zwanglos und ohne staatlichen Eingriff, nur vom persönlichen Einsatz getragen ein Ausgleich der sozialen Divergenzen in lebendiger baulicher Form versucht wurde. An dieser Motivation ändert schließlich auch die Tatsache nichts, daß die durch die Urbanisation ausgelösten Preissteigerungen des Bodens und der Bauten eine neue Situation schufen. So wurde nach dem Ersten Weltkrieg Hampstead Garden Suburb weit eher zu einem Domizil der Künstler und Intellektuellen und in Winnington Road, der »Millionaires' Row«, zu einem Platz der Reichen als zu der von Henrietta Barnett und Unwin ursprünglich beabsichtigten, für alle Schichten offenen Garden Suburb.

### 7.2.3. Unwins *Town Planning in Practice*

Die Quintessenz seiner städtebaulichen Erfahrungen und Einsichten hat Unwin noch während des Baus von Hampstead Garden Suburb in seiner weithin bekannt gewordenen Publikation *Town Planning in Practice* gezogen.[53] Im Gegensatz zum zeitgenössischen Trend der Stadtranderweiterungen versteht er die neuen Städte im aristotelischen Sinne als bewußt organisierte Gemeinwesen, in denen es den Bürgern möglich sein muß, Freiheit und Bürgerpflicht, Kunst und Schönheit als wirkliche Lebensbedürfnisse zu empfinden. Ihm ist jedoch bei aller Bewunderung der alten Kulturen klar, daß die Bedingungen, unter denen die alten Städte mit ihrer bürgerlich-künstlerischen Einheit entstanden sind, längst nicht mehr existieren. Deshalb scheidet ein Kopieren der Vergangenheit für die Stadtplanung aus. Auch dürfen aus den Studien mittelalterlicher Städte so weitgehende Schlüsse, wie sie bei Sitte und seiner Schule in Deutschland zu beobachten sind, nicht gezogen werden. Denn manche der bewunderten Unregelmäßigkeiten sind wohl ohne tiefere Gründe entstanden. Einem neuen Stadtorganismus ist mit einer öfteren Wiederholung kleiner irregulärer Plätze, mit einer Vielzahl gekurvter Straßen, mit malerischen Details an Erkern usw. nicht gedient, da dabei die Übersichtlichkeit und Prägnanz der Grundform verlorengehen kann. Für eine klare Stadtstruktur wird weder auf Symmetrie noch auf geradlinige Fluchten zu verzichten sein. Trotzdem bieten die deutschen Bestrebungen in der Sicht Unwins auch positive Ansätze: Die Pläne sind überaus geschickt der Geländeformation angepaßt, ebenso sind einzelne Punkte wirkungsvoll für bauliche Akzentuierungen genutzt, so daß in diesem Falle die Unregelmäßigkeiten tatsächlich begründet sind. Auch beeinflußt die Ausbildung architektonischer Gebäudegruppen das Stadtbild oft günstig.

Unwin glaubte, der Eigenart einer Stadt, oder besser ihrer »Persönlichkeit«, durch einen umfassenden »survey« nach den Forderungen von Patrick Geddes am ehesten beizukommen. In ihm könnten alle notwendigen Überlegungen sozialwissenschaftlicher, statistischer, geologischer, topologischer und ortsgeschichtlicher Art subsumiert werden. Und da sich der städtebauliche Entwurf vornehmlich aus den Bedingungen der Lage und den Bedürfnissen der Bewohner heraus entwickeln muß, bedarf es dafür weder einzelner Lehrsätze noch bestimmter Vorlagen. Dies schließt aber nicht aus, daß die Verwendung der einzelnen Elemente wie Zentren und Plätze, Haupt- und Wohnstraßen, Bauplätze und Gebäude genau zu überlegen ist. Dieser Aufgabe unterzieht sich Unwin in mehreren Abschnitten seines Buchs. Danach sollen das Straßennetz und die Plätze ein einfaches, übersichtliches Grundgerüst bilden, damit die verschiedenen Teile in einem Totaleindruck als Ganzes empfunden werden. Unregelmäßigkeiten nur als malerische Abwechslung einzufügen, ist abzulehnen. Bei der Überbauungsdichte besteht Unwin zwar nicht auf einem bestimmten Wert, er stellt aber doch eindeutig fest, daß mehr als 25 bis 50 Häuser pro Hektar Nettobaufläche eine für das naturverbundene Wohnen unerwünschte Verdichtung ergeben. In Landhausgebieten erscheinen ihm etwa 30 Häuser pro Hektar Netto-Baufläche (d.h. ein Gebäude auf 3,36 Ar Bauland) als ideal, zumal dann breitere Hausfronten und damit eine bessere Grundrißdisposition möglich sind. Geschlossenen Straßenräumen zuliebe müßten die Gebäude zu größeren Einheiten zusammengefaßt und mit einheimischen, einheitlichen Baumaterialien ausgeführt werden. Eine wesentliche Aufgabe des Stadtplaners muß es sein, die Harmonie der Wohnstraße mit der Natur, also die Schönheit des Environments herzustellen.

Für eine Zeit des Übergangs mögen die Einzelgebäude mit ihrem individuellen Charakter noch das städtische Erscheinungsbild bestimmen, im Ausblick auf eine neue Gesellschaftsordnung müssen die Entwürfe aber »das Leben und die allgemeine Wohlfahrt in Betracht ziehen« und wie früher Ausdruck der sozialen Interdependenz sein.[54] Es ist charakteristisch für Unwin, daß *Town Planning in Practice* in dieser sozialen Vision des Städtebaus gipfelt und damit nur die praktischen Bemühungen von Letchworth und Hampstead noch einmal bekräftigt werden.

Nach 1910 hat Unwin als angesehener Stadtbautheoretiker immer wieder zu wichtigen städtebaulichen Problemen Stellung genommen.[55] Seine Maxime »nothing gained by overcrowding« sollte darauf hinweisen, daß auch durch übermäßige Anhäufung nichts gewonnen wird, weder durch die vertikale noch durch die horizontale Verdichtung. Viel wichtiger ist es, das Wachstum der einzelnen Stadtteile in vorbestimmte Bahnen zu lenken und das städtische Gemeinwesen in klar abgegrenzten Erweiterungsräumen für ein übersichtliches Gruppenleben richtig zu organisieren. Dabei darf die wichtige Rolle des ästhetischen Hintergrunds nicht übersehen werden. Dies meint Unwin, wenn er feststellt: »Wir können es uns nicht länger leisten, die psychologische Wirkung zu übersehen, welche Charakter und Schönheit einer Stadt auf ihre Bewohner ausübt.«[56]

Das Stichwort der »distribution«, von ihm nach dem Ersten Weltkrieg ins Gespräch gebracht, forderte im Hinblick auf die immer stärker expandierenden Großstädte in noch bestimmterer Form zur Schaffung von Trabantenstädten (»satellite-towns«) und Grüngürtelzonen auf.[57] Zur richtigen Verteilung, die der Begriff beinhaltet, sollte auch noch eine örtliche Gestaltung – »localisation« – hinzukommen. Sowohl die Forderung nach ökonomischer und kultureller Selbständigkeit der neuen Städte als auch das Streben nach »local tie«, d.h. örtlicher Zugehörigkeit der Bewohner zu überschaubaren, flach angelegten Wohnbereichen, sind Gedanken, die das ganze städtebauliche Lebenswerk Unwins wie ein Leitfaden durchziehen und wiederum seinen Einsatz für eine humanere Stadtform unterstreichen.

Die eigentliche Zielrichtung des Unwinschen Beitrags für den Städtebau ist letzten Endes aber nur verständlich, wenn man die urbanen Verhältnisse in Großbritannien um 1900 berücksichtigt. Die Industriestädte der viktorianischen Epoche hatten außer einer verbesserten Stadthygiene und breiteren Straßen nur Häßlichkeit und Chaos zu bieten. In einer solchen Umgebung vegetierten die Bewohner oft in Anonymität, Verlassenheit und Verzweiflung dahin. Als eine Antithese zur Stadt verwiesen Sozialreformer wie Carpenter, Morris und Ruskin auf das Dorf. Der ländliche Wohnbereich galt in oft sozialutopischer Verklärung als Symbol einer noch intakten sozialen und ästhetischen Einheit. So lag es für Unwin, der sich wie seine Vorbilder Morris und Geddes dem kulturellen Erbe der Vergangenheit verpflichtet fühlte, nahe, die dörfliche Einheit zum Ausgangspunkt einer urbanen Erneuerung zu wählen. Das mag auf den ersten Blick paradox erscheinen, doch sollte der ländliche Rahmen nur ein Kunstgriff sein, um für eine Übergangsphase die sozialen und ästhetischen Komponenten der neuen Stadtorganismen in Einklang zu bringen. Unwin glaubte wie seine Mentoren, durch die Freude am eigenen Heim und der schönen Umgebung in den Bürgern ein neues Gemeinschaftsgefühl wecken zu können. Denn selbst eine neue Stadtform industrieller Prägung konnte auch nur dann entstehen, wenn alle Bewohner in ihr aufgegangen waren und sich mit ihrer Ausdrucksform restlos identifiziert hatten. Man kann darüber streiten, ob die geringe Verdichtung von etwa 30 Gebäuden pro Hektar die unbedingte Voraussetzung für ein gesundes Familien- und Nachbarschaftsleben bildet. Aber abgesehen davon, daß weder Unwin noch Parker kompromißlos auf diesem Verhältnis bestanden, lieferte dieser Überbauungsschlüssel doch den Beweis, wie ein sozial bestimmter Planungsstandpunkt auf die Verteilung des Bodens und die Strukturierung der Wohnviertel durchzuschlagen vermochte. In diesem Umsetzen einer Auffassung, sei sie nun richtig oder falsch, in der Realität der Stadtbaupraxis liegt die besondere Bedeutung Unwins als Stadtplaner. Daneben bedeuten die von ihm praktizierte Grundrißökonomie, die Berücksichtigung der Besonnung, die Erschließung durch Stichstraßen usw. beachtliche Beiträge für die Stadtplanung.

In stadtsoziologischer Hinsicht kann man Unwin den Vorwurf machen, dem äußeren Erscheinungsbild der Architektur trotzdem eine viel zu bedeutsame Rolle eingeräumt und dem nachhaltig empfohlenen »civic survey« nicht die notwendige Beachtung geschenkt zu haben. Diese architektonische Verniedlichung und Entschärfung der viel komplexeren urbanen Probleme mag den Trend zum »low density council housing estate« in Großbritannien über Jahrzehnte hin mitbestimmt haben. Trotzdem entsprach sie nicht den eigentlichen Absichten Unwins, so wie sie hier aufgezeigt worden sind. In dieser Hinsicht blieb auch ihm, gleich anderen bekannten Urbanisten, das Schicksal einer ideellen Diminuierung und einer praktischen Veräußerlichung nicht erspart.

## 7.3. Die »City-Beautiful«-Bewegung in den USA

### 7.3.1. Chicago – Urbanisation und World's Fair 1893

Das schachbrettförmige Aufteilungsmuster der Straßen, zu dessen Überwindung in der deutschen Stadtplanung Sitte durch seine Publikation von 1889 beitrug (siehe Kapitel 7.1), war in den USA schon in der kolonialen Zeit zu einer allgemein anerkannten Ausdrucksform der urbanen Strukturierung geworden. Die Einwirkungen des »Roman and Greek Revival«, die seit Thomas Jefferson (1743–1826) in manchen städtebaulichen Schöpfungen zu spüren sind, brachen mit dem Sezessionskrieg (1861–1865) ab.

In den folgenden Jahrzehnten trieb ein unaufhaltsamer Industrialisierungsprozeß die nordamerikanischen Städte dazu, sich in der rein additiven Erweiterung des »gridiron pattern« ihre auch heute noch charakteristische Form gleichwertiger und auswechselbarer Bebauung zu geben. Wenn es in diesem monotonen System gelegentlich doch zu Unterbrechungen kam, rührten sie zumeist von neu eingeführten Eisenbahntrassen her, im günstigeren Falle auch vom natürlichen Verlauf eines Flusses oder den Erhebungen eines Berges.

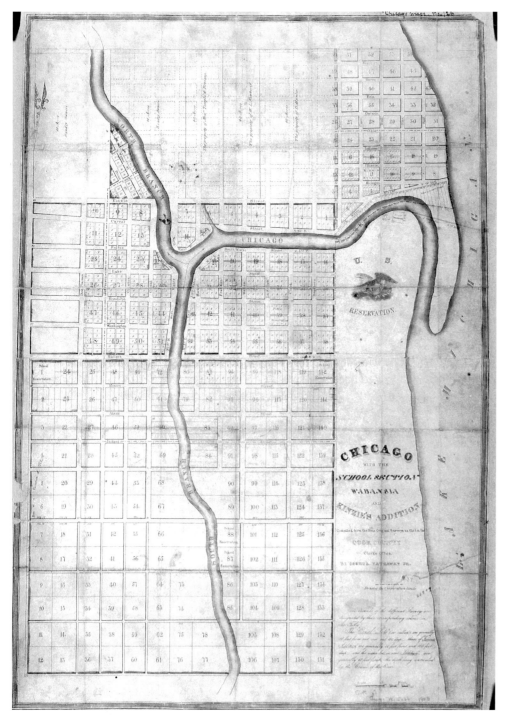

432. Chicago im Jahr 1834. (Chicago Historical Society, Chicago/Illinois)

Selbst die alten Zentren, die den Städten bisher noch einen Halt und eine Mitte gegeben hatten, wurden durch kommerzielle Neubauten beseitigt. Das urbane Environment verlor dadurch immer mehr den Bezugspunkt gemeinschaftsbildender Kräfte und die Verklammerung zu einer städtischen Einheit. Gesteht man Ausstellungen die Aussagekraft über bauliche und urbane Konstellationen zu, dann sind in den USA jene von Philadelphia 1876 und von Chicago 1893 jeweils für den erreichten Stand der stadtplanerischen Vorstellungen aufschlußreich.

In Philadelphia mangelte es der Centennial Commission International Exhibition noch stark an städtebaulicher Koordination und architektonischer Harmonie. Die Gruppierung der Bauten war zufällig, ihr Aussehen willkürlich. Doch je unsicherer die ästhetische Haltung war, um so mehr vertraute man den neuesten technischen Errungenschaften. Stadthygiene und Sanitärwesen wurden immer weiter vervollkommnet. Die Einführung der Eisenbahn, der Aufzüge, der Telegrafie und des Telefons erweiterte die Möglichkeiten der Kommunikation. Die Anwendung der Elektrizität führte zu einer neuen technologischen Ausrüstung der Gebäude und Außenräume.

Mit dem bewundernden Blick auf Paris wurde auch der Ruf nach einer Stadtplanung laut. Wenigstens forderte der Architekt Richard Morris Hunt (1828–1895) dazu auf, Haussmann mit den Straßendurchbrüchen nachzuahmen und es den Engländern im Arbeiterwohnungsbau gleichzutun. Aber außer einigen Industriesiedlungen und ganz schwachen Ansätzen zum sozialen Wohnungsbau um 1880 im New Yorker Bereich geschah in dieser Hinsicht vorerst nichts. Der Eklektizismus trieb auch in den Bauten Hunts immer neue Blüten.[58] Allerdings regte sich ein stärkeres Verlangen nach baulicher Schönheit – ein Ziel, das man indes nur in historisierender Sicht erfaßte und zu erreichen suchte. Diese Einstellung galt für das 1857 gegründete American Institute of Architects gleichermaßen wie für das 1868 eingerichtete Massachusetts Institute of Technology, die erste Architekturschule in den USA.

Zum auffälligsten Betätigungsfeld nordamerikanischer Bauaktivität wurde Chicago, die »Königin des Mittleren Westens«. Historischer Ausgangspunkt war das 1803 gegründete Fort Dearborn an der Einmündung des Chicago River in den Lake Michigan.[59] In den ersten Jahrzehnten der Kolonisation bestand dieser schlammige, von üblen Gerüchen heimgesuchte Platz nur aus einigen Blockhäusern. Der geplante Kanal zwischen den großen Seen und dem Mississippi verschaffte dem Ort – »a town in section 9, township 39, range 14« – in den dreißiger Jahren eine besondere Anziehungskraft für Händler und Bodenspekulanten. Nach der eigentlichen Stadtgründung am 8. August 1833 setzte ein fast unvorstellbarer Boom ein, der sich aus der Industrieentwicklung, der Ausweitung des Handelsvolumens, der Expansion der Stadtfläche, der Steigerung der Bodenpreise[60] und besonders auch aus dem Anstieg der im folgenden aufgeführten Einwohnerzahl ablesen läßt.[61]

| Jahr | | Einwohner | Jahr | | Einwohner |
|------|-------|-----------|------|-----|-----------|
| 1833 | unter | 400 | 1855 | | 80000 |
| 1834 | | 1800 | 1865 | ca. | 180000 |
| 1836 | | 4000 | 1872 | ca. | 360000 |
| 1848 | | 20000 | 1885 | ca. | 720000 |
| 1850 | | 30000 | 1890 | | 1099900 |

In einem bewundernswerten Optimismus versuchte die Stadt, die aus den fast sprunghaften Veränderungen resultierenden urbanen Probleme zu lösen. Durch Anheben des ganzen städtischen Areals um etwa 2 Meter verbesserte man 1855 die Kanalisation. Als später die Einleitung der Abwässer in den Lake Michigan aus ökologischen Gründen fragwürdig wurde, baute man in den neunziger Jahren den Drainage Canal, um den größten Teil der Stadt über den Illinois River und den Desplaines River zu entwässern. Der amerikanischen Parkbewegung schloß sich Chicago schon 1869 durch den Bau eines umfangreichen Parksystems an. Doch dessen ungeachtet hatte man die Stadt schon in den sechziger Jahren als »Garden City« bezeichnet, weil viele gepflegte Gärten und Baumgruppen inmitten der Stadt diese vorerst noch mit keiner sozialen Absicht verbundene Bezeichnung nahelegten. Nach dem Stadtbrand im Oktober 1871 waren neue Voraussetzungen für den weiteren Ausbau gegeben. Dieser vollzog sich nun durch das Auftürmen von Hochhäusern, den Ausbau des Hafens und die Zusammenführung des Eisenbahnnetzes. Kein anderer Ort in den USA bot für das Wirken von Architekten günstigere Möglichkeiten. Nicht zufällig versuchte hier eine Gruppe von Architekten und Ingenieuren, der man den Namen The Chicago School of Architecture gegeben hat und von der Henry Hobson Richardson (1836–1886), William Le Baron Jenney (1832–1907), Dankmar Adler (1844–1900) und Louis Henry Sullivan (1856–1924) am bekanntesten sind, neue Gebäudestrukturen aus den konstruktiven und gesellschaftlichen Voraussetzungen zu entwickeln.[62]

Richardson war noch an der Ecole des Beaux-Arts in Paris ausgebildet worden und konnte deshalb der neuen amerikanischen Architektur die grundlegenden kompositorischen Elemente der »clarté« und des »bon sens« vermitteln.[63] Sullivan, der durch Studien in Paris mit diesen Prinzipien ebenfalls vertraut war, aber einen breiteren sozialen Blickwinkel besaß, begnügte sich nicht mit der Tradierung klassischer Baukultur. Er verstand die Architektur als gesellschaftliche Manifestation, die sich für ihn in der baulichen Erfassung wahrhaft demokratischer Zustände äußerte.[64] Solange sich in Chicago, der Drehscheibe des binnenländischen Agrarmarktes, die sozialen Forderungen einer breiten Arbeiterschicht und die verschleierten Machtansprüche der »Robber Barons« noch halbwegs deckten, gelangen Sullivan Bauten von universaler gesellschaftlicher Funktion, wie etwa mit dem Auditory Building. Aber von dem Zeitpunkt an, als die maßgebenden Bauherren ihre antisoziale Gesinnung in die ästhetische Dimension einer historisierenden Architekturattrappe transponiert haben wollten, mußte Sullivan mit seiner progressiven Konzeption scheitern.

Als Wendepunkt für die ganze amerikanische Architektur erwies sich schließlich die »World's Columbian Exposition« von 1893. Nachdem Chicago am 24. Februar 1890 durch ein Votum des House of Representatives die Veranstaltung dieser Weltausstellung zum Andenken an die Entdeckung Amerikas durch Columbus vor 400 Jahren zugesprochen wurde, beauftragte man Frederick Law Olmsted (1822–1903), Vorschläge für das Ausstellungsgelände zu machen.[65] Dieser bekannte Landschaftsarchitekt hatte 1869 die Riverside Suburb geplant und außerdem zusammen mit seinem Partner Calvert Vaux Entwürfe für den Jackson Park entlang des Lake Michigan ausgearbeitet.[66] Unterdessen war dort aber fast alles unverändert geblieben, und so schlug er diese aus Marschland, kleinen Inseln und Wasserrinnen bestehende Uferpartie als Ausstellungsort vor, nicht ohne sich vorher mit Chicagos inoffiziellem Berater, dem Architekten Daniel Hudson Burnham (1846–1912), abgesprochen zu haben.[67] Die planerische Verantwortung übernahm daraufhin eine Kommission, in der Olmsted und sein Partner Henry Sargent Codman (1854–1893) die landschaftliche Gestaltung, A. Gottlieb die Ingenieurberatung, John Wellborn Root (1851–1891) die architektonische und Burnham die konstruktive Bearbeitung übertragen wurde. Nach Vorüberlegungen, in die man auch die Pariser Weltausstellungen einbezog, einigte sich die Kommission am 1. Dezember 1890 auf eine Entwurfsskizze von Root als Grundplan. Die Auswahl der Architekten für die Planung der einzelnen Gebäude überließ das zuständige Grounds and Buildings Committee Burnham, der seinerseits nun, um die Ausstellung zu einer nationalen Angelegenheit zu machen, neben einigen Architekten aus Chicago fünf Architekturfirmen der Ostküste zur Teilnahme einlud.[68] Die Gruppe aus dem Osten sprach sich untereinander ab, die Ausstellungsbauten in »klassisch-römischem Stil« zu bauen. Burnham, der nach Roots frühem Tod 1891 als entscheidender Koordinator (»director of works«) fungierte, war trotz aller Beschwörungen Sullivans nicht willens, diesem verführerischen Trend des substanzlosen Eklektizismus entgegenzutreten und ihm kategorisch den eigenständigen Gestaltungs- und Strukturwillen der Chicago School of Architecture entgegenzusetzen. In wohl tieferer Ahnung all jener Wirkungen, die die Geldgeber klassischen Architekturmotiven zudachten, ebnete er der »reintroduction of the Roman scale« den Weg und machte sich so zum Handlanger einer unaufrichtigen, pathosbeladenen Architektur.

Schnell einigte man sich, ohne von Sullivan weiter Notiz zu nehmen, auf eine für alle Bauten verbindliche Gesimshöhe und einen einheitlichen weißen Gipsstuck für die Fassaden.[69] Der Vorschlag des inzwischen beigezogenen Bildhauers Augustus Saint-Gaudens, Statuen, Säulen und Peristylhallen nach dem Vorbild römischer Foren aufzustellen, fand begeisterte Zustimmung. Anstatt wagemutig in die Zukunft zu schauen, fühlte die Designergruppe sich in Ruskinscher Anwandlung um Jahrhunderte zurückversetzt. Saint-Gaudens bezeugte das auf fast komische Weise, als er bei einem Treffen der Baukommission zu Burnham sagte: »Look here, old fellow, do you realize, that this is the greatest meeting of artists since the fifteenth century.«[70] Nach der Eröffnung der Ausstellung im Mai 1893 bot sich, wie aus Zeitungsberichten zu entnehmen ist, in der »White City« ein Bild bisher völlig unbekannter urbaner Ordnung und Einheit.[71] Das Ganze

433. Früher Entwurf für die »World's Columbian Exposition«, Chicago, von John Wellborn Root, 1890.
434. »World's Columbian Exposition«, Chicago, Ausführungsplan von 1893. Fassung des Gartenarchitekten Frederick Law Olmsted. (Christopher Tunnard, *The City of Man*, New York 1953)

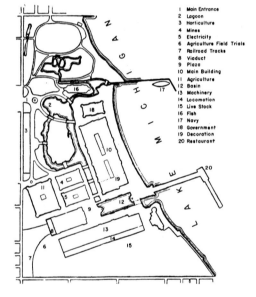

1 Main Entrance
2 Lagoon
3 Horticulture
4 Mines
5 Electricity
6 Agriculture Field Trials
7 Railroad Tracks
8 Viaduct
9 Plaza
10 Main Building
11 Agriculture
12 Basin
13 Machinery
14 Locomotion
15 Live Stock
16 Fish
17 Navy
18 Government
19 Decoration
20 Restaurant

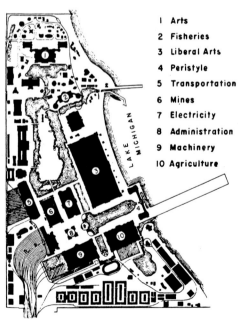

1 Arts
2 Fisheries
3 Liberal Arts
4 Peristyle
5 Transportation
6 Mines
7 Electricity
8 Administration
9 Machinery
10 Agriculture

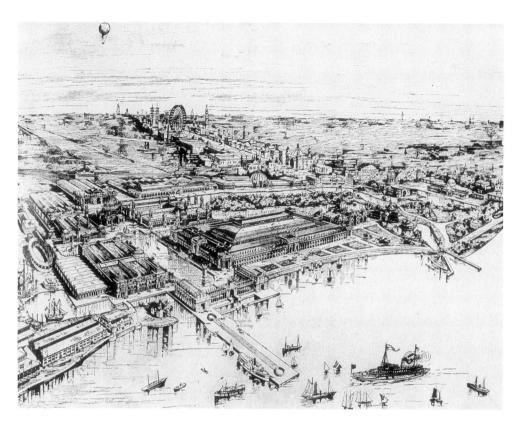

schien in seinem architektonischen Pseudostil, in der ausgewogenen Gruppierung der einzelnen Teile, vor allem aber in der Kontrastwirkung des nach dem römischen Ordo-Prinzip angelegten Court of Honor und der von landschaftlicher Freiheit und Irregularität bestimmten »lagoons« und »Wooden Isle« so traumhaft schön, daß der Enthusiasmus der Besucher des Mittleren Westens keine Grenzen mehr kannte.[72] Natürlich fehlte es auch nicht an den erwarteten technischen Attraktionen: Das Riesenrad (»Ferris Wheel«) mit seinem Durchmesser von 68 Metern zog alle Augen auf sich, eine elektrische Eisenbahn führte die Besucher durch den weiträumigen Park, am Ufer entlang rollte »a moving sidewalk«, und bei Nacht verzauberte eine elektrische Außenbeleuchtung die Paläste, den Park und die glitzernden Wasserflächen der Bassins und Lagunen in eine »Dream City«. Das Wunder der Amalgamation von Technik und schönem Environment schien geglückt zu sein. Und nicht nur das! Zum ersten Mal hatte das koordinierte Zusammenwirken von Architekten, Bildhauern, Ingenieuren und Landschaftsgestaltern zu einem »Triumph des Ensembles« geführt. Für die meisten Betrachter wirkte die Ausstellung wie eine harmonisch abgestimmte Einheit. Denn der Gegensatz zwischen den häßlichen, in das Land ausufernden, nie fertiggestellten amerikanischen Städten und dieser überschaubaren Stadteinheit, für die man Chicagos World's Fair offenbar trotz ihrer temporären Existenz ansah, hätte nicht krasser zutage treten können. Jetzt erst, nachdem eine urbane Symbolik der New-Frontier-Anstrengungen geglückt war, nachdem bedenkenlos ein Vergleich mit Paris gewagt werden konnte, war in amerikanischer Sicht die Äquivalenz zur europäischen Kultur hergestellt.[73]

Freilich wich man in dieser amerikanischen Selbstdarstellung jeder tiefgreifenden Auseinandersetzung – etwa im Sinne des europäischen Art nouveau – mit dem fragwürdigen Historizismus aus. Burnham, der als treibende Kraft immer mehr in den Vordergrund trat, verscheuchte dieses Problem einfach dadurch, daß er Sullivans und des jungen Frank Ll. Wrights demokratisches Selbstverständnis als »incoherent originality« abtat und sich zum Verbündeten des fragwürdigen Geschmacks jener Kräfte machte, die mit ihrem Kapital den Baumarkt beherrschten. Sullivan schätzte die durch die World's Fair geschaffene Situation der Architektur durchaus illusionslos und weitsichtig ein, wenn er später feststellte: »The damage wrought by the World's Fair will last for half a century from this date, if no longer. It has penetrated deep into the constitution of the American mind, effecting there lesions siginificant of dementia.«[74] Und selbst der an der World's Fair beteiligte Landschaftsgestalter Olmsted zeigte sich von der überladenen Pracht der Stuckpaläste irritiert.[75]

Die einmal begonnene Ästhetisierung des Städtebaus vermochte zwar als einen Ausdruck des allgemeinen urbanen Verschönerungswillens die »City-Beautiful«-Bewegung

413

hervorzubringen, im Grunde genommen verführte sie aber weiterhin, wie der Kritiker Montgomery Schuyler befürchtet hatte, zur Imitation und Illusion.[76] Und sie lenkte Planer und Kommunalpolitiker auf Jahre hinaus von ihrer eigentlichen sozialen Verantwortung gegenüber der Stadtbevölkerung ab.

Für die Stadtplanung selbst hat die World's Fair von 1893 zweifellos einen wichtigen Anstoß gegeben, durch den zuerst einmal der Geist einer munizipalen Reform, das Verständnis für neue umfassende urbane Projekte und Civic Centers und der Bürgerstolz für den Heimatort erweckt wurden.[77] Was man sich allgemein unter dem Begriff der »schönen Stadt« vorstellte, wurde auf der Tagung der Municipal Art Societies im Dezember 1899 in Baltimore klar ausgesprochen: »Beauty in high places is what we want; beauty in our municipal buildings, our parks, squares, and courts; and we shall have a national school when, and not until when, art, like a new Petrarch, goes up to be crowned at the capitol.«[78] Offensichtlich waren alle technischen Errungenschaften in den Städten kein adäquater Ersatz für die Schönheit, die die amerikanische Seele ersehnte.[79]

### 7.3.2. Der Washington-Plan von 1901

Bei der Feier zum einhundertsten Jahrestag der Verlegung des Regierungssitzes von Philadelphia nach Washington am 12. Dezember 1900 kam es zu einer neuen städtebaulichen Aktivität.[80] Theodore A. Bingham, der für die öffentlichen Bauten in Washington zuständig war, präsentierte seine Pläne für die Erweiterung des Weißen Hauses und für die Neuordnung der Mall. Zur selben Zeit erstatteten Mitglieder des American Institute of Architects nach Programmanregungen ihres Sekretärs Glenn Brown auf der Jahresversammlung in Washington Bericht über mögliche »improvements« in der Bundeshauptstadt.[81] Der Beitrag des New Yorker Architekten Cass Gilbert drückte die gängigen Vorstellungen der Planer vielleicht am deutlichsten aus. Wenig später erwirkte der Senator James McMillan aus Michigan am 8. März 1901 einen exekutiven Senatsbeschluß, der dem von ihm geleiteten Committee on the District of Columbia gestattete, Pläne für das gesamte Parksystem des Bezirks aufzustellen und sich dafür der erforderlichen Experten zu bedienen. Glenn Brown, um Vorschläge für Berater gebeten, benannte Burnham; der Senator selbst entschied sich für Olmsted. Die beiden Planer konnten noch Charles F. McKim hinzuwählen, womit sich wieder einige Partner der World's Fair von 1893 zusammengefunden hatten.[82] Diese Senate Park Commission versuchte ihrer Aufgabe, der geradezu nationale Bedeutung zukam, dadurch beizukommen, daß sie sich zusammen

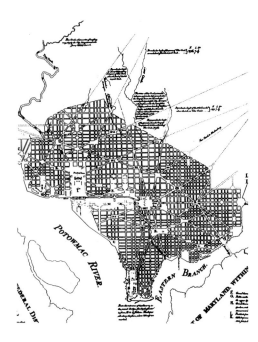

436. Washington, D.C., im Jahre 1791 nach einer Zeichnung von Pierre Charles L'Enfant (Werner Hegemann, *Amerikanische Architektur und Stadtbaukunst*, Berlin 1925)

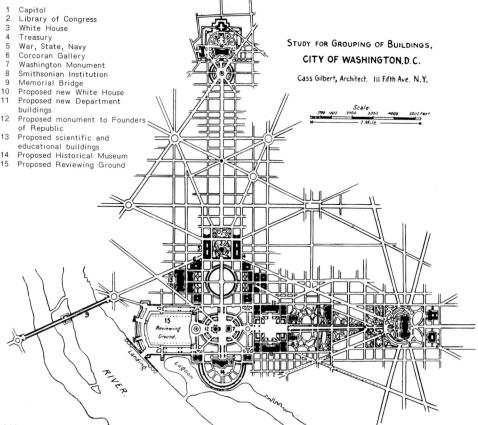

1 Capitol
2 Library of Congress
3 White House
4 Treasury
5 War, State, Navy
6 Corcoran Gallery
7 Washington Monument
8 Smithsonian Institution
9 Memorial Bridge
10 Proposed new White House
11 Proposed new Department buildings
12 Proposed monument to Founders of Republic
13 Proposed scientific and educational buildings
14 Proposed Historical Museum
15 Proposed Reviewing Ground

STUDY FOR GROUPING OF BUILDINGS, **CITY OF WASHINGTON, D.C.**

Cass Gilbert, Architect. 111 Fifth Ave. N.Y.

437. Washington, D.C., Bebauungsplan für eine Neuordnung des Zentrums von Cass Gilbert. (John W. Reps, *The Making of Urban America*, a.a.O.)

438. Washington, D.C., die bauliche Neuordnung des Zentrums. Nach dem Vorschlag der Senate Park Commission, 1901. Schaubild von F.L.V. Hoppin. (Fine Arts Commission, Washington, D.C.)
439. Washington, D.C., Anordnung der öffentlichen Gebäude und Ausgestaltung der Mall. Plan der Senate Park Commission aus dem Jahr 1901. (*The Improvement of the Park System of the District of Columbia*, Washington 1902)

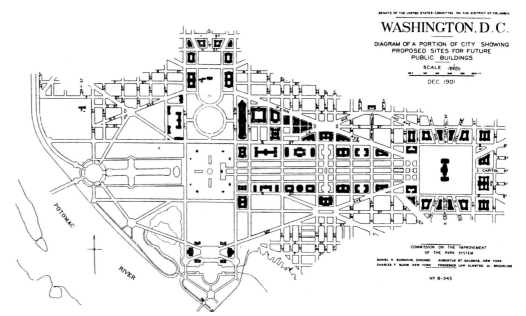

440. Das Vorbild für die axiale Komposition: Parkanlagen und Stadt von Versailles. Stich von Pierre Le Pautre.

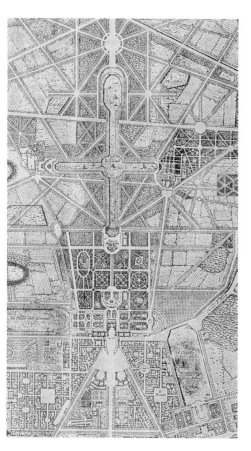

mit Charles Moore, dem Privatsekretär McMillans, auf eine siebenwöchige Studienreise nach Europa begab, um in Paris, Rom, Wien, Berlin, London und anderen Städten die genaueren Zusammenhänge von monumentalen Plätzen, Parks und öffentlichen Bauten zu ergründen.[83] Mit den Planungsunterlagen von Washington ausgerüstet, wurde die eigene Aufgabenstellung während der Reise gemeinschaftlich diskutiert, immer wieder neu überdacht und jeweils mit den besuchten Orten verglichen. Alle Mitglieder gingen von der unbezweifelten Prämisse aus, den L'Enfantschen Originalplan im Sinne des Versailler Vorbildes zu reaktivieren und der Mall stärker als bisher die Rolle einer ordnenden Achse zuzuweisen.[84] Um diese Absicht zu verwirklichen, mußte allerdings die Baltimore and Potomac Railroad aus dem vorhandenen Park beseitigt werden. Noch während der Reise gelang es Burnham, mit dem für diese Linie zuständigen Präsidenten A.J. Cassatt die Absprache zu treffen, die Eisenbahn unter bestimmten Bedingungen aus der Mall herauszunehmen und an einer anderen Stelle in der Union Station, deren Bauauftrag er bereits übertragen bekommen hatte, eine neue, der Hauptstadt angemessene Verkehrslösung zu suchen. Diese Abmachung brachte die Neuplanung weiter voran.

Bei der Rückkehr in die USA Anfang August dürfte die grundsätzliche Lösung bereits fixiert gewesen sein. Die Einzelheiten arbeitete eine Planungsgruppe in New York unter der Aufsicht von McKim aus, während Olmsted und Moore den Report für die Senate Park Commission verfaßten.[85] Eine Ausstellung in der Corcoran Gallery of Art am 15. Januar 1902 machte das Planungsmaterial (197 Stücke) in Form von farbigen Schaubildern, Photovergrößerungen, Modellen und großformatigen Zeichnungen publik.[86] Die kompositionelle Grundlage bildeten bei der historisierenden Einstellung der Planer das Achskreuz, durch das die beiden Baugruppen des Kapitols und des Weißen Hauses in ein geometrisches Bezugssystem eingebunden werden, und die Diagonale der Pennsylvania Avenue, durch die die beiden Hauptbauten eine direkte optische Korrespondenz erhalten. In der weiteren Ausgestaltung gab es freilich einige Schwierigkeiten zu überwinden.

Das von 1848 bis 1884 erbaute Washington Monument, ein 169 Meter hoher Obelisk, war aus Gründen der Fundation außerhalb des Achssystems aufgestellt worden. Um dieses Nationaldenkmal wenigstens in Ost-West-Richtung einzubinden, ist diese Achse leicht nach Süden verschwenkt. Danach richtet sich wiederum The Mall, die nun mit etwa 2 Kilometern Länge und 244 Metern Breite zu einer großmaßstäblichen Avenue ausgeformt ist und durch je vier flankierende Ulmenreihen eine starke Richtungsbetonung erhält. Diesem Zug ordnet sich auch das kreuzförmige Bassin im westlichen Abschnitt unter, bei dem das Vorbild des Versailler Parks zu erkennen ist. Als städtebauliche Fassungen dieser prädominierenden Querachse wird im Osten die Kapitolskuppel, im Westen ein Denkmal für Abraham Lincoln angenommen. Den Kreuzungspunkt der beiden Achsen, der als Gelenk zwischen Kapitol und Weißem Haus anzusehen ist, markiert ein rundes Brunnenbecken, das durch flache Terrassenbauten und durch eine monumentale Freitreppe zum Washington Monument einen räumlichen Halt findet. Die Form des Achskreuzes bietet in den Randzonen Platz für die öffentlichen Bauten. Im Parkgelände der Mall sind beidseits in axialer Korrespondenz Museen aufgereiht. Das weite Quadrat um das Kapitol faßt die Gebäude der Legislative. Um das Weiße Haus und den Lafayette Square herum gruppieren sich Regierungsgebäude, die zudem noch das »Triangle«, den Raum zwischen der 15th Street, Pennsylvania und Constitution Avenue, beanspruchen. Neben dieser monumentalen Fassung des Stadtkerns behandelt der Report immerhin auch noch die überörtlichen Gesichtspunkte der Straßenverbindungen, Parks und Erholungsstätten in den einzelnen Stadtteilen und den Landerwerb für die zukünftigen Erweiterungen der Hauptstadt.

An der »formalen Majestät« dieses Plans der Senate Park Commission, der McKim, Burnham und eine ganze Generation historisierender Geister hier huldigten, gibt es keinen Zweifel.[87] Der Weg äußerlich-formaler Stadtverschönerung – »beautifying of a city« –, der schon bei der World's Fair von Chicago eingeschlagen worden war, wurde hier nur konsequent weiterverfolgt. Es schien so, als ob die maßgebenden Stadtplaner der USA aller Welt beweisen wollten, daß die neue »City-Beautiful«-Bewegung in der Größe des Maßstabs und in der Adaption klassischer Vorbilder jeden Vergleich mit ihrer französischen Lehrmeisterin, der Ecole des Beaux-Arts, aufnehmen konnte. Im positiven Sinne vermittelten sie ihren Zeitgenossen immerhin eine neue Anschauung von räumlicher Ordnung, überhaupt von planvoller städtischer Neugestaltung.[88] Freilich waren sie sich dabei der Grenzen ihrer oberflächlichen Vorstellungen nicht bewußt. Es bleibt auch unerklärlich, wie die Planer einer Nation mit freiheitlich demokratischer Verfassung noch zu Beginn des 20. Jahrhunderts den inadäquaten Ausdrucksformen des absolutistischen Städtebaus

441. Washington, D.C., Vorschlag für die Ausgestaltung der Mall und der Washington Monument Terrace aus dem Jahr 1901. Schaubild von C. Graham. (Fine Arts Commission, Washington, D.C.)

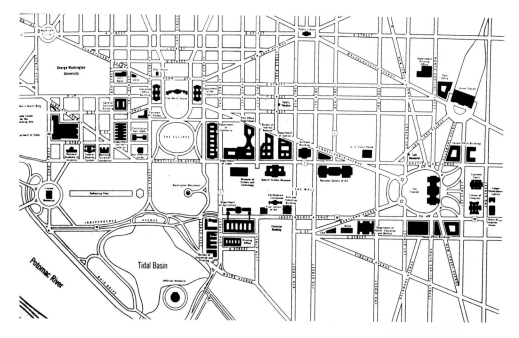

verfallen konnten. L'Enfants Entwurf war, bei aller Genialität im Aufspüren markanter Points de vue und Vistas, bereits um 1800 für amerikanische Verhältnisse eine stadtso-ziologische Ungereimtheit. Die klägliche Entwicklung der Stadt im 19. Jahrhundert be-weist dies zur Genüge. Die McMillan Commission setzte sich 1901 wiederum in fast au-tokratischer Manier über die Grundbedürfnisse eines Gemeinwesens hinweg und opferte Parks und Bauflächen, Plätze und Straßen einer imaginären Idee von nationaler Größe, ohne den eigentlich drängenden Problemen weiter nachzugehen. Offensichtlich bedurfte die Stadt mehr der überkuppelten Museen in der Mall als gut belichteter und durchgrün-ter Wohnviertel in einem lebendigen urbanen Organismus. Nicht einmal der ergiebigste Ansatz des Originalplanes, den bebauten Ort mit den weiten Wasserflächen des Potomac River in Beziehung zu bringen, wurde erkannt. Die Introvertiertheit des Kernstückes schloß eine Öffnung zum Wasser und eine Verflechtung mit der umgebenden Region aus. Jenseits aller planerischen Symbolik war der Washington-Plan der McMillan Commis-sion, sieht man von Olmsteds vorausschauender Parkkonzeption für den ganzen District of Columbia ab, weder in die Zukunft gerichtet noch entsprach er den wirklichen urba-nen Bedürfnissen eines Gemeinwesens mit etwa 300000 Einwohnern.[89] Das erwies sich in seiner indifferenten Anwendung in den folgenden Jahren. Eine Zeitlang gelang es der Senate Park Commission zwar noch, die Mall von einer ihrer Meinung nach unpassen-den Überbauung freizuhalten. Der Bau des Agricultural Department Building auf der Südseite dieser zentralen Avenue brachte jedoch den ersten Einbruch, dem später wei-tere folgten. Die blockhafte Bebauung des Triangle in den zwanziger Jahren mit der Imi-tation französischer und italienischer Barockpaläste machte schließlich offenbar, wie le-bensfremd und statisch die ganze Konzeption war. Es entbehrt nicht der Ironie, daß Mc-Millan, der Protektor des Unternehmens, die Möglichkeiten des Planes durchaus treffend eingeschätzt hat, als er dazu anmerkte: »If the plan shall prove to be as good as we think it, then it will be carried out; but if it is not a good plan, it will fail, and will deserve to fail.«[90]

### 7.3.3. Burnhams Urbanisationspläne

Inzwischen hatte die Erneuerungsbewegung durch die Tarsney Bill vom 20. Februar 1893 einen weiteren Auftrieb erhalten. Danach war der Secretary of the Treasury verpflichtet, für öffentliche Bauten Wettbewerbe unter den freischaffenden Architekten auszuschrei-ben. Den Preisträgern stand eine Dotierung von 6 Prozent der Baukostensumme zu sowie das Recht, die Ausführung der Pläne zu überwachen. Trotz aller Widerstände, die das Of-fice of the Supervising Architect of the Treasury Department diesem Kongreßbeschluß entgegensetzte, entstanden in den USA eine Reihe von Kapitolsbauten, Hochschulen, Bi-bliotheken usw., die meist auch zur Ausgestaltung der Stadtkerne beitrugen. Jedenfalls war jetzt die Architektur als ein expressiver Faktor des öffentlichen Lebens anerkannt. Hinter dieser Entwicklung stand allerdings nicht nur das Vorbild des Washington-Planes, sondern auch noch eine nationale Civic-Bewegung, für die Charles Mulford Robinson (1868–1917) die ersten Anregungen geliefert hatte. Seine Publikationen *The Improvements of Citis and Towns* (1. Auflage um 1900) und mehr noch *Modern Civic Art* (New York 1904) führten in manchen Städten zur Gründung von Civic Art Societies und Improvement Groups; im nationalen Rahmen kam es schon 1900 zur Bildung der American League for Civic Improvement, aus der 1904 mit anderen Einrichtungen die American Civic Association erwuchs. Robinson, der im Auftrag von Harper's Magazine 1899 den Städtebau in Europa studiert hatte, verstand es, seinen Landsleuten Civic Art als eine Verquickung von Nützlichem und Schönem plausibel zu machen.[91] Gerade dadurch, daß er einen akzeptablen Ausgleich zwischen pragmatischer und ästhetischer Auffassung des Städtebaus aufzeigte, kam er dem urbanen Selbstverständnis der Amerikaner am nächsten.[92]

Unter dieser Formel bediente sich auch die Finanzwelt, die weitgehend die Industrie, die Verkehrseinrichtungen und die Versorgungsunternehmen kontrollierte, wie nie zuvor der Architektur als Ausdrucksmittel ihrer Kraft und Macht. So entstanden in rascher Folge Fabriken, Bahnhöfe, Hotels und alle jene Tall Buildings, durch die die nordamerikanischen Großstädte ihre unverkennbare Skyline erhielten. Ein genaueres Hinsehen läßt vor allem bei den öffentlichen Bauten ein Stilgemisch erkennen, bei dem die Anteile der griechischen und römischen Klassik, der italienischen Renaissance, der französischen Beaux-Arts und des eigenen amerikanischen Barocks im einzelnen nicht mehr zu unterscheiden sind. Die Architektur war dazu da, Schönheit hervorzubringen. Welche Wirkungen man ganz allgemein von ihr erwartete, geht aus der Feststellung Thomas Hastings hervor: »Beauty creates an atmosphere in its environment which breeds the proper kind of contentment ... that kind of contentment, which stimulates ambition.«[93]

Der von der Ost- bis zur Westküste wirkende Trend zur »beautification« brachte Burnham, dem nun angesehensten Stadtplaner der USA, neue Aufträge ein. Kaum war der Washington-Plan veröffentlicht, beanspruchte Cleveland/Ohio seine Dienste. Als Mitglied der im Juni 1902 eingesetzten Group Plan Commission hatte er zusammen mit John M. Carrère und Arnold W. Brunner das neue Civic Centre zu planen. Burnham sah bei diesem als »The Mall in Cleveland« apostrophierten Zentrum in der Zuordnung zum Lake Erie gewisse Parallelen zur World's Fair von 1893. Er versuchte deshalb, den langgezogenen Platz wie einst das Bassin am Lake Michigan mit einem in die Lake Front gestellten Riegel zu schließen.[94] Nur besteht dieser nicht mehr aus einem Hafen-Peristyl, sondern aus der Bahnstation, für die er schon vor der Berufung in die Kommission den Planungsauftrag erhalten hatte. So erfolgreich er aber auch in Washington bei der Behandlung der Eisenbahn gewesen war, in Cleveland blieb ihm die Realisation dieses Projektes versagt.

1904 folgte ein Auftrag der US-Regierung für städtebauliche Planungen auf den Philippinen. Für die Altstadt von Manila waren Vorschläge für Improvements und Erweiterungen, für eine neue Sommerhauptstadt bei Baguio ein Bebauungsplan zu liefern.[95] In Manila bot die aufgelassene Fortifikationsanlage Burnham die Möglichkeit, nach Pariser Vorbild einen breiten Ringboulevard anzulegen. Ihm angeschlossen ist das neue Zentrum (Burnham Green), das auf der einen Seite sich in einer dem Louvre ähnlichen Cour-d'honneur-Anlage zur Bai hin öffnet und auf der anderen Seite, stadteinwärts, in einem Halbrundplatz ein Bündel von Radialstraßen zusammenfaßt. Die einzelnen Stadtviertel sind auf durchgehende Straßenachsen bezogen, und der Raum dazwischen ist im üblichen Schachbrettmuster aufgeteilt.

Der Plan von Baguio zeigt besonders deutlich, daß auch bei hügeligem Gelände von der Starrheit des axialen Bezugssystems nicht abgewichen wird. Offenbar konnten weder topographische Gegebenheiten noch einheimische Bauweisen die formale Grundeinstellung des Planers erschüttern.


Der San-Francisco-Plan von 1905

Von einzelnen Bedenken abgesehen, löste Burnham nach der Auffassung seiner amerikanischen Zeitgenossen die ihm gestellten urbanen Aufgaben bravourös. Selbst von privater Seite erhielt er große Aufträge, wie die nachfolgenden Beispiele beweisen.

Im Frühjahr 1902 plante er das Merchants' Exchange Office Building in San Francisco. Daraus ergab sich der Auftrag für den Entwurf eines umfassenden Bebauungsplanes. Bei der landesüblichen Art bürgerlicher Selbsthilfe und Eigeninitiative standen diesmal die

Association for the Improvement and Adornment of San Francisco und die Outdoor Art League, also Bürgervereine, die auf eine Stadtverschönerung und die Stärkung des bürgerlichen Bewußtseins hinarbeiteten, hinter dem Projekt. Eine städtebauliche Neuorientierung war allein schon deshalb notwendig, weil die im Survey von Jasper O'Farrell 1847 festgelegten Rasterblöcke von Spekulanten in Beschlag genommen waren und an der schräg laufenden Sammelstraße, der Market Street, weder im Zuschnitt noch in der Straßenführung übereinstimmten. Außerdem hatte San Francisco, ebenso wie Chicago und New York, eine geradezu stürmische Bevölkerungszunahme zu verzeichnen.

In einem Bungalow am Twin Peaks, einem »shanty« hoch über der Stadt, bemühten sich Burnham und seine Mitarbeiter Bennett, Willis Polk u.a. vom Herbst 1904 an, die Probleme der Verkehrsführung, der planvollen Erweiterung und des munizipalen Mittelpunkts in einem neuen Bebauungsplan zu lösen. Obwohl der Report am 27. September 1905 dem Bürgermeister Eugene Schmitz unterbreitet wurde, blieb er auch im nachfolgenden Frühjahr noch unveröffentlicht.[96] Das Erdbeben vom 18. April 1906 schuf schlagartig eine völlig neue Situation.[97] Die Zerstörungen verlangten sofortige bauliche Aktionen. San Francisco hatte tatsächlich die einmalige Gelegenheit einer städtebaulichen Neustrukturierung. Doch Obdachlosigkeit, Not und Verzweiflung bewirkten nur jene spontane Reaktion, die in ähnlichen Katastrophenfällen der Stadtgeschichte immer wieder zu beobachten ist: Alles konzentrierte sich darauf, die alten Zustände so schnell wie möglich wiederherzustellen. Und das in diesem Falle um so mehr, als von den neuen Plänen so gut wie nichts bekannt war. Zwar beeilte sich Burnham nun, den Report am 21. Mai 1906 dem Committee of Forty offiziell vorzulegen, aber es war zu diesem Zeitpunkt bereits zu spät, irgendwelches Verständnis für Verschönerungen, etwa in der Form des aufwendigen Panhandle Boulevard, zu erwecken. Die Pläne weisen nach, daß auch hier weit über das Maß kurzfristig realisierbarer Veränderungen hinausgegangen wurde. Als James Duval Phelan, der Vorsitzende der genannten Association, noch in der Entwurfsphase ihre Praktikabilität bezweifelte, beschwichtigte ihn Burnham mit der Feststellung: »You would not have called me in had it been to plan for the small expenditure of the present. The plan for your city must be framed in accord with your needs in the distant future – for all time.«[98] Demnach handelt es sich um eine Art Idealplanung, bei der immerhin schon die Einbeziehung der verschiedenartigen urbanen Faktoren sichtbar wird.

Nach Burnhams und Bennetts Vorstellungen dehnt sich die Stadt auf der ganzen Fläche zwischen der San Francisco Bai und dem Pazifik in den neugeordneten Stadtteilen von Sunset District, Richmond, Western Addition, Potrero, Mission, South San Francisco usw.

aus. Große Parkanlagen, Spielplätze und bewaldete Berghöhen lockern dabei das starre Rastersystem der Straßen auf, das übernommen und fortgeführt wird. Die notwendige räumliche Gliederung und Akzentuierung vermitteln breite Boulevards, deren Kreuzungspunkte zu Plätzen ausgeweitet sind. Besonders charakteristisch und neuartig sind die strukturbestimmenden Diagonalstraßen, die das Rechtecknetz schräg durchschneiden und konzentrisch in die Plätze einmünden. Als direkte Verkehrsverbindungen gedacht, ergeben sie überaus problematische spitzwinklige Quartierzuschnitte. Auch hätten sie als Straßendurchbrüche in bestehenden Stadtteilen zu erheblichen Schwierigkeiten geführt.

Im Gesamteindruck bietet der Plan ein erstaunliches Ausspielen fast aller wirkungsvollen formal-geometrischen Gestaltungsprinzipien der Ecole des Beaux-Arts von der axialen Park-Avenue bis zum zentrierenden Rondell-Platz, vom monotonen Straßenraster bis zur belebenden Parkidylle. Die Bauideen der World's Fair von Chicago und der Mall von Washington, aber auch der von den Amerikanern bewunderten europäischen Metropolen scheinen hier geschickt kombiniert. Sie verleihen dem Plan letzten Endes jene lebensfremde eklektizistische Antiquiertheit, die eine Realisierung in Amerika eo ipso ausschloß. Wenn in der Folgezeit von irgendwelchen Auswirkungen des Burnham-Planes überhaupt die Rede sein konnte, so bestanden sie darin, daß sich San Francisco im Geiste der City Beautiful 1912 ein Civic Center baute. Es folgte aber weder in der Plazierung noch in der Massengruppierung dem Report von 1905.


Der Chicago-Plan von 1909

Für Burnham selbst war der fast unbeachtet gebliebene San-Fransicso-Plan nicht so vergeblich und unnütz, wie es auf den ersten Blick erscheinen mag. Denn ihm bedeuteten die Planstudien, die er unentgeltlich geliefert hatte, eine Probe und notwendige Vorstufe für ein noch größeres und näherliegendes Unternehmen in seiner Heimatstadt Chicago. Die World's Fair muß bei den Chicagoer Bürgern so nachhaltige Eindrücke zurückgelassen haben, daß sie die Absicht nie mehr ganz loswurden, die erlebte architektonische Ordnung der Ausstellung bei einer passenden Gelegenheit in die städtebauliche Wirklichkeit zu transponieren. Schon 1894 regte James W. Ellsworth, der Präsident der Illinois Central Railroad, Burnham an, sich Gedanken über die Gestaltung der 13 Kilometer langen Seeuferpartie zwischen Grant Park und Jackson Park zu machen. Da zur selben Zeit die South Parks ausgeweitet und zusammenhängende Parkstreifen im ganzen Stadtbereich geplant wurden, lag auch eine Erneuerung der »lake front« nahe. Burnham mag längst mit ähnlichen Plänen umgegangen sein. Er griff die Anregung auf und legte 1896 bei einem Dinner bei Ellsworth das erste Projekt vor. Die anwesenden Honoratioren George Pullman, Marshall Field und Philip D. Armour reagierten begeistert auf die Idee eines Uferboulevards jenseits der Eisenbahn und eines durch Aufschüttungen im See gewonnenen Lagunenparks. In seiner Meinung bestärkt, forderte Burnham zuerst den Merchants Club auf, Neuplanungen zu unterstützen. 1906 nahmen dessen Vertreter Walter H. Wilson, Charles D. Norton und Frederick A. Delano den Gedanken auf, und nach der Fusion dieses Vereins mit dem Commercial Club wurde Burnham am 21. September 1906 definitiv beauftragt, einen neuen Plan für Chicago anzufertigen. Die seit der Jahrhundertwende eingeleitete Munizipalreform mag nicht unwesentlich zu diesem Beschluß beigetragen haben.[99] Der auf der Höhe seines Ruhms stehende Planer war von seiner Aufgabe, von seiner bürgerlichen Verantwortung und vom »spirit of Chicago« so durchdrungen, daß ihm kein Aufwand zu groß, keine Mühe zu beschwerlich war, um zu umfassenden und realistischen Erneuerungsvorschlägen zu kommen.[100] Ein ganzes Planungsteam arbeitete in einem eigens dafür eingerichteten Büro auf dem Dache des zwanziggeschossigen Railway Exchange Building die neuen urbanen Perspektiven aus. In einer Art Optimierungsprozeß wurden sie in zahllosen Diskussionen mit technischen Experten, Eisenbahnpräsidenten, Geschäftsleuten, Vertretern der Legislative und des City Council auf ihre Brauchbarkeit hin erörtert.[101] Auch während Burnhams Abwesenheit setzte die planerische Aktivität nicht aus. So war es möglich, den Report und die Pläne im Frühjahr 1909 fertigzustellen und dem Commercial Club zu übergeben. Dieser machte sie im Juli 1909 in der eindrucksvollen Publikation *Plan of Chicago* bekannt.[102] Die farbigen Schaubilder von Jules Guérin, der schon in Washington mitgewirkt hatte, und die Strichzeichnungen des eigens aus Paris geholten Jules Janin, aber auch ergänzende Exkurse über europäische und amerikanische Stadtplanungen sollten einem breiten Publikum eine

Ahnung von den beabsichtigten grandiosen urbanen Veränderungen vermitteln. Chicago sollte dem Vorbild des Haussmannschen Paris nacheifern.[103]

Mit dem Ansinnen, den Plan so weitgehend wie möglich zu realisieren, übergab der Commercial Club als eigentlicher Auftraggeber die umfangreichen Unterlagen der Stadtverwaltung. Diese private Initiative veranlaßte den Bürgermeister Fred A. Busse bereits am 1. November 1909, die Chicago City Plan Commission mit 328 Mitgliedern zu bestellen. Ihre Sprecher, der bis 1926 hauptamtlich tätige Vorsitzende Charles H. Wacker und der Geschäftsführer Walter D. Moody, sahen es in der Folgezeit als ihre wichtigste Aufgabe an, dem Burnham-Plan die notwendige Publizität zu verschaffen und ohne Unterlaß auf Initiativen in diesem Sinne hinzuwirken. 1911, als der Plan noch nicht offiziell von der Stadt angenommen war, rüttelten Broschüren wie *Chicago's Greatest Issue: an Official Plan* die Eigentümer Chicagos wach. Vom selben Jahr an klärte das an den Schulen benützte *Wacker's Manual of the Plan of Chicago* die Jugend über die zukünftigen Stadtverbesserungsprojekte auf.[104] Fast wie nach Rezept fanden hier die Lehren Geddes, der 1901 als Gast der in der Sozialarbeit engagierten Jane Addams (1860–1935) mehrere Monate im Hull House in Chicago verweilt hatte, sowohl in der synoptischen Betrachtungsweise der Planer wie auch im publizistischen Vorgehen der Propagandisten eine wirkungsvolle Anwendung.

Bei so viel Einsatz wird man sich fragen, was diesen Chicago-Plan von 1909, der bis zum Zweiten Weltkrieg weitgehend das städtebauliche Geschehen der Handelsmetropole im Mittleren Westen bestimmt hat, im besonderen auszeichnete. Als Gesamtleistung bedeutete er nicht nur die höchste Stufe stadtplanerischen Schaffens im Lebenswerk Burnhams, sondern er implizierte auch für 1910 ein bisher unvorstellbares Maß an plane-

444. Chicago, vorhandenes und geplantes Boulevard- und Straßensystem. Chicago-Plan 1909, Pl. LXXXVI.(Chicago Historical Society, Chicago, Illinois)

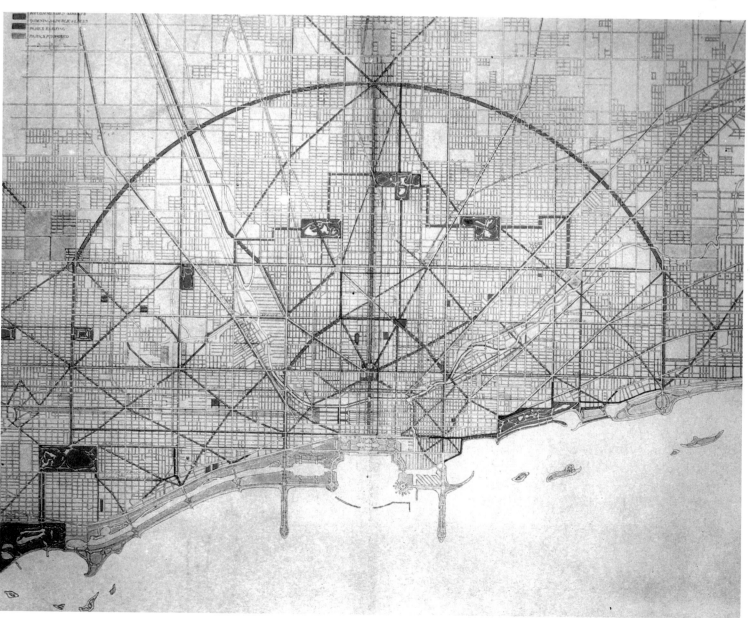

rischer Konkordanz, an Verschränkung stadtbautechnischer Disziplinen und an zukunftsorientierter Projektion. Dies wird schon aus Andeutungen seiner wesentlichen Behandlungsobjekte, bei denen es hier bleiben muß, sichtbar.

Allein schon die Ausdehnung des Planungsbereichs ist frappierend. Das einbezogene Gebiet umfaßt mit einem Radius von 95 Kilometern landeinwärts des Lake Michigan eine Fläche von etwa 10 000 Quadratkilometern.[105] Innerhalb dieses Rahmens wird in den verschiedenen Zonen nach einer urbanen Ordnung gesucht. Wie es scheint, blieb den Planern nichts anderes übrig, als das vorhandene Schachbrettsystem weiterzuführen. Fatalerweise wird es in den vorgesehenen Erweiterungen stereotyp nach außen hin bis an die Ränder der Prärie und Wälder weiter reproduziert. Immerhin sind in den Außenbezirken noch die radial auf den Stadtkern zulaufenden Landstraßen vorhanden. Sie werden als ein neues, wesentliches Strukturelement aufgegriffen, wobei sie als Diagonalen den Stadtkörper durchschneiden. Wo sie noch nicht existieren, aber doch als notwendig erachtet werden, sieht der Plan sie in einer Gesamtlänge von etwa 160 Kilometern als Straßendurchbrüche vor. Sicher rühren sie von der Überlegung her, daß fortan auf direkte Durchfahrtsstraßen nicht mehr zu verzichten war, auch wenn sie einen großen Aufwand erforderten. Umgehungsmöglichkeiten schaffen vier nach außen hin angelegte Ringstraßen. Die äußerste umkreist die Stadt in einem Bogen von etwa 400 Kilometer Länge. Von den vorgegebenen Verhältnissen her erweist sich die Entflechtung des Eisenbahnverkehrs als das schwierigste Kapitel. Für die einmündenden Linien waren längst Kopfbahnhöfe und niveaugleiche Kreuzungen mit den Straßen eingerichtet worden. In realistischer Selbstbeschränkung wird darauf verzichtet, diese Anlagen völlig zu verändern. Im Süden und Westen sollen die kleinen Bahnhöfe nur zurückverlegt werden. Im Zentrum treten an ihre Stelle zwei große, aneinandergereihte Bahnhofskomplexe, bei denen Personen- und Güterverkehr auf zwei verschiedenen Ebenen abrollen. Die Querverbindungen stellt ein unterirdischer Tunnelring (»subway loop«) her. Umgehungsbahnen, für Chicago als Drehscheibe des Handels von besonderer Bedeutung, sind ebenso ausgewiesen wie weite Industrieflächen mit den erforderlichen Gleisanschlüssen. Wie kaum anders zu erwarten war, kommt es nicht zu einer Abstufung der Wohnstraßen und der Wohnbebauung. Jedoch ordnet sich das ganze Straßensystem einer Hierarchie von Plätzen und Parkräumen unter, an deren Spitze das neugeplante Civic Center rangiert. Als Core der Stadt und als Sammelpunkt eines Bündels von Radialstraßen ist es zu einem Monumentalplatz von 250 auf 200 Meter ausgeweitet und architektonisch zur »Stadtkrone« hochstilisiert. Was den Mißgriff im Maßstäblichen und die Entwertung des historischen Domkuppelmotivs bei der City Hall anbelangt, kann man sich dem kritischen Urteil auf der Town Planning Conference 1910 in London anschließen.[106] Man muß aber doch berücksichtigen, daß Burnham nach einer Form gesucht hat, die dem Unterneh-

mungsgeist und dem grenzenlosen Optimismus Chicagos adäquat Ausdruck verleiht. Soweit man seine architektonische Imagination kennt, ist der Griff in die Historie nicht mehr verwunderlich.

Wo es indessen wie beim Loop, dem von Michigan Avenue und Halsted Street, Chicago Avenue und 12th Street (heute Roosevelt Road) umgrenzten zentralen Geschäftsviertel, weniger um symbolhafte Verkörperung als vielmehr um handfeste kommerzielle Interessen geht, findet der Plan erstaunlich weitsichtige Lösungen. Zu verweisen wäre da nur auf die konsequente Verkehrstrennung in den verschiedenen Etagen der Flußstraßen wie etwa beim Wacker Drive, auf die großzügige Ausgestaltung der Michigan Avenue als mondäne Seeufer- und Geschäftsstraße und auf das fast einheitlich blockhafte Auftürmen der meist zwanziggeschossigen Loop-Bebauung. Natürlich konnte bei Burnham auch diese weitsichtige Planfassung nicht die altbekannten, von ihm sicherlich als unersetzlich angesehenen Kompositionselemente der Achsen und Vistas entbehren. So erhält die

447. Chicago, Flußplatz an der Verzweigung des Chicago-River, im Vordergrund die für den Verkehr und Lastumschlag genutzten Etagenstraßen am Fluß. Chicago-Plan 1909, Pl. CVII. (Chicago Historical Society, Chicago, Illinois)
448. Chicago, Michigan Avenue Platz. Chicago-Plan 1909, Pl. CXVIII. (*Deutsche Bauzeitung*, 1910, Nr. 45)

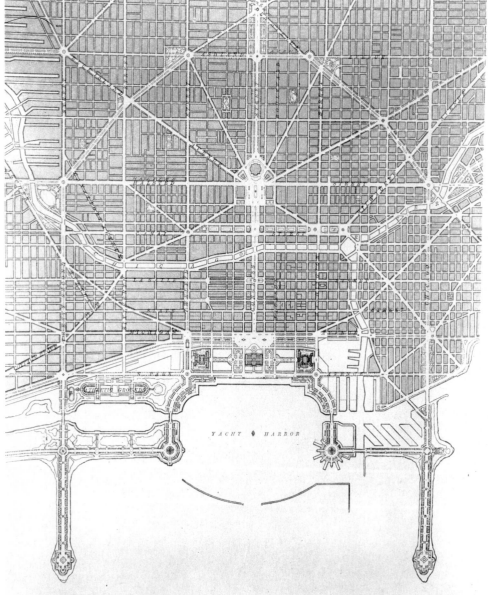

449. Chicago, neues Stadtzentrum mit dem
Civic Center im Vordergrund und dem Grant
Park und Lake Michigan im Hintergrund. Chicago-Plan 1909, Pl. CXXXVII. (Chicago Historical Society, Chicago, Illinois)
450. Chicago, Stadtzentrum mit dem kompletten Straßensystem, den Bahnstationen, den
Parks, den Piers und dem Yachthafen. Chicago-Plan 1909, Pl. CX. (Chicago Historical Society, Chicago, Illinois)

Congress Street als mittige Bezugslinie des innerstädtischen Kerns zwischen Randolph und 12th Street die Bedeutung einer herausragenden Achsendominante, auf die sich nicht nur das Civic Center mit den öffentlichen Bauten, sondern auch im Westen der weitgespannte Crescent-Boulevard und die ganze See-Eingangspartie im Osten beziehen. Hier bildet der Grant Park gewissermaßen den Auftakt zur ganzen Komposition. Er ist als Forum der Künste gedacht, wozu das bereits vorhandene Kunstmuseum im Renaissancestil anregen mochte. Direkt in die Achse gerückt ist das Field Museum, das an dieser herausragenden Stelle als Geste Chicagoer Mäzenatentums begriffen werden kann. In den See hinaus erstrecken sich zwei Vergnügungspiers. Sie wollen den Ankommenden offenbar sicher in die Stadt einschleusen. Doch das faszinierendste Feature des ganzen Planes, das der einmaligen Seelage Chicagos am besten gerecht wird, ist das etwa 30 Kilometer lange Seeufer-Parksystem. Daß es nördlich des Yachthafens und weit draußen im Süden durch Industriekais unterbrochen wird, mindert seinen Wert nicht. Denn der sogenannte Lagunenpark, der sich vom nördlichen Pier ab auf etwa 10 Kilometer Länge am Seeufer entlangzieht und Grant und Jackson Park in eine natürliche Korrespondenz bringt, kann als das neuartige Leitmotiv einer Freizeitlandschaft gelten, die der gesamten Stadtbevölkerung offensteht. Ein neues soziales Bewußtsein der Planer wird spürbar, wenn im Report dazu festgestellt wird: »Das Seeufer gehört rechtmäßigerweise dem Volk. Es gibt ihm die einzige Möglichkeit einer großen ungehinderten Aussicht bis zum Horizont.«[107] Aber auch darin, daß der Plan im gesamten den Neuerwerb von 240 Quadratkilometern Parkfläche vorschlägt und somit im Geiste der Parkkommissionen von 1899 und 1904 weiterwirkte, zeigt sich, in welche Dimensionen die »City Beautiful«-Bewegung inzwischen unter Burnhams Führung vorgestoßen ist.[108] Die Einbeziehung großer Waldreservate, die Einfügung verbindender Park-Boulevards, die erzwungene Umkehrbewegung des Chicago River als Vorfluter im Dienste einer neuen Stadthygiene, das alles weist auf eine der ganzen Region zugewandte Planungskonzeption hin, an der die Dienstleistung für eine offene Gesellschaft, die synoptische Betrachtungsweise und der Zug zum Großen deutlich werden. Seinen Glauben an die Überzeugungskraft der »Großen Pläne« drückte Burnham schon 1907 aus, als er feststellte: »Make no little plans; they have no magic to stir men's blood and probably themselves will not be realized. Make big plans; aim high in hope and work, remembering that a noble, logical diagram once recorded will never

451. Region von Chicago mit dem Straßensystem, den Wasserwegen, den Parkanlagen und den Waldreservaten. Chicago-Plan 1909, Pl. XLIV. (Chicago Historical Society, Chicago, Illinois)

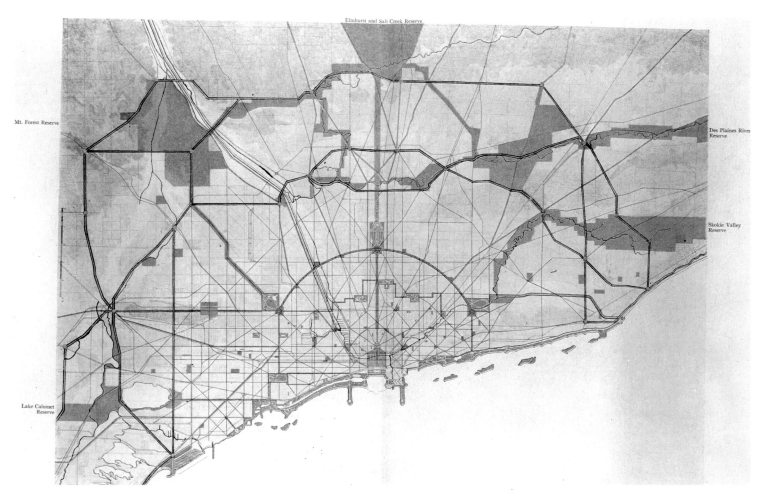

die, but long after we are gone will be a living thing, asserting itself with ever-growing insistency. Remember that our sons and grandsons are going to things that would stagger us. Let your watchword be order and your beacon beauty.«[109]

Woran es dem Chicago-Plan aber letzten Endes bei aller Größe doch mangelte, deckt ein Vergleich mit dem Städtebau in Großbritannien vielleicht am besten auf. Es ist schon dargestellt worden, welche Bedeutung dort der Suburb als einem städtebaulichen Entwicklungsmedium zukommt. Wenn man auf die während der Chicago-Planung gebaute Hampstead Garden Suburb abhebt, fällt sicher zuerst die Differenz im Maßstab zwischen amerikanischer und englischer Planung auf. Dieser Eindruck weist auch gleich auf den entscheidenden Punkt hin. Der englische Städtebau bemühte sich zu dieser Zeit bereits um die Organisation kleiner Wohngemeinschaften (»communities«), um überschaubare nachbarschaftliche Verhältnisse und um menschlich dimensionierte Civic Centers. Die Parks sind bei ihm nicht nur ein System von Wegen, ein künstlicher Einschub in einer ausufernden Masse monotoner Baublöcke, sondern der lebendige Bestandteil in einer Stadtlandschaft. Dem Chicago-Plan fehlen offensichtlich diese kleinmaßstäblichen Beziehungen und das tiefere Verständnis für die sozialen Bedürfnisse der Arbeiterbevölkerung. In diesem Falle genügten prophetische Feststellungen über die Gefahren der Slumbildung nicht.[110] Und gerade darin, daß man dem monumentalen Civic Center noch alle Hingabe und allen Stolz zukommen läßt und das Wohnviertel als die eigentliche menschliche Wohnzelle wie eine gedankenlose Füllung im Netzwerk der Straßen behandelt, erkennt man in dem Plan noch die späten Ausläufer der »City-Beautiful«-Bewegung.

Trotzdem ist erstaunlich, welche Resultate der Plan gezeitigt hat. Burnham, der 1912 gestorben ist, erlebte nur noch den Ausbau der Michigan Avenue zum geplanten Grand Boulevard. Im Laufe der Zeit wurden weitere Straßen verlängert und verbreitert (Roosevelt Road, Water Street, Ogden und Ashland Avenue usw.), der Outer Drive angelegt, der Grant Park mit Terrassen und Fontänen ausgestattet, die River frontage geordnet, die Lagunenparks eingerichtet, die West-Ost-Achse durch die Congress Street Expressway fixiert und das umgebende Parksystem als Green belt durch Zukauf von Waldflächen (Cook County Forest Reserve) erweitert. Nach zehnjähriger Arbeit im Sinne des Burnham-Planes bezeichnete die Planungskommission Chicago als »die beste, geordnetste, gesündeste, angenehmste und anziehendste Stadt in Amerika«.[111] Die Ernüchterung über den Plan kam erst, als die stadtsoziologische Betrachtungsweise stärker in den Vordergrund rückte und manches fragwürdig erscheinen ließ. Trotzdem gab es aber schon um 1910 in den USA Projekte und Vorschläge, denen die geschilderten Mängel des Chicago-Planes nicht anhafteten. Das war dort der Fall, wo in stärkerem Maße stadtsoziologische Überlegungen in die Planung einflossen. Die frühesten Beiträge kamen wohl von Jacob Riis, einem Freund von Präsident Theodore Roosevelt. Dieser kritische dänische Emigrant fand schon um 1890 in *How the Other Half Lives* durch Beobachtungen der Slumzustände in New York zur Idee der »neighborhoods«, die er im Rahmen kleiner Civic Centers als soziale Mittelpunkte von überschaubaren Wohngemeinschaften um die öffentlichen Schulen herum verwirklichen wollte.[112]

Die beiden Landschaftsarchitekten Frederick Law Olmsted und John Nolen traten 1906 mit voller sozialer Überzeugungskraft für das Einplanen sowohl kleiner nachbarschaftlicher Spiel- und Erholungsplätze wie auch großer parkähnlicher Reservate ein.[113] In St. Louis interpretierte man das Civic Center, die Lieblingsidee der »City-Beautiful«-Bewegung, bereits 1904 nicht mehr in ästhetischer Manier als stadtbeherrschendes Monument, sondern man transformierte diesen Begriff, auf die sozialen Belange der immigrierten Bevölkerung abgestimmt, zu kleineren »neighborhood centers«. Freilich erschien der von dem Committee on Civic Centers of St. Louis League 1907 aufgestellte Stadtplan gerade in dieser Hinsicht so progressiv und ungewöhnlich, daß eine Realisierung vorerst nicht in Frage kam.[114] In der Theorie war jedoch damit ein weiterer Schritt zu jenem entscheidenden Umschwung getan, durch den ab 1910 der angelsächsische Städtebau auf eine neue Basis gestellt und die »City Beautiful« durch die »City Scientific« oder »City Practical« abgelöst wurde. Die »City-Beautiful«-Bewegung aber hatte, welche Einwände man auch immer gegen ihren oberflächlich-formalistischen Habitus vorbringen mag, die eine wichtige Wirkung, daß die Stadtplanung überhaupt erst einmal in das Bewußtsein der Bürger eindrang und offizielle städtische Planungskommissionen als die erste Voraussetzung für eine Verbesserung der allmählich unhaltbaren urbanen Zustände erkannt wurden. Unter diesen Voraussetzungen begann dann eine neue Phase der amerikanischen Stadtplanung.

452. Sir Ebenezer Howard (1850–1928).

453. Die drei Magnete: Howards Versinnbildlichung der Anziehungskraft der Stadt, des Lands und der neu zu schaffenden Einrichtung »Stadt-Land«. (E. Howard, *Garden Cities of To-morrow*, hrg. von F.J. Osborn, London 1965)

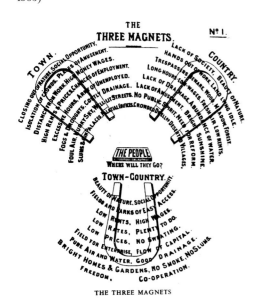

THE THREE MAGNETS

## 8. Gartenstadtidee und Gartenstadtbewegung

8.1. Die Idee der Garden City

8.1.1. Der soziologische und planerische Ansatz

Trotz aller positiven Aspekte, die die Stadtsanierungen, die paternalistischen Siedlungsunternehmen und die ästhetischen Erneuerungsversuche der Stadtbautheoretiker eröffneten, blieb die urbane Situation gegen Ende des 19.Jahrhunderts nach wie vor unbefriedigend. Weder die beklagenswerten Wohnungszustände in den Stadtzentren noch die sozialen Desintegrationsprozesse in den Vororten hielten die Landbevölkerung davon ab, in den Bannkreis der Großstadt zu ziehen, um dort ihr Glück als Lohnarbeiter zu suchen. Diese Tendenz verstärkte die längst sichtbar gewordene Krise der Stadt nur noch mehr, die in der Wohnungsnot, den Verkehrsbehinderungen, den Mißständen der Bodenspekulation und ganz allgemein in der sozialen Unzufriedenheit der Arbeiterbevölkerung immer spürbarer wurde.

In dieser verfahrenen Situation konnten, das war nun offensichtlich, die einzelnen isoliert gesehenen Teilreformvorschläge nicht mehr weiterhelfen. Was not tat, waren vielmehr durchgreifende städtebauliche Innovationsideen, die durch einen umfassenden sozio-ökonomischen Ansatz aus dem Dilemma der zufälligen und der Spekulation ausgelieferten Städtebaupraxis herausführten.

Nicht von ungefähr kam in England, wo die Voraussetzungen für einen urbanen Erneuerungsversuch in theoretischer und praktischer Hinsicht durch vielerlei Umstände am ehesten vorhanden waren, mit der »garden city idea« eine derartige neue Planungskonzeption auf, die sich nicht mehr mit den altbekannten Palliativmitteln begnügte, sondern in komplexer Sicht auch die sozialen Faktoren des Städtebaus zu berücksichtigen versuchte. Der englische Parlamentsstenograph Ebenezer Howard (1850–1928) veröffentlichte nach vielen Diskussionen mit sozial engagierten Freunden 1898 in London die Schrift *To-morrow: a Peaceful Path to Real Reform*.[1] Ohne Zweifel war er durch die von ihm in den Houses of Parliament mitgehörten Debatten auf wohnungspolitischem Gebiet gut informiert. Demzufolge erwies sich die Thematik seines friedlichen Reformplanes als so aktuell, daß sich vor allem die an der Bodenfrage interessierte Land Nationalization Society (Alexander Payne, Steere, Ralph Neville u.a.) angesprochen fühlte und die Vorschläge genau prüfte. Auch in der Presse fehlte es nicht an Erörterungen und Rezensionen dieses Buches. Die Bewegung, die es schon bald nach seinem Erscheinen hervorrief, soll im Zusammenhang mit den daraus resultierenden Siedlungsexperimenten geschildert werden.

Um die Publizität der Vorschläge noch zu steigern, wurde Howards Schrift 1902 neu aufgelegt, diesmal unter dem Titel *Garden Cities of To-morrow*.[2] Obwohl diese Bezeichnung die eigentlichen Absichten des Verfassers eher verfälschte als erhellte, hatte er sie anscheinend unter dem Eindruck seines Nordamerika-Aufenthalts gewählt. Welchen Plan oder – um mit Lewis Mumford zu sprechen – welche Erfindung jedoch unabhängig vom Schlagwort der Begriff Garden City beinhaltet, soll im folgenden kurz dargestellt werden.[3]

Howard gewinnt seinen Ausgangspunkt wie die bekannten Sozialutopisten durch die Kritik an der Großstadt. Er verzichtet aber darauf, die untragbaren Zustände im einzelnen nachzuweisen. Die Problemstellung formuliert er kurzerhand durch die Forderung: Für die überfüllten Städte sollen die Neuzugänge unterbunden und für das Land annehmbare Wohn- und Arbeitsbedingungen geschaffen werden. In die bildhafte Sprache seiner Diagramme umgesetzt, sucht er diesen Ausgleich durch drei Magnete zu verdeutlichen. Stadt und Land wird eine dritte Kraft, nämlich die Verbindung »Stadt–Land« gegenübergestellt. Sie vereint alle Vorteile der beiden anderen Kräfte in sich, ohne mit deren Nachteilen belastet zu sein. Howards Plan sieht vor, daß ein Gelände von etwa 2400 Hektar, das bisher nur für landwirtschaftliche Zwecke genutzt worden ist, für die neue Gemeinde mit 32000 Einwohnern aufgekauft wird. Zur Bezahlung wird eine Hypothekengrundschuld aufgenommen und auf vier Personen mit gutem Ruf und Ansehen eingetragen. Diese sind aber nicht als Eigentümer zu betrachten, sie fungieren vielmehr nur als Treuhänder gegenüber den Hypothekengläubigern und den Bewohnern. Denn der auf diese Weise erworbene Boden ist Eigentum der ganzen Gemeinde, und ihre Mitglieder haben für den jährlichen Ertragswert des ihnen überlassenen Grundstückes eine Bodenrente (»rate-rent«) an diese Treuhänder abzuführen. Mit diesem unkonventionellen Vorgehen bei der Stadtgründung glaubt Howard, weit vernünftigere und auch gerechtere Verhältnisse zu schaffen als in der herkömmlichen Stadt. Der auf dem Lande erworbene billige Baugrund verschafft den Gartenstadtbewohnern einen geringen Pachtzins und niedrige Mieten. Die Löhne der Arbeiter erhalten dadurch eine höhere Kaufkraft als anderswo, und das bedeutet schließlich, daß die Gartenstadt ein sozialer Ort werden kann, der sich allen Gesellschaftsschichten in gleichem Maße öffnet. Die Vorzüge der ländlichen Umgebung, frische Luft, sauberes Wasser und die Schönheiten der Natur kommen dabei allen Bewohnern zugute.

Ungefähr im Zentrum des Gesamtareals liegt die eigentliche Stadt mit etwa 400 Hektar Fläche. Obwohl Howard sich bewußt ist, daß jeder Stadtplan weitgehend von den örtlichen Gegebenheiten abhängt, expliziert er seine Gartenstadtvorstellung an einem kreisförmigen Schema mit einer starren und akkuraten Aufteilung. Sechs als breite Boulevards ausgebildete Radialstraßen gehen vom Mittelpunkt aus und zerteilen die Kreisfläche in ebensoviele gleiche Bezirke (»wards«). Deutlich stuft sich das Stadtgebilde in verschiedenen Ringen von innen nach außen ab. Das Zentrum bildet ein Gartenplatz, an dem die öffentlichen Gebäude liegen. Es folgt ein größerer Zentralpark, den ein Kristallpalast mit Kaufläden, Warenhäusern usw. einfaßt. Weiter nach außen schließen sich Ringe an für Wohnbauten mit größeren Gärten, für die Grand Avenue mit einer geschlossenen Bebauung und am Rande für die Industriebauten, Lagerhäuser, Märkte. Tangierende Eisenbahnlinien sorgen für die Zu- und Abfuhr der Güter und für die Kommunikation der Bewohner. Dieses durch ein differenziertes Straßensystem und weite Parkflächen gekennzeichnete Stadtgebilde wird an der Peripherie noch von einem Gürtel mit zusammenhängenden Grünflächen, dem »rural belt«, umschlossen. Er ist die neutrale Zone, der Abschlußraum des neuen Stadtgebildes. In ihm liegen nur noch landwirtschaftliche Klein- und Großbetriebe, die für ihre Produkte einen Absatzmarkt in der Gartenstadt haben und weitgehend zu ihrer Versorgung beitragen. Dieses abstrakte Schema wäre seiner Figuration nach kaum einer näheren Beschreibung wert, wenn dadurch nicht evident würde, wie sehr sich Howard bei seinen Angaben zur Stadtform im Banne alter, längst bekannter Idealstadtpläne bewegt, auf die er im Verlauf seiner Überlegungen gestoßen sein muß. In morphologischer Hinsicht bietet die Gartenstadtidee also weder neuartige noch besonders praktikable Ansätze. Letzten Endes kommt es aber Howard, dem stadtplanerische Vorstellung und Übung gänzlich fehlten, darauf auch gar nicht an. Entscheidend für ihn ist vielmehr die sozio-ökonomische Strukturierung des neuen Gemeinwesens. Er will vor allem zuerst einmal die wirtschaftliche Existenzfähigkeit des neuen Stadttyps überzeugend nachweisen, während die Planform selbst auch für ihn schließlich in vielerlei Gestaltungen denkbar ist.

Um in diesem wichtigen Punkt zu überzeugen, macht Howard für die Gartenstadt eine Haushaltsrechnung auf, die auf den ersten Blick hin verblüfft. Die Einnahmen ergeben sich ausschließlich aus der Gesamtpacht (»rate-rents«) der Bewohner, durch die alle sonst üblichen kommunalen Steuern abgegolten sind. Howard geht davon aus, daß die Stadtbewohner und die Landwirte bei den vielen Vorteilen, die sich ihnen bieten, ohne weiteres bereit sein werden, aus freien Stücken eine angemessene »rate-rent« zu zahlen.[4] Von den Gesamteinnahmen der Gartenstadt müssen lediglich die Bodenrente (»landlord's rent«), d.h. die Zinsen für das zum Kauf des Gartenstadtareals aufgenommene Geld und die Amortisationsquote (»sinking fund«) abgezogen werden. Der Restbetrag – nach Howards Schätzung vier Fünftel der Gesamteinnahmen – steht der Gartenstadtverwaltung zur Verfügung. Ob dieser Überschuß tatsächlich zur Bewältigung aller munizipalen Aufgaben ausreicht, ohne daß noch zusätzliche Kommunalsteuern erhoben werden, das eben wird für die Existenzmöglichkeit der Gartenstadt entscheidend sein. Jedoch ist noch eine Schwierigkeit zu bedenken: Wie soll diese Rechnung in der Gründungsphase aufgehen, wenn noch keine Einkünfte aus den »rate-rents« vorhanden sind, die Erschließungsarbeiten aber sogar einen erhöhten Finanzbedarf erforderlich machen? Howard vertraut darauf, hierfür ohne weiteres Hypothekengelder von Kapitalgebern zu erhalten, da diese durch die nach der Erschließung fälligen »rate-rents« hinreichend gesichert sein würden. Außerdem erfordert die Gartenstadt nach ihrer Grundeinteilung in sechs Sektoren keineswegs eine Erschließung des gesamten Stadtbereichs. Es soll sogar ein Charakteristikum ihres Plans sein, daß jeder einzelne Bezirk eine für sich lebensfähige Stadteinheit darstellt. Erst wenn die bauliche Entwicklung des einen Teils abgeschlossen ist, soll der andere erschlossen und überbaut werden, wobei sich aber jeder Abschnitt nach einem einheitlichen, bis zur Endausbaustufe festgelegten Plan zu richten hat. Howard erwartet von diesem konsequenten Vorgehen nicht nur eine erhöhte Ökonomie des Bau-

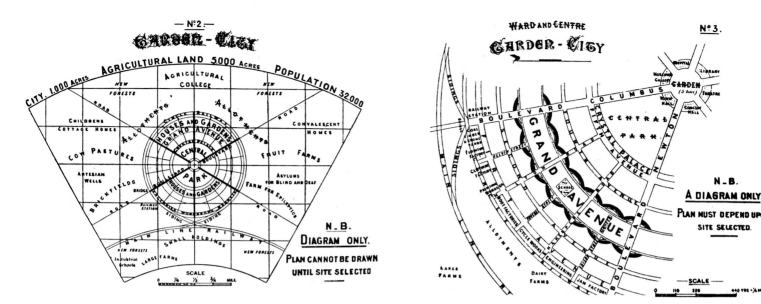

454. Diagramm der Gartenstadt mit kreisförmigem Stadtschema und Grüngürtelring. (E. Howard, *Garden Cities*, a.a.O.)
455. Aufteilung eines Stadtbezirks (ward) und des Zentrums einer Gartenstadt. (E. Howard, *Garden Cities*, a.a.O.)

prozesses, sondern auch Einheitlichkeit, Ordnung und Symmetrie oder, offener gesagt, die notwendige städtebauliche Kontrolle.[5]

Deshalb hebt sich auch die munizipale und ökonomische Organisation der Gartenstadt von der herkömmlichen städtischen Strukturierung deutlich ab. Ihre Verwaltung (»board of management«) ist nach dem Modell eines großen Geschäftsbetriebes organisiert. Sie besteht aus dem Zentralrat (»the central council«) und den Abteilungen für allgemeine Verwaltung, Ingenieurwesen und Sozialbelange. Alle Rechte und Befugnisse der Gemeinde als alleiniger Grundeigentümerin sind dem Zentralrat übertragen, der in dieser starken Position die Entwicklung des Gemeinwesens frei von fremden Einflüssen lenken kann. Dieses oberste Gremium besteht aus den Vorsitzenden der Abteilungen und deren Stellvertretern, die alle auf Grund ihrer Sachkenntnisse und ihres gesunden Menschenverstandes von den Gartenstadtbewohnern gewählt werden.

Ihrer sozialen Zielsetzung entsprechend bedient sich die Verwaltung des Prinzips der lokalen Option, um für die Gartenstadt »promunizipale« Unternehmen, die ohne ausgesprochenen Konkurrenzkampf auf gemeinnütziger Basis arbeiten, zu gewinnen. Gedacht ist hier vornehmlich an philanthropische und karitative Einrichtungen, religiöse Gesellschaften, Erziehungsanstalten, Sparkassen, Baugenossenschaften usw. Sie sollen in kleinem Rahmen demonstrieren, welche positiven Auswirkungen Eigeninitative und Gemeinschaftsgeist für die Wohlfahrt eines Stadtwesens haben können. Sie sollen auch den Arbeitern ermöglichen, einen sozialen Wohnungsbau zu organisieren, um durch Selbsthilfe zu eigenen Wohnstätten zu gelangen. Weiterreichende Pläne, etwa die Verstaatlichung des ganzen Grund und Bodens und des Privatkapitals unter der Exekutive der Arbeiterklasse, hält Howard für illusorisch.[6] In diesen Festlegungen, vor allem in der Absicht zur Bevorzugung gemeinnütziger Unternehmen, spricht sich die soziale Bestimmung der Gartenstadt unüberhörbar aus. Der ganzen Konstruktion nach steht hier den Kräften, die aus Karitas, Common sense und Mutual aid erwachsen, ein weites Feld offen. In diesem Zusammenhang hatte die Gartenstadt auch zu zeigen, wie weit sie allgemeine Grundrechte wie Gewerbefreiheit und allgemeines Niederlassungsrecht in ihrem durch soziale Überlegungen abgegrenzten Bereich achten wollte. Aber das ist ein Problem, mit dem sich früher schon die urbanen Sozialutopien auseinandergesetzt hatten. Howard glaubte diese sozialutopischen Entwürfe und Siedlungsexperimente so weit zu kennen, daß er die Fehleinschätzung des menschlichen Naturells als einen ihrer größten Fehler ansieht. Seiner Meinung nach ist die Fähigkeit zum Altruismus meist überschätzt, der Drang zur freien Entfaltung im individuellen Denken und Handeln aber unterschätzt worden. Auf diesen irrigen Annahmen darf die Gartenstadt also gerade nicht basieren. Sie muß im Gegenteil die Folgerungen aus den bisherigen kommunistischen und sozialistischen Experimenten ziehen und zwei wesentliche Voraussetzungen schaffen: den individuellen Erwerbstrieb des Menschen nicht hemmen und den Drang zur Unabhängigkeit, zur Initiative bei jedem Menschen respektieren. Im Rahmen von Genossenschaften, Betrieben und Wohlfahrtsvereinen wird die notwendige Freiheit und die erwünschte persönliche Betätigung indes gesichert sein.

Der einzelne Bewohner soll auch keineswegs auf den Grundbesitz als einen unvergänglichen Wert verzichten müssen. Nur wird das neue und gerechtere Bodenbesitzsystem der Gartenstadt mit seinen Pachtfristen und seinen sozialen Bindungen so beschaffen sein, daß es dem einzelnen nicht mehr möglich ist, die durch die Urbanisierung hervorgebrachten Grundrentenwerte in spekulativem Sinne zu nutzen. Und diese Absicherung ist, so meint Howard, eine der wesentlichsten Voraussetzungen für eine höhere und bessere Form des industriellen Lebens. Bei dem weitgespannten Ziel der beabsichtigten sozialen Reform kommt schließlich alles darauf an, das durch ein Experiment erprobte Gartenstadtsystem allmählich zu vervielfältigen und Städte dieser neuen Ordnung im ganzen Land zu bauen. Die notwendige Landbeschaffung soll in diesem größeren Rahmen, wie einst beim Bau der Eisenbahnlinien, mit Hilfe der gesetzgeberischen Kompetenzen des Parlaments bewerkstelligt werden. Da die einzelne Gartenstadt als eine sozial und räumlich überschaubare Einheit von 32000 Einwohnern angelegt ist und eine Vergrößerung über die Randzone des Grüngürtels hinaus ihrem ganzen Wesen nach ausscheidet, bietet sich für die weitere Ausbreitung das Satellitenprinzip an. Sobald eine Einheit ihren vollen Umfang erreicht hat, entsteht in der notwendigen Distanz eine neue Gartenstadt mit eigener Verwaltung. Im regionalen Bereich wiederholt sich dieser Vorgang so oft, bis schließlich ein ganzes Bündel von Städten (»cluster of cities«) vorhanden ist, das sich um einen Zentralort mit 58000 Einwohnern gruppiert und durch ein differenziertes Eisenbahn- und Nahverkehrsbahnsystem verbunden ist. Mit dieser Übertragung des Gartenstadtprinzips auf die Städtegruppe, mit diesem Vordringen in die großräumlichen Dimensionen des ganzen Landes werden die letzten Konsequenzen des Planes einer »wirklichen Reform« gezogen. Denn indem die Gartenstadt ihres Experimentalcharakters entledigt und in großer Zahl reproduziert wird, leitet sie zu neuen und besseren Verhältnissen über und wirkt auf breiter Front als Antithese gegen die alten, verbrauchten Städte. Unter dem neuen Vergleichsmaßstab können diese nur noch als Ausdruck einer auf Selbstsucht und Habgier aufgebauten Gesellschaft gedeutet werden. Angesichts der Gartenstädte wird man Plätzen wie London den Rücken kehren und die Möglichkeiten einer gesellschaftlichen Erneuerung – »reconstruction of society« – zu nutzen wissen. Howard ist von der Überlegenheit und Praktikabilität seiner neuen Stadtform so überzeugt, daß er glaubt, alle Einwände durch ein Siedlungsexperiment ausräumen zu können. Die Verifizierung der Gartenstadtidee steht und fällt deshalb mit der zukünftigen Gartenstadtbewegung.

Indes geben allein schon die angeführten Grundannahmen Howards Anlaß zu ersten Einwänden. Das Bild der drei Magnete gleich zu Anfang mag zwar einprägsam sein, doch vereinfacht es die gegebene Situation zu sehr, wenn dabei die Anziehungskräfte der drei Lebensbereiche Stadt, Stadt–Land und Land gleich groß gezeichnet sind. Gerade die Tatbestände der Landflucht und der städtischen Überfüllung widersprechen dieser Annahme. Genaugenommen müßte die Magnetwirkung der Stadt ganz groß, die des Landes ganz klein dargestellt werden. Und jene des neuzuschaffenden Bereichs muß fürs erste überhaupt als eine unbekannte Größe gelten. Sie hängt allein davon ab, welche Wirkung die Verschmelzung von Stadt und Land in Form der Gartenstadt hervorzubringen imstande ist.

Auch das Ausweichen auf billige Agrarflächen ist auf den ersten Blick hin frappierend. Es wird von Howard aber übersehen, daß die geographische Lage mit den Verkehrsanschlüssen, den Fabrikationsmöglichkeiten und den Absatzmärkten, daß Klima, Bodenbeschaffenheit und anderes mehr auch bei der Platzwahl der Gartenstadt bedeutungsvoll sind.

Schließlich hören sich die ökonomischen Darlegungen Howards besonders wohlgefällig an, zumal sie durch Zahlen belegt sind. Tatsächlich basieren aber alle finanziellen Angaben vom Kaufpreis für den Baugrund über den marktbedingten Zinssatz der Kaufsumme bis zur Investitionsneigung der Kapitalgeber und Zahlungsbereitschaft der Bewohner auf Hypothesen und Prognosen. Eigentlich war jede Diskussion über alle Zahlen so lange müßig, bis eine ausgeführte Gartenstadt stichhaltige Aussagen lieferte.

Der Teilausbau in einzelnen »wards« läßt sich auf dem Papier ebenfalls leicht postulieren. In Wirklichkeit ist er mit schwerwiegenden Problemen verbunden, die bei der Ausstattung mit öffentlichen Einrichtungen, bei der Verkehrserschließung, bei der Niederlassung von Industrien usw. auftreten müssen.

Immerhin bedeutet der Gedanke, den Urbanisierungsprozeß endlich von seinem bisher üblichen Laisser-faire-Prinzip zu befreien und die Entwicklung der Stadt nach übergeordneten Gesichtspunkten zu steuern, einen wichtigen Schritt nach vorn.

456. Darstellung des Satellitenprinzips, übertragen auf die Gartenstadt. (E. Howard, *Garden Cities*, a. a. O.)

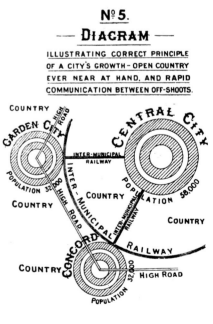

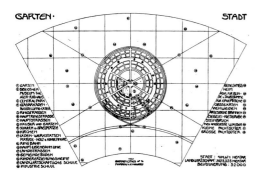

## 8.1.2. Voraussetzungen und Einflüsse

Selbstverständlich sind Howards Gedanken und Absichten, so wie sie eben geschildert worden sind, nicht voraussetzungslos zu sehen. Sie entspringen vielmehr eindeutig jener breiten Strömung sozialistischen Denkens, das im späten 19.Jahrhundert neue Vorstellungen für Gesellschaft, Staat und Gemeinde eröffnet hat.[7] Howard selbst gibt an, sein Projekt einer neuen Stadt sei eigentlich nur die Verschmelzung von drei verschiedenen anderen Reformplänen. Dabei handelt es sich um

1. die Vorschläge für eine organisierte Siedlungsbewegung der Bevölkerung von Edward Gibbon Wakefield und Alfred Marshall;
2. das Bodeneigentumssystem, wie es von Thomas Spence und Herbert Spencer vorgeschlagen worden ist;
3. die Modellstadt von James Silk Buckingham.

Der Einfluß der Theorien von Wakefield und Marshall kann nicht groß gewesen sein, da Howard von ihnen erst erfuhr, als sein eigenes Projekt schon ziemlich weit gediehen war. Zweifellos kamen aber die Argumente des einen zu einer weltweiten Aussiedlung und noch viel mehr der Rat des anderen zur inneren Kolonisation seinen Absichten sehr gelegen, und so zögerte er nicht, sie als Bestätigung seiner Ideen mit anzuführen.[8]

Buckinghams Sozialutopie Victoria geriet ebenfalls erst später in seinen Blickkreis. Sie war für Howard jedoch auch im fortgeschrittenen Stadium seiner Überlegungen noch

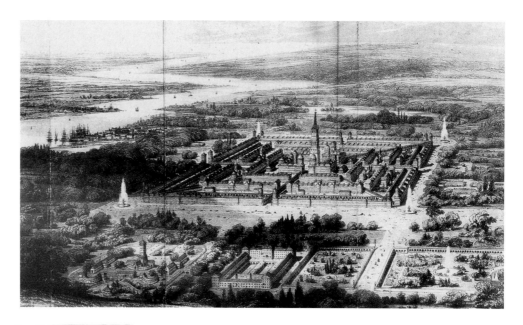

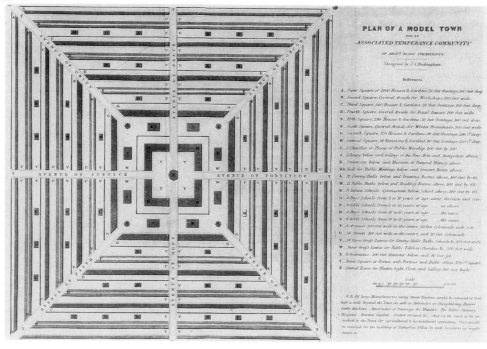

458, 459. Die Modellstadt Victoria, entworfen von James Silk Buckingham im Jahr 1849. Schaubild und Lageplan. (J.S. Buckingham, *National Evils and Practical Remedies with a Plan of a Model Town*, London 1849)

431

aufschlußreich, weil in ihr das Idealstadtmodell sogar mit baulichen Einzelheiten belegt ist. Ein Vergleich zwischen James Silk Buckinghams Lageplan für Victoria und Howards Diagrammen für die Anlage einer Gartenstadt ist aufschlußreich. In beiden Fällen ist die Stadt zentral angelegt und durch radiale Haupt- und ringförmige Wohnstraßen gegliedert. Buckingham legt der Stadtform das Quadrat, Howard den Kreis zugrunde, doch der Unterschied scheint nicht gravierend zu sein. Auch das Stadtzentrum mit den öffentlichen Gebäuden ist in beiden Plänen ähnlich, ebenso die ringförmige Erweiterung der Bebauung nach außen. Beiden Vorstellungen liegt eine starre geometrische Figuration zugrunde, wie sie bei manchen Architekturtheoretikern der italienischen Renaissance festzustellen ist. Der belesene Buckingham mag ihre Publikationen gekannt und auf seinen zahlreichen Reisen auch Ringanlagen aller Art beobachtet haben. Es ist anzunehmen, daß er diese Eindrücke in Victoria verarbeitet hat. Howard, der nach einem baulichen Vorbild suchte, schloß sich – wenn auch mit Abänderungen – dieser Version an, wohl einfach deshalb, weil es ihm an besseren Beispielen fehlte. Und der Städtebau hatte um diese Zeit, das darf nicht übersehen werden, auch kaum bessere Vorbilder zu bieten. Die Festlegungen Buckinghams zur Lebensführung hat Howard dagegen nicht übernommen. In dieser Hinsicht hielt er seinen Plan für weiter entwickelt und besser auf die menschliche Natur abgestimmt als die durch strenge Regeln und kategorische Verbote abgesicherte Ordnung in der Idealstadt Victoria. Seine Verbindung mit der Bodenreformbewegung hätte Howard kaum durch die Erwähnung von Thomas Spence und Herbert Spencer besonders hervorheben müssen. Bei den Überlegungen, einen sozialen Ausgleich zwischen Stadt und Land zu finden, stellt sich die Bodenfrage von selbst. Er konnte auf alle Fälle davon ausgehen, daß jede Urbanisierung eine Steigerung der Bodenrente bewirkt. Es galt deshalb, eine überzeugende Lösung zu finden, wie dieser Wertzuwachs der Allgemeinheit dienstbar zu machen ist. Spence hatte dazu schon 1775 den Gedanken geäußert, man sollte, um jeden Mißbrauch auszuschließen, den Boden schlagartig in Gemeinbesitz überführen und alle Steuern und Abgaben in einer Bodenrente zusammenfassen.[9] Howard greift diesen letzten Punkt auf. Das Moment der sofortigen Vergesellschaftung entschärft er aber durch jenes viel behutsamere Vorgehen, das Terrain für das erste Gartenstadtexperiment zu normalen Kaufbedingungen auf dem Grundstücksmarkt en bloc für die Gemeinde zu erwerben. Auf diese Weise braucht der Boden auch nicht Staatseigentum zu werden, eine Regelung, die Spencer 1851 in *Social Statics* ebenfalls als wünschenswert und moralisch bezeichnet hat.[10] Im Vergleich zu den radikalen Bodenreformern geht Howard aber nicht so weit, alle Ursachen der sozialen Not dem Bodenmonopol des Privatkapitals anzulasten. Trotzdem trachtet auch er danach, den Bodenwertzuwachs der Allgemeinheit dienstbar zu machen.

Zitate und Erwähnungen in *To-morrow: a Peaceful Path to Real Reform* zeigen, daß Howard auch die Namen der bedeutendsten Sozialutopisten gekannt hat. Im Zusammenhang mit Spencers Eigentumsvorstellungen vom Boden werden »Fourier, Owen, Louis Blanc & Co.« genannt.[11] Und zwar in dem Sinne, daß diese sich eine Erneuerung der Zivilisation nur durch die Bildung von Gütergemeinschaften und nach gewaltsamer Umwälzung der bestehenden Verhältnisse denken konnten. Daraus läßt sich aber kaum ableiten, Howard habe die Werke dieser Sozialutopisten tatsächlich genauer gekannt und sei von ihnen beeinflußt worden. Seinen eigenen Aussagen zufolge hat zwar Bellamys *Looking Backward* als auslösendes Moment zu seinem Buch gewirkt.[12] Man würde sich aber von seinem Vorgehen und seiner Arbeitsweise eine falsche Vorstellung machen, wenn man die Genesis seiner Gartenstadtidee ausschließlich von solchen historischen Vorbildern abhängig sähe. Er hat sie letzten Endes nur zitiert, um seine eigene innere Überzeugung durch gleichlautende Äußerungen bekannter Sozialtheoretiker abzusichern. Das jedenfalls ist die Meinung seines Freundes F.J. Osborn.[13]

Doch wie man diesen Punkt auch beurteilen mag, an der Koinzidenz der Gedanken und Bestrebungen all jener Kräfte, die auf eine Sozialreform hinarbeiteten, gibt es keinen Zweifel.[14] Nach Howards Auffassung mußte das Suchen nach sozialer Wahrheit und Gerechtigkeit das menschliche Denken und Trachten in gleiche Bahnen lenken. So kam es fast zur selben Zeit zu einer Reihe ähnlicher Vorschläge, die Wohnprobleme in der Industriestadt zu lösen.

Besonders zu erwähnen ist hier der Plan des »völkischen Schriftstellers« Theodor Fritsch (1852–1933), der in seiner Publikation *Die Stadt der Zukunft* bereits 1896 für eine weitläufige und offene Bebauung auf gemeindeeigenem Boden eingetreten ist. In Konkurrenz zu Howard hat er später das Primat der Gartenstadtidee für sich beansprucht, ein Ansinnen, das unhaltbar ist.[15] Denn selbst wenn er so früh wie Howard die gesellschaftspolitische Erneuerung als eine grundlegende Voraussetzung für einen sozialen Städtebau erkannt hat, so besitzt seine »Stadt der Zukunft« doch niemals die sozialen Dimensionen der Garden City. Und während der Engländer schon in den achtziger Jahren um die Ausgestaltung seiner Idee gerungen hat, äußerte sich der deutsche Schriftsteller um diese Zeit zu einer ganz anderen Materie.[16]

In der Grundtendenz führte die Absatzbewegung aus den überfüllten, schmutzigen und unpersönlichen Industriedistrikten fast überall zu einem Rückgriff auf das Ideal des naturnahen Wohnens. Das ist auch bei Howard zu beobachten. Er hat seinen neuen, sozial stabilisierten und der Natur geöffneten Ort als »garden city« bezeichnet. Dieses Schlagwort, das die Vorstellung von der Stadt immer mit dem Medium des Gartens verknüpft, sollte dem Erneuerungsplan sowohl die leichtverständliche Formel liefern wie auch die erwünschte Publizität verschaffen.

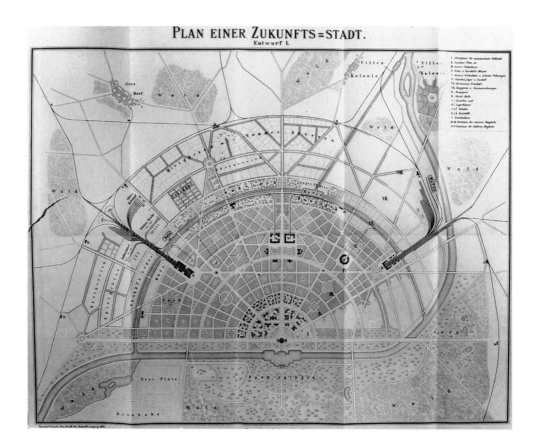

460. Plan einer Stadt der Zukunft, nach einem Entwurf von Theodor Fritsch aus dem Jahr 1895. (Theodor Fritsch, *Die Stadt der Zukunft*, Leipzig 1896)
461. Planvariante einer Stadt der Zukunft mit flügelförmiger Bebauung und dazwischengeschobenen Parkanlagen, nach dem Entwurf von Theodor Fritsch. (Theodor Fritsch, *Die Stadt der Zukunft*, a.a.O.)

## 8.2. Die Gartenstadtbewegung

### 8.2.1. Letchworth

Seiner lebendigen Darstellung und seiner unkomplizierten Ausdrucksweise wegen wurde Howards Buch in der Öffentlichkeit günstig aufgenommen. Der Verfasser ging, sobald er bekannt geworden war, dazu über, auch noch in Vorträgen für sein Projekt zu werben. In den anschließenden Diskussionen zeigte sich bald, in welchen Punkten ein Konsensus zu erreichen war. Man hielt sowohl die Überfüllung der großen Städte wie auch die Entvölkerung der Landbezirke für besorgniserregend und stimmte einem Ausgleich durch neue Städte zu. Nur sollten diese auch über leistungsfähige Industriebetriebe verfügen, um den Bewohnern an Ort und Stelle Arbeit und Verdienst und dem ganzen Lande eine ausgeglichene Wirtschaftsstruktur zu verschaffen. Man war sich auch darin einig, die ganze Aktion nicht der britischen Regierung zu überlassen, sondern selbst die notwendigen Schritte zur Verwirklichung einer Reformstadt zu unternehmen.

Diejenigen, die ein derartiges Unternehmen billigten, schlossen sich am 10. Juni 1899 zur Garden City Association zusammen. Damit war die Gartenstadtbewegung ins Leben gerufen.[17] Und da angesehene Persönlichkeiten wie W.H. Lever und Sir Ralph Neville, der spätere Richter am High Court, für die Gartenstadtidee eintraten, wies sich die Gesellschaft als eine ernsthafte Einrichtung aus, die immer mehr Mitglieder umfaßte. Bald richtete sie ein eigenes Büro ein und stellte Thomas Adams als ständigen Sekretär an. Auf dessen Betreiben fand im September 1901 eine Konferenz in Bournville, im Juli 1902 eine weitere in Port Sunlight statt.[18] Auf diesen Treffen machten sich Delegierte aus den Borough und Urban District Councils, der Trade Union und anderen Institutionen mit dem Gedanken der Gartenstadt vertraut, wodurch dessen Ausbreitung weiter gefördert wurde.

Um zu Mitteln für den Bau einer ersten Gartenstadt zu kommen, war im Mai 1900 die Garden City Ltd. mit einem Aktienkapital von 50000 Pfund gebildet worden. Bei der auf 5 Prozent beschränkten kumulativen Dividende als Ausstattung ging die Kapitalzeichnung aber nur schleppend voran. Neuen Auftrieb gab erst wieder eine Versammlung im Juni 1902 mit Earl Grey, auf der die Bischöfe von Rochester und Hereford und andere bekannte Würdenträger zu Worte kamen. Sie endete mit dem Bekenntnis, die Idee nun ohne Aufschub zu verwirklichen. Die Gründung der Garden City Pioneer Company Ltd. im darauffolgenden Monat stellte den ersten Schritt dazu dar. Ohne Schwierigkeiten wurde das Gesellschaftskapital von 20000 Pfund gezeichnet. Nun ging man daran, einen geeigneten Platz zu suchen, und hatte auch bald Erfolg. In etwa 50 Kilometern Entfernung nördlich von London wurde gerade Letchworth Estate, ein Landgut von 410 Hektar bei Hitchin in Hertfordshire, zum Verkauf angeboten. Die Gesellschaft griff zu, nachdem sie sich versichert hatte, daß auch noch angrenzendes Land zu erwerben war. Um einen annehmbaren Bodenpreis zu erhalten, wurde einzeln und unauffällig verhandelt. So gelang es der Gesellschaft, mit fünfzehn Verkäufern Verträge abzuschließen und auf diese Weise eine Gesamtfläche von 1548 Hektar zum Preis von 155587 Pfund aufzukaufen.[19] Nach diesem erfolgreichen Auftakt konnte am 1. September 1903 die First Garden City Ltd. als eigentlicher Bauträger gegründet werden. Man wählte die Form einer Aktiengesellschaft mit 300000 Pfund Kapital. Nach der Satzung sollte sich die Dividende wiederum bei Gewinn auf 5 Prozent beschränken und ein etwaiger Überschuß zum Wohl der Stadt und ihrer Bewohner verwendet werden. Aber wie vor drei Jahren blieb auch diesmal der Aufruf zu einer ersten Zeichnung von 40000 Pfund an der Börse fast unbeachtet. Das Projekt erschien für eine Kapitalanlage wenig lukrativ, zumal man die Gewinnchancen überhaupt skeptisch beurteilte. Der Zeichnungsbetrag wurde erst erreicht, als die Direktoren der Gesellschaft selbst große Anteile übernahmen. Wie wenig die Börse gewillt war, als Geldgeber für die Gartenstadt in Aktion zu treten, beweisen die 23000 Pfund Aktien, die zwischen 1906 und 1909 abzusetzen waren. Schon zu Beginn wurde also offenbar, daß die Annahme Howards verfehlt war, die Grunderwerbskosten und die ersten Erschließungskosten über den Kapitalmarkt zu finanzieren. Die Folgen blieben nicht aus. Denn nun mußten bei einer kostspieligeren Geldbeschaffung die Ausgaben und Einkünfte der Gartenstadt ganz andere Relationen annehmen, als sie Howard in seiner Ertragsrechnung ausgewiesen hatte. Von Anfang an wurde so die Finanzierung zum Angelpunkt des ganzen Gartenstadtexperimentes. Doch trotz dieser ersten Enttäuschung nahm das Unternehmen seinen Lauf. Am 9. Oktober 1903 konnte in Anwesenheit von über 1000 Gästen »Letchworth, The First Garden City«, nunmehr zum Bau freigegeben werden.[20]

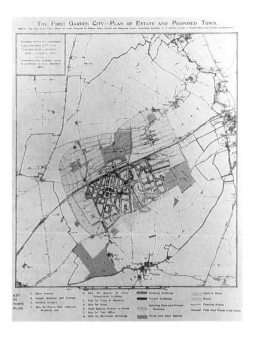

462. Letchworth Estate mit der von Parker und Unwin entworfenen Garden City. (First Garden City Heritage Museum, Letchworth Garden City, Herts.)

Die Planung dieser Reformstadt warf ebenfalls eine Reihe schwieriger Probleme auf. Wie konnten die sozialen Forderungen planerisch überhaupt erfüllt werden und in welcher Form ließ sich die Quintessenz der abstrakten Plandiagramme zur Geltung bringen? Howard selbst hatte schon auf der Konferenz von Bournville betont, daß er die neue Stadt nicht bauen würde ohne »des besten Experten Ratschlag«.[21] Man holte deshalb von den bekannten Architekten B. Parker und R. Unwin sowie Halsey Ricardo und W.R. Lethaby Bebauungsvorschläge für Letchworth ein. Den Ausschlag für den Planungsauftrag gaben die gedankliche Einfühlung und die Übereinstimmung mit dem Ideal. Parker und Unwin traten, wie schon dargestellt worden ist (siehe Kapitel 7.2), für jene sozial determinierten Wohnformen ein, die auch Howard vorschwebten. Es war für die Gartenstadtgesellschaft deshalb nur folgerichtig, diesen Planern die Projektierung der Gartenstadt zu übertragen. Wie vorauszusehen gewesen war, ließen sich die Diagramme und Angaben Howards nur schwer in die Wirklichkeit umsetzen. Die ersten Einschränkungen ergaben sich in der Flächenaufteilung. Das Stadtareal wies nicht die geforderten 2400 Hektar, sondern nur etwa zwei Drittel davon auf. Außerdem waren nun die örtlichen Gegebenheiten zu berücksichtigen. Daß die Eisenbahn mitten durch das Gelände verlief, widersprach einem Idealplan von vornherein. Dennoch bedeutete sie, sobald eine Station errichtet war, eine wichtige Fixierung für das Wegesystem und die Industriezone. Alle diese Punkte mußten Parker und Unwin in ihrem Bebauungsplan für Letchworth vom April 1904 berücksichtigen.

Nach den damaligen Verkehrsverhältnissen ist der Bahnhofsplatz als Ausgangspunkt anzusehen. Von dort führt ein breiter Broadway nach Süden zum Zentralplatz. Der mit der Eisenbahn Ankommende sollte, so dachte Unwin, mit einem Blick die Anlage der Stadt erfassen. Der Zentralplatz markiert im ideellen wie visuellen Sinne die eigentliche Mitte

463. Letchworth – The First Garden City –, Bebauungsentwurf von Parker und Unwin.

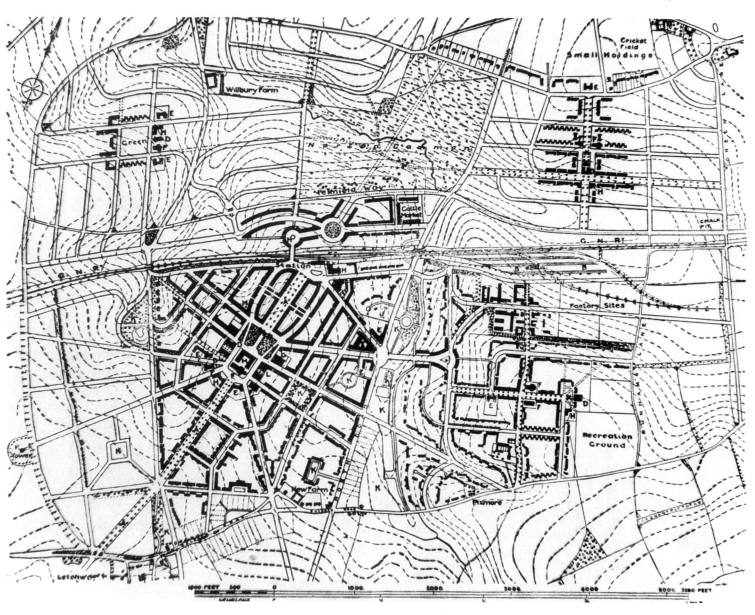

der Stadt. Auf ihm sollten im Laufe der Zeit das Civic Center mit Rathaus, Kirche, Museum und Schule entstehen. In ihn münden aus allen Richtungen Straßen ein, die das
Zentrum geradlinig mit den Außenbezirken verbinden. Als Platzwandungen sind geschlossene Gebäudegruppen mit Arkadengängen vorgesehen. Die Diagonalstraßen von
South View und West View und die gekrümmten Straßenzüge von East Cheap und West
Cheap sind absichtlich auf eine perspektivische Wirkung der zentralen Gebäudegruppen
angelegt. Zweifellos wirkt hier das Vorbild historischer Stadtanlagen nach. Indes bestand
die wesentliche Aufgabe Parkers und Unwins hauptsächlich darin, durch eine sinnvolle
Disposition den Gartenstadtbewohnern die Vorteile sowohl des Stadt- als auch des Land-
lebens für alle Zeiten zu sichern. Wie aber konnte diese Forderung auf die einfachste Art
erfüllt werden? Die Planer gingen davon aus, daß die zugrunde gelegte Überbauungsdichte, also das Verhältnis von Hauseinheiten zur Flächeneinheit, ein wichtiges Regulativ
für den Stadt–Land-Charakter darstellt. Sie sahen deshalb maximal 30 Gebäude pro Hektar vor, wonach sich je Hauseinheit Gärten mit 3 bis 5 Ar Größe ergaben. Das Resultat
ist dann tatsächlich mehr ländliche Szenerie als städtisches Straßenbild. Die Anordnung
der Gebäude selbst beruht aber noch stark auf den geometrischen Formvorstellungen
der Zeit. Trotz der differenzierten Unterteilung und Zonung, durch die die verschiedenen
Wohnbereiche, das Industriegebiet sowie die Erholungs- und Parkflächen ausgewiesen
werden, richtet sich der Kernbereich nach einer symmetrischen Figuration. Nördlich der
Bahnlinie fehlt nicht einmal das Motiv der kreisförmigen Squareanlage. War das nun die
der Gartenstadtidee adäquate Planfassung? Man wird diese frühe Aussage nicht überbewerten dürfen! Sie war zuerst einmal der große Rahmen, nach dem die einzelnen Partien
begonnen werden konnten. Der Plan stellte sich bald als weit flexibler heraus als er vielleicht wirkte und bot genügend Spielraum für eine stärkere funktionelle Aufteilung. Jedenfalls reihten die Planer die Gebäude nicht einfach stereotyp an den Straßen auf; sie
achteten vielmehr auf eine lebendige Gruppierung der Baukörper und auf eine gute Besonnung für Haus und Garten – ganz im Gegensatz zur architektonischen Praxis der Zeit.
Eine umfassende Bepflanzung, die Straßen, Plätze und Familiengärten gleichermaßen
einschloß, brachte zudem die besondere Naturverbundenheit zum Ausdruck.[22] Um die
für die Nutzung geeigneten großen Gartenflächen zu erhalten, wurden oft auch die Gebäude zu Gruppen zusammengefaßt. Dabei ergaben sich überschaubare Räume und
Höfe, die zu nachbarschaftlichen Beziehungen anregten.
Nach dem soeben geschilderten Grundplan entstanden schon 1904 die ersten Bauten in
Letchworth. Die Gartenstadtgesellschaft betrieb in eigener Regie den Bau der Straßen,
der Abwasserkanalisation und die Gas-, Elektrizitäts- und Wasserversorgung. Ebenso

467. The Broadway, Letchworth, zu Beginn des Ausbaus. (First Garden City Heritage Museum, Letchworth Garden City, Herts.)
468. The Broadway , Letchworth, nach dem späteren Ausbau mit den vier Baumreihen. (The Official Guide of Letchworth, Hertfordshire 1958)

übernahm sie das Vermessen und Verpachten der Baugrundstücke. Um das System des Bodenbesitzes hatte es eine längere Diskussion gegeben. Der Boden war, dem Selbsthilfegedanken Howards entsprechend, von der Gemeinde erworben worden. Das Problem bestand nun darin, ihn in ihrem Eigentum zu belassen und doch für die Siedler annehmbare Pachtbedingungen zu bieten. Schließlich stellte man bei Wohngebäuden und Kaufläden zwei Möglichkeiten zur Wahl: entweder eine 99jährige Pachtfrist mit fixierter Pachtrente, wobei nach diesem Zeitraum das auf dem Pachtland befindliche Zubehör an die Gartenstadtgesellschaft übergehen sollte, oder eine um 10 Prozent über dem Normalsatz liegende fixierte Rente, durch die der Pächter das Recht erhält, nach 99 Jahren wieder einen neuen Abschluß zum alten Grundwert für die neue Pachtperiode zu tätigen. Genaugenommen bedeuteten diese Modalitäten bereits eine gravierende Einebnung des Gartenstadtgedankens. Eine Revision der Bodenrenten in zu großen Abständen machte es der Gemeinde unmöglich, den steigenden Grundwert abzuschöpfen und für ihre gemeinnützigen Aufgaben zu nutzen. Howard sah diese Gefahr sehr wohl und plädierte deshalb für eine Neubewertung des Pachtlandes nach jeweils sieben Jahren. Er mußte sich aber überzeugen lassen, daß der Gesichtspunkt der Beleihbarkeit und der Unwille der Pächter diese Lösung ausschlossen. Die Ausführung der Wohngebäude mußte die Gartenstadtgesellschaft allein schon aus Kapitalmangel Baugenossenschaften oder den Siedlern selbst überlassen. Sie machte aber große Anstrengungen, wenigstens billige Wohnhauslösungen auch für Arbeiter aufzuzeigen.[23] Im Ausbau folgte man dem Ratschlag Parkers und Unwins, von den Randgebieten zum Zentrum hin zu bauen. Als erste Straße nahm die Broadwater Avenue Gestalt an.

Nachdem die Great Northern Railway Company eine provisorische Station eingerichtet hatte, erfolgte 1905 die Überbauung der Station Road. Ihre Mischbauweise mit Wohnhäusern auf der Nord- und Kaufläden auf der Südseite befriedigte weder architektonisch noch städtebaulich. Als ausgesprochene Ladenstraße wurde deshalb die Leys Avenue angelegt, die mit ihrer leicht gekrümmten, aber kompakten Reihenhausbebauung eine starke Räumlichkeit hervorbringt.

Bedeutsam für die Gesamtstruktur der Stadt sind jedoch die Hauptstraßenzüge in Nord-Süd-Richtung. Von ihnen entstand zuerst Norton Way als Verbindung zwischen den vorhandenen überörtlichen Landstraßen (Hitchin and Baldock Road und Wilbury and Norton Road), während der Broadway als Hauptstraße und Stadtachse mit seinen 30 Metern Breite sich erst allmählich herausbildete. Das monumental konzipierte Stadtzentrum blieb noch für lange Zeit als freie Fläche liegen und erweckte in diesem Zustand stets den Eindruck des Unfertigen und des Unvermögens. Zusammenhängende Wohnhaus-

469. Stadtzentrum – The Town Square area – in Letchworth aus der Luft. (Hunting Aerofilms, Boreham Wood, Herts.)

gruppen errichtete man zwischen 1904 und 1910 auf Bird's Hill und Pixmore Hill. Bemerkenswert ist, wie hier die Blöcke um Höfe oder Stichstraßen gruppiert sind, wobei die Aussicht nach Westen frei bleibt. Nördlich dieser Wohnviertel liegt nahe der Bahn die Industriezone. Die niedrigen Pachtzinsen, der direkte Bahnanschluß, die Versorgung mit Gas und Elektrizität, das Angebot an Arbeitskräften und schließlich die gesunden Lebens- und Wohnbedingungen am Ort sorgten dafür, daß sich bald die ersten Firmen niederließen. Im Laufe der Zeit entwickelte sich eine eigenständige Leichtindustrie, die in ihrer Zusammensetzung zwar nicht abgestimmt, in ihrer Verschiedenartigkeit aber auch nicht zu stark den Konjunkturbewegungen ausgesetzt war.

Absichtlich unbebaut blieb nach dem Plan Howards ein Grüngürtel an der Peripherie der Stadt. In ihm sollten Pachtgüter und Bauernhöfe entstehen, die eine gute Existenzgrundlage boten und die Eigenversorgung der Gartenstadt übernahmen.[24] Doch der Kapitalmangel stand auch diesem Plan entgegen. Obwohl sich zahlreiche Siedler für Pachthöfe interessierten, sah sich die Gartenstadtgesellschaft außerstande, den Bau der Hofgebäude zu finanzieren. Selbst der Versuch, landwirtschaftliche Betriebe auf genossenschaftlicher Basis zu führen, schlug fehl. Denn es fehlte außer an Kapital auch an der erforderlichen Bonität des Bodens und an einem größeren Absatzmarkt, der die Erzeugnisse aufnahm. So ging auch auf dem landwirtschaftlichen Sektor die Rechnung Howards nicht auf.

Bald stellte sich unmißverständlich heraus, daß die bisherige finanzielle Ausstattung der Gartenstadt einfach nicht ausreichte, um alle jene städtischen Einrichtungen zu schaffen, die für einen sichtbaren Erfolg des Siedlungsexperimentes unerläßlich waren. Um weitere Mittel zu beschaffen, sahen sich die Direktoren im Oktober 1906 genötigt, vierprozentige Schuldscheine auszugeben. Zu dieser Notlage war es gekommen, weil sämtliche Kosten für die Erschließung und Ausstattung des Platzes ebenso wie die Zinsen in der laufenden Rechnung als Ausgaben geführt wurden und diesem Posten nur die Grundrenten als Einnahmen gegenübergestellt werden konnten. Dabei schlugen die durch die bisherige Urbanisierung geschaffenen Werte überhaupt nicht zu Buche. So gesehen arbeitete das Unternehmen immerfort mit Verlust. Und in dieser Lage tat es sich schwer, neues Kapital zu beschaffen. Erst eine fachkundige und unabhängige Wertermittlung im September 1907 stellte den wirklichen Sachverhalt fest. Land, Gebäude und Einrichtungen wurden auf 379 500 Pfund geschätzt. Nach Abzug der bisherigen Ausgaben in Höhe von 265 831 Pfund schälte sich eine Wertschöpfung von 113 668 Pfund heraus.[25] Man konnte diesen Betrag unbedenklich als Gewinn bezeichnen. Ihn zu einer Gewinnausschüttung heranzuziehen, kam aber nicht in Frage. Nach zwei weiteren Jahren mit Verlusten bezog man 1911 endlich die Rechnungslegung auf eine neue Wertschätzung des Gesamtunternehmens. Auf dieser Grundlage ließ sich in den folgenden Jahren ein langsam steigender Rechnungsgewinn ausweisen. 1913 zahlte die Gartenstadtgesellschaft erstmals eine einprozentige Dividende aus. Offensichtlich war kurz vor dem Ersten Weltkrieg der kritische Punkt überwunden.

Die Stadt zählte nun etwa 9000 Einwohner. Es waren 1934 Gebäude erstellt und etwa 16 Kilometer Straßen mit den notwendigen Versorgungsleitungen angelegt. Die Wasser- und Kraftversorgung konnte als gesichert gelten. Im Industriegebiet hatten sich etwa 30 Firmen niedergelassen. Die Stadt verfügte über ausreichende Schulanlagen, in der Open Air School der Miss Annie J. Lawrence sogar über eine besondere Attraktion. Es fehlte nicht an eigenen publizistischen Organen. Promunizipale Einrichtungen wie Buchklub, Bücherdienst und Bibliothek und ab 1914 The Letchworth Civic Trust lieferten einen überzeugenden Beweis bürgerlicher Initiativen. Buchbindereien, The Garden City Press und eine Kunsttöpferei förderten das Kunstgewerbe. Diese Aktivitäten machten Letchworth bald weit über den örtlichen Rahmen hinaus bekannt. Städteplaner, Kommunalpolitiker und Sozialwissenschaftler wurden endlich auf das erste Gartenstadtexperiment aufmerksam und studierten es an Ort und Stelle.

Für die langsame, aber stete Entwicklung brachte der Erste Weltkrieg eine unerwünschte Zäsur. Durch Evakuierung und Rüstungsindustrie verlor Letchworth für einige Jahre seine Zielsetzung als Gartenstadt. In der Nachkriegszeit erwies sich jedoch die Tatkraft der alten Gartenstadtanhänger als ungebrochen. Die Stadt regenerierte sich und unternahm neue Anstrengungen für einen weiteren Ausbau. Denn der »Housing Act« von 1919 ermöglichte es endlich der neugebildeten Stadtverwaltung – »the Letchworth urban district council« – zugunsten eines sozialen Wohnungsbaus zu wirken.[26] Mit staatlicher Förderung entstanden 1919 bis 1922 insgesamt 707 Arbeiterwohnungen, 1923 weitere 48 und 1924 noch einmal 476. Nun erst erhielt das Bauen in der Gartenstadt jene soziale Note, die Howard sich schon immer, allerdings ohne staatlichen Eingriff, gewünscht hat-

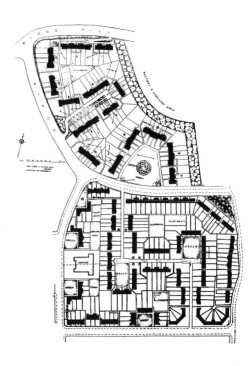

470. Die Bebauung von Bird's Hill und Pixmore Hill, Letchworth. Entwurf von Parker und Unwin. (R. Unwin, *Grundlagen des Städtebaus*, a.a.O.)

te. Die wöchentliche Belastung einer Familie für Wohnung und Garten mit 8 bis 13 Schilling war als tragbar anzusehen.

Den Aktionären konnte 1925 erstmals der Maximalbetrag von 5 Prozent Dividende ausgezahlt werden. Damit stand fest, daß das Unternehmen nach einer Anlaufphase von etwa 20 Jahren endlich in der Lage war, einen erkennenswerten Gewinn zu erwirtschaften. Von diesem Zeitpunkt an verfestigte sich die Struktur der Stadt zusehends. Das Ansteigen der Grundrenten versetzte die Stadtverwaltung in die Lage, neue städtische Einrichtungen wie Parks (Norton Common, Howard Park, Howard Garden), Spielplätze, Schulen, Kirchen, eine öffentliche Bibliothek und Saalbauten (People's Hall, Co-operative Society's Hall) zu schaffen.

Der Zweite Weltkrieg führte noch einmal zu Bedingungen, die der Idee der Gartenstadt widersprachen. Aber auch von dieser Entfremdung erholte sich die Gartenstadt wieder. 1950 wies sie 20 321 Einwohner auf. Die finanzielle Situation verbesserte sich weiter. Schon votierte man in gewissen Kreisen für eine Aufhebung des Dividendenlimits von 5 Prozent und für ein Herauslösen des Unternehmens aus den alten Bindungen. Diesen Spekulationen machte der 1962 von der Ortsbehörde erlassene »Letchworth Garden City Corporation Act« ein Ende, indem er festlegte, daß Letchworth auch in Zukunft als eine gesetzliche Korporation zum Wohl der Gemeinde geführt werden soll.

471. Letchworth aus der Luft im Jahr 1969. (Hunting Aerofilms, Boreham Wood, Herts.)

Schon seit 1912 trug sich Howard mit dem Gedanken, eine zweite Gartenstadt zu gründen, um noch überzeugender als in Letchworth die Stichhaltigkeit seiner Theorie zu demonstrieren. Der Krieg vereitelte diese Absicht zunächst. Die Wohnungsnot der Nachkriegszeit forderte zu einer Initiative aber geradezu heraus, und so zögerte Howard nicht mehr. Er hatte zwischen Hatfield und Welwyn in Hertfordshire einen Platz ausfindig gemacht, der ihm für die Anlage einer Gartenstadt geeignet erschien. Der Zufall wollte es, daß Teile davon 1919 bei der Auktion des Panshanger Estate angeboten wurden. Er nutzte die Gelegenheit und erwarb, ohne seine Kaufabsichten den Freunden zu verraten, ein Areal von 590 Hektar. Den Kaufpreis in Höhe von 51 000 Pfund bezahlte er mit geborgtem Geld. Wenig später gelang es ihm, noch ein angrenzendes Waldstück (Sherrard Wood) mit 93 Hektar dazuzukaufen. Mit dieser spontanen Aktion gab er noch im Alter von 69 Jahren wiederum ein erstaunliches Beispiel von Unternehmungsgeist und Tatkraft. Und er machte damit auch deutlich, wie sehr er trotz allen Behinderungen in Letchworth immer noch seiner Gartenstadtidee vertraute.

Im September 1919 machte eine »vorläufige Ankündigung für eine Gartenstadt in Hertfordshire« Industrie und Arbeiterschaft in London auf das Vorhaben aufmerksam.[27] Dem Augenschein nach bot die Lage des erworbenen Platzes durch den Anschluß an eine Haupteisenbahnlinie und an das überregionale Straßennetz, aber auch durch die geringe Entfernung von nur 33 Kilometern zur City of London durchaus günstige Voraussetzungen. Man zögerte deshalb nicht, am 15. Oktober 1919 die Second Garden City Ltd. zu gründen, wobei der angesehene Sir Theodore Chambers den Vorsitz und F. J. Osborn die Stelle als Sekretär übernahm. Der Gesellschaft gelang es, das Areal noch durch einen Teil des Hatfield Estate aus dem Besitz des Marquis of Salisbury zu arrondieren. Der Kaufpreis für die 280 Hektar betrug nun schon 40000 Pfund. Als Ausgangsbasis stand somit für die zweite Gartenstadt, die man Welwyn Garden City nannte, eine Gesamtfläche von 963 Hektar zur Verfügung.[28]

Noch während des Grunderwerbs wurde unverzüglich mit der Bestandsaufnahme des Geländes (»survey«) begonnen. Der Platz war bisher ausschließlich landwirtschaftlich genutzt und von der im Westen vorbeiführenden Hauptstraße – The Great North Road – nur durch wenige schmale Wege erschlossen. Dazwischen lagen einige Gutshöfe, Landarbeiterhäuser und Gastwirtschaften mit etwa 400 Einwohnern. Die wichtigste Voraussetzung für die Urbanisierung dieses Gebietes war ein Bauträger, der dem ganzen Unternehmen den finanziellen Rückhalt geben und auch die planerische und administrative Einheit gewährleisten konnte. Dieser entstand, mit einer Kapitalausstattung von 250000 Pfund, am 29. April 1920 als Welwyn Garden City Ltd. Nach dieser organisatorischen Absicherung begannen sofort die ersten Erschließungsarbeiten. Die Gesellschaft baute den vorhandenen Weg Handside Lane aus und startete in diesem Bereich noch während der Arbeiten am Bebauungsplan das erste Bauprogramm nach dem Housing Act von 1919. Gleichzeitig wurden High Oaks Road und Valley Road angelegt und ebenfalls zusammen mit Brockswood Lane bebaut. Unterdessen hatte auch die Eisenbahnverwaltung an der Nebenlinie Luton–Dunstable eine provisorische Haltestelle eingerichtet. So konnten noch vor Weihnachten 1920 die ersten Wohnungen bezogen werden.

Letchworth mochte inzwischen die Erfahrung geliefert haben, daß die Konkretisierung der Gartenstadtidee in entscheidendem Maße von einer gesicherten Finanzierung abhängig sein würde. Die Frage war nur, ob sich 1920 die Bedingungen des Kapitalmarktes günstiger erwiesen als 1903. Die Nachkriegssituation schloß den Gedanken an »billiges Geld« eigentlich von vornherein aus. Bei Darlehen mußte mit Zinssätzen bis 10 Prozent gerechnet werden. Unter diesen Umständen blieb der Welwyn Garden City Ltd. keine andere Wahl, als bis an die Grenze ihres finanziell möglichen Einsatzes zu gehen. Sie bot im Prospekt vom 4. Mai 1920, der zur Zeichnung des Aktienkapitals aufforderte, eine Dividende von maximal 7 Prozent. Wiederum sollte jener Teil des Gewinns, der diese Dividende überstieg, in gemeinnützigem Sinne den Gartenstadtbewohnern zugute kommen. Die Reaktion der Börse auf diese Ausstattung war vorauszusehen: An Stelle der 250000 wurden lediglich 90350 Pfund gezeichnet. Der Betrag reichte nicht einmal aus, um die 105804 Pfund für den Grunderwerb zu begleichen. In letzter Not entschlossen sich die Direktoren der Gesellschaft zu Bankanleihen, für die sie persönlich Sicherheit leisteten. Außerdem zeichneten sie selbst 100000 Pfund Aktienanteile zu besonderen Bedingungen. Im Juni 1921 versuchte man den Kapitalbedarf noch durch Ausgabe von sechsprozentigen Schuldscheinen zu decken. Aber welcher Modus der Finanzierung auch gewählt wurde, die Kapitalbasis für den Bau von Welwyn Garden City blieb in der Anfangsphase genauso unzureichend wie in Letchworth.

Einen Lichtblick in dieser fast hoffnungslosen Lage bot wenigstens die staatliche Wohnbauförderung. Nachdem Neville Chamberlain im Unhealthy Areas Committee Report 1920 die Gartenstädte als Heilmittel gegen die Slums herausgestellt hatte, ging das Parlament so weit, in einem neuen »Housing Act« vom Juli 1921 auch Staatsdarlehen für »authorized associations« vorzusehen.[29] Die Anerkennung im Sinne des Gesetzes erhielt die Welwyn Garden City Ltd. anstandslos. So war sie in der Lage, als erste Institution von dieser Finanzierungsmöglichkeit Gebrauch zu machen. Einem ersten Darlehen im Jahr 1922 in Höhe von 177 000 Pfund folgten nach und nach weitere bis zu einem Gesamtbetrag von 313 577 Pfund. Der Zins mit 4,75 bis 5,5 Prozent und die Amortisationsfristen von 25 bis 30 Jahren konnten als vorteilhaft gelten. Aber die Public Works Loan Commissioners gaben die Gelder nur zögernd und versuchten auch, sich in die Planung der Gartenstadt einzuschalten. Howard sah seine Skepsis gegen eine staatliche Mitwirkung bestätigt. Spätestens 1924 stand auch für die Direktoren fest, daß diese Förderung der expansiven und unkonventionellen Entwicklung der Gartenstadt nicht dienlich war. Es galt also weiterhin Howards alte Forderung: Die Bewährungsprobe der Garden City mußte zuerst einmal ohne die Hilfestellung des Staates bestanden werden, obwohl es unter den gegebenen Umständen genauso wenig wie in Letchworth gelingen konnte, am Anfang einen Gewinn zu erwirtschaften.

Nach wie vor bestand das Problem, den steigenden Wert des urbanisierten Platzes in der Bilanz zur Geltung zu bringen. Um dies zu erreichen, stellte die Gesellschaft 1930 nicht nur die Rechnungslegung, sondern auch die Finanzierung um. Sie legte einen Teil des Kapitals in zinsbringenden Wertpapieren an, damit sich auf diese Art ein Gewinn ergab. Der weiteren finanziellen Konzentration diente auch 1932 der Verkauf der ganzen Kanalisationsanlage an den Urban District Council und 1934 die Aufhebung der Dividendenlimitierung. Ein etwaiger Gewinn kam also fortan nur noch den Aktionären zugute, die bei diesen Vorgängen überhaupt einen größeren Einfluß auf den Geschäftsgang erlangten. Man wird allerdings den verantwortlichen Direktoren kaum unterstellen dürfen, sie hätten leichtfertig ein soziales Prinzip der Gartenstadtkonzeption aufgegeben. Offensichtlich ließ die wirtschaftliche Rezession im Lande Anfang der dreißiger Jahre keinen anderen Ausweg mehr offen. Für die Gartenstadt war die Krise erst überwunden, als 1936 die erste Dividende ausgeschüttet werden konnte. Bis 1939 stieg diese auf 3 Prozent. Nach dem Krieg wurde sie 1947 mit 6 Prozent festgesetzt. Erst von diesem Zeitpunkt ab durfte von einem bescheidenen Gewinn gesprochen werden.

Im Zusammenhang mit der Finanzierung ist auch noch aufschlußreich, wie die Welwyn Garden City Ltd. den Boden verteilt und genutzt hat. Sie verpachtete die einzelnen Parzellen auf 999 Jahre, und zwar zu fixierten Grundrenten, die auf einem annehmbaren Marktwert beruhten. Trotz der angespannten Haushaltslage verzichtete sie auf maximale Einstufungen und blieb dadurch ihrem sozialen Auftrag treu. Unter diesen Umständen war es auch Arbeitern möglich, einen Bauplatz zu erwerben. Allerdings mußte auf alle progressiveren Pläne, also auf die Revision der Grundrenten in kürzeren Intervallen und auf die Einführung der »rate-rent« von vornherein verzichtet werden.

Den ersten Bebauungsplanvorschlag für Welwyn arbeitete bereits 1919 der Letchworther Architekt C. M. Crickmer aus. Die Gartenstadtgesellschaft erkannte jedoch bald, daß Planung und Ausführung direkt ineinandergreifen mußten. Sie entschloß sich deshalb, die Projektbearbeitung in einer eigenen Bauabteilung vorzunehmen, deren Leitung sie dem jungen Architekten Louis de Soissons anvertraute. Im Prinzip war die Aufgabenstellung dieselbe wie bei Letchworth. Der Stadtplan von 1920 zeigt, welche Lösung Louis de Soissons mit Rücksicht auf die Örtlichkeiten gewählt hat. Den ersten Eindruck bestimmt das Verhältnis zwischen baulicher Nutzfläche und Grüngürtelzone. Es ergibt sich anscheinend aus einer einfachen Rechnung. 40 000 bis 50 000 Einwohner als optimale Bevölkerungszahl, eine Baudichte von etwa 30 Gebäuden pro Hektar und der notwendige Raum für Kommunal-, Handels- und Industriebauten machen einen Flächenbedarf von 717 Hektar aus. Am Ende bleiben für den »agricultural belt« noch 246 Hektar übrig. Dieser Anteil liegt weit unter dem Maß, das Howard dieser Landwirtschafts- und Schutzzone zugedacht hatte. Theoretisch gesehen war also die Gesamtfläche für eine Gartenstadt zu klein. In der Wirklichkeit hoben aber der langsame Stadtausbau und die freie Lage in der Landschaft diesen Mangel weitgehend auf.

Bei der Aufteilung der Stadt führen die vorhandenen Bahntrassen notgedrungen zu einer vierteiligen Gliederung, bei der Brücken als Verbindungsglieder eine wichtige Rolle spie-

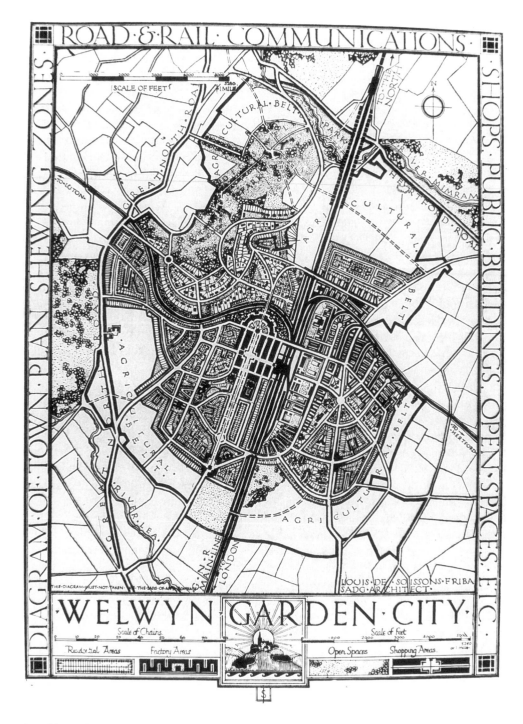

472. Bebauungsplan Welwyn Garden City, von Louis de Soissons, 1920. (C.B. Purdom, *The Building of Satellite Towns*, a.a.O.)

len. Nach dem Prinzip der Zonung sind den einzelnen Stadtteilen verschiedene Funktionen zugedacht. So sieht der Planer, wohl durch die landschaftliche Situation und die Verkehrsanschlüsse veranlaßt, im südwestlichen Bereich nach innen das kompakte Stadtzentrum und nach außen locker gruppierte Wohnviertel vor. Als dominierendes Element der ganzen Anlage hebt sich der 66 Meter breite und 1,2 Kilometer lange Parkway ab. Er endet im Norden mit einem halbrund angelegten Civic Center (The Campus), im Süden geht er in eine bestehende Straße über.

Als raumbildende Querachse dazu ist Howard Gate mit 60 Metern Straßenbreite vorgesehen. Hier sollte sich nahe dem Bahnhof das Laden- und Geschäftszentrum entwickeln. Bemerkenswert ist der Kontrast zwischen den einzelnen Partien. Die strenge geometrische Aufteilung im Bereich der Achsen strebt Übersichtlichkeit und bis zu einem gewissen Grade auch Monumentalität an. Die Bebauung an den Rändern deutet dagegen mit den gekrümmten und geschwungenen Straßenzügen auf eine freie und offene Raumbehandlung hin. Ihr folgen auch die Wohnbauten, die zum Teil um Wohnhöfe herum gruppiert und nur noch über eine kurze Stichstraße (»cul-de-sac«) oder einen quadratischen Platz (»close«) zu erreichen sind. Der dem Wind abgewandte südöstliche Stadtteil weist alle Voraussetzungen für die Industriezone auf. Der Plan sieht deshalb hier ein 69 Hektar großes Areal für Fabrikanlagen vor, das vom Hertford Branch aus sogar eigene Eisenbahnanschlüsse erhalten kann. Weiter nach Osten verbleibt noch genügend Platz, um in der Nähe der Fabrikationsstätten Arbeiterwohnungen zu erstellen. Die übrigen kleineren Stadtteile im Norden jenseits der Nebenbahnlinien bestehen aus einer weiträumigen Wohnbebauung, an die im Nordwesten der Digswell Park, sonst aber Felder anschließen. Um beim Ausbau der Stadt den Ansprüchen eines Reformmodells wenigstens so weit wie möglich gerecht zu werden, schien es nach den Erfahrungen von Letchworth ratsam, den Bau der Wohnungen, Läden, Sozialeinrichtungen usw. nicht einfach der Privatinitiative zu überlassen. Man hielt die Koordination durch eine Hand für unerläßlich. Diese Absicht ließ sich durch die rechtliche Position der Welwyn Garden City Ltd. als Grundeigentümerin ohne weiteres durchsetzen.[30] Sie übernahm in Form einer Dachgesellschaft die Aufsicht über den ganzen Stadtausbau. Selbst tätig wurde sie bei der Erschließung des Baugeländes durch Straßen- und Versorgungseinrichtungen und bei der Verpachtung des Bodens. Andere Unternehmen und Dienstleistungen wie Wohnungs-, Laden- und Schulbau, Transporte und Baustofflieferungen, Handel und Gewerbe, Unterkunft und Bewirtung übertrug sie Tochtergesellschaften, bei denen sie sich aber durch finanzielle Einlagen Oberaufsicht und Mitspracherecht sicherte. Sie sah sich damit in die Lage versetzt, nicht nur die äußere Entwicklung der Stadt, sondern auch deren soziales und kulturelles Leben zu bestimmen. Die Koordination selbst übernahmen acht bis neun Direktoren, die zudem noch besonderen Komitees (Finanzen, Bauwesen, Energieversorgung, Handel usw.) vorstanden. Auf Wunsch Howards kamen in jährlichem Wechsel noch zwei bis drei Civic Directors hinzu, die mithelfen sollten, bürgerliche Aktivitäten zu entfalten.

Dieses zielbewußte Vorgehen des Bauträgers wirkte sich schon nach kurzer Zeit aus. Die Behörden unterstützten den Ausbau der Sozial-, Kultur- und Gesundheitseinrichtungen, sie beteiligten sich an der Unterhaltung der Straßen und Plätze und legten ein Spielfeld an. Viele semimunizipale Institutionen verschafften den Bewohnern ein weites Betätigungsfeld, etwa in der Health Association zum Wohl der Gesundheit der Kinder, in der Educational Association auf dem Gebiet der Erwachsenenbildung und in der Theatre Society im Laienschauspiel.

Für gemeinschaftliche Veranstaltungen stand schon ab 1921 die Lawrence Hall zur Verfügung, für festliche Treffen das zur selben Zeit eröffnete Cherry Tree Restaurant.[31] Weiteren Raum bot die Backhouse Memorial Hall, die aus dem Umbau eines Bauernhauses entstanden war, und später auch noch der große Saal im Ladenzentrum. Theater- und Kinovorstellungen fanden ab 1928 im neuerbauten Welwyn Theatre statt.

Einen originellen Beitrag zum städtischen Gemeinschaftsleben lieferte der 1927 geschaffene Central Civic Fund. Dessen Mittel, die sich aus Spenden von Geschäftsleuten und aus Subskriptionen von Arbeitern ergaben, kamen jenen sozialen Diensten zugute, wel-

473. Welwyn Garden City, Industriezone zu Beginn des Ausbaus, 1925.
474. Welwyn Garden City, Industriezone nach dem späteren Ausbau, 1948. (C.B. Purdom, *The Building of Satellite Towns*, London 1949)

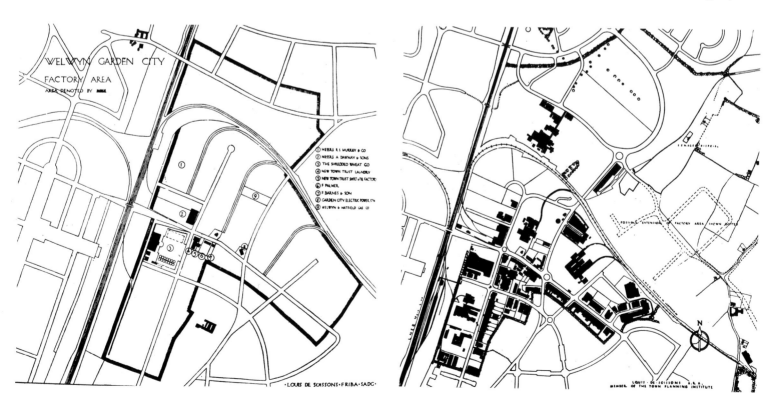

che durch keine Gesellschaft finanziell getragen wurden. Die Subskribenten selbst erhielten auf Grund eines »industrial scheme« für sich und ihre Familien freie Krankenhausbehandlung und andere Vergünstigungen.[32]

Ihr besonderes Augenmerk richtete die Welwyn Garden City Ltd. – wohl unter Howards Einfluß – auf die Handelseinrichtungen. Im Gegensatz zu Letchworth sollte diesmal im Sinne der »lokalen Option« der auf privatem Gewinnstreben basierende Einzelhandel ausgeschaltet und durch eine gesellschaftseigene Ladenorganisation ersetzt werden. In diesem Sinne erhielt die im Mai 1921 gegründete Welwyn Stores Ltd. alle Handelsrechte in der Gartenstadt für die nächsten zehn Jahre. Schon ab Jahresende versorgte diese Firma die Einwohnerschaft mit fast allen Gütern des täglichen Bedarfs. Allerdings richteten sich die Preise genauso wie anderswo nach der wirtschaftlichen Kalkulation. Sie waren deshalb in der Regel nicht viel niedriger als in der Nachbarschaft. Das erste Ladengebäude an der Ecke Bridge Road/Guessens Road lag so günstig am Weg zwischen Bahnstation und Wohnbebauung, daß es im ersten Ausbaustadium das noch fehlende Stadtzentrum ersetzte. Erst später, als das Anwachsen der Bevölkerung eine Vergrößerung der Verkaufsfläche erforderte und der Ausbau der Industriezone die Stadt nach Osten ausweitete, wurde eine Verlegung auf den im Plan vorgesehenen Platz am Howard Gate und Parkway notwendig. Das 1939 mit einer Verkaufsfläche von 14000 Quadratmetern eröffnete Einkaufszentrum bot in der folgenden Zeit nicht nur für Welwyn Garden City, sondern für ganz Hertfordshire ein einmaliges Warensortiment.

Diese Lösung der Güterversorgung stieß von Anfang an auf erhebliches Mißtrauen. Man warf der Welwyn Stores Ltd. vor, die Konkurrenz zum Schaden der Käufer ausgeschaltet zu haben, und unterstellte ihr deshalb willkürliche Preisgestaltung, mangelnde Wirtschaftlichkeit, Mißachtung der Niederlassungsfreiheit und anderes mehr. Dabei wäre aber doch zu bedenken gewesen, daß es zu Beginn der Stadtentwicklung bei 600 Einwohnern für private Einzelhandelsgeschäfte von auswärts äußerst riskant erscheinen mußte, sich in Welwyn niederzulassen. Der Welwyn Garden City Ltd. blieb also, wenn sie die Stadtgründung nicht von vornherein in Frage stellen wollte, gar keine andere Wahl, als selbst für ein ausreichendes Warenangebot zu sorgen. Im übrigen scheuten die Kunden sich nicht, die gartenstadteigene Handelsfirma auf die niedrigeren Preise der Nachbar-

475. Welwyn Garden City im Jahr 1926. (Welwyn Garden City Development Corporation)

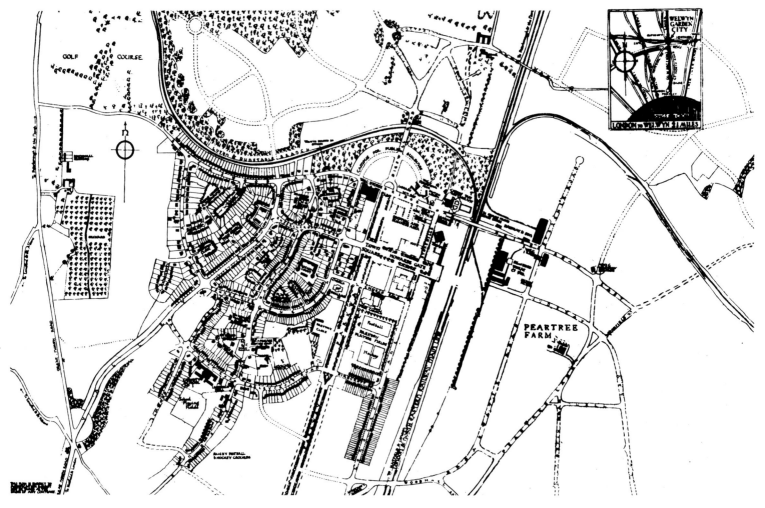

476. Welwyn Garden City aus der Luft im Jahr
1969. (Hunting Aerofilms, Boreham Wood,
Herts.)

schaft festzulegen. So wurde diese bald gewahr, daß sie ohne das Vertrauen der Kund-
schaft nicht bestehen konnte. Und die Bewohner ihrerseits zeigten sich im großen und
ganzen mit der neuartigen Verkaufsorganisation einverstanden, wohl auch in Anbetracht
ihrer gemeinnützigen Funktionen.[33]

Unter dem Zwang der finanziellen Restriktionen kam Welwyn Garden City ebenfalls nur
langsam voran. Bis zum 31. März 1925 waren lediglich etwa 3 Kilometer Hauptstraßen
und noch weniger Nebenstraßen ausgeführt. An den Ausbau des im Plan monumental
ausgestalteten Stadtzentrums mit öffentlichen Bauten war in der Frühzeit überhaupt
nicht zu denken. Um wenigstens existenzsichernde Betriebe an den Ort zu bringen, erschloß die Welwyn Garden City Ltd. selbst die Industriezone.

Die Vorteile, die sich boten, bewogen eine Anzahl von Firmen, sich nach Welwyn zu ver-
lagern. Damit war die industrielle Entwicklung eingeleitet. Die Gesellschaft verstand es,
sie weiter voranzutreiben, indem sie ab 1926 durch die Welwyn Commercial Building
Ltd. eigene Fabrikationsgebäude erstellen ließ und diese als »sectional factories« vermietete. 1933 hatten in der Industriezone bereits 40 Betriebe ihre Produktion aufgenommen,
wodurch die Mehrzahl der Gartenstadtbewohner am Ort Arbeit und Verdienst fand.

Weit weniger wirkungsvoll ließ sich jedoch die Erzeugung landwirtschaftlicher Güter in
der Randzone an. Es war ursprünglich beabsichtigt gewesen, eine größere Anzahl kleiner Pachtgüter einzurichten. Bewirtschaftungsversuche des Bodens ließen diese Be-

triebsform als ungeeignet erscheinen. Die Gesellschaft verpachtete deshalb den ganzen Außenbereich mit mehr als 400 Hektar Fläche zur assoziativen Nutzung an den New Town Trust. Die neugegründete New Town Agricultural Guild Ltd. verlegte sich vornehmlich auf Milchwirtschaft, Schweinehaltung und Gemüseanbau in Gewächshäusern. Sie überstand aber die Wirtschaftskrise der frühen dreißiger Jahre nicht. Demnach war an eine Selbstversorgung durch eine lebensfähige Landwirtschaft auch in Welwyn Garden City nicht zu denken. Doch die bauliche Entwicklung ging weiter. Bis 1939 war aus dem einst ländlichen Ort eine Stadt mit etwa 15000 Einwohnern und 4100 Gebäuden geworden. Sie verfügte nun über eine ausgewogene Infrastruktur und ermöglichte ein eigenständiges städtisches Leben. Daran änderten auch die Verhältnisse während des Zweiten Weltkriegs nur wenig. 1946 zeigte sich der ungebrochene Wille zur Weiterentwicklung des Gartenstadtgedankens in einem Ausbauplan für 50000 Einwohner. Diese Vergrößerung sollte tatsächlich Wirklichkeit werden, aber auf ganz andere Art. Zur selben Zeit verabschiedete nämlich das Parlament den »New Towns Act«. Durch ihn wurde der Ort, gegen den Protest der Gartenstadtgesellschaft, zur New Town deklariert. Dem Gesetz entsprechend übernahm eine neue Entwicklungsgesellschaft zum Kaufpreis von 2,8 Millionen Pfund das Vermögen der Welwyn Garden City Ltd. Was sich danach vollzog, kann nicht mehr ohne weiteres mit der einst wirksamen Idee Howards identifiziert werden.[34]

8.2.3. Die Entwicklung außerhalb Großbritanniens

Der langsame, durch unzureichende Finanzierung behinderte Stadtausbau in Letchworth lieferte für kritisch eingestellte Betrachter kaum den Beweis, daß mit der Gartenstadtkonzeption eine praktikable Lösung für den Wohnungs- und Städtebau gefunden war. Überdies mußte man bei diesem Demonstrationsvorhaben Kompromisse eingehen, die die Intentionen Howards weitgehend illusorisch machten. Sobald aber die Gartenstadtidee nicht mehr als ein in sich schlüssiger Plan für »social cities« behandelt wurde, war die Gefahr von Mißverständnissen und Simplifikationen nicht auszuschließen. Tatsächlich wurde der Ausdruck Garden City schon bald nach 1900 zu einem modischen Schlagwort, mit dem jede Stadterweiterung, bei der größere Hausgärten vorgesehen waren, belegt wurde. So bezeichnete eine geschickte Werbung auch die Londoner Stadtrandsiedlung Hampstead Garden Suburb als den »zweiten großen Plan in der Gartenstadtreihe«. Unversehens mußte der Eindruck entstehen, daß die selbständigen Suburbs auf weit bequemere Art fast dieselben Dienste zu leisten vermochten wie die durch soziale Forderungen belasteten eigentlichen Gartenstädte. Für den weiteren Verlauf der Gartenstadtbewegung hing viel davon ab, wie schließlich das Ausland die Idee aufnahm. Besondere Hoffnungen setzte Howard auf Frankreich, wo Georges Benoit-Lévy für dieses

477. »Cité-jardin« der Compagnie des Chemins de Fer du Nord, Tergnier, aus der Luft. (P. Lavedan, *French Architecture*, Harmondsworth 1956)
478. »Cité-jardin«, Tergnier. (P. Lavedan, *Histoire de l'Urbanisme. Epoque contemporaine*, Paris 1952)

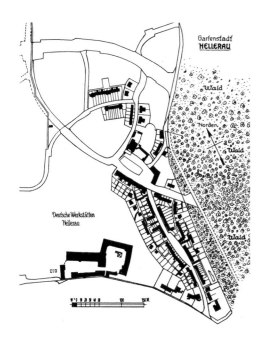

479. Gartenstadt Hellerau der Deutschen Werkstätten für Handwerkskunst in Dresden. (E. Genzmer, H. Küster, *Bebauungsplan und Bauordnung*, Dresden 1917)

Land in dem Buch *La Cité-Jardin* (1904) schon früh seine Gedanken exakt und treffend dargestellt hat und bekannte Planer wie A. Rey, H. Sellier und A. Bruggemann für die Gartenstadt eintraten. Bei der stark ästhetischen Orientierung der französischen Stadtplanung blieben aber alle diese Bemühungen wirkungslos. Erst als in den Nachkriegsjahren umfangreiche Wohnbauprogramme bewältigt werden mußten, fanden Planer sich bereit, das der Gartenstadtidee innewohnende Satelliten-Prinzip anzuwenden.[35] Die Übernahme dieses Gartenstadtprinzips war wiederum Grund genug, die von der Compagnie des Chemins de Fer du Nord nach 1919 erbauten Wohnvororte Tergnier, Longueau, Lille-Délivrance, Arras, Laon, Aulnoye usw. als »cités-jardins« zu bezeichnen. Unter demselben Begriff rangieren auch die zur Entlastung der Metropole Paris errichteten Vorortsiedlungen Suresnes, Châtenay-Malabry, Plessis-Robinson, Champigny-sur-Seine usw. Da sie zwar Gemeinschaftseinrichtungen aller Art aufweisen, aber trotzdem nicht den wesentlichen Forderungen Howards entsprechen, erbrachten sie für die Gartenstadtbewegung keinen nennenswerten Beitrag. Doch mindert dies natürlich keineswegs ihre Bedeutung für die Erneuerung der bisher sehr konventionellen französischen Stadtplanung.

In Deutschland war schon vor der Jahrhundertwende in mancherlei Hinsicht für die Gartenstadtidee vorgearbeitet worden. Es gab seit der Mitte des 19. Jahrhunderts eine Bodenreformbewegung. Der von Adolf Damaschke 1898 gegründete Bund Deutscher Bodenreformer verstärkte noch die Aktivitäten für einen sozialen Ausgleich bei Grund und Boden. Zugleich wies Franz Oppenheimer auf die Notwendigkeit der »inneren Kolonisation« hin, und Theodor Fritsch forderte konsequenterweise, Bodenreform und Städtebau endlich miteinander zu verkoppeln.[36] Es bedurfte also keiner großen Propaganda, um diese Kreise der Boden- und Sozialreformer für den Gartenstadtgedanken zu gewinnen. Hans Kampffmeyer (1876–1932) konnte deshalb schon 1902 die Deutsche Gartenstadtgesellschaft ins Leben rufen. Ihre Mitglieder und Anhänger versuchten, durch Vorträge und Veröffentlichungen auch in Deutschland die Voraussetzungen für Gartenstadtexperimente zu schaffen.[37] Die theoretischen Grundlagen dafür lieferte die deutsche Fassung von Howards Schrift, die unter dem Titel *Gartenstädte in Sicht* 1907 erschien.[38] Später ergänzte noch eine ausführliche Darstellung der Gartenstadtbewegung in England von Hans Eduard Berlepsch-Valendas das Bild der Reformstadt. Als aber dann zwischen 1907 und 1910 die ersten deutschen Gartenstädte nach vielen Anlaufschwierigkeiten Gestalt annahmen, war bald klar, daß es sich weder im Umfang noch in der sozialen Ausrichtung um Stadtorganismen handelte, die in Howards Sinne die Bezeichnung »Garden City« verdienten. Zwar wurden zumeist auf genossenschaftlicher Basis der Boden verpachtet und die Häuser erstellt, das Zusammenwirken von Selbstverwaltungsorganen und semimunizipalen Gesellschaften, die Beschäftigung in örtlichen Industriebetrieben und die landwirtschaftliche Versorgung durch die Grüngürtelzone war in keinem Fall voll gewährleistet. Bei der gemeinhin als Musterbeispiel angeführten Gartenstadt Hellerau, die Karl Schmidt bei der Betriebserweiterung der Deutschen Werkstätten für Handwerkskunst in Dresden ab 1907 für seine Mitarbeiter nach den Plänen von Richard Riemerschmid erbauen ließ, mochten die Reformvorstellungen noch am weitesten entwickelt sein.[39] Dennoch stellen die planerische Initiative und das soziale Verantwortungsbewußtsein der Betriebsleiter Karl Schmidt und Wolf Dorn die Siedlung Hellerau weit mehr in die Reihe der paternalistischen Werkssiedlungen nach dem Vorbild von Port Sunlight als in die Nachfolge von Letchworth.

Bei allen anderen »Gartenstädten« wie Karlsruhe-Rüppurr (1907/11), Ratshof/Königsberg (1907), Hopfengarten/Magdeburg, Reform/Magdeburg, München-Perlach (1909), Stockfeld/Straßburg, Hüttenau/Ruhr, Neumünster, Rüstringen, Nürnberg (1910), Leipzig-Marienbrunn, Wedau-Duisburg, Falkenberg/Berlin (1913), Staacken/Spandau (1914) handelt es sich um mehr oder weniger frei gruppierte Stadtrandsiedlungen, die allem Anschein nach ihre Bezeichnung vom äußeren Erscheinungsbild der Gärten ableiteten.[40] Strenggenommen hatte Deutschland genausowenig wie Österreich und Italien (Rom/Garbatella und Monte Sacro) der von Common sense und sozialem Reformwillen getragenen Gartenstadtbewegung in England etwas Gleichwertiges zur Seite zu stellen.[41]

Die enttäuschende Rezeption der Gartenstadtidee im kontinentalen Europa lenkte die Hoffnungen der englischen Gartenstadtanhänger auf die USA. Bei dem Bodenreservoir dieses Landes und der Vorliebe der Einwohner für kooperative Zusammenschlüsse schienen die Voraussetzungen günstig zu sein. Zudem lief die von Henry George beeinflußte Single-Tax-Bewegung bei ihren Ortsgründungen auf eine ähnliche Finanzierungsmethode hinaus wie bei Howard.[42] Doch trotz dieser Voraussetzungen dauerte es verhältnismäßig lange, bis die Gartenstadtprinzipien publik und zur Anwendung empfohlen

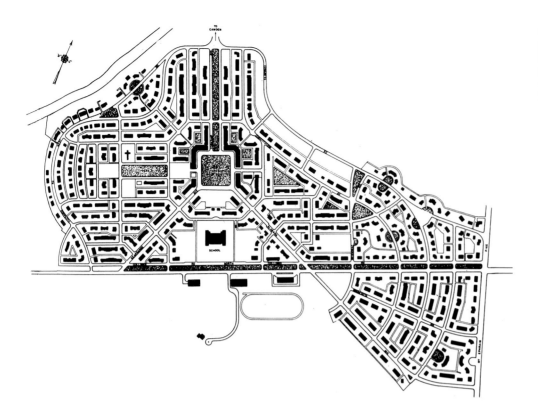

480. Werftarbeitersiedlung Yorkship Village (heute Fairview, Camden, N.J.) im Jahr 1918. Gebaut vom National Resources Committee, geplant von Electus D. Litchfield. (Mel Scott, *American City Planning since 1890*, Berkeley 1971)

wurden. Entscheidende Anstöße erhielten die nordamerikanischen Planer, die im Ersten Weltkrieg nach England geschickt wurden, um sich die Erfahrungen der englischen Stadtplanung für den Bau von Werftarbeiter-Siedlungen an der Ostküste nutzbar zu machen. Manche dieser Anlagen, wie etwa Yorkship Village, N.J. (1918), sind wenigstens in der architektonischen Behandlung von dem, was man »Letchworth pattern« nennen kann, beeinflußt. Auch in den Siedlungen des Stadtplaners John Nolen spürt man das englische Vorbild.[43] Das 1915 erbaute Kingsport/Tennessee wird sogar eingestuft als »the first true garden city in the USA incorporating industrial planning with the other elements of a town lay-out«.[44] Das mag wohl zu weit gegriffen sein. Immerhin empfahl Charles Summer Bird 1917 in seiner Schrift *Town Planning for small Communities* die Gartenstadtkonzeption ernsthaft zur Anwendung in den USA. Er hatte Letchworth genauer untersucht und konnte deshalb über planerische Moden hinweg auf die Wirksamkeit sozialer Komponenten hinweisen.

Nach dem Ersten Weltkrieg weitete sich die Diskussion um neue Planungskonzeptionen aus. Lewis Mumford, der bei seinen städtebaulichen Studien auf Geddes und Howard gestoßen war, begriff die Gartenstadt bereits nicht mehr als einen Einzelfall, sondern nur noch als ein Glied im Gesamtplan von Regionalstädten.[45] Unter seinem Einfluß, aber auch mit Assistenz von Unwin, Parker, Geddes und Howard, kam in den USA eine Bewegung auf, die die urbanen Probleme mittels Dezentralisation zu lösen versuchte. Wenn somit die Gartenstadtidee auch in Übersee keine unmittelbare Realisierung bis zur Stufe der englischen Beispiele erfahren hat, so hat sie doch in mittelbarem Sinne zu einem neuen Planungsansatz für die Regionen geführt.

Freilich ändert auch diese Feststellung nichts an dem Fazit, das für die Entwicklung außerhalb Englands gezogen werden muß: Es ist im internationalen Rahmen zu keinem Gartenstadtexperiment gekommen, das auch nur halbwegs den sozialreformerischen Absichten Howards entsprochen hätte. Demnach sind allein Letchworth und Welwyn als »garden cities« anzusehen. Und selbst bei diesen englischen Schöpfungen müssen Einschränkungen gemacht werden. Vor allem aber fehlte ihnen die zündende Kraft, die Idee zu verifizieren und die Gartenstadt über das Einzelprojekt hinaus zu dem zu machen, als was sie von Anfang an konzipiert war, nämlich »a peaceful path to real reform«.

## 8.3. Zur Problematik der Gartenstadtkonzeption

Die partiellen Auswirkungen der Gartenstadtidee, die sich, wie aufgezeigt worden ist, im Überbauungsmodus, in der Grünflächendisposition und in der städtischen Dezentralisation in manchen Ländern äußerten, legen die Frage nahe, warum es eigentlich trotz allem persönlichen Einsatz und Idealismus der Anhänger nicht gelang, Gartenstädte mit vollem sozialreformerischen Gehalt zu realisieren. Schließlich muß es für dieses Mißlingen plausible Begründungen geben.

Auf Letchworth und Welwyn bezogen findet sich die einfachste Erklärung in der unzureichenden Finanzierung. Als eigentliches Problem wird von den Befürwortern sogar nur die Finanzierung der sehr kapitalintensiven ersten Erschließungsphase angesehen. Sobald die Gartenstadt sich zu einem funktionsfähigen Gemeinwesen mit ausreichenden Pachteinnahmen entwickelt habe, also von dem Zeitpunkt ab, da die Kapitalinvestitionen ihre Wirkung zeigen, sei es durchaus möglich, so argumentieren sie, aus dem eingesetzten Kapital eine normale Verzinsung zu erwirtschaften. Der Erfolg der Gartenstadt hinge demnach nur von der Bereitstellung eines angemessenen Erschließungsbeitrages ab. Kann man sich mit dieser Erklärung zufriedengeben? Das hieße letztlich nichts anderes, als die der Gartenstadt implizierten schwerwiegenden soziologischen und planerischen Probleme auf eine falsch angelegte finanzielle Modalität zu reduzieren. Insofern wäre die Gartenstadtkonzeption ohne weiteres korrigierbar, und sie hätte sicherlich auch keine Schwierigkeiten, in Zukunft in verbesserter Form im großen Rahmen angewandt zu werden. Indes lassen aber viele Umstände in der Einschätzung von Letchworth und Welwyn darauf schließen, daß die tieferen Gründe des minimalen Erfolges dieser Stadtbaulösungen nicht allein in so äußerlichen Konstellationen wie der Finanzierungstechnik zu suchen sind, sondern eher in den fundamentalen Ansätzen der Gartenstadtidee selbst.

Die Grundhaltung, um die es in erster Linie geht, formuliert das Manifest der Garden City Pioneer Company Ltd. von 1902 kurz und prägnant so: »The garden city project is not merely an aesthetic idea to provide gardens, nor to force better habits on the people. It is an attempt to secure justice for the people by constitutional means, by diverting the increment of value attached to the land into pockets of those who create that value. It will help them to educate themselves. It is an experiment of the first magnitude in effective social reform ...«[46] Dieser eindeutige Anspruch auf einen sozialen Ausgleich im Rahmen einer neuen Stadt geht selbstverständlich auch aus den einzelnen Darlegungen in Howards Buch hervor.

Indem also, trotz allen Mißdeutungen und oberflächlichen Interpretationen durch die Gartenstadtanhänger, Absichten und Ziele der Gartenstadtidee unmißverständlich feststehen, kommt nun alles darauf an, ob dieser urbane Reformplan die Möglichkeiten der konstitutionellen Mittel und die soziale Einstellung der Zeitgenossen realistisch genug einschätzt, um eine begründete Aussicht auf Konkretisierung zu haben.

Um diese für den Erfolg entscheidenden Kriterien zu verdeutlichen, muß man sich noch einmal Howards Vorstellungen zur Realisation vergegenwärtigen. Er unterscheidet zwischen einer experimentellen Vorstufe – »a garden city experiment« – und einer späteren höheren Stufe, für die ganze Gartenstadtgruppen – »clusters of cities« – charakteristisch sind. Diese verteilen sich nach dem Satellitenprinzip über das ganze Land. Als Sozialstädte (»social cities«) bringen sie erst den vollen Effekt des Reformplanes hervor und zwar dergestalt, daß sie auch eine Großstadt wie London als ein überholtes Gebilde menschlicher Habsucht deklassieren und den Einwohnern einen Ausweg aus ihren Mauern aufzeigen. Dieses stufenweise Vorgehen ist aufschlußreich. Beim Experiment, d.h. bei der Erprobung durch ein Modell, bedient sich Howard einer Technik, die auch bei den urbanen Sozialutopien Owens und Fouriers praktiziert wird. Im Falle von Letchworth und Welwyn können zwar der experimentellen Verdeutlichung durchaus positive Seiten abgewonnen werden.[47] Der ausschlaggebende Punkt ist aber trotzdem, ob bei den komplexen urbanen Verflechtungen des industriellen Lebens etwa auf wirtschaftlichem und politischem Gebiet von der Konkretisierung eines einzelnen, auf sich selbst gestellten Modells der Auftakt zur Veränderung der ganzen stadtsoziologischen Struktur im Lande erwartet werden kann. Daß soziale Siedlungsexperimente Impulse dieser Art nicht auszulösen vermögen, haben Owens New Harmony und Fouriers Phalansterien längst demonstriert. Aber selbst wenn sich die aus dem Experiment hervorgegangene Stadt als lebensfähig erweist – wie Letchworth und Welwyn –, so ist damit für die Gültigkeit dieser Konzeption im größeren überregionalen Rahmen noch längst keine schlüssige Aussage gemacht. Und wie die Wirklichkeit aufzeigte, war das durchgeführte Einzelexperiment mit seinen unkomplizierten Lebensbedingungen nicht in der Lage, die Richtigkeit dieser Ansätze zu beweisen. Das gilt im großen wie im kleinen Zuschnitt.

So stellte sich der von Spence übernommene Gedanke, die Gesamteinnahmen der Gartenstadt auf der erwähnten »rate-rent« zu basieren, einfach als unbrauchbar heraus. Während diese Gesamtabgabe im System von Spence noch denkbar erscheint, weil der

Boden als radikal enteignet angenommen wird und daher keiner Verzinsung bedarf, ist die Situation in Howards Gartenstadt wesentlich komplizierter. Bei ihm sind, wenigstens in der Experimentierphase, Zins und Amortisation für die Bodenkosten aufzubringen. Die Annahme Howards, diese Aufwendungen würden nur ein Fünftel der Gesamteinnahmen ausmachen, war völlig fiktiv. Die Wirklichkeit in Letchworth und Welwyn sah ganz anders aus. An den Einzug einer »rate-rent« war überhaupt nicht zu denken. Außerdem zeigte sich bald, wie schwierig es war, die Wertsteigerungen des Bodens den Gartenstadtbewohnern dienstbar zu machen. Zunächst bedeutet der Verkehrswert des Bodens nur eine angenommene Größe, die erst dann, wenn eine stärkere Nachfrage nach städtischem Grund einsetzt, eine Marktbasis erhält. Selbstverständlich setzte bei den beiden Gartenstädten mit dem baulichen Fortschritt eine Bodenwertsteigerung ein. Nur war es bei der sozialen Einstellung der Gartenstadtgesellschaft kaum möglich, die höheren Werte zu kapitalisieren und für finanzielle Operationen freizumachen. Hätte sie dieses Ziel verfolgt, so wäre ihr nichts anderes übrig geblieben, als immer wieder aufs neue die Grundrenten dem erhöhten Bodenwert anzupassen. Darauf ist verzichtet worden, denn die Gartenstadtbewohner lehnten diese Prozedur verständlicherweise ab, und die Direktoren waren sich über die Höhe des Schätzwertes auch nicht einig.

Wie sich herausstellte, zeigte die Börse wenig Lust, die ihr von Howard zugedachte Finanzierungsrolle zu übernehmen. Wenn schließlich nicht so finanzkräftige Gartenstadtanhänger wie Cadbury und Lever das allernotwendigste Kapital eingebracht hätten, wäre wohl nie mit den Experimenten begonnen worden. Allein aus diesen Fakten wird deutlich, wie ungeeignet das halbsozialisierte Bodensystem und die teilkapitalistische Finanzierungsmethode sind, um die Gartenstädte gegen alle Einwände und Zweifel als überzeugendes Modell einer urbanen Sozialreform auszuweisen.

Die Ausweitung der Gartenstadtkonzeption zur Größenordnung der Städtegruppen müßte indes noch zusätzliche Probleme aufwerfen. Denn bei diesem Schritt genügt es nicht mehr, die Bodenfrage in der Schwebe zu belassen und die Gartenstadtgemeinde als Käufer einzusetzen. Howard behilft sich in diesem Fall mit Andeutungen. Es müßte, wie einst beim Bau der Eisenbahnlinien, möglich sein, die Sozialstädte mit Hilfe parlamentarischer Vollmachten – »under Parliamentary powers probably« – einzurichten. Die durch eine sozialistische Regierung beeinflußte Entwicklung in Großbritannien hat gezeigt, daß eine derartige Lösung durchaus möglich ist. Nur muß dann auch die Vergesellschaftung des Bodens als ein wesentlicher Programmpunkt der neuen Konzeption herausgestellt werden. Vor dieser Konsequenz ist Howard zurückgeschreckt. Wahrscheinlich erhoffte er – seiner Überzeugung entsprechend – eine praktikable Lösung eher von der sozialen Einsicht seiner Mitmenschen als durch staatliche Zwangsmaßnahmen.

Immerhin muß er sich aber bewußt gewesen sein, welche Macht und Entscheidungsgewalt der Gartenstadtgesellschaft oder -gemeinde bei dem von ihm empfohlenen Bodenbesitzsystem nach englischem Recht zukam. In dieser Hinsicht war die Verantwortung schon bei den Experimenten groß. Die Planungsautorität verschaffte einerseits die Möglichkeit, eine ausgewogene und sinnvolle Bebauung und ein einheitliches architektonisches Stadtbild herzustellen, andererseits barg sie aber auch die Gefahr in sich, die Gartenstadt auf einen stadtfremden Romantizismus hin auszurichten und den Ort in bewußter Abgeschlossenheit zum Stützpunkt einer sektiererischen Bewegung zu machen. Auch indem die Gemeinde eine Monopolstellung für den Bau der Einkaufszentren, Unterhaltungsstätten und Sozialeinrichtungen besaß, bestimmte sie weitgehend den Ausbau ganzer Sektoren des städtischen Lebens. Ein Beispiel dafür liefert die Ausübung der lokalen Option in Welwyn Garden City durch die Einrichtung einer gartenstadteigenen Handelsfirma. Die Bewohner haben diese Lösung akzeptiert. Aber Außenstehende unterstellten diesem Prinzpip, daß es menschliche Grundrechte wie Niederlassungsfreiheit, Freizügigkeit und persönliche Entfaltungsmöglichkeiten einschränkt und aufhebt. Manche sehen sogar den Gedanken der Freiheit desavouiert und stufen deshalb das Gartenstadtsystem als mittelalterlichen Feudalismus ein.[48]

Aber wie das Urteil auch ausfallen mag, jedenfalls fällt bei diesem Versorgungssystem wiederum die Affinität zu den frühen Sozialutopisten auf. Howard sieht wie Fourier im Handel eine überflüssige und asoziale Institution, deren Gewinnstreben der Gesellschaft nur Schaden zufügt. In seiner Sicht können gemeinnützige Genossenschaften die Verteilung der Waren und Dienstleistungen genausogut übernehmen.

Dem Wunsch nach einer zwischenhandelslosen Verbindung von Erzeugern und Verbrauchern entspricht auch die Überlegung, im äußeren Grüngürtel landwirtschaftliche Pachtgüter zu disponieren. Diese sollten allein durch ihre Stadtnähe in die Lage versetzt werden, den Markt der Gartenstadt zu Preisen zu beliefern, die jederzeit mit dem Weltmarkt konkurrieren konnten. Dieser Traum der preisgünstigen landwirtschaftlichen Selbstversorgung ist in Letchworth und Welwyn rasch zerstört worden. Nüchtern betrachtet mutet dieser Versuch einer wirtschaftlichen Selbstbeschränkung nur wie ein Rückfall in die agrarischen Zustände des frühen 19. Jahrhunderts an.

Der von Howard benutzte Ausdruck »a self-contained town« kann allerdings nicht nur auf die Selbstversorgungsfunktion bezogen werden. Im übergeordneten sozialen Rahmen macht er die Gartenstadt als einen selbständigen gesellschaftlichen Organismus begreiflich, der durch seine Industrie ein wirtschaftliches und durch seine semimunizipalen Vereinigungen ein kulturelles Leben entfaltet und sich mit diesen urbanen Aktivitäten vorteilhaft von den Schlafstädten als den suburbanen Dependancen der Großstädte abhebt. Impressionen in den beiden Gartenstädten verführten aber manche Beobachter dazu, bei ihren Bewohnern weniger die städtische Eigenständigkeit als vielmehr die Exklusivität einer »geschlossenen Gesellschaft« zu sehen. In der Tat mußte ein Konsensus die Teilnehmer an den Gartenstadtexperimenten zusammenführen. Eine gewisse gesellschaftliche Homogenität war die natürliche Folge. Sie wäre aber auch durch die Begrenzung der Einwohnerzahl gegeben gewesen, wenn die vorgesehenen 32000 Einwohner sich jeweils an Ort und Stelle überhaupt eingefunden hätten.

Die Gartenstadt soll nämlich von einer Größe sein, die ein volles Maß an sozialem Leben möglich macht, aber nicht größer. Über die Einwohnerzahl selbst gingen schon zu Howards Zeit die Meinungen auseinander. Es finden sich Angaben von 32000 bis 50000, aber auch 50000 bis 100000. Der Streit um eine sinnvolle Dimensionierung entzündete sich wohl an der Frage, ob kleine Stadtgebilde überhaupt zu einem eigenständigen Kulturleben fähig sind. Bei den Modellstädten war gegen einen Einwohnerrichtwert kaum etwas einzuwenden, galt es doch, den neuen Stadttyp in überschaubarem Rahmen mit Leben zu erfüllen und die Idee beweiskräftig zu machen. In welcher Situation befindet man sich aber beim Übergang zu den Gartenstadtgruppen? Konnten Howard und seine Anhänger im Ernst annehmen, daß ein allgemeiner Konsensus zustande kommen würde, auf Grund dessen die Gartenstädte auf breiter Front eingeführt und die Großstädte abgeschafft würden? Um in diesem Falle den beabsichtigten Entlastungseffekt zustande zu bringen, wäre bei den aus sozialen Gründen eng gezogenen Grenzen der Gartenstadteinheit eine unübersehbare Zahl von Clusters erforderlich. Sie würden, abgesehen von allen Boden- und Strukturproblemen, einen unvorstellbaren finanziellen Aufwand erforderlich machen. Spätestens bei dieser Vision eines Umbruchs des ganzen urbanen Netzes, aller tief verwurzelten Wohn- und Lebensvorstellungen wird deutlich, daß die Gartenstadtidee nicht nur in Einzelheiten wie der Experimentiertechnik, des gemeinschaftlichen Bodenbesitzes, der Ausschaltung des Handels usw., sondern auch im Grundansatz der Makrostrukturänderung von seinstranszendenten, d.h. utopischen Voraussetzungen ausgeht. So jedenfalls ist eine schlüssige Antwort auf die anfangs gestellte Frage nach den Gründen für das unzureichende Realisationsvermögen zu finden. Man mag die Gartenstadt in negativem Sinne wie Jane Jacobs als »Utopie mit patriarchalisch-autoritären Zügen« oder positiv wie Lewis Mumford als immer noch gültige Städtebaulösung der Zukunft einschätzen, eines bleibt auf jeden Fall festzustellen: Indem die Gartenstadtidee weit über die traditionellen Stadtvorstellungen hinausgreift, beinhaltet sie einen großangelegten sozialen Reformvorschlag, der sich des Mediums Stadt bedient, um seine partiellen sozialutopischen Ziele des gemeinsamen Grundeigentums und der gerechten Verteilung des Bodenwertzuwachses, des Zusammenlebens in überschaubaren geschlossenen Sozialeinheiten und des Ausgleiches von Stadt und Land zu erreichen. Gerade weil dieser Plan zu einem Zeitpunkt, als die urbanen und sozialen Probleme des Industriezeitalters sich als unaufschiebbar erwiesen, die Absicht artikulierte, Mensch, Natur und Industrie miteinander in Einklang zu bringen, erweckte er so große Hoffnungen. Er mußte in seiner Ganzheit aber scheitern, weil er sich statt an der Realität der gültigen Fakten und Normen an Zielen ausrichtet, für die weder die Willenskräfte zur strukturellen Veränderung noch die vorausgesetzte Bereitschaft zum Altruismus vorhanden waren.

Doch bei aller Fehleinschätzung menschlicher Verhaltens- und Denkweisen würde man Sir Ebenezer Howard falsch verstehen, wenn man seinem großangelegten Reformplan inhumane Motive und autoritäre Strukturen unterstellte. Ihn hat zweifellos die Sorge um menschenwürdige Wohnformen zu seiner Vision der »Garden City« getrieben. Und gerade vor deren utopischem Hintergrund eröffnen sich jetzt noch Perspektiven, die für den sozialen Ausgleich von Stadt und Land, für ein gerechtes Bodenbesitzsystem und für eine regionale Aufgliederung des Großraumes auch in Zukunft bedeutsam sein können.[49]

## Anmerkungen

### 1. Munizipalrevolution und Städteordnungen

[1] Siehe *Maximes d'Etat ou Testament politique d'Armand Du Plessis, Cardinal, Duc de Richelieu*, Paris 1764, Bd. 1; allgemein Carl J. Burckhardt, *Richelieu*, München 1966/73, 3 Bde.

[2] Als eine rühmliche Ausnahme veröffentlichte Maréchal de Vauban (1633–1707) im Jahre 1707 die Abhandlung *Projet d'une dixme royale* gegen den Willen Ludwigs XIV. und seiner Ratgeber. Das Werk behandelte, wie noch viele Aufsätze in seinen *Oisivetés* (Kritzeleien), nicht nur Fragen der Steuerreform, sondern auch solche der Raumordnung, Raumwirtschaft und Landesplanung. Vauban lieferte eindeutig den Beweis, daß es auch zur Zeit des Absolutismus einem Festungsbaumeister und Stadtplaner anstand, sich mit übergeordneten Themen der Volkswirtschaft und der Baupolitik zu befassen.

[3] Siehe Aulards Schilderungen dieser Munizipalrevolution in Ernest Lavisse u.a., *Histoire générale, notions sommaires d'histoire ancienne du moyen âge et des temps modernes, leçons, résumés, réflexions …*, Paris 1884, S. 65ff., sowie Alphonse Aulard, *Histoire politique de la Révolution française, origines et développement de la démocratie et de la république, 1789–1804*, Paris 1901 (deutsche Ausgabe: München 1924, 2 Bde.)

[4] »Plan de la Municipalité« in *Patriote français*, Nr. 16 und 17, 14. und 15.8.1789.

[5] Siehe *Rapport du Nouveau Comité de Constitution fait à l'Assemblée Nationale le Mardi 29 Septembre 1789 sur l'établissement des bases de la Représentation proportionnelle*, Paris 1789; *Seconde Partie du Rapport du Nouveau Comité de Constitution fait à l'Assemblée Nationale le Mardi 29 Septembre 1789 sur l'établissement des Assemblées administratives et des nouvelles Municipalités*, Versailles 1789. Zu beachten ist aber auch Sieyès, *Quelques idées de constitution applicables à la ville de Paris*, Paris 1789.

[6] Siehe Emmanuel-Joseph Sieyès, *Dire de l'abbé Sieyès sur la question du Veto royal, à la séance du 7 septembre 1789*, Paris o.J.

[7] Siehe Mirabeau, *Lettres à ses Commettans*, 19. Brief, S. 51, hier zit. nach Hedwig Hintze, *Staatseinheit und Föderalismus im alten Frankreich und in der Revolution*, Stuttgart 1928, S. 216.

[8] Siehe im einzelnen H. Hintze, a.a.O., S. 221ff.

[9] Über Ursprung und Wesen der kommunalen Selbstverwaltung im deutschen Bereich gibt es ganz verschiedenartige Meinungen. Die eine Seite betont den Bruch durch den Absolutismus, siehe Otto von Gierke, *Das deutsche Genossenschaftsrecht*, Berlin 1868–1913, 4 Bde.; Paul Schön, *Das Recht der Kommunalverbände in Preussen*, Leipzig 1897; Hugo Preuß, *Entwicklungsgeschichte der deutschen Städteverfassung*, Leipzig 1906 (*Die Entwicklung des deutschen Städtewesens*, Bd. 1); Albert Hensel, *Kommunalrecht und Kommunalpolitik in Deutschland*, Breslau 1928.
Die andere Seite geht von der geschichtlichen Kontinuität aus, siehe G. Schmoller, »Deutsches Städtewesen in älterer Zeit« in *Bonner staatswissenschaftliche Untersuchungen 5*, 1922, S. 231ff.; Erich Becker, »Verfassung und Verwaltung der Gemeinden des Rheingaues vom 16. bis zum 18. Jahrhundert«, in Rheinisches Archiv (Bonn), Bd. 14 (1930); Franz Steinbach unter Mitwirkung von Erich Becker, »Geschichtliche Grundlagen der kommunalen Selbstverwaltung in Deutschland«, in Rheinisches Archiv (Bonn), Bd. 20 (1932), S. 12ff;

H. Heffter, *Die deutsche Selbstverwaltung im 19. Jahrhundert*, Stuttgart 1950.

[10] Siehe Max Lehmann, *Freiherr vom Stein*, Leipzig 1902/03, 2 Bde.; Gerhard Ritter, *Stein. Eine politische Biographie*, Stuttgart 1931, 2 Bde.; Franz Herre, *Freiherr vom Stein. Sein Leben – seine Zeit*, Köln 1973; Walter Hubatsch, *Stein-Studien. Die preußischen Reformen des Reichsfreiherrn Karl vom Stein zwischen Revolution und Restauration*, Stuttgart 1975.

[11] Siehe Paul Schwartz, *Die preußische Städteordnung vom 19.11.1808*, Festschrift der Stadt Berlin, Berlin 1908; Otto von Gierke, *Die Stein'sche Städteordnung. Festvortrag in der Universität Berlin*, Berlin 1909; August Krebsbach, *Die preußische Städteordnung von 1808*, Stuttgart 1970 (2. Aufl.).

[12] Siehe Dieter Schwab, *Die »Selbstverwaltungsidee« des Freiherrn vom Stein und ihre geistigen Grundlagen*, Frankfurt a.M. 1971 (*Gießener Beiträge zur Rechtswissenschaft*, Bd. 3); Theodor Winkler, *Johann Gottfried Frey und die Entstehung der preussischen Selbstverwaltung*, Stuttgart, Berlin 1936.

[13] Zit. nach Hugo Preuß, a.a.O., S. 226.

[14] Verwiesen sei hier auf Turgots »Mémoire sur les Municipalités«, September 1775, abgedruckt in Carl Knies, *Carl Friedrichs von Baden brieflicher Verkehr mit Mirabeau und Dupont*, Heidelberg 1892, Bd. 1, S. 244ff.; aufschlußreich auch Julius Hatschek, *Die Selbstverwaltung in politischer und juristischer Bedeutung* (Staatsvölkerrechtliche Abhandlungen), Leipzig 1898, S. 45–49.

[15] Siehe Keil, »Die Landgemeinde in den östlichen Provinzen und die Versuche, eine Landgemeindeordnung zu schaffen«, in *Schriften des Vereins für Sozialpolitik*, Bd. 43, Leipzig 1890.

[16] Siehe K. Utermann, *Der Kampf um die preußische Selbstverwaltung im Jahre 1848*, Berlin 1937.

[17] Rudolf von Gneist, *Das heutige englische Verfassungs- und Verwaltungsrecht. Teil 2: Die heutige englische Communal-Verfassung oder das System des Selfgovernment*, Berlin 1857–60; Sidney James Webb (Baron Passfield) and Beatrice Webb (Baroness Passfield), *The Development of English Local Government 1689–1835*, London 1963 (Home University Library of Modern Knowledge no. 250).


### 2. Industrielle Revolution und Städtewachstum

[1] Siehe Wolfgang Mager, *Frankreich vom Ancien Régime zur Moderne*, Stuttgart 1980.

[2] Siehe Betty Kemp, *King and commons, 1660–1832*, London 1957. Über die vorindustrielle englische Sozialgeschichte siehe Peter Laslett, *Verlorene Lebenswelten*, Wien, Köln, Graz 1988.

[3] Siehe Sir Lewis Namier, *The Structure of Politics at the Accession of George III*, London 1929, 2 Bde.

[4] Siehe W.E. Minchinton (Hrg.), *The growth of English overseas trade in the seventeenth and eighteenth centuries*, London 1969.

[5] Siehe Arnold Toynbee, *Lectures on the industrial revolution of the 18th century in England*, London 1884; P. Mantoux, *The industrial revolution in the eighteenth century*, London 1928; H. Heaton, »The industrial revolution«, in *Encyclopedia of the Social Science*, New York 1932, Bd. 8; Thomas Southcliffe Ashton, *An economic history of England: the eighteenth century*, London 1955; W.G. Hoffmann, *British industry, 1700–1950*, Oxford 1955; C. Wilson, *England's apprenticeship, 1603–1763*, London 1965.

[6] Siehe N. McCord, *Free Trade: theory and practice from Adam Smith to Keynes*, Newton Abbot 1970; S. Hollander, *The economics of Adam Smith*, Toronto 1973; M. Dobb, *Wert und Verteilungstheorien seit Adam Smith*, Frankfurt a.M. 1977.

[7] Siehe Thomas Robert Malthus, *An Essay on the Principle of Population*, London 1798 (deutsche Ausgabe: *Versuch über das Bevölkerungsgesetz*, Berlin 1879).

[8] Für England gilt wohl das ausgeglichene Urteil von J.H. Clapham, der dazu schreibt: »When the new powers and new machines, with their almost unlimited transforming power, were let loose in Britain, they fell on prepared soil or struck a society in which … implements of many kinds were long familiar.« (*An Economic History of Modern Britain: The Railway Age*, Cambridge 1926, Bd. 1, S. 157). Siehe auch Margaret T. Hodgen, *Change and History. A Study of the Dated Distributions of Technical Innovations in England*, New York 1952 (*Viking Fund Publications in Anthropology*, Bd. 18); A.E. Musson, E. Robinson, *Science and technology in the industrial revolution*, Manchester 1969.

[9] Zur Übersicht über die wirtschaftliche Entwicklung Großbritanniens im 19. Jahrhundert siehe J.H. Clapham, *The Early Railway Age 1820–1850*, Cambridge 1950, und ders., *Free Trade and Steel 1850–1886*, Cambridge 1952 (*An Economic History of Modern Britain*, Bd. 1 und 2); H.C. Darby (Hrg.), *A New Historical Geography of England*, Cambridge 1973.

[10] Die englische Agrarrevolution behandeln C. Parain, »The Evolution of Agricultural Technique«, in *The Cambridge Economic History of Europe*, Cambridge 1941, Bd. 1; J.D. Chambers, G.E. Mingay, *The agricultural revolution, 1750–1880*, London 1966; E.L. Jones (Hrg.), *Agricultural and economic growth in England, 1650–1815*, London 1967; E. Kerridge, *The agricultural revolution*, London 1967; D. Woodward, »Agricultural revolution in England, 1500–1900: a Survey«, in *Local Historian*, Bd. 9 (1972), S. 323–337. Als zeitgenössische Literatur ist zu erwähnen: Jethro Tull, *The New Horse-Houghing Husbandry or an Essay on the Principles of Tillage and Vegetation*, London 1731 (zahlr. Auflagen bis 1822); John Cooke, *Drill husbandry perfected*, Manchester 1784; J. Horn, *The description and use of the new invented patent universal sowing machine, for broadcasting or drilling every kind of grain, pulse and seed*, Canterbury 1786.

[11] Siehe Arthur Young, *General View of the Agriculture of the County of Norfolk*, London 1804; N. Riches, *The agricultural revolution in Norfolk*, Chapel Hill, N.C. 1937; R. Parker, »Coke of Norfolk and the agricultural revolution«, in *Economic Historical Review*, 2. Serie, Bd. 8 (1955/56), S. 156–166.

[12] Arthur Young, *A Six Weeks Tour through the Southern Counties of England and Wales*, London 1768.

[13] Siehe Gilbert Slater, *The English peasantry and the enclosure of Common fields*, London 1907; E.C.K. Gonner, *Common Land and Inclosure*, London 1912; Robert Alexander Clarke Parker, *Enclosures in the Eighteenth Century*, London 1960; W.E. Tate, *The English village community and the enclosure movements*, London.

[14] Siehe A.K. Cairncross, *Internal Migration in Victorian England*, Manchester 1949; C.M. Law, »The Growth of Urban Population in England and Wales, 1801–1911«, in *Transactions of the Institute of British Geographers*, Bd. 41 (1967), S. 125–143; R. Lawton, »Population

Changes in England and Wales in the Later Nineteenth Century«, in *Transactions of the Institute of British Geographers*, Bd. 44 (1968), S. 55–74. Den Begriff »the divorce of men from the soil« benutzt Adna Ferrin Weber, *The Growth of Cities in the Nineteenth Century. A study in statistics*, Ithaca, N.Y. 1965, S. 160.

[15] Siehe W.T. Jackman, *The development of transportation in modern England*, Cambridge 1916, 2 Bde.; B.F. Duckham, *The transport revolution, 1750–1830*, London 1967.

[16] Siehe W. Albert, *The turnpike road system in England, 1663–1840*, Cambridge 1972.

[17] Das bewirkten John Metcalfe (1717–1810), der auf solide Fundation und Drainage achtete, Thomas Telford (1757–1834), der bekannte Brückenbauer, und J.L. McAdam (1756–1836), der einen neuen Fahrbahnbelag – den Makadambelag – entwickelte.

[18] Siehe Arthur Young, *Travels in France during the years 1787, 1788 & 1789*, hrg. v. Constantia Maxwell, Cambridge 1929.

[19] Siehe France, »Administration générale des Ponts et Chaussées et des Mines«, in *Statistiques des routes royales*, Paris 1824.

[20] Eine Schilderung dieser Zustände findet sich bei Henri d'Alméras, *Au bon vieux temps des diligences*, Paris 1931.

[21] Die Zustände in Deutschland sind anschaulich beschrieben in Werner Sombart, *Die deutsche Volkswirtschaft im 19. Jahrhundert und im Anfang des 20. Jahrhunderts*, Darmstadt 1954 (8. Aufl.), S. 3–20. Hier wird auf Ludwig Börnes klassischen Beitrag zur Naturgeschichte der Mollusken und Testaceen, die »Monographie der deutschen Postschnecke«, verwiesen. Siehe auch W. Griep, H.-W. Jäger (Hrg.), *Reisen im 18. Jahrhundert. Neue Untersuchungen*, Heidelberg 1987 (*Neue Bremer Beiträge*, Bd. 3).

[22] Siehe J. Priestley, *Historical account of the navigable rivers, canals and railways, throughout Great Britain*, London 1831; C. Hadfield, *British canals: an illustrated history*, London 1950; ders. (Hrg.), *The canals of the British Isles*, Newton Abbot 1966, 6 Bde.; siehe auch *Royal Committee* (im folg. R.C.) *on Canals and Inland Navigations of the United Kingdom*, London 1906, S. 32.

[23] Siehe G.C. Allen, *The industrial development of Birmingham and the Black Country 1860–1927*, London 1929; B.C.L. Johnson, M.J. Wise, »The Black Country 1800–1850«, in M.J. Wise (Hrg.), *Birmingham and its regional setting*, Birmingham 1950.

[24] Nach *R.C. on Coal*, London 1871, S. 18 (Anhang zum *Report of Committee E*, Tafel 55).

[25] Siehe A.T. Patterson, *Radical Leicester: a history of Leicester 1780–1850*, Leicester 1954.

[26] Beschrieben in *Rapport au Roi sur la navigation intérieure de la France*, 16 août 1820. Présenté par le comte Siméon, ministre de l'Intérieure. Signé et dressé par Becquey, conseiller de l'Etat, Directeur des Ponts et Chaussées et des Mines, 4 août 1820. Zur allgemeinen Übersicht siehe Arthur Louis Dunham, *La Révolution industrielle en France 1815–1848*, Paris 1953.

[27] Siehe T.S. Ashton, J. Sykes, *The coal industry of the eighteenth century*, Manchester 1929; J.U. Nef, *The rise of the British coal industry*, London 1932, 2 Bde.

[28] Siehe H.W. Dickinson, *A short history of the steam engine*, London 1963 (2. Aufl., hrg. v. A.F. Musson).

[29] Eine Übersicht gibt R. Hunt, »The present state of the mining industries of the United Kingdom«, in *Journal of the Royal Statistic Society*, Bd. 19 (1856).

[30] Siehe H. Scrivenor, *A comprehensive history of the iron trade*, London 1841; T.S. Ashton, *Iron and steel in the industrial revolution*, London 1951 (2. Aufl.); Alan Birch, *The economic history of the British iron and steel industry, 1784–1879. Essays in industrial and economic history with special reference to the development of technology*, London 1967.

[31] Siehe H.R. Schubert, *History of the British iron and steel industry from c 450 B.C. to A.D. 1775*, London 1957.

[32] Siehe dazu J.C. Carr, W. Taplin, *A history of the British steel Industry*, Oxford 1962.

[33] Siehe J.L. Bell, »On the manufacture of iron in connection with the Northumberland and Durham coal-field«, in *Trans. North of England Inst. of Mining Engineers*, Bd. 13 (1864), S. 111 bis 124.

[34] Siehe W.H.B. Court, *The rise of the Midland industries 1600–1838*, Oxford 1938.

[35] Siehe J.D. Chambers, *The workshop of the world*, London 1961.

[36] Darauf hat schon frühzeitig Karl Marx hingewiesen, und zwar in *Das Kapital*, Hamburg 1867, Bd. 1, Kap. 13. Als frühe Darstellung siehe Edward Baines, *History of the Cotton manufacture in Great Britain*, London 1835.

[37] Festgestellt bei Arthur Young, *The farmers' letters to the people of England*, London 1767, S. 22, zit. nach H.C. Darby (Hrg.), *A New Historical Geography of England*, Cambridge 1973, S. 438.

[38] Siehe F. Atkinson, *The great northern coalfield 1700–1900*, London 1968; M.J.T. Lewis, *Early wooden railways*, London 1970.

[39] L.T.C. Rolt, *George and Robert Stephenson. The Railway revolution*, London 1960.

[40] Noch während das Kanalsystem florierte, gab es erste Hinweise auf den Wert der Eisenbahn: Thomas Gray, *Observations on a General Iron Railway or Land Steam Conveyance; to supersede the Necessity of Horses in all Public Vehicles; showing its vast Superiority in every respect, over all the present Pitiful Methods of Conveyance by Turnpike Roads, Canals, and Coasting-Traders. Containing every Species of Information relative Railroads and Loco-motive Engines*, London 1821.
Über die Eisenbahnentwicklung in England allgemein M.W. Acworth, *The railways of England*, London 1900 (5. Aufl.); E. Cleveland-Stevens, *English Railways: their development and their relation to the state*, London 1915; H.G. Levin, *Early British railways*, London 1925; C.E.R. Sherrington, *The economics of rail transport in Great Britain I*, London 1928; J.H. Clapham, *An economic history of Modern Britain: the early railway age, 1820–1850*, Cambridge 1930; C. Barman, *Early British railways*, Harmondsworth 1950; Hamilton Ellis, *British Railway History. An Outline from the Accession of William IV to the Nationalisation of Railways, 1830–1876*, London 1954; ders., *British Railway History, 1877–1947*, London 1959; J. Simmons, *The railways of Britain: an historical introduction*, London 1961; M. Robbins, *The railway age*, London 1962; J.H. Appleton, *The geography of communications in Great Britain*, Oxford 1962; H. Pollins, *Britain's railways: an industrial history*, Newton Abbott 1971.

[41] E. Cleveland-Stevens merkt hierzu an: »The railways of England grew up piecemeal and haphazard in short, unconnected lengths« (*English Railways*, a.a.O., S. 10).

[42] *Report of the Railway Commissioners for 1849*, London 1850, S. 31.

[43] Louis Gras, *Histoire des premiers chemins de fer français (St. Etienne à Lyon et Andrézieux à Roanne) et sur les premiers tramways de France (Montbrison à Montroud)*, St. Etienne 1924, Bd. 1; Marcel Blanchard, *Essais historiques sur les premiers chemins de fer*, Montpellier 1935.

[44] Michel Chevalier, *Des chemins de fer en France*, Paris 1838; Maurice Wallon, *Le Saint-Simonisme et les chemins de fer*, Diss., Paris 1908; H. Lazard de Puygalon, *L'influence des Saints-Simoniens sur la réalisation de l'isthme de Suez et les Chemins de fer*, Paris 1926.

[45] Zur Übersicht Alfred Picard, *Les chemins de fer français*, Paris 1884, 6 Bde.; Richard Kaufmann, *Eisenbahnpolitik Frankreichs*, Berlin 1896, 2 Bde.

[46] Comte Napoléon Daru, *Des chemins de fer et de l'application de la loi du 11 juin 1842*, Paris 1843.

[47] Friedrich List, *Über ein sächsisches Eisenbahn=System als Grundlage eines allgemeinen deutschen Eisenbahn=Systems, und insbesondere über die Anlegung einer Eisenbahn von Leipzig nach Dresden*, Leipzig 1833; im übrigen siehe Erwin v. Beckerath, Otto Stühler (Hrg.), *Fr. List. Schriften zum Verkehrswesen*, Berlin 1929, 1. T.

[48] Hans Nordmann, »Die Frühgeschichte der Eisenbahnen«, in *Abhandlungen der dt. Akademie d. Wiss. zu Berlin* (Berlin), Jg. 1947, math.-naturwiss. Kl. Nr. 4, S. 1–27.

[49] Röll, *Enzyklopädie des Eisenbahnwesens*, Berlin, Wien 1912–1922, 10 Bde; Hans Baumann (Hrg.), *Deutsches Verkehrsbuch*, Berlin 1931.

[50] Zit. nach *Der moderne Kapitalismus*, München, Leipzig 1927, 1. Hbd., S. 289.

[51] Nach *The Seven Lamps of Architecture*, London 1848, S. 182.

[52] Zur Eisenbahn von Birmingham nach Rugby merkte Thomas Arnold an: »I rejoice to see it and think that feudality is gone for ever. It is so great a blessing to think that any one evil is really extinct« (zit. nach A.P. Stanley, *The Life and Correspondence of Thomas Arnold*, London 1877 (10. Aufl.), Bd. 2, S. 388).

[53] J.R. Kellett, *The impact of railways on Victorian Cities*, London 1969; Jack Simmons, »The Power of the Railway«, in H.J. Dyos, Michael Wolff (Hrg.), *The Victorian City. Images and Realities*, London, Boston 1973, Bd. 1, S. 277 bis 310.
Des weiteren C. Barman, *An introduction to railway architecture*, London 1950; C.L.V. Meeks, *The railway station: an architectural history*, London, New Haven 1957; A.A. Arschavier, »The inception of the English railway station«, in *Architectural History*, Bd. 4 (1961). Für die deutschen Verhältnisse siehe Heinz Schomann, *Das Frankfurter Bahnhofsviertel und die Kaiserstraße. Ein Beitrag zu Städtebau und Baukunst des Historismus*, Stuttgart 1988.

[54] *Census of England and Wales*, General Register Office, London 1801.

[55] *Census of 1851*, P.P. LXXXV, London 1852/53, Bd. 1, S. 85.

[56] *A Tour through the Whole Island of Great Britain*, London, New York 1962 (rev. Aufl.), 2 Bde. (*Everyman's Library* Bd. 820, 821)

[57] J.A. Wallace, *General and Descriptive History of the Ancient and Present State of the Town of Liverpool*, o.O. 1797; T. Baines, *History of the commerce and town of Liverpool, and of the rise of manufacturing industry in the adjoining counties*, London 1853; A. Errazurez, »Some types of housing in Liverpool, 1785–1890«, in *Town Planning Review*, Bd. 19 (1946), S. 2; J.E. Allison, *The Mersey estuary*, Liverpool 1949; B.D.A. White, *A history of the corporation of Liverpool, 1835–1914*, Liverpool 1951; W. Smith (Hrg.), *A scientific survey of Merseyside*, Liverpool 1953, hier besonders F.E. Hyde, »The Growth of Liverpool's trade

1700–1950«, S. 148–163; J.E. Allison, »The Development of Merseyside and the Port of Liverpool«, in *Town Planning Review*, Bd. 24 (1953), Nr. 1; F.A. Bailey, R. Millington, *The Story of Liverpool*, 1957; Q. Hughes, *Seaport: architecture and townscape in Liverpool*, London 1964; Francis Edwin Hyde, *Liverpool and the Mersey: an economic history of a port, 1700–1970*, New Abbot 1971.

58 F.E. Hyde, B.B. Parkinson, S. Marriner, »The Nature and Profitability of the Liverpool Slave Trade«, in *Economic Historical Review*, 1953.

59 Siehe besonders: Q. Hughes, *Seaport: architecture and townscape in Liverpool*, London 1964.

60 John Aikin, *A Description of the Country from thirty to forty miles round Manchester. Containing its geography, natural and civil; principal productions; river and canal navigations …*, London 1795; John Aston, *Manchester guide*, Manchester 1804; J. Wheeler, *Manchester, its political, commercial and social history, ancient and modern*, London 1836; C. Hardinck, *History of the borough of Preston and its environs*, Preston 1857; T.R. Marr, *Housing Conditions in Manchester and Salford*, Manchester 1904; Thomas Southcliffe Ashton, *Economic and Social Investigations in Manchester, 1833–1933*, London 1934; A. Redford, I.S. Russell, *The history of local government in Manchester*, London 1940, 2 Bde.; William Henry Shercliff, *Manchester. A short history of its development*, Manchester 1961; H.B. Rodgers, «The suburban growth of Victorian Manchester«, in *Journal of the Manchester Geographical Society*, Bd. 63 (1961/62), Nr. 4; F.C. Carter (Hrg.), *Manchester and its regions*, Manchester 1962; Asa Briggs, *Victorian Cities*, London 1963, hier: »Manchester: Symbol of a New Age«; G.F. Chadwick, »The Face of the Industrial City. Two looks at Manchester«, in H.J. Dyos, Michael Wolff (Hrg.), *The Victorian City. Images and Realities*, London, Boston 1973, Bd. 1, S. 247–256.

61 C. Redding, *An illustrated itinerary of the county of Lancaster*, London 1842, S. 8, zit. nach H.C. Darby (Hrg.), *A New Historical Geography of England*, Cambridge 1973, S. 517.

62 W. Hutton, *An history of Birmingham*, Birmingham 1781; J.A. Langford, *A Century of Birmingham life; or a chronicle of local events from 1741 to 1841*, Birmingham 1868, 2 Bde.; Sir Robert Rawlinson, *Report to the General Board of Health on a preliminary inquiry into the sewerage drainage, and supply of water, and the sanitary condition of the inhabitants of the borough of Birmingham*, London 1849 (Reports by Public Health Act. 11 & 12, Vict., Kapitel 63); G.C. Allen, *The Industrial Development of Birmingham and the Black Country, 1860–1926*, London 1929; C. Gill, *History of Birmingham*, Birmingham 1952.

63 Einen Eindruck geben Asa Briggs, *Victorian Cities*, a.a.O.; A. Briggs, »The Victorian City, quantity and quality«, in *Victorian Studies*, Bd. 11 (1967/68); H.J. Dyos, Michael Wolff (Hrg.), *The Victorian City*, a.a.O. In soziologischer Hinsicht aufschlußreich ist John Lawrence Le Breton Hammond, Lucy Barbara Hammond, The Town Labourer, 1760–1832. *The new civilisation*, London 1917. Siehe auch Georges Duby (Hrg.), *Histoire de la France urbaine*, Paris 1983, Bd. 4, und Jürgen Reulecke, *Geschichte der Urbanisierung in Deutschland*, Frankfurt a.M. 1985.

64 R. Rawlinson, *Report to the General Board of Health*, a.a.O., zit. nach C. Gill, *History of Birmingham*, Birmingham 1952, Bd. 1, S. 367.

65 In der Frühzeit der Industrialisierung betrug die tägliche Arbeitszeit bis zu 15 Stunden.

66 Michael R.G. Conzen, *Alnwick, Northumberland, a study in town-plan analysis*, London 1960 (*Institute of British Geographers Publication*, Bd. 27). Allgemein siehe Marian Bowley, *The British Building Industry*, Cambridge 1966; für London siehe H.J. Dyos, »The Speculative Builders and Developers of Victorian London«, in *Victorian Studies*, Bd. 11 (1968), S. 641–690.

67 M.R.G. Conzen, »Zur Morphologie der englischen Stadt im Industriezeitalter«, in Helmut Jäger (Hrg.), *Probleme des Städtewesens im industriellen Zeitalter*, Köln, Wien 1978, S. 1–48.

68 T.R. Marr, *Housing Conditions in Manchester and Salford*, Manchester 1904; L.W. Darra Muir, *Report on back-to-back houses*, 1910, S. 38; zum Arbeiterwohnungsbau allgemein siehe Stanley D. Chapman (Hrg.), *The History of Working-Class Housing*, Newton Abbot 1971, hier im einzelnen W.M. Beresford, »The Back-to-back House in Leeds, 1787–1937«, S. 93–132; W.G. Rimmer, *Working Men's Cottages in Leeds 1770–1840*, Thoresby 1946; J.N. Tarn, *Working-class Housing in Nineteenth Century Britain*, London 1971.

69 Erwähnt in E.A. Gutkind, *Urban Development in Western Europe: The Netherlands and Great Britain*, New York, London 1971, S. 344 (*International History of City Development*, Bd. 6).

70 Siehe John Leland (1502–52), *The Itinerary of John Leland the Antiquary publish'd by T. Hearne*, Oxford 1710–12, 9. Bde., oder *The Itinerary of John Leland …*, hrg. v. Lucy Toulmin Smith, London 1906–10, 5 Bde.

71 Es muß dem Leser wirklich empfohlen werden, sich eine Vorstellung von den unmenschlichen Lebensbedingungen der damaligen Industriestädte in Großbritannien durch diese Quellen zu verschaffen. Siehe im einzelnen Heinrich Meidinger, *Reisen durch Grossbritannien und Irland, vorzüglich in topographischer, kommerzieller und statistischer Hinsicht*, Frankfurt a.M. 1828, 2. Bde.; William Cooke Taylor, *Notes of a Tour in the manufacturing districts of Lancashire; in a series of letters to His Grace the Archbishop of Dublin*, London 1842 (2. Aufl.); Léon Faucher, *Etudes sur l'Angleterre*, Paris 1845, 2 Bde.; Friedrich Engels, *Die Lage der arbeitenden Klasse in England. Nach eigener Anschauung und authentischen Quellen*, Leipzig 1845; Alexis de Tocqueville, *Journeys to England and Ireland*, hrg. v. J.P. Mayer, London 1958 (amerikanische Ausgabe Garden City, N.Y. 1968); Henry Mayhew, *London Labour and the London Poor*, London 1851/52, 2 Bde. (Artikel in *The Morning Chronicle* ab September 1849 und *Pamphlete von* Dezember 1850 bis März 1852); Hippolyte Taine, *Notes sur l'Angleterre*, Paris 1872; William Blanchard Jerrold, *London. A pilgrimage. By Gustave Doré and Blanchard Jerrold*, London 1872; Charles Booth u.a., *Life and Labour of the People of London*, London 1902–1904, 17 Bde.

72 In diesem Zusammenhang muß auf die Einführung der statistischen Methode im Sozialbereich hingewiesen werden. So wurde schon 1834 die Royal Statistical Society in London gegründet, um »facts calculated to illustrate the condition and prospects of society« zu veröffentlichen (siehe *Annals of the Royal Statistical Society 1834–1934*, London 1934). In Manchester verfolgte die Manchester Statistical Society dasselbe Ziel (siehe T.S. Ashton, *Economic and Social Investigations*, a.a.O.). Als früher Beitrag bemerkenswert ist Sir James Phillips Kay-Shuttleworth, *The Moral and Physical Conditions of the Working Classes employed in the Cotton Manufacture in Manchester*, London 1832 (2. Aufl.). Später hat Elizabeth Gaskell (1810–64) in *Mary Barton, a tale of Manchester life*, London 1848, die schlimmen Zustände in Manchester mehr in romanhafter Form beschrieben, ohne aber »the generalizing organizing power of Engels's account« zu erreichen (siehe Steven Marcus, »Reading the Illegible«, in *The Victorian City*, a.a.O., Bd. 1, S. 276). Natürlich müssen hier auch die späteren Beiträge Charles Dickens' wie *Bleak House, Hard Times, Little Dorrit und Our Mutual Friend* bedacht werden.

73 John Lawrence Le Breton Hammond, Lucy Barbara Hammond, *The Town Labourer, 1760–1832. The new civilization*, London 1917; dies., *The Village Labourer, 1760-1832. A study in the government of England before the Reform Bill*, London 1911.

74 Joseph Townsend, *A Dissertation on the Poor Laws. By a Well-wisher to Mankind*, London 1786; Sir Frederic Morton Eden, *The State of the Poor: or, an history of the labouring classes in England, from the Conquest to the present period*, London 1797, 3. Bde.; Thomas Robert Malthus, *An Essay on the Principle of Population*, London 1798.

75 J. Aikin, *Description of the Country from Thirty to Forty Miles Round Manchester*, a.a.O.

76 Sein *Weekly Political Register* (1802–35) galt als umstürzlerisches Blatt; er mußte deshalb noch vor den »gagging acts« 1817 nach Amerika fliehen, von wo aus er allerdings zwei Jahre später wieder nach England zurückkehrte. Neben Cobett wären aber auch Paine, Place, Owen und andere zu nennen.

77 Hugh MacDowall Clokie, Joseph William Robinson, *Royal Commissions of Inquiry. The significance of investigations in British politics*, Stanford University 1937.

78 Asa Briggs' Beitrag für *A History of England*, London 1959, Bd. 9, nennt sich bezeichnenderweise »The Age of Improvement 1783–1867«.

79 A.P. Stewart, E. Jenkins, *The Medical and Legal Aspects of Sanitary Reform*, London 1867; B.W. Richardson, *The Health of Nations. A Review of the Works of Edwin Chadwick*, London 1887, 2 Bde.; Sir John Simon, *Public Health Reports*, London 1887, 2 Bde.; ders., *English Sanitary Institutions*, London 1890; H. Jephson, *The Sanitary Evolution of London*, London 1907; M.C. Buer, *Health, Wealth, and Population in the early days of Industrial Revolution*, London 1926; J.L. und B. Hammond, *The Bleak Age*, West Drayton 1947; W.M. Frazer, *A History of English Public Health 1834–1939*, 1950; S.E. Finer, *The Life and Times of Sir Edwin Chadwick*, London 1952; R.A. Lewis, *Edwin Chadwick and the Public Health Movement 1832–1854*, London 1952; C.F. Brockington, *Public health in the nineteenth century*, Edinburgh 1965.

80 *Report of the Select Committee on Public Walks*, British Parliamentary Papers (im folg. B.P.P.) XV, London 1833.

81 *Report of the Select Committee on Circumstances affecting the Health of Large Towns*, B.P.P. XV, London 1840.

82 F.W. Houghton, *Ideas and Beliefs of the Victorians*, 1949; Asa Briggs, *Victorian People. Some reassessments of people, institutions, ideas and events, 1851–1867*, London 1954; F.W. Houghton, *The Victorian Frame of Mind*, 1957.

83 *Report to Her Majesty's Principal Secretary of State for the Home Department, from the Poor Law Commissioners on an Inquiry into the Sanitary Conditions of the Labouring Population of Great Britain*, London 1842, 3 Bde. (Neudruck M.W. Flinn (Hrg.), *Report on the Sani-*

tary *Conditions of the Labouring Population of Great Britain, 1842*, Edinburgh 1965).

84 John Howard, *The State of the Prisons in England and Wales*, London 1777.

85 Edwin Chadwick, *Supplementary Report on … the Practice of Interment in Towns*, B.P.P. XV, London 1843.

86 Es gab in Manchester »in der Parliament Street für dreihundertundachtzig Menschen und in Parliament Passage für dreißig stark bevölkerte Häuser nur einen einzigen Abtritt«, zit. nach (Fr. Engels, *Die Lage der arbeitenden Klasse in England*, in Karl Marx, Friedrich Engels, *Werke*, Berlin (DDR) 1980, Bd. 2, S. 293.

87 *First Report of the Royal Committee on the State of Large Towns and Populous Districts*, B.P.P. XV, London 1844; *Second Report of the Royal Committee on the State of Large Towns and Populous Districts*, B.P.P. XV, London 1845.

88 Als Hauptbefürworter des »Fabriksystems« sind zu nennen Andrew Ure, *The Philosophy of Manufactures; or, an exposition of the scientific, moral, and commercial economy of the factory system of Great Britain*, London 1835; W. Cook Taylor, *The Natural History of Society*, London 1830, 2 Bde.

89 Auf Grund des Improvement Act (7 George IV., Kapitel 27).

90 Es handelt sich um den Liverpool Building Act (5 Vict., Kapitel 44) und den Liverpool Improvement Act (5 & 6 Vict., Kapitel 106).

91 Liverpool Sanitary Act (9 & 10 Vict., Kapitel 127).

92 Nuisance Removal Act (9 & 10 Vict., Kapitel 96); diesem folgten in kurzen Abständen (1855, 1860, 1863, 1866) neue Nuisance Removal Acts, Towns Improvement Clauses Act (10 & 11 Vict., Kapitel 34) und Public Health Act (11 & 12 Vict., Kapitel 63).

93 *Report of General Board of Health*, (1848–1854).

94 Es handelte sich um The Common Lodging Houses Act (14 & 15 Vict., Kapitel 28) und The Labouring Classes' Lodging Houses Act of 1851 (14 & 15 Vict., Kapitel 34), den sogenannten Shaftesbury Act.

95 Über Anthony Ashley Cooper, den siebten Earl of Shaftesbury (1801–85), siehe im einzelnen Godfrey Holden Pike, *Shaftesbury. His life and work*, London 1884; Edwin Hodder, *The Life and Work of the seventh Earl of Shaftesbury*, London 1886, 3 Bde.; John William Kirton, *True Nobility; or, the golden deeds of an earnest life. A record of the career and labours of Anthony Ashley Cooper, seventh Earl of Shaftesbury*, London 1886; Edward Lightwood, *The Good Earl: a brief sketch of the career of the seventh Lord Shaftesbury*, London 1886; James Joseph Ellis, *Lord Shaftesbury*, London 1892; Edwin Hodder, *The Seventh Earl of Shaftesbury, as Social Reformer*, London 1897; R.E. Pengelly, *Lord Shaftesbury, Peer and Philanthropist*, London 1902; John L. und Barbara Hammond, *Lord Shaftesbury*, London 1923 (Makers of the Nineteenth Century); David Williamson, *Lord Shaftesbury's Legacy. A record of eighty years' service by the Shaftesbury Society and Ragged School Union, 1844–1924*, London 1924; Dorothy M. Williams, *Lord Shaftesbury. The story of his life and work for industrial England, 1801–1885*, London 1925; J. Wesley Bready, *Lord Shaftesbury and social-industrial Progress*, London 1926.

96 Siehe hierzu Shaftesburys »Speech on moving to bring in a Bill to Encourage the Establishment of Lodging-houses for the Working Classes«, 1851 (*Shaftesbury Speeches*, 1868). Darin legt er dar, daß in London in St. Georges Hanover Square bis zu fünf Familien in einem

Raum lebten und in Leeds sogar einunddreißig Personen in drei Betten schliefen.

97 Als wichtigste Stationen müssen genannt werden: die Factory Bill of 1833 (Althorp Act) und die Ten Hours Bill of 1847. Siehe Philip Grant, *The Ten Hours' Bill. The History of Factory Legislation … To which is appended a Warning Address to the Working Classes by … the Earl of Shaftesbury*, Manchester 1866; B. Leigh Hutchins, Amy Harrison, *A History of Factory Legislation*, London 1903.

## 3. Das Fortwirken des klassischen Stadtbauideals

1 Dies berichtet der Dramatiker Antoine Vincent Arnault (1766–1834) von einer Unterhaltung, die er 1798 mit dem General Bonaparte auf der Brücke des Schiffes »L'Orient« bei der Überfahrt von Toulon nach Malta anläßlich des Ägyptenfeldzuges hatte. Siehe A.V Arnault, *Souvenirs d'un sexagénaire*, Paris 1833, Bd. 4, S. 102.

2 Siehe Gaspard Gourgaud, *Saint-Hélène. Journal inédit de 1815 à 1818. Avec préface et notes de MM. le vicomte de Grouchy et A. Guillois*, Paris 1899, Bd. 2, S. 345f.

3 Siehe das Opuskulum *Des embellissements de Paris*, 1739, wo es heißt: »Il faut élargir les rues étroites et infectes, découvrir les monuments qu'on ne voit point et en élever qu'on puisse voir.« Verwiesen sei außerdem auf *Plan Général des différents projets d'embellissements les plus utiles et les plus convenables à la Commodité des Citoyens et à la décoration de la Ville de Paris dont l'exécution a été proposée par MMrs les Prévôts des Marchands et Echevins vû et approuvé par le Roi*, Paris 1769; dazu Vuaplart, A., »Les Embellissements de Paris proposés par l'architecte Moreau en 1769«, in *Société d'Iconographie Parisienne*, 1908, S. 65–68.

4 Zu ersehen aus Pierre Patte, *Monuments érigés en France à la gloire de Louis XV.*, Paris 1765, mit einem Anhang »Choix des principaux projets qui ont été proposés pour placer la Statue du Roi dans les différens quartiers de France«.

5 Siehe Sylvie Buisson, »Le Plan des Artistes. Un épisode de l'histoire de l'urbanisme parisien«, in *Vie Urbaine* (Paris), N.S., 1950, S. 8–21, 161–171; *Commission d'extension de Paris, Aperçu historique*, Paris 1913; M. Halbwachs, »Les Plans d'extension et d'aménagement de Paris avant le XIXe siècle«, in *Vie Urbaine* (Paris), H. 5 (1920).

6 Siehe »Dictionnaire d'architecture«, in *Encyclopédie méthodique von Panckoucke*, Paris 1788–1825, 3 Bde.; *Dictionnaire historique d'Architecture, descriptives …*, Paris 1832, 2 Bde. Siehe im übrigen R. Schneider, *Quatremère de Quincy et son intervention dans les arts (1788–1830)*, Diss., Paris 1910.

7 Siehe Miro Mislin, *Die überbauten Brücken von Paris, ihre bau- und stadtbaugeschichtliche Entwicklung im 12.–19. Jahrhundert*, Diss., Stuttgart 1979.

8 Eine Vorstellung davon vermittelt Louis-Sébastien Mercier in *Tableau de Paris*, Hamburg, Neufchâtel 1781, 2 Bde. Er trat mit Verve für den Abbruch alter Bauten ein und merkte dazu an: »Avec quel plaisir j'aperçois ces décombres.« Siehe auch H. Monin, *L'état de Paris en 1789*, Paris 1889.

9 Näheres siehe Charles Percier, Pierre François Léonard Fontaine, *Résidences de Souverains parallèle entre plusieurs Résidences de Souverains de France, d'Allemagne, de Suède, de Russie, d'Espagne et d'Italie*, Paris 1833, S. 106f.

10 Geschrieben in einer Mitteilung an den Innenminister Montalivet am 14.9.1810, *Correspondance*, Nr. 16905, zit. nach Léon de Lanzac de Laborie, *Paris sous Napoléon*, Paris 1905 (2. Aufl.), Bd. 2, S. 140.

11 Es wäre hier ganz allgemein auf die Verbesserung der Verkehrsverbindungen durch Napoleon hinzuweisen. So veranlaßte er im überregionalen Rahmen den Bau von Kanälen (Kanal von Saint-Quentin, Kanal von Nantes nach Brest und Rhône-Rhein-Kanal) und von Alpenstraßen (Straße über den Großen und Kleinen St. Bernhard, Straße über den Col de Tende).

12 Nach *Journal de l'Empire*, 26.6.1812.

13 Nach *Recherches statistiques sur la ville de Paris*, Paris 1823, Tafel 9.

14 Siehe im einzelnen I.-G. Legrand, C.-F. Landon, Quatremère de Quincy, *Description de Paris et de ses édifices, avec un précis historique et des observations sur le caractère de leur architecture et sur les principaux objects d'art et de curiosité qu'ils renferment*, Paris, Straßburg 1808, 2 Bde.

15 Siehe J. Stern, *François-Joseph Bélanger*, Paris 1932.

16 Letztlich scheiterte Bélanger aber mit seiner überzogenen Konzeption. Er mußte den Auftrag an den Architekten Poidevin abtreten, der den Bau zu Ende führte.

17 Lanzac de Laborie stellt dazu fest: »La plus grande et la plus belle opération de voirie entreprise à Paris par Napoléon fut la transformation du quartier situé entre le jardin des Tuileries, la place de la Concorde et les boulevards, par le percement des rues de Rivoli, de Castiglione, de la Paix et des Pyramides.« (*Paris sous Napoléon*, a.a.O., Bd. 2, S. 133).

18 Siehe Jean Lorédan, *La Machine infernale de la rue Nicaise (3 nivôse an IX)*, Paris 1924.

19 Über den Vertrag zum Erwerb der Grundstücke an der Rue de Rivoli siehe *Procès-verbaux de la Commission de Vieux-Paris*, 12.2.1902.

20 Napoleon schrieb in dieser Sache an Regnaud de Saint-Jean d'Angély: »Je vous prie de rédiger un projet pour exempter du paiement des impositions pendant vingt ans les personnes qui construiraient des maisons rue de Rivoli, pour les indemniser du surcroît de dépenses résultant de l'obligation de se soumettre à un plan d'arcades extérieures, et, par là, de concourir à l'embellissement de la ville. Cependant, pour qu'on se hâte de bâtir, il faut déclarer que cette immunité ne sera accordée qu'à ceux qui auraient commencé à bâtir avant telle ou telle époque et achevé avant telle autre.« (30.12.1810, *Correspondance*, Nr. 17252).

21 Nach François-René de Chateaubriand, *Mémoires d'outre-tombe*, Paris 1849/50, Bd. 3, S. 372.

22 Aufschlußreich zum Thema der Abbrüche ist Louis Reau, *Les Monuments détruits de l'art français*, Paris 1959, 2 Bde.

23 Courbets Mitwirkung beim Sturz der Säule 1871 ist deshalb nicht so unmotiviert und destruktiv, wie seine Gegner glauben machen wollten.

24 Ausgestellt im Salon von 1802.

25 26.2.1806, *Correspondance*, Nr. 9891.

26 Siehe Erörterungen bei Ch. Percier, P.F.L. Fontaine, *Résidences des Souverains*, a.a.O., S. 40–42.

27 Er schrieb am 6.2.1805 an Innenminister Champagny: »Les architectes voudraient adopter un seul ordre et, dit-on, tout changer. L'économie, le bon sens et le bon goût sont d'un avis différent; il faut laisser à chacune des parties qui existent le caractère de son siècle et adopter

pour les nouveaux travaux le genre le plus économique.«

28 Louis François de Bausset (1748–1824) berichtet von einer Unterhaltung am 8.3.1806 in seinen *Mémoires*, Bd. 4, S. 132f.: »Paris manque d'édifices, il faut lui en donner … Il y a telle circonstance où douze rois peuvent s'y trouver ensemble: il leur faut donc des habitations, des palais et tout ce qui en dépend.«

29 Diese Bemerkung Napoleons zum Palais vom 9.3.1813 führt Lanzac de Laborie in *Paris sous Napoléon*, a.a.O., Bd. 2, S. 201, an.

30 Dieser sollte verwendet werden »aux fouilles pour la découverte des antiquités, au perfectionnement de la navigation de Tibre, à la construction d'un nouveau pont sur l'emplacement de celui dit d'Horatius Coclès, à l'achèvement du pont de Sixte, à l'agrandissement et à l'embellissement de la place Trajane et du Panthéon, à la construction d'une halle et de deux tueries, à l'ouverture d'une promenade du côté de la Place du Peuple et d'une autre sur l'emplacement du Forum, du Colisée et du Palatin, à l'établissement d'un jardin botanique …«

31 Philippe-Marcellin-Camille Comte de Tournon-Simiane (1778–1833) war vom 6.9.1809 bis zum 19.1.1814 Präfekt des Departements Rom. Siehe Jacques Moulard, *Le Comte Camille de Tournon*, Paris 1927–32, 2 Bde.

32 Siehe *Bolletino delle Leggi e Decreti Imperiali pubblicati dalla Consulta Straordinaria negli Stati Romani*, Rom 1809; Camille de Tournon, *Etudes statistiques sur Rome et la partie occidentale des états romains; contenant une description topographique et des recherches sur la population, l'agriculture, les manufactures, le commerce, le gouvernement, les établissements publics, et une notice sur les travaux exécutés par l'administration française*, Paris 1831 (2. Aufl., Paris 1855); Louis Madelin, *La Rome de Napoléon. La domination française à Rome de 1809 à 1814*, Paris 1906; G. Giovannoni, M. Patrizi, »Il programma edilizio del prefetto di Roma, Conte de Tournon«, in *Nuova Antologia*, H. 132 (1927), S. 446–459; A. Bianchi, »Le vicende urbanistiche della Roma napoleonica«, in *Urbe* (Rom), H. 1. (1937); Attilio La Padula, *Roma, 1809–1814. Contributo alla storia dell'urbanistica*, Rom 1958; ders., *Roma e la regione nell'epoca napoleonica. Contributo alla storia urbanistica della città e del territorio*, Rom 1969.

33 Siehe I. Ciampi, *Vita di G. Valadier architetto romano*, Rom 1870; L. De Libero, *Valadier architetto e urbanista*, Rom 1938; Elfriede Schulze-Battmann, *Giuseppe Valadier, ein klassizistischer Architekt Roms, 1762–1839*, Dresden 1939; P. Marconi, *Giuseppe Valadier*, Rom 1964; E. De Benedetti, *Valadier, Diario architettonico*, Rom 1979. Zur Ausgestaltung der Piazza del Popolo bzw. des Giardino del Grande Cesare siehe Thomas Ashby, Sir Rowland Pierce, »The Piazza del Popolo, Rome: its history and development«, in *Town Planning Review*, Bd. 11 (1926), H. 2, S. 75–96; Ferdinand Boyer, »Rome sous Napoléon: le jardin du Grand César«, in *Bulletin de la Société de l'Histoire de l'Art Française*, H. 2 (1930); ders., »L'architecte Giuseppe Valadier et le projet de la Villa Napoléon à Rome (1809)«, in *Etudes Italiennes*, Jan.–März 1931; G. Matthiae, *Piazza del Popolo*, Rom 1946; Sigfried Giedion, *Raum, Zeit, Architektur. Die Entstehung einer neuen Tradition*, Ravensburg 1965, S. 117–120; Attilio La Padula, *Roma e la regione nell'epoca napoleonica*, a.a.O., S. 111, 115, 134f., Ill. X–XXV; G. Ciucci, *Piazza del Popolo*, Rom 1974.

34 Diese Perspektive jedenfalls sah der Vicomte de Chateaubriand, der sich während seiner Mission als französischer Gesandter in Rom al-

len städtebaulichen Problemen gegenüber sehr aufgeschlossen zeigte. Siehe P. Lavedan, *Histoire de l'Urbanisme. Epoque Contemporaine*, Paris 1952, S. 46, wo als Quellen angegeben sind: M.J. Durry, *L'ambassade romaine de Chateaubriand*, 1927, und Alice Poirier, *Les Idées artistiques de Chateaubriand*, Paris 1930.

35 Auch für den Kapitolbereich plante Berthault einen öffentlichen Park. Es handelt sich um das Projekt der Passeggiata al Campidoglio, siehe Attilio La Padula, *Roma e la regione nell' epoca napoleonica*, a.a.O., Ill. XXXIII.

36 Im Februar 1935 erteilte Mussolini den Architekten Marcello Piacentini und Attilio Spaccarelli den Auftrag, Pläne für den Borgo-Durchbruch auszuarbeiten. Sie wurden 1936/37 mit dem Bau der Via della Conciliazione verwirklicht. Siehe dazu *Zeitschrift für Wohnungswesen, Städtebau und Raumordnung*, Jg. 1943, Nr. 1/2, S. 20–25; T.A. Polazzo, *Da Castel S. Angelo alla Basilica di S. Pietro*, Rom 1948; G. Bardet, *Une nouvelle ère romaine sous le signe du faisceau. La Rome de Mussolini*, 1937.

37 Siehe Giannantonio Antolini, *Descrizione del Foro Bonaparte*, Parma 1806; E. Verga, *Un Piano Regolatore per la città di Milano (1807)*, Mailand 1807; G. Antolini, *Opere d'Architettura*, Mailand 1814; F. Reggiori, *Milano 1800–1943*, Mailand 1947. Zur weiteren städtebaulichen Entwicklung Mailands siehe C. Beruto, *Relazione all'On. Giunta municipale sul progetto di Piano Regolatore per la città di Milano*, Mailand 1885; L. Dodi, »L'urbanistica milanese dal 1860 al 1945«, in *Urbanistica* (Turin), H. 18, 19 (1956).

38 Siehe A. Fischer, *Napoléon et Anvers*, Anvers 1933.

39 Siehe S.A. Zeller, »Die Sanierungspläne der Stadt Mainz zur Zeit Napoleons«, in *Zeitschrift für Bauwesen* 1926; Viktor Gielen, *Aachen unter Napoleon*, Aachen 1977.

40 Siehe E. Gabory, *Napoléon et la Vendée*, Paris 1914, S. 229–260; George Woodbridge, »La Roche-sur-Yon: Ville de Napoléon«, in *Town Planning Review*, Teil 1, Bd. 18 (1939), Nr. 3, S. 162–173, Teil 2, Bd. 18 (1942), Nr. 4, S. 234 bis 345; P. Lavedan, *Histoire de l'Urbanisme*, a.a.O., S. 34–37; M. Faucheux, *L'Enfance difficile de La Roche-sur-Yon*, La Roche-sur-Yon 1954; Y. de Guerny, *Dictionnaire du canton de La Roche-sur-Yon*, Luçon 1959.

41 Siehe Le Lay, *Histoire de la Ville de Pontivy au XVIIIe siècle*, Rennes 1911; E. Corgne, *Pontivy et son district pendant la Révolution*, Rennes 1938; Pierre Lavedan, *Histoire de l'Urbanisme. Epoque Contemporaine*, Paris 1952, S. 31–34.

42 Der Comte de Chabrol trat 1812 die Nachfolge von Frochot als »Préfet de la Seine« an und blieb in diesem Amt bis 1830. Als Nebenvorschlag zu Chabrols Projekt siehe J.J. Molls Napoléonville, dargelegt in *Cahier. Contenant six Différentes parties de Plans de Villes, avec le Moyen de Varier les Places qui se trouvent dans les Centres, de plus de quarante Manières Différentes. Suivi d'un Imprimé qui Contient le détail de la forme générale et particulière de chaque Objet, ainsi que le Moyen de réunir ces Différentes parties pour en faire des Villes, de telles formes et grandeurs que l'on juge à propos*, o.O. o.J., kommentiert durch Werner Oechslin, »J.J. Molls Napoléonville als 'irdisches Paradies'«, in *Daidalos*, Bd. 10, 15.12.1983, S. 44–55.

43 So überschreibt P. Lavedan den ersten Teil seiner *Histoire de l'Urbanisme*, a.a.O., Paris 1952.

44 Siehe Michael Hugo-Brunt, *The History of City Planning. A Survey*, Montreal 1972, S. 194.

45 Solange die Kassenlage es gestattete, nahm Napoleon unbedenklich Investitionen auf dem

baulichen Sektor vor. So betrugen die Ausgaben für den Straßenbau zwischen 1804 und 1813 insgesamt 277 Millionen Francs (nach Cronin, *Napoléon*, S. 269), für die kaiserlichen Palais und die Bauten der Krone enthielt das Budget des Bâtiments für denselben Zeitraum 62 Millionen Francs. Im übrigen forderte Napoleon immer wieder exakte Berichte über die einzelnen Bauten. Das wird ersichtlich aus der folgenden Äußerung von 1808 an den Innenminister Crétet: »Monsieur Crétet, faites-moi un petit rapport sur les travaux que j'ai ordonnés. Où en est la Bourse? Le Couvent des Filles Saint-Thomas est-il démoli? Le Bâtiment s'élève-t-il? Qu'a-t-on fait pour l'arc de triomphe? Où en est-on de la gare aux vins? Où en sont les magasins d'abondance? La Madeleine? Tout cela marche-t-il? Passerai-je sur le pont d'Iena à mon retour? Voilà pour Paris.« (*Correspondance*, Nr. 14044).

46 Für eine ausführliche Behandlung des georgianischen London siehe Sir John Summerson, *Georgian London*, Harmondsworth 1962; Donald J. Olsen, *Town Planning in London. The eighteenth and nineteenth Centuries*, New Haven, London 1964; Steen Eiler Rasmussen, *London. The unique City*, Harmondsworth 1961. Für eine umfassende topographische Darstellung siehe *The Survey of London*, Issued by the Joint Publishing Committee Representing the London County Council and the Committee for the Survey of the Memorials of Greater London under the General Editorship of Sir Laurence Gomme (for the Council), Philip Norman (for the Survey Committee); im besonderen Band 5, *The Parish of St. Giles-in-the-Fields*, London 1914, T. 2, und Band 21; *Tottenham Court Road and Neighbourhood*, London 1949. Zeitgenössische Lit.: T. Malton, *A Picturesque Tour through the Cities of London and Westminster*, London 1792–1800; W.H. Pyne, William Combe, *The Microcosm of London. With coloured plates by A.C. Pugin and T. Rowlandson*, London 1808–11, 3 Bde.; James Elmes, *Metropolitan improvements; or, London in the Nineteenth Century; being a series of views … from … drawings by T.H. Shepherd …*, London 1827.

47 Siehe Frank Banfield, *The Great Landlords of London*, London 1890.

48 Über den wichtigen Building Act von 1774, der die Gebäude nach »rates« spezifizierte, siehe Sir John Summerson, *Georgian London*, a.a.O., S. 125–132. Über die »district surveyors« siehe Bernard Dicksee, »An Enquiry into the Origin of the Office and Title of District Surveyor«, in *Journal R.J.B.A.*, 3. Serie, Bd. 12 (1905), S. 256–258. Eine zusammenfassende Darstellung siehe C.C. Knowles, *A History of London Building Acts, the District Surveyors and their Association*, London 1947.

49 Das »long-leasehold system« ist detailliert beschrieben bei Charles Henry Sargant, *Ground-Rents and Building Leases*, London 1886. Zur Kritik siehe S. Vere Pearson, *London's Overgrowth and the Causes of Swollen Towns*, London 1939.

50 Einzelheiten siehe D.J. Olsen, *Town Planning in London*, a.a.O., S. 39–73.

51 Über Burton und seine Bauten siehe Rowland Dobie, *History of the United Parishes of St. Giles-in-the-Fields and St. George Bloomsbury*, London 1834; auch Summerson, *Georgian London*, a.a.O., S. 169–173.

52 Über Cubitt siehe *Institute of Civil Engineering, Annual Report* 1856/57; Sir Stephen George Tallents, *Man and Boy*, London 1943, Kap. 2; H.M. Colvin, *A Biographical Dictionary of English Architects 1660–1840*, London 1954,

S. 160f.; E.W. Cooney, »The Origins of the Victorian Master Builder«, in *Economic History Review*, 2. Serie, Bd. 8 (1955–56), S. 171f.; Hermione Hobhouse, *Thomas Cubitt, Master Builder*, London 1971.

[53] Als Mitarbeiter fungierte noch James Morgan, dessen Beitrag aber unbedeutend war.

[54] Über das Werk von John Nash siehe Sir John Summerson, *John Nash: Architect to King George IV*, London 1935; Terence Davis, *The Architecture of John Nash*, London 1960; Sir John Summerson, *Georgian London*, a.a.O., S. 177–190.
Zu Regent Park und Regent Street speziell siehe John White, *Some Account of the Proposed Improvements of the Western Part of London*, London 1815; O. Newbold, »Regent Street. An historical retrospect«, in *Town Planning Review*, Bd. 3 (1912), Nr. 2, S. 86–93; *Architectural Review*, 1927, S. 202–239; Steen Eiler Rasmussen, »Regent Street in London«, in *Städtebau*, 1927, S. 147–161; Hermione Hobhouse, *A History of Regent Street*, London 1975; D.J. Olsen, *Die Stadt als Kunstwerk*. London, Paris, Wien, Frankfurt a.M., New York 1988, S. 34–39.

[55] St.E. Rasmussen, *London. The unique City*, a.a.O. 1961, S. 201–213.

[56] Die Park Villages, East und West, gehören zu den späteren architektonischen Werken von Nash. Sie waren gewissermaßen ein Ersatz für die etwa 50 Villen, die er bei seinen Vorentwürfen im Park selbst vorgesehen hatte, aber auf Verlangen des »treasury« weglassen mußte. Trotz der historischen Formensprache der Gebäude schien hier ein neuer Typus der suburbanen Bebauung gefunden zu sein.

[57] Siehe Charles Lethbridge Kingsford, *The Early History of Piccadilly, Leicester Square, Soho and their Neighbourhood*, Cambridge 1925.

[58] Nash sah im östlichen Randbereich des königlichen Marylebone Estate jenseits der Albany Street Quartiere für Arbeiterwohnungen vor. Sie gruppierten sich um große Märkte und Squares (York Square, Clarence and Cumberland Market) und um ein Bassin des Regent's Canal. Aber gerade diese Anlagen zeigten die Diskrepanz zwischen großmaßstäblichem städtebaulichem Layout und kleinlichem Zuschnitt der einzelnen Gebäude.

[59] Siehe K. Melville Poole, *Portman Estate: A Study in Private Planning*, 1952.

[60] Allgemein siehe Konrad Matschoss, *Preußens Gewerbeförderung und ihre großen Männer 1821–1921*, Berlin 1921; im einzelnen siehe Helmut Reihlen, *Christian Peter Wilhelm Beuth: Eine geschichtliche Betrachtung zum 125. Todestag*, Berlin, Köln 1979.

[61] Zur Eisenbahn in Berlin siehe *Berlin und seine Eisenbahnen*, hrg. im Auftrag des kgl. preuß. Ministers der öffentlichen Arbeiten, Berlin 1896, 2 Bde.; *Hundert Jahre deutsche Eisenbahnen*, hrg. vom Reichsverkehrsministerium, Leipzig 1938 (2. Aufl.); Hans Nordmann, »Die ältere preußische Eisenbahngeschichte«, in *Abhandlungen der deutschen Akademie der Wissenschaften zu Berlin*, Jg. 1948, Nr. 4, S. 1–36; Harry Methling, »Die Entwicklung des Eisenbahnnetzes in der ehemaligen Provinz Brandenburg bis zum Jahre 1939«, in *Jahrbuch für brandenburgische Landesgeschichte*, Berlin 1959, Bd. 10, S. 62–80.

[62] Siehe Hans Grandke, »Die Berliner Kleiderkonfektion«, in *Schriften des Vereins für Sozialpolitik*, Bd. 85 (1899), S. 129–389; August Förster, »Berlin als Textilstadt«, in *Groß-Berliner Kalender*, 1913, S. 339–353.

[63] Siehe Rheinmetall Borsig AG (Hrg.), *Deutscher Maschinenbau 1837–1937 im Spiegel des Werkes Borsig*, Berlin 1937; Ernst von Pastau, *Die Entwicklung der Berliner Metallindustrie*, Diss., Würzburg 1922; Kurt Doogs, *Die Berliner Maschinenindustrie und ihre Produktionsbedingungen seit ihrer Entstehung*, Berlin 1928; Fritz Pachtner, *August Borsig*, Zeulenroda 1943; Kurt Pierson, *Borsig – ein Name geht um die Welt. Die Geschichte des Hauses Borsig und seiner Lokomotiven*, Berlin (1973); Horst Wagenblass, *Der Eisenbahnbau und das Wachstum der deutschen Eisen- und Maschinenbauindustrie 1835 bis 1860*, Stuttgart 1973; Ingrid Thienel, *Städtewachstum im Industrialisierungsprozeß des 19. Jahrhunderts*, Berlin, New York 1973.

[64] Siehe Georg Siemens, *Geschichte des Hauses Siemens*, München 1947–52, 3 Bde.; Heinrich Petersen, *Die Standortorientierung der chemischen Industrie von Berlin und der Mark Brandenburg*, Diss., Berlin 1938.

[65] Siehe Werner Piltz, *Der Berliner Arbeiter von 1815–1848*, Diss., Jena 1922.

[66] Nach Paul Clausewitz, *Die Städteordnung von 1808 und die Stadt Berlin. Festschrift zur hundertjährigen Gedenkfeier der Einführung der Städteordnung*, Berlin 1909, S. 165.

[67] Darüber gibt ein Aufsatz der *Vossischen Zeitung* vom 2.2.1830 Auskunft. Aufschlußreich ist aber auch die frühere Schilderung des königlichen Leibarztes und Oberstaatsmedicus Ludwig Fromey (1766–1823) in *Versuch einer medizinischen Topographie von Berlin*, Berlin 1796.

[68] Über die »Familienhäuser« gibt es seit kurzem eine umfangreiche Darstellung: Johann Friedrich Geist, Klaus Kürvers, *Das Berliner Mietshaus 1740–1862. Eine dokumentarische Geschichte der »von Wülcknitzschen Familienhäuser« vor dem Hamburger Tor, der Proletarisierung des Berliner Nordens und der Stadt im Übergang von der Residenz zur Metropole*, München 1980.

[69] Zum Königsbuch und seiner Rezeption siehe ebenfalls Geist, Kürvers, *Das Berliner Mietshaus 1740–1862*, a.a.O. S. 214ff. Siehe im übrigen Kap. 6: Der paternalistische Arbeiterwohnungsbau, Anmerkung 191.

[70] Der Stadtteil erhielt diesen Namen erst 1828. Als Zugang von außen diente das 1835/36 erbaute »Neue Tor«, für das Schinkel den Entwurf lieferte (siehe den abgebildeten Plan von Berlin-Moabit, Etablissement der königlichen Pulverfabrik, um 1838).

[71] Auf dem Acker- und Wiesengelände hatte die Bebauung der Köpenicker Vorstadt (Köpenicker Landstraße, Alte und Neue Jakobstraße usw.) Ende des 18. Jahrhunderts eingesetzt. 1803 gab es bereits 590 Häuser mit 13000 Einwohnern. Entlang der Oberspree hatten sich Kattundruckereien angesiedelt, die ihre Abwässer ungeniert in den Fluß ableiteten. Der Dichter Friedrich Rückert merkte dazu drastisch an: »… die Spree trat zwar als ein Schwan in die Stadt ein, verließ sie aber als ein Schwein« (nach Goldschmidt, a.a.O., S. 292f.). 1802 hatte der Stadtteil auf Antrag der Einwohnerschaft den Namen »Luisenstadt« erhalten. Siehe auch Katharina Altmann (Hrg.), *Die Luisenstadt. Ein Heimatbuch*, Berlin 1927.

[72] Vorhanden in der Skizzensammlung der königlichen Hausbibliothek.

[73] In einem Schreiben vom 27.1.1835 »Motive für den projectirten Plan zur Bebauung des Köpenicker Feldes«.

[74] Er hatte aber den großen Nachteil, daß von einer organischen Verzahnung mit der Altstadt (Neu-Kölln) keine Rede sein konnte. Demzufolge waren später kostspielige Durchbrüche notwendig (z.B. Inselstraße, 1857). Überhaupt ergibt sich hier ein Ausgangspunkt für die unharmonische Planfiguration Berlins.

[75] Siehe J. Baeyer, *Die Bewässerung und Reinigung der Straßen Berlins*, Berlin 1843.

[76] Zur Stadtplanung Schinkels in Berlin siehe Franz Jahn, »Schinkels Stadtbaukunst. Versuch einer Deutung der städtebaulichen Absichten Schinkels an Hand seiner Entwürfe«, in *Zeitschrift für Bauwesen*, 81.Jg. (1931), H. 2, S. 29 bis 43; Hellmut Delius, »Die städtebauliche Auffassung des Hellenismus bei Schinkel«, in *Stadtbaukunst*, 12. Jg. (1931/32), S. 69–73, 80–84; (*Karl Friedrich Schinkel. Lebenswerk*, Bd. 5) Paul Ortwin Rave, *Berlin: Stadtbaupläne, Brücken, Straßen, Tore, Plätze*, Berlin 1948.
Über Lenné (1789–1866) siehe Gerhard Hinz, *Peter Josef Lenné und seine bedeutendsten Schöpfungen in Berlin und Potsdam*, Berlin 1937 (*Kunstwissenschaftliche Studien*, Bd. 23); Heinrich Friedrich Wiepking, *Geordnete Umwelt, fruchtbares Land, menschliche Wohlfahrt. Peter Josef Lenné zum Gedächtnis*, Hiltrup b. Münster/Westf. 1966 (Deutsche Gartenbaugesellschaft e.V. Schriftenreihe H. 18); Harri Günther und Sibylle Harksen (Hrg.), *Peter Joseph Lenné. Pläne für Berlin*, Berlin, Potsdam 1984, T. 2; Harri Günther, *Peter Joseph Lenné. Gärten/Parke/Landschaften*, Stuttgart 1986.

[77] Siehe Werner Hegemann, *Das steinerne Berlin. Geschichte der größten Mietskasernenstadt der Welt*, Berlin, Frankfurt a.M., Wien 1963, S. 181 (*Bauwelt Fundamente*, Bd. 3).

[78] Siehe S.E. Dheus, *München. Strukturbild einer Großstadt*, Stuttgart 1968.

[79] Die Einwohnerzahl Münchens stieg von etwa 33000 im Jahre 1781 auf 62290 im Jahre 1824.

[80] Siehe allgemein Margret Wanetschek, *Die Grünanlagen in der Stadtplanung Münchens von 1790–1860*, München 1971 (*Neue Schriften des Stadtarchivs München*, Bd. 52); im einzelnen Christian Bauer, *Der Englische Garten*, München 1964; Theodor Dombart, *Der Englische Garten zu München*, München 1972.

[81] Genaue Angaben darüber siehe P. Grobe, *Die Entfestigung Münchens*, Diss., München 1969 (als Kurzfassung gedruckt in *Miscellanea Bavaria Monacensiae*, H. 27, München 1970).

[82] Benjamin Thompson Rumford (1753–1814) war ab 1784 Staatsrat im Dienste Karl Theodors. Von der Aufklärung durchdrungen, wirkte er vor allem auf sozialpolitischem Gebiet. Er kehrte jedoch nach dem Tod des Kurfürsten 1799 nach England zurück. Siehe *Allgemeine Deutsche Biographie*, Bd. 24, S. 643ff.

[83] Das kurfürstliche Reskript vom 2.6.1795 wird zwar zuweilen in der Literatur als »Entfestigungsreskript« angesehen, es nimmt aber die Entfestigung bereits als vollzogen an.

[84] Am 20.9.1809 wurde sie als Lokal-Baukommission neu organisiert und dem Ministerium des Innern direkt unterstellt. Siehe Joseph Wiedenhofer, *Die bauliche Entwicklung Münchens vom Mittelalter bis in die neueste Zeit im Lichte der Wandlungen des Baupolizeirechtes. Eine baupolizeiliche Studie*, München 1916; Stefan Fisch, *Stadtplanung im 19. Jahrhundert. Das Beispiel München bis zur Ära Theodor Fischer*, München 1988.

[85] Siehe F. Hallbaum, *Der Landschaftsgarten*, München 1927; Dieter Hennebo, Alfred Hoffmann, *Geschichte der deutschen Gartenbaukunst*, Hamburg 1963, Bd. 3. Sckell selbst hat seine Gedanken über die Gartenkunst in dem Lehrbuch *Beiträge zur bildenden Gartenkunst für angehende Gartenkünstler und Gartenliebhaber*, München 1819, zusammengefaßt.

[86] Siehe H.J. Selig, »Die bauliche Entwicklung der Maxvorstadt«, in *München Max-Vorstadt und Schönfeld-Vorstadt im Jahre 1849*, neu hrg. vom Bezirksausschuß 5 Maxvorstadt – Univer-

sität, München 1979; M. Wanetschek, *Die Grünanlagen*, a.a.O., S. 39 ff.; H. Lembruch, »Der
Wettbewerb für die Anlage der Maxvorstadt«,
in Winfried Nerdinger (Hrg.), *Klassizismus in
Bayern, Schwaben und Franken. Architektur-
zeichnungen 1775–1825, Ausstellungskatalog*,
München 1982, S. 199–207.
[87] Siehe Ilse Springorum, *Karl von Fischer*,
Diss., München 1936; Herbert Schindler, *Carl
von Fischer 1782–1820, ein Architekt des Münchner Klassizismus*, München 1951; Oswald Hederer, *Karl von Fischer, Leben und Werk*, München 1960 (*Neue Schriftenreihe des Stadtarchivs
München*, Bd. 12); Ilse Springorum-Kleiner,
*Karl von Fischer*, München 1982; Winfried Nerdinger (Hrg.), *Carl von Fischer 1782–1820*,
a.a.O.
[88] Siehe E.K. du Moulin, *Bayern unter Minister
Montgelas 1799–1818*, München 1895.
[89] Als erster Bau am Karolinenplatz entstand
1809 das Palais Asbeck. Es folgten 1812 das
Kronprinzen-(Törring-)Palais in der Achsver-
längerung der Max-Joseph-Straße und 1812/13
das Palais Hompesch, bei dem Palladios Villa
Rotonda als Vorbild spürbar ist, und das Haus
für den Hofbildhauer Kirchmaier. 1822/23 kam
noch das Palais Montgelas hinzu. Dieses von
J.B. Métivier entworfene Gebäude sprengte bereits den von Fischer vorgezeichneten architektonischen Rahmen.
[90] Siehe Hans Kiener, *Leo von Klenze, Preis-
schrift der Universität München*, München 1924;
Oswald Hederer, *Leo von Klenze. Persönlichkeit
und Werk*, München 1964; zum Königsplatz im
besonderen Heinrich Bulle, »Die Gestaltung des
Königsplatzes«, in *Helbings Monatsberichte für
Kunstwissenschaft*, München 1902.
[91] Anfänglich wurde sie Königstraße genannt,
ab 1822 nach dem Kronprinzen Ludwig benannt. Als Literatur über die Ludwigstraße siehe Joseph Wiedenhofer, *Die bauliche Entwicklung Münchens*, a.a.O.; Georg Jakob Wolf, *Ein
Jahrhundert München 1800–1900*, München
1935 (3. Aufl.); M. Doeberl, *Entwicklungsgeschichte Bayerns*, München 1931, S. 46–51; Oswald Hederer, *Die Ludwigstraße in München*,
München 1942; Oswald Hederer, *Leo von Klenze. Persönlichkeit und Werk*, München 1964,
S. 129 ff.; Willibald Sauerländer, »Viollet-le-Duc
über die Münchener Ludwigstraße«, in Werner
Hager, Norbert Knopp (Hrg.), *Beiträge zum Problem des Stilpluralismus*, München 1977, S. 58
bis 62.
[92] In einem Schreiben vom 1.9.1816 an Ludwig
hebt Klenze darauf ab, daß »die Façaden und
Pläne nach meiner Angabe und unter meiner
Leitung erbaut würden und so ein ganzes her-
auskäme«.
[93] Siehe Hans Moninger, *Friedrich von Gaert-
ners Originalpläne und Studien*, München 1882;
S. v. Pölnitz, »Klenze gegen Gärtner, ein Architekt erobert München«, in *Münchener Mosaik* 3
(München), 1940, H. 1, S. 8–11; Klaus Eggert,
*Friedrich von Gaertner. Der Baumeister König
Ludwigs I.*, München 1963 (*Neue Schriftenreihe
des Stadtarchivs München*, Bd. 15); Oswald Hederer, *Friedrich von Gärtner*, München 1976.
[94] Siehe Rudolf Buttmann, »Beiträge zur Baugeschichte der Bayerischen Staatsbibliothek«,
in *Festschrift für Georg Leyh*, Leipzig 1937. Zur
Finanzierung allgemein Pius Dirr, »Stadtbau
und Stadtfinanzen im Zeitalter Ludwigs I.«, in
*Wirtschafts- und Verwaltungsblatt* (München),
Jg. 1 (1926), Nr. 2 u. 3.
[95] Das zeigt auch die stadtauswärts gewandte
Stellung des bronzenen Viergespanns auf dem
Siegestor von Johann Martin Wagner.
[96] Der Gegensatz wird deutlich, wenn man einen Vergleich mit den Wettbewerbsplänen von

1808 für die Neuanlage der Maxvorstadt an-
stellt. Siehe Joseph Wiedenhofer, *Die bauliche
Entwicklung Münchens*, a.a.O.
[97] Siehe Albert Erich Brinckmann, *Stadtbaukunst – Geschichtliche Querschnitte und neuzeitliche Ziele*, Berlin, Neubabelsberg 1920, S. 40 bis
50; August Stürzenacker, »Geschichtliche und
kritische Betrachtungen über Karlsruhe's
Fächerplan«, in *Deutsche Bauzeitung*, 55. Jg.,
Nr. 14, Febr. 1921, S. 73–76; Arthur Valdenaire,
»Theorien über die Karlsruher Stadtanlage«, in
*Die Pyramide, Wochenschrift zum Karlsruher
Tagblatt*, Jg. 22, Nr. 36 vom 3.9.1933, S. 142.
[98] Als wichtigste Literatur über Karlsruhe sie-
he Carl Helmut Bohtz, *Karlsruhe*, München
1971; Kurt Ehrenberg, *Baugeschichte von Karls-
ruhe 1715–1870*, Karlsruhe 1909; H. Erbacher
(Hrg.), *Suchet der Stadt Bestes, Festschrift zum
Stadtjubiläum 1715–1965*, Karlsruhe 1965; K.G.
Fecht, *Geschichte der Haupt- und Residenzstadt
Karlsruhe – Ihre Geschichte und Beschreibung,
Festgabe der Stadt zur 34. Versammlung der
deutschen Naturforscher und Ärzte*, Karlsruhe
1858; *Geschichte der Stadt Karlsruhe und ihrer
Vororte in Daten. Zusammengestellt vom Stadt-
archiv Karlsruhe*, Karlsruhe 1956; Robert Gold-
schmidt, *Die Stadt Karlsruhe, ihre Geschichte
und ihre Verwaltung*, Karlsruhe 1915; Theodor
Hartleben, *Statistisches Gemälde der Residenzstadt Karlsruhe und ihrer Umgebungen*, Karlsruhe 1932; Arthur Valdenaire, »Die Baukunst
Karlsruhes in zwei Jahrhunderten«, in *Badische
Heimat*, Bd. 15 (1928), S. 73 ff.; ders., *Karlsruhe,
die klassisch gebaute Stadt*, Augsburg 1929
(*Deutscher Kunstführer*, Bd. 25); Friedrich von
Weech, *Karlsruhe, Geschichte der Stadt und
ihrer Verwaltung*, Karlsruhe 1895–1904.
[99] Es handelte sich um Antoine, Burdet,
d'Yxnard, Erdmannsdorf, La Hogue, Lemoine,
Meerwein, Pedetti, Weinbrenner. Näheres siehe
Kurt Ehrenberg, *Baugeschichte*, a.a.O.
[100] Über Weinbrenner siehe L. Oelenheinz,
»Alt-Karlsruhe und Friedrich Weinbrenner«, in
*Zeitschrift für Bauwesen*, 1913, H. 10–12; A.
Schreiber, *Friedrich Weinbrenner. Ein Denkmal
der Freundschaft*, Karlsruhe 1826; O. Seneca,
*Friedrich Weinbrenner. Jugend- und Lehrjahre*,
Diss., Karlsruhe 1907; Max Koebel, *Friedrich
Weinbrenner. Sein Leben und seine Bauten*,
Karlsruhe 1926 (2. Aufl.); Friedrich Weinbrenner, *Denkwürdigkeiten aus seinem Leben, von
ihm selbst geschrieben*, Heidelberg 1829; Arthur
Valdenaire (Hrg.), *Friedrich Weinbrenner, Briefe
und Aufsätze*, Karlsruhe 1926; *Badische Biographien*, hrg. von Friedrich von Weech, Karlsruhe 1875, Bd. 2, S. 435, *Karlsruhe 1881*, Bd. 3,
S. 212.
[101] Die Stadt hatte schon durch die Vereinigung des Durlachschen Hauses mit der Mark-
grafschaft Baden-Baden neuen Auftrieb erhalten. Die territoriale Neueinteilung in napoleo-
nischer Zeit brachte für den Markgrafen Karl
Friedrich 1803 die Erhebung zum Kurfürsten
und 1806 zum Großherzog, für das Land selbst
einen ungewöhnlichen Gebietszuwachs. Die
Einwohnerzahl Karlsruhes wuchs von etwa
3000 im Jahre 1780 auf über 15000 im Jahre
1815. 1870 hatte die Stadt etwa 36000 Einwohner.
[102] So die Gebäude Karl-Friedrich-Straße 12–20
um 1790, Karl-Friedrich-Straße 30 im Jahre
1792, Erbprinzenstraße 5–11 um 1790, Kaiser-
hof/Marktplatz 1784.
[103] Näheres siehe Arthur Valdenaire, *Friedrich
Weinbrenner*, a.a.O. Das Gebäude wurde 1873
abgetragen.
[104] Siehe H. Schneider, *Das Ettlinger Tor in
Karlsruhe*, Karlsruhe 1924.
[105] Einzelheiten siehe Emil Lacroix, »Zur Baugeschichte des Karlsruher Marktplatzes«, *Zeit-

schrift für Geschichte des Oberrheins*, 1934,
S. 24 ff.
[106] Schon die ersten Wohnbauten waren nach
einem Baumodell erstellt worden, und der Aufruf zur Niederlassung in der Stadt vom 24.9.
1715 versprach bereits besondere Vergünstigungen. 1752 gewährte Karl Friedrich in einem
Gnadenbrief neue Privilegien an Stelle der alten, abgelaufenen. Wiederum mußte nach Mo-
dellvorlagen des Markgräflichen Baudirektors
Albrecht Friedrich von Keßlau (1728 bis etwa
1788) gebaut werden.
[107] Siehe Walter Huber, *Die Stephanienstraße.
Ein Stück Bau- und Kulturgeschichte aus Karlsruhe*, Karlsruhe 1954.
[108] Siehe Ulrich Bäte, »Karlsruhe und die Kaiserstraße«, in *Karlsruher Fächer* (Karlsruhe),
August 1961, und »Die Lange-, Haupt- und Kaiserstraße«, in *Ventil* (Karlsruhe), Karlsruher
Studentenzeitung, 1961.
[109] Siehe »Die Straße als Einheit – Weinbrenners Entwurf für die Karlsruher Lange Straße«,
in *Der Städtebau*, Jg. 1925, H. 5–8.
[110] Arnold Tschira, »Der sogenannte Tulla-Plan
zur Vergrößerung der Stadt Karlsruhe«, in *Werke und Wege. Eine Festschrift für Dr. Eberhard
Knittel zum 60. Geburtstag*, Karlsruhe 1959.
[111] Diese Analyse bezieht sich auf den baulichen Zustand zur Zeit Weinbrenners.
[112] Siehe Marie Frölich, Hans-Günther Sper-
lich, *Georg Moller, Baumeister der Romantik*,
Darmstadt 1959.
[113] Georg W.J. Wagner, *Geschichte und Beschreibung von Darmstadt und seinen nächsten
Umgebungen, von den ältesten bis auf die neuesten Zeiten*, Darmstadt 1840; Wilhelm Diehl,
*Alt-Darmstadt*, Darmstadt 1913; Karl Esselborn,
*Darmstadt zur Zopfzeit*, Friedberg 1915; Adolf
Müller, *Aus Darmstadts Vergangenheit*, Darmstadt 1930; Georg Haupt, *Die Bau- und Kunstdenkmäler der Stadt Darmstadt*, Textband,
Darmstadt 1952 und Bildband, Darmstadt 1954
(*Die Bau- und Kunstdenkmäler des Landes Hessen, Reg. Bez. Darmstadt*, hrg. vom Landeskonservator von Hessen); Hessisches Landesmuse-
um (Hrg.), *Darmstadt 1840. 1900. 1978. Eine
Stadt verändert ihr Gesicht*, Ausstellungskatalog, Darmstadt 1978; Magistrat der Stadt Darmstadt (Hrg.), *Darmstadt in der Zeit des Klassizismus und der Romantik*, Ausstellungskatalog,
Darmstadt 1979.
[114] Siehe G. Heinrich Ebhardt, *Geschichte und
Beschreibung der Stadt Wiesbaden*, Gießen 1817;
Ferdinand Hey'l, *Wiesbaden und seine Umgebung*, Wiesbaden 1887; Christian Spielmann,
J.K. Krake, *Die Entwicklung des Weichbildes
der Stadt Wiesbaden seit dem Ende des 18. Jahr-
hunderts*, Frankfurt o.J. (1912); Herbert Müller-
Werth, *Geschichte und Kommunalpolitik der
Stadt Wiesbaden*, Wiesbaden 1963; Ulrike von
Hase, »Wiesbaden – Kur- und Residenzstadt« in
Ludwig Grote (Hrg.), *Die deutsche Stadt im
19. Jahrhundert. Stadtplanung und Baugestal-
tung im industriellen Zeitalter*, München 1974,
S. 129–149.
[115] Siehe Clemens Weiler, »Johann Christian
Zais. 1770–1820« in *Nassauische Lebensbilder*,
Wiesbaden 1955, Bd. 5, S. 132–147; Stefan
Thiersch, »Christian Zais – Stadtplaner Wiesba-
dens. Eine Rekonstruktion«, in *Wiesbadener
Kurier*, 4.3.1970.
[116] Siehe Christian Spielmann, *Das Kurhaus zu
Wiesbaden 1808–1904*, Wiesbaden 1904.
[117] Siehe Rudolf Hartog, *Stadterweiterungen im
19. Jahrhundert*, Stuttgart 1962, S. 77–82 (*Schriftenreihe des Vereins zur Pflege kommunalwis-
senschaftlicher Aufgaben e.V. Berlin*, Bd. 6).
[118] Siehe Paul Clemen, *Die Kunstdenkmäler der
Stadt und des Kreises Düsseldorf*, Düsseldorf

1894 (*Die Kunstdenkmäler der Rheinprovinz*, Bd. 3, 1); Richard Klapheck, »Baukunst der Rheinprovinz im 19. Jahrhundert«, in Joseph Hansen (Hrg.), *Die Rheinprovinz 1815–1915*, Bonn 1917, Bd. 2, S. 252 ff.; Friedrich Lau, *Die Geschichte der Stadt Düsseldorf*, Düsseldorf 1921, Bd. 1; Paul Sültenfuß, »Das neue Düsseldorf nach Schleifung der Wälle. Die Baumeister Adolf von Vagedes – Joh. Peter Cremer – Peter Köhler – Karl Friedr. Schinkel – Anton Schnitzler«, in *Zeitschrift des Rheinischen Vereins für Denkmalpflege und Heimatschutz*, 17. Jg., H. 1, Düsseldorf 1924, S. 48–69.

119 Siehe O. Redlich, R. Hillebrecht, Fr. Wesener, *Der Hofgarten zu Düsseldorf*, Düsseldorf 1893.

120 Siehe Hans Grethe, »Bautätigkeit in Krefeld unter besonderer Berücksichtigung der Zeit Friedrichs des Großen«, in *Die Heimat*, 1927, H. 6, S. 4 ff.; Eva Brües, *Krefeld*, Bd. 1 Stadtmitte, Düsseldorf 1967; Ernst Köppen, *Kleine Stadtbiographie Krefeld. Von den Anfängen bis zum Jahre 1948*, Duisburg, München 1970.

121 Siehe Th. Sachau, *Die ältere Geschichte Bremerhavens*, Bremerhaven 1927; Burchard Scheper (Hrg.), *Bibliographie zur Geschichte der Stadt Bremerhaven*, Bremerhaven 1973; Herbert und Inge Schwangwälder, *Bremerhaven und seine Vorgängergemeinden. Ansichten, Pläne, Landkarten. 1575–1890*, Bremerhaven 1977; Burchard Scheper, *Die jüngere Geschichte der Stadt Bremerhaven*, Bremerhaven 1977; Rita Kellner-Stoll, *Bremerhaven 1827–1888. Politische, wirtschaftliche und soziale Probleme einer Stadtgründung*, Diss., Göttingen 1982.


4. Sozialutopische Stadtbaumodelle in der Frühzeit der Industrialisierung

1 Zur Einführung in die Utopie-Diskussion siehe Arnhelm Neusüss (Hrg.), *Utopie-Begriff und Phänomen des Utopischen*, Neuwied, Berlin 1968 (*Soziologische Texte*, Bd. 44). Hier ist eine umfangreiche Bibliographie der literatur-, ideen- und sozialgeschichtlichen Utopie-Darstellungen vorhanden (S. 451–495). An älterer Literatur über die Utopien ist zu nennen: Joyce O. Hertzler, *The History of Utopian Thought*, London 1923; Friedrich v. Kleinwächter, *Die Staatsromane. Ein Beitrag zur Lehre von Kommunismus und Sozialismus*, Wien 1891; Lewis Mumford, *The Story of Utopias. Ideal Commonwealth and Social Myths*, London 1923; Andreas Voigt, *Die sozialen Utopien. Fünf Vorträge*, Leipzig 1906.

2 Siehe hierzu Hans Freyer, *Die politische Insel. Geschichte der Utopie von Plato bis zur Gegenwart*, Leipzig 1936. Die Texte der genannten Utopisten sind abgedruckt in Klaus J. Heinisch (Hrg.), *Der utopische Staat. Morus-Utopie, Campanella-Sonnenstaat, Bacon-Neu-Atlantis*, Reinbek bei Hamburg 1960. Eine Kommentierung aus neuester Zeit findet sich bei Mechthild Schumpp, *Stadtbau-Utopien und Gesellschaft. Der Bedeutungswandel utopischer Stadtmodelle unter sozialem Aspekt*, Gütersloh 1972 (*Bauwelt Fundamente*, Bd. 32).

3 In diesem Sinn versteht Max Horkheimer die Utopie. Siehe seine Publikation *Anfänge der bürgerlichen Geschichtsphilosophie*, Stuttgart 1930, S. 77–94.

4 In diesem Falle ist nicht mehr die Form utopisch, sondern eben das, was sich in der Intention ausdrückt.

5 Für die Erhellung dieser Zusammenhänge siehe Karl Mannheim, *Ideologie und Utopie*, Frankfurt a. M. 1965 (4. Aufl.).

6 Den Anfang machte das *Kommunistische Manifest* von 1848. Die Angriffe wurden fortgesetzt

durch Friedrich Engels, *Die Entwicklung des Sozialismus von der Utopie zur Wissenschaft* (1882), Nachdruck Berlin 1946. Näheres siehe Neusüss, a. a. O., S. 33–88.

7 Zum Thema Revolution als Wirkungskraft der Utopie siehe Gustav Landauer, *Die Revolution*, Frankfurt a. M. 1907. In neuer Zeit hat Fred L. Polak in *The Image of the Future. Enlightening the past, orientating the present, forecasting the future*, Leyden, New York 1961, in seinem Begriff des »Willensoptimismus« den Erfüllungsdrang der Utopie herausgestellt.

8 Der Begriff ist von Karl R. Popper geprägt worden. Siehe seine Beiträge »Utopia and Violence«, in *Conjectures and Refutations. The Growth of Scientific Knowledge*, London 1963, und *The open Society and Its Enemies*, London 1945.

9 Hier ist auch die ganze Richtung der Mätopien zu erwähnen.

10 Zu dieser Utopieauffassung siehe Raymond Ruyer, *L'utopie et les utopies*, Paris 1950; Hans Jürgen Krysmanski, *Die utopische Methode. Eine literatur- und wissenssoziologische Untersuchung deutscher utopischer Romane des 20. Jahrhunderts*, Köln, Opladen 1963 (*Dortmunder Schriften zur Sozialforschung*, Bd. 21); Martin Schwonke, *Vom Staatsroman zur Science Fiction. Eine Untersuchung über Geschichte und Funktion der naturwissenschaftlich-technischen Utopie*, Stuttgart 1957 (*Göttinger Abhandlungen zur Soziologie*, Bd. 2); David Riesman, »Some observations on community plans and utopia« (1947), in *Individualism Reconsidered*, Glencoe 1954.

11 Diese Aspekte werden seit einiger Zeit stärker herausgestellt, siehe Leonardo Benevolo, *Die sozialen Ursprünge des modernen Städtebaus. Lehren von gestern – Forderungen für morgen*, Gütersloh 1971 (*Bauwelt Fundamente*, Bd. 29); Mechthild Schumpp, *Stadtbau-Utopien und Gesellschaft*, a. a. O.

12 Die Literatur über Robert Owen ist sehr umfangreich. Bei den folgenden Angaben kann es sich deshalb nur um eine Auswahl handeln. Auszugehen ist von Owens Autobiographie *The Life of Robert Owen. Written by himself*, London 1857, Bd. 1. An Biographien siehe: William Lucas Sargant, *Robert Owen and his Social Philosophy*, London 1860; Jacob George Holyoake, *Life and last Days of Robert Owen*, London 1859; Frederick A. Packard, *Life of Robert Owen* (anonyme Schrift), Philadelphia 1866; Arthur J. Booth, *Robert Owen. The Founder of Socialism in England*, London 1869; Lloyd Jones, *The Life, Times and Labours of Robert Owen*, London 1889/90; W. Liebknecht, *Robert Owen, sein Leben und sein sozialpolitisches Wirken*, Nürnberg 1892; J. G. Holyoake, *Robert Owen. The Precursor of Social Progress*, Manchester 1901; Edouard Dolléans, *Robert Owen*, Paris 1905; Helene Simon, *Robert Owen. Sein Werk und seine Bedeutung für die Gegenwart*, Jena 1905; Frank Podmore, *Robert Owen. A Biography*, London 1925, 2 Bde.; M. Cole, *Robert Owen*, London 1953; Franziska Bollerey, Kristina Hartmann, »Kollektives Wohnen. Theorien und Experimente der utopischen Sozialisten Robert Owen (1771–1858) und Charles Fourier (1772 bis 1837)«, in *archithese*, Bd. 8 (1973), S. 15–26. Zur Literatur über Owen siehe auch The National Library of Wales (Hrg.), *A Bibliography of Robert Owen, the Socialist, 1771–1858*, Aberystwyth 1925 (2. überarb. Aufl.); Gotō Shigeru, *Robert Owen 1771–1858: A new Bibliographical Study*, Osaka etwa 1935 (*Osaka University of Commerce Studies*, Bd. 1).

13 Siehe »Original Regulations and Rules for the Inhabitants of New Lanark made by Robert

Owen in 1800«, in *The new existence of man upon the earth*, London 1854.

14 Erste Ausführungen über New Lanark siehe *Statement Regarding the New Lanark Establishment*, Edinburgh 1812. Die vier Essays erhielten die Bezeichnung *A New View of Society: or, Essays on the Principle of the Formation of the Human Character, and the Application of the Principle to Practice …*, London 1813/14 (deutsche Ausgabe: Robert Owen, *Eine neue Auffassung von der Gesellschaft*, Leipzig 1900). Siehe auch C. D. Cole (Hrg.), *A New View of Society and Other Writings*, London 1927.

15 Siehe »Essay First«, London 1813, Titelseite.

16 Für Owen ist deshalb evident, »that the character of man is, without a single exception, always formed for him; that it may be, and is chiefly, created by his predecessors; that they give him, or may give him, his ideas and habits, which are the powers that govern and direct his conduct. Man, therefore, never did, nor it is possible, he ever can, form his own character«. Zit. nach *A New View of Society*, London 1818 (4. Aufl.), S. 83.

17 Siehe Robert Owen, *An Address delivered to the Inhabitants of New Lanark on the first of January 1816 at the Opening of the Institution for the Formation of Character*, London 1816. Das Erziehungssystem ist weiter erläutert bei Robert Dale Owen, *An Outline of the System of Education at New Lanark*, Glasgow 1824.

18 Zeitgenössische Untersuchungen sahen New Lanark zwar positiv, lehnten Owens weitgehende Folgerungen aber ab. Siehe Henry Grey Macnab, *The New Views of Mr. Owen of Lanark Impartially Examined*, London 1819. Es ist eine unparteiische Darstellung des Leibarztes des Herzogs von Kent.

19 1828 verließ er das durch ihn zu Weltruhm gekommene Unternehmen ganz.

20 Der Titel lautet im ganzen: *Report to the Committee of the Association for the Relief of the Manufacturing and Labouring Poor, referred to the Committee of the House of Commons on the Poor Laws*, London März 1817.

21 Die Briefe und dazugehörigen Aufrufe sind abgedruckt in *A Supplementary Appendix to the First Volume of The Life of Robert Owen*, London 1858, Bd. 1A, S. 65–138.

22 Siehe *Report to the County of Lanark of a Plan for the relieving of Public Distress and Removing Discontent, by giving permanent, productive Employment to the Poor and Working Classes, under Arrangements which will essentially improve their Character, and ameliorate their Conditions and Consumption, and create Markets coextensive with Production*, by Robert Owen, May 1, 1820 (abgedruckt in *A Supplementary Appendix*, a. a. O., S. 263–310); zusammengefaßt dargestellt in Helene Simon (Hrg.), *Robert Owen und der Sozialismus*, Berlin 1919.

23 Die Feststellung lautet: »The natural Standard of value is – Human Labour or the combined Manual and Mental Powers of Men called into action.« Zit. nach *A Supplementary Appendix*, a. a. O., S. 268.

24 Siehe William Godwin, *An Enquiry concerning Political Justice and its influence on general virtue and happiness*, London 1793, 2 Bde.

25 Zu verweisen ist auf die Feststellungen in *The Life of Robert Owen*, a. a. O., S. 240. Als Anregungen dienten John Bellers, *Proposals for Raising a Colledge of Industry of all useful Trades and Husbandry, with Profit for the Rich, A Plentiful Living for the Poor, and a Good Education for Youth. Which will be Advantage to the Government, by Increase of the People, and their Riches*, London 1696; von Bentham kam der Vorschlag für ein »Building and Furni-

ture for an Industry-House Establishment for 2000 Persons of all ages on the panopticon or central-inspection principle«, siehe John Bowring (Hrg.), *The Works of Jeremy Bentham*, Edinburgh 1843, Bd. 8, S. 369–439.

26 Die Sekte der »Separatisten« wanderte 1804 unter Leitung von Georg Rapp von Württemberg nach den USA aus. In Pennsylvania gründeten die »Rappisten« die Gemeinde Harmony. 1814 gaben sie jedoch diesen Ort wieder auf und zogen nach dem südlichen Indiana, wo sie am Wabash River wieder ein Dorf des gleichen Namens anlegten. Aber auch hier hielt es die »Harmonisten« nicht lange. Sie beschlossen 1824, diese Niederlassung zu verkaufen und in der Nähe von Pittsburgh in der Siedlung »Economy« noch einmal neu zu beginnen. Näheres siehe Karl J.R. Arndt, *Georg Rapp's Harmony Society, 1785–1847*, Philadelphia 1965.

27 Eine Ortsbeschreibung findet sich auch in *New Harmony Gazette* (New Harmony), 1.10.1825.

28 Siehe Robert Owen, *A Discourse on a New System of Society. As Delivered in the Hall of Representatives of the United States, in Presence of the President of the United States, the President Elect, Heads of Departments, Members of Congress, etc. on the 25th of February, 1825*, Washington 1825, und *A Discourse … on the 7th of March, 1825*, Washington 1825.

29 Über das Unternehmen »New Harmony« berichten zeitgenössische Darstellungen und eine Reihe von Publikationen. Siehe *The New Harmony Gazette*, (New Harmony), 1.10.1825 bis 22.10.1828, 3 Bde.; Paul Brown, *Twelve Months in New Harmony; Presenting a Faithful Account of the Principal Occurrences which Have Taken Place There within That Period; Interspersed with Remarks*, Cincinnati 1827; Heinrich Luden (Hrg.), *Reise Sr. Hoheit des Herzogs zu Sachsen-Weimar-Eisenach durch Nord-Amerika in den Jahren 1825 und 1826*, Weimar 1828, 2. Teil, S. 130–154; Thomas Clinton Pears Jr. (Hrg.), *New Harmony, An Adventure in Happiness: Papers of Thomas and Sarah Pears*, Indianapolis 1933; daneben siehe George Browning Lockwood, *The New Harmony Communities*, Marion/Indiana 1902; Caroline D. Snedeker, *The Town of the Fearless*, Garden City, N.Y. 1931; Nora C. Fretageot, *Historic New Harmony, A Guide*, New Harmony 1934 (3. Aufl.); Erich Chr. Fr. Küspert, *New Harmony. Ein historischer Vergleich zwischen zwei Lebensanschauungen*, Diss., Nürnberg 1936/37 (*Nürnberger Beiträge zu den Wirtschafts- und Sozialwissenschaften*, Bd. 59/60); K. Dos Passos, »New Harmony, Ind., Experiment with a Cooperative Community«, in *Atlantic Monthly*, November 1940, S. 604; Marguerite Young, *Angel in the Forest: A Fairy Tale of Two Utopias*, New York 1945; Arthur Eugene Bestor Jr., *Backwood Utopias. The Sectarian and Owenite Phases of Communitarian Socialism in America: 1663–1829*, Philadelphia 1950; J.F.C. Harrison, *Robert Owen and the Owenites in Britain and America*, London 1969; Liselotte und Oswald M. Ungers, »Utopische Kommunen in Amerika 1800–1900. Die Owenites in New Harmony (Indiana)«, in *werk*, Bd. 3 (1971), S. 39–42; Don Blaire, *The New Harmony Story*, New Harmony, Indiana o.J.

30 Zit. nach G.B. Lockwood, a.a.O., S. 104.

31 Der Text dieser auf den 1.5.1825 datierten Konstitution wurde in der ersten Nummer der *New Harmony Gazette* (New Harmony), 1.10.1825, veröffentlicht. Ein Abdruck siehe G.B. Lockwood, a.a.O., S. 105–109.

32 Über die bauliche Fassung seiner Reformvorschläge gibt Owen in *The Life of Robert Owen*, a.a.O., Bd. 1, S. 215, nähere Auskunft. Des weiteren siehe Stedman Whitwell, *Description of an Architectural Model from a Design by Stedman Whitwell Esq. for a Community upon a principle of united interests, as advocated by Robert Owen, Esq.*, London 1820.

33 Der Text der Konstitution ist veröffentlicht in *New Harmony Gazette* (New Harmony), 15.2. 1826, S. 161–163; Nachdruck bei G.B. Lockwood, a.a.O., S. 123, 125f.

34 Eine besonders verhängnisvolle Rolle in diesem Auflösungsprozeß spielte der erst im April 1826 eingetretene Paul Brown, der, kaum daß er in New Harmony aufgenommen worden war, die Mitglieder gegen Owen aufwiegelte, indem er diesen als Bodenspekulanten und Ausbeuter charakterisierte. Wie viele Anhänger Brown tatsächlich fand, ist unklar; jedoch war sein demoralisierender Einfluß beträchtlich. Siehe Paul Brown, *Twelve Months in New Harmony*, a.a.O.

35 Siehe *New Harmony Gazette* (New Harmony), 29.5.1827, »Address delivered by R. Owen on Sunday 26th of May in the New Harmony Hall to the Citizens of New Harmony and to the members of the Neighbouring Communities«.

36 Zusammengestellt bei A.E. Bestor Jr., *Backwood Utopias*, a.a.O., S. 202–229.

37 Siehe Robert Owen, *Lectures on an Entire New State of Society; Comprehending an Analysis of British Society, Relative to the Production and Distribution of Wealth, the Formation of Character; and Government, Domestic and Foreign*, London 1830.

38 Die Idee der Innenkolonisation ist entwickelt in *A Development of the Principles and Plans on Which to Establish Self-Supporting Home Colonies; as a Most Secure and Profitable Investment for Capital … to Remove Poverty …; and Most Materially to Benefit All Classes of Society*, London 1841 (2. Aufl.).

39 An Literatur über Fourier siehe Charles Pellarin, *Fourier, sa vie et sa théorie*, Paris 1839; A.L. Churoa, *Kritische Darstellung der Sozialtheorie Fouriers*, Braunschweig 1840; Lorenz v. Stein, *Geschichte der sozialen Bewegung in Frankreich von 1789 bis auf unsere Tage*, Darmstadt 1959 (neue Ausg.), Bd. 2, S. 232–339; Paul Janet, »Le socialisme au XIXe siècle. La philosophie de Charles Fourier«, in *Revue de Deux Mondes* (Paris), 1879; August Bebel, *Charles Fourier. Sein Leben und seine Theorien*, Stuttgart 1888; Hubert Bourgin, *Fourier. Contribution à l'étude du socialisme français*, Paris 1905; ders., *Etudes sur les sources de Fourier*, Diss., Paris 1905; A.P. Lafontaine, *Charles Fourier*, Paris 1911; Käte Asch, *Die Lehre Charles Fouriers*, Jena 1914; Hermann Greulich, *Karl Fourier. Ein Vielverkannter. Versuch einer Darlegung seines Ideenganges im Lichte des modernen Sozialismus*, Berlin 1919; Charles Gide, *Fourier, précurseur de la coopération*, Paris 1922/23; M. Lansac, *Les conceptions méthodologiques et sociales de C. Fourier. Leur influence*, Paris 1926; E. Poisson, *Fourier*, Paris 1930; A. Pinlache, *Fourier et le socialisme*, Paris 1933; F. Armand, R. Maublanc, *Fourier*, Paris 1937, 2 Bde.; Jacques Debû-Bridel, *Fourier*, Genf, Paris 1947; J. Eisermann, »Charles Fourier. Ein Wegbereiter des Sozialismus und der modernen Sozialpsychologie«, in *Forum* (Berlin), 1948; Giuseppe Del Bo, *Il socialismo utopistico. Charles Fourier e la Scuola Societaria (1801–1922)*, Mailand 1957.

40 Gedruckt im *Bulletin de Lyon*, 3.12.1803 (11 frimaire, an XII). Ein weiterer Artikel aus dieser Zeit ist »Triumvirat continental et paix perpétuelle sous trente ans«, in *Bulletin de Lyon*, 17.12.1803 (25 frimaire, an XII).

41 Der volle Titel lautet Charles Fourier, *Théorie des quatre mouvements et des destinées générales. Prospectus et annonce de la découverte*, Leipzig, (Lyon, Pelzin) 1808 (deutsche Ausgabe: Theodor W. Adorno (Hrg.), *Theorie der vier Bewegungen und der allgemeinen Bestimmungen*, Frankfurt a.M. 1966). Für das Studium Fouriers siehe *Œuvres complètes de Ch. Fourier*, Paris 1841–45, 6 Bde., in neuerer Ausgabe vorhanden als »réimpression anastatique«, Paris 1966.

42 Siehe hierzu die Ausführungen in *Œuvres complètes de Ch. Fourier*, Paris 1841 (2. Aufl.), Bd. 1, S. 431–436.

43 Fourier schreibt dazu: »Der Unitismus ist der Hang des Individuums, sein Glück mit dem der ganzen Umgebung und mit dem ganzen, heute so hassenswerten menschlichen Geschlecht in Einklang zu bringen. Es ist eine unbegrenzte Philanthropie, ein universelles Wohlwollen, das sich erst entwickeln wird, wenn alle Menschen reich, frei und gerecht sein werden, entsprechend den drei Leidenschaftseinteilungen: Luxus, Gruppen, Serien …« Zit. nach *Œuvres complètes de Ch. Fourier*, Paris 1846 (3. Aufl.), Bd. 1, S. 79.

44 Siehe Lorenz v. Stein, a.a.O., Bd. 2, S. 277f.

45 Der volle Titel lautet *Traité de l'Association domestique-agricole (ou Attraction industrielle) par Ch. Fourier*, Paris, London 1822, 2 Bde., in zweiter Auflage erschienen unter der Bezeichnung Théorie de l'Unité universelle, in *Œuvres complètes de Ch. Fourier*, Paris 1841/43, Bd. 2 bis 5.

46 Hier zeigt sich ein wesentlicher Unterschied zu den Ansätzen des Marxismus. Dies mag mit ein Grund gewesen sein, daß Fourier im Kommunistischen Manifest von 1848 als Utopist abqualifiziert worden ist.

47 Siehe *Œuvres complètes de Ch. Fourier*, a.a.O., Bd. 2, S. 142: »Tableau des douze issues du Lymbes obscures«.

48 Bezeichnet als »la garantie de visuisme ou plaisirs de la vue«, ebd., Bd. 3, S. 297.

49 Ebd., Bd. 3, S. 297.

50 Näheres siehe ebd., Bd. 3, S. 299f.

51 Fourier hoffte, daß der Versuch von einem Souverän oder reichen Privatmann unternommen würde, etwa einem Bedford, Esterhazy oder von einer Handelsgesellschaft. Siehe ebd., Bd. 3, S. 426.

52 Zusammengestellt im »Tableau des gradations de fortune et de nombre, exigibles dans chaque degrée d'harmonie passionnelle«, ebd., Bd. 3, S. 437. Fourier betont hier den feinen Unterschied zwischen »gradation« und »graduation«.

53 Einzelheiten zur Aufteilung der Serien siehe unter dem Thema »modules d'Harmonie« (ebd., Bd. 3, S. 311–321); die grundsätzliche Erläuterung der Serien erfolgt unter dem Titel »Abrégé sur les groupes et les séries passionnelles« (ebd., Bd. 3, S. 337–415).

54 Für die genaue Beschreibung des Phalansteriums siehe *Théorie de l'Unité universelle* (ebd., Bd. 4, S. 455–470). Eine weitere Beschreibung findet sich in Nouveau Monde industriel et sociétaire …, in *Œuvres complètes de Ch. Fourier*, Paris 1845, Bd. 6, S. 123–129.

55 Fourier bezieht sich tatsächlich auf Owen. Er führt das *Cooperative magazine*, Januar 1826, an, wo diese Pläne für New Harmony abgebildet sind. Natürlich war diese Feststellung erst in der späteren Abhandlung *Le Nouveau Monde industriel et sociétaire* von 1829/30 möglich. Inwieweit Fourier und Owen voneinander Anleihen gemacht haben, ist eine Frage für sich. Owen seinerseits stellt hierzu fest: »Dem Bericht an die Grafschaft Lanark ent-

nahm Fourier die Idee seiner Phalanstères und machte einen konfusen Mischmasch daraus.« Siehe Robert Owen, *The Life of Robert Owen*, London 1857, Bd. 1, S. 234. Fourier dagegen hält seinem Rivalen vor, daß er keinerlei Kenntnisse des sozietären Mechanismus habe. Siehe *Œuvres complètes de Ch. Fourier*, Paris 1845, Bd. 6, S. 123.

56 Näheres darüber bei Dareste de La Chavanne, *Histoire des classes agricoles en France*, Paris 1858, S. 234; H. Doniol, *Histoire des classes rurales en France*, Paris 1865, S. 82; Carl Kautsky, *Vorläufer des neueren Sozialismus*, Berlin 1922, Bd. 4, T. 1, S. 36–45.

57 Siehe Denis Vairasse d'Alais, *L'Histoire des Sevarambes, peuples que habitent une partie du troisième continent communément appellé la Terre australe; contenant un compte exact du gouvernement, des mœurs, de la religion et du langage de cette nation jusques aujourd'huy inconnuë aux peuples d'Europe ...*, Paris 1677–79, 5 Bde.

58 Siehe Nicolas-Edme Rétif de la Bretonne, *La Découverte australe par un homme volant, ou le Dédale français, nouvelle très philosophique, suivie de la lettre d'un singe*, Leipzig, Paris 1781, 4 Bde.

59 Ein Vergleich mit Le Corbusiers »cité radieuse« liegt nahe, da beide Konzeptionen in manchen Punkten übereinstimmen. Die gravierenden Unterschiede ergeben sich jedoch aus dem soziologischen Ansatz: Le Corbusiers Wabensystem kann Fouriers sozialpsychologischen Vorstellungen nicht gerecht werden.

60 Besonders kennzeichnend ist die Geschichte, die durch Fouriers Biographen Pellarin überliefert ist: Fourier habe während der letzten zehn Jahre seines Lebens jeden Mittag um zwölf Uhr den »Kandidaten« seines ersten Versuchskantons erwartet. Siehe Ch. Pellarin, *Fourier, sa vie et sa théorie*, Paris 1849 (4. Aufl.), S. 146.

61 Näheres siehe J. Duval, »Le ménage sociétaire de Condé-sur-Vesgre«, in *Annuaire de l'Association pour 1868*, S. 141–158; G. Vauthier, »Un essai de Phalanstère à Condé-sur-Vesgre«, in *Révolution de 1848*, Februar 1925, S. 327–344, und April 1925, S. 417–432. Eine frühe kritische Erörterung siehe auch M. Villermé, *Tableau de l'état physique et morale des ouvriers*, Paris 1840, Bd. 2, S. 327–335.

62 In der Démocratie Pacifique vom 20.2.1849 heißt es: »M. Considérant verneint in aller Form – was bitte zur Notiz zu nehmen ist –, daß das Phalansterium jemals in einem Teil gescheitert ist, einfach aus dem Grunde, weil es niemals in einem Teil in Erprobung gegangen ist. Es ist wohl wahr, daß man 1832–33 in Condé-sur-Vesgre einen Versuch der Phalansterien-Assoziation hat machen wollen; man hat einen Ausschuß gebildet, hat mehrere hundert Hektar Heideland erworben ... Aber die Fonds sind nicht entstanden ... Es hat in Condé-sur-Vesgre ein Vorbereitungsbeginn des Experimentierfeldes stattgefunden, wo man die Absicht hatte, das Phalansterien-System in die Praxis umzusetzen, aber nicht die geringste Erprobung des besagten Systems.«

63 Bezeichnenderweise postulierte die Kopfleiste der neuen fourieristischen Zeitschrift *Le Phalange, le journal de la science sociale* (1836–43) die Ziele der Schule folgendermaßen: »Réforme sociale sans révolution. Réalisation de l'ordre, de la justice et de la liberté. Organisation de l'industrie. Association du capital, du travail et du talent.«

64 Einzelheiten hierzu siehe Emile Poulat, *Les cahiers manuscrits de Fourier – étude historique et inventaire raisonné*, Paris 1957.

65 Als Hauptwerk Prosper Victor Considérants (1808–93) siehe *Destinée sociale, exposition élémentaire complète de la théorie sociétaire*, Paris 1834–36, 3 Bde. Für eine kürzere Darstellung seiner Theorie siehe ders., *Exposition abrégée du système phalanstérien de Charles Fourier*, Paris 1844 (3. Aufl.). Diese Schrift liegt auch in deutscher Fassung vor, siehe ders., *Fouriers System der sozialen Reform*, Leipzig 1906 (*Hauptwerk des Sozialismus und der Sozialpolitik*, H. 6). Über das Lebenswerk Considérants selbst siehe Maurice Dommanget, *Victor Considérant*, Paris 1929.

66 Näheres siehe Victor Considérant, *Au Texas*, Paris 1854 (*Ecole sociétaire*, Jg. 23), und *Du Texas, Premier rapport à mes amis*, Paris 1857; Dr. Savardan, *Un naufrage au Texas*, Paris 1858; *Le Devoir*, Bd. 23 (1899) und Bd. 24 (1900).

67 Eine Zusammenstellung findet sich bei Emile Poulat, a.a.O., S. 29–36.

68 Siehe *Solutions sociales par Godin*, Paris, Brüssel 1871; F. Bernardot, *Le Familistère de Guise ...*, Exposition universelle de 1889, Guise 1889; Marie Moret (Hrg.), *Documents pour une biographie complète de J.B.A. Godin*, Paris 1900, 3 Bde.; J. Prudhommeaux, *Les Expériences sociales de J.B.A. Godin*, Paris 1919; Hans Honegger, *Godin und das Familistère von Guise*, Diss., Zürich 1919; Leonardo Benevolo, *Die sozialen Ursprünge des modernen Städtebaus. Lehren von gestern – Forderungen für morgen*, Gütersloh 1971, S. 72–82 (*Bauwelt Fundamente*, Bd. 29).

69 Siehe Albert Brisbane, *A Mental Biography*, hrg. von Redelia Brisbane, Boston 1893, und Arthur Eugene Bestor Jr., »Albert Brisbane – Propagandist for Socialism in the 1840's«, in *New York History*, Jg. 28, April 1947, S. 128–158.

70 Als wichtigste sind zu nennen: Albert Brisbane, *Social Destiny of Man: or, Association and Reorganization of Industry*, Philadelphia 1840, und ders., *A Concise Exposition of the Doctrine of Association*, New York 1843 (2. Aufl.).

71 Die frühesten Aufzeichnungen über diese Siedlungen stammen von dem Schotten A.J. Macdonalds, der Owen nach New Harmony begleitet hatte. Seine Manuskripte, heute in der Bibliothek der Yale University, dienten John Humphrey Noyes als Grundlage für die Publikation *History of American Socialism*, Philadelphia 1870. Weitere Beschreibungen siehe Charles Nordhoff, *The communistic societies of the United States; from personal visit and observation: including detailed accounts of the Economists, Zoarites, Shakers, the Amana, Oneida, Bethel, Aurora, Icarian, and other existing societies, their religous creeds, social practices, numbers, industries, and present condition*, London, New York 1875; William Alfred Hinds, *American Communities*, Chicago 1908 (2. Aufl.); J. Prudhommeaux, *Les Essais fouriéristes en France et à l'étranger*, Manuskript 1913; M. Buchs, *Le Fouriérisme aux Etats-Unis, Contribution à l'étude du socialisme américain*, Diss., Paris 1948; Mark Holloway, *Heavens on earth. Utopian Communities in America 1680–1880*, London 1951; Arthur Eugene Bestor Jr., *Backwood Utopias*, Philadelphia 1950.

72 Einzelheiten siehe Morris Hillquit, *Der utopische Sozialismus und die kommunistischen Versuche in den Vereinigten Staaten Nordamerikas*, Stuttgart, Berlin 1922 (2. Aufl.), S. 88–92; Mark Holloway, a.a.O., S. 147–150.

73 Über die Brook Farm Phalanx siehe Zoltan Haraszti, *The Idyll of Brook Farm*, Boston 1937; Everett Webber, *Escape to Utopia. The Communal Movement in America*, New York 1959, S. 170–192.

74 Brisbane schrieb in einem Brief an den Oneida Circular: »Not one of them had the tenth, nor the twentieth part of the means and resources – pecuniary and scientific – necessary to carry out the organisation he proposed. In a word, no trial, and no approach to a trial of Fourier's theory has been made. I do not say that his theory is true, or would succeed, if fairly tried. I simply affirm that no trial of it has been made; so that it is unjust to speak of it, as if it had been tested.« Mark Holloway, a.a.O., S. 142.

5. Die großen Stadtsanierungen, Stadtverschönerungen und Stadterweiterungen

1 Siehe *Le Globe*, 20.2.1851; zum Saint-Simonismus im einzelnen Georges Weill, *L'Ecole Saint-Simonienne. Son Histoire, son Influence jusqu'à nos jours*, Paris 1896; Sébastien Charléty, *Histoire du Saint-Simonisme (1825–1864)*, Paris 1931 (2. Aufl.); Werner Leendertz, *Die industrielle Revolution als Ziel und Grundlage der Sozialreform. Eine systematische Darstellung der Ideen Saint-Simons und seiner Schüler*, Emsdetten 1938.

2 Die Seine-Präfekten dieser Zeit waren Chabrol de Volvic (1812–30) und Claude-Philibert Barthelot de Rambuteau (1833–48), dieser hatte sein urbanes Programm so umschrieben: »Donner aux Parisiens de l'eau, de l'air, de l'ombre, tel fut mon programme, ma pensée constante, le but de tous mes travaux.« Er vertrat im übrigen aber den Standpunkt: »Ne dépensons point.« Siehe *Mémoires du Comte de Rambuteau, publiés par son petit-fils*, Paris 1905, hier zit. nach André Morizet, *Du Vieux Paris au Paris Moderne. Haussmann et ses Prédécesseurs*, Paris 1932, S. 112.

3 Siehe Johann Friedrich Geist, *Passagen – Ein Bautyp des neunzehnten Jahrhunderts*, München 1969 (*Studien zur Kunst des neunzehnten Jahrhunderts*, Bd. 5); Walter Benjamin, *Das Passagen-Werk*, hrg. von Rolf Tiedemann, Frankfurt a.M. 1983, 2 Bde.

4 Siehe Honoré de Balzac, *Physiologie des eleganten Lebens*. Unveröffentlichte Aufsätze, eingeleitet und hrg. v. W. Fred, München 1911; Herbert Günther, *Deutsche Dichter erleben Paris. Uhland, Heine, Hebbel, Wedekind, Dauthendey, Holz, Rilke, Zweig*, Pfullingen 1979; *Paris – Deutsche Republikaner reisen*, Frankfurt a.M. 1980.

5 Siehe H.-A. Frégier, *Des Classes dangereuses de la population dans les grandes villes, et des moyens de les rendre meilleures*, Paris 1840, 2 Bde.; ders., *Solution nouvelle du problème de la misère, ou Moyens pratiques d'améliorer la condition des ouvriers des manufactures et en général des classes laboureuses par M. Frégier*, Paris 1851; des weiteren auch Louis Lazare, *Dictionnaire administratif et historique des rues de Paris et de ses monuments*, Paris 1844; ders., *Paris, son administration ancienne et moderne, études historiques et administratives*, Paris 1856; ders., *Les Quartiers pauvres de Paris*, Paris 1868; ders., *Les Quartiers pauvres de Paris, Le XXe arrondissement*, Paris 1870; ders., *Les Quartiers de l'Est de Paris et les communes suburbaines*, Paris 1870; Anthime Corbon, *Le Secret du peuple de Paris*, Paris 1863.

6 Siehe Marc Caussidière, *Mémoires de Caussidière*, Paris 1849 (3. Aufl.), Bd. 2, S. 168. Zur Visualisierung der baulichen Zustände siehe *Charles Meryon – Paris um 1850 – Zeichnungen, Radierungen, Photographien*, Ausstellungskatalog, Frankfurt a.M. 1975; Eugène Atget, *Das alte Paris*, hrg. von John Szarkowski und Maria Morris, Hamburg, München 1983.

[7] Siehe Louis Chevalier, *La Formation de la population parisienne au XIXe siècle*, Paris 1950 (*Institut national d'Etudes démographiques, Travaux et Documents*, Nr. 10); ders., *Classes laboureuses et classes dangereuses à Paris pendant la première moitié du XIXe siècle*, Paris 1958.

[8] Zusammenstellung in Département de la Seine, Service de la Statistique municipale (Hrg.), *Résultats statistiques du dénombrement de 1896 pour la ville de Paris et le département de la Seine*, Paris 1899.

[9] Siehe Louis Lazare, *La France et Paris*, Paris 1872; Martin Nadaud, *Les Mémoires de Léonard, ancien garçon maçon*, Paris 1912; David H. Pinkney, »Migrations to Paris during the Second Empire«, in *Journal of Modern History*, Bd. 25 (1953).

[10] In einem *Mémoire au Conseil Général* von 1819. Siehe dazu Pierre Lavedan, *Histoire de l'Urbanisme, Epoque Contemporaine*, Paris 1952, S. 100, 104.

[11] Siehe Edmond Texier, *Tableau de Paris*, o.O. 1853, Bd. 2, S. 313.

[12] Aus der umfangreichen Literatur über Louis Napoléon Bonaparte seien hier, als Auswahl, folgende Titel genannt: Hippolyte Thirria, *Napoléon III avant l'Empire*, Paris 1895–96, 2 Bde.; Emile Ollivier, *L'Empire libéral. Etudes. Récits. Souvenirs*, Paris 1898, Bd. 3; Oskar von Wertheimer, *Napoleon III. Abenteurer, Frauenheld, Caesar*, Berlin 1928; H.N. Boon, *Rêve et réalité dans l'œuvre économique et sociale de Napoléon III*, La Haye 1936; Octave Aubry, *Le Règne de Napoléon III*, o.O. 1937; ders., *Président et empereur: Napoléon III*, o.O. 1951; ders., *Napoléon III, Conspirateur et empereur*, Paris 1958; J. Bertaut, *Napoléon III secret*, Paris 1939; R. Burnaud, *Napoléon III et les siens*, Paris 1948; F.A. Simpson, *The Rise of Louis Napoleon*, London 1951 (3. Aufl.); M. de la Fuye, E.A. Babeau, *Louis-Napoleon Bonaparte avant l'Empire*, o.O. 1951; Ivor Guest, *Napoleon III in England*, London 1952; J.M. Thompson, *Louis Napoleon and the Second Empire*, Oxford 1954; David H. Pinkney, »Napoleon III's Transformatin of Paris: The Origins and Development of Idea«, in *Journal of Modern History*, Bd. 27 (1955), S. 125 bis 134; Suzanne Desternes, Henriette Chaudet, *Napoléon III. Homme du XXe siècle*, Paris 1961; K. Tacke, *Die sozialpolitischen Vorstellungen Napoleons III.*, Köln 1969; T.A.B. Corley, *Napoleon III. Ein demokratischer Despot*, Stuttgart 1970; J. Savant, *L'énigme de la naissance de Napoléon III*, Paris 1971; G.E. Boilet, *La doctrine sociale de Napoléon III*, Paris 1975; I.A. Earls, »Napoleon III as Emperor-Architect«, in *Proceedings of the Western Society for French History*, Bd. 4 (1976); E. Bornecque-Winandy, *Napoléon III, »empereur social«*, Paris 1980; Franz Herre, *Napoleon III. Glanz und Elend des Zweiten Kaiserreichs*, Gütersloh 1990.

[13] Der Conseil Municipal und Präfekt Berger wußten von diesem Plan (siehe Adolphe de Granier de Cassagnac, *Souvenirs du Second Empire*, Paris 1879–1882, Bd. 2, S. 223). Das Original ging beim Brand des Hôtel de Ville 1871 verloren, doch hatte Napoléon III. zur Weltausstellung von 1867 drei Kopien anfertigen lassen, von denen er eine dem König von Preußen anläßlich dessen Pariser Besuches schenkte. Um 1910 befand sich diese in der königlichen Haus- und Hofbibliothek in Berlin, wo sie unter B 10305 katalogisiert war (siehe Werner Hegemann, *Der Städtebau*, Bd. 1, S. 222, Abb. 144 und 145, und André Morizet, a.a.O., S. 130). Allerdings ist dieser Kopie ein Stadtplan von 1867 unterlegt, so daß einzelne Partien wie die Rue de Rivoli, die Place du Carrousel, der Boulevard de Strasbourg und die Rue des Ecoles schon den Zustand der vorgenommenen Transformation angeben; in diesen Bereichen läßt sich deshalb die Projektierung Louis Napoléons nicht mehr genau ausmachen. Schließlich gibt es noch einen Plan, den der Ex-Kaiser auf Wunsch des früheren Generalsekretärs der Préfecture de la Seine, Charles Merruau, aus dem Gedächtnis im Exil in Chislehurst nachgezeichnet hat (siehe Beilage in Charles Merruau, *Souvenirs de l'Hôtel de ville de Paris, 1848–1852*, Paris 1875).

[14] Siehe Voltaire, *Œuvres complètes*, Paris 1876–1878, Bd. 5, S. 390–395; Pierre Patte, *Monuments erigés en France à la gloire de Louis XV*, Paris 1765; Sylvie Buisson, »Le Plan des Artistes. Un épisode de l'histoire de l'urbanisme parisien«, in *Vie Urbaine* (Paris), N.S., 1950, S. 8 bis 21, 161–171. Der »plan des Artistes« ist abgebildet in *Commission d'extension de Paris, Aperçu historique*, Paris 1913, pl. V. Siehe des weiteren Stanislas Mittié, »Projet d'embellissement et de monuments publics pour Paris«, in *Journal des Bâtiments*, an XII (1804).

[15] Siehe Georges Duchêne, *L'Empire industriel, histoire critique des concessions financières et industrielles du second empire*, Paris 1869; Georges Weill, »Les Saint-Simoniens sous Napoléon III«, in *Revue des Etudes Napoléoniennes*, Mai 1913; Louis Girard, *La politique des travaux publics du Second Empire*, Paris 1951.

[16] Siehe Emile Ollivier, *L'Empire libéral*, a.a.O., Bd. 2 und 3.

[17] Gut beschrieben bei Charles Schmidt, *Les Journées de Juin 1848*, Paris 1926; siehe auch André Morizet, a.a.O., S. 133.

[18] Persigny übertraf als Bonapartist selbst noch Louis Napoléon Bonaparte und hatte neben Morny maßgebenden Anteil am Coup d'Etat vom 2.12.1851 und an der Wiedererrichtung des Empire im November 1852. Undankbarerweise ist er später vom Kaiser als »fou« (Verrückter) bezeichnet worden, »parce qu'il était le seul à croire à l'Empire«. Siehe P. Chrétien, *Le Duc de Persigny (1808–1872)*, Toulouse 1943; H. Parat, *Persigny, un ministre de Napoléon III*, Paris 1957.

[19] »Au surplus, ce n'est pas moi qui me prèterai jamais à ruiner la ville«, zit. nach M.H. de Laire (Hrg.), *Mémoires du Duc de Persigny*, Paris 1896 (2. Aufl.), S. 248.

[20] Zit. nach *Mémoires du Duc de Persigny*, a.a.O., S. 253–255.

[21] Siehe Maxime Du Camp, *Paris: ses organes, ses fonctions et sa vie dans la seconde moitié du XIXe siècle*, Paris 1869–1875; Adolphe Granier de Cassagnac, *Souvenirs du Second Empire*, Paris 1883–1884, 3 Bde.; Comte Horace de Viel Castel, *Mémoires, 1851–1864*, Paris 1883, 6 Bde.; Pierre de la Gorce, *Histoire du Second Empire*, Paris 1894–1904, 7 Bde.; Charles Simond, *La Vie parisienne à travers le XIXe siècle: Paris de 1800 à 1900 d'après les estampes et les mémoires du temps*, Paris 1900/01, 3 Bde.; Ernest Quentin-Bauchart, *Etudes et souvenirs sur la Deuxième République et le Second Empire (1848–1870)*, Paris 1901/02, 2 Bde.; J. de Chambrier, *La Cour et la société du Second Empire*, Neuchâtel 1904; Thomas Wiltberger Evans, *The Memoirs of Thomas W. Evans: Recollections of the Second French Empire*, London 1905; Comte Fleury, Louis Sonolet, *La société du Second Empire … d'après les mémoires contemporaines et des documents nouveaux*, Paris Bd. I: 1851–1858, 1911, Bd. II: 1858–1863, 1912, Bd. III: 1863–1867, 1913, Bd. IV: 1867–1870, 1924; Maxime Du Camp, *Souvenirs d'un demi-siècle*, Paris 1949, 2 Bde.; André Bellessort, *La Société française sous Napoléon III*, Paris 1960.

[22] Als wichtigste Literatur über Haussmann siehe E.M. Bouillat, *Georges-Eugène Haussmann*, Paris 1901; André Hallays, »Haussmann et les travaux de Paris sous le Second Empire«, in *Revue Hebdomadaire*, Februar 1910; H. Clouzot, »L'Haussmannisation de Paris«, in *Gazette des Beaux-Arts*, November 1910; Georges Laronze, *Le baron Haussmann*, Paris 1932; André Morizet, *Du Vieux Paris au Paris Moderne. Haussmann et ses Prédécesseurs*, Paris 1932; Wilhelm Waetzold, *Paris. Die Neugestaltung des Stadtbildes durch Baron Haussmann*, Leipzig 1943; Louis Reau, Pierre Lavedan, Renée Plouin, Jeanne Hugueney, Robert Auzelle, *L'œuvre du baron Haussmann. Préfet de la Seine (1853–1870)*, Paris 1954; Joan Margaret Chapman, Brian Chapman, *The Life and Times of Baron Haussmann. Paris in the Second Empire*, London 1957; David H. Pinkney, *Napoleon III and the Rebuilding of Paris*, Princeton, N.J. 1958; Gérard-Noël Lameyre, *Haussmann »Préfet de Paris«*, Paris 1958; Pierre-André Touttain, *Haussmann. Artisan du Second Empire. Créateur du Paris moderne*, Paris 1971; H. Saalmann, *Haussmann: Paris Transformed*, New York 1971; H. Malet, *Le baron Haussmann et la rénovation de Paris*, Paris 1973; A. Castelot, »Haussmann, destructeur ou sauveur de Paris?«, in *Historia*, Bd. 328 (1974); A. Dansette, »L'œuvre du baron Haussmann«, in *Revue des Deux Mondes*, Oktober 1974; Pierre Lavedan, Renée Plouin, Jeanne Hugueney, Robert Auzelle, *Il baron Haussmann, prefetto della Senna 1853–1870*, Mailand 1978; J. Des Cars, *Haussmann, la gloire du Second Empire*, Paris 1978; J. Gaillard, »Un bourgeois conquérant: Le baron Haussmann«, in *Histoire*, Bd. 37 (1981); Georges Duby (Hrg.), *Histoire de la France urbaine*, Paris 1983, Bd. 4.

[23] Das schildert Haussmann so: »Au surplus, l'Empereur était pressé de me montrer une carte de Paris, sur laquelle on voyait tracées par Lui-Même, en bleu, en rouge, en jaune et en vert, suivant leur degré d'urgence, les differentes voies nouvelles qu'il se proposait de faire exécuter«, *Mémoires du Baron Haussmann*, Paris 1891, Bd. 2, S. 53.

[24] Siehe Ch. Aulanier, *Le Nouveau Louvre de Napoléon III*, Paris 1953; *L'achèvement du Louvre sous le Second Empire*, Ausstellungskatalog, Paris 1972.

[25] Zit. nach *Mémoires du Baron Haussmann*, Paris 1893 (2. Aufl.), Bd. 3, S. 54.

[26] Näheres siehe Kapitel 6.2.6.: Die französischen »cités ouvrières«.

[27] Abgebildet in Félix Narjoux (Hrg.), *Paris – Monuments élevés par la Ville 1850 à 1880*, Paris 1883.

[28] Zit. nach André Morizet, a.a.O., S. 189f.

[29] Siehe V. Baltard, F. Callet, *Monographie des Halles centrales de Paris construites sous le règne de Napoléon III*, Paris 1863; *Mémoires du Baron Haussmann*, Paris 1893 (2. Aufl.), Bd. 3, S. 478–484. Selbst Eugène Viollet-le-Duc erwähnt in einer Anmerkung der *Entretiens sur l'Architecture*, Paris 1863, Bd. 1, S. 333, die Halles centrales de Paris als »à mon sens un très bel edifice«. Als weitere Literatur siehe F. Boudon, A. Chastel, H. Couzy, F. Hamon, *Système de l'architecture urbaine: le quartier des Halles à Paris*, Paris 1917, 2 Bde.; A. Lecointre, *Un quartier de Paris sous le Second Empire: Les Halles dans »Le Ventre de Paris« de Zola*, Paris 1971; R. Manal, »En marge du quartier des Halles: Aspects et finalités du remodelage du centre de Paris sous le Second Empire«, in *Revue administrative* 28, 1975.

[30] Siehe Adolphe Alphand, *Les Promenades de Paris. Histoire. Description des embellissements.*

*Dépenses de création et d'entretien des Bois de Boulogne et de Vincennes, Champs-Elysées, parcs, squares, boulevards, places plantées. Etude sur l'art des jardins et arboretum*, Paris 1867–1873, 2 Bde.; *Mémoires du Baron Haussmann*, Paris 1893, Bd. 3, S. 183–190; R. Joffet, »Paysages du Bois de Boulogne«, in *Urbanisme et habitation*, Nr. 1, Januar bis März 1953, S. 6f.; Bernard Champigneulle, *Promenades dans les jardins de Paris, ses bois et ses squares*, Paris 1965; Edouard Gourdon, *Le Bois de Boulogne, histoire, types, mœurs*, Paris 1854.

31 Louis Napoléon konnte aus dem Fort de Ham (Somme), wo er nach dem Putschversuch von Boulogne ab 1840 zu lebenslänglicher Haft festgesetzt war, in der Verkleidung eines Maurers namens Pinguet, der den Spitznamen »Badinguet« hatte, nach England entfliehen. Siehe Alain Decaux, *Grandes Aventures de l'Historie (la véritable histoire de Badinguet)*, Paris 1968.

32 Siehe *Mémoires du Baron Haussmann*, Paris 1893 (2. Aufl.), Bd. 3, S. 55–64.

33 Viel Castel merkte dazu unter dem 19.6. 1857 in seinem Tagebuch an: »La nomination de M. Haussmann comme sénateur fait crier tout le monde, elle est un scandale,« Comte Horace de Viel Castel, *Mémoires, 1851–1864*, Paris 1883.

34 Siehe Adolphe Joanne, *Paris illustré en 1870 et 1877*, Paris o.J. (3. Aufl.).

35 Siehe Louis Girard, *La politique des travaux publics du Second Empire*. Paris 1951, S. 265.

36 Siehe Charles Garnier, *Le Nouvel Opéra de Paris*, Paris 1878–1881; Odette Valeri, Janine Brillet, *L'Opéra*, Paris 1955; Monika Steinhauser, *Die Architektur der Pariser Oper. Studien zu ihrer Entstehungsgeschichte und ihrer architekturgeschichtlichen Stellung*, München 1969.

37 Siehe Frédéric Loliée, *Le Duc de Morny et la société du second Empire, d'après des papiers de famille et des archives secrètes du Ministère de l'Intérieur*, Paris 1909 (8. Aufl.).

38 Geschildert wird dies in *Mémoires du Baron Haussmann*, Paris 1893 (2. Aufl.), Bd. 3, S. 496f.

39 Siehe Gaston Duchèsne, »Note sur la place de l'Etoile et l'arc de triomphe«, in *Bulletin de la Société d'histoire des VIIIe et XVIIIe arrondissements* (Paris), 1908, S. 120–126; Uwe Westfehling, »Die Place de l'Etoile«, in *Jakob Ignaz Hittorff. Ein Architekt aus Köln im Paris des 19. Jahrhunderts*, Ausstellungskatalog, Köln 1987, S. 226–232.

40 »Cette belle ordonnance, que je suis très fier d'avoir su trouver, et que je considère comme une des œuvres les mieux réussies de mon administration, apparaît dans son ensemble, comme sur un plan, du haut de l'Arc de Triomphe, où montent beaucoup plus d'étrangers que de Parisiens.« *Mémoires du Baron Haussmann*, Paris 1893 (2. Aufl.), Bd. 3, S. 76.

41 Siehe Lucien Lambeau, *Histoire des communes annexées à Paris en 1859: Vaugirard*, Paris 1912.

42 Siehe Préfecture de la Seine (Hrg.), *Documents relatifs à l'extension des limites de Paris*, Paris 1859; Jules Le Berquier, »La commune de Paris et l'annexion de la banlieue«, in *Revue des Deux Mondes*, 15.4.1859; Emile de Labédollière, *Le Nouveau Paris, histoire de ses 20 arrondissements, illustrations de Gustave Doré*, Paris 1860; Préfecture de la Seine (Hrg.), *La Commission d'Extension de Paris*, Paris 1913, Bd. 1; Marius Barroux, *Le Département de la Seine et la Ville de Paris: notions générales et bibliogaphiques pour en étudier l'histoire*, Paris 1910; Jean Bastié, *La Croissance de la banlieue parisienne*, Paris 1964.

43 Siehe A. Cochin, *La Ville de Paris et le Corps législatif*, Paris 1869; Jean Maurain, *Baroche, Ministre de Napoléon III*, Paris 1936.

44 Siehe Maurice Halbwachs, *Les expropriations et le prix des terrains à Paris 1860–1900*, Paris 1909; ders., *La population et les tracés des voies à Paris depuis un siècle*, Paris 1928; Léon Lesage, *Les Expropriations de Paris (1866–1890); 1ère série, 1866–1870*, Paris 1913; Adeline Daumard, *Maisons de Paris et propriétaires parisiens au XIXe siècle, 1809–1880*, Paris, Toulouse 1965.

45 Siehe Georges Haussmann, *Mémoires sur les Eaux de Paris*, Paris 1854–1865; Eugène Belgrand, *Recherches statistiques sur les sources du bassin de la Seine qu'il est possible de conduire à Paris*, Paris 1854.

46 Siehe *Documents relatifs aux eaux de Paris, Paris 1861*; *Mémoires du baron Haussmann*, Paris 1893 (2. Aufl.), Bd. 3, S. 260–403.

47 Siehe Eugène Belgrand, *Les Travaux souterrains de Paris*, Paris 1873–1877, 4 Bde.; Emile Gerards, *Paris souterrain*, Paris 1909.

48 Einzelheiten siehe Maxime Du Camp, *Paris: ses organes, ses fonctions et sa vie dans la seconde moitié du XIXe siècle*, Paris 1875, Bd. 6, S. 337f. Zum »nouveau riche« gab es zahlreiche literarische Beiträge, siehe François Ponsard, *L'Honneur et l'Argent*, Paris 1853; Emile Augier, *Le Gendre de Monsieur Poirier*, Paris 1854 und *Ceinture dorée*, Paris 1855; Alexandre Dumas Fils, *La Question d'argent*, Paris 1857; Emile Zola, *La Curée*, Paris 1871.

49 Zu Ernest Picards Äußerungen siehe *Le Moniteur universel*, 7.3., 25.6. und 1.7.1865, des weiteren siehe Léon Say, *Observations sur le système financier de M. le Préfet de la Seine*, Paris 1865; ders., *Examen critique de la situation financière de la Ville de Paris*, Paris 1866; ders., *La Ville de Paris et le Crédit Foncier. Première lettre aux membres de la commission du Corps Législatif*, Paris 1868; ders., *Seconde lettre aux membres de la commission du Corps Législatif*, Paris 1868; Jules Ferry, *Comptes fantastiques d'Haussmann, lettre adressée a MM. les membres de la Commission du Corps Législatif chargés d'examiner le nouveau projet d'emprunt de la Ville de Paris*, Paris 1868 (dieser Titel ist als eine Anspielung auf *Contes fantastiques d'Hoffmann* von Jacques Offenbach zu verstehen); André Cochut, *Opérations et tendances financières du second Empire*, Paris 1868. Als weitere Gegner Haussmanns erwiesen sich: Ollivier, Favre, Thiers, Garnier-Pagés, Pelletan, Guéroult.

50 »Ce préfet viole la loi avec abandon, on peut même dire avec coquetterie …«, in *Le Temps*, 5.5.1868.

51 »Il me paraît sage d'ajourner, après l'achèvement des opérations en cours, la suite du plan tracé par une Main Auguste.« Siehe *Rapport à l'Empereur sur la situation financière de la Ville de Paris*, Paris 1868.

52 Siehe *Le Journal officiel de l'Empire français*, 3.3.1869.

53 Siehe Zusammenstellungen in *Mémoires du Baron Haussmann*, Paris 1893 (2. Aufl.), Bd. 3, S. 507f.; Département de la Seine, Direction des Travaux de Paris (Hrg.), *Les Travaux de Paris 1789–1889*, Atlas, Paris 1889.

54 Siehe *Mémoires du Baron Haussmann*, Paris 1890, Bd. 2, S. 337–340.

55 Zu nennen wären hier Ferdinand de Lasteyrie, *Les Travaux de Paris: examen critique*, Paris 1861; *Paris désert. Lamentations d'un Jérémie haussmannisé*, Paris 1868.

56 Zit. nach Walter Benjamin, *Das Passagen-Werk*, a.a.O., Bd. 1, S. 181; siehe auch Lucien Dubech, Pierre D'Espezel, *Histoire de Paris*, Paris 1926, S. 416, 424f.

57 Siehe Paul-Ernest de Rattier, *Paris n'existe pas*, Paris 1857; M. Barthélemy, *Le vieux Paris et le nouveau Paris*, Paris 1861; Louis Veuillot, *Les odeurs de Paris*, Paris 1867; Victor Fournel, *Paris nouveau et Paris futur*, Paris 1868, ders., *La Déportation des Morts*, Paris 1870; Georges Pillement, *La destruction de Paris*, Paris 1941; Marcel Raval, »Haussmann contre Paris«, in *Destinées de Paris*, Paris 1943; ders., *Histoire de Paris*, Paris 1948; Paul Léon, *La vie des monuments français*, Paris 1951; Louis Cheronnet, *Paris tel qu'il fut*, Paris 1951; Pierre Gaxotte, »Automobilistes et sans-logis, admirez-vous le baron Haussmann? Haussmann est-il surfait?«, in *Le Figaro littéraire*, November 1954; Louis Reau, *Histoire de Vandalisme. Les Monuments détruits de l'art français*, Paris 1959, Bd. 2.

58 Als Haussmann 1867 zum Mitglied der Académie des Beaux-Arts gewählt wurde, sagte er unter dem Gelächter seiner Freunde: »J'ai été choisi comme artiste démolisseur.« Zit. nach Louis Reau, *Histoire de Vandalisme. …*, Paris 1959, Bd. 2, S. 159.

59 Näheres siehe Kapitel 6.2.6.: Die französischen »cités ouvrières«.

60 »Les poètes pourraient dire qu'Haussmann fut mieux inspiré par les divinités d'en bas que par les dieux supérieurs«, Lucien Dubech, Pierre D'Espezel, *Histoire de Paris*, Paris 1926, S. 418.

61 Die Meinungen über ein so kontroverses Thema wie die Transformation von Paris sind, je nach Einstellung und Betrachtungsweise, sehr verschieden. Als weitere Titel aus der umfangreichen Literatur über dieses Thema seien genannt: Marcel Poëte, *La Transformation de Paris sous le Second Empire*, Paris 1910; Werner Hegemann, *Der Städtebau nach den Ergebnissen der Allgemeinen Städtebau-Ausstellung in Berlin …*, Berlin 1913, T. 2, S. 219–232; Elbert Peets, »Famous Town Planners: Haussmann«, in *Town Planning Review*, Bd. 12 (1927), Nr. 3; Pierre Lavedan, *Histoire de l'Urbanisme. Epoque Contemporaine*, Paris 1952, S. 91–123; Brian Chapman, »Baron Haussmann and the Planning of Paris«, in *Town Planning Review*, Bd. 24 (1953), Nr. 3, S. 177–192; Louis Hautecoeur, *Histoire de l'Architecture classique en France*, Paris 1957, Bd. 7, S. 4–76; Hans Speckter, »Städtebauliche Entwicklungen im deutschen seit dem 16. Jahrhundert«, in *Baumeister*, H. 6 und 7, S. 646ff.; Leonardo Benevolo, *Geschichte der Architektur des 19. und 20. Jahrhunderts*, München 1964, Bd. 1, S. 107–128; Sigfried Giedion, *Raum, Zeit, Architektur. Die Entstehung einer neuen Tradition*, Ravensburg 1965, S. 444–462; Anthony Richard Sutcliffe, *The autumn of central Paris. The defeat of town planning 1850–1970*, London 1970; Pierre Lavedan, *Histoire de l'urbanisme à Paris*, Paris 1975.

62 Als Literatur siehe Peyrousse, *Les Embellissements de Lyon: pochade rimée par un vieux canut*, Lyon 1858; ders., *Les Embellissements de Lyon: suite et fin de la pochade rimée par un vieux canut*, Lyon 1858; Pierre Honoré Thomas, *Lyon en 1860; revue populaire des monuments, travaux d'art, embellissements, aménagements, exécutés à Lyon jusqu'à ce jour*, Lyon 1860; Adrien Pelladan, *Guide de l'amateur et de l'étranger à Lyon et dans les environs: historique, archéologique, scientifique, monumental, commercial et industriel*, Roanne 1864; Alexis Bailleux de Marisy, *Transformation des grandes Villes de France*, Paris 1867; Jean Baptiste Monfalcon, *Histoire monumentale de la ville de Lyon*, 5 Bde., Paris 1866–1869; E. Leroudier, »Les embellissements d'une grande cité: Lyon depuis le XVIe siècle«, in *Revue du Lyonnais*, April–Juni 1921, S. 147–207; François Dutacq, »La politique

des grands travaux sous le Second Empire: les idées et les projets de C.-M. Vaïsse, préfet du Rhône«, in *Revue des Etudes Napoléoniennes*, Bd. 18, Juli 1929, S. 36–43; Charlene Marie Leonard, *Lyon transformed, Public Works of the Second Empire 1853–1864*, Berkeley, Los Angeles 1961 (*University of California Publications in History*, Bd. 67).

[63] Zur sozialpolitischen Situation in Lyon siehe Sreten Maritch, *Histoire du mouvement social sous le Second Empire à Lyon*, Paris 1930; C. Aboucaya, *Les structures sociales et économiques de l'agglomération Lyonnaise à la veille de la Révolution de 1848*, Paris 1863.

[64] Siehe Esprit Victor Elisabeth Boniface de Castellane, *Journal du Maréchal de Castellane, 1804–1862*, Paris 1897, 5 Bde.

[65] Siehe Jean Gilbert Victor Fialin de Persigny, *Mémoires du duc de Persigny*, Paris 1896, S. 261 bis 264.

[66] Siehe Charles Fourniau, *L'œuvre du préfet Vaïsse*, unveröff. Diss.

[67] Siehe Claude Marius Vaïsse, *Rapport de M. le conseiller d'état chargé de l'administration du Rhône à la commission municipale sur le projet de la rue Impériale et divers autres projets de travaux extraordinaires*, Lyon 1853; Emile Bruneau, *Rapport à la commission municipale sur les travaux extraordinaires et notamment l'ouverture de la rue Impériale*, Lyon 1854.

[68] Siehe Clair Tisseur, »Un chapitre de l'histoire de la construction lyonnaise: Benoît Poncet et sa part dans les grands travaux publics de Lyon«, in *La Revue Lyonnaise*, August 1881, S. 101–115, September 1881, S. 189–209, Oktober 1881, S. 280–297, Februar 1882, S. 134–141, März 1882, S. 237–245.

[69] Zit. nach Pierre Honoré Thomas, *Lyon en 1860*, a.a.O., S. 47.

[70] Siehe Alexis Bailleux de Marisy, »La ville de Lyon: ses finances et ses travaux publics«, in *Revue des Deux Mondes*, Bd. 25, 15. März 1865, S. 357–386.

[71] Siehe den Bericht *Affaire de la Ville de Lyon contre la banque générale suisse*, Lyon 1864.

[72] Zum Börsengebäude siehe René Dardel, *Monographie du palais de commerce élevé à Lyon sous l'administration de Monsieur Vaïsse, sénateur, administrateur du département du Rhône*, Paris 1871.

[73] Siehe Antoine Desjardins, *Notice sur l'hôtel de ville de Lyon et sur les restaurations dont il a été l'objet*, Lyon 1861.

[74] Siehe Corps législatif, compte rendu, séance du vendredi 14 juin 1861, procès verbal, *Le Moniteur Universel*, 15. Juni 1861.

[75] Zur Transformation von Montpellier siehe Ch. d'Aigrefeuille, *Histoire de la ville de Montpellier depuis son origine jusqu'à notre temps*, hrg. von M. de la Pijardière, Montpellier 1875 bis 1882, 4 Bde.; J. Duval-Jouve, *Les noms de rues de Montpellier, étude critique et historique*, Paris, Montpellier 1876; Léon Coste, »Les transformations de Montpellier depuis la fin du XVIIe siècle jusqu'à nos jours 1891«, in *Société languedocienne de géographie*, Bulletin 14 (1891), S. 351–428, 599–616, 15 (1892), S. 150 bis 178, 269–282, 16 (1893), S. 53–124, 341–388; Augustin Fliche, *Montpellier (Les villes d'art célèbres)*, Paris 1935; M. Reynes, *Montpellier, Etude d'évolution urbaine*, Diss., Institut d'Urbanisme de l'Université de Paris, Paris 1941; L.H. Escuret, *Vieilles rues de Montpellier*, Montpellier 1958.

[76] Als Literatur siehe Mortreuil, *Dictionnaire topographique de l'arrondissement de Marseille*, Marseille 1872; Gassend, *La rue Impériale de Marseille. Etude historique et archéologique*, Marseille 1867; Gaston Rambert, *Marseille. La formation d'une grande cité, étude de géographie urbaine*, Marseille 1934; *Marseille sous le Second Empire, exposition, conférences, colloque 1960*, Paris; E. Baratier (Hrg.), *Histoire de Marseille*, Toulouse 1973.

[77] Siehe Auguste Fabre, *Etude historique sur les anciennes rues de Marseille, démolies en 1862 pour la création de la rue Impériale*, Marseille 1862; ders., *Les anciennes rues de Marseille*, Marseille 1867–1869, 5 Bde.; André Bouyala d'Arnaud, *Evocation du vieux Marseille*, Paris 1959.

[78] Zu Toulouse siehe *Documents sur Toulouse et sa région, lettres, sciences, beaux-arts, agriculture, commerce, industrie, travaux publics*, Toulouse 1910, 2 Bde.; Jules Chalande, *Histoire des rues de Toulouse*, Toulouse 1913–1917, 2 Bde.; Jean Coppolani, *Toulouse. Etude de géographie urbaine*, unveröff. Diss., Toulouse 1952; Henri Ramet, *Histoire de Toulouse*, Toulouse 1935; Robert Mesuret, *Evocation du vieux Toulouse*, Toulouse 1960; Philippe Wolff, *Histoire de Toulouse*, Toulouse 1974.

[79] Zu Rouen siehe Pierre Périaux, *Dictionnaire indicateur des rues et places de Rouen avec des notes historiques et étymologiques*, Rouen 1819; Gogeard, »Les transformations de Rouen depuis un demi-siècle«, in *Société des Amis des monuments rouennais*, Bulletin 1920/1921; Camille Enlart, *Rouen (Les Villes d'art)*, Paris 1928 (5. Aufl.); P. Chirol, *Rouen disparu*, Rouen 1939; G. Dubois, *Topographie et histoire de Rouen: Rouen des origines à l'extension moderne de son territoire urbain (Thèse ès lettres)*, Caen.

[80] Siehe Eustache de la Quérière, *Description historique des maisons de Rouen les plus remarquables par leur décoration extérieure et par leur ancienneté*, Paris, Rouen 1821–1841, 2 Bde.; Raymond Quenedey, *L'habitation rouennaise. Etude d'histoire, de géographie et d'archéologie urbaines*, Rouen 1926; Henri Jullien, »Les maisons à pans de bois de Rouen«, in *Les Monuments historiques de France*, Neue Serie, Bd. 2 (1961), S. 59–66.

[81] Zu Brüssel siehe Adolphe Le Hardy de Beaulieu, *Quelques aspects relatifs à la ville de Bruxelles et à ses faubourgs. Assainissement et embellissement des villes*, Brüssel 1849; Victor Besme, *Plan d'ensemble pour l'extension et l'embellissement de l'agglomération bruxelloise*, Brüssel 1866; Charles van Mierlo, *Project d'ensemble pour l'amélioration de la voirie et la transformation de divers Quartiers*, Brüssel 1885; Karl Späth, *Die Umgestaltung von Alt-Brüssel*, München, Leipzig 1914 (Diss. Dresden 1914); Louis Verniers, »Les Pioniers de l'urbanisme bruxellois«, in *Bulletin du T.C.B.*, 15.7., 1.8., 15.8. und 15.9.1931; ders., »Les transformations de Bruxelles depuis 1795«, in *Annales de la S.R.A.B.*, 1934, S. 84–220; ders., »Démographie et expansion territoriale de l'agglomérations bruxelloise depuis le début du XIXe siècle«, in *Bullletin de la Société belge d'Etudes géographiques*, Bd. 5 (1935), Mai, S. 79–123; Alfred Ledent, *Esquisse d'urbanisation d'une capitale: Bruxelles. Son passé. Son avenir*, Diss., Université de Paris, Institut d'urbanisme, 1938; Jules Garsou, *Jules Anspach, bourgmestre et transformateur de Bruxelles*, Frameries 1942; Joseph Jacquart, *Bruxelles, la ville tentaculaire. Aperçu son évolution démographique. 1800–1945*, Brüssel 1946; Marcel van Hamme, *Bruxelles-Capitale. Evolution de la ville de 1830 à nos jours*, Brüssel 1947 (*Collection Nationale*, 7. Serie, Nr. 79); René Dons, *Histoire de Bruxelles*, Brüssel 1947; Louis Verniers, *Bruxelles et son agglomération de 1830 à nos jours*, Brüssel 1958.

[82] Zum Bois de la Cambre siehe Guillaume Jacquemyns, *Histoire contemporaine du Grand-Bruxelles*, Brüssel 1936.

[83] Als Literatur siehe Oskar Jürgens, *Spanische Städte. Ihre bauliche Entwicklung und Ausgestaltung*, Hamburg 1926 (*Abhandlungen auf dem Gebiet der Auslandskunde*, Hamburgische Universität, Reihe B, Bd. 13); Luis Pericot y García, *Barcelona a través de los tiempos*, Barcelona 1955; Zentralinstitut für Städtebau, Technische Universität Berlin (Hrg.), *Städtebau im Ausland*, 3. Folge, H. 14, 1/68, S. 39–63; Rafael Tasis y Marca, Barcelona. *Imatge i història d'una ciutat*, Barcelona 1961; Augustin Durán y Sanpere, *Barcelona i la seva història (I), La formació d'una ciutat*, Barcelona 1972.

[84] Ildefonso Cerdá, *Teoría general de la Urbanización, y aplicaciones de sus principios y doctrinas a la reforma y ensanche de Barcelona*, Madrid 1867, 2 Bde.

[85] Siehe J. Puig i Cadafalch, *La Plaça de Catalunya*, Barcelona 1927.

[86] Siehe Alessandro Viviani, *Relazione intorno al progetto di un Piano Regolatore definitivo della città di Roma*, 4. Juli 1873; Luigi Pianciani, *Discorso sul P.R. pronunziato al Consiglio Comunale il 6 ottobre 1873*, Rom 1873; Italo Insolera, *Storia del piano regolatore di Roma: 1870–1874*, Turin 1959.

[87] Siehe W. Weisbach, »Stadtbaukunst und terza Roma«, in *Preußische Jahrbücher*, Juli 1914, S. 70ff.; Italo Insolera, »Appunti per una storia urbanistica di Roma«, in *L'architettura*, Nr. 4, Nov./Dez. 1955, S. 590ff.; Alberto Caracciolo, *Roma Capitale*, Rom 1956 (Neuaufl., Rom 1974); Ferdinando Castagnoli, Carlo Cecchelli, Gustavo Giovannoni, Carlo Zocca (Hrg.), *Storia di Roma*, Bd. 22: *Topografia e Urbanistica di Roma*, Bologna 1958 (*Istituto di Studi Romani*); Manfredo Tafuri, »La prima strada di Roma moderna: Via Nazionale«, in *Urbanistica* (Turin), H. 27 (1959); *Roma città e piani*, Turin 1959 (*Urbanistica*, Sammlung der Hefte 27 und 28–29, 1959); Italo Insolera, *Roma moderna. Un secolo di storia urbanistica (1870–1970)*, Turin 1962/1976 (*Piccola biblioteca Einaudi*, 25); Leonardo Benevolo, *Roma da ieri a domani (1870–1970)*, Bari 1971; Saverio De Paolis, Armando Ravaglioli, *La terza Roma. Lo sviluppo urbanistico, edilizio e tecnico di Roma capitale (1870–1970)*, Rom 1971; Bruno Regni, Marina Sennato, *Appunti sulle trasformazioni morfologiche della città di Roma: Dai programmi napoleonici al 1930*, Rom 1973; Cesare D'Onofrio, Renovatio Romae. *Storia e urbanistica dal Campidoglio all'EUR*, Rom 1973; Franco Girardi, *L'Esquilino e la Piazza Vittorio. Una struttura urbana dell'Ottocento*, Rom 1974; Paolo Sica, *Storia dell'urbanistica*, Bd. 2: *L'Ottocento*, Bari 1976–85; Alberto Racheli, *Sintesi delle vicende urbanistiche di Roma dal 1870 al 1911*, Rom 1979; ders., *Corso Vittorio Emanuele II. Urbanistica e architettura dopo il 1870*, Rom 1985; Italo Insolera, *Roma. Immagini e realtà dal X al XX secolo*, Rom 1985 (3. Aufl.) (*Le città nella storia d'Italia*).

[88] Das von dem Babenberger Leopold VI. seiner Residenzstadt Wien 1221 verliehene Stadtrecht war der Ausgangspunkt der städtischen Autonomie gewesen. Die Stadt- und Polizeiordnung für Wien vom 7.3.1526, erlassen durch den Landesherrn Erzherzog Ferdinand I., verschlechterte die stadtrechtlichen Verhältnisse zusehends. 1793 wurden schließlich alle Wahlen abgeschafft.

[89] Der etwa 13 Kilometer lange Wall, der unter der Leitung des Ingenieurs und Hofmathematikers Jakob Marinoni innerhalb von zweieinhalb Monaten ausgeführt wurde, sollte die bis-

her offen daliegenden Vorstädte gegen die Einfälle der Kurutzen schützen.

Als Literatur über die Vorstädte siehe: F. X. Ritter von Sickingen, *Darstellung der k. k. Haupt- und Residenzstadt Wien*, Wien 1832 (2. Aufl.), Bd. 3; F. M. Sknorzil, »Die ehemaligen großen Wiener Vororte vor dreißig Jahren«, in *Alt-Wien*, 1894, Bd. 3, S. 104 ff.

90 Wie sehr sich die Vergrößerung Wiens in der ersten Hälfte des 19. Jahrhunderts in den Vorstädten vollzog, ergibt sich aus folgenden Angaben:

| 1783 | Einwohner | Häuser |
|---|---|---|
| Wien mit Vorstädten | 250 079 | 5 576 |
| davon Innenstadt | 51 735 | 1 309 |
| Wieden | 15 162 | 403 |
| Landstraße | 10 279 | 331 |
| Leopoldstadt | 16 490 | 438 |

| 1857 | | |
|---|---|---|
| Wien mit Vorstädten | 416 149 | 7 486 |
| davon Innenstadt | 53 072 | 1 007 |
| Wieden | 58 549 | 886 |
| Landstraße | 42 408 | 655 |
| Leopoldstadt | 46 770 | 708 |

Die Einwohnerzahl des inneren Bezirks stieg 1880 auf 69 635, pendelte sich 1910 aber wieder bei 53 000 ein.

(Angaben nach Bruno Bucher, Karl Weiss, *Wiener Baedeker – Wanderungen durch Wien und Umgebungen*, Wien 1873 (3. Aufl.), S. 19 f.

91 Nach Hans Tietze, *Wien. Kultur, Kunst, Geschichte*, Wien, Leipzig 1931, S. 283.

92 1767 wurde die Auflassung des Festungsgürtels und dessen Überbauung ernsthaft ins Auge gefaßt, was sich aus den Aufnahmen, die gemacht wurden, ablesen läßt. Siehe Grundriß von Josef Nagel, 1770/71, und Vogelperspektive von Josef D. Huber, 1769–1774.

93 Maria Theresia hatte, gegen den Willen der Zünfte, die Gewerbefreiheit eingeführt. In der ersten Hälfte des 19. Jahrhunderts kam es immer wieder zu Abwehrmaßnahmen gegen die Industrialisierung, aber der Rückgang der Gewerbe und eine damit verbundene Proletarisierung des Mittelstandes waren nicht zu verhindern.

Über Einzelheiten siehe: Anton Leo Hickmann, *Historisch-Statistische Tafeln aus den wichtigsten Gebieten der geistigen und materiellen Entwicklung der k. k. Reichshaupt- und Residenzstadt Wien im 19. Jahrhundert*, Wien 1903.

94 Zahlenangaben nach Eugen Guglia, *Wien – Ein Führer durch Stadt und Umgebung*, Wien 1908, S. 54.

95 Die Kaiser-Ferdinands-Nordbahn eröffnete 1838 als Verbindungslinie nach Krakau die Reihe. Ihr Kopfbahnhof, nördlich des Pratersterns in der Leopoldstadt gelegen, gab den nördlichen Stadtteilen einen Aufschwung. Die Südbahn, die Linie nach Triest, endete im südlichen Bereich am Gloggnitzer Bahnhof, der 1840–42 entstand. 1846 kam die österreichisch-ungarische Staatseisenbahn in Richtung Raab hinzu. Sie endete im Raaber Bahnhof (heute Staatsbahnhof) ebenfalls im südlichen Teil der Stadt. Das Netz ergänzten dann noch im Westen 1858 die Kaiserin-Elisabeth-Bahn (heute Westbahn), im Nordwesten 1870 die Kaiser-Franz-Joseph-Bahn und 1872 die Nordwestbahn, die eine Verbindung mit Böhmen, Preußen und Sachsen herstellten.

96 Siehe *Allgemeine Bauzeitung* (Wien), 9. Jg. (1844), S. 292–295. Über Förster selbst siehe: *Österreich in Wort und Bild*, Bd. 36 (1951), S. 80 bis 83.

97 Sie ist aus mehreren Entwürfen hervorgegangen, die vom Gemeindeausschuß des Jahres 1848, von Graf Stadion und vom ersten konstituierenden Gemeinderat 1849 verfaßt worden sind.

98 Inzwischen hatte Kaiser Ferdinand dem Thron entsagt, und seit dem 2. 12. 1848 stand sein Neffe als Kaiser Franz Joseph I. an der Spitze des Reiches und weckte mancherlei Hoffnungen.

99 Schilderungen darüber bei Bernhard Friedmann, *Die Wohnungsnot in Wien*, Wien 1857; Sigmund Mayer, *Die soziale Frage in Wien. Eine Studie des »Arbeitgebers«*, Wien 1871; Eduard Deutsch, *Die sozialen Krankheiten Wiens*, Wien 1877.

100 Zur selben Zeit wurde auf dem Glacis-Gelände ganz in der Nähe davon die Votivkirche als sakrales Denkmal für die Rettung des Kaisers vor einem Attentat im Bau begonnen (Grundsteinlegung 24. 4. 1856, Weihe 24. 4. 1879). Die Entwidmung des Festungsvorfeldes war damit bereits an zwei Stellen eingeleitet.

101 Zit. nach Gemeinderath der Stadt Wien (Hrsg.), *Wien 1848–1888. Denkschrift zum 2. December 1888*, Wien 1888, Bd. 1, S. 250.

102 Daran änderte auch die Verfügung vom 17. 3. 1858 nicht allzuviel, durch die die fortifikatorische Bestimmung des Linienwalls aufgehoben und das Bauverbot eingeschränkt wurde.

103 So blieb auch die Audienz Friedrich von Amerlings beim Kaiser, »um die Glacien zu retten«, ergebnislos. Zum Bestand der Altstadt siehe: Robert Messner, *Wien vor dem Fall der Basteien. Häuserverzeichnis und Plan der Inneren Stadt vom Jahre 1857*, Wien 1958.

104 Siehe Rudolf von Eitelberger, *Die preisgekrönten Entwürfe zur Erweiterung der inneren Stadt Wien*, Wien 1859.

105 Siehe Christian Friedrich Ludwig Förster, »Der preisgekrönte Konkurrenz-Plan zur Stadterweiterung von Wien«, in *Allgemeine Bauzeitung* (Wien), 24. Jg. (1859), S. 1–13 und Blatt 229.

106 Siehe Friedrich Stache, *Denkschrift zu den Plänen für die Erweiterung und Verschönerung Wien's*, Wien 1858.

107 Siehe Albert Hoffmann, »Wien«, in *Deutsche Bauzeitung*, 56. Jg. (1922), Nr. 72, S. 425–428, 433–436.

108 Zur Entwicklung der Wohnbauformen und zur »Verbauung« allgemein siehe Hans Bobek, Elisabeth Lichtenberger, *Wien. Bauliche Gestalt und Entwicklung seit der Mitte des 19. Jahrhunderts*, Graz, Köln 1966 (*Schriften der Kommission für Raumforschung der österreichischen Akademie der Wissenschaften*, Bd. 1).

109 Rudolf von Eitelberger, Heinrich Ferstel, *Das bürgerliche Wohnhaus und das Wiener Zinshaus. Ein Vorschlag aus Anlaß der Erweiterung der inneren Stadt Wiens*, Wien 1860. Als Antwort darauf Ferdinand Fellner, *Wie soll Wien bauen? Zur Beleuchtung des »bürgerlichen Wohnhauses« der Herren Prof. R. v. Eitelberger und Arch. Heinrich Ferstel mit einigen Bemerkungen über die Wiener Baugesetze*, Wien 1860.

110 Siehe F. Jobst, *Der Wiener Stadterweiterungsfonds, Maschinenschriftliches Manuskript*, Wiener Staatsarchiv 1930.

111 Näheres in Felix Czeike, *Liberale, christlichsoziale und sozialdemokratische Kommunalpolitik (1861–1934). Dargestellt am Beispiel der Gemeinde Wien*, München 1962, S. 37.

112 In diesem Punkt waren die Würfel längst gefallen. Die Stadt hatte das Glacisareal immer als einen Bereich des Burgfriedens betrachtet. Es war zwar dem Landesherrn für Fortifikationszwecke überlassen und mit einem Bauverbot für Wohngebäude belegt, aber die Stadt sah

es immer noch als ihr Eigentum an. Um ihr vermeintliches Recht zu sichern, prozessierte sie zu Beginn des 19. Jahrhunderts mit dem Staat. Als der Prozeß für die Stadt günstig auszugehen schien, stellte Kaiser Franz ihn kurzerhand ein.

113 Siehe »Verordnung des Ministeriums des Innern vom 23. September 1859, womit eine Bauordnung für die k. k. Reichshaupt- und Residenzstadt Wien erlassen wird«, abgedruckt in *Allgemeine Bauzeitung* (Wien), 24. Jg. (1859), S. 337–347.

114 Zit. nach Gemeinderath der Stadt Wien (Hrsg.), *Wien 1848–1888. Denkschrift zum 2. December 1888*, Wien 1888, Bd. 1, S. 257. Tatsächlich wurde schon 1861 die Kommunalsteuerbefreiung auf zehn Jahre ermäßigt.

115 Zum Thema »Ringstraße Wien« siehe Karl Weiss, »Die bauliche Neugestaltung der Stadt«, in Gemeinderath der Stadt Wien (Hrsg.), *Wien 1848–1888*, a. a. O., Bd. 1, S. 225–321; Österreichischer Ingenieur- und Architektenverein (Hrsg.), *Wien am Anfang des XX. Jahrhunderts. Ein Führer in technischer und künstlerischer Richtung*, Wien 1905, Bd. 1; R. Petermann, *Wien im Zeitalter Kaiser Franz Josephs I.*, Wien 1908; Bruno Grimschitz, *Die Wiener Ringstraße*, Wien 1939; R. Lorenz, *Die Wiener Ringstraße. Ihre politische Geschichte*, Wien 1943; *Österreich in Wort und Bild* (1951), Bd. 36, S. 80–83; *Die Katastralvermessung und die Wiener Stadterweiterung von 1858*, Ausstellungskatalog, Wien 1958; *Das Stadtbild Wiens im 19. Jahrhundert von der Festung zur Großstadt*, Ausstellungskatalog, Wien 1960; Fred Hennings, *Ringstraßen-Symphonie, Satz 1–3* (1. 1857–1870, Es ist mein Wille; 2. 1870–1884, Es war sehr schön. Es hat mich sehr gefreut; 3. Mir blieb nichts erspart), Wien, München 1963/64. Renate Wagner-Rieger (Hrsg.), *Die Wiener Ringstraße – Bild einer Epoche. Die Erweiterung der Inneren Stadt Wien unter Kaiser Franz Joseph*, 1969–1979, 11 Bde., Bd. 1: *Das Kunstwerk im Bild*, Wien 1969; Bd. 2: Elisabeth Springer, *Geschichte und Kulturleben der Wiener Ringstraße*, Wiesbaden 1979; Bd. 3: Kurt Mollik, Hermann Reining, Rudolf Wurzer, *Planung und Verwirklichung der Wiener Ringstraßenzone*, Wiesbaden 1980; Bd. 4: Alois Kieslinger, *Die Steine der Wiener Ringstraße*, 1972; Bd. 5: Franz Baltzarek, Alfred Hoffmann, Hannes Stekl, *Wirtschaft und Gesellschaft der Wiener Stadterweiterung*, Wiesbaden 1975; Bd. 6: Elisabeth Lichtenberger, *Wirtschaftsfunktion und Sozialstruktur der Wiener Ringstraße*, Wien, Köln, Graz 1970; Bd. 7: Klaus Eggert, *Der Wohnbau der Wiener Ringstraße im Historismus 1855–1896*, Wiesbaden 1976; Bd. 8: *Die Bauten und ihre Architekten*, Teil 1: Hans Christoph Hoffmann, Walter Krause, Werner Kitlitschka, *Das Wiener Opernhaus*, 1972, Teil 2: *Friedrich von Schmidt, Gottfried Semper, Carl von Hasenauer*, 1978, Teil 3: Norbert Wibiral, Renata Mikula, *Heinrich von Ferstel*, 1974, Teil 4: Renate Wagner-Rieger, Maria Reissberger, *Theophil von Hansen*, Wiesbaden 1980; Bd. 9: *Die Plastik der Wiener Ringstraße*, Teil 1: Gerhard Kapner, *Zur Geschichte der Ringstraßendenkmäler*, Wiesbaden 1973, Teil 2: Maria Pötzl-Malikova, *Die Plastik der Ringstraße. Künstlerische Entwicklung 1890–1918*, Wiesbaden 1976, Teil 3: Walter Krause, *Die Plastik der Wiener Ringstraße von der Spätromantik bis zur Wende um 1900*, Wiesbaden 1980; Bd. 10: Werner Kitlitschka, *Die Malerei der Wiener Ringstraße*, Wiesbaden 1981; Bd. 11: Manfred Wehdorn, *Die Bautechnik der Wiener Ringstraße: mit einem Katalog technischer Bauten und Anlagen in der Ringstraßenzone*, Wiesbaden 1979; Carl E. Schorske, *Wien, Geist und Ge-

*sellschaft im Fin de siècle*, Frankfurt a. M. 1982, hier besonders das Essay »Die Ringstraße, ihre Kritiker und die Idee der modernen Stadt«.

[116] Es handelt sich hier und bei dem später gebrauchten Begriff des »strengen Historismus« um Ausdrücke, die in *Die Wiener Ringstraße – Bild einer Epoche*, Bd. 1, zur kunstgeschichtlichen Interpretation benutzt werden.

[117] Siehe *Allgemeine Bauzeitung* (Wien), 31. Jg. (1866), Nr. 58–60; ebd., 32. Jg. (1867), Nr. 1, S. 1 f.

[118] Siehe *Verhandlungsakten des Wiener Gemeinderathes aus Anlaß der Erweiterung der Stadt Wien*, Wien 1861; über die Abmessungen siehe Moriz Löhr, *Vortrag über die Erweiterung der inneren Stadt Wien*, Wien 1864.

[119] Die 1894–1900 vorgenommene Einwölbung des Wienflusses schuf wieder eine neue Situation. Daß aber auch sie nicht leicht zu bewältigen war, zeigt der jahrelange Kampf Otto Wagners um die Ausgestaltung des Karlsplatzes durch das Stadtmuseum.

[120] Bauten wie das Palais Michael Dumba (1865/66) und das Palais Larisch von Moennich (1867/68) bildeten den architektonischen Rahmen.

[121] Siehe A. Lhotsky, *Die Baugeschichte der Museen und der neuen Burg, Wien*, Wien 1941 (*Festschrift des Kunsthistorischen Museums*, Bd. 1).

[122] Cajetan Felder, *Erinnerungen eines Wiener Bürgermeisters*, Wien 1964.

[123] Mietzinssteigerungen und Wohnbauspekulationen zur Weltausstellung 1873 führten zu einer Diskussion der Wohnungsfrage im Gemeinderat. Dabei wurde festgestellt, »daß die Gemeinde nicht unmittelbar in eine Abhilfe der Wohnungsnot durch eine Beteiligung an dem Baue billiger Wohnhäuser eingreifen könne, sondern nur auf die Beseitigung aller Hemmnisse der Entwicklung einer größeren Konkurrenz am kleineren und billigen Wohnungen im legislativen oder administrativen Wege hinwirken könne« (*Administrationsbericht des Wiener Bürgermeisters 1871/73*, S. 461, zit. nach Felix Czeike, a.a.O., S. 59).

[124] Man argumentierte: »Es schien nicht gerechtfertigt, die gegenwärtige Generation allein mit den Kosten solcher, zum größten Teil produktiver Herstellungen zu belasten, deren Vorteile auch für die künftige berechnet sind und deren Erträgnisse dieser gleichfalls und vielleicht noch in höherem Maße zugute kommen werden« (*Administrationsbericht des Wiener Bürgermeisters 1867/70*, S. 93, zit. nach Felix Czeike, a.a.O., S. 38).

[125] 1864 Hauseinlösungen am Salzgries zur Verbreiterung dieser alten Gasse; 1866 Durchbruch des Grabens zum Stephansplatz; 1868 Abbruch des Kolowratschen Palais zum Anschluß der Wallfischgasse an die Seilerstätte; 1873/74 Straßendurchbruch vom Neuen Markt zur Operngasse (heute Tegetthoffstraße) als Parallele zur Kärntner Straße und Ausbau des Albrechtsplatzes; 1874 Einlösung alter Gebäude in der Löbelstraße zur baulichen Ordnung der rückwärtigen Umgebung des Burgtheaters; 1875 Durchbrüche für die Jasomirgottgasse und die »Brandstätte« westlich der Stephanskirche; 1884/85 Abbruch des Polizeigefangenenhauses und anderer Gebäude an der Sterngasse zur Anlage der Marc-Aurel-Straße als neue Verbindung zwischen Hohem Markt und Morzinplatz, damit verbunden Neubebauung des Areals zwischen Franz-Josephs-Kai und Kohlmessergasse; 1885 Ausbau der Teinfaltstraße als Querverbindung zwischen Freyung und Franzensring.

[126] Um einen Vergleichsmaßstab für den Geldwert um 1873 zu bekommen, mögen folgende Angaben aufschlußreich sein: 6 Gulden österreichischer Währung = 15 Francs (französ. Währung) = 4 preußische Taler. An Zahlungsmitteln gab es auch Kronen zu 13 Gulden 75 1/2 Kreuzer. Wenn die 63-Millionen-Gulden-Anleihe auch nur etwa die Hälfte der 300-Millionen-Francs-Anleihen ausmachte, mit denen Haussmann in Paris operierte, so zeigt sie doch den enormen Finanzbedarf der Wiener Stadterweiterung an.

[127] Siehe hierzu Otto Wagner, Ludwig Baumann, *Erläuterungsbericht zum Entwurf für einen General-Regulierungsplan über das gesamte Gemeindegebiet von Wien*, Wien 1893; Eugen Faßbender, *Erläuterung zum Entwurfe eines General-Regulierungsplanes über das gesamte Gemeindegebiet von Wien*, Wien 1893; Joseph Stübben, »Der Generalregulierungsplan für Groß-Wien«, in *Deutsche Bauzeitung* (Berlin), 28. Jg. (1894), S. 123; Karl Mayreder, *Über Wiener Stadtregulierungsfragen*, Wien 1895; *Studien und Entwürfe zur Wiener Stadtregulierung. Verfaßt vom Regulierungsbüro des Wiener Stadtbauamtes*, Wien 1899; Heinrich Goldemund, *Die bauliche Entwicklung und Stadtregulierung von Wien. Die Assanierung der Städte in Einzeldarstellungen*, Leipzig 1900, Bd. 2; ders., *Die technische Entwicklung Wiens seit dem Jahre 1860*, Wien 1935.

[128] Zum Umbruch siehe Felix von Oppenheimer, *Die Wiener Gemeindeverwaltung und der Fall des liberalen Regimes in Staat und Kommune*, Wien 1905. Über Karl Lueger siehe Rudolf Kuppe, *Karl Lueger und seine Zeit*, Wien 1933; ders., *Dr. Karl Lueger. Persönlichkeit und Wirken*, Wien 1947; Kurt Skalnik, *Dr. Karl Lueger, der Mann zwischen den Zeiten*, Wien 1954; Heinrich Schnee, *Karl Lueger. Leben und Wirken eines großen Sozial- und Kommunalpolitikers*, Berlin 1960. Für eine allgemeine Übersicht siehe J. Gürtler, *Das neue Wien sowie die größten von der christlich-sozialen Gemeindeverwaltung Wien und dem christlich-sozialen Landtag auch außerhalb Wiens ins Leben gerufenen Schöpfungen*, Wien 1912.

[129] Die Zahlenangaben hier sind Gemeinderath der Stadt Wien (Hrg.), a.a.O., Bd. 1, S. 257ff. entnommen. Eine genaue Aufstellung ist zu finden in *Nachweisung der während der Regierung Sr. Majestät des Kaisers Franz Josef I. von der k.k. Reichshaupt- und Residenzstadt Wien in den Jahren 1849 bis einschließlich 1896 bestrittenen Auslagen für öffentliche Zwecke*, Wien 1898.

[130] Zit. nach Arminius, *Die Großstädte in ihrer Wohnungsnoth und die Grundlagen einer durchgreifenden Abhilfe*, Leipzig 1874, S. 5. Unter dem Pseudonym »Arminius« verbirgt sich als Verfasserin Gräfin Adelheid Poninska. Näheres vgl. Kapitel 6.3.

[131] Der Mangel an kleinen Wohnungen trieb natürlich auch die Mieten hoch. Die Kosten für ein Zimmer in der Innenstadt erhöhten sich zwischen 1850 und 1872 von 150 auf 257 Gulden, im Stadtbezirk Margareten von 98 auf 126 Gulden (nach *Administrationsbericht des Wiener Bürgermeisters 1871/73*, S. 457). An der Wohnungsnot änderte sich auch weiterhin nichts, was die neuere Literatur zu diesem Thema beweist: Eduard Deutsch, *Das soziale Elend der Großstadt. Mit besonderer Berücksichtigung auf Wien und Berlin*, Wien 1878 (2. Aufl.); Stephan Sedlaczek, *Die Wohn-Verhältnisse in Wien. Ergebnisse der Volkszählung vom 31. Dec. 1890*, Wien 1893; Isidor Edmund Tintner, *Das Wohn-Elend in Wien, seine hauptsächlichsten Ursachen und die zweckdienlichsten Mittel und Wege zu dessen erträglicher Mil-*

*derung*, Wien 1894; Eugen Philippovich von Philippsberg, *Wiener Wohnungsverhältnisse*, Berlin 1894; Carl Theodor von Inama-Sternegg, *Die persönlichen Verhältnisse der Wiener Armen*, Wien 1892; Emil Kläger, *Durch die Wiener Quartiere des Elends und Verbrechens*, Wien 1908; Heinrich Goldemund, *Die Wiener Wohnungsverhältnisse und Vorschläge zur Verbesserung derselben*, Wien 1910; Moriz Willfort, *Zur Wohnungsnot in Wien*, Wien 1911; Bruno Frei, *Wiener Wohnungs-Elend*, Wien 1919.

[132] Siehe Thomas Rönnebeck, *Stadterweiterung und Verkehr im neunzehnten Jahrhundert*, Stuttgart 1971, S. 51 (*Schriftenreihe der Institute für Städtebau der Technischen Hochschulen und Universitäten*, H. 5); Aloys Bernatzky, *Von der mittelalterlichen Stadtbefestigung zu den Wallgrünflächen von heute. Ein Beitrag zum Grünflächenproblem deutscher Städte*, Berlin, Hannover, Sarstedt 1960.

[133] Siehe hierzu Kurt Mollik, Herrmann Reining, Rudolf Wurzer, *Planung und Verwirklichung der Wiener Ringstraßenzone*, Textband, Wiesbaden 1980, S. 428ff. (*Die Wiener Ringstraße, Bild einer Epoche*, Bd. 3); Theophil Melicher, *Die städtebauliche Entwickung im Bereich der ehemaligen Befestigungsanlagen, gezeigt an den sechs größten österreichischen Städten*, Diss., TH Wien 1965.

[134] Siehe Christian Ritter d'Elvert, *Neu-Brünn, wie es entstanden ist und sich gebildet hat*, Brünn 1888.

[135] Siehe B. Fuchs, *Vývoj komposice pudorysné osnovy na obrazu mestra Brna*, Brno 1946 (Die Entwicklung des Plans von Brünn).

[136] Siehe *Bericht des Bürgermeisters der Landeshauptstadt Salzburg über die Ergebnisse der Gemeindeverwaltung in den Jahren 1861–1869*, Salzburg 1870.

[137] Siehe Carl Graeser, Willibald Müller, *Olmütz im Jahre 1894*, Olmütz 1894.

[138] Siehe Hans Cantor, »Architekt Camillo Sitte's Stadterweiterungs-Entwurf für Olmütz«, in *Jahresbericht des Olmützer Stadtphysikates für das Jahr 1895*, Olmütz 1895.

[139] Siehe »Die Konkurrenz für Pläne zur Kölner Stadt-Erweiterung«, in *Deutsche Bauzeitung des Architekten-Vereins zu Berlin* (Berlin), 14. Jg. (1880), Nr. 93, S. 497ff.

[140] Siehe Josef Stübben, »Die Anlage der Stadt« in Architekten- und Ingenieur-Verein für Niederrhein und Westfalen (Hrg.), *Köln und seine Bauten*, Köln 1888, S. 245ff.; A.C. Greven, *Neuester Illustrierter Führer durch Köln und Umgebung*, Köln 1888; Hiltrud Kier, *Die Kölner Neustadt, Planung, Entstehung, Nutzung*, Düsseldorf 1978, Textband und Karten (*Beiträge zu den Bau- und Kunstdenkmälern im Rheinland*, Bd. 23); Eduard Trier, Willy Weyres (Hrg.), *Kunst des 19. Jahrhunderts im Rheinland*, Bd. 2, Architektur II: *Profane Bauten und Städtebau*, Düsseldorf 1980, S. 517–521.

[141] Zit. nach Fritz Schumacher, *Strömungen in deutscher Baukunst seit 1800*, Leipzig 1935, S. 96.

[142] Siehe Josef Stübben, »öffentliche Gärten und Pflanzungen«, in *Köln und seine Bauten*, a.a.O., S. 329–335.

[143] Siehe Hugo Stehkämper (Hrg.), *Konrad Adenauer. Oberbürgermeister von Köln. Festgabe der Stadt Köln zum 100. Geburtstag ihres Ehrenbürgers am 5. Januar 1976*, Köln 1976.

[144] Siehe Theodor Unger, *Großstädtische Grundpläne und Hannovers Ringstraße*, Hannover 1877.

[145] Siehe Lothar von Faber, *Die Zukunft Nürnbergs*, Nürnberg 1879.

[146] Siehe »Ein Entwurf zur Anlage einer Ringstraße an Stelle der alten Vertheidigungswerke

Nürnbergs«, in *Deutsche Bauzeitung des Architekten-Vereins zu Berlin* (Berlin), 13. Jg. (1879), Nr. 89, S. 453 ff.

147 In Kapitel 2.6. ist bereits näher behandelt, welche Verbesserungen in der sanitären Versorgung Londons erreicht werden sollten.

148 Einen guten Überblick der neueren städtebaulichen Entwicklung vermitteln J.T. Coppock, Hugh C. Prince (Hrg.), *Great London*, London 1964; siehe aber auch Walter Besant, *The Survey of London. London in the Nineteenth Century*, London 1909.

149 Siehe T. Fairman Ordish, »History of metropolitan roads«, in *London Topographic Record*, 8 (1912 –13); R. Clayton (Hrg.), *The Geography of Greater London*, London 1964, dort besonders Edwin Course, »Transport and Communications in London«.

150 Über Südlondon siehe George Walter Thornbury, *Old and New London; illustrated. A narrative of its history, its people, and its places*, London 1873 –78, 6 Bde. (hier Bd. 6 von E. Walford, London 1878); Sir Walter Besant, *South London*, London 1899; ders., *London South of the Thames*, London 1912; Harry Williams, *South London*, London 1949; Harold James Dyos, *The Suburban Development of Greater London, south of the Thames*, Diss., Universität London, 1952.

151 Daraus wurden später die Marylebone, Euston und Pentonville Roads. Näheres siehe C.A.A. Clarke, *The Turnpike Trusts of Islington & Marylebone from 1700 to 1825*, Magisterarbeit, Universität London, 1955.

152 Diese Meinung vertrat John White in *Some Account of the proposed improvements of the Western Parts of London, by the formation of the Regent's Park, the new street …*, London 1815 (2. Aufl.). Er schreibt, S. 98: »Thus far shall the town extend, but no farther. Here is the limit of local springs of fresh water and here health and comfort require you to stop.«

153 Wie der Beitrag der Bauspekulanten – »speculative builders« – im späten 19. Jahrhundert eingeschätzt wurde, zeigt die Bemerkung: »He found a solitude and leaves a slum« (*The Builder*, 48. Jg. (1885), Nr. 1, S. 896). Dieser Stand, der einen zweifelhaften Ruf hatte, rekrutierte sich aus Bauhandwerkern, Baustofflieferanten, Händlern, Ladenbesitzern, Rechtsberatern u.a. Zu deren Orientierung stand eine umfangreiche Literatur zur Verfügung. Fachliche Beiträge im Sinne architektonischer Vorlagebücher lieferten John Claudius Loudon in *An Encyclopaedia of Cottage, Farm and Villa Architecture and Furniture …*, London 1836 (2. Aufl.) und »Suburban Architect and Landscape-Gardener«, London 1838. Als populäre Sachbücher der späteren Zeit sind zu nennen Samuel H. Brooks, *Rudimentary Treatise on the Erection of Dwelling-houses; or, the Builder's comprehensive director …*, London 1860, und Edward Dobson, *Rudiments of the Art of Building*, London 1849, das bis 1884 fünf Auflagen hatte. Über den ganzen Trend siehe John Betjeman, *The English Town in the Last Hundred Years*, The Rede Lecture, Cambridge 1956.

154 Zur allgemeinen Übersicht siehe Theodor Cardwell Barker, Richard Michael Robbins, *A History of London Transport. Passenger travel and the development of the metropolis*, London 1963, Bd. 1; G.A. Sekon, *Locomotion in Victorian London*, London 1938; Edwin A. Pratt, *A History of Inland Transport and Communication in England*, London 1912; Gustav Kemmann, *Der Verkehr Londons mit besonderer Berücksichtigung der Eisenbahnen*, Berlin 1892; Edwin Alfred Course, *London Railways*, London 1962; F. McDermott, *The Railway System of London*, London 1891.

155 Die London and Birmingham Railway ging 1846 über in die London and North Western Railway. Siehe Wilfred L. Steel, *The History of the London and North Western Railway*, London 1914.

156 Siehe E. Course, *The Evolution of the Railway Network of South East England*, Diss., Universität London, 1958.

157 Edward Terence MacDermot, *History of the Great Western Railway*, London 1927, 2 Bde.

158 Charles Herbert Grinling, *The History of the Great Northern Railway 1845 – 1895*, London 1898; Frederick S. Williams, *The Midland Railway: Its Rise and Progress. A Narrative of Modern Enterprise*, London 1876.

159 So z.B. die Birmingham Junction Railway, die spätere North London Railway, siehe dazu Richard Michael Robbins, *The North London Railway*, South Godstone 1953 (4. Aufl.).

160 Siehe L.T.C. Rolt, *George and Robert Stephenson, the railway revolution*, London 1960.

161 Siehe vor allem *Rural Rides*, Bd. 1 (1912).

162 Einzelheiten siehe John Hollingshead, *Ragged London in 1861*, London 1861. Der Verfasser konstatierte in Agar Town »the lowest effort of building skill in or near London«.

163 Siehe *Report, Royal Commission Metropolitan Railway Termini*, 21. P.P. 1846, und *Third Report of the Select Committee on Metropolitan Railway Communication*, para 1, P.P. 1863, VIII.

164 H.J. Dyos, »Railways and housing in Victorian London«, in *Journal of Transport History*, 2. Jg. (1955/56), S. 14.

165 Dies kam deutlich zum Ausdruck im Report of the Select Committee on Metropolitan Communications, 1854 –1855.

166 Die ganze städtebauliche Entwicklung dieser südlichen Suburb ist beschrieben bei H.J. Dyos, *Victorian Suburb. A Study of the Growth of Camberwell*, Edinburgh 1961.

167 Über die Londoner Untergrundbahn siehe C.A. Luzetti, *The Construction of the London Underground Railways*, Diss., Oxford 1937; Marie Neurath, *Railways under London*, London 1948; Henry F. Howson, *London's Underground*, London 1951; C. Baker, *The Metropolitan Railway*, London 1951; A.A. Jackson, D.F. Croome, *Rails through the Clay*, o.O. 1962.

168 Wesentliche Veränderungen brachte die »Central London« ab 1900. Siehe Brian Geoffrey Wilson, Vivian Stewart Haram, *The Central London Railway*, London 1950.

169 Natürlich spielten die Grundbesitzer bei dem Entstehen dieser Suburbs eine wichtige Rolle. Die Baupachten, die sie vergaben, richteten sich nach The Settled Estates Act 1856 und The Settled Land Act 1883. Näheres hierzu siehe Alfred Emden, *The Law relating to Building Leases and Building Contracts, the Improvement of Land by, and the Construction of, Buildings*, London 1882. Als treibende Kräfte erwiesen sich auch die »building societies« und die »freehold land societies«. Näheres siehe Seymour James Price, *Building Societies: their origin and history*, o.O. 1958. Über die »freehold land societies« siehe Sir Charles Harold Bellman, *Bricks and Mortals. A study of the building society movement and the story of the Abbey National Building Society 1849 – 1949*, London 1949.

170 Siehe G.A. Sekon, *Locomotion in Victorian London*, London 1938, S. 8 f., und die Untersuchungen von Colin Clark, »Transport – maker and breaker of Cities«, in *Town Planning Review*, 28. Jg. (1957/58), S. 237 –250.

171 In den letzten drei Jahrzehnten des 19. Jahrhunderts hatte sich die Situation allerdings geändert. Siehe hierzu Sir Arthur Lyon Bowley, *Wages and Income in the United Kingdom since 1860*, Cambridge 1937.

172 Siehe hier im einzelnen *The minutes of evidence of the Royal Commission on the Housing of the Working Classes* (1884/85), und *The minutes of evidence of the Select Committee on Town Holdings* (1889/90). Als wohl umfassendste stadtsoziologische Enquete Londons kann gelten: Charles Booth, *Life and Labour of the People in London*, 1. Serie: *Poverty*, London 1902, 7 Bde.,; 2. Serie: *Industry*, London 1903, 5 Bde.; 3. Serie: *Religious Influences*, London 1902/03, 7 Bde.; *Schlußbericht: Notes on Social Influences and Conclusion*, London 1903. Für später siehe *The New Survey of London Life and Labour*, London 1930 –35, 9 Bde.

173 Siehe George und Weedon Grossmith, *The Diary of a Nobody*, Bristol 1892. William Cobbett sah die frühen Suburbs sogar als Wohnstätten einer Rentier-Klasse an, die die übrigen Gesellschaftsschichten erpreßte.

174 Zit. nach Adna Ferrin Weber, *The Growth of Cities in the Nineteenth Century. A Study in Statistics*, Ithaca, New York 1965, S. 46. Für die Demographie Londons siehe R. Price-Williams, »The Population of London 1801 –81«, in *Journal of the Royal Statistical Society*, 47. Jg. (1885), und Karl Gustav Grytzell, *County of ·London. Population changes 1801 – 1901*, Lund 1969 (*Lund studies in geography*, Serie B, Bd. 33).

175 Nach Grytzell, a.a.O., Appendix, Tafeln I bis III.

176 Siehe Charles Edward Lee, *Passenger Class Distinctions*, London 1946.

177 Die städtebauliche Praxis schildert eine Aussage vor der Royal Commission on the Housing of Working Classes 1884/85, Evidence of Birt, Q. 10217: »But very soon after this obligation was put upon the Great Eastern Company and accepted by the Great Eastern Company, of issuing workmen's tickets, speculative builders went down into the neighbourhood and, as a consequence, each good house was one after another pulled down, and the district is given up entirely I may say now to the working man.«

178 Dyos, der sich mit der Problematik der Suburbs intensiv auseinandergesetzt hat, kommt zu dem Schluß: »In fact, the typical Victorian suburb was neither a conscious creation nor the work of a homogeneous band.« Zit. nach *Victorian Suburb. A Study of the Growth of Camberwell*, Edinburgh 1961, S. 86.

179 Siehe Charles Booth, *Improved Means of Locomotion as a Cure for the Housing Difficulties of London*, London 1901.

180 Siehe Harold Pollins, »The last main railway line to London«, in *Journal of Transport History*, 4. Jg. (1959/60), S. 85 –95. Die Trustees of H.S. Eyre erhielten nicht nur eine Abstandssumme von 300 000 Pfund, sondern sie bestanden auch darauf, »not to erect any dwellings for the rehousing of persons of the labouring classes upon any part of the St. John's Wood estate«. Im übrigen war ein »rehousing«-Programm für die aus den abgebrochenen Slums verdrängten Familien schon deshalb illusorisch, weil sie die Mieten für neuerbaute Wohnungen in dieser Gegend gar nicht bezahlen konnten. So mußten sie entweder in den überfüllten Quartieren von Lisson Grove einen Unterschlupf suchen oder in die Außenbezirke abwandern.

181 Ein früher Bauboom hatte Hampstead schon nach 1815 erfaßt, als Cottagegruppen in Holly Place, Benham's Place, Belsize Lane und

Hunter's Lodge entstanden. Siehe Leigh Hunt, *Description of Hampstead*, London 1818; John James Park, *Topography and Natural History of Hampstead*, London 1818.

182 Berichte über Hampstead in Frederic Ebenezer Baines (Hrg.), *Records of the Manor, Parish, and Borough of Hampstead*, London 1890.

183 Francis Howkins, *The Story of Golders Green and its remarkable development*, London 1923.

184 Sir Hubert Llewellyn Smith, *The History of East London from the Earliest Times to the End of the Eighteenth Century*, London 1939. Die Geschichte des Londoner Hafens beschreibt Sir Joseph Guinness Broodbank, *History of the Port of London*, London 1921, 2 Bde.

185 Nach K.G. Grytzell, a.a.O., Appendix, Tafel I, 2.

186 Für eine ausführliche Darstellung siehe Sir George Laurence Gomme, *London in the Reign of Victoria, 1837–1897*, London 1897 (*The Victorian Era Series*, Bd. 8); Percy J. Edwards, *History of London Street Improvements, 1855–1897*, London 1898; Harold P. Clunn, *The Face of London*, London 1950 (2. überarb. Aufl.). Der städtebauliche Begriff der »improvements« ist aber schon wesentlich früher benutzt worden. Er war existent seit dem »great rebuilding« nach 1666. John Gwynn, ein Zeitgenosse Dr. Johnsons, hat ihn in seiner Schrift *London and Westminster improved*, London 1766, neu belebt. Sir John Summerson gibt in *Georgian London*, London 1962, S. 122 f., folgende Begriffserklärung: »What are ›improvement‹? At the lowest level, it might be said that an ›improvement‹ occurred whenever a sufficient number of influential men were so far inconvenienced as to be induced to act in accordance with the public spirit with which they believed themselves endowed. Their own interest and that of the public being seen to coincide, they set about obtaining from Parliament powers to carry an ›improvement‹ into effect with the minimum of expense to themselves. But that is too cynical an interpretation. A disinterested ›spirit of improvements‹ did exist among a great many people in Georgian London, and many individuals, from peers to company promoters (the latter, to be candid, more than the former), took a much wider view of their obligations than was necessitated by strict social or economic expediency.«

187 Über die gesetzliche Position des »vestry« siehe Walter Henry Macnamara (Hrg.), *Steer's Parish Law*, London 1881 (4. Aufl.) (John Steer, Parish Law, being a digest of the law relating to parishes, churches, parish registers, ministers, London 1830).

188 Zum administrativen Wirrwarr siehe William Alexander Robson, *The Government and Misgovernment of London*, London 1949; zur Geschichte des L.C.C. Sir G. Gibbon, R.W. Bell, *History of the London County Council, 1889–1939*, London 1939; einen allgemeinen Überblick gibt Sir Laurence Gomme, *The Governance of London, Studies on the place occupied by London …*, London 1907.

189 A. Barry, *The Life and Works of Sir C. Barry*, London 1867.

190 Über die öffentlichen Arbeiten zwischen 1815 und 1835 siehe Sir John Summerson, *Georgian London*, London 1962, S. 198–211.

191 James Pennethorne war im Atelier John Nashs ausgebildet worden und ab 1826 dessen »chief assistant«. Als Nash sich zurückzog, wurde Pennethorne 1832 beauftragt, einen Plan mit weiteren Improvements für London auszuarbeiten. Auf Grund des Improvement Act von 1839 konnte davon die New Oxford Street ver-

wirklicht werden. Später kam es nach seinem Vorschlag noch zum Bau der Cranbourne Street (1843) und der Endell Street (1846). Die Gesamtkonzeption seiner Improvements blieb aber unbeachtet.

192 Zu diesem Thema siehe Nikolaus Pevsner, *Studies in Art, Architecture and Design*, London 1968, Bd. 2, S. 19–37. Die Metropolitan Association for Improving the Dwellings of the Industrious Classes (gegr. 1843) und die Society for Improving the Conditions of the Labouring Classes (gegr. 1844) bauten unter der Schirmherrschaft des Prince Consort ab 1845 die ersten Modellwohnblöcke. Aber die vereinzelten Aktionen dieser Gesellschaften blieben ebenso wie die Wohnbau-Unternehmungen George Peabodys ab 1864 völlig unzureichend. Erst als der L.C.C. sich 1890 des sozialen Wohnungsbaus annahm, änderten sich die Verhältnisse.

193 Zu den Themen Wasserversorgung und Entwässerung siehe H. Jephson, *The Sanitary Evolution of London*, London 1907; Henry Charles Richards, William Henry Christopher Payne, *London Water Supply*, London 1899 (2. Aufl.); L.C.C. (Hrg.), *Synopsis of Reports before Royal Commissions and Parliamentary Committees relating to the Water Supply of London*, London 1890; R.W. Morris, *Geographical and Historical Aspects of the Public Water Supply of London 1852–1902*, Diss., Universität London, 1941; T.F. Reddaway, »London in the Nineteenth Century III: The Fight for a Water Supply«, in *Nineteenth Century*, Bd. 147 (1950), S. 118–130; Henry Winram Dickinson, *Water Supply of Greater London*, London 1954.

194 Siehe Sir Laurence Gomme, *London in the Reign of Victoria, 1837–1897*, London 1897, S. 154.

195 Werner Hegemann gibt in *Der Städtebau nach den Ergebnissen der »Allgemeinen Städtebau-Ausstellungen«*, Berlin 1911, Bd. 2, S. 297, nach englischen Quellen im einzelnen folgende Kosten an: Victoria Embankment 1 156 981 Pfund, Albert Embankment 1 014 525 Pfund, Chelsea Embankment 270 000 Pfund.

196 Eine zeitgenössische Darstellung findet sich bei Adolf Wolf, *Berliner Revolutions-Chronik. Darstellung der Berliner Bewegungen im Jahr 1848 nach politischen, sozialen und literarischen Beziehungen*, Berlin 1851–54, 3 Bde.; in neuerer Sicht: Rudolf Stadelmann, *Soziale und politische Geschichte der Revolution von 1848*, München 1970.

197 Siehe Anni Kratzer, *Die Entstehung und Bedeutung der Städteordnung von 1853*, Berlin 1930.

198 Aus der zahlreichen Literatur über Berlin siehe Paul Goldschmidt, *Berlin in Geschichte und Gegenwart*, Berlin 1910; Hans Herzfeld, Gerd Heinrich (Hrg.), *Berlin und die Provinz Brandenburg im 19. und 20. Jahrhundert*, Berlin 1968 (*Veröffentlichung des Historischen Kommission zu Berlin*, Bd. 25, *Geschichte von Brandenburg und Berlin*, Bd. 3); Richard Dietrich, »Von der Residenzstadt zur Weltstadt. Berlin vom Anfang des 19. Jahrhunderts bis zur Reichsgründung«, in *Das Hauptstadtproblem in der Geschichte*, Jahrbuch der Geschichte des deutschen Ostens (1952), Bd. 1, S. 111–139.

199 Näheres über Hinckeldey siehe Ernst Rudorff, *Aus den Tagen der Romantik. Bildnis einer deutschen Familie*, Leipzig 1938, S. 196 bis 201; Berthold Schulze, »Polizeipräsident Carl von Hinckeldey«, in *Jahrbuch für die Geschichte Mittel- und Ostdeutschlands*, Tübingen 1955, Bd. 4, S. 81–108; Heinrich von Sybel, »Carl Ludwig von Hinckeldey 1852–1856«, aus dem

Nachlaß gedruckt in *Historische Zeitschrift* (München), Bd. 189 (1959), S. 108–123.

200 Zit. nach Otto Hintze, *Die Hohenzollern und ihr Werk. 500 Jahre vaterländische Geschichte*, Berlin 1915 (2. Aufl.), S. 559.

201 Varnhagen von Ense bezeichnet Hinckeldey in seinen *Tagebüchern* gar als Schuft (o.O. 1862, Bd. 6, S. 456) und Halunken (o.O. 1862, Bd. 9, S. 229), doch sieht er bei allem Haß gegen diesen Königsdiener die klägliche Rolle, die der Magistrat 1852 gespielt hat. So soll dieser Mitte der fünfziger Jahre das Angebot des Staates, die baupolizeiliche Zuständigkeit zu übernehmen, einfach abgelehnt haben.

202 Zuerst veröffentlicht bei Fr. Behmer, *Otia in otio minime otiosi*, Lemgo 1771/72. Zur Geschichte des Berliner Baurechts siehe Heinz Ehrlich, *Die Berliner Bauordnungen, ihre wichtigsten Bauvorschriften und deren Einfluß auf den Wohnungsbau der Stadt Berlin*, Diss., Technische Hochschule Berlin, Jena 1933; Johannes Scheer (Bearb.), *Die Baugesetze für Berlin bis zum Jahre 1837 mit Kommentar*, Berlin 1954.

203 1818 gesammelt und veröffentlicht in Mathis (Hrg.), *Allgemeine Juristische Monatsschrift für die Preuß. Staaten*, 11 Bde., Bd. 2, S. 357ff.

204 Siehe Teil I, Titel 8, § 65: »In der Regel ist jeder Eigenthümer seinen Grund und Boden mit Gebäuden zu besetzen oder seine Gebäude zu verändern wohl befugt«; § 66: »Doch soll zum Schaden und zur Unsicherheit des gemeinen Wesens oder zur Verunstaltung der Städte und öffentlichen Plätze kein Bau und keine Veränderung vorgenommen werden«; § 67: »Wer also einen Bau in Städten anlegen will, muß zuvor der Obrigkeit zur Beurtheilung Anzeige machen«. In § 141 heißt es noch weiter: »Übrigens aber kann Jeder in der Regel auf seinem Grunde und Boden so nahe an die Gränze und so hoch bauen, als er es für gut findet«. Zur weiteren Erklärung siehe F.C.A. Grein, *Baurecht nach den Vorschriften des Allgemeinen Landrechts*, Berlin 1863; H. Rehbein, C. Reinicke, *Allgemeines Landrecht für die preußischen Staaten*, Berlin 1894.

205 Siehe im einzelnen C. Doehl, *Repertorium des Bau-Rechts und der Baupolizei für den preußischen Staat sowohl im Allgemeinen als im Besonderen für die Haupt- und Residenz-Stadt Berlin. Nach amtlichen Quellen und den gegenwärtig bei dem königlichen Polizei-Präsidium zu Berlin maßgebenden Ansichten und Grundsätzen*, Berlin 1867; »100 Jahre Berliner Baupolizei-Verordnungen«, in *Bauwelt*, 1953, H. 17.

206 Nach der Allerh. Kab. Ordre vom 24. April 1843 mußte in der Residenzstadt Berlin bei der Veränderung oder Neuanlage einer Straße die unmittelbare Genehmigung des Königs eingeholt werden (nach E. Bruch, »Berlins bauliche Zukunft …«, in *Deutsche Bauzeitung*, 4. Jg. (1870), S. 121.

207 Näher dargestellt bei Ingrid Thienel, *Städtewachstum im Industrialisierungsprozeß des 19. Jahrhunderts. Das Berliner Beispiel*, Berlin, New York 1973 (*Veröffentlichungen der Historischen Kommission zu Berlin*, Bd. 39, *Publikationen zur Geschichte der Industrialisierung*, Bd. 3); Burkhard Hofmeister, *Berlin. Eine geographische Strukturanalyse der 12 westlichen Bezirke*, Darmstadt 1975.

208 Für die Sozialtopographie aufschlußreich ist der Anteil der Dienstboten. In der äußeren Friedrichstadt kam ein Dienstbote auf 3,9 Familienmitglieder, in Wedding dagegen ein Dienstbote auf 37,7 Familienmitglieder. Siehe H. Schwabe, »Statistik von Berlin«, in *Berlin und seine Entwicklung. Städtisches Jahrbuch für Volkswirtschaft und Statistik* (Berlin), 3. Jg. (1869), S. 160–315.

209 Hier wäre besonders auf die herrschaftlichen Wohnbauten an der Bellevue-Straße hinzuweisen, die zum Teil in *Berlin und seine Bauten*, hrg. v. Architekten-Verein zu Berlin, Berlin 1877, abgebildet sind (T. 2, S. 377 ff.). Ein letztes Überbleibsel dieser alten Tiergarten-Landhausarchitektur ist die Villa von der Heydt, 1861 von H. Ende als Alterssitz des preußischen Finanzministers August Freiherr von der Heydt gebaut.

210 Siehe K. Meier, »Dr. James Hobrecht«, in *Architekten-Verein zu Berlin*, Berlin 1903, S. 9 ff.; Konrad Matschoss, *Männer der Technik*, Berlin 1925, S. 118; *50 Jahre Berliner Stadtentwässerung*, Berlin 1928, S. 3 f.; *Handwörterbuch der Raumforschung und Raumordnung*, Hannover 1970, Bd. 1, Sp. 1212–1215: Hobrecht, James Friedrich Ludolf.

211 Zu den Plänen siehe Paul Clauswitz, »Die Pläne von Berlin und die Entwicklung des Weichbildes«, in Verein für die Geschichte Berlins (Hrg.), *Festschrift zur Feier der silbernen Hochzeit Ihrer Majestäten des Kaisers Wilhelm II. und der Kaiserin Auguste Viktoria*, Berlin 1906.

212 Siehe Rescript des Ministers für Handel etc. vom 2. August 1862 (III.8479), abgedr. in C. Doehl, *Repertorium des Bau-Rechts und der Bau-Polizei für den preußischen Staat*, Berlin 1867, S. 333–335.

213 Kritische und polemische Darstellungen bei Ernst Bruch, »Berlins bauliche Zukunft und der Bebauungsplan«, in *Deutsche Bauzeitung*, 4. Jg. (1870), H. 9, S. 69 und H. 25, S. 201; Adolf Heyden, *Der Bebauungsplan von Berlin, seine projectierte Ausdehnung und der fehlende Erweiterungsplan im Westen*, Berlin 1880; Werner Hegemann, *Der Städtebau nach den Ergebnissen der »Allgemeinen Städtebau-Ausstellung« in Berlin*, Berlin 1911, T. 1; ders., *Das steinerne Berlin. Geschichte der größten Mietskasernenstadt der Welt*, Berlin 1930 (Nachdruck 1963); A. Schinz, *Berlin. Stadtschicksal und Städtebau*, Braunschweig 1964, S. 121–124; siehe außerdem Karl Scheffler, *Berlin. Ein Stadtschicksal*, Berlin 1910. Einen unpolemischen Standpunkt nehmen ein G. Aßmann, »Der Bebauungsplan von Berlin«, in *Zeitschrift für Bauwesen* (Berlin), 21. Jg. (1871), Sp. 85–106; Paul Clauswitz, »Bau- und Bodenpolitik in Berlin in geschichtlicher Betrachtung«, in *Erforschtes und Erlebtes aus dem alten Berlin. Festschrift zum 50jährigen Jubiläum des Vereins für die Geschichte Berlins*, Berlin 1917, S. 29–48 (*Schriften des Vereins für die Geschichte Berlins*, H. 50); Ernst Heinrich, Hannelore Juckel, »Der ›Hobrechtplan‹«, in *Jahrbuch für brandenburgische Landesgeschichte*, Berlin 1962, Bd. 13, S. 40–58; Ernst Kaeber, »Werner Hegemanns Werk: ›Das steinerne Berlin. Geschichte der größten Mietskasernenstadt der Welt‹ oder: ›Der alte und der neue Bergmann‹«, in *Mitteilungen des Vereins für die Geschichte Berlins* (Berlin), 47. Jg. (1930), S. 101 bis 114; Fritz Monke, *Grundrißentwicklung und Aussehen des Berliner Mietshauses von 1850 bis 1914, dargestellt an Beispielen aus dem Stadtteil Moabit*, Diss., Technische Universität Berlin 1968, 2 Bde.; Dokumentation der Ausstellung »Der Generalbebauungsplan für Berlin von 1862 bis heute«, Berlin 1983 (Beilage zur Hochschule der Künste *Information* Nr. 5/6), hrg. v. Presse- und Informationsstelle der Hochschule der Künste Berlin; Johann Friedrich Geist, Klaus Kürvers, *Das Berliner Mietshaus 1862–1945. Eine dokumentarische Geschichte von »Meyer's-Hof« in der Ackerstraße 132–133, der Entstehung der Berliner Mietshausquartiere und der Reichshauptstadt zwischen Gründung und Untergang*, München 1984, S. 142–169.

214 Dazu heißt es in dem oben erwähnten Rescript: »Hinsichtlich der großen Gürtelstraße, bei deren Projektierung die Allerhöchsten Intentionen wesentlich mit bestimmend gewesen sind, wird es bei Ausführung derselben in Erwägung kommen, ob und welche Staatsbeihülfe zu gewähren ist« (a.a.O., S. 334). Siehe auch Beschreibung der großen Gürtelstraße in dem Erläuterungsbericht vom 15. 1. 1862, abgedr. in Johann Friedrich Geist, Klaus Kürvers, *Das Berliner Mietshaus 1740–1862. Eine dokumentarische Geschichte der »von Wülcknitzschen Familienhäuser« vor dem Hamburger Tor, der Proletarisierung des Berliner Nordens und der Stadt im Übergang von der Residenz zur Metropole*, München 1980, S. 497, 500.

215 Darauf weist besonders Ernst Heinrich, »Der ›Hobrechtplan‹«, a.a.O., S. 45–47, hin.

216 Siehe Paul Clauswitz, »Bau- und Bodenpolitik in Berlin«, a.a.O., S. 40.

217 Albert Gut, D*as Berliner Wohnhaus*, Berlin 1916; Heinz Ehrlich, *Die Berliner Bauordnungen*, a.a.O.; Manfred Hecker, »Die Berliner Mietskaserne«, in Ludwig Grote (Hrg.), *Die deutsche Stadt im 19. Jahrhundert. Stadtplanung und Baugestaltung im industriellen Zeitalter*, München 1974, S. 273–294 (*Studien zur Kunst des 19. Jahrhunderts*, Bd. 24). Zu Schinkel siehe Technische Deputation für Gewerbe (Hrg.), *Grundlage der praktischen Baukunst*, Berlin 1830; Paul Ortwin Rave, *K. F. Schinkel, Lebenswerk. Berlin, Bauten für Wissenschaft, Verwaltung, Heer, Wohnbau und Denkmäler*, Berlin 1962.

218 Siehe hierzu Ernst Kaeber, »Das Weichbild der Stadt Berlin … 1927«, a.a.O., S. 267–335.

219 *Vossische Zeitung* vom 30. 7., 20. 8., 25. 8. und 4. 9. 1851.

220 Siehe Bruno Stephan, *700 Jahre Wedding. Geschichte eines Berliner Bezirks*, Berlin 1951.

221 Es argumentierte: »Man verbindet dadurch mit der Stadt, was dieser seinen Ursprung verdankt und innerlich bereits zu ihr gehört, man trennt vom Lande, was ganz ohne Zutun desselben entstanden und demselben völlig heterogen entgegengesetzt ist« (Hans Herzfeld, *Berlin und die Provinz Brandenburg*, a.a.O., S. 80).

222 Siehe Vilma Carthaus, *Zur Geschichte und Theorie der Grundstückskrisen in deutschen Großstädten mit besonderer Berücksichtigung von Großberlin*, Jena 1917.

223 Nach Emmy Reich, »Der Wohnungsmarkt in Berlin von 1840–1910«, in Gustav Schmoller, Max Sering (Hrg.), *Staats- und sozialwissenschaftliche Forschungen* (München, Leipzig), H. 164 (1912), S. 1–160 (Tabelle I); aufschlußreich sind auch die Rechenschaftsberichte der Stadt: *Bericht über die Gemeinde-Verwaltung der Stadt Berlin 1851–60*, Berlin 1863; … *1861–76*, Berlin 1879; … *1877–81*, Berlin 1883/84; … *1882–88*, Berlin 1889/90 usw. sowie *Berlin und seine Entwicklung. Städtisches Jahrbuch für Volkswirtschaft und Statistik* (Berlin), 1. Jg (1867), und folgende.

224 Siehe Emmy Reich, »Der Wohnungsmarkt in Berlin …«, a.a.O., S. 80.

225 Siehe W. Hegemann, *Das steinerne Berlin*, a.a.O., S. 203–206 (Ausgabe 1963).

226 In *Janus*, 1848, H. 7 und 8: »Über innere Kolonisation«; eine ausführliche Darstellung siehe Kapitel 6.3.

227 Zur allgemeinen Orientierung siehe Ursula Herzog, *Geschichte der Berliner Wohn-Wirtschaft unter besonderer Berücksichtigung der gemeinnützigen Kleinwohnungswirtschaft*, Berlin 1957; U. Hertzfeld, *Geschichte der gemeinnützigen Wohnungsbaugenossenschaften und -gesellschaften*, hrg. vom Verband Berliner Wohnungsbaugenossenschaften und -gesellschaften

e.V., Berlin 1957; F. W. Lehmann, »125 Jahre gemeinnütziger Wohnungsbau«, in *Berliner Forum* (Berlin), 1972, Nr. 6; H. W. Jenkis, *Ursprung und Entwicklung der gemeinnützigen Wohnungswirtschaft*, Bonn, Hamburg 1973 (*Schriftenreihe des Instituts für Wohnungsbau, Wohnungswirtschaft und Bausparen*, Bd. 24).

228 Siehe Rolf Spörhase, *Wohnungs-Unternehmen im Wandel der Zeiten*, Hamburg 1947, S. 25–29.

229 Nach G. Berthold, »Die Wohnungsverhältnisse der ärmeren Klassen in Berlin. Ursachen ihrer Mängel, Versuche und Vorschläge zur Abhilfe derselben«, in *Allgemeines Statistisches Archiv* (Tübingen), 2. Jg. (1891/92), S. 480–508.

230 Siehe Julius Faucher, »Die Bewegung der Wohnungsreform«, in *Vierteljahresschrift für Volkswirthschaft und Kulturgeschichte*, Bd. 3 (1865), H. 4, und Bd. 4 (1866), H. 3.

231 Zu dem Problem der Kellerwohnungen siehe *Mitteilungen des Centralvereins in Preußen für das Wohl der arbeitenden Classen*, N.F. Bd. 2 (1856), H. 3, S. 218–248; Hermann Schwabe, »Die Berliner Kellerwohnungen nach ihrer Räumlichkeit und Bewohnerschaft«, in *Berlin und seine Entwicklung. Städtisches Jahrbuch für Volkswirthschaft und Statistik* (Berlin), 5. Jg. (1871), S. 93–96; G. Kutzsch, »Hinter den Fassaden. Das Volk Berlins im 19. Jahrhundert«, in *Der Bär von Berlin*, Berlin 1971, S. 7–26.

232 Siehe Johann Anton Wilhelm v. Carstenn-Lichterfelde, *Die zukünftige Entwicklung Berlins. Mit einem Plan des Zukünftigen Berlin*, Berlin 1892.

233 Über die reformerischen Ansätze siehe Eduard Wiß, »Vorschläge und Versuche der Privatwirtschaft, dem Mangel an kleinen und gesunden Wohnungen in den großen Städten abzuhelfen«, in *Volkswirtschaftliche Vierteljahresschrift*, 24. Jg., H. 2.

234 Siehe Paul Voigt, *Grundrente und Wohnungsfrage in Berlin und seinen Vororten. Eine Untersuchung ihrer Geschichte und ihres gegenwärtigen Standes*, Jena 1901, S. 109.

235 Siehe Emmy Reich, *Der Wohnungsmarkt in Berlin*, a.a.O., Tab. III–V, S. 126–129.

236 Siehe G. Stein, »Berlins Stadtmauer«, in *Jahrbuch für brandenburgische Landesgeschichte*, Berlin 1951.

237 Nach Emmy Reich, *Der Wohnungsmarkt in Berlin*, a.a.O., Tab. I, S. 124; siehe jedoch auch Richard Böckh, *Die Bewegung der Bevölkerung der Stadt Berlin in den Jahren 1869–1878*, Berlin 1884.

238 Zur Wohnungsnot dieser Zeit ist auf Veranlassung von J. von Miquel (1828–1901, ab 1890 preußischer Finanzminister) eine Dokumentation vorgenommen worden: Verein für Sozialpolitik (Hrg.), *Die Wohnungsnot der ärmeren Klassen in deutschen Großstädten und Vorschläge zu deren Abhilfe. Gutachten und Berichte*, Leipzig 1886, 2 Bde. Weitere Literatur zu diesem Problemkreis V. A. Huber, *Die Wohnungsnot der kleinen Leute in den großen Städten*, Leipzig 1857; Centralverein in Preußen für das Wohl der arbeitenden Classen (Hrg.), *Die Wohnungsfrage mit besonderer Berücksichtigung auf die arbeitenden Klassen*, Berlin 1865; Emil Sax, *Die Wohnungszustände der arbeitenden Classen und ihre Reform*, Wien 1869.

239 Diese Zahl soll Dr. Schwabe, der Leiter des Statistischen Amtes der Stadt Berlin, errechnet haben (W. Hegemann, *Der Städtebau*, a.a.O., S. 31).

240 Siehe Otto Glagau, *Der Börsen- und Gründungsschwindel in Berlin. Gesammelte und stark vermehrte Artikel der Gartenlaube*, Leipzig 1876; Rudolf Meyer, *Politische Gründer und die Corruption in Deutschland*, Leipzig 1877;

Rudolf Eberstadt, »Berliner Communalreform«, in Hans Delbrück (Hrg.), *Preußische Jahrbücher* (Berlin), Bd. 70 (Juli–Dez. 1892), S. 577–610 (abgedr. in R. Eberstadt, *Städtische Bodenfragen*, Berlin 1894); Rudolf Eberstadt, *Die Spekulation im neuzeitlichen Städtebau. Eine Untersuchung der Grundlagen des städtischen Wohnungswesens. Zugleich eine Abwehr der gegen die systematische Wohnungsreform gerichteten Angriffe*, Jena 1907. Das war eine Verteidigungsschrift gegen Andreas Voigt, Paul Geldner, *Kleinhaus und Mietskaserne*, Berlin 1905.

241 Seltsam ist, wie verschiedenartig Carstenn in der städtebaulichen Literatur eingeschätzt wird. Hegemann rechnet ihn »als geradezu genialen Mann« zu »den bedeutendsten Städtebauern Berlins« (*Das steinerne Berlin*, a.a.O., S. 243). Schinz schätzt ihn als »großartigen Unternehmer« ein (*Berlin. Stadtschicksal*, a.a.O., S. 178–181). Für Glagau ist er ganz eindeutig ein »Gründer und Spekulant« (*Der Börsen- und Gründungsschwindel in Berlin*, a.a.O., S. 121 bis 125), für Paul Voigt sogar »der Napoleon der Terrainspekulanten« (*Grundrente und Wohnungsfrage*, a.a.O., S. 114). Julius Posener nennt ihn schließlich in sachlicher Einschätzung »Spekulant von Wandsbeck« (*Die Stadt im 19. Jahrhundert*, a.a.O., S. 68–73).

242 Über Bethel Henry Strousberg (1823–1884) siehe Friedrich von Rhein, *Enthüllungen über Dr. Strousberg und sein Rumänisches Eisenbahn-Unternehmen*, Berlin 1871, und dessen eigene Rechtfertigungsschrift *Dr. Strousberg und sein Wirken*, Berlin 1876; des weiteren Reitböck, »Der Eisenbahnkönig Strousberg«, in *Jahrbuch des Vereins Deutscher Ingenieure*, Bd. 14 (1924). Siehe im übrigen Kapitel 6.3.

243 Einen ernstgemeinten Versuch zur Behebung der Wohnungsnot unternahm der Oberbürgermeister von Berlin, Arthur Hobrecht (1872–75), am 26. Juni 1872 durch eine Vorlage in der Stadtverordnetenversammlung. Gedacht war an einen beschleunigten Ausbau der Straßen, an die Einrichtung von Eisenbahnhaltestellen, an Erleichterungen bei den baupolizeilichen Vorschriften und an die Bereitstellung von kommunalem Bauland für den Wohnungsbau. Das Stadtparlament konnte sich jedoch zu keiner Initiative aufraffen (W. Hegemann, *Der Städtebau*, Berlin 1911, T. 1, S. 33–34).

244 Siehe Müller-Jabusch, *So waren die Gründerjahre*, Düsseldorf 1957.

245 Siehe W. Öchelhäuser, *Die wirtschaftliche Krise*, Berlin 1876; Martin Petersen, *Entlarvung des höheren Bauschwindelsystems oder des modernen Raubrittertums der Jetztzeit*, Hamburg-Eimsbüttel 1891.

246 Siehe F. Leyden, *Groß-Berlin. Geographie der Weltstadt*, Breslau 1933.

247 Die Diskussion zog sich über die Jahrhundertwende hin und nahm teilweise leidenschaftliche Formen an. Einen Eindruck davon vermitteln die Angriffe des »Wohnungsreformers« Eberstadt gegen die »Spekulanten« Andreas Voigt und Paul Geldner (siehe Anmerkung 240).

248 Einzelheiten siehe Moritz Weyermann, *Zur Geschichte des Immobiliarkreditwesens in Preußen mit besonderer Nutzanwendung auf die Theorie der Bodenverschuldung*, Karlsruhe 1910 (*Freiburger Volkswirtschaftliche Abhandlungen*, Bd. 1, 1. Ergänzungsheft); W. Hegemann handelt dieses Kapitel in *Das steinerne Berlin*, a.a.O., unter der Überschrift ab: »Friedrich der Große begründet den Berliner Bodenwucher.«

249 Weyermann schildert dafür als Beispiel einen Kaufvertrag aus Berlin von 1784. Der Kaufpreis betrug 3500 Taler. Als Kaufgeldrest blieben 3300 Taler (95%!) zurück. Dazu heißt

es im Vertrag: »Den Rest von 3300 Thalern läßt Verkäufferin auf dem verkaufften Hause zu 5% jährl. Zinsen stehen … und sollte dieses Capital, solange Verkäufferin lebet, derselben nicht aufgekündigt werden können. Sollte sie aber etwas davon benöthigen, will sie den Käufer drey Monate vorher benachrichtigen« (a.a.O., S. 121).

250 Der solide Standpunkt des preußischen Beamten gegen das Schuldenmachen kommt zum Ausdruck in einer Schrift des Justizministers Graf Leopold zur Lippe (Leo Sternberg), *Meditationes discontinuae über die Realkreditfrage*, Berlin 1872.

251 Siehe Goldschmidt, *Deutsche Hypothekenbanken*, Jena 1880; Fritz Dannenbaum, *Deutsche Hypothekenbanken*, Berlin 1911.

252 Behandelt in Leopold Meinardus, *Die Terrain-Technik*, Berlin o.J. (um 1913), Motto: Pascitur in vivis, livor post fata quiescit (Neid ist die Wurzel alles Übels).

253 Nach Architekten-Verein zu Berlin (Hrg.), *Berlin und seine Bauten*, Berlin 1877, S. 453f., Abb. 352–354.

254 Emmy Reich schreibt dazu: »Alle Arten von Berufen und Schichten beteiligten sich am Baugeschäft, Barbiere und Kellner bauten Häuser und manch gescheiterte Existenz suchte sich hier wieder emporzuarbeiten« (a.a.O., S. 90).

255 Näheres siehe L. Meinardus, a.a.O.

256 Daß es hier auch zu Bestechungen kam, braucht nicht besonders herausgestellt zu werden. Das Hypothekengesetz vom 13.7.1899 ließ eine Beleihung bis zu drei Fünfteln des Grundstückswertes zu.

257 Berthold berichtet, daß das Zuwerfen von Türen und das Gehen in Holzpantinen zur »Emission« führen konnte (a.a.O., S. 490).

258 Siehe Kurt Bachwitz, »Die Organisation der Städtischen Haus- und Grundbesitzer in Deutschland. Ihre Entwicklung, ihr Wesen und ihr Wirken. Eine kritische Untersuchung«, in *Münchner Volkswirtschaftliche Studien*, 88. Stück, Stuttgart, Berlin 1909.

259 Für diese Angaben siehe G. Berthold, »Die Wohnungsverhältnisse«, a.a.O., S. 485f. Weitere Angaben bei Siegfried Ascher, *Die Wohnungsmieten in Berlin von 1880 bis 1910*, Berlin 1918.

260 Siehe die Jahresberichte der Berliner Armenärzte (Armendirektion). Wohnungsenquete der Berliner Krankenkasse der Kaufleute; *Zeitschrift für die ges. Strafrechtswissenschaft*, Bd. 5 (1885), S. 121ff. Es fehlte auch nicht an Vorschlägen zur Abhilfe: Dr. Hermann Stolp, *Die Lösung der Wohnungsfrage unter Beseitigung des Haus=Herrenthums und der Mieths=Unterthänigkeit, oder die neue gesetzl. Regelung des städt. und Wohnstätten=Grundbesitzes auf genossenschaftl. Wege und im Geiste der Sozialreform*, Berlin 1888.

261 Zur Berliner Romanliteratur siehe Theodor Fontane, Julius Rodenberg, Paul Lindau, Julius Stinde, Fritz Mauthner, Adolf Glaßbrenner u.a. (Kurt und Gerd Böttcher (Hrg.), *ne scheene Jejend is det hier*, Berlin 1977). Über Zille siehe Winfried Ranke, »Heinrich Zille«, *Photographien Berlin 1890–1910*, München 1975. Es ist aber anzumerken, daß es zu sozialkritischen Beobachtungen und Darstellungen kaum kam, was sich aus Paul Lindaus Berlin-Romanen *Der Zug nach dem Westen, Arme Mädchen und Spitzen* (1868–88) wie auch aus den Romanen *Frau Jenny Treibel, Mathilde Möhring* und *Der Stechlin* von Theodor Fontane leicht ablesen läßt. Eigentlich gedieh nur die Posse (Adolf Glaßbrenners *Nante Strump*) und die Journalistik (Maximilian Harden, *Die Zukunft*, 1892 bis 1922). Im einzelnen siehe Walter Müller-Seidel,

*Theodor Fontane – Soziale Romankunst in Deutschland*, Stuttgart 1975; Gerhard Friedrich, *Fontanes preußische Welt. Armee–Dynastie–Staat*, Herford 1988.

262 Siehe *Verwaltungsbericht für 1881/82*, Bd. 1, S. 136, zit. nach R. Eberstadt, *Berliner Communalreform*, a.a.O., S. 593.

263 Über den Berliner Mietshausbau in der zweiten Hälfte des 19. Jahrhunderts: C.A. Hahnemann, »Ausgeführte städtische Wohngebäude«, in *Zeitschrift für Bauwesen* (1854); A. Assmann, »Grundrisse für städtische Wohngebäude«, in *Berlin und seine Bauten*, hrg. vom Architekten-Verein zu Berlin, Berlin 1877, S. 440ff.; Theodor Goecke, »Das Berliner Arbeiter Miets-Haus. Eine technisch-soziale Studie«, in *Deutsche Bauzeitung*, 1890, S. 501f., 508–51, 522ff., Abb. 5–9; Architekten-Verein zu Berlin und Vereinigung Berliner Architekten (Hrg.), *Berlin und seine Bauten*, Berlin 1896, Bd. 3, S. 182ff.; Albert Gessner, *Das deutsche Mietshaus. Ein Beitrag zur Städtekultur der Gegenwart*, München 1909; Rudolf Eberstadt, *Handbuch des Wohnungswesens und der Wohnungsfrage*, Jena 1909; Hans Ehrlich, *Die Berliner Bauordnungen*, a.a.O.; Fritz Monke, *Grundrißentwicklung und Aussehen des Berliner Mietshauses von 1850 bis 1914*, a.a.O.; Johann Friedrich Geist, Klaus Kürvers, *Das Berliner Mietshaus 1740–1862*, München 1980, und *Das Berliner Mietshaus 1862–1945*, München 1984.

264 Siehe H. Ehrlich, *Die Berliner Bauordnungen*, a.a.O., S. 28f., Abb. 45–47.

265 Eine zeitgenössische Schilderung findet sich bei Julius Rodenberg, *Bilder aus dem Berliner Leben*, Berlin 1891 (3. Aufl.), Bd. 2, S. 93–95.

266 Gerechterweise muß festgestellt werden, daß es auch bessere Anlagen gab, wie etwa Riehmers Hofgarten, Hussitenhof usw. Siehe W. Konwiarz, »Riehmers Hofgarten. Ein Berliner Wohnblock der Gründerzeit«, in *Stadt und Wohnung*, Zeitschrift für das städtische gemeinnützigen Wohnbaugesellschaft in Berlin (Berlin), 4/1965, S. 13–15.

267 Siehe im einzelnen M. Hecker, *Die Berliner Mietskaserne*, a.a.O., S. 283–292.

268 So hatte die naive Frage eines Berliner Maurermeisters an seinen Bauherrn »Das Haus ist fertig, wat soll denn nu für'n Stil dranne?« ihren tieferen Sinn.

269 Siehe Paul Alexander-Katz, »Über preußisches Fluchtliniengesetz«, in *Städtebauliche Vorträge* (Berlin), Bd. 1 (1908), H. 7.

270 Siehe im einzelnen Karl Hilse, *Baupolizeiordnung für den Stadtkreis Berlin vom 15. Januar 1887*, Berlin 1887; B. Wieck, *Die neue Baupolizeiordnung und die Wohnungsverhältnisse Berlins*, Berlin 1887; Philipp Nitze, *Die Entwicklung des Wohnungswesens von Groß-Berlin*, Berlin 1913.

271 Das ist aus der Schrift Georg Haberlands *Der Einfluß des Privatkapitals auf die bauliche Entwicklung von Groß-Berlin*, Berlin 1913, ersichtlich. Haberland war Direktor einer Berliner Bodengesellschaft und Stadtverordneter.

272 In diesem Zusammenhang muß auf das mutige Vorgehen des Landrats Ernst von Stubenrauch hingewiesen werden, der durch den Erlaß einer Baupolizeiordnung vom 15.12.1891 versuchte, die nach der Bauordnung vom 15.3.1872 sanktionierte Mietskasernenbebauung in den Außengebieten zu verhindern. Dieser Erlaß wurde jedoch für rechtswidrig erklärt, und so war die Verstädterung der ländlichen Umgebung von Berlin nicht mehr aufzuhalten. Über Stubenrauch siehe Willy Hoppe, »Ernst von Stubenrauch. Ein preußischer Landrat aus der Zeit Wilhelms II.«, in *Jahrbuch für*

*brandenburgische Landesgeschichte*, Bd. 12 (1961), S. 132–151.

273 Siehe Hans Ehrlich, *Die Berliner Bauordnungen*, a.a.O., S. 31 f., Abb. 50–52.

274 Siehe A. Rößler, *Die Baupolizeiordnungen für Berlin und seine Vororte*, Berlin 1900.

275 Siehe H. Siebert, *Berlin-Grunewald. Ein Heimatbuch*, Berlin 1930; O. Kohut, »Aus der Geschichte der Kolonie Grunewald«, in *Jahrbuch für brandenburgische Geschichte*, 8 (1957), S. 70 bis 77.

276 Beschrieben durch G. Haupt, »Vom Fenn zur Luxuskolonie«, in *Vossische Zeitung*, 6.3.1927. Vom kulturgeographischen Standpunkt aus dargestellt bei Hans-Jürgen Mielke, *Die kulturlandschaftliche Entwicklung des Grunewaldgebietes*, Berlin 1971 (*Abhandlungen des 1. geographischen Instituts der Freien Universität Berlin*, Bd. 18).

277 Zit. nach Paul Voigt, *Grundrente und Wohnungsfrage in Berlin*, a.a.O., S. 246.

278 Dargestellt in *Berlin und seine Bauten*, a.a.O., Bd. 3, S. 151–182.

279 »In der Villenkolonie Grunewald ist eine Luxusstadt entstanden, die in Europa wohl ihresgleichen sucht und die allerdings nur den oberen Klassen die denkbar vollkommenste Befriedigung des Wohnbedürfnisses ermöglicht« (Paul Voigt, *Grundrente und Wohnungsfrage in Berlin*, a.a.O., S. 228f.).

280 Siehe P. Kunzendorf, *Zehlendorf, einst und jetzt*, Zehlendorf 1906; L. Schnapsauff, *Zehlendorf, der grüne Bezirk*, Berlin 1957.

281 Siehe den von Heinrich Schweitzer aufgestellten und von Hermann Jansen überarbeiteten Plan. Über Dahlem M. Nagel, *Dahlems Geschichte*, Berlin 1929; D. Partzsch, »Die Entwicklung des Berliner Ortsteils Dahlem«, in *Raumforschung und Raumordnung*, Bd. 20 (1962), S. 216–229.

282 Formuliert im »Kaufvertrag zwischen königlich Preußischer Forstverwaltung und Verband Groß-Berlin vom 27. März 1915« (sog. Dauerwaldvertrag). Und auch in dieser Abmachung hielt der Staat noch einmal Randflächen für Terraingeschäfte zurück (Preußenflächen).

283 Diese neuromantische Reformbewegung artikulierte sich unter der verbindenden Idee der Großstadtfeindschaft in verschiedenen Richtungen: in der Heimatschutz- und -kunstbewegung, in der ländlichen Wohlfahrts- und Heimatpflege und in der deutschen Gartenstadtbewegung. In jedem Falle nahm sie lebensreformerische Züge an. Näheres siehe Klaus Bergmann, *Agrarromantik und Großstadtfeindschaft*, Meisenheim a. Gl. 1970 (*Marburger Abhandlungen zur Politischen Wissenschaft*, Bd. 20).
Die unbemittelten Kreise suchten sich indessen in den für Berlin typischen Laubenkolonien einen Ersatz zu schaffen. Siehe Fr. Coenen, *Das Berliner Laubenkolonienwesen*, Göttingen 1911.

284 Siehe Ludwig von Nordegg, *Die Berliner Gesellschaft*, Berlin 1907.

285 Siehe hierzu die Ausführungen von Ernst Heinrich »Der Hobrechtplan«, a.a.O., S. 47f.

286 W. Hegemann, *Das steinerne Berlin*, a.a.O., S. 228.

287 Siehe Julius Rodenberg, *Bilder aus dem Berliner Leben*, Berlin 1887, Bd. 2, S. 79.

288 Festgestellt in dem schon erwähnten Rescript des Ministers für Handel vom 2.8.1862, wo es heißt: »Wenn der vorliegende Plan nun an sich auch geeignet erscheint, der fortschreitenden Bebauung zum Anhalt zu dienen, so leidet es doch keinen Zweifel, daß vor der Ausführung eines so großen, auf ein Jahrhundert hinaus berechneten Planes mancherlei Umstände eintreten werden, welche größere oder geringere Abänderungen desselben erforderlich machen.«

289 Ein Begriff, der auch in der Romanliteratur auftaucht (Paul Lindau (1839–1919), *Der Zug nach dem Westen*, Berlin 1886).

290 Siehe W. Hegemann, *Das steinerne Berlin*, a.a.O., S. 246–248; Klaus D. Wiek, *Kurfürstendamm und Champs-Elysées. Geographischer Vergleich zweier Weltstraßengebiete*, Diss., Freie Universität Berlin 1966; *Bauen in Berlin 1900–1964*, Ausstellungskatalog, Berlin 1964; Der Senator für Bau- und Wohnungswesen (Hrg.), *Die Berliner Straße*, Berlin 1975, S. 37 bis 39.

291 Siehe W. Gundlach, *Geschichte der Stadt Charlottenburg*, Berlin 1905, Bd. 1, S. 382.

292 Siehe auch Graf W. von Pourtalès, *Skizzierte Ansichten zu einem durchgreifenden Verschönerungsplane der Residenz Berlin, mit Hinweis auf die Möglichkeit der Ausführung derselben durch die Verwerthung des Grunewaldes*, Berlin 1873.

293 E. Dominik, »Die Prachtstraße Kurfürstendamm von Berlin«, in *Der Bär*, Bd. 9 (1883), S. 306–309.

294 Eine Schilderung des »Neuen Westens« findet sich in O. Modrow (Hrg.), *Berlin 1900. Querschnitt durch die Entwicklung der Stadt um die Jahrhundertwende*, Berlin 1936; Annemarie Lange, *Berliner Zeit Bebels und Bismarcks*, Berlin 1971.

295 Natürlich ist hier auch die gesellschaftsatmosphärische Wirkung des Kurfürstendamms zu bedenken. Später, 1938, konnte Thomas Wolfe den Kurfürstendamm als »das größte Kaffeehaus Europas« bezeichnen. Siehe Pem (d.i. Paul Markus), *Heimweh nach dem Kurfürstendamm. Aus Berlins glanzvollsten Tagen und Nächten*, Berlin 1962; Friedrich Wilhelm Lehmann, *Kurfürstendamm-Bummel durch ein Jahrhundert*, Berlin 1964.

296 Im einzelnen siehe Gustav Müller, *Karte zur Berechnung des Grund- und Bodenwertes*, a.a.O.

297 Zit. nach P. Voigt, *Grundrente und Wohnungsfrage in Berlin*, a.a.O., S. 228.

298 Zum Hohenzollerndamm siehe W. Spatz, *Aus der Geschichte Schmargendorfs. Ein Beitrag zur Geschichte des Kreises Teltow*, Berlin 1902.

299 L. Hercher, »Zur Umgestaltung der Bismarckstraße in Charlottenburg«, in *Deutsche Bauzeitung*, Bd. 32 (1898); ders., *Die Entwicklung Groß-Berlins im Westen*, Koblenz 1899; A. Frey, »Döberitzer Heerstraße«, in *Zeitschrift für Bauwesen*, Bd. 61 (1911), S. 69–86; A. Hengstbach, »Die Berliner Heerstraße«, in *Jahrbuch für die Geschichte Berlins*, Bd. 9 (1960), S. 87 bis 112.

## 6. Der paternalistische Arbeiterwohnungsbau

1 Hingewiesen sei auf Thomas Chalmers (1780 bis 1847), Charles Dickens (1812–70), Charles Kingsley (1819–75) und andere.

2 Zur Idee der Innenkolonisation siehe Robert Owen, *A Development of the Principles and Plans on Which to Establish Self-Supporting Home Colonies; as a Most Secure and Profitable Investment for Capital ... to Remove Poverty ...; and Most Materially to Benefit All Classes of Society*, London 1841 (2. Aufl.).

3 Es ist hier auf Englands Beiträge zu den Bodenreformtheorien zu verweisen, die von Thomas Spence, *The Meridian Sun of Liberty; or, the whole Rights of Man displayed and most accurately defined in a Lecture read at the Philosophical Society in New Castle, on the 8th November 1775*, London 1796, bis Herbert Spencer, *Social Statics: or the Conditions essential to Human Happiness specified, and the first of them developed*, London 1851, reichen. Siehe dazu Heinrich Niehuus, *Geschichte der englischen Bodenreformtheorien*, Leipzig 1910. Die Schrift des Amerikaners Henry George, *Progress and Poverty: An inquiry into the industrial depressions, and the increase of want with increase of wealth*, New York 1879, bedeutete den Höhepunkt dieser Bewegung.

4 Siehe P. Hensel (Hrg.), *Sozialpolitische Schriften von Thomas Carlyle*, Göttingen 1895–1899, Bd. 1. Im übrigen siehe *The Works of Thomas Carlyle in Thirty Volumes*, London 1904.

5 Zu Carlyle siehe James Anthony Froude, *Thomas Carlyle; a history of the first forty years of his life*, London 1882, 2 Bde.; ders., *Thomas Carlyle: a history of his life in London 1834–1881*, London 1884, 2 Bde. (deutsche Ausg. James Anthony Froude, *Das Leben des Thomas Carlyle*, Gotha 1887, 3 Bde.); Richard Garnett, *Life of Thomas Carlyle*, London 1887; E. Bernstein, »Carlyle und die sozialpolitische Entwicklung Englands«, in *Die neue Zeit*, Bd. 9 (1890/91); Paul Hensel, *Thomas Carlyle*, Stuttgart 1901; David Alec Wilson, *The Truth about Carlyle. An exposure of the fundamental fiction still current ...*, London 1913; Maria Meyer, *Carlyles Einfluß auf Kingsley in sozialpolitischer und religiös-ethischer Hinsicht*, Diss., Leipzig 1914; Augustus Ralli, *Guide to Carlyle*, London 1920, 2 Bde.; F.W. Roe, *The Social Philosophy of Carlyle and Ruskin*, New York 1921; D.A. Wilson, *Life of Carlyle, London*, New York 1923 bis 1929, 5 Bde.; E. Neff, *Carlyle and Mill, Mystic and Utilitarian*, New York 1924; N. Schank, *Die sozialpolitischen Anschauungen Coleridges und sein Einfluß auf Carlyle*, Bonn 1924; Carl Puhlmann, *Thomas Carlyle. Eine Studie über seine Welt- und Gesellschaftsanschauung*, Diss., Göttingen 1938.

6 Über Disraeli, den späteren Lord of Beaconsfield, siehe Robert Blake, *Disraeli. Eine Biographie aus viktorianischer Zeit*, Frankfurt a.M. 1980.

7 Friedrich Engels, der die Verhältnisse in England zu dieser Zeit gut kannte, merkt dazu an: »Dieser Zweck ist natürlich unausführbar und sogar lächerlich, eine Satyre auf alle historische Entwicklung, aber die gute Absicht, der Muth, sich gegen das Bestehende und die bestehenden Vorurteile aufzulehnen und die Niederträchtigkeit des Bestehenden anzuerkennen, ist schon etwas wert.«

8 Zit. nach Benjamin Disraeli, Esq., *Conisby oder die neue Generation*, Grimma 1844, S. 237f.

9 Zit. nach Benjamin Disraeli, *Sybil or The Two Nations*, London 1927, S. 212.

10 Siehe Lujo Brentano, *Die christlich-soziale Bewegung in England*, Leipzig 1883 (2. überarb. Ausg.); Viktor Aimé Huber, *Reisebriefe aus England im Sommer 1854*, hrg. von Munding, Hamburg 1855.

11 Wie die Metropolitan Association for Improving the Dwellings of the Industrious Classes, die bereits 1843 gegründet wurde.

12 Baubeschreibung in *The Builder*, Bd. 2 (1844), S. 630. Kritische Beurteilung in *The Builder*, Bd. 3 (1845), S. 1. Siehe auch Nikolaus Pevsner, *Architektur und Design*, München 1971, S. 241 f.

13 Siehe *The Builder*, Bd. 7 (1849), S. 325, und Bd. 8 (1850), S. 250.

14 Siehe Henry-Russell Hitchcock, *Early Victorian Architecture in Britain*, New Haven, London 1954, Bd. 1, S. 469.

15 Henry Roberts, *The Dwellings of the Labouring Classes, Their Arrangement and Construction. Illustrated by a Reference to the Model*

Houses of the Society for Improving the Condition of the Labouring Classes, with other Buildings recently erected: and an Appendix containing H.R.H. Prince Albert's Exhibition Model Houses, Hyde Park, 1851; *The Model Cottages & c Built by the Windsor Royal Society. With Plans and Elevations of Dwellings adapted to Towns, as well as to agricultural and manufacturing Districts*, London 1853 (3. Aufl.).

16 Um welche Lasten es bei der Fenstersteuer gehen konnte, erfährt man von Roberts bei der Behandlung des fünfgeschossigen Wohngebäudes, das für 110 Familien 1848 an der Old Pancras Road gebaut wurde und für das bei etwa 70 Metern Frontlänge eine »window tax« von 152 Pfund 16 Schilling per annum zu entrichten war.

17 Zu Prinz Albert siehe Hans-Joachim Netzer, *Albert von Sachsen-Coburg-Gotha. Ein deutscher Prinz in England*, München 1988.

18 Siehe *The Builder*, Bd. 9 (1851), S. 311; Henry Roberts, a.a.O., S. 57f.

19 Henry Roberts, *The Pecuniary Result of Model Houses for the Labouring Classes* (Report auf dem Sanitärkongroß in Brüssel 1854).

20 Siehe *The Builder*, Bd. 21 (1863), S. 198, 429, 736; allgemeine Darstellung bei Sir Charles Harold Bellman, *The Building Society Movement*, London 1927.

21 Siehe *The Builder*, Bd. 20 (1862), S. 228 und Bd. 22 (1864), S. 67; allgemeine Darstellung F. Parker, *George Peabody 1795–1869*, Nashville/Tennessee 1955; Nikolaus Pevsner, *Architektur und Design*, München 1968, S. 230–253; *Studies in Art, Architecture and Design*, London 1968, Bd. 2, S. 19–37; John Nelson Tarn, *Five Per Cent Philanthropy. An account of housing in urban areas between 1870 and 1914*, Cambridge 1972, S. 44.

22 Im Bericht in *The Builder*, Bd. 22 (1864), S. 88, 251, sind aufgeführt: Akroyd, Chadwick, Cole, G. Godwin, John Stuart Mill, Earl of Shaftesbury, Sir J. Kay Shuttleworth, Lord Stanley, Alderman Waterlow.

23 Zur Übersicht siehe William Ashworth, *The Genesis of Modern British Town Planning. A Study in Economic and Social History of the Nineteenth and Twentieth Centuries*, London 1954, S. 118–146.

24 Zu Copley Mill siehe *The Builder*, Bd. 21 (1863), S. 109; James Hole, *The Houses of the Working Classes with Suggestions for their Improvement*, London 1866, S. 70; Nikolaus Pevsner, *The Buildings of England*, London 1959, Bd. 17, S. 170; Walter L. Creese, *The Search for Environment. The Garden City: Before and After*, New Haven, London 1966, S. 22–29.

25 Siehe Edward Akroyd, *On Improved Dwellings for the Working Classes*, London 1862, S. 4.

26 Siehe R. Bretton, »Colonel Edward Akroyd«, in *Transactions of the Halifax Antiquarian Society*, 5.6.1948.

27 Über Sir Titus Salt siehe Abraham Holroyd, *Saltaire and its Founder, Sir Titus Salt, Bart.*, Saltaire 1871; Rev. Robert Balgarnie, *Sir Titus Salt, Baronet: His Life and its Lessons*, London 1878; B. Alsop, *The Late Sir Titus Salt, Bart., Founder of Saltaire*, Saltaire 1878; J. Burnley, *Sir Titus Salt and George Moore*, London 1885; Monthly Tract Society, *The Late Sir Titus Salt, Bart.*, London o.J.; Rev. T. Nicholson, *Sir Titus Salt, Bart.*, Bradford o.J.; J.M. Richards, »Sir Titus Salt, or the Lord of Saltaire«, in *The Architectural Review*, Bd. 29 (1936), S. 213–218.

28 Die Geschichte mit der Alpakawolle erzählt Charles Dickens in der Schilderung »The Great Yorkshire Llama«, in Charles Dickens (Hrg.), *Household Words*, London 1852–53, Bd. 6.

29 Die damaligen Verhältnisse sind beschrieben von James Smith in *Report of the Health of Towns Commission of 1845*. Es heißt dort unter anderem: »Taking the general condition of Bradford, I am obliged to pronounce it to be the most filthy town I visited; and I could see no symptoms of any improvement in the more recent arrangements for the abodes of the working classes.« Siehe auch *Bradford Sanitary Baths and Cemetery Committee Report*, 1850. Der deutsche Schriftsteller und frühe Anhänger des Kommunismus Georg Weerth, der viele Jahre in Bradford gearbeitet hat, merkt zu der Stadt an: »Jede andere Fabrikstadt in England ist ein Paradies im Vergleich zu diesem Loch. Wenn jemand nachfühlen will, wie ein armer Sünder vielleicht im Fegefeuer gemartert wird, laßt ihn nach Bradford reisen!« (*Frankfurter Allgemeine Zeitung*, 29.7.1989, Nr. 173). Siehe Georg Weerth, *Sämtliche Briefe*, eingeleitet und hrg. v. Jürgen-Wolfgang Goette, Frankfurt a.M. 1989, 2 Bde.

30 Siehe Abraham Holroyd, a.a.O., S. 11.

31 Zit. nach J.M. Richards, a.a.O., S. 215.

32 Das neue Bausystem ist erläutert in Sir William Fairbairn, *On the application of Cast and Wrought Iron to Building Purposes*, London 1854.

33 Zu Saltaire siehe William Cudworth, *Saltaire. A Sketch History*, Saltaire 1895; H.E. Berlepsch-Valendas, *Die Gartenstadtbewegung in England, ihre Entwicklung und ihr jetziger Stand*, München, Berlin 1912, S. 63–69; Cecil Stewart, *A Prospect of Cities*, London 1952, S. 148–167; Nikolaus Pevsner, *The Buildings of England*, a.a.O., S. 427f.; Robert K. Dewhirst, »Saltaire«, in *Town Planning Review*, Juli 1960, S. 135–144; Walter L. Creese, *The Search for Environment*, a.a.O., S. 30–40.

34 Wiedergegeben in *Illustrated London News*, 1.10.1853, S. 288. In *The Manchester Guardian*, 21.9.1853, heißt es noch ausführlicher: »The architects are expressly enjoined to use every precaution to prevent the pollution of the air by smoke, or the water by want of sewerage, or other impurity ... Wide streets, spacious squares, with gardens attached, ground for recreation, a large dining hall and kitchens, bath and wash-houses, a covered market, schools and a church; each combining every improvement that modern art and science have brought to light, are ordered to be proceeded with by the gentleman who has originated this undertaking.« (Zit. nach W. Ashworth, a.a.O., S. 127).

35 Stewart gibt sogar, bezogen auf den Zensus von 1871, 500 Personen pro Hektar (200 Personen pro acre) an. Siehe C. Stewart, a.a.O., S. 163.

36 Da die Modellsiedlung heute von einer nichtssagenden Vorortbebauung aus neuerer Zeit umgeben und eingekreist ist, nimmt sich die Situation jetzt wesentlich ungünstiger aus.

37 Geschildert bei Abraham Holroyd, a.a.O., S. 16f.

38 Wie hoch diese Architektur von den Zeitgenossen eingeschätzt wurde, ergibt sich aus der Feststellung Holroyds: »It may safely be said to be the most exquisite example of pure Italian architecture in the kingdom.« Pevsner spricht hier von »the only aesthetically successful building at Saltaire«. (Nikolaus Pevsner, *The Buildings of England*, a.a.O., S. 427)

39 Hier muß auf die Wichtigkeit des Erziehungsgedankens bei Robert Owen hingewiesen werden. Durch ihn war auch die Richtung bei den Paternalisten bestimmt.

40 Salts Standpunkt drückt sich in der Feststellung aus: »Drunk and lust are the bottom of it all.« Zum Saltaire Club sagte er: »It is intended to supply the advantages of a public house without its evil.«

41 Zu Akroydon siehe Edward Akroyd, *On Improved Dwellings*, a.a.O.; *The Builder*, Bd. 21 (1863), S. 109–111, 116, 117; James Hole, *The Houses of the Working Classes with Suggestions for their Improvement*, London 1866; Nikolaus Pevsner, *The Buildings of England*, a.a.O., S. 239f.; Walter L. Creese, *The Search for Environment*, a.a.O., S. 40–46.

42 Es handelte sich um die Halifax Permanent Benefit Building Society.

43 Zu den Finanzierungsmodalitäten im einzelnen siehe James Hole, a.a.O., S. 73, und *The Builder*, Bd. 21 (1863), S. 110.

44 Es heißt dazu in einer Schrift (Juni 1860): »... in no other way can the same benefits be conferred on working men at so slight a loss, – benefits which entail no degradation and wound no self respect, but, on the contrary, confer independence, whilst the achievement of the independence constitutes a HABIT of saving most useful in afterlife.« (Zit. nach *The Builder*, Bd. 21 (1863), S. 110).

45 Abgebildet in *The Builder*, Bd. 21 (1863), S. 116.

46 Siehe Sir George Gilbert Scott, *Remarks on secular and domestic Architecute, present and future (Note on the uses to be made of the mediaeval architecture of Italy)*, London, Oxford 1858 (2.Aufl.).

47 Edward Akroyd merkt dazu im einzelnen an: »This type (domestic Gothic) was adopted not solely for the gratification of my own taste, but because it is the original of the parish of Halifax, over which many old houses are scattered of the date of the Commonwealth, or shortly after, and retaining the best features of Elizabethan domestic architecture. Intuitively this taste of our forefathers pleases the fancy, strengthens house and home attachment, entwines the present with the memory of the past, and promises, in spite of opposition and prejudice, to become the national style of modern, as it was of old England.« (Zit. nach Edward Akroyd, a.a.O., S. 8).

48 Siehe im einzelnen »Akroydon. Improved Dwellings for the Working Classes«, in *The Builder*, Bd. 21 (1863), S. 109–116.

49 Daß mit der Vermehrung der »forty-shilling freeholders« auch die Zahl der Wahlstimmen vergrößert wurde, war für Leute wie Salt, die Crossleys und die Akroyds nicht belanglos. Denn mit den Stimmen ihrer Arbeiterschaft konnten sie leicht in das Parlament nach Westminster kommen.

50 Diesen Ausdruck prägt Walter L. Creese in *The Search for Environment*, a.a.O., S. 13–60.

51 Siehe Second Viscount Leverhulm, *Viscount Leverhulm by His Son*, London 1927.

52 Das kommt in der Rede zum Ausdruck, die er auf dem Bankett am 3.3.1888 anläßlich des ersten Spatenstichs zur neuen Siedlung gehalten hat: »It is my hope and my brother's hope, some day, to build houses in which our workpeople will be able to live and be comfortable – semi-detached houses, with gardens back and front, in which they will be able to know more about the science of life than they can in a back slum ...«

53 Siehe W.H. Lever, *Prosperity Sharing and Profit Sharing in Relation to Workshop Management*, Vortrag, abgedr. in *Birkenhead News*, 24.11.1900.

54 Siehe W.H. Lever, *Land for Houses*, Vortrag, abgedr. in *Birkenhead News*, 8.10.1898.

55 Die Fläche wird für den Anfang auch mit 28 Hektar angegeben. Durch weiteren Grunder-

werb ist die Gesamtfläche später auf 52,6 bis 56,6 Hektar vergrößert worden. Siehe Clifford Powell, *Redevelopment of Port Sunlight*, Diss., Universität Liverpool, 1952.

56 Zu Port Sunlight siehe W.H. Lever, *The Buildings Erected at Port Sunlight and Thorton Hough*, Vortrag, London 21.3.1902, o.O. 1902; W.L. George, *Labour and Housing at Port Sunlight*, London 1909; Mervyn E. Macartney, »Mr. Lever and Port Sunlight«, in *Architectural Review*, Juli 1910, S. 43; H.E. Berlepsch-Valendas, *Die Gartenstadtbewegung in England*, a.a.O., S. 101–112; Thomas Raffles Davison, *Port Sunlight, A record of artistic and pictorial aspect*, London 1916; Josephine Reynolds, »The Village at Port Sunlight«, in *Journal of the Royal Institute of British Architects*, 27.5.1948, S. 495; William Asworth, *The Genesis*, a.a.O., S. 133–135; Sir Nikolaus Pevsner, *The Buildings of England*, Cheshire, London 1971, Bd. 42, S. 303 bis 313; John Nelson Tarn, *Five Per Cent Philanthropy*, a.a.O., S. 156–158.

57 Creese merkt dazu in *The Search for Environment*, a.a.O., S. 124 an: »Mr. Simpson believes the original plan of Port Sunlight itself was entirely Lord Leverhulm's own idea.«

58 Das wird berichtet bei Thomas H. Mawson, *Civic Art. Studies in Town Planning, Parks, Boulevards and open Spaces*, Batsford 1911, S. 280: »When the village was first planned it was decided to face the first cottages towards the railway; a decision which is opposed to the usual method, but which is both generous and wise, for it gives at once pleasure and a favourable impression to thousands of passing travellers.«

59 An der Corniche Road: Architekten Lutyens und Simpson; Pool Bank: Architekten Talbot und Douglas & Minshull; Primrose Hill: Architekten Simpson und Maurice B. Adams; Bebington Road: Architekten Ernest Newton, William & Segar Owen, Talbot und andere.

60 Nach W.H. Lever, *The Buildings Erected at Port Sunlight and Thorton Hough*, a.a.O., S. 7.

61 »… maximum limit possible for the maintenance of a healthy life …« Zit. nach J.N. Tarn, *Five Per Cent Philanthropy*, a.a.O., S. 157.

62 Nach Clifford Powell standen 1890 28 Häuser, acht Jahre später 278 und 1907 schließlich 720.

63 Zu den Grundrissen siehe H.E. Berlepsch-Valendas, *Bauernhaus und Arbeiterwohnung in England*, Stuttgart 1907, S. 14f.; ders., *Die Gartenstadtbewegung in England*, a.a.O., S. 106f.; *Kunst und Kunsthandwerk* (Wien), 10. Jg., S. 352ff., und 11. Jg., S. 61ff. Als ausführende Architekten sind zu nennen: William & Segar Owen, Douglas & Fordham, Grayson & Ould, J.J. Talbot, J. Lomax-Simpson, Maurice B. Adams, Ernest George & Yeates, Sir Edwin Lutyens, Ernest Newton, Sir Charles Reilly und andere.

64 Siehe Josephine Reynolds, »The Village at Port Sunlight«, a.a.O., auch Ernst Ihne, »Queen Anne Style«, in *Deutsche Bauzeitung*, 1881, S. 186.

65 In W.L. George, *Labour and Housing at Port Sunlight*, London 1909, S. 177, ist Port Sunlight als »a shrine of the worship of cleanliness« bezeichnet. Angus Watson, ein Direktor des Lever-Stammhauses, merkte später in seiner Autobiographie an: »The whole village was dominated by the spirit of Soap …«, *My Life*, London 1937, S. 137.

66 Lever hat die Entschädigungssumme von 91 000 Pfund, die er auf eine Verleumdungsklage hin 1906 von *The Daily Mail* und anderen Zeitungen erhielt, für Stiftungen verwendet, so für die Erhaltung des Liverpool Blue Coat Hos-

pital und für die Einrichtung des Chair of Civic Design.

67 Siehe Thomas H. Mawson, *The Life and Work of an English Landscape Architect*, London 1927.

68 Angabe nach W.L. George, a.a.O., S. 93; zum finanziellen Hintergrund siehe auch noch Mervyn E. Macartney, »Mr. Lever and Port Sunlight«, a.a.O., S. 43.

69 Näheres hierzu siehe auch H.E. Berlepsch-Valendas, *Die Gartenstadtbewegung in England*, a.a.O., S. 110f.

70 Siehe Charles Wilson, *The History of Unilever*, London 1954.

71 Zu Cadbury siehe A.G. Gardiner, *Life of George Cadbury*, London 1923.

72 Siehe S.D. Chapman (Hrg.), *The History of Working-class Housing*, Newton Abbot 1971; Michael R.G. Conzen, »Zur Morphologie der englischen Stadt im Industriezeitalter«, in Helmut Jäger (Hrg.), *Probleme des Städtewesens im Industriezeitalter*, Köln, Wien 1978, S. 1–48 (*Städteforschung: Reihe A*, Bd. 5).

73 Nach Nikolaus Pevsner, *The Buildings of England*, Warwickshire, Harmondsworth 1966, Bd. 31, S. 154.

74 Zu Bournville siehe J.H. Whitehouse, »Bournville: A Study in Housing Reform«, in *The Studio* (London), Bd. 24 (1902), S. 162–172; W. Alexander Harvey, *The Model Village and its Cottages: Bournville*, London 1906; H.E. Berlepsch-Valendas, *Die Gartenstadtbewegung in England*, a.a.O., S. 87–101; ders., *Bauernhaus und Arbeiterwohnung*, a.a.O., S. 3ff.; George Cadbury, *Suggested Rules of Health and other Information for Youths at Bournville*, Bournville 1924 (Nachdruck); *Bournville Housing: A Description of the Houses Schemes of Cadbury Brothers Ltd, and the Bournville Village Trust*, Bournville o.J.; *Bournville Villages Gardens*, Bournville o.J.; *The Bournville Village Trust: An Account of Its Planning and Housing Schemes in Suburban and Rural Areas*, Bournville o.J.; Hans Kampffmeyer, *Wohnungen, Siedlungen und Gartenstädte in Holland und England*, Berlin-Friedenau 1926, S. 55–62; *Bournville Village Trust: When We build Again*, London 1941; *Bournville Village Trust: Sixty Years of Planning. The Bournville Experiment*, Bournville o.J.; *Bournville Village Trust: The Bournville Village Trust 1900–1955*, Birmingham 1956; Walter L. Creese, *The Search for Environment*, a.a.O., S. 108–143; Nikolaus Pevsner, *The Buildings of England*, a.a.O., Bd. 31, S. 154–162.

75 Angegeben bei John Nelson Tarn, *Five Per Cent Philanthropy*, a.a.O., S. 159: »… alleviating the evils which arise from the insanitary and insufficient housing accommodation supplied to large numbers of the working classes and of securing to workers in factories some of the advantages of outdoor village life, with the opportunities for the natural and healthful occupation of cultivating the soil.«

76 Siehe W.A. Harvey, a.a.O., S. 63.

77 Diesen Punkt hebt Harvey, a.a.O., S. 68, selbst besonders hervor, indem er feststellt: »This will bring the outside houses nearer to the extremity of the land and will not only give each garden the desired straightness and breadth, but afford a greater breadth of view upon it from within.«

78 Das geht aus einer Diskussion zwischen George Bernhard Shaw und George Cadbury auf The Garden City Conference in Bournville im September 1901 hervor. Siehe *The Garden City Conference at Bournville: Report of Proceedings*, London 1901, S. 34f.

79 Zit. nach Nikolaus Pevsner, *The Buildings of England*, a.a.O., Bd. 31, S. 155.

80 Siehe im besonderen den engagierten Artikel von J.H. Whitehouse, »Bournville. A Study in Housing Reform«, in *The Studio* (London), Bd. 24 (1902), S. 162–172.

81 Siehe J.H. Whitehouse, a.a.O., S. 171.

82 Darauf weist die im September 1901 in Bournville abgehaltene Konferenz der Garden City Association hin.

83 Siehe Caillat, *Parallèle des maisons de Paris construites depuis 1830 jusqu'à nos jours*, Paris 1850 (deutsche Ausgabe: *Vergleichende Darstellung der vorzüglichsten seit 1830 in Paris neuerbauten Häuser*, Paris, Brüssel, Leipzig, Gent 1851); des weiteren M. Thiollet, *Choix de Maisons, Edifices et Monuments Publics de Paris et de ses environs, contenant: Séminaires … et Maisons particulières, etc., construits pendant les années 1820 à 1829*, Paris 1838.

84 Siehe Almeras, *Journal d'un artiste à Paris*, Genf 1938, S. 74.

85 »Le portier de Paris est l'être important de la maison, c'est le ministre du propriétaire, l'intermédiaire entre ceux qui payent et celui qui reçoit. Il est chargé quelquefois et par circonstance extraordinaire d'être le juge de paix de la maison.« (James Rousseau, *Cent et un*, o.O. 1830).

86 Siehe E. Levasseur, *Histoire des classes ouvrières et de l'industrie en France de 1789 à 1870*, Paris 1904 (2. Aufl.), 2 Bde.; Henri Sée, *La vie économique de la France sous la monarchie censitaire (1815–1848)*, Paris 1928; Arthur L. Dunham, »Industrial Life and Labor in France 1815–48«, in *Journal of economic history*, (New York) Bd. 3 (1943), S. 117–151; W.W. Rostow, *Les étapes de la croissance économique*, Paris 1970; J.P. Rioux, *La révolution industrielle 1780–1880*, Paris 1971; Philippe Aydalot, Marcel Roncayolo, Louis Bergeron, *Industrialisation et croissance urbaine dans la France du XIXᵉ siècle*, Paris 1981; Fernand Braudel, Ernest Labrousse (Hrg.), *Wirtschaft und Gesellschaft in Frankreich im Zeitalter der Industrialisierung, 1789–1880*, Frankfurt a.M. 1988, 2 Bde.

87 Siehe A. Audiganne, *Les populations ouvrières et les industries de la France*, Paris 1854; Hilde Rigaudas-Weiss, *Les enquêtes ouvrières en France entre 1830 et 1848*, Paris 1936.

88 Siehe Adolphe Granier de Cassagnac, *Histoire des classes ouvrières et des classes bourgeoises*, Paris 1839; Eugène Buret, *De la misère des classes laboureuses en Angleterre et en France*, o.O. 1841 (Nachdruck 1979).

89 Näheres siehe Hack, *Statistische Mitteilungen über die Stadt Mülhausen*, Mülhausen 1873, und Achille Penot, »Recherches statistiques sur Mulhouse«, in *Bulletin de la Société industrielle de Mulhouse*, Bd. 16, S. 263ff.

90 Die Société ist nicht als Baugesellschaft zu verstehen; sie wollte ganz allgemein den industriellen Fortschritt fördern und zum Wohl der Arbeiterbevölkerung beitragen, etwa, wie in den Statuten gesagt ist, durch Unterrichtsveranstaltungen, Sammlungen für Museen und Bibliotheken, Herausgabe eines Bulletins.

91 Siehe *Projet du Nouveau Quartier*, 3 pl. in-f°, lithographiées par Rothmüller d'après Stotz et Fries, architectes. A toutes marges; »Über das neue Quartier zu Mühlhausen«, in *Allgemeine Bauzeitung* (Wien), 2. Jg. (1837), Nr. 30/31, S. 244–247, 255/56 Bl. CXL–CXLIV; Eduard Jobst Siedler, »Das Neuquartier von Mülhausen im Elsaß«, in *Zentralblatt der Bauverwaltung*, 20.12.1916, Nr. 102, S. 669–671; Charles Schule, *Le centenaire du Nouveau Quartier à Mulhouse*, 1929 (Auszug aus dem *Bulletin de la Société industrielle de Mulhouse*, November 1929).

92 Zu Grand-Hornu siehe *La Belgique monumentale, historique et pittoresque*, Brüssel 1844;

*La Belgique industrielle. Vues des Etablissements industriels de la Belgique*, Brüssel 1850; Louis Lepreux, *Notice sur la Cité du Grand-Hornu*, o. O. 1888; Marinette Bruwier, Anne Meurant, Christiane Piérard, »Les ateliers et la cité du Grand-Hornu. Un ensemble unique en Europe occidentale«, in *Industrie. La Revue de l'industrie belge*, 22. Jg. (1968), Nr. 1, S. 39–55; Marinette Bruwier, »Un ensemble monumental à sauver, un musée à créer: les Ateliers et la Cité Ouvrière du Grand-Hornu«, in *Bulletin Trimestriel du crédit communal de Belgique*, 1968, Nr. 83, S. 23–30; Christiane Piérard, »Le Grand-Hornu«, in *Hainaut-Tourisme*, 1968, Nr. 127; dies., »La Cité et les ateliers du Grand-Hornu à Hornu, dans le Borinage«, in *La Maison d'Hier et d'Aujourd'hui*, 1969, Nr. 3, S. 12–17; P. Puttemans, »Un scandale, le Grand-Hornu«, in *Clés pour les Arts*, 1971, Nr. 10, S. 29–31; François Roelants du Vivier, *Les ateliers et la cité du Grand-Hornu de 1820 à 1850. Un exemple d'urbanisme industriel à l'aube du machinisme*, maschinenschrftl. Aufzeichnungen, Université catholique du Louvain 1972; *Le patrimoine monumental de la Belgique*, Liège 1975, Bd. 4, S. 198 bis 205.

93 Siehe L. Rozand, »M. De Gorge (Henri-Joseph)«, in *Nécrologe Universel du XIX^e siècle*, Paris 1845, Bd. 1, S. 397–418; L. Devillers, »Gorge (Henri-Joseph De)«, in *Biographie Nationale* (Brüssel), Bd. 8, (1884/85), Sp. 115–117.

94 Siehe die Briefe von Henri und Eugénie De Gorge-Legrand, 1828–1844. Im Brief vom 7. 10. 1825 heißt es unter anderem: »Il serait encore nécessaire que vous vous rendissiez à Hornu le plus tôt que vous pourrez pour nous entendre sur de nouveaux plans à faire …« (Nr. 141/142 nach H. Watelet, *Inventaire des Sociétaires et de la Société Civile des Usines et Mines de Houille du Grand-Hornu*, Brüssel 1964).

95 Über Renard siehe A. van Hasselt, »Notice biographique sur Bruno Renard«, in *Annuaire de l'Académie Royale de Belgique*, Bd. 30 (1864), S. 109–115; E. J. Soil de Moriame, »Renard (Bruno-Jean-Baptiste-Christian)«, in *Biographie Nationale* (Brüssel), Bd. 19 (1907), Sp. 42–45; E. Mathieu, »Renard (Bruno-J.B.-Christian)«, in *Biographie du Hainaut*, Enghien 1902–1905, S. 275.

96 Nach François Roelants du Vivier, a. a. O., S. 17.

97 Zu Ledoux siehe Daniel Ramée, *L'Architecture de Cl. N. Ledoux*, Paris 1847, 2 Bde.; Emil Kaufmann, *Von Ledoux bis Le Corbusier. Ursprung und Entwicklung der autonomen Architektur*, Wien, Leipzig 1933; G. Levallet-Haug, *Claude-Nicolas Ledoux*, Paris, Straßburg 1934; Marcel Raval, *Claude-Nicolas Ledoux*, Paris 1946; Emil Kaufmann, »Three Revolutionary Architects, Boullée, Ledoux and Lequeu«, in *Transactions of the American Philosophical Society*, Neue Serie, Bd. 42 (1952), S. 474–537; Helen Rosenau, *The Ideal City in its architectural revolution*, London 1959; J. Langner, *C.-N. Ledoux*, Diss., Freiburg 1959; Yvan Christ, *Projets et Divagations de Claude-Nicolas Ledoux. Architecte du Roi*, Paris 1961; Günter Metken, *Revolutionsarchitektur*, Ausstellungskatalog, Baden-Baden 1970; Adolf Max Vogt, *Russische und französische Revolutionsarchitektur 1917/1789. Zur Einwirkung des Marxismus und des Newtonismus auf die Bauweise*, Köln 1974; Michel Gallet, *Claude-Nicolas Ledoux. Leben und Werk des französischen Revolutionsarchitekten*, Stuttgart 1983; Bernhard Stolof, *Die Affäre Ledoux. Autopsie eines Mythos*, Wiesbaden 1983 (*Bauwelt Fundamente*, Bd. 60); Anthony Vidler, *Claude-Nicolas Ledoux*, Basel 1988.

98 Zu Anzin und Blanzy siehe Emil Sax, *Die Wohnungszustände der arbeitenden Classen und ihre Reform*, Wien 1869, S. 115; Rudolf Manega, *Die Anlage von Arbeiterwohnungen vom wirtschaftlichen, sanitären und technischen Standpunkte*, Weimar 1883 (2. überarb. Aufl.), S. 92, Atlas, Tafel 11, Fig. 99–101.

99 Siehe Roger-Henri Guerrand, *Les origines du logement social en France*, Paris 1967.

100 Zu den Wohnverhältnissen in Frankreich in der ersten Hälfte des 19. Jahrhunderts siehe Louis-François Beniston de Châteauneuf, *Extraits des Recherches statistiques sur la ville de Paris et le département de la Seine, recueil de tableaux dressés et réunis d'après les ordres de M. le comte de Chabrol*, Paris 1824; Vicomte Alban de Villeneuve-Bargemont, *Economie politique chrétienne, ou Recherches sur la nature et les causes du paupérisme en France et en Europe, et sur les moyens de le soulager et de le prévenir*, Paris 1834, 3 Bde.; Adolphe Granier de Cassagnac, *Histoire des classes ouvrières et des classes bourgeoises*, Paris 1839 (Nachdruck 1977); M. Villermé (Dr. Louis-René), *Tableau de l'état physique et moral des ouvriers employés dans les manufactures de coton, de laine et de soie. Entrepris par ordre et sous les auspices de l'Académie des Sciences morales et politiques*, Paris 1840, Bd. 1 und 2; Jérôme-Adolphe Blanqui, *Les classes ouvrières en France, pendant l'année 1848*, Paris 1849 (*Petits Traités publiés par l'Académie des Sciences morales et politiques*, Lieferung 12); Eugène Buret, *De la Misère des classes laborieuses en Angleterre et en France: de la nature de la misère, de son existence, de ses effets, de ses causes, et de l'insuffisance des remèdes qu'on lui a opposés jusqu'ici, avec les moyens propres à en affranchir les sociétés*, Paris 1840, 2 Bde. (Nachdruck 1979); A. Audiganne, *Les populations ouvrières et les industries de la France*, Paris 1854; Emile Levasseur, *Histoire des classes ouvrières en France, depuis 1789 jusqu'à nos jours*, Paris 1867, 2 Bde.

101 Dieses Gesetz ist vom 3 brumaire an IV (25. Oktober 1795). Es heißt dort nach Art. 4, Abs. 5: »… faire des recherches sur diverses branches des connaissances humaines autres que l'agriculture.«

102 Siehe Vicomte Alban de Villeneuve-Bargemont, a. a. O., S. 54–63.

103 An diesen Zuständen hatte sich 1849 nichts geändert. Siehe Jérôme-Adolphe Blanqui, a. a. O. Selbst Jules Simon wies in *L'ouvrier*, 1861, noch auf diese Schlupfwinkel hin. Über Lille siehe weiter Abel Joire, *Ville de Lille. Commission des Logements insalubres. Rapport sur les travaux de la commission en 1855*, Lille 1856; Aimé Houzé de Aulnoit, *Des logements ouvriers à Lille. La cité Napoléon*, Lille 1863; Docteur Godefroy, *Rapport au conseil municipal: question de l'assainissement des courettes de l'ancien Lille*, Lille 1862; Alfred Renouard, *Les habitations ouvrières à Lille*, Paris 1887; Camille Féron-Vrau, *Des habitations ouvrières à Lille*, o. O. 1899; Jules Duthil, *Courettes lilloises avec eaux-fortes d'Omer Bouchery*, Lille 1927; Jean Quaegebeur, *Les taudis de Lille*, Lille 1837; Pierre Pierrard, *La vie ouvrière à Lille sous le Second Empire*, Paris 1965.

104 »Le jour arrive pour eux une heure plus tard que pour les autres, et la nuit une heure plus tôt« (M. Villermé, a. a. O., S. 82).

105 Es konnte sich dabei auch um »apprentis« (Lehrlinge, 15 bis 18 Jahre alt) und um »lanceurs« (Kinder, 9 bis 14 Jahre alt) handeln.

106 Siehe Fernand Rude, *Le mouvement ouvrier à Lyon de 1827 à 1832*, Lyon 1944; C. Aboucaya, *Les structures sociales et économiques de l'agglomération lyonnaise à la veille de la Révolution de 1848*, Paris 1863.

107 Die Eingemeindung dieses Vorortes zu Lyon fand erst 1853 auf Betreiben des Präfekten Vaïsse im Zusammenhang mit der Transformation von Lyon statt.

108 Das Wort leitet sich vom lateinischen tra (trans) ambulare ab. Im Sprachgebrauch der Lyoner bedeutet »trabouler« von der einen zur anderen Seite verkehren, indem man mehrere Grundstücke durch Gänge und Höfe durchquert.

109 Siehe Jérôme-Adolphe Blanqui, a. a. O., S. 134. Als beachtenswerten Ausnahmefall nennt Villermé Sauvagère (a. a. O., Bd. 1, S. 356 f.).

110 Siehe *Rapport à la Cour des Pairs sur les événements arrivés à Lyon en 1831 et 1834*, Paris o. J.; Jean-Baptiste Monfalcon, *Histoire des insurrections de Lyon en 1831 et en 1834, d'après des documents authentiques, précédée d'un essai sur les ouvriers et sur l'organisation de la fabrique*, Lyon 1834.

111 Zit. bei M. Villermé, a. a. O., Bd. 1, S. 365, siehe auch Vicomte Alban de Villeneuve-Bargemont, a. a. O., Bd. 1, S. 338.

112 Siehe Pierre-Emile Thomas, *Histoire des Ateliers nationaux considérés sous le double point de vue politique et social, des causes de leur formation et de leur existence, et de l'influence qu'ils ont exercée sur les événements des quatre premiers mois de la République*, Paris 1848; Donald C. McKay, *The National Workshops. A Study in the French Revolution of 1848*, Cambridge, Mass. 1933.

113 Es braucht hier nicht besonders darauf hingewiesen zu werden, daß die Übereinstimmung mit Fouriers Phalanstère offensichtlich ist.

114 Siehe Ch. Benoist, *Revue des Deux Mondes*, 1. 11. 1901, S. 100.

115 Bei 7,7 Millionen Wählerstimmen erhielt Louis Napoléon allein 5 572 834, während sich sein Gegenspieler Cavaignac mit 1 469 156 zufriedengeben mußte. Die übrigen Kandidaten, Lamartine, Ledru-Rollin und Raspail, zählten kaum.

116 Siehe Georges Duval, *Napoléon III, enfance, jeunesse*, Paris 1899.

117 Siehe Franklin C. Palm, *England and Napoléon III, a Study of the Rise of a Utopian Dictator*, Durham, North Carolina 1948; Ivor Guest, *Napoléon III in England*, London 1952.

118 Vorausgegangen waren erste literarische Versuche wie *Rêveries politiques*, o. O. 1832, und *Considérations politiques et militaires sur la Suisse*, 1833; die Schrift von 1839 fand bei einem Preis von einem halben Franc eine große Verbreitung, Lamartine gibt eine Auflage von 500000 Exemplaren an.

119 Siehe A. Tudesq, »La légende napoléonienne en France en 1848«, in *Revue historique*, Bd. 218 (1957), S. 64–85.

120 Siehe *Œuvres de Napoléon III*, Paris 1856–69, Bd. 1, S. 20 f.

121 Näheres siehe G. Cahen in *Revue d'économie politique*, Juni 1903.

122 André Bellessort sagt dazu: »Les productions littéraires de Louis Bonaparte n'ont aucune originalité, aucune valeur …«; »Dans ses idées sociales ou, si l'on préfère socialistes, le prince ne s'élève pas au dessus des rêveries et des utopies de son temps …« (*La Société française sous Napoléon III*, Paris 1960, S. 29, 31).

123 Einzelheiten siehe Arthur Raffalovich, *Le Logement de l'ouvrier et du pauvre, Etats-Unis, Grande-Bretagne, France, Allemagne, Belgique*, Paris 1887, S. 216–230.

124 Siehe O. Trüdinger, *Die Arbeiterwohnungsfrage*, Jena 1888, S. 88–95 (*Staatswissenschaftliche Studien*, Bd. 2), und J. Hugueney in *Vie urbaine*, o.O. 1950.

125 Als kritische Stellungnahme siehe G. Jourdain, *Législation sur les logements insalubres*, o.O. 1885 (3. Aufl.).

126 Siehe Arthur Raffalovich, a.a.O., S. 225f.

127 Von Fourier ist in der Zeitschrift *La phalange*, 1849, die Schrift »Cités ouvrières: modifications à introduire dans l'architecture des villes« veröffentlicht. Sie ist aber schon 1820 entstanden.

128 Siehe *Revue de l'Architecture et des Travaux Publics*, Bd. 8 (1849), S. 209f.

129 Siehe Paul Taillefer, *Des Cités ouvrières et de leur nécessité comme hygiène et tranquillité publiques*, Paris 1852.

130 Siehe Viktor Aimé Huber, *Genossenschaftliche Briefe aus Belgien und Frankreich und England im Sommer 1854*, Hamburg 1855, Bd. 1, S. 125–146.

131 Der Gesamtbetrag wurde folgendermaßen aufgeteilt: 6 Millionen für den Bau der Asyle in Vincennes und Le Vésinet; 2 Millionen für die Erstellung von 17 Geschoßbauten am Boulevard Diderot, die ihrem Ausbau nach gar keine Arbeiterwohnungen darstellten; schließlich 2 Millionen als Subventionsmittel für Arbeiterwohnungen, wobei ein Drittel der Ausgaben bezuschußt wurde. Aus diesem Betrag erhielt auch die Société des habitations ouvrières de Mulhouse eine Subvention von 300000 Francs.

132 Dargestellt und beschrieben durch Borstell, Koch, »Mittheilungen über die bauliche Thätigkeit und die neueren Bau-Unternehmungen in Paris«, in *Zeitschrift für Bauwesen* (Berlin), Jg. 3 (1853), Sp. 509–515, Tafel 73 und 74.

133 Zit. nach David J. Kulstein, *Napoleon III and the working class. A study of government propaganda under the second empire*, o.O. 1969, S. 98.

134 Diese Formulierung verwendet E. Sax, *Die Wohnungszustände*, a.a.O., S. 203.

135 Zit. nach V.A. Huber, *Genossenschaftliche Briefe*, a.a.O., Bd. 1, S. 141.

136 Das geht aus den Äußerungen der Mechaniker-Arbeiterdelegation zur Weltausstellung 1867 klar hervor: »… ce que nous n'admettrons jamais, c'est cette existence en dehors du droit commun, ce casernement dans un quartier spécial, qui ferait de nous une classe à part dans la société. Nous sommes dans un pays où l'égalité est trop enracinée dans les mœurs pour jamais consentir à accepter même un don dans les conditions que nous venons d'indiquer, et à plus forte raison en payant de nos deniers …«, in *Exposition de 1867. Rapports des délégations ouvrières*, 2 Bde. (zit. nach Georges Weill, *Histoire du mouvement social en France 1852–1924*, Paris 1924, S. 92).

137 »Dieselbe (gemeint ist die Cité Napoléon, d. Verf.) wurde indessen nicht von Arbeitern, für die sie bestimmt war, bezogen, sondern von allerlei kleinen Rentnern, welche die billigen Preise anlockten.« Zit. nach A. Günther, R. Prevot, »Die Wohlfahrtseinrichtungen der Arbeitgeber in Deutschland und Frankreich«, in *Schriften des Vereins für Sozialpolitik*, Bd. 114 (1905), S. 221.

138 Er war der Sprecher des Comité d'utilité publique, das von der Société industrielle de Mulhouse gegründet worden war.

139 Es handelt sich um die *Enquête industrielle dans les départements de l'est. Réponses aux questions de l'enquête industrielle ordonnée par l'Assemblée nationale*, Mülhausen 1848.

140 Louis Napoléon lenkte noch dadurch die Blicke auf England, daß er Henry Roberts

schon genanntes Buch *The Dwellings of the Labouring Classes … ins Französische übersetzen und durch das Handelsministerium publizieren ließ.

141 Siehe Jean Zuber fils, »Note sur les habitations d'ouvriers«, in *Bulletin de la Société industrielle de Mulhouse* (Mülhausen), Bd. 24 (1852), S. 127.

142 Zu den »cités ouvrières« von Mülhausen siehe Achille Penot, »Projet d'habitations pour les classes ouvrières«, in *Bulletin de la Société industrielle de Mulhouse* (Mülhausen), Bd. 24 (1852), S. 129ff.; V.A. Huber, *Genossenschaftliche Briefe*, a.a.O., Bd. 1, S. 341–357; Emile Muller, »Cités ouvriers de Mulhouse. Types exécutés«, in *Nouvelles Annales de la Construction*, o.O. 1856; »Rapport sur la Société des cités ouvrières de Mulhouse«, in *Bulletin de la Société industrielle de Mulhouse* (Mülhausen), Bd. 30 (1860), S. 58; Maurice Christal, »La cité ouvrière de Mulhouse. Les jardins ouvriers et les cités ouvrières«, in *Le Temps*, 26. und 28.10., 8.11.1861; »Die Arbeiterstadt in Mülhausen«, in *Das Ausland*, 34. Jg. (1861), S. 513–517; Achille Penot, »Les cités ouvrières du Haut-Rhin«, in *Bulletin de la Société industrielle de Mulhouse* (Mülhausen), Bd. 35 (1865), S. 386–415; Eugène Véron, *Les institutions ouvrières de Mulhouse et des environs*, Paris 1866; Achille Penot, *Les Cités ouvrières de Mulhouse et du Département du Haut-Rhin*, Paris, Mülhausen 1867 (2. überarb. Aufl.); C. Détain, »Exposition universelle de 1867 – Habitations Ouvrières«, in *Revue Générale de l'Architecture et des Travaux Publics*, 1867, S. 158–163, 219–239, Tafel 44, 55, 56, und 1868, S. 64–71, 110–113, 209–213, 256–261, Tafel 11, 51; Friedrich Bömches, »Die Arbeiterhäuser auf der Pariser Weltausstellung von 1867«, in *Allgemeine Bauzeitung* (Wien), 33./34. Jg. (1868/69), S. 156–185; Martin Schall, *Das Arbeiter-Quartier in Mülhausen im Elsass. Ein Gang durch dessen Entstehung, Einrichtung und Geschichte unter Berücksichtigung der vorzüglichsten damit verbundenen Anstalten zum Wohle der Arbeiterklasse. Ein Beitrag zur Lösung der sozialen Frage*, Berlin 1876; Georg Kestner, »Das Arbeiter-Quartier in Mülhausen«, in *Archiv für öffentliche Gesundheitspflege in Elsass-Lothringen*, o.O. 1877, S. 7–20; Charles Grad, »Les cités ouvrières«, in *Revue alsacienne*, 6. Jg. (1882/83), S. 11–14; Heinrich Herkner, *Die oberelsässische Baumwollindustrie und ihre Arbeiter. Auf Grund der Thatsachen dargestellt*, Straßburg 1887, S. 210–213, 328–344 (*Abhandlungen aus dem Staatswissenschaftlichen Seminar zu Straßburg i.E.*, H. 4); Alois Meissner, »Die Wohnungen des Volkes zu Ende des 19. Jahrhunderts. Eine sozial-ökonomische Studie«, in *Allgemeine Bauzeitung* (Wien), 54. Jg. (1889), S. 60f., Tafel 56; *Das Mülhauser Arbeiterviertel, seine Badeanstalten & Waschküchen*, Mülhausen 1891, S. 25–61 (*Jahresbericht der Industriegesellschaft von Mülhausen*); »1851/1901 Les Cités ouvrières de Mulhouse Historique«, in *Bulletin de la Société industrielle de Mulhouse* (Mülhausen), 1901, S. 419–502.

143 Nach A. Penot, *Les Cités Ouvrières*, a.a.O., Anhang, T. 1, S. 73ff.

144 Siehe »Rapport du Comité d'économie sociale sur la construction d'une cité ouvrière à Mulhouse présenté par le Dr. Penot dans la séance du 30 novembre 1853«, in *Bulletin de la Société industrielle de Mulhouse* (Mülhausen), Bd. 25 (1853), S. 299–316.

145 Die Société argumentierte, daß der Mietzins in einer der üblichen Mülhauser Mietskasernen bei gleicher Wohnungsgröße 14 bis 18 Francs betrug, einem Hauserwerber also kaum ein höherer Betrag abverlangt wurde.

146 Nach A. Penot, *Les Cités Ouvrières*, a.a.O., Anhang, T. 2, S. 79f.

147 Ein Handlanger verdiente zu dieser Zeit 1,5 Francs/Tag, also 36 Francs im Monat; ein Spinnereiarbeiter 2,5 Francs/Tag, also 60 Francs im Monat.

148 Dies berichtet Heinrich Herkner, *Die oberelsässische Baumwollindustrie*, a.a.O., S. 335f. Dieser wiederum bezieht sich auf Abbé H. Cetty, *La famille ouvrière en Alsace*, Rixheim 1883.

149 Aufstellung nach Alois Meissner, »Die Wohnungen des Volkes«, a.a.O., S. 60. Siehe auch Achille Penot, *Les Cités Ouvrières*, a.a.O., Anhang, T. 6.

150 Von Emile Muller gibt es die Publikation *Habitations ouvrières & agricoles, cités, bains & lavoirs, sociétés alimentaires, détails de construction*, Paris 1855/56.

151 Siehe Julius Schultz, *Das Mülhausener System der Arbeiterwohnungen. Eine Anregung zur Nachahmung dieses humanen Bekämpfungsmittels des Sozialismus*, Hamburg 1878.

152 Von Inspektor Bernard ist zu erfahren: »Unter den 40 Käufern und 60 Miethern, mit denen ich es bisher zu tun hatte, sind höchstens 10 schlechte Zahler. Die Einzahlungen der ersten betragen im ersten Jahr schon über 35000 Frcs.«, nach V.A. Huber, *Genossenschaftliche Briefe*, a.a.O., Bd. 1, S. 353.

153 Über die Nutzung der Mansarden im Dach siehe Heinrich Herkner, *Die oberelsässische Baumwollindustrie*, a.a.O., S. 338f. Dabei bezieht sich dieser auf die Angaben nach Abbé H. Cetty, *Le mariage dans les classes ouvrières*, Rixheim 1886, S. 131.

154 Siehe Heinrich Herkner, *Die oberelsässische Baumwollindustrie*, a.a.O., S. 341.

155 Hingewiesen sei auf Penot, Huber, Schall, Sax und andere. Friedrich Engels bezeichnete die Arbeiterstadt in Mülhausen ironisch als »das große Paradepferd der kontinentalen Bourgeoisie« (Karl Marx, Friedrich Engels, *Zur Wohnungsfrage*, Werke, Berlin (DDR) 1981, S. 101f.). Auf der Weltausstellung von 1867 wurden die »cités ouvrières de Mulhouse« besonders herausgestellt und mit einer Medaille ausgezeichnet.

156 Penot stellt fest: »C'est là qu'est la meilleure et peut-être la seule vraie solution de ce formidable problème d'économie sociale, qui se pose pour objet de faire disparaître le prolétariat de la société moderne«, in *Les Cités Ouvrières*, a.a.O., S. 31.

157 In Guebwiller, Beaucourt, Colmar, Bischwiller, Le Creusot, Blancy und anderen Orten.

158 Außerdem wurde dieser Grundriß noch angewandt auf preußischen Domänen, in Böhmen, in Halle a.d.S., in Liège, Rue de Meuse, im Arbeiter-Quartier Staub in Kuchen.

159 Zit. nach Heinrich Herkner, *Die oberelsässische Baumwollindustrie*, a.a.O., S. 339.

160 Es ist notwendig, sich hier auf das Beispiel Guebwiller zu beschränken. Als gleichartiges Unternehmen ist aber noch die »cité ouvrière« der Firma Jappy & Comp. in Beaucourt zu erwähnen. Siehe Ludwig Klasen, *Die Arbeiter-Wohnhäuser*, Leipzig 1879, S. 19–21.

161 Siehe A. Penot, *Les Cités Ouvrières de Mulhouse et du Département du Haut-Rhin*, Paris 1867 (2. Aufl.), S. 36–47, 123–128, 130–139; E. Sax, *Die Wohnungszustände*, a.a.O., S. 155.

162 Zu Le Creusot siehe Louis Laurent Simonin, *La grande industrie française: l'usine du Creusot*, Paris 1866; Napoléon Vadot, *Le Creusot, son histoire, son industrie*, Le Creusot 1875; Victor Turgan, »Le Creusot«, in *Les Grandes Usines*, Bd. 6 (1878), S. 1–67; Felix Courtois, Henri Courtois, *Le Creusot: essai historique*, o.O. 1891; Felix Courtois, *Notes historiques sur*

la fabrique de dentelles à la main établie au Creusot (1844–1866), Autin 1897; P. Ferrier, *Ephémérides municipales du Creusot, 1793–1853*, Le Creusot 1919; Jean Chevalier, *Le Creusot, berceau de la grande industrie française*, Paris 1935; ders., *Le Creusot, berceau de la grande industrie française*, Paris 1946 (2. überarb. Aufl.); Henri Chazelle, P. Marchamp, *Le Creusot, histoire générale*, Dôle 1936; Georges Riguet, *Images creusotines*, Le Creusot 1946; Henri Chazelle, J.-B. Jannot, *Une grande ville: Le Creusot*, Dôle 1958, 3 Bde.; Alphonse Fargeton, *Les grandes heures du Creusot et de la terre de Montcenis*, Le Creusot 1958; Jacquet Roger, Léon Griveau, *La concentration industrielle: naissance d'une grande industrie*, Le Creusot, Cannes 1961; Joseph-Antoine Roy, *Histoire de la famille Schneider et du Creusot*, Paris 1962; Alphonse Fargeton, *Les grandes heures du Creusot au temps des Schneider*, Paris 1977; Christian Devillers, Bernard Huet, *Le Creusot. Naissance et Développement d'une ville industrielle 1782–1914*, Champ Vallon 1981.

163 Joseph-Eugène Schneider war ab 1845 Deputierter der Nationalversammlung, 1851 Handels- und Landwirtschaftsminister, 1867–70 Präsident des Corps législatif. Näheres siehe Jean Poirey-Clément, *Les Rois de la métallurgie: Schneider et Le Creusot*, Conflans-Sainte-Honorine 1924; Paul Faure, *Un patron de droit divin, Eugène Schneider, potentat du Creusot*, Paris 1933; A. Habaru, *Le Creusot, terre féodale: Schneider et les marchands de canons*, Paris, Brüssel 1934.

164 Siehe J.B. Lowe, *Welsh industrial workers housing 1775–1875*, Cardiff 1977.

165 Siehe Christian Devillers, Bernard Huet, *Le Creusot*, a.a.O., S. 96, C.T.H. 41.

166 Zit. nach *Les Etablissements Schneider: économie sociale*, Paris 1912, S. 123.

167 Siehe Emile Cheysson, »Le Creusot: Condition matérielle, intellectuelle et morale de la population: institutions et relations sociales«, in *Bulletin de l'Association internationale pour le développement du commerce et des expositions*, 19.7.1869.

168 Zu den »cités ouvrières« von Le Creusot siehe Alois Meissner, »Die Wohnungen des Volkes zu Ende des 19. Jahrhunderts. Die Arbeiter-Kolonie Le Creusot in Frankreich«, in *Allgemeine Bauzeitung* (Wien), 54. Jg. (1889), S. 61 f., T. 58; *Economie sociale: Institution de MM. Schneider et Cie*, Nevers 1905; Christian Devillers, B. Huet, *Le Creusot*, a.a.O.

169 Siehe Paul Cartier, *La Condition ouvrière en Saône-et-Loire sous le Second Empire*, Dijon 1952; Pierre Ponsot, *Le Mouvement ouvrier et la vie ouvrière au Creusot, 1848–1871*, Paris 1956; ders., *Les Grèves de 1870 et la Commune de 1871 au Creusot*, Paris 1957; Marcel Massard, *Attitudes politiques et sociales dans la région du Creusot au début du XXe siècle*, Diss., Universität Lyon II 1974, 2 Bde.

170 Zur Weltausstellung von 1867 in Paris siehe Henri Ameline, *Des Institutions ouvrières au dix-neuvième siècle*, Paris 1866; *Revue des Deux Mondes*, 1.4.1867; *Bulletin de la Société internationale des études pratiques d'économie sociale*, Bd. 2 (1867); *L'enquête du dixième groupe, catalogue analytique des documents, mémoires et rapports ... relatifs aux institutions créées par l'état, les départements, les communes et les particuliers pour améliorer la condition physique et morale de la population*, Paris 1867; »Etudes sur l'Exposition universelle de 1867 à Paris. Maisons ouvrières«, in *Gazette des architectes et du batiment* (1867), S. 251–256; E. Sax, »Die Frage der Arbeiterwohnungen und die Pariser Ausstellung«, in *Hilberg's internationale Revue*,

Oktober 1867; Eugène Lacroix, *Etudes sur l'Exposition de 1867, où les Archives de l'industrie au XIXe siècle*, Paris 1869, 8 Bde., und Atlas, 2 Bde.; Friedrich Bömchens, »Die Arbeiterhäuser auf der Pariser Ausstellung von 1867«, in *Allgemeine Bauzeitung* (Wien), 33./34. Jg. (1868/69), S. 156–185; *Exposition de 1867. Rapports des délégations ouvrières*, o.O. 1869, 2 Bde.

171 Siehe *Rapports des délégués des ouvriers parisiens à l'exposition de Londres 1862*, publiés par la commission ouvrière, o.O. 1864; Henry Fougère, *Les Délégations ouvrières aux expositions universelles sous le second empire*, Diss., Universität von Paris, Montluçon 1905.

172 Zu Frédéric Le Play siehe Albert E. Schäffle, »Le Plays Sozialreform in Frankreich«, in *Deutsche Vierteljahresschrift* (Stuttgart), Bd. 28 (1865); Ludwig von Hammerstein, »Le Play und die richtige Methode der Sozialwissenschaft«, in *Stimmen aus Maria Laach* (Freiburg), Bd. 19 (1877); A. v. Wenckstern, »Le Play«, in *Schmollers Jahrbuch* (Leipzig), Bd. 18 (1894); Alexis Delaire, *Le Play et la science sociale*, Paris 1895 (3. Aufl.); ders., *F. Le Play et l'école de la paix sociale*, Lille o.J.; ders., *M.F. Le Play, sa vie et ses travaux*, Vortrag, 12. April 1882, Paris 1882; Auburtin, *Frédéric Le Play d'après lui-même. Vie, Méthode, Doctrine*, Paris 1906; A. Reuss, »Le Play und seine Bedeutung für die Entwicklung der sozialwissenschaftlichen Methode«, in *Archiv für exakte Wirtschaftsforschung* (Jena), Bd. 5 (1913); P. Collignon, *Frédéric Le Play, sa conception de la paix sociale*, Domat-Montchrestian 1932; L. Thomas, *Le Play*, o.O. 1943; L. Baudin, *Frédéric Le Play*, Dalloz 1947; *Recueil d'études sociales à la mémoire de Frédéric Le Play*, Picard 1958; P. Douchy, P. Périer, »La doctrine sociale de Napoléon III et Le Play«, in *Etudes sociales, neue Serie*, Bd. 83/84 (1970); M.Z. Brooke, *Le Play: Engineer and Social Scientist*, London 1970; P. Secretan, »Le destin d'un grand sociologue, Frédéric Le Play (1806–1882)«, in *Etudes sociales, neue Serie*, Bd. 73/74 (1967); H. Rollet, »L'apport de Le Play au Catholicisme social«, in *Etudes sociales, neue Serie*, Bd. 79/80 (1969); D. Sureau, »La sociologie de Frédéric Le Play«, in *Etudes sociales, neue Serie*, Bd. 108 (1979).

173 Der Titel lautet im gesamten: *Frédéric Le Play, Les Ouvriers européens. Etude sur les travaux, la vie domestique et la condition morale des populations ouvrières de l'Europe précédée d'un exposé de la méthode d'observation*, Paris 1855; als erweiterte Ausgabe siehe *Les Ouvriers européens. Etudes sur les travaux, la vie domestique et la condition morale des populations ouvrières de l'Europe d'après les faits observés de 1829 à 1879*, Tours, Paris 1879 (2. überarb. Aufl.), 6 Bde.

174 Nach der Formulierung in *L'enquête du dixième groupe*, a.a.O.: »... pour améliorer la condition physique et morale de la population.«

175 »Une personne que vous connaissez, ... et qui est constamment occupée du sort des ouvriers, veut vous venir en aide; elle offre 41 maisons ouvrières, c'est-à-dire un capital de 500 000 francs.« (*Commission ouvrière*, Bd. 1, S. 107, hier zit. nach Georges Weill, *Histoire du mouvement*, a.a.O., S. 93).

176 Siehe E. Bède, *Note sur les travaux de la société Verviétoise pour la construction de maisons d'ouvriers*, Verviers 1867.

177 Siehe *Description de la cité ouvrière de MM. Staub et Cie à Kuchen près Geislingen en Wurttemberg*, Stuttgart 1867; *Supplément à la description de la cité ouvrière de MM. Staub & Cie*, Stuttgart 1867.

178 In Deutschland wurde ausführlich darüber berichtet, siehe Julius Faucher, »Die zehnte

Gruppe auf der internationalen Ausstellung in Paris«, in *Vierteljahresschrift für Volkswirtschaft und Kulturgeschichte*, Bd. 18 (1867), S. 153 ff. und Bd. 19 (1867), S. 102 ff.; A. Emminghaus, »Zur Wohnungsfrage«, in *Der Arbeiterfreund*, 6. Jg. (1868), S. 213 ff.; Hugo Senftleben, »Die Bedeutung und der Fortschritt in der Wohnungsfrage«, in *Der Arbeiterfreund*, 6. Jg. (1868), S. 365 ff. und 7. Jg. (1869), S. 82 ff., 213 ff., 376 ff.; Arnold Hirsch, »Arbeiterwohnungen vom socialen, nationalen und sanitären Standpunkt«, in Franz Xaver Neumann (Hrg.), *Social-ökonomische Abtheilung der Welt-Ausstellung zu Paris im Jahre 1867. Officieller Ausstellungs-Bericht*, hrg. durch das k.k. österreichische Central-Comité, Wien 1868, S. 372 ff.; Friedrich Bömchens, »Die Arbeiterhäuser auf der Pariser Ausstellung von 1867«, in *Allgemeine Bauzeitung* (Wien), 33./34. Jg. (1868/69), S. 156–185.

179 Siehe »Etudes sur l'Exposition universelle de 1867 à Paris«, in *Gazette des architectes et du batiment*, Paris 1867, S. 251–256.

180 Nach *Exposition de 1867. Rapports des délégations ouvrières*, a.a.O., und Eugène Tartaret, *Commission ouvrière de 1867. Recueil des procès-verbaux des assemblées générales des délégués et des membres des bureaux electoraux*, o.O. 1868/69, Bericht Nr. 2, S. 154.

181 Siehe David J. Kulstein, *Napoleon III and the working class*, a.a.O., S. 74.

182 André Bellessort schreibt dazu: »Aucun chef de gouvernement n'a plus désiré que lui améliorer la situation de ceux que la société n'a pas favorisés. S'il n'y a pas réussi autant qu'il l'aurait voulu, c'est moins sa faute que la faute de son temps. Il a eu des attentions désintéressées qui ne trompent pas sur la sincérité de ses sentiments quand ce ne serait que la création d'aumôniers des dernières prières qui, à la porte des cimetières, accueillirent désormais les cercueils que personne ne suivait.« (*La Société française sous Napoléon III*, Paris 1960, S. 40). Siehe des weiteren H.N. Boon, *Rêve et réalité dans l'œuvre économique et sociale de Napoléon III*, Le Hague 1936; K. Tacke, *Die sozialpolitischen Vorstellungen Napoleons III.*, Köln 1969; G.E. Boilet, *La doctrine sociale de Napoléon III*, Paris 1975; E. Bornecque-Winandy, *Napoléon III, »empereur social«*, Paris 1980.

183 Als zeitgenössische Darstellung siehe Wilhelm Wolff, »Das Elend und der Aufruhr in Schlesien«, in Hermann Püttmann, *Deutsches Bürgerbuch für 1845*, Darmstadt 1845, abgedr. auch in Eduard Bernstein (Hrg.), *Dokumente des Sozialismus*, Berlin 1902, Bd. 1; Alexander Schneer, *Über die Noth der Leinen-Arbeiter in Schlesien und die Mittel ihr abzuhelfen. Ein Bericht an das Comité des Vereins zur Abhülfe der Noth unter den Webern und Spinnern in Schlesien unter Benutzung der amtlichen Quellen des k. Ober-Präsidii und des k. Provincial-Steuer-Directorats von Schlesien erstattet*, Berlin 1844. Zur Übersicht siehe Lutz Kroneberg, Rolf Schloesser, *Weber-Revolte 1844. Der schlesische Weberaufstand im Spiegel der zeitgenössischen Publizistik und Literatur*, Köln 1979.

184 Siehe Erwin Reiche (Hrg.), *Der Kasematten-Wolff. Schriften von Wilhelm Wolff und sein Lebensbild von Friedrich Engels*, Weimar 1950, S. 29 ff.

185 Siehe Alexander Schneer, *Über die Zustände der arbeitenden Klassen in Breslau mit Benutzung der amtlichen Quellen des k. Polizei-Präsidii und des Magistrats*, Berlin 1845, S. 25.

186 Siehe Paul Honigmann, »Die Wohnungsverhältnisse in Breslau«, in *Die Wohnungsnoth der ärmeren Klassen in deutschen Großstädten*, Leipzig 1886, Bd. 2, S. 249–287 (*Schriften des Vereins für Sozialpolitik*, Bd. 31).

187 Siehe Hugo Solger, *Der Kreis Beuthen in Oberschlesien mit besonderer Berücksichtigung der durch Bergbau und Hüttenbetrieb in ihm hervorgerufenen eigenthümlichen Arbeiter= u. Gemeinde=Verhältnisse mit Benutzung amtlicher Quellen geschildert*, Breslau 1860.

188 Siehe Günther Liebchen, »Zu den Lebensbedingungen der unteren Schichten in Berlin im Vormärz. Eine Betrachtung an Hand von Mietpreisentwicklung und Wohnverhältnissen«, in Otto Büsch (Hrg.), *Untersuchungen zur Geschichte der frühen Industrialisierung vornehmlich im Wirtschaftsraum Berlin/Brandenburg*, Berlin 1971, S. 270–314; Johann Friedrich Geist, Klaus Küvers, *Das Berliner Mietshaus 1740–1864. Eine dokumentarische Geschichte der »von Wülcknitzschen Familienhäuser« vor dem Hamburger Tor, der Proletarisierung des Berliner Nordens und der Stadt im Übergang von der Residenz zur Metropole*, München 1980.

189 Siehe »Bericht über die innere Verfassung, den physischen und moralischen Zustand der Bewohner der von Wülcknitzschen Familienhäuser …, vom 15. März 1827«, in *Acta des Magistrats zu Berlin betr. den phys. u. moral. Zustand der Einwohner der … Familienhäuser vor dem Hamburger Tor …*, Berlin 1824–1864, Bd. 1 (Stadtarchiv Rep. 03, Generalia Armenwesen Nr. 44); Eduard Kuntze, *Das Jubiläum von Voigtland oder Geschichte der Gründung und Entwicklung der Rosenthaler Vorstadt bei Berlin, von 1755–1855*, Berlin 1855; Paul Torge, *Rings um die alten Mauern Berlins. Historische Spaziergänge durch die Vororte der Reichshauptstadt*, Berlin 1939.

190 Siehe Bettina von Arnim, *Sämtliche Werke*, Berlin 1921, 6 Bde.

191 Über Bettina von Arnim siehe Ingeborg Drewitz, *Bettine von Arnim*, Düsseldorf, Köln 1969; Gisela Dischner, *Bettina von Arnim. Eine weibliche Sozialbiographie aus dem 19. Jahrhundert. Kommentiert und zusammengestellt aus Briefromanen und Dokumenten*, Berlin 1977; Frieda Margarete Reuschle, *An der Grenze einer neuen Welt. Bettina von Arnims Botschaft vom freien Geist*, Stuttgart 1977.

192 Siehe Karl Marx, Friedrich Engels, *Werke*, Berlin (DDR) 1980, Bd. 2, S. 225–506. Der volle Titel lautet *Die Lage der arbeitenden Klasse in England. Nach eigener Anschauung und authentischen Quellen von Friedrich Engels*, Leipzig 1845.

193 Engels' Buch ist ausführlich behandelt in dem Artikel »Die Bewegung des Socialismus und Humanismus unserer Tage. Mit besonderem Bezug auf Deutschland und die Literatur der letzten vier Jahre daselbst«, in *Repertorium der socialen Literatur*, Bautzen 1848; W. Mönke, »Das literarische Echo in Deutschland auf F. Engels' Werk ›Die Lage der arbeitenden Klasse in England‹«, in *Vorträge und Schriften der Deutschen Akademie der Wissenschaften* (Berlin), Bd. 92 (1965).

194 Siehe *Allgemeine Preußische Zeitung*, 31.10., 1. und 7.11.1845.

195 Gemeint sind das *Edikt über die Einführung einer allgemeinen Gewerbesteuer vom 2.11.1810* (Hardenbergsches Gewerbesteueredikt), Gesetz-Sammlung (im folg. GS) 1810, S. 79–87 und das *Gesetz über die polizeilichen Verhältnisse der Gewerbe, in bezug auf das Edikt vom 2.11.1810 wegen Einführung einer allgemeinen Gewerbesteuer vom 7.9.1811*, GS 1811, S. 263–280.

196 Siehe *Allgemeine Gewerbeordnung vom 17.1.1845*, GS 1845, S. 41–78.

197 Siehe Friedrich-Wilhelm Henning, *Die Industrialisierung in Deutschland 1800–1914*, Paderborn 1973; Jürgen Reulecke, *Geschichte der Urbanisierung in Deutschland*, Frankfurt a. M. 1985.

198 Sie bedeutet, daß in einem bürgerlichen oder bäuerlichen Haushalt die eigene Familie und die Gesellen oder das Gesinde unter einem Dach untergebracht waren. Der Begriff ist von Wilhelm Heinrich Riehl geprägt worden.

199 Gegen 1690 begann König Ludwig XIV. in Frankreich damit, die Lohntruppen in Kasernen unterzubringen. Dazu entwickelte Marschall de Vauban einen besonderen doppelreihigen Kasernentyp. In Preußen übernahm König Friedrich Wilhelm I. ab 1717 die Kasernen nach französischem Vorbild ebenfalls zur Unterbringung seiner Soldaten. Der Begriff ist also aus dem Militärbereich übernommen.

200 Siehe Walter Becker, »Die Bedeutung der nichtagrarischen Wanderungen für die Herausbildung des industriellen Proletariats in Deutschland, unter besonderer Berücksichtigung Preußens von 1850–1870«, in *Studien zur Geschichte der industriellen Revolution in Deutschland*, Berlin 1960; Klaus J. Bade (Hrg.), *Population, Labour and Migration in 19th and 20th Century Germany*, Hamburg, New York 1987 (*German History Perspectives*, I.).

201 Über die Zusammenhänge zwischen Konjunktur und Wohnungsproduktion siehe Arthur Spiethoff, *Boden und Wohnung in der Marktwirtschaft, insbesondere im Rheinland*, Jena 1934 (*Bonner Staatswissenschaftliche Untersuchungen*, Bd. 20).

202 Siehe Gerhard Albrecht u.a. (Hrg.), *Handwörterbuch des Wohnungswesens*, Jena 1930, Stichwort »Leerwohnungsziffer«, S. 509–512.

203 Siehe Fritz Schulte, »Die Hypothekenbanken«, in H. Schumacher (Hrg.), *Kapitalbildung und Kapitalverwendung*, München, Leipzig 1918 (*Schriften des Vereins für Sozialpolitik*, Bd. 154).

204 Siehe Paul Ballin, *Der Haushalt der arbeitenden Klassen. Eine sozialstatistische Untersuchung*, Berlin 1883; Lothar Schneider, *Der Arbeiterhaushalt im 18. und 19. Jahrhundert*, Berlin 1967.

205 »Das Wohnungsbedürfnis besitzt unter allen menschlichen Bedürfnissen die größte Elastizität« (L. Pohle, *Die Wohnungsfrage*, Leipzig 1910, Bd. 1, S. 6).

206 Von 48355 Wohnungen der Stadt (St. Georg und St. Pauli) hatten mehr als die Hälfte, nämlich 25600 nur einen heizbaren Raum. In diesen lebten zwei Fünftel der Bevölkerung mit durchschnittlich vier Personen je Wohnung. Zu den Hamburger Wohnungszuständen siehe Hamburger Gesellschaft zur Beförderung der Künste und nützlichen Gewerbe (Hrg.), *Commissionsbericht über die Wohnungsverhältnisse der unbemittelten Volks-Classen Hamburgs in sanitätischer und finanzieller Beziehung und über die Mittel zur Abhülfe der vorhandenen Uebelstände*, Hamburg o.J. (1855?); H. Asher, *Das Gängeviertel und die Möglichkeit, dasselbe zu durchbrechen*, Hamburg 1865; Antje Kraus, *Die Unterschichten Hamburgs in der ersten Hälfte des 19. Jahrhunderts. Entstehung, Struktur und Lebensverhältnisse. Eine historisch-statistische Untersuchung*, Hamburg 1965; *Hamburg. Historisch-topographische und baugeschichtliche Mitteilungen*, Hamburg 1868 (Nachdruck 1979); F. Winkelmann, *Wohnhaus und Bude in Alt-Hamburg. Die Entwicklung der Wohnverhältnisse von 1250 bis 1830*, Berlin 1937; Hans-Jürgen Nörnberg, Dirk Schubert, *Massenwohnungsbau in Hamburg. Materialien zur Entstehung und Veränderung Hamburger Arbeiterwohnungen und -siedlungen 1800–1967*, Berlin 1975; Clemens Wischermann, *Wohnen in Hamburg vor dem Ersten Weltkrieg*, Münster 1983 (*Studien zur Geschichte des Alltags*, Bd. 2); Jörg Haspel, *Hamburger Hinterhäuser, Terrassen – Passagen – Wohnhöfe*, Hamburg 1987.

207 Zu den Berliner Wohnungsverhältnissen siehe Dunker, »Ein Beitrag zur Statistik der Berliner Wohnungsverhältnisse«, in *Monatsschrift für deutsches Städtewesen*, 1857; Statistisches Büro der Stadt Berlin (Hrg.), *Berlin und seine Entwicklung. Städtisches Jahrbuch für Volkswirthschaft und Statistik* (Berlin), 3. Jg. (1869); G. Berthold, »Die Wohnungsverhältnisse der ärmeren Klassen«, in Verein für Sozialpolitik (Hrg.), *Die Wohnungsnoth der ärmeren Klassen in deutschen Großstädten und Vorschläge zu deren Abhülfe. Gutachten und Berichte*, Leipzig 1886, Bd. 1 (*Schriften des Vereins für Sozialpolitik*, Bd. 30); Ludwig Diestelkamp, *Wohnungsverhältnisse unserer ärmeren Klassen*, Berlin 1886; Richard Freund, Hermann Malachowski, *Zur Berliner Arbeiterwohnungsfrage. Ein Beitrag*, Berlin 1892; *Untersuchungen über die Wohnungsverhältnisse der ärmeren Klassen in Berlin*, Berlin 1893; Adolf Braun, *Berliner Wohnungsverhältnisse*, Berlin 1893; Emmy Reich, »Der Wohnungsmarkt in Berlin von 1840 bis 1910«, in *Staats- und sozialwissenschaftliche Forschungen*, München, Leipzig 1912, H. 164, S. 1 bis 160; G. Kutzsch, »Hinter den Fassaden. Das Volk Berlins im 19. Jahrhundert«, in *Der Bär von Berlin*, Berlin 1971, S. 7–26; Ingrid Thienel, *Städtewachstum im Industrialisierungsprozeß des 19. Jahrhunderts. Das Berliner Beispiel*, Berlin, New York 1973 (*Veröffentlichungen der Historischen Kommission zu Berlin*, Bd. 39).

208 In einer ergänzenden Studie zur Volkszählung 1867 formulierte Hermann Schwabe das in der Wohnungsliteratur immer wieder so genannte »Schwabesche Gesetz«. Diesem zufolge sinkt mit steigendem Einkommen der Ausgabenanteil für die Miete. Je geringer demnach das Einkommen, desto höher beläuft sich die relative Mietbelastung. Siehe Hermann Schwabe, »Das Verhältnis von Miethen und Einkommen in Berlin. Beiträge zu einer Consumtionsstatistik«, in *Berlin und seine Entwicklung. Gemeindekalender und städtisches Jahrbuch*, 2. Jg. (1868), S. 264–267. Siehe auch David Caplovitz, *The poor pay more, consumer practices of low income families*, New York 1963 (A Report of the Bureau of Applied Social Research, Columbia University).

209 Siehe Ernst Cahn, *Das Schlafstellenwesen in den deutschen Großstädten und seine Reform mit besonderer Berücksichtigung der Stadt München*, Stuttgart 1898; Otto Rühle, *Illustrierte Kultur- und Sittengeschichte des Proletariats*, Berlin 1930, Bd. 1, S. 393 ff.; hier wird berichtet, daß es in Berlin eine Haushaltung mit 34 Schlafgängern gab.

210 Als frühe zeitgenössische Darstellung siehe Dr. Krieger, »Über Kellerwohnungen, die nachtheiligen Einflüsse derselben auf die Gesundheit der Bewohner und Vorschläge zu deren Abhülfe«, in *Zeitschrift für praktische Baukunst*, 16. Jg. (1856), Sp. 99 ff.; Hermann Schwabe, »Die Berliner Kellerwohnungen nach ihrer Räumlichkeit und Bewohnerschaft«, in *Berlin und seine Entwicklung. Städtisches Jahrbuch für Volkswirtschaft und Statistik*, 5. Jg. (1871), S. 93 bis 96.

211 Siehe Ludwig Pohle, *Die Wohnungsfrage*, Bd. 1: *Das Wohnungswesen in der modernen Stadt*, Leipzig 1910, S. 6.

212 Anregungen aus England gaben Hector Gavin, *The habitations of the Industrial Classes; their influence on the physical and on the social and moral condition of those classes: Showing the necessity for legislative enactments, being an address delivered at Crosby Hall, November*

*17th, 1850*, London 1950; Henry Roberts, *The Dwellings of the Labouring Classes, Their Arrangement and Construction*, London 1851 (deutsche Ausgabe: C.F. Busse, *Ausgeführte Familienhäuser für die Arbeitenden Klassen*, Berlin 1852, H. 1); Charles Gatliff, *Practical Suggestions on Improved Dwellings for the Industrious Classes*, London 1854; und vor allem auch Friedrich Engels' Publikation *Die Lage der arbeitenden Klasse in England*, a.a.O. Auf die Zustände in Frankreich wiesen die schon genannten Publikationen von Villeneuve-Bargemont, Villermé und Blanqui hin. Ein Bild von Belgien vermittelte Edouard Ducpétiaux, *Rapport de la commission nommée par le conseil central de salubrité publique pour vérifier l'état des habitations de la classe ouvrière à Bruxelles et pour proposer les moyens de l'améliorer, lu dans la séance du 6 février 1838*, Brüssel 1838; ders., *De la Condition physique et morale des jeunes ouvriers et des moyens de l'améliorer*, Brüssel 1843, 2 Bde.; ders., *Projet pour la construction aux environs de Bruxelles d'un quartier modèle spécialement destiné à des familles d'ouvriers*, Brüssel 1844; ders., *Le Pauperisme en Belgique, causes et remèdes*, Brüssel 1844. Zum deutschen Pauperismus siehe Carl Jantke, Dietrich Hilger (Hrg.), *Die Eigentumslosen. Der deutsche Pauperismus und die Emanzipationskrise in Darstellungen und Deutungen der zeitgenössischen Literatur*, Freiburg i.Br., München 1965.

213 Zum »Großen Brand« in Hamburg und dem Wiederaufbau der Stadt siehe Julius Faulwasser, *Der große Brand und der Wiederaufbau von Hamburg. Ein Denkmal zu den 50jährigen Erinnerungstagen des 5. bis 8. Mai 1842*, Hamburg 1892 (Nachdruck Hamburg 1978); Fritz Schumacher, *Wie das Kunstwerk »Hamburg« nach dem großen Brand entstand*, Berlin 1920; Hans Speckter, *Der Wiederaufbau Hamburgs nach dem großen Brande von 1842. Vorbild und Mahnung für die heutige Zeit*, Hamburg 1952.

214 Siehe Johann Hinrich Wichern, *Sämtliche Werke*, hrg. von Peter Meinhold, Berlin 1968/69, Bd. 3, 1. und 2. Halbband.

215 Es fällt die Ähnlichkeit zu Robert Owens »villages of unity and mutual cooperation« auf. Tatsächlich waren Owens Werke in Hamburg bekannt, Karl Sieveking hatte sogar persönlichen Kontakt mit Owen. Siehe Martin Gerhardt, *Johann Hinrich Wichern. Ein Lebensbild*, Hamburg 1927.

216 Siehe Friedrich Harkort, *Bemerkungen über die Hindernisse der Civilisation und Emancipation der unteren Klassen*, Elberfeld 1844. Über Harkort selbst siehe Wolfgang Köllmann, *Friedrich Harkort*, Düsseldorf 1964, Bd. 1.

217 Als Publikationsorgan siehe *Mitteilungen des Centralvereins in Preußen für das Wohl der arbeitenden Klassen*, ab 1858: *Zeitschrift des Centralvereins in Preußen für das Wohl der arbeitenden Klassen*, ab 1863: *Der Arbeiterfreund*. *Zeitschrift des Centralvereins in Preußen für das Wohl der arbeitenden Klassen*, ab 1873: *Der Arbeiterfreund*. Über den Verein siehe Nora Stiebel, *Der Zentral-Verein für das Wohl der arbeitenden Klassen in Preußen*, Diss., Heidelberg 1922.

218 In *Zeitschrift für praktische Baukunst*, 5. Jg. (1845), S. 297ff.

219 Siehe Heinrich Volkmann, *Die Arbeiterfrage im preußischen Abgeordnetenhaus 1848–1869*, Berlin 1968.

220 Siehe Max Quark, *Die erste deutsche Arbeiterbewegung. Geschichte der Arbeiterverbrüderung 1848/49. Ein Beitrag zur Theorie und Praxis des Marxismus*, Leipzig 1924; J.C. Lüchow, *Die Organisation der Arbeit und deren Ausführbarkeit*, Berlin 1848; Frolinde Balser, *Sozial-De-*

*mokratie 1848/49–1863. Die erste deutsche Arbeiterorganisation »Allgemeine Arbeiterverbrüderung« nach der Revolution*, Stuttgart 1962 (*Industrielle Welt. Schriftenreihe des Arbeitskreises für moderne Sozialgeschichte*, Bd. 2).

221 Siehe C.F. Busse, *Ausgeführte Familienhäuser*, a.a.O., Bd. 1.

222 Siehe die verschiedenen Kongreßberichte: *Congrès international de bienfaisance de Bruxelles, Session de 1856*, Brüssel 1857, Bd. 1 und 2; *Congrès international de bienfaisance de Francfort-sur-Main*, Frankfurt a.M. 1857/58, Bd. 1 und 2; *Congrès international de bienfaisance de Londres, Session de 1856*, London, Brüssel, Paris 1863, Bd. 1 und 2.

223 Für den Bereich Bayern siehe Max von Pettenkofer, *Untersuchungen und Beobachtungen über die Verbreitungsart der Cholera*, München 1855; Aloys Martin, *Haupt-Bericht über die Cholera-Epidemie des Jahres 1854 im Königreich Bayern*, München 1857/58; W. Rimpau, *Die Entstehung von Pettenkofers Bodentheorie und die Münchner Choleraepidemie vom Jahre 1854. Eine kritisch-historische Studie*, Berlin 1933 (*Veröffentlichungen auf dem Gebiete der Medizinalverwaltung*, Bd. 44, H. 7). Für den Frankfurter Bereich siehe Georg Varrentrapp, *Über Entwässerung der Städte, über Werth und Unwerth der Wasserclosette mit besonderer Berücksichtigung von Frankfurt a.M.*, Berlin 1868. Für den Berliner Bereich siehe Rudolf Virchow, *Über die Kanalisation von Berlin*, Berlin 1868 (Gutachten); ders., *Canalisation oder Abfuhr*, Berlin 1869; ders., *Reinigung und Entwässerung Berlins. General-Bericht über die Arbeiten der städtischen gemischten Deputation für die Untersuchung der auf die Kanalisation und Abfuhr bezüglichen Fragen*, Berlin 1889. Fortgeführt wurde die Diskussion durch Hugo Senftleben, »Die Bedeutung und der Fortschritt in der Wohnungsfrage«, in *Der Arbeiterfreund*, 6. Jg. (1868), S. 365ff., 7. Jg. (1869), S. 82ff., 213ff., 376ff.

224 Das Programm war von Schulze-Delitzsch, dem Initiator der deutschen Genossenschaftsbewegung, vorbereitet worden. Viktor Aimé Huber übernahm die Aufgabe, in seinem Referat »Über die geeigneten Maßregeln zur Abhilfe der Wohnungsnoth« dem Kongreß klarzumachen, wie sehr der Arbeiterwohnungsbau in Deutschland zu wünschen übrigließ.

225 Publiziert als Sonderdruck Karl Brämer (Hrg.), *Die Wohnungsfrage mit besonderer Rücksicht auf die arbeitenden Klassen*, Berlin 1865.

226 »Die Wohnungsfrage in den Städten kann nur gelöst werden, wenn es gelingt, die Herstellung der Wohngebäude, namentlich auch der kleineren und billigeren Wohnungen unter Berücksichtigung der nothwendigen, abseiten des Staates festzustellenden Sanitätsbedingungen nach Maßgabe des Bedürfnisses durch die Privatspekulation zu beschaffen.« (*Vierteljahresschrift für Volkswirthschaft und Kulturgeschichte*, Bd. 19, S. 122). Siehe auch Walter Vossberg, *Die deutsche Baugenossenschaftsbewegung*, Berlin 1906, S. 14ff.

227 Siehe Wilhelm Adolf Lette, *Die Wohnungsfrage*, Berlin 1866 (*Sammlung gemeinverständlicher wissenschaftlicher Vorträge*, H. 4); A. Emminghaus, »Zur Wohnungsfrage«, in *Der Arbeiterfreund*, 6. Jg. (1868), S. 213ff.; Emil Sax, *Die Wohnungszustände*, a.a.O.; Eduard Wiß, *Über die Wohnungsfrage in Deutschland*, Berlin 1872.

228 Die Artikelfolge im Volksstaat reichte von Nr. 51 vom 26.6.1872 bis Nr. 16 vom 22.2.1873. Die Beiträge wurden unter dem Titel »Zur Wohnungsfrage« als Separatdruck aus dem Volksstaat zusammengefaßt und in Abschnitt 1. und 2. 1872 und in Abschnitt 3. 1873 in Leipzig

veröffentlicht. Eine zweite von Engels durchgesehene Auflage erschien 1887 in Hottingen-Zürich. Siehe Karl Marx, Friedrich Engels, *Werke*, Berlin (DDR) 1981, Bd. 18, S. 209–287.

229 Siehe Else Conrad, *Der Verein für Sozialpolitik und seine Wirksamkeit auf dem Gebiet der gewerblichen Arbeiterfrage*, Jena 1906; Franz Boese, *Geschichte des Vereins für Sozialpolitik*. Im Auftrag des Liquidationsausschusses verfaßt vom Schriftführer, Berlin 1939.

230 Siehe Heinrich Koller, *Verhandlungen der Eisenacher Versammlung zur Besprechung der sozialen Frage*, Leipzig 1873.

231 Siehe Ernst Engel, »Die Wohnungsnoth«, in *Verhandlungen der Eisenacher Versammlung*, a.a.O., S. 146ff.; auch erschienen unter dem Titel *Die moderne Wohnungsnoth. Signatur, Ursachen und Abhülfe*, Leipzig 1873.

232 Siehe *Die Wohnungsnoth der ärmeren Klassen in deutschen Großstädten und Vorschläge zu deren Abhülfe*, Leipzig 1886, Bd. 1 und 2 (*Schriften des Vereins für Sozialpolitik*, Bd. 30 und 31).

233 Abgedruckt in *Jahrbuch für Gesetzgebung, Verwaltung und Volkswirtschaft*, o.O. 1887, Bd. 11, S. 425–448; hier zit. nach S. 448.

234 Siehe *Neue Untersuchungen über die Wohnungsfrage in Deutschland und im Ausland*, Leipzig 1901, 3 Bde. (*Schriften des Vereins für Sozialpolitik*, Bde. 94–96). Als wichtigste Publikationen von Rudolf Eberstadt siehe: *Rheinische Wohnverhältnisse und ihre Bedeutung für das Wohnungswesen in Deutschland*, Jena 1903; *Die Spekulation im neuzeitlichen Städtebau. Eine Untersuchung der Grundlagen des städtischen Wohnungswesens. Zugleich eine Abwehr der gegen die systematische Wohnungsreform gerichteten Angriffe*, Jena 1907; *Handbuch des Wohnungswesens und der Wohnungsfrage*, Jena 1909 (2. Aufl. 1910, 3. Aufl. 1917, 4. umgearb. und erweit. Aufl. 1920); *Neue Studien über Städtebau und Wohnungswesen*, Jena 1912, Bd. 1; Bd. 2: *Städtebau und Wohnungswesen in Holland*, Jena 1914; Bd. 3: *Die Kleinwohnungen und das städtebauliche System in Brüssel und Antwerpen*, Jena 1919.

235 Zit. nach Hartmut Frank, Dirk Schubert (Hrg.), *Lesebuch zur Wohnungsfrage*, Köln 1983, S. 65. Siehe des weiteren H.A. Bueck, *Kathedersozialismus*, Berlin 1906.

236 Huber wurde am 10. März 1800 in Stuttgart geboren. Er verlor bereits mit vier Jahren seinen Vater. Von 1806 bis 1816 wurde er in Philipp Emanuel von Fellenbergs Erziehungsanstalt in Hofwil erzogen und ausgebildet. Von 1817 bis 1820 studierte er Medizin in Göttingen und promovierte im November 1820 in Würzburg zum Dr. med. 1821 hielt er sich zu Studien im Quartier Latin in Paris auf. Es folgten Reisen bis 1827 durch Spanien und Portugal sowie England und Schottland. 1828 bis 1832 war er Lehrer an der Handelsschule Bremen. Als Professor der neueren Geschichte und der abendländischen Sprachen wirkte er 1832 bis 1836 an der Universität Rostock, 1836 bis 1843 an der Universität Marburg und 1843 bis 1851 an der Universität Berlin. 1852 zog er sich als Privatgelehrter nach Wernigerode im Harz zurück, wo er am 19. Juli 1869 starb. An Literatur über Viktor Aimé Huber siehe Schwartzkopf, »Professor Huber und seine Stellung zu den Aufgaben unserer Zeit«, in *Volksblatt für Stadt und Land*, Jg. 1851, Nr. 54 und 55; Bernhard Becker, »Herr Prof. Huber und die deutsche Arbeiterbewegung«, in *Nordstern, Zeitung des allgemeinen deutschen Arbeitervereins* vom 18.7.1863; Adolf Stöcker, »Zur Erinnerung an V.A. Huber«, in *Neue Evangelische Kirchenzeitung*, Jg. 1869, Nr. 40; Rudolf Elvers, *Viktor Aimé Huber. Sein Werden und Wirken*, Bremen

1872 und 1874; Eugen Jäger, *V. A. Huber, ein Vorkämpfer der socialen Reform, in seinem Leben und seinen Bestrebungen*, Berlin 1880; Ludolf Parisius, »Viktor Aimé Hubers Beziehungen zu Schulze-Delitzsch«, in *Blätter für Genossenschaftswesen*, Jg. 1884, Nr. 38, S. 239; K. Munding (Hrg.), *V. A. Hubers ausgewählte Schriften über Sozialreform und Genossenschaftswesen*, Berlin 1894, S. 13–114; Gustav Mayer, »V. A. Huber, Lasalle und die Monarchie«, in Carl Grünberg (Hrg.), *Archiv für Geschichte des Sozialismus und der Arbeiterbewegung*, Leipzig 1911, Bd. 1; Werner Hegemann, *Der Städtebau nach den Ergebnissen der allgemeinen Städtebauausstellung in Berlin*, Berlin 1911, Bd. 1, S. 18 ff.; Johannes Nattermann, »V. A. Huber«, in *Deutsche Arbeit* (Köln), 4. Jg. (1919); Frieda Mühle, *Viktor Aimé Hubers wirtschafts- und sozialpolitische Gedankenwelt*, Diss., Jena 1922; Ernst Fasbender, *V. A. Huber und der Genossenschaftsgedanke*, Diss., Freiburg i. Br. 1922; Walter Tron, *V. A. Hubers soziologische und sozialpolitische Grundbegriffe*, Diss., Gießen 1923; Friedel Stier, »Viktor Aimé Hubers Auffassung von den sozialpolitischen Problemen seiner Zeit«, in *Genossenschafts-Korrespondenz* (Halle a. d. S.), 5. Jg., Juli und Oktober 1927; ders., »Viktor Aimé Huber als Schöpfer eines eigenen genossenschaftlichen Lösungsversuches der sozialen Frage«, in *Genossenschafts-Korrespondenz* (Halle a. d. S.), 6. Jg., Juli und Oktober 1928; ders., »Viktor Aimé Huber und die Genossenschaftsbewegung«, in Ernst Grünfeld (Hrg.), *Vierteljahresschrift für Genossenschaftswesen* (Halle a. d. S.), 7. Jg. (1929), S. 113 ff.; Helmut Faust, *Viktor Aimé Huber. Ein Bahnbrecher der Genossenschaftsidee*, Hamburg 1952; Ingwer Paulsen, *Viktor Aimé Huber als Sozialpolitiker*, Leipzig 1931 (*Königsberger historische Forschungen*, Bd. 2); Helmut Faust, *Geschichte der Genossenschaftsbewegung. Ursprung und Weg der Genossenschaften im deutschen Sprachraum*, Frankfurt a. M. 1965 (2., neu bearb. und erweit. Aufl.), S. 145–172.

237 Siehe *Janus, Jahrbücher deutscher Gesinnung, Bildung und That*, hrg. von V. A. Huber, Berlin 1845, Bd. 2, S. 714.

238 Zit. nach *V. A. Hubers ausgewählte Schriften über Sozialreform und Genossenschaftswesen* …, a. a. O., S. 88 f.

239 Der volle Titel lautet: *Die Selbsthülfe der arbeitenden Klassen durch Wirtschaftsvereine und innere Ansiedlung*, Motto: »Den deutschen Arbeitern gehen jährlich an Arbeitslohn über dreihundert und fünfzig Millionen Thaler durch die Hände – damit ist alles gesagt!« *Adresse an das deutsche Volk*, Berlin 1848 (*Wiederabdruck in Schriftensammlung genossenschaftlicher Kultur*, H. 21 und 23, Eßlingen 1916).

240 Siehe V. A. Huber (Hrg.), *Concordia, Blätter der Berliner gemeinnützigen Baugesellschaft* (Berlin), 1.5.1849 bis Neujahr 1850. Aufschlußreich ist, daß, nachdem von den ersten vier Nummern 30000 Exemplare gedruckt und verschickt worden waren, lediglich elf Bestellungen erfolgten (nach Ingwer Paulsen, a. a. O., S. 95).

241 Siehe V. A. Huber, *Concordia, Beiträge zur Lösung der socialen Fragen in zwanglosen Heften*, Leipzig 1861, 8 Hefte.

242 Zit. nach *Concordia*, Leipzig 1861, H. 2, S. 20.

243 Einen Beweis für die konservative Denkweise liefert seine Schrift *Die Wohnungsnoth der kleinen Leute in den großen Städten*, Leipzig 1857. Man erfährt darin folgende Ansicht (S. 49): »Abgesehen davon, daß die Wohnungsreform und natürlich am meisten in ihrer vollsten Entwicklung eines der wirksamsten Mittel

sein wird, um bedenkliche Ansichten, Stimmungen und Gesinnungen der kleinen Leute zu brechen und zu korrigieren, wird schlimmstenfalls die polizeiliche Überwachung oder die militärische Unterdrückung gefährlicher Bewegungen unter sonst gleichen Umständen in dem Maße leichter sein, wie die Stellung der Gegner übersichtlich, offen und zugänglich ist. Man frage doch erfahrene Kriegsleute, ob sie ein paar hundert Arbeiter usw. lieber in einer offenen freundlichen Vorstadt mit kleinen Häusern und breiten Straßen angreifen mögen, oder in den engen Straßen und hohen Häusern der Stadt? Man frage doch die Barrikadenmänner, welches Terrain sie vorziehen würden?«

244 Zum Beispiel aus dem sozialpolitisch konservativen Kreis um Hermann Wagener. Siehe *Berliner Revue* (Berlin), Bd. 34 (1863), S. 75 ff.

245 Publiziert in Julius Faucher, Otto Michaelis (Hrg.), *Vierteljahresschrift für Volkswirthschaft und Kulturgeschichte* (Berlin), 3. Jg. (1865), Bd. 4, März, S. 127–199, und 4. Jg. (1866), Bd. 3, Oktober, S. 86–151. Faucher hatte jedoch schon viel früher in der 1845 erschienenen Schrift *Die Vereinigung von Sparcasse und Hypothekenbank und der Anschluß eines Häuserbauvereins als social-ökonomische Aufgabe unserer Zeit, insbesondere die Bestrebungen für das Wohl der arbeitenden Klassen*, Berlin 1845, Vorschläge zum Wohnungsbau gemacht.

246 Faucher schreibt dazu: »… wo allerdings, nicht mit glücklichem Ausgang für die Bauunternehmer in der Ringstraße 1000 und 2000 Gulden für die Quadratklafter bezahlt worden sind, während vor der Herrnalser und Währinger Linie, noch nicht 20 Minuten vom Schotenring, in einer Gegend, wo lebhaft gebaut wird, die Quadratklafter für 5 Gulden feilgeboten wird.« (*Vierteljahresschrift* …, a. a. O., S. 186).

247 In Frankreich bewirkte die Tür- und Fenstersteuer mit jährlich 62 Millionen Francs, daß viele Wohnungen ohne genügend Licht und Luft blieben, das heißt, daß die Häuser nur wenige Fenster erhielten. Im Jahre 1883 gab es 219 270 Häuser mit rund 1,3 Millionen Bewohnern, welche Licht und Luft nur durch die Türe oder ein in die Mauer gebrochenes Loch bezogen. 2 Millionen Häuser mit 11 Millionen Bewohnern hatten nur zwei Fenster (nach Eugen Jäger, *Die Wohnungsfrage*, Berlin 1902, Bd. 1, S. 109).

248 Faucher bezieht seine Beobachtungen hier auf Berlin und auf die Auswirkungen des sogenannten Hobrechtplans, den er als »den unglücklichsten Stadtbauplan, den man vom Könige bestätigen liess«, bezeichnet. Ob die von ihm beschriebene Gesetzmäßigkeit an anderen Orten genauso wirksam war, mag hier offenbleiben.

249 Publiziert in *Vierteljahresschrift für Volkswirthschaft und Kulturgeschichte* (Berlin), 7. Jg. (1869), Bd. 25, H. 1, S. 48–74.

250 Zit. nach ebd., S. 51.

251 Siehe Werner Hegemann, *Der Städtebau nach den Ergebnissen der allgemeinen Städtebauausstellung in Berlin*, Berlin 1911, T. 1.

252 Die Personalien der Verfasserin lauten: Adelhaid Gräfin Poninska, geborene Gräfin zu Dohna-Schlodien a. d. H. Kotzenau, geboren am 14.8.1804, verheiratet mit Adolf Graf Lodzia Poninski.

253 Siehe Adelhaid Gräfin Poninska, *Grundzüge eines Systems der Regeneration der unteren Volksklassen durch Vermittlung der höheren*, Leipzig 1854, Bd. 1, mit dem Untertitel: »Den Führern und Freunden der inneren Mission wie den Freunden der Armen überhaupt als Handbuch für Weiterbildung einer sittlichen

Oekonomie gegenüber den Nothständen im Volke«.

254 Es ist das Verdienst Werner Hegemanns, in *Der Städtebau*, a. a. O., 1. Teil, S. 62–70, auf dieses Buch hingewiesen zu haben. Er sah darin einen der in der zweiten Hälfte des 19. Jahrhunderts seltenen Beiträge zu einer »Theorie über die Architektur der Großstädte«. In der Tat ist es noch zwei Jahre vor Reinhard Baumeisters Schrift *Stadt-Erweiterungen in technischer, baupolizeilicher und wirtschaftlicher Beziehung*, Berlin 1876, entstanden.

255 Gräfin Poninska weist im besonderen auf die »Schrebergärten« der Westvorstadt von Leipzig und auf die Laubenkolonien von Berlin hin.

256 Als maßgebender Stadtbautheoretiker dieser Zeit ist Reinhard Baumeister (1833–1917) zu nennen, bekannt durch seine Schrift *Stadt-Erweiterungen in technischer, baupolizeilicher und wirtschaftlicher Beziehung*, a. a. O.

257 Die auf der Generalversammlung des Verbandes Deutscher Architekten- und Ingenieur-Vereine 1874 in Berlin angenommene Resolution umfaßte unter dem Titel »Grundzüge für Stadterweiterungen nach technischen, wirtschaftlichen und polizeilichen Beziehungen« sieben Punkte. Siehe *Deutsche Bauzeitung*, Jg. 8 (1874), Nr. 87, S. 346.

258 Zur Industrialisierung in Deutschland siehe Heinrich Bechtel, *Wirtschaftsgeschichte Deutschlands*, München 1951 (2. Aufl.); H. Haussherr, *Wirtschaftsgeschichte der Neuzeit*, Köln 1960 (3. Aufl.); W. Treue, »Wirtschafts- und Sozialgeschichte Deutschlands im 19. Jahrhundert«, in Bruno Gebhardt, *Handbuch der deutschen Geschichte*, Stuttgart 1960 (8. Aufl.), Bd. 3; M. Pietsch, *Die industrielle Revolution*, Freiburg i. Br. 1961; F. Lütge, *Deutsche Sozial- und Wirtschaftsgeschichte. Ein Überblick*, Berlin, Heidelberg, New York 1966 (3. Aufl.); K. E. Born, *Moderne deutsche Wirtschaftsgeschichte*, Köln, Berlin 1967; J. Kulischer, *Allgemeine Wirtschaftsgeschichte des Mittelalters und der Neuzeit*, München 1971, Bd. 2; Rudolf Rübberdt, *Geschichte der Industrialisierung: Wirtschaft und Gesellschaft auf dem Weg in unsere Zeit*, München 1972; Helmut Böhme, *Prolegomena zu einer Sozial- und Wirtschaftsgeschichte Deutschlands im 19. und 20. Jahrhundert*, Frankfurt a. M. 1973 (5. Aufl.); Hans Mottek, *Wirtschaftsgeschichte Deutschlands. Ein Grundriß*, Berlin 1976, Bd. 2; A. Aubin, W. Zorn (Hrg.), *Handbuch der deutschen Wirtschafts- und Sozialgeschichte*, Stuttgart 1976, Bd. 2; Hermann Kellenbenz, *Deutsche Wirtschaftsgeschichte*, München 1981, Bd. 2; Hans-Ulrich Wehler, *Deutsche Gesellschaftsgeschichte*, München 1987, Bd. 2 und 3.

259 Siehe Fritz Allmers, *Die Wohnungsbaupolitik der gemeinnützigen Bauvereine im Rheinland von 1815 bis 1914*, Diss., Köln 1924.

260 Immerhin vertritt A. Emminghaus in seiner *Allgemeinen Gewerkslehre* (Berlin 1868, S. 110) den Standpunkt: »Es kann keinem Zweifel unterliegen, daß wenn der Gewerksunternehmer mit verantwortlich ist für das leibliche und geistige Gedeihen seiner Gewerksgehülfen …, er verpflichtet ist, den Wohnungsverhältnissen seiner Arbeiter die größte Aufmerksamkeit zu widmen.« Siehe auch Wilhelm Oechselhäuser, *Die sozialen Aufgaben der Arbeitgeber*, Berlin 1887.

261 Siehe im einzelnen Robert Hundt, *Bergarbeiter-Wohnungen im Ruhrgebiet*, Berlin 1902, S. 40–42.

262 Siehe Kurt Degen, *Die Herkunft der Arbeiter in der Industrie Rheinland-Westfalens*, Diss., Bonn 1916; W. Horst, *Studien über die Zusam-*

menhänge zwischen Bevölkerungsbewegung und Industrieentwicklung im niederrheinisch-westfälischen Industriegebiet, o.O. 1937; Wilhelm Brepohl, »Der Aufbau des Ruhrvolkes im Zuge der Ost-West-Wanderung«, in Soziale Forschung und Praxis, Bd. 7 (1948); Wolfgang Köllmann, »Industrialisierung, Binnenwanderung und soziale Frage. Zur Entstehungsgeschichte der deutschen Industriegroßstadt im 19. Jahrhundert«, in Vierteljahrsschrift für Sozial- und Wirtschaftsgeschichte, Bd. 46 (1959), H. 1, S. 45 bis 70.

263 Nach G. Sattig, »Über die Arbeiterwohnungsverhältnisse im oberschlesischen Industriebezirk«, in Zeitschrift des Oberschlesischen Berg- und Hüttenmannischen Vereins, 1892, H. 1, S. 1–50.

264 Siehe, auch für die folgenden Ausführungen, Rolf Spörhase, Wohnungsbau als Aufgabe der Wirtschaft. Förderung des Wohnungsbaus durch Wirtschafts-Unternehmungen. Methoden und Leistungen, Stuttgart 1956, S. 15 ff.

265 Nach Otto Trüdinger, Die Arbeiterwohnungsfrage und die Bestrebungen zur Lösung derselben, Jena 1888, S. 121 f. (Staatswissenschaftliche Studien, Bd. 2, H. 5).

266 Als allgemeine Literatur zu den Arbeiterkolonien siehe Julius Hiltrop, Beiträge zur Statistik des Oberbergamtsbezirks Dortmund mit besonderer Berücksichtigung der Ansiedlungsbestrebungen der Grubenbesitzer für die Belegschaft ihrer Werke, Berlin 1875; Die Einrichtungen für die Wohlfahrt der Arbeiter der größeren gewerblichen Anlagen im preußischen Staate, bearbeitet im Auftrag des Ministers für Handel und Gewerbe und öffentliche Arbeiten, Berlin 1875, T. 1; Die Einrichtungen zum Besten der Arbeiter auf den Bergwerken Preußens. Im Auftrag Seiner Excellenz des Herrn Ministers für Handel, Gewerbe und öffentliche Arbeiten nach amtlichen Quellen bearbeitet, Berlin 1875/76, 2 Bde.; Georg Berthold, Die Entwicklung der deutschen Arbeiterkolonien, Leipzig 1887; Julius Post, Musterstätten persönlicher Fürsorge von Arbeitgebern für ihre Geschäftsangehörigen, Berlin 1889 und 1893, 2 Bde.; Heinrich Albrecht, Handbuch der sozialen Wohlfahrtspflege. Auf Grund des Materials der Zentralstelle für Arbeiterwohlfahrtseinrichtungen, Berlin 1902; P. Mieck, Die Arbeiter-Wohlfahrtseinrichtungen der industriellen Unternehmer in den preußischen Provinzen Rheinland und Westfalen und ihre volkswirtschaftliche und soziale Bedeutung, Berlin 1904; Alfred Thimm, Die Bergmannssiedlungen im Ruhrkohlenbezirk, Essen 1920; Siedlungen und soziale Einrichtungen des Thyssen-Bergbaues am Niederrhein, Hamborn 1922; August Heinrichsbauer, Industrielle Siedlung im Ruhrgebiet in Vergangenheit, Gegenwart und Zukunft, Essen 1936; Irmgard Lange-Kothe, »Hundert Jahre Bergarbeiterwohnungsbau«, in Der Anschnitt. Mitteilungsblatt der Vereinigung der Freunde von Kunst und Kultur im Bergbau (Bochum), 2. Jg. (1950), H. 3, S. 7–19; Josef Lang, Die geschichtliche und räumliche Entwicklung des Bergarbeiterwohnungsbaues im Ruhrgebiet, Diss., Köln 1952; Heinz Torstorff, Der Bergarbeiterwohnungsbau, Essen 1952; Peter Georgii, Möglichkeiten und Probleme betrieblicher Wohnungsfürsorge, Diss., München 1954; Karl Frank, Betrieblicher Wohnungsbau – Gestern, Heute, Morgen, Frankfurt a.M. 1955; Hans Ziegler, Die Wohlfahrtspflege der Industriebetriebe im Kölner Wirtschaftsraum von 1815–1915, Diss., Köln 1956; Wilfried Dege, »Zechenkolonie und Bergarbeitersiedlungen im Ruhrgebiet«, in Naturkunde in Westfalen, 4. Jg. (1968), H. 4, S. 119–128; Michael Weisser, »Arbeiterkolonien – Über Motive zum Bau von Ar-

beiterwohnungen durch industrielle Unternehmen im 19. und frühen 20. Jahrhundert in Deutschland«, in Joachim Petsch (Hrg.), Architektur und Städtebau im 20. Jahrhundert, Berlin 1975, Bd. 2, S. 7–56; Adolf F. Heinrich, Die Wohnungsnot und die Wohnungsfürsorge privater Arbeitgeber in Deutschland im 19. Jahrhundert, Diss., Marburg 1970; Franziska Bollerey, Kristina Hartmann, Wohnen im Revier. 99 Beispiele aus Dortmund. Siedlungen vom Beginn der Industrialisierung bis 1933. Ein Architekturführer mit Strukturdaten, München 1975; Landeskonservator Rheinland (Hrg.), Arbeitersiedlungen. Technische Denkmäler, Mönchengladbach 1975 (2. Aufl.), Bd. 1 und 2; Renate Kastorff-Viehmann, Wohnung, Wohnhaus und Siedlung für Arbeiter-Bevölkerung im Ruhrgebiet von der Mitte des 19. Jahrhunderts bis zum Beginn des 1. Weltkrieges, Diss., Aachen 1980; dies., Wohnungsbau für Arbeiter. Das Beispiel Ruhrgebiet bis 1914, Aachen 1981; Roland Günter, »Arbeitersiedlungen im Ruhrgebiet«, in Kunst des 19. Jahrhunderts im Rheinland, Düsseldorf 1980, Bd. 2, T. 2; Peter Kirsch, Arbeiterwohnsiedlungen im Königreich Württemberg in der Zeit vom 19. Jahrhundert bis zum Ende des 1. Weltkriegs, Tübingen 1982; Johann Biecher, Walter Buschmann (Hrg.), Arbeitersiedlungen im 19. Jahrhundert. Historische Entwicklung, Bedeutung und aktuelles Erhaltungsinteresse, Bochum 1985.

267 Siehe Peter Georgii, Möglichkeiten und Probleme betrieblicher Wohnungsfürsorge, a.a.O.

268 Über die Qualität der Zechenwohnungen siehe Robert Hundt, Bergarbeiter-Wohnungen im Ruhrrevier, Dortmund 1902, S. 14–32, Tab. 3.

269 Siehe Otto Redlich u.a., Geschichte der Stadt Ratingen von den Anfängen bis 1815, Ratingen 1926.

270 Siehe Franz Josef Gemmert, Die Entwicklung der ältesten kontinentalen Spinnerei – Eine betriebswirtschaftlich-historische Untersuchung, Diss., Leipzig 1927; ders., 150 Jahre Spinnweberei Cromford eGmbH, Ratingen-Cromford, Düsseldorf 1933; Günter Rzeppa, Arbeitsmethoden und Geschäftsverbindungen einer Textilfabrik von den Anfängen bis ins frühe 19. Jahrhundert, Diss., Köln 1957/58.

271 Zit. nach Westfälischer Anzeiger, Nr. 13, 15.2.1803.

272 Siehe Gerhard Günther, »Das industriegeschichtliche Ensemble ›Cromford‹ in Ratingen«, in Rheinische Heimatpflege, 20. Jg. (1983), N.F., H. 2, S. 81–86.

273 Nach Johann Georg von Viebahn, Statistik und Topographie des Regierungs-Bezirks Düsseldorf, Düsseldorf 1836, T. 2, S. 78.

274 Siehe Georg Dehio, Handbuch der deutschen Kunstdenkmäler: Hamburg, Schleswig-Holstein, München, Berlin 1971, S. 139; Kunsttopographie Schleswig-Holstein, bearbeitet vom Landesamt für Denkmalpflege Schleswig-Holstein und im Amt für Denkmalpflege der Hansestadt Lübeck, Neumünster 1974, S. 623; Rainer Slotta, Technische Denkmäler in der Bundesrepublik Deutschland, Bochum 1975, S. 247 f. (Veröffentlichungen aus dem Bergbau-Museum Bochum, Nr. 7).

275 Zu Eisenheim siehe Rolf Spörhase, Wohnungsbau, a.a.O., S. 28 f., 32 f., 150; K. Lange, »Bilder aus der Geschichte Osterfelds«, in Oberhausener Heimatbuch, Oberhausen 1964; Adolf F. Heinrich, Die Wohnungsnot, a.a.O., S. 122; Projektgruppe Eisenheim mit Jörg Boström und Roland Günter, Rettet Eisenheim. Eisenheim 1844–1972, Bielefeld 1972; Jörg Boström, Roland Günter, Projektgruppe Eisenheim des Fachbereichs Design, Fachhochschule Biele-

feld, »Arbeitersiedlung Eisenheim«, in Bauwelt 43, 63. Jg. (1972), S. 1625–1631; Roland Günter, Michael Weisser, »Eisenheim in Oberhausen. Die Untersuchung der ältesten Arbeitersiedlung Westdeutschlands (1844–1901). Eine Herausforderung an Kunstwissenschaft und Baugeschichte«, in Archithese 8 (1973), S. 45–54; Landeskonservator Rheinland (Hrg.), Arbeitersiedlungen 1. Technische Denkmäler, Arbeitsheft, o.O. 1975, S. 31 ff.; Roland Günter, »Eisenheim – das ist eine Art miteinander zu leben«, in R. Gronemeyer, H.E. Bahr (Hrg.), Nachbarschaft im Baublock, Weinheim 1977, S. 294–327; ders., »Eisenheim, ein Entwicklungsprozeß alternativer Kultur«, in H. v. Gizycki, H. Habich (Hrg.), Oasen der Freiheit, Frankfurt a.M. 1978, S. 154–164; ders. u.a., »Eisenheim. Die Erfahrungen einer Arbeiterkolonie«, in Lutz Niethammer (Hrg.), Wohnen im Wandel. Beiträge zur Geschichte des Alltags in der bürgerlichen Gesellschaft, Wuppertal 1979, S. 188–208; Kunst des 19. Jahrhunderts im Rheinland, Düsseldorf 1980, Bd. 2, T. 2, S. 466 ff.; Günter Morsch, Eisenheim. Die älteste Arbeitersiedlung im Ruhrgebiet, Köln 1990 (Landschaftsverband Rheinland, Rheinisches Industriemuseum, Wanderwege zur Industriegeschichte, Bd. 1); Rheinisches Industriemuseum (Hrg.), Eisenheim. Gründung und Ausbau, Niedergang und Neubeginn der ältesten Arbeitersiedlung im Ruhrgebiet. Ein Führer durch die Ausstellung, Köln 1990.

276 Siehe A. Woltmann, P. Frölich, Die Gutehoffnungshütte Oberhausen, Rheinland. Zur Erinnerung an das 100jährige Bestehen 1810 bis 1910, Oberhausen 1910; Hans-Josef Joest, Pionier im Ruhrgebiet, Stuttgart 1982.

277 Angegeben in Kunst des 19. Jahrhunderts im Rheinland, a.a.O., S. 466.

278 Ebd., S. 467.

279 1855 entschied sich die Firma noch einmal für diese Lösung und errichtete an anderer Stelle an der Essener Straße eine »Arbeiterkaserne nebst Menage«, in der nun sogar Hunderte von Beschäftigten eine Schlafstelle fanden. Man ersieht daraus, daß die Absicht, auf diese fragwürdige Art das Wohnungsproblem zu lösen, immer nahelag.

280 Aufstellung nach Adolf F. Heinrich, Die Wohnungsnot, a.a.O., S. 126.

281 Siehe Walter Buschmann, Linden, Geschichte einer Industriestadt im 19. Jahrhundert, Hildesheim 1981 (Quellen und Darstellungen zur Geschichte Niedersachsens, Bd. 92).

282 Zur Wohnungsnot in Hannover siehe Paul Hammer, Hannover wie es seit dem siebenjährigen Kriege gebauet hat und noch bauet. Nebst Vorschlägen zur unfehlbaren Abstellung des Mangels an Wohnungen für die mittlern und niedern Stände, Hannover 1845.

283 Einzelheiten siehe Wolfgang Voigt, Der Eisenbahnkönig oder Rumänien lag in Linden. Materialien zur Sozialgeschichte des Arbeiterwohnungsbaus mit Beispielen aus Hannovers Fabrikvorort Linden, München 1982 (2. Aufl.).

284 Sie waren so angelegt, daß bis zu 20 Textilarbeiter oder -arbeiterinnen von einer Wirtsfamilie beherbergt, verpflegt und beaufsichtigt werden konnten.

285 Siehe Ludwig Debo, Adolph Funk, Die Eisenbahnen im Königreich Hannover, Hannover 1852; Ludwig Debo, Baukunst, Vorlesungen an der Polytechnischen Schule Hannover, Kolleghest 1854/55, Technische Informationsbibliothek der Universität Hannover; ders., Baukunst, Vorlesungen 1860/61, 1873/74, 1874/75; Bauconstruktionslehre, Vorlesungen 1880.

286 Siehe L. Debo, G. Grote, Gemeinnützige Bauvereine: Bericht an Königlich-Hannoversches Ministerium des Innern, erstattet im März 1861,

*mit besonderer Berücksichtigung der Verhältnisse der Residenzstadt Hannover*, Hannover 1861.

287 Siehe Walter Buschmann, »Stadtplanung und Stadtentwicklung im 19. Jahrhundert, dargestellt am Beispiel der Industriestadt Linden«, in *Hannoversche Geschichtsblätter*, N.F., Bd. 34 (1980), S. 43–58; Werner Strate, »Die westliche Stadterweiterung Hannovers 1820–1870«, in *Hannoversche Geschichtsblätter*, N.F., Bd. 5 (1938/39), S. 105 ff.

288 Zur Arbeiterkolonie »Klein-Rumänien« siehe Richard, »Die Maschinen- und Lokomotivenfabrik der Hannoverschen Maschinenbau-Aktien-Gesellschaft zu Linden vor Hannover«, in *Zeitschrift des Arch.- und Ing. Vereins zu Hannover*, Bd. 20 (1874), S. 63 ff.; *Die Einrichtungen für die Wohlfahrt der Arbeiter der größeren gewerblichen Anlagen im preußischen Staate*. Bearbeitet im Auftrag des Ministeriums für Handel, Gewerbe und öffentliche Arbeiten, Berlin 1875/76, T. 1 und 2; Ludwig Klasen, *Die Arbeiter-Wohnhäuser in ihrer baulichen Anlage und Ausführung, sowie die Anlage von Arbeiter-Kolonien*, Leipzig 1879, S. 12, 33 f.; Wolfgang Voigt, *Der Eisenbahnkönig oder Rumänien lag in Linden*, a.a.O., S. 89–125; Walter Buschmann, *Linden*, a.a.O., S. 216–228.

289 Zu Strousberg siehe Friedrich Engels' Brief an Karl Marx vom 5.9.1869: »Der größte Mann in Deutschland ist unbedingt der Strousberg. Der Kerl wird nächstens noch deutscher Kaiser. Überall, wohin man kommt, spricht alles nur von Strousberg. Der Kerl ist übrigens so übel nicht. Mein Bruder, der Verhandlungen mit ihm hatte, hat ihn mir sehr lebendig geschildert. Er hat viel Humor und einzelne geniale Züge und ist jedenfalls dem Railwayking Hudson unendlich überlegen. Er kauft jetzt alle möglichen industriellen Etablissements auf und reduziert überall sofort die Arbeitszeit auf 10 Stunden, ohne den Lohn herabzusetzen. Dabei hat er das klare Bewußtsein, daß er als ein ganz armer Schlucker endigen wird. Sein Hauptprinzip ist: nur Aktionäre prellen, mit Lieferanten und andern Industriellen aber kulant sein. In Köln sah ich sein Portrait ausgehängt, gar nicht übel, jovial. Seine Vergangenheit ist ganz dunkel, nach einigen ist er studierter Jurist, nach andern hat er in London einen Puff gehalten.« (Karl Marx, Friedrich Engels, *Werke*, Berlin (DDR) 1974, Bd. 32, S. 370). Weiter siehe Ernst Korfi, *Dr. Bethel Henry Strousberg. Biographische Karakteristik*, Berlin 1870; Friedrich von Rhein, *Enthüllungen über Dr. Strousberg und sein Rumänisches Eisenbahn-Unternehmen*, Berlin 1871; J. Hoppe, *Dr. Strousberg und Consorten, die rumänische Regierung und die Besitzer rumänischer Eisenbahn-Obligationen*, Berlin 1871; L. Bratisch, *Dr. Strousberg und seine Ingeniore Rauschnigg, Victor, Busse, Wächter von Brand etc. Der Werth ihrer Bauten und die Beschaffenheit des vorhandenen Eisenbahnmaterials in Rumänien*, Berlin 1872; Otto Glagau, *Der Börsen- und Grundstücksschwindel in Berlin*, Leipzig 1877; Gottfried Reitböck, *Der Eisenbahnkönig Strousberg und seine Bedeutung für das europäische Wirtschaftsleben*, o.O. 1924 (*Beiträge zur Geschichte der Technik und Industrie*, Bd. 14).

290 Siehe Bethel Henry Strousberg, *Dr. Strousberg und sein Wirken, von ihm selbst geschildert*, Berlin 1876.

291 Strousberg baute auch noch an anderen Orten Arbeiterwohnungen, so 1870 in Dortmund die »Union-Vorstadt« mit etwa 170 Wohnungen, in Neustadt am Rübenberge 1870/71 60 Wohnungen und in Zbirow/Böhmen, wo er zu den von ihm gekauften und erweiterten Fabriken (Erzhütte, Schienen- und Blechwalzwerke) seine größte Arbeiterkolonie mit 200 Wohnhäusern hinzufügte.

292 Sie werden in der *Neuen Hannoverschen Zeitung*, 2.6.1869, genannt.

293 Angekündigt in der *Neuen Hannoverschen Zeitung*, 18.10.1869.

294 Angegeben werden zwei Spezereihandlungen, eine Bäckerei, eine Metzgerei, ein Restaurant, verschiedene Kleinhändler und Handwerker (Ludwig Klasen, a.a.O., S. 12).

295 Siehe *Strousberg und die Arbeit – Ein Mahn- und Manneswort an Kapitalisten und gebildete Arbeiter* (anonym), Berlin 1870; Bethel Henry Strousberg, *Dr. Strousberg*, a.a.O.

296 Auf dem Höhepunkt seines Wirkens (1870) verfügte Strousberg nach eigenen Angaben über ein Vermögen von 50 Millionen Talern und beschäftigte 150000 Menschen. Um so tiefer war sein Fall, der sich zwischen 1871 und 1876 in mehreren Etappen vollzog und bei dem er alles verlor. In Armut starb er 1884.

297 Siehe Walther Däbritz, *Hundert Jahre Hanomag*, Düsseldorf 1935.

298 Angegeben bei Richard, »Die Maschinen- und Lokomotivenfabrik«, a.a.O., S. 72. Spätere Einwohnerzahl jedoch nur noch 1200 bis 1300.

299 Siehe Eberhard Naujoks, *Stadt und Industrialisierung in Baden und Württemberg bis zum Ersten Weltkrieg (1800–1914)*, Bühl 1988 (*Themen der Landeskunde*, Bd. 1).

300 Die Stadt war um 1832 mit 17 Fabriken und 450 Arbeitern tatsächlich der erste Industrieort Württembergs. Zur industriellen Entwicklung Heilbronns siehe Ernst Schmid, *Die gewerbliche Entwicklung in der Stadt Heilbronn a.N. seit Beginn der Industrialisierung*, Diss., Tübingen 1939; Paul Pfister, *Beiträge zu Industrie und Handwerk in Heilbronn von der reichsfreien Stadt bis 1979*, Heilbronn 1982; B. Klageholz, *Die industrielle Entwicklung Heilbronns von den Anfängen bis zum Jahre 1914*, Diss., Tübingen 1985.

301 Siehe H. Lang, *Die Entwicklung der Bevölkerung in Württemberg und württembergischen Kreisen, Oberamtsbezirken und Städten im Laufe des XIX. Jahrhunderts*, Tübingen 1903.

302 Siehe Willi Zimmermann, »Die ersten Stadtbaupläne als Grundlage der Stadterweiterung von Heilbronn im 19. Jahrhundert. Ein Beitrag zur Stadtgeschichte«, in *Veröffentlichungen des historischen Vereins Heilbronn*, Bd. 22 (1957), S. 178–200.

303 Siehe Karl Victor Riecke, »Die Arbeiterwohnungen in Heilbronn«, in *Württembergische Jahrbücher für vaterländische Geschichte, Geographie, Statistik und Topographie*, Jg. 1856, S. 82–90.

304 Siehe Moritz von Rauch, *Geschichte der Familie Rauch in Heilbronn*, Heilbronn 1919.

305 Zur Arbeiterkolonie Fabrikstraße Heilbronn siehe Willi Zimmermann, »Sozialer Wohnungsbau 1856. Die ersten Arbeiterwohnungen in Heilbronn«, in *Schwaben und Franken*, 17. Jg. (1971), Nr. 11, S. 1–3, Nr. 12, S. 1–4; *Stadtsiedlung Heilbronn 1856–1981. 125 Jahre Stadtsiedlung Heilbronn AG. Ein Pionier des gemeinnützigen Wohnungsbaus*, Heilbronn 1982; Peter Kirsch, *Arbeiterwohnsiedlungen im Königreich Württemberg in der Zeit vom 19. Jahrhundert bis zum Ende des Ersten Weltkrieges*, Tübingen 1982, S. 71–82 (Tübinger Geographische Studien, H. 84); Städtische Museen Heilbronn (Hrg.), *Thaten der rettenden Nächstenliebe. 1856: Die ersten Arbeiterhäuser in Heilbronn*, Heilbronn 1987 (*Heilbronner Museumskatalog*, Nr. 29).

306 In Heilbronn waren 1861 2200 Arbeiter beschäftigt.

307 Näheres siehe Peter Kirsch, *Arbeiterwohnsiedlungen*, a.a.O.

308 Zur Arbeiterkolonie Stahlhausen siehe Oscar Spetzler, »Wohnungen für verheiratete und unverheiratete Arbeiter des Bochumer Vereins für Bergbau und Gußstahlfabrikation zu Bochum«, in *Zeitschrift für Baukunde*, Jg. 1879, S. 540–550; *Die Arbeiterwohnungen des Bochumer Vereins für Bergbau und Gußstahlfabrikation zu Bochum in Westfalen*, Berlin 1883; »Deutsche Arbeitsstätten in ihrer Fürsorge für das Wohl der Arbeiter«, in *Der Arbeiterfreund*, 23. Jg. (1885), S. 307 ff.; Lange, »Die Wohnungsverhältnisse der ärmeren Volksklassen in Bochum«, in *Schriften des Vereins für Sozialpolitik*, Bd. 31 (1886), S. 78–83; *Ausstellung des Vereins zur Förderung des gemeinnützigen Kleinwohnungswesens in der Provinz Westfalen*, Münster 1910 (Erläuterungen zu den Leistungen des Bochumer Vereins zu Bochum auf dem Gebiete des Kleinwohnungswesens); Walther Däbritz, *Bochumer Verein für Bergbau und Gußstahlfabrikation. Neun Jahrzehnte seiner Geschichte im Rahmen der Wirtschaft des Ruhrbezirks*, Festschrift, Bochum 1934; Rolf Spörhase, *Wohnungsbau als Aufgabe der Wirtschaft*, a.a.O., S. 28, 30.

309 Siehe Oscar Spetzler, »Wohnungen«, a.a.O., Sp. 537–550, Tafeln 30–34.

310 Siehe Emil Hofmann, *Die Industrialisierung des Oberamtsbezirks Göppingen*, Göppingen 1910; Hans Rotschild, *Die Süddeutsche Baumwoll-Industrie*, Diss., Stuttgart 1922; Friedrich-Franz Wauschkuhn, *Die Anfänge der württembergischen Textilindustrie im Rahmen der staatlichen Gewerbepolitik 1806–1848*, Diss., Hamburg 1974.

311 Siehe Gemeinde Kuchen (Hrg.), *Die Marktgemeinde Kuchen*, Kuchen 1978.

312 Zum Arbeiterquartier Kuchen siehe *Description de la cité ouvrière de MM. Staub et Cie à Kuchen près Geislingen en Wurtemberg*, Stuttgart 1867, *Supplément à la description de la cité ouvrière de MM. Staub & Cie*, Stuttgart 1867; Arnold Staub, *Beschreibung des Arbeiterquartiers und der damit zusammenhängenden Institutionen von Staub & Co in Kuchen bei Geislingen in Württemberg*, Stuttgart 1868; »Das Arbeiter-Quartier zu Kuchen«, in *Deutsche Bauzeitung*, 2. Jg. (1868), Nr. 29, S. 299–301, (1868) Nr. 30, S. 307–309; Ludwig Walesrode, »Eine Arbeiter-Heimstätte in Schwaben«, in *Über Land und Meer*, Bd. 20 (1868), S. 555f., 574f., 707f., 716f.; »Arbeiterwohnungen«, in *Jahresbericht der Handels- und Gewerbekammer in Württemberg für das Jahr 1867*, Stuttgart 1868, S. 89 ff.; »Das Staub'sche Arbeiterquartier in Kuchen (Württemberg)«, in *Zeitschrift des Vereins deutscher Ingenieure*, Bd. 13 (1869), Sp. 329 ff.; G. Steinhauser, *Eine Arbeitersiedlung im Königreich Württemberg: Das Arbeiterquartier in Kuchen. Bauaufnahme I am Institut für Baugeschichte und Bauaufnahme der Universität Stuttgart*, Stuttgart 1977; Peter Kirsch, *Arbeiterwohnsiedlungen im Königreich Württemberg in der Zeit vom 19. Jahrhundert bis zum Ende des Ersten Weltkrieges*, Tübingen 1982, S. 40–70; Hans-Joachim Aderhold, »Als ob sie mit der Fabrik geboren wäre«. Die Arbeitersiedlung in Kuchen, in *Denkmalpflege in Baden-Württemberg. Nachrichtenblatt des Landesdenkmalamtes*, 11. Jg. (1982), Oktober bis Dezember, S. 158–170; Walter Lang, »Fabrik und Arbeitersiedlung in Kuchen. Ein frühes Beispiel der Industrialisierung im Filstal«, in Walter Ziegler (Hrg.), *Geschichte regional*, H. 2. *Quellen und Texte aus dem Kreis Göppingen. Geschichts- und Altertumsverein Göppingen 1982*, S. 81–97; Christel Köhle-Heziger, Walter Ziegler (Hrg.), *Der*

glorreiche Lebenslauf unserer Fabrik. Zur Geschichte von Dorf und Baumwollspinnerei Kuchen, Weißenhorn 1991 (Veröffentlichungen des Kreisarchivs Göppingen, Bd. 13).

313 Siehe Hubert Treiber, Heinz Steinert, Die Fabrikation des zuverlässigen Menschen, München 1980.

314 Hingewiesen sei nur auf seinen Schweizer Teilhaber A. Rieter aus Winterthur, der sich schon früher in der Schweiz mit Werkswohnungsbau befaßt hatte und der Staub beraten haben kann. Genaue Kenntnisse über die »cités ouvrières de Mulhouse« können auf alle Fälle vorausgesetzt werden.

315 Siehe Emil Waibel, Erinnerungs-Schrift anläßlich des 50jährigen Jubiläums der Firma Süddeutsche Baumwoll-Industrie A.-G. Kuchen, Post Geislingen/Steige (Württ.) 1882–1932, Stuttgart 1932.

316 Zu Alfred Krupp siehe Dietrich Baedeker, Alfred Krupp und die Entwicklung der Gußstahlfabrik zu Essen. Mit einer Beschreibung der heutigen Kruppschen Werke. Nach zuverlässigen Quellen dargestellt, Essen 1912 (2. überarb. Aufl.); Wilhelm Berdrow, Alfred Krupp, Essen 1927, 2 Bde.; ders., Die Familie Krupp in Essen 1587–1887, Essen 1931; ders., Alfred Krupp und sein Geschlecht. Die Familie Krupp und ihr Werk von 1787–1940 nach den Quellen des Familien- und Werksarchivs geschildert von …, Berlin 1943; Ernst Schröder, Krupp, Geschichte einer Unternehmerfamilie, Göttingen 1957; Bernhard Woischnik, Alfred Krupp, Meister des Stahls, Bad Godesberg 1957; Norbert Mühlen, Die Krupps, Frankfurt a.M. 1960; Gert von Klass, Aus Schutt und Asche. Krupp nach fünf Menschenaltern, Tübingen 1961; Bernt Engelmann, Krupp. Legenden und Wirklichkeit, Darmstadt 1969.

317 Siehe Willi A. Boelcke (Hrg.), Krupp und die Hohenzollern in Dokumenten. Krupp-Korrespondenz mit Kaisern, Kabinettchefs und Ministern 1850–1918, Frankfurt a.M. 1970.

318 Siehe Gert von Klass, Die drei Ringe. Lebensgeschichte eines Industrieunternehmens, Tübingen 1953. Aufschlußreich ist auch Krupps Brief vom 4.1.1858 an Alexander von Humboldt in Wilhelm Berdrow (Hrg.), Alfred Krupps Briefe 1826–1887. Im Auftrag der Familie und der Firma Krupp hrsg., Berlin 1928, S. 159–161.

319 Siehe Johann Paul, Alfred Krupp und die Arbeiterbewegung, Düsseldorf 1987 (Düsseldorfer Schriften zur neueren Landesgeschichte und zur Geschichte Nordrhein-Westfalens, Bd. 19).

320 Siehe im einzelnen Tilmann Buddensieg (Hrg.), Villa Hügel. Das Wohnhaus Krupp in Essen, Berlin 1984.

321 Siehe Krupps Brief vom 14.1.1872 aus Torquay an die Prokura (in Alfred Krupps Briefe 1826–1887, a.a.O., S. 272).

322 Zu den Kruppsiedlungen siehe Die Wohlfahrtseinrichtungen der Friedr. Kruppschen Gußstahl-Fabrik zu Essen zum Besten ihrer Arbeiter und Beamten, Essen 1876 und 1883; Wiebe, »Die Wohnungsverhältnisse der ärmeren Volksklassen in Essen a.d. Ruhr«, in Schriften des Vereins für Sozialpolitik, Bd. 31 (1886), S. 193–196; W. Kley, Bei Krupp. Eine socialpolitische Reiseskizze unter besonderer Berücksichtigung der Arbeiterwohnungsfürsorge, Leipzig 1887; Gußmann, »Die Kruppschen Arbeiterwohnungen«, in Schriften der Centralstelle für Arbeiter-Wohlfahrtseinrichtungen, Berlin 1892, Bd. 1, S. 138–155; Friedr. Krupp AG (Hrg.), Führer durch die Kruppschen Arbeiterkolonien, Essen 1900; »Die Kruppschen Arbeiterkolonien«, in Centralblatt der Bauverwaltung, 20. Jg. (1900), S. 577ff.; Wohlfahrtseinrichtungen der Gußstahlfabrik von Friedr. Krupp zu Essen a.d.

Ruhr, Essen 1902 (3. Aufl.), Bd. 1 und 2; Tony Kellen, »Die Firma Krupp und ihre soziale Tätigkeit«, in Frankfurter zeitgemäße Broschüren, Bd. 22 (1903), H. 5; Friedr. Krupp AG (Hrg.), Das Arbeiterwohnhaus auf der Kruppschen Gußstahlfabrik in seiner baulichen Entwicklung, Essen 1907; Wohlfahrtseinrichtungen der Friedr. Krupp AG, Essen 1911, Bd. 3; Friedr. Krupp AG (Hrg.), Krupp 1812–1912, zum 100-jährigen Bestehen der Firma Krupp und der Gußstahlfabrik zu Essen-Ruhr, hrg. auf den hundertsten Geburtstag Alfred Krupps, Essen 1912; Erich Enke, Private, genossenschaftliche und städtische Wohnungspolitik in Essen a.d. Ruhr vom Anfang des 19. Jahrhunderts bis zur Gegenwart, Diss., Tübingen 1912; »Wohlfahrtsbauten der Kruppwerke in Essen«, in Zentralblatt der Bauverwaltung, 36. Jg. (1916), H. 1, S. 2–7, 9–11; Gesellschaft für Heimkultur e.V. Wiesbaden (Hrg.), Der Kruppsche Kleinwohnungsbau, Wiesbaden 1917; Führer durch die Essener Wohnsiedlungen der Firma Krupp, Essen 1930; Richard Klapheck, Siedlungswerk Krupp, Berlin 1930; Rolf Spörhase, Wohnungsunternehmen im Wandel der Zeit, Hamburg 1947, S. 44–47; Joachim Schlandt, »Die Kruppsiedlungen – Wohnungsbau im Interesse eines Industriekonzerns«, in Hans G. Helms, Jörn Janssen (Hrg.), Kapitalistischer Städtebau, Neuwied, Berlin 1970, S. 95 bis 111; Roland Günter, »Krupp und Essen«, in Martin Warnke (Hrg.), Das Kunstwerk zwischen Wissenschaft und Weltanschauung, Gütersloh 1970, S. 128–184; Renate Kastorff-Viehmann, Wohnung, Wohnhaus, a.a.O., S. 219ff., 248ff.; Eduard Trier, Willy Weyres, Kunst des 19. Jahrhunderts im Rheinland, a.a.O., S. 473–494; Roland Günter, »Arbeitersiedlungen«, a.a.O.; Daniel Stemmrich, Die Siedlung als Programm. Untersuchungen zum Arbeiterwohnungsbau anhand Kruppscher Siedlungen zwischen 1861 und 1907, Hildesheim 1981; Renate Kastorff-Viehmann, Wohnungsbau für Arbeiter, a.a.O.

323 1867 war die Lage so, daß der Prokura eine öffentliche Erklärung über die Folgen der Entlassungen und Lohnbeschränkungen notwendig erschien. Krupp hat dem aber in einem Brief vom 2.3.1867 aus Nizza widersprochen.

324 Zit. nach Richard Klapheck, Siedlungswerk Krupp, a.a.O., S. 7.

325 Ebd., S. 10.

326 Siehe Aufruf »An die Arbeiter der Gußstahlfabrik« vom 24.7.1872, abgedruckt in Dietrich Baedeker, Alfred Krupp, a.a.O., S. 101.

327 Für die im folgenden besprochenen Kruppschen Arbeiterkolonien siehe Wohlfahrtseinrichtungen der Gußstahlfabrik von Friedr. Krupp zu Essen a.d. Ruhr, Essen 1902, Bd. 1 und 2.

328 Siehe Krupps Brief an die Prokura vom 8.3.1871 (Alfred Krupps Briefe 1826–1887, a.a.O., S. 254).

329 Siehe Krupps Brief an die Prokura vom 15.6.1871 (ebd., S. 261).

330 Nach den Ausführungen Krupps im Brief vom 6.–10.5.1887 an die Prokura.

331 Die Gußstahlfabrik unterhielt auf eigene Kosten eine 16klassige Simultanschule. Zur Schulfrage in den Kruppschen Arbeiterkolonien siehe Alfred Krupps Briefe vom 26.12.1871 und vom 22.6.1873 (ebd., S. 268f. und 288f.).

332 Nach einer Feststellung von Finanzrat Gußmann, einem Mitglied der Prokura, wohnten gemäß einer Zählung vom März 1892 8001 Menschen in Cronenberg (Schriften der Centralstelle, a.a.O., S. 140).

333 Siehe Krupps Brief vom 26.12.1871 aus Torquay an die Prokura (Alfred Krupps Briefe 1826–1887, a.a.O., S. 269).

334 Alfred Krupp hat 1871 bis 1874 im gesamten 2358 Familienwohnungen gebaut (Wohlfahrtseinrichtungen, Bd. 1, S. 9).

335 Im Jahre 1887 konnte die Firma Krupp die 40-Millionen-Anleihe ein Jahr vor der Fälligkeit wieder zurückzahlen. Die Gesamtzahl der Arbeiter und Beamten in der Gußstahlfabrik betrug zu dieser Zeit 13044, einschließlich der Außenwerke 20200.

336 Siehe Alfred Krupps Briefe vom 17.5.1887 an Finanzrat Gußmann und vom 10.6.1887 an Baumeister Kraemer (Alfred Krupps Briefe 1826–1887, a.a.O., S. 427–429).

337 Um 1900 nahmen 185 Betriebsangehörige ein solches Darlehen in Anspruch. Die gesamte Darlehenssumme betrug dabei 620000 Mark.

338 Zit. nach Friedrich Alfred Krupp, »An die Werksangehörigen der Gußstahl-Fabrik«, Essen 1892.

339 Zum Wettbewerb siehe Centralblatt der Bauverwaltung, Jg. 1892, S. 432, und Jg. 1893, S. 91. Die Ergebnisse des Wettbewerbs sind veröffentlicht in Deutsche Concurrenzen, Nr. 18.

340 Das gilt auch für die zwischen 1895 und 1901 gebaute Kolonie »Am Brandenbusch«, die für die Bediensteten der Villa Hügel bestimmt war.

341 Friedr. Krupp AG (Hrg.), Die Wohlfahrtseinrichtungen, a.a.O.

342 Siehe Richard Klapheck, Siedlungswerk Krupp, a.a.O., S. 6.

343 Siehe Roland Günter, »Krupp und Essen«, a.a.O.; Joachim Schlandt, »Die Kruppsiedlungen«, a.a.O.; Adolf F. Heinrich, Die Wohnungsnot, a.a.O.; Renate Kastorff-Viehmann, Wohnung, Wohnhaus, a.a.O.; Hermann Sturm, »Die Formenwelt des Arbeitersiedlungsbaus – zwischen Zweckmäßigkeitsdenken und kultureller Nobilitierung«, in Arbeitersiedlungen im 19. Jahrhundert, a.a.O.

344 »Das Politisieren in der Kneipe ist nebenbei sehr teuer. Nach gethaner Arbeit verbleibet im Kreise der Eurigen, bei den Eltern, bei der Frau und den Kindern. Da sucht Eure Erholung, sinnet über den Haushalt und die Erziehung. Das und Eure Arbeit sei zunächst und vor Allem Eure Politik. Dabei werdet Ihr frohe Stunden haben«, Krupp 1877. Siehe dazu Eduard Führ, Daniel Stemmrich, »Nach gethaner Arbeit verbleibet im Kreise der Eurigen«: bürgerliche Wohnrezepte für Arbeiter zur individuellen und sozialen Formierung im 19. Jahrhundert, Wuppertal 1985.

345 1874 verfügte Krupp bei insgesamt 11867 Beschäftigten der Gußstahlfabrik in den Kolonien über 2656 Arbeiterwohnungen, in denen etwa 14800 Menschen Unterkunft fanden. Danach stellte Krupp fast für ein Viertel der Arbeiterschaft die Wohnungen. Und von den 55000 Einwohnern der Stadt Essen lebten sogar über ein Viertel in Kruppschen Arbeiterkolonien.

7. Die ästhetischen Erneuerungsversuche gegen Ende des 19. Jahrhunderts

1 Der vollständige Titel lautet Der Städte-Bau nach seinen künstlerischen Grundsätzen. Ein Beitrag zur Lösung modernster Fragen der Architektur und monumentalen Plastik unter besonderer Beziehung auf Wien von Architekt Camillo Sitte, Regierungsrath und Director der k.k. Staats-Gewerbeschule in Wien. Mit 4 Heliogravüren und 109 Illustrationen und Detailplänen, Wien 1889. Eine zweite Auflage erschien im Juni 1889, eine dritte Auflage 1901. Die sechste Auflage erschien 1965 in der Schriftenreihe des Instituts für Städtebau, Raumpla-

*nung und Raumordnung, Technische Hochschule Wien*, Bd. 5.
Schon frühzeitig erschien eine französische Übersetzung unter dem Titel *L'Art de bâtir les Villes. Notes et réflexions d'un architecte*. Traduites et complétées par Camille Martin, Genf, Paris 1902.
Englische Übersetzung: *The Art of Building Cities. City building according to its artistic fundamentals* by Camillo Sitte. Translated by Charles T. Stewart former director, the Urban Land Institute, New York, N.Y. 1945.
[2] In *Hannover Verein*, Bd. 35 (1889), S. 617–619.
[3] Siehe *Kunstchronik*, N.S.I., 1890, S. 425–431.
[4] Diese sowie die nachfolgenden mit Anführungszeichen bezeichneten Begriffe sind zitiert nach Camillo Sitte, *Der Städte-Bau*, Wien 1901 (3. Aufl.), S. 89.
[5] Ebd., S. 91.
[6] Sitte hielt die Ausführungen der damaligen Stadtbautheoretiker für unzureichend. Namentlich zitiert wird von ihm Reinhard Baumeister. Von diesem siehe *Stadt-Erweiterungen in technischer, baupolizeilicher und wirtschaftlicher Beziehung*, Berlin 1876; ders., *Moderne Stadterweiterungen*, Hamburg 1887; ders., *Städtisches Straßenwesen und Städtereinigung*, Berlin 1890. Über die Situation des Städtebaus zu dieser Zeit siehe Rudolf Hartog, *Stadterweiterungen in der 2. Hälfte des 19. Jahrhunderts*, Diss., Darmstadt 1962.
[7] Zit. nach Sitte, *Der Städte-Bau*, a.a.O., S. 2.
[8] Ebd., S. 63.
[9] Ebd., S. 116.
[10] Für Einzelheiten siehe ebd., S. 121–153.
[11] Ebd., S. 133.
[12] Ebd., S. 135.
[13] Siehe im einzelnen ebd., S. 154–174.
[14] Eine Zusammenstellung der Publikationen Sittes findet man bei George Roseborough Collins, Christiane Crasemann Collins, *Camillo Sitte and the Birth of Modern City Planning*, London, New York 1965, S. 201–205 (*Columbia University Studies in Art History and Archaeology*, Nr. 3). Diese amerikanische Publikation behandelt im übrigen sehr ausführlich das Lebenswerk von Camillo Sitte. Für Detailstudien sei deshalb auf dieses Werk verwiesen, aber auch auf neuere Veröffentlichungen wie Daniel Wieczorek, *Camillo Sitte et les débuts de l'urbanisme moderne*, Brüssel, Lüttich 1981; Helmut Winter, *Zum Wandel der Schönheitsvorstellungen im modernen Städtebau: Die Bedeutung der psychologischen Theorien für das architektonische Denken*, Diss. ETH Zürich 1988; Österreichische Gesellschaft für Raumforschung und Raumplanung (Hrg.), *Berichte zur Raumforschung und Raumplanung* (Wien), 33. Jg. (1989), H. 3–5, Sonderheft: *Camillo Sitte*, mit Beiträgen von Rudolf Wurzer, »Franz, Camillo und Siegfried Sitte. Ein langer Weg von der Architektur zur Stadtplanung«, S. 9–34, Daniel Wieczorek, »Camillo Sittes ›Städtebau‹ in neuer Sicht«, S. 35–45, Helmut Winter, »Hundert Jahre Stadtbaukunst – Anmerkungen zu Camillo Sittes ›Städtebau‹ in seiner Bedeutung für das Denken von Architekten im 20. Jahrhundert«, S. 45–48, Ralph Wurzer, »A Study of the Reception of Sittes Ideas in American Planning Literature«, S. 48–52.
[15] In *Der Lotse, Hamburgische Wochenschrift für deutsche Kultur*, Bd. 1 (1900), S. 139–146, 225–232.
[16] Karl Henrici berichtet im Nachruf auf Camillo Sitte im Januar 1904, daß dieser das Material fast fertig zusammengetragen hatte für einen zweiten Band seines Buches, der den Titel *Der Städtebau nach wissenschaftlichen und sozialen Grundsätzen* tragen sollte. Siehe *Der*

*Städtebau* (Berlin), 1. Jg. (1904), H. 3, S. 34. Eine Publikation mit dieser Bezeichnung ist aber nie erschienen.
[17] *Der Städtebau, Monatsschrift für die künstlerische Ausgestaltung der Städte, nach ihren wirtschaftlichen, gesundheitlichen und sozialen Grundsätzen* (Berlin), 1. bis 16. Jg.
[18] Es heißt hier im einzelnen: »Der Städtebau ist die Vereinigung aller technischen und bildenden Künste zu einem großen geschlossenen Ganzen; der Städtebau regelt den Verkehr, hat die Grundlage zu beschaffen für ein gesundes und behagliches Wohnen der nun schon in überwiegender Mehrheit in den Städten angesiedelten modernen Menschen; hat für günstige Unterbringung von Industrie und Handel zu sorgen und die Versöhnung sozialer Gegensätze zu unterstützen. So wie das gesamte staatliche, bürgerliche und individuelle Leben den Inhalt des täglichen Gebahrens und Gehabens einer städtischen Bevölkerung bildet, so ist die bauliche Anlage und Ausgestaltung der Stadt hierfür die äußere Form, das Gefäß, das diesen Inhalt einschließt und deshalb gehört dessen naturgemäße richtige Entwicklung mit unter die wichtigsten Aufgaben moderner Kulturarbeit; der Städtebau hat nicht nur individuellen und kommunalen Interessen zu dienen, sondern hat gerade volkstümliche und allgemein staatliche Bedeutung. Der Städtebau ist eine Wissenschaft, der Städtebau ist eine Kunst mit ganz bestimmten Zielen der Forschung, ganz bestimmten großen Aufgaben praktischer Ausführung …« (*Der Städtebau* (Berlin), 1. Jg. (1904), H. 1, S. 1).
[19] Siehe Camillo Sitte, »Erläuterungen zu dem Bebauungsplan von Marienberg«, in *Der Städtebau* (Berlin), 1. Jg. (1904), H. 10, S. 141–145, Tafel 73–76.
[20] Als Projekte, über die aber nicht so viel wie über Marienberg bekannt ist, sind zu nennen: Brünn, Laibach/Ljubljana, Linz, Marienthal (N.Ö.), Oderfurt (Schlesien), Olmütz, Ostrau, Reichenberg, Teplitz, Teschen/Cieszyn.
[21] Tatsächlich war Sitte, der durch seinen Schulfreund Hans Richter in Bayreuth eingeführt worden war, ein begeisterter Wagner-Anhänger. Siehe seinen Artikel »Richard Wagner und die deutsche Kunst«, in *2. Jahresbericht des Wiener Akademischen Wagner-Vereins*, Wien 1875.
[22] Es liegen hier verschiedene Äußerungen vor. Schon 1904 bezeichnete Theodor Fischer im Nachruf Sitte als den »Vater der neuzeitlichen Städtebaukunst« (*Deutsche Bauzeitung*, 1904, S. 33f.).
Hermann Hansen (1869–1945) nannte Sittes Buch »eine Offenbarung, bzw. Befreiung von allen Irrlehren und Blindheiten« (*Der Baumeister*, 1922, H. 12, S. 68). In jüngster Zeit schrieb Ernst Egli: »In Camillo Sitte kam die beste Überlieferung klassischer, nicht barocker Stadtvorstellungen zu Worte, und dies verschaffte seinem theoretischen Werke das weltweite Echo. Seine Lehre gilt auch unverändert für die Gegenwart, da die Stadt von der Menge der Planer in ein Tummelfeld heterogener Bestrebungen verwandelt wird, die, durch keine Vision zu einer architektonischen Ordnung erhoben, im ausdruckslosen und trüben Gewässer der vielfältigsten Kompromisse untergehen.« (*Geschichte des Städtebaus*, Zürich 1967, Bd. 3, S. 335)
[23] Siehe Theodor Goecke, »Verkehrsstraße und Wohnstraße«, in *Preußische Jahrbücher*, Bd. 73 (1893), S. 85–104.
[24] Dies wird deutlich in der Abhandlung »Soziale Aufgaben der Architektur«, in *Fortschritte auf dem Gebiete der Architektur*, 1895, H. 6.

[25] Siehe K. Henrici, *Preisgekrönter Konkurrenz-Entwurf zu der Stadterweiterung Münchens*, München 1893, besprochen und abgebildet in *Deutsche Bauzeitung*, 1893, S. 193.
[26] Die *Beiträge zur praktischen Ästhetik im Städtebau* behandeln Themen wie »Die künstlerischen Aufgaben im Städtebau«, »Langweilige und kurzweilige Straßen«, »Das Malerische in der Architektur und im Städtebau«, »Der Individualismus im Städtebau«, »Einiges zur Beachtung bei Anlagen von Straßen, Plätzen und Gebäuden auf unebenem Gelände«, aber auch Themen wie »Über billige Wohnungen, kleine Häuser, Mietskasernen, Staffelbauordnungen u. dergl.«, »Großstadtgrün« usw. Siehe auch Gerhard Curdes, Renate Oehmichen (Hrg.), *Künstlerischer Städtebau um die Jahrhundertwende. Der Beitrag von Karl Henrici*, Köln, Stuttgart, Berlin 1981.
[27] A.E. Brinckmann, *Platz und Monument*, Berlin 1912 (2. Aufl.). Im einzelnen siehe Kap. 35, »Moderne Bestrebungen im Städtebau«, ebd., S. 164–170. Brinckmann kommt zu dem Ergebnis: »Man bekommt einige Rezepte für den Stadtbau, und wird entlassen, ohne ihn als künstlerische Äußerung tiefer aufgefaßt zu haben. Infolgedessen entwickelt sich aus dem Widerspruch gegen ein Schema ein andres, das noch gefährlicher wird, da es sich der historischen Entwicklung entgegenstemmt …«
[28] Als städtebauliche Beiträge sind zu nennen: Kleinsiedlungen in München-Laim, 1904; Gmindersdorf, Arbeiterkolonie Ulrich Gminder 1903/08; Altstadtsanierung in Stuttgart 1906–09; Arbeiterkolonie Langensalza, 1907; Kleinwohnungsbauten Neu-Westend, München, 1909; Arbeiterkolonie Limburger Hof, Ludwigshafen a.Rh. 1912; Siedlung »Alte Haide«/München, 1918–29.
Stadtplanungen: Aalen, Ansbach, Augsburg, Dinkelsbühl, Dresden, Dortmund, Durlach, Esslingen/N., Kempten, Bad Kissingen, Konstanz, Lindau, Ludwigsburg, Memmingen, Meran, München-Pasing, Pforzheim, Reutlingen, Schweinfurt, Stuttgart, Tölz. Über Theodor Fischer siehe Hans Karlinger, *Theodor Fischer, ein deutscher Baumeister*, München 1932; Rudolf Pfister, *Theodor Fischer. Leben und Wirken eines deutschen Baumeisters*, München 1968; Münchner Stadtmuseum (Hrg.), *Theodor Fischer in München*, Ausstellungskatalog, München 1989.
[29] Theodor Fischer, *Sechs Vorträge über Stadtbaukunst*, München, Berlin 1920.
[30] Siehe Heinz Wetzel, *Wandlungen im Städtebau. Vortrag, gehalten anläßlich der Gautagung des NSBDT Fachgruppe Bauwesen am 21. Sept. 1941 in Stuttgart*, Stuttgart 1942 (*Bauen und Planen der Gegenwart*, Bd. 3).
[31] Als eine der frühesten Publikationen kann genannt werden James Pollard, *A Study in Municipal Government: The Corporation of Berlin*, Edinburgh, London 1893.
[32] Thomas C. Horsfall, *The Improvement of the Dwellings and Surroundings of the People. The Example of Germany*, Manchester 1904; von Horsfall siehe des weiteren noch *The Relation of Town Planning to the National Life*, o.O. o.J. Über die Bedeutung von Horsfall für die englische Stadtplanung siehe Josephine P. Reynolds, »Thomas Coglan Horsfall and the Town Planning Movement in England«, in *Town Planning Review*, Bd. 23 (1952), S. 52–60.
Mit der Wohnungsfrage beschäftigten sich aber auch noch andere Publizisten, so der Vorsitzende des Housing Committee of the Birmingham City Council, John Sutton Nettlefold. Seine wichtigsten Publikationen sind *Slum Reform and Town Planning. The garden city idea ap-*

plied to existing cities and their suburbs, Birmingham 1910, und *Practical Town Planning*, London 1914. Auch William Thompson, der »alderman« von Richmond/Surrey, ist in diesem Zusammenhang zu erwähnen. Die Bemühungen konzentrierten sich schließlich im National Housing Reform Council, dem die bekanntesten Reformer wie Cadbury, Lever, Rowntree, Horsfall, Unwin, Thompson u.a. angehörten.

[33] Siehe Patrick Geddes, *Cities in Evolution. An Introduction to the Town Planning Movement and to the Study of Civics*, London 1915, S. 176 bis 191, 192–221.

[34] Näheres über Sir Raymond Unwin siehe Walter L. Creese, »The Planning Theories of Sir Raymond Unwin 1863–1940«, in *Journal of the American Institute of Planners*, Bd. 30 (1964), Nr. 3 und 4, und ders., *The Search for Environment. The Garden City: Before and After*, New Haven, London 1966, S. 158–190. Zur Würdigung des Lebenswerkes von Unwin siehe Barry Parker, »The Life and Work of Sir Raymond Unwin«, in *Journal of the Town Planning Institute*, Bd. 26 (1940), Nr. 5, S. 159–162.

[35] Siehe W.L. Creese, *The Search for Environment*, a.a.O., S. 158–169.

[36] Siehe *Cottages Near a Town*, Ausstellungskatalog, Manchester 1903.

[37] Erläuterungen hierzu siehe R. Unwin, *Grundlagen des Städtebaus. Eine Anleitung zum Entwerfen städtebaulicher Anlagen*, Berlin 1922 (2. überarb. Aufl.), Einleitung, S. XV–XXIV.

[38] Für Einzelheiten über New Earswick siehe R. Unwin, ebd., S. 135–137, Tafel 171, 190, 217, 218, 225, 226; Barry Parker, *A Lecture on Earswick Delivered Before the Town Planning Institute Oct. 6, 1923* (Parker Collection, o.O. o.J.), und ders., »Site Planning at New Earswick«, in *Town Planning Review*, Februar 1937, S. 2–9; Lawrence Weaver, »Cottages at Earswick«, in *Country Life*, 31.10.1925, S. 681; W.L. Creese, *The Search for Environment*, a.a.O., S. 191–202, Abb. 67, 69–72; ergänzend *One Man's Vision: The Story of the Joseph Rowntree Trust*, London 1954.

[39] Berichtet bei G.B. Brown, »The Joseph Rowntree Village Trust«, in *The Garden City*, N.S., Bd. 1, S. 197.

[40] Siehe den Bericht der Deutschen Gartenstadtgesellschaft über ihre Englandfahrt im Jahre 1910: »Erstaunlich ist dieser dörfliche Charakter, der bei Port Sunlight und Letchworth in den der Landhaussiedlung übergeht, namentlich in Earswick, das erst 1904 von Parker und Unwin begonnen wurde: hier zerschellen alle Bemühungen, dem Bebauungsplan neuen Geist einzuhauchen, an den dorfartigen kleinen Häusertypen, an dem übergroßen Häuserabstand quer zur Straße, und an dem Betonen der Gärten. Die Häuser erscheinen wie zufällig zwischen das Grün gesetzt; es sind gewissermaßen kleine Baublöcke, die auseinander reißen, wo sie sich dehnen und biegen sollten, weil sie inmitten der Gartenparzellen sitzen müssen.« (*Der Städtebau* (Berlin), 5. Jg. (1910), S. 53).

[41] Das geht aus den frühen Publikationen von Unwin klar hervor. Siehe R. Unwin, »On the Building of Houses in the Garden City«, in *The Garden City Conference at Bournville*, London 1901, S. 70; ders., »Building and Natural Beauty«, in *The Art of Building A Home*, London 1901. Zur sozialen Einstellung siehe R. Unwin, B. Parker, »Cottage Plans and Common Sense«, in *Fabian Society Tract 109*, London 1902.

[42] Über Einzelheiten zu Hampstead Garden Suburb siehe Henrietta Barnett, D.B.E., *The Story of the Growth of Hampstead Garden Sub-

urb, 1907–1928*, The Hampstead Garden Suburb Trust 1928; R. Unwin, »Town Planning at Hampstead«, in *Garden Cities and Town Planning*, April 1911, S. 7; *Town Planning and Modern Architecture at Hampstead Garden Suburb*, London, Leipzig 1909; Rudolf Eberstadt, »Gartenvorstadt London-Hampstead«, in *Der Städtebau* (Berlin), 6. Jg. (1909), S. 99; »The Hampstead Garden Suburb and Its Architecture«, in *The Builder*, 30.8.1912, S. 250–256; Martin S. Briggs, »The Plan and Architecture of Hampstead Garden Suburb«, in *Town and Country Planning*, Juli 1957, S. 292–297, wobei Briggs seinen Artikel beendet mit der Feststellung: »Having known Dame Henrietta Barnett and Raymond Unwin personally, and having admired their work in the Suburb from the outset, I began preparing this article with a favourable bias; but after refreshing my memory by walking many miles through it I find myself still regarding the whole scheme as a masterpiece and an artistic triumph.« Weitere neuere Darstellungen durch W.A. Eden, »Hampstead Garden Suburb 1907–1957«, in *Journal of the Royal Institute of British Architects* (im folg. *Journal R.I.B.A.*), Oktober 1957, S. 495; W.L. Creese, *The Search for Environment*, a.a.O., S. 219–254.

[43] Siehe Henrietta Barnett, *Canon Barnett, His Life, Work, and Friends*, London 1919 (2. Aufl.).

[44] Die 1896 von den Barnetts in Whitechapel/London eingerichtete National Gallery of East London war nur ein erster Versuch, die ärmeren Stadtbewohner mit Kunstwerken vertraut zu machen.

[45] Siehe hierzu auch S.A. Barnett, Of Town Planning, Practicable Socialism ..., London 1915.

[46] R. Unwin, *The Improvement of Towns*, paper read at the Conference of the National Union of Woman Workers of Great Britain and Ireland, 8.11.1904.
Henrietta Barnett gibt allerdings an, für sie sei die Lektüre des Unwinschen Buches *The Art of Building A Home*, 1901, entscheidend gewesen. Danach stand für sie fest: »That's the man for my beautiful green golden scheme.« (*The Story*, a.a.O., S. 7)

[47] John Burns war später maßgebend beteiligt am Zustandekommen des »Housing Town Planning ... Act« von 1909 (Burns Act), 1 9 Edw. VII, Kapitel 44.

[48] Henrietta Barnett berichtet darüber: »Lord Crewe and I walked across the fields, climbed the hedges and toiled through stubbly grass until we reached the central hill. ›This is the highest place, and here we will have the houses for worship and for learning‹, I said; and here they stand.« (*The Story*, a.a.O., S. 6).

[49] Die Überlegungen dazu siehe R. Unwin, *Grundlagen des Städtebaus*, Berlin 1922 (2. Aufl.), S. 96.

[50] Näheres über das Gesamtwerk von Sir Edwin Lutyens siehe Christopher Hussey, *The Life of Sir Edwin Lutyens*, London 1950, und Robert Lutyens, *Sir Edwin Lutyens. An Appreciation*, London 1942.

[51] Zit. nach *Housing & town planning. 1936 – lectures – 1937*, by Sir Raymond Unwin, Columbia University, Washington 1937, S. 46.

[52] In Town Planning, 1909, a.a.O., wird dazu festgestellt: »What has happened offers an inspiriting glimpse into the future of town planning. The Hampstead Garden Suburb is an attempt to unite modern standards of comfort and hygiene with old-world standards of proportion and refinement, to bring together the best that the English village and the English city have to give.«

[53] Siehe Raymond Unwin, *Town Planning in Practice. An Introduction to the Art of Designing Cities and Suburbs*, London 1909 (2. Aufl. London 1911). Deutsche Ausgabe: *Grundlagen des Städtebaus*, a.a.O.

[54] Das Kapitel, in dem diese Gedanken vorgebracht werden, trägt den für Unwin charakteristischen Titel »Gemeinnütziges Zusammenwirken bei Entwürfen und wie gemeinsamer Besitz dem Einzelnen Vorteil bringt« (ebd., S. 236 bis 244).

[55] Als wichtigste Aufsätze und Abhandlungen sind zu nennen »Town Planning formal or irregular«, in *Architectural Association Journal*, November 1911; Garden Cities and Town Planning Association (Hrg.), *Nothing gained by Overcrowding. Or How the Garden City Type of Development May Benefit Both Owner and Occupier*, London 1912; »The Town Extension Plan«, »Old Towns and New Towns« usw., in *Warburton Lectures for 1912*, Manchester 1912; »The City Beautiful from Converging Views of Social Reform«, in *Lectures on Land and Labour*, Swanwick Interdenominational Summer School, 20.–29.6.1914, London 1914; »Distribution«, in *Paper read at the meeting of the Town Planning Institute*, London 1921; »Zoning Proposals«, in *Town Planning Institute*, London 1921; »Higher Buildings in Relation to Town Planning«, in *Journal of the American Institute of Architects* (im folg. *A.I.A.*), Bd. 12 (1924), S. 124–131; »Methods of decentralisation, planning problems of town, city and region«, 1925, und »Regional Planning with Special Reference to the Greater London Regional Plan«, in *Journal R.I.B.A.*, 25.1.1930; »Urban Redevelopment. The Pattern and the Background«, *Town Planning Institute*, 12.7.1935; »How Planned Distribution May Prevent Crowding«, in *Journal R.I.B.A.*, 1936, Nr. 10; »Housing and Planning«, in *Paper read at the Health Congress of the Royal Sanitary Institute*, Southport, 6.–11.7.1936; *Housing and Town Planning Lectures*, Columbia University, Washington D.C., 1936/37; *Planning and Housing History and Theory Lectures*, Columbia University, Washington D.C. 1938/39.

[56] Zit. nach *Grundlagen des Städtebaus – Ergänzungen*, Berlin 1930, S. 25.

[57] Diese planerischen Konzeptionen sind von Unwin natürlich nicht erfunden worden. Sie waren von E. Howard schon längst in die städtebauliche Diskussion eingeführt worden. Unwins Verdienst ist es jedoch, nach dem Ersten Weltkrieg wieder auf diese Planungsgrundsätze aufmerksam gemacht zu haben.

[58] Hunt kann als der Architekt der Vanderbilts gelten. Nach dem Vorbild der französischen Frührenaissance baute er für sie in der Fifth Avenue in New York das Vanderbilt House von 1874–81. Neben Bauten in New Port auf Rhode Island ist er vor allem durch den Landsitz Biltmore bei Asheville, N.C., 1895, bekannt geworden.
Über Hunt in der Sicht als Erneuerer siehe Christopher Tunnard, *The Modern American City*, New York 1968, S. 119f., 127–129, 137–145; für eine Charakterisierung siehe Frank E. Wallis, »Richard M. Hunt, Master Architect and Man«, in *The Architectural Review*, Bd. 5 (1917), Nr. 22, S. 239f.

[59] Für eine städtebauliche Darstellung siehe John W. Reps, *The Making of Urban America. A history of city planning in the United States*, Princeton, New Jersey 1965. Geschichtliche Darstellungen siehe Alfred Theodore Andreas, *History of Chicago: From the Earliest Period to the Present Time*, Chicago 1884–86, 3 Bde.; Paul Gilbert, Charles Lee Bryson, *Chicago and Its*

*Makers*, Chicago 1929; Bessie Louise Pierce, *A History of Chicago*, Bd. 3: *The Rise of a Modern City 1871–1893*, New York 1958.

60 Siehe Homer Hoyt, *One Hundred Years of Land Values in Chicago: The Relationship of the Growth of Chicago to the Rise in its Land Values, 1830–1933*, Chicago 1933.

61 Zit. nach Adna Ferrin Weber, *The Growth of Cities in the Nineteenth Century. A Study in Statistics*, Cornell 1963, S. 450.

62 Zur genauen Abgrenzung der School of Chicago siehe Mark L. Peisch, *The Chicago School of Architecture. Early Followers of Sullivan and Wright*, London 1964 (*Columbia University Studies in Art History and Archaeology*, Bd. 5); Carl W. Condit, *The Chicago School of Architecture*, Chicago 1964.

63 Im einzelnen siehe A.D.F. Hamlin, »The Influence of the Ecole des Beaux-Arts«, in *Architectural Record*, Bd. 23 (1908), S. 241–247.

64 Siehe Louis H. Sullivan, *The Autobiography of an Idea*, Washington 1926; besonders aber Louis H. Sullivans fünf Essays, *Democracy, a man search …*, im Originalmanuskript zwischen 1906 und 1908 entstanden. Davon ist eine revidierte Schreibmaschinenfassung in The Burnham Library of Architecture in Chicago vorhanden. Als Publikation siehe *Democracy: A Man Search*, Detroit, 1961.

65 Es ist verständlich, daß es bei der Festlegung des Ausstellungsortes zu Rivalitäten zwischen New York, Philadelphia, Washington, Chicago und anderen Städten kam. Nach mancherlei Agitation gelang es den »hustlers« von Chicago, trotz »Washington bluff and New York bluster and braggadocio« (*Chicago Tribune*, 31.7.1889, S. 4), sich durchzusetzen.

66 Einzelheiten siehe Theodora Kimball Hubbard, »Riverside, Illinois, a Residential Neighborhood Designed Over Sixty Years Ago«, in *Landscape Architecture*, Bd. 21 (1931), S. 257f.

67 Über Burnham siehe Charles Moore, *Daniel H. Burnham. Architect, Planner of Cities*, New York 1968, 2 Bde. (Nachdruck der Ausgabe von 1921); Charles Moore, »Daniel Hudson Burnham«, in *Dictionary of American Biography*, New York 1943, Bd. 3, S. 302–307; William E. Parsons, »Burnham as a Pioneer in City Planning«, in *Architectural Record*, Bd. 38 (1915), S. 13–31.

68 Es handelte sich dabei um Richard M. Hunt, Charles F. McKim, Mead & White, George B. Post aus New York, Peabody & Stearns aus Boston, Van Brunt & Howe aus Kansas City. Der Chicagoer Gruppe gehörte die Architekturfirma Adler & Sullivan an.

69 Sullivan hielt sich mit seinem Transportation Building und dem Golden Door als einziger nicht an diese Abmachungen.

70 Berichtet bei Ch. Moore, *Daniel H. Burnham*, a.a.O., Bd. 1, S. 47.

71 Zeitgenössische Berichte siehe Hubert Howe Bancroft, *The Book of the Fair*, Chicago, San Francisco 1893; H. Ives, *The Dream City*, St. Louis 1893; Ben C. Truman, *History of the World's Fair*, Chicago 1893; D.H. Burnham, F.D. Millet, *World's Columbian Exposition*, Chicago 1894; John J. Ingalls, »Lessons of the Fair«, in *Cosmopolitan Magazine*, Dezember 1893.

72 Über 20 Millionen Besucher sahen die Ausstellung.

73 In einem Vergleich mit der Pariser Weltausstellung 1889 stellte die *Chicago Tribune* (28.5.1890, S. 4) bereits im Vorbereitungsstadium fest: »It is to cover square rods where the Paris Exposition covered square yards. It is to reveal the material wonders of the continent, while that displayed the artistic skill of a city.«

74 Zit. nach L.H. Sullivan, *The Autobiography of an Idea*, New York 1956, S. 324f.

75 Siehe Charles C. McLaughlin, *Selected Letters of Frederick Law Olmsted*, Diss., Harvard Universität, 1960, S. 418, zit. nach Mel Scott, *American City Planning since 1890*, Berkeley, Los Angeles 1969, S. 36, 659.

76 Siehe Montgomery Schuyler, »Last Words About the World's Fair«, in William H. Jordy, Ralph Coe (Hrg.), *American Architecture and Other Writings*, Cambridge 1961, S. 556–574.

77 Siehe Maurice F. Neufeld, *The Contribution of the World's Columbian Exposition of 1893 to the Idea of a Planned Society in the United States. A Study of Administrative, Financial, Esthetic, Social and Intellectual Planning*, Diss., Universität Wisconsin, Madison/Wisc. 1935.

78 Nach Edwin H. Blashfield, »Municipal Art«, in *Municipal Affairs*, Bd. 3 (1899), S. 584.

79 Als Literatur zu »The City Beautiful Movement« siehe in zeitgenössischer Sicht Charles Mulford Robinson, *Modern Civic Art, or the City Made Beautiful*, New York 1903, und ders., »New Dreams for Cities«, in *Architectural Record*, Bd. 17 (1905), S. 410–421; in neuerer Sicht Christopher Tunnard, »A City Called Beautiful«, in *Journal of the Society of Architectural Historians*, Bd. 9 (1950), S. 31–35; ders. und Henry Hope Reed, *American Skyline. The Growth and Form of Our Cities and Towns*, Cambridge/Mass. 1955, T. 6, S. 179–201; des weiteren Chr. Tunnard, *The Modern American City*, Princeton, London 1968, S. 46–66; Mel Scott, *American City Planning since 1890*, a.a.O., S. 47–109.

80 Siehe William V. Cox, *Celebration of the One Hundredth Anniversary of The Establishment of the Seat of Government in the District of Columbia*, Washington 1901.

81 Glenn Brown bereitete seit 1894 eine geschichtliche Darstellung des Kapitols in Washington vor und stieß bei seinen Studien auf den Originalplan von L'Enfant. Er kam zu der Auffassung, daß die ursprüngliche Konzeption vorteilhaft genug war, um im einzelnen verwirklicht zu werden. Als Literatur siehe Glenn Brown (Hrg.), *Papers Relating to the Improvement of the City of Washington, District of Columbia*, Washington 1901.

82 Als vierter kam etwas später noch der Bildhauer Augustus Saint-Gaudens hinzu.

83 Ein genauer Reisebericht und überhaupt eine umfassende Darstellung der Washington-Planung von 1901 findet sich bei Charles Moore, *Daniel H. Burnham. Architect, Planner of Cities*, New York 1968, Bd. 1. Siehe aber auch John W. Reps, *The Making of Urban America*, Princeton, N.J. 1965.

84 Der Beitrag des Planers Pierre Charles L'Enfant ist ausführlich erläutert bei Elizabeth S. Kite, *L'Enfant and Washington 1791–1792*, Baltimore 1929; H.P. Caemmerer, *The Life of Pierre Charles L'Enfant Planner of the City Beautiful: The City of Washington*, Washington 1950. Siehe aber auch P. Lee Phillips, *The Beginnings of Washington as Described in Books, Maps and Views*, Washington 1917; Janes Dudley Morgan, »The reinterment of Major Pierre Charles l'Enfant«, in *Report made to the Columbia Historical Society*, Washington 1909; John W. Reps, *The Making of Urban America*, a.a.O., S. 240 bis 262; Fiske Kimball, »The Origin of the Plan of Washington«, in *American Architect*, September 1917.

85 Siehe 57. Kongreß, 1. Sitzung, Senatsbericht Nr. 166, »The Improvement of the Park System of the District of Columbia«, in Charles Moore (Hrg.), *I. Report of the Senate Committee on the District of Columbia. II. Report of the Park Commission*, Washington 1902.

86 Die Modelle dieser Planung sind heute im National Museum ausgestellt.

87 Über das Werk von McKim siehe Charles Moore, *The Life and Times of Charles Follen McKim*, Boston, New York 1929; Charles Herbert Reilly, *McKim, Mead & White*, New York 1924.

88 Ein richtungweisender Beitrag, der aber kaum beachtet wurde, war Olmsteds Plan für ein regionales Parksystem, das Partien des Potomac River von den Great Falls bis Mount Vernon einschloß. Überhaupt scheint dieser Landschaftsgestalter die monumentale Version des Washington-Planes einigermaßen kritisch eingeschätzt zu haben. Siehe hierzu Frederick Gutheim, »Capital Planning«, in *Landscape*, Bd. 17 (1968), S. 28.

89 Das kam auch in den Presseberichten zum Ausdruck. Eine Förderungsaktion der Washingtoner Architekten für das Projekt beschrieb eine Zeitung als einen Versuch, »to galvanize into a semblance of life a tasteless, decadent, enormously expensive, utterly impracticable scheme that, as Senator Hale says, ›fell absolutely dead the moment Senators and Representatives began to examine it‹. It was dead in 1902, and it is dead now.« (*The Washington Evening Star*, 14.1.1908).

90 Zit. nach Charles Moore, Daniel H. Burnham, a.a.O., B. 1, S. 205.

91 Siehe »Improvement in City Life. III. Aesthetic Progress«, in *Atlantic Monthly*, Bd. 83 (1899), S. 771–785.

92 Jedenfalls interpretierte Robinson »civic art« als ein ernsthaftes Unterfangen: »Civic art is not a fad. It is not merely a bit of aestheticism. There is nothing effeminate and sentimental about it … It is vigorous, virile, sane. Altruism is its impulse, but it is older than any altruism of the hour – as old as the dreams and aspirations of men.« (*Modern Civic Art*, S. 27).

93 Zit. nach Chr. Tunnard, *The Modern American City*, a.a.O., S. 58.

94 Eine genauere Beschreibung siehe Mel Scott, *American City Planning since 1890*, a.a.O., S. 61–63.

95 Siehe »Report on Proposed Improvement at Manila« (28.6.1905) und »Report on the Proposed Plan of the City of Baguio, Province of Benguet«, P.I. (3.10.1950), beide abgedruckt in Ch. Moore, Daniel H. Burnham, 1921, a.a.O., Anhang A und B.

96 Daniel H. Burnham, *Report on a Plan for San Francisco*, San Francisco 1905.

97 Siehe G.K. Gilbert, R.L. Humphrey, J.St. Sewell, F. Soulé, *The San Francisco Earthquake and Fire of April 18th 1906. And their Effects on Structures and Structural Materials*, Washington 1907.

98 Zit. nach Ch. Moore, Daniel H. Burnham, a.a.O., 1921, Bd. 2, S. 170.

99 Näheres über diese Bewegung siehe Mel Scott, *American Planning since 1890*, a.a.O., S. 40–46.

100 Burnham hat Werner Hegemann gegenüber selbst geäußert, daß er für Planungsvorarbeiten mehr als 20000 Dollar aus der eigenen Tasche bezahlt hat. Die Gesamtausgaben dafür dürften mehr als 100000 Dollar betragen haben, nach damaligem deutschen Geldwert nahezu eine halbe Million Mark.

101 Man darf dieses Verfahren nicht überbewerten. So vielerlei Stimmen auch gehört wurden, die eigentlichen Bedürfnisse der Stadtbewohner kamen kaum zur Sprache. Ausschlaggebend waren eher die Forderungen der »robber barons«, die die Stadt lediglich als Handelsplatz und Umschlagstation ihrer Waren verstanden.

102 Daniel H. Burnham, Edward H. Bennett, *Plan of Chicago: Prepared under the Direction of the Commercial Club during the Years MCMVI, MCMVII and MCMVIII*, Chicago 1909, S. 164.

103 »The task which Haussmann accomplished for Paris corresponds with the work which must be done for Chicago in order to overcome the intolerable conditions which invariably arise from a rapid growth of population.« (ebd., S. 18).

104 Walter Dwight Moody, *Wacker's Manual of the Plan of Chicago ... Especially Prepared for Study in the Public Schools of Chicago*, Chicago 1911.

105 Als Begründung für diese Dimensionen gibt der Report an »no greater than the present suburban electric lines extend, or the automobilist may cover in a drive of two hours«. (Daniel H. Burnham, Edward H. Bennett, *Plan of Chicago*, a.a.O., S. 36f.). Die »municipality of Chicago« umfaßte zu diesem Zeitpunkt 190 Quadratmeilen mit etwa zwei Millionen Einwohnern.

106 Näheres siehe Ch. Moore, Daniel H. Burnham, a.a.O., Bd. 2, S. 137–141.

107 Zit. nach Werner Hegemann, »Der neue Bebauungsplan für Chicago«, in *Deutsche Bauzeitung*, 44. Jg., Nr. 41, S. 314.

108 Burnham konnte sich hier auf einen Report beziehen, den Dwight H. Perkins 1904 für die Special Park Commission ausgearbeitet hatte.

109 Zit. nach Ch. Moore, Daniel H. Burnham, a.a.O., 1921, Bd. 2, S. 147.

110 Diese Andeutungen werden in Daniel H. Burnham, Edward H. Bennett, *Plan of Chicago*, a.a.O., S. 108, gemacht.

111 Chicago hat in den zwei Jahrzehnten nach der Aufstellung des Planes nicht weniger als 300 Millionen Dollar für dessen Verwirklichung ausgegeben.

112 Siehe auch Jacob A. Riis, *A Ten Years' War; An Account of the Battle with the Slum in New York*, Boston, New York 1900.

113 Siehe John Nolen, F.L. Olmsted, »The Normal Requirements of American Towns and Cities in Respect to Public Open Spaces«, in *Charities and the Commons*, Bd. 16 (1906), S. 411.

114 Siehe Civic League of St. Louis (Hrg.), *A City Plan for St. Louis*, St. Louis 1907.


8. Gartenstadtidee und Gartenstadtbewegung

1 Der Druck dieses Buches war nur möglich durch eine Geldspende des mit Howard befreundeten Amerikaners George Dickman. Einzelheiten über Howard und die Gartenstadtbewegung siehe Dugald Macfadyen, *Sir Ebenezer Howard and the Town Planning Movement*, Manchester 1933; George Montagu Harris, *The Garden City Movement*, London 1906.

2 Siehe E. Howard, *Garden Cities of Tomorrow: being the second edition of »Tomorrow: a peaceful path to real reform*, London 1902. Aus der Nachschrift Howards erfährt man, wie die erste Auflage beurteilt worden ist. So schrieb die *Times*: »Alle Einzelheiten der Verwaltungs- und Steuerfragen usw. sind in hervorragender Weise durchgearbeitet. Die einzige Schwierigkeit besteht in der Erbauung der Stadt, aber das ist ja bekanntlich für Utopisten eine Kleinigkeit.« Als neue englische Ausgabe siehe E. Howard, *Garden Cities of To-morrow*, London 1965.

3 Für eine umfassende Behandlung des Gartenstadtgedankens siehe A.R. Sennett, *Garden Cities in Theory and Practice*, London 1905, 2 Bde.; Garden City Association (Hrg.), *Town Planning in Theory and Practice*, London 1907; Charles Benjamin Purdom, *The Garden City: A study in the development of a modern town*, London 1913; F.J. Osborn, *New Towns after the War*, London 1918; W.R. Lethaby, George L. Pepler, Sir Theodore G. Chambers, Raymond Unwin, R.L. Reiss, *Town Theory and Practice*, London 1921; C.B. Purdom, *The Building of Satellite Towns: A contribution to the study of town development and regional planning*, London 1925; Thomas Adams, *Outline of the Town and City Planning. A Review of Past Efforts and Modern Aims*, New York 1935; Lewis Mumford, *The Culture of Cities*, New York, London 1938; G. und E. McAllister, *Town and Country Planning*, London 1941; F.J. Osborn, *Green Belt Cities: The British Contribution?*, London 1946; W.A. Eden, »Ebenezer Howard and the Garden City Movement, Studies in Urban Theory II«, in *Town Planning Review*, Bd. 19 (1943/47), S. 221–235; Walter L. Creese, *The Search for Environment. The Garden City: Before and After*, New Haven, London 1966.

4 Diese »rate-rent« berechnet sich bei den normalen Hauseinheiten nach der Straßenfrontlänge und der Grundstückslage, bei den Industriebetrieben nach der Anzahl der Beschäftigten.

5 Siehe E. Howard, *Garden Cities of Tomorrow*, 1965, a.a.O., S. 76. Howard sagt unmißverständlich, »that the town should be planned as a whole, and not left to grow up in a chaotic manner as has been the case with all English towns, and more or less so with the towns of all countries.«

6 In diesem Punkt unterscheidet sich Howards Ansatz deutlich von der marxistischen Auffassung, wenn er sagt: »The true remedy for capitalist oppression where it exists, is not the strike of no work, but the strike of true work, and against this last blow the oppressor has no weapon,« (ebd., S. 108).

7 Eine Übersicht vermittelt hier Werner Hofmann, Ideengeschichte der sozialen Bewegung des 19. und 20. Jahrhunderts, Berlin 1970 (3. Aufl.).

8 Siehe Edward Gibbon Wakefield (Hrg.), *A view of the Art of Colonization, with present reference to the British Empire; in letters between a statesman and a colonist*, London 1849. Als früheste Äußerung zu diesem Thema siehe auch ders. (Hrg.), *A Statement of the principles and objects of a proposed National Society, for the cure and prevention of pauperism, by means of Systematic Colonization*, o.O. 1830. Für eine Darstellung der Wakefieldschen Theorie siehe A. Siegfried, *Edward Gibbon Wakefield et sa doctrine de la colonisation systématique ...*, 1904. Bei Marshall konnte sich Howard beziehen auf den Artikel »The Housing of the London Poor«, in *Contemporary Review*, Bd. 45 (1884), S. 224–231, oder auch auf die Schrift *Principles of Economics*, London 1890. Zur Idealstadt Victoria siehe James Silk Buckingham, *National Evils and Practical Remedies with a plan of a Model Town*, London 1849; Patrick Abercrombie, »Ideal Cities No 2 – Victoria -«, in *Town Planning Review*, Bd. 9 (1921), Nr. 1, S. 15–20; R.E. Turner, *James Silk Buckingham, A Social Biography*, o.O. 1934.

9 Siehe Thomas Spence, *A lecture read at the Philosophical Society in Newcastle, on November 8th, 1775, for printing of which the society did the Author the honour to expel him* (neu erschienen 1796 unter dem Titel *The meridian Sun of liberty*, deutsche Fassung siehe Thomas Spence, *Das Gemeineigentum am Boden*, Leipzig 1904(*Hauptwerke des Sozialismus und der Sozialpolitik*, H. 1).

10 Siehe *Social Statics*, 1851, S. 123.

11 *Garden Cities of To-morrow*, 1965, S. 123.

12 Siehe Macfadyen, a.a.O., S. 20f.

13 Osborn stellt fest: »I am on debatable ground here; but I do not think any of these projects were known to Howard till after he had crystallized his idea. He put them in his book, I believe, as he put in many interesting quotations from statesmen and philosophers, as supporting evidence ... It is a misconception to think of Howard poring patiently over the literature of the land question, colonization, and utopian projects, and working out where they were wrong and where they were right. No man ever had a less organized knowledge of the background of the subject to which he was to make a distinguished contribution ...« (*Town Planning Review*, Bd. 21 (1951), S. 230f.).

14 Zu diesen Bestrebungen siehe Piotr Kropotkin, *Fields, Factories and Workshops. Or, Industry combined with Agriculture, and Brainwork with Manual Work*, Bromley/Kent 1898 (deutsche Ausgabe: Peter Kropotkin, *Landwirtschaft, Industrie und Handwerk, oder die Vereinigung von Industrie und Landwirtschaft, von geistiger und körperlicher Arbeit*, Berlin 1921); Henry George, *Progress and poverty: An inquiry into the cause of industrial depressions, and the increase of want with increase of wealth. The remedy*, London 1880 (deutsche Ausgabe: *Fortschritt und Armuth. Eine Untersuchung über die Ursache der industriellen Krisen und der Zunahme der Armuth bei zunehmendem Reichtum*, Berlin 1881); Franz Oppenheimer, *Die Siedlungsgenossenschaft. Versuch einer positiven Überwindung des Kommunismus durch Lösung des Genossenschaftsproblems und der Agrarfrage*, Leipzig 1896, und ders., *Großgrundeigentum und soziale Frage*, Berlin 1898.

15 Fritsch benutzt den Ausdruck »Gartenstadt« zum ersten Mal in *Die neue Gemeinde* (Gartenstadt), Leipzig 1903 (2. Aufl.), also erst, nachdem Howards Buch in zweiter Auflage erschienen war. Siehe auch Vorwort zu Theodor Fritsch *Die Stadt der Zukunft* (Gartenstadt), Leipzig 1912 (2. Ausg.), S. 1.

16 Siehe Thomas Frey (Pseudonym von Theodor Fritsch), *Leuchtkugeln. Altdeutsch-antisemitische Kernsprüche*, Leipzig 1882 (2. überarb. Aufl.); später Th. Fritsch *Zwei Grundübel: Bodenwucher und Börse. Eine gemein-verständliche Darstellung der brennendsten Zeitfragen*, Leipzig 1894; *Hammer, Blätter für deutschen Sinn*, ab 1.1.1902.

17 Zur Geschichte dieser Bewegung siehe ab 1904 die Publikationsorgane der »association«, die unter den Bezeichnungen erschienen *The Garden City, Garden Cities and Town Planning*; allgemeine Darstellungen George Montagu Harris, *The Garden City Movement*, London 1906; Hans Eduard Berlepsch-Valendas, *Die Gartenstadtbewegung in England, ihre Entwicklung und ihr jetziger Stand*, München, Berlin 1912 (*Die Kultur des modernen England in Einzeldarstellungen*, Bd. 3); Ewart G. Culpin, *The Garden City Movement Up-to-Date (1899–1912)*, London 1913; Cecil Harmsworth, *Some Reflections on Sir Ebenezer Howard and His Movement*, o.O. 1936; Catharine Bauer, *Modern Housing*, Boston 1934.

18 Siehe Garden City Association (Hrg.), *The Garden City Conference at Bournville: Report of Proceedings*, London 1901.

19 Angaben nach *The Official Guide of Letchworth*, Hertfordshire, o.O. 1958, S. 12.

20 Über Letchworth siehe G. Aylott, W.P. Westell, *Letchworth (Garden City) with its Surroundings*, o.O. 1913; Charles Benjamin Purdom, *The Garden City: A study in the development of a modern town*, London 1913; Hans Kampffmeyer, *Wohnungen, Siedlungen und*

*Gartenstädte in Holland und England*, Berlin-Friedenau 1926, S. 72–81; D. Macfadyen, *Sir Ebenezer Howard and the Town Planning Movement*, Manchester 1933, Kap. 9 und 10; Sir Edgar Bonham-Carter, »Planning and Development of Letchworth«, in *Town Planning Review*, Bd. 21 (1951), Nr. 4, S. 362–376; Cecil Stewart, *A Prospect of Cities*, London 1952; *Town and Country Planning*, Bd. 21 (1953), Nr. 113; *Letchworth Jubilee Issue* – siehe unter anderem F.J. Osborn: »Letchworth's First Fifty Years«, S. 400–406; Norman Macfadyen: »The Fight for the Garden City«, S. 407–412; Lewis Mumford: »A Successfull Demonstration«, S. 413f.; Carl Feiss: »Letchworth and the USA«, S. 415–419; C.B. Purdom: »At the inception of Letchworth«, S. 426–430, usw; *The Official Guide of Letchworth, Hertfordshire*, Cheltenham, London 1958; Walter L. Creese, *The Search for Environment. The Garden City: Before and After*, New Haven, London 1966, S. 203–218; C.B. Purdom, *The Letchworth Achievements*, o.O. 1963; *Letchworth – The First Garden City, Official Guide*, Letchworth U.D.C., 1919–1969.

21 Ebenezer Howard, »Outline of Garden City Project«, in *The Garden City Conference at Bourneville: Report of Proceedings*, London 1901.

22 Wie in Bournville bekam jede Straße ihre besonderen Baumarten. Im ganzen wurden 45 verschiedene Sorten gepflanzt. Siehe Letchworth. *The First Garden City, Official Guide*, Letchworth 1969, S. 47.

23 Wertvoll waren hier die Anregungen der Cheap Cottages Exhibition von 1905, die J.St. Loe Strachey in Zusammenarbeit mit *Country Life* veranstaltete. Bei dieser Gelegenheit wurden 121 Hauseinheiten als Demonstrativbauvorhaben zu einem Preis von je 150 Pfund erstellt. Damit war der Beweis geliefert, daß Wohnungen zu einem Preis, der auch für Arbeiter erschwinglich war, gebaut werden konnten. Die Folgen waren auch in Letchworth zu spüren.

24 Das gekaufte Areal setzte sich zu etwas über einem Drittel aus Weiden, zum größten Teil jedoch aus Feldern und Äckern zusammen.

25 Diese Angaben sind den sehr instruktiven Darstellungen von C.B. Purdom entnommen in *The Building of Satellite Towns. A contribution to the study of town development and regional planning*, London 1949 (vollst. überarb. neue Ausg.), T. 2, S. 49–189.

26 Letchworth Garden City hatte 1903–07 überhaupt keine eigene Ortsbehörde. Die Gartenstadt gehörte zu den Gemeinden Letchworth, Norton, Willian und zum Hitchin Rural District Council. Erst 1907 wurde eine neue Gemeinde (»civil parish«) Letchworth Garden City mit einem Gemeinderat (»parish council«) von 15 Mitgliedern geschaffen. Die Erhebung zum Urban District Council 1919 brachte noch einmal eine wesentliche Ausweitung der Kompetenzen.

27 Die Absicht des Projektes drückte sich in der Feststellung aus: »… a convincing demonstration of the garden city principle of town development shall be given in time to influence the national housing programme, which is in danger of settling definitely into the wrong lines.« (C.B. Purdom, *The Building of Satellite Towns* (Ausgabe 1949), a.a.O., S. 186.

28 Zu Welwyn Garden City siehe D. Macfadyen, *Sir Ebenezer Howard*, a.a.O., S. 100 bis 120; C.B. Purdom, *The Building of Satellite Towns* (Ausgabe 1949), a.a.O., T. 3; D. Frankl (Hrg.), *Welwyn Garden City*. The Official Handbook and Directory, Cheltenham, London 1959; Frederic J. Osborn, Arnold Whittick, *The New Towns. The answer to megalopolis*, London 1969, S. 66ff.

29 Siehe Sektion 7 des Housing Act von 1921 (C.B. Purdom, *The Building of Satellite Towns* (Ausgabe 1949), a.a.O., S. 321).

30 Gemeint sind »The powers of an owner of land in fee-simple«.

31 Die Lawrence Hall konnte durch eine Spende von Miss Annie Jane Lawrence aus Letchworth gebaut werden.

32 Näheres siehe D. Macfadyen, *Sir Ebenezer Howard*, a.a.O., S. 111f.

33 Diese Funktionen beinhalteten die Unterhaltung eines Kindergartens, Auslieferungsdienstes usw.

34 Für die spätere Geschichte von Welwyn Garden City siehe F.J. Osborn, *A. Whittick, The New Towns*, a.a.O., S. 226–237.

35 Siehe Pierre Lavedan, *Histoire de l'Urbanisme. Epoque Contemporaine*, Paris 1952, S. 354 bis 360; Jean Virette, *La Cité-Jardin*, Paris 1950/51.

36 Siehe die schon erwähnte Schrift *Die Siedlungsgenossenschaft*, Leipzig 1896.

37 Siehe *Mitteilungen der Deutschen Gartenstadtgesellschaft*, Karlsruhe 1902; Deutsche Gartenstadtgesellschaft, Flugschriften: »Die Vermählung von Stadt und Land«, »Abkehr von der Großstadt«, »Genossenschaften und Genossenschaftsstädte«, »Der Zug der Industrie aufs Land«, »Gartenstadt und ästhetische Kultur«, »Thesen zur Wohnungs- und Ansiedelungsfrage«, Berlin 1903; *Die Gartenstadt*, Monatsschrift 1903; Hans Kampffmeyer, *Die Gartenstadtbewegung*, Leipzig 1909; Hugo Lindemann, »Die Gartenstadt-Bewegung«, in *Sozialistische Monatshefte*, 1905, S. 603ff.; Hans Kampffmeyer, *Die deutsche Gartenstadtbewegung*, Berlin 1911; H. zu Toerring-Jettenbach, J. Knauth, *2 Vorträge über die Gartenstadtbewegung*, München 1912 (*Schriften des bayerischen Vereins zur Förderung des Wohnungswesens*, H. 8); Gustav Simons, *Die deutsche Gartenstadt. Ihr Wesen und ihre heutigen Typen*, Berlin 1913; S. Wehl, »Zur Gartenstadtbewegung«, in *Der Städtebau*, 10. Jg. (1913), S. 139ff.; F. Biel, *Wirtschaftliche und technische Gesichtspunkte zur Gartenstadtbewegung*, Leipzig 1914; Hans Kampffmeyer, *Grünflächenpolitik und Gartenstadtbewegung*, Berlin-Friedenau 1925; Klaus Bergmann, *Agrarromantik und Großstadtfeindschaft*, Meisenheim a.G. 1970, S. 135–163; Kristiana Hartmann, *Deutsche Gartenstadtbewegung. Kulturpolitik und Gesellschaftsreform*, München 1976; Barbara Söhne, *Die Rezeption der Gartenstadtidee in Deutschland*, Diplomarbeit, Universität Göttingen 1973.

38 Siehe Ebenezer Howard, *Gartenstädte in Sicht*, Jena 1907; neue Ausgabe: Ebenezer Howard, *Gartenstädte von morgen. Das Buch und seine Geschichte*, hrg. von Julius Posener, Berlin 1968 (*Bauwelt Fundamente* 21).

39 Siehe Joseph August Lux, »Die Gartenstadt Hellerau«, in *Hohe Warte*, 3. Jg. (1907), H. 20, S. 313ff.; Wolf Dohrn, *Die Gartenstadt Hellerau*, Jena 1908; *Gartenstadt Hellerau*, Hellerau bei Dresden 1911; Erich Haenel, »Die Gartenstadt Hellerau«, in *Dekorative Kunst*, Bd. 14 (1911), S. 297–343; Leopold Katscher, »Die Gartenstadt Hellerau«, in *Das Land*, 21. Jg. (1912/13); Hanns Horst Kreisel, »Die Gartenstadt Hellerau und ihr Programm«, in *Dresdner Kalender*, 1914, S. 191; Bellmann, »Die Gartenstadt Hellerau«, in *Zentralblatt der Bauverwaltung*, 19.4.1919; Heinz Thiersch (Hrg.), *Wir fingen einfach an. Arbeiten und Aufsätze von Freunden und Schülern um Richard Riemerschmid zu dessen 85. Geburtstag*, München 1954; ders., »In memoriam Richard Riemerschmid«, in *Baukunst und Werkform*, H. 10 (1957), S. 321ff.; *Gartenstadt-Gesellschaft-Hellerau 1908–1958*, Dresden-Hellerau 1958; Kristiana Hartmann, *Deutsche Gartenstadtbewegung*, a.a.O., S. 46–101; Gerda Wangerin, Gerhard Weiss, *Heinrich Tessenow. Ein Baumeister 1876–1950. Leben, Lehre, Werk*, Essen 1976.

40 Zum Teil dargestellt bei Hermann Salomon, »Gartenstädte«, in *Städtebauliche Vorträge an dem Seminar für Städtebau an der kgl. Technischen Hochschule zu Berlin* (Berlin), Bd. 6 (1913), H. 3.

41 Noch 1933 vertrat D. Macfadyen, der Biograph Howards, die Ansicht: »There is even now no ›Gartenstadt‹ in Germany which actually bears or is entitled to that name« (in Sir Ebenezer Howard, a.a.O., 1933, S. 134). Auch der Leiter des Ruhrsiedlungsverbandes, Robert Schmidt, stellte 1927 fest, daß die Deutsche Gartenstadtgesellschaft während ihrer 25jährigen Tätigkeit wenig Positives geschaffen hat (*Deutsche Bauzeitung*, Städtebau und Siedlung, Nr. 10 (1927), S. 138–140).

42 Single-Tax-Gründungen sind Fairhope, Alabama, 1894; Arden bei Wilmington/Delaware, 1900; Tahanto in Harvard/Mass., 1909; Free Acres in Scotch Plains/N.J., 1910; Halidon in Westbrook/Maine, 1911.

43 Näheres siehe John Hancock, »John Nolen«, in *Journal of the American Institute of Planners*, November 1960, S. 307f.

44 Siehe Carl Feiss, »Letchworth and the USA«, in TCP, Bd.21 (1953), H. 113, S. 415–419.

45 Siehe L. Mumford, »The Fate of the Garden Cities«, in *Journal of the A.J.A.*, Februar 1927, S. 38.

46 Zit. nach C.B. Purdom, *The Building of Satellite Towns: A contribution to the study of town development and regional planning*, London 1949 (2. überarb. Aufl.), S. 52.

47 Zu Mumfords positiver Einstellung zur Gartenstadt siehe *Die Stadt. Geschichte und Ausblick*, Köln 1963, S. 601ff. Ablehnende Meinungen siehe Jane Jacobs, *Tod und Leben großer amerikanischer Städte*, Berlin 1964, S. 19ff.; siehe auch Rudolf Hillebrecht, »Von Ebenezer Howard zu Jane Jacobs – oder: War alles falsch?«, in *Stadtbauwelt*, H. 8, 27.12.1965, S. 638–640, 656 (Bauwelt 51/52).

48 W.A. Eden stellt fest: »Moreover the number of inhabitants is to be limited to 30000, so that after all the net result is to substitute an exclusive community for an exclusive household: In other words, Garden City, prompted by the idea of universal freedom, represents a step towards an almost medieval world of limitation and privilege. The analogy with feudal society is maintained in the system of land tenure in Garden City …« (*Town Planning Review*, Bd. 19 (1943/47), S. 135).

49 Siehe die Auswirkungen auf die »New Towns«, die nach dem Zweiten Weltkrieg in Großbritannien gewissermaßen in der Nachfolge der Gartenstädte entstanden.